U0115483

中國經學史論文選集

上冊

林 慶 彰 編

文史哲出版社印行

國家圖書館出版品預行編目資料

中國經學史論文選集 / 林慶彰編 -- 初版. --
臺北市：文史哲，民 97.09 印刷
冊： 公分
ISBN 978-957-547-174-3 (一套：精裝)
ISBN 978-957-547-173-6 (上冊：精裝)

1. 經學 - 歷史 - 論文，講詞

090.9　　81005061

中國經學史論文選集 上冊

編　者：林　慶　彰
出版者：文史哲出版社
http:// www.lapen.com.tw
e-mail：lapen@ms74.hinet.net
登記證字號：行政院新聞局版臺業字五三三七號
發行人：彭　正　雄
發行所：文史哲出版社
印刷者：文史哲出版社
臺北市羅斯福路一段七十二巷四號
郵政劃撥帳號：一六一八〇一七五
電話886-2-23511028・傳真886-2-23965656

上冊售價新臺幣九〇〇元

中華民國八十一年（2008）十月初版
中華民國九十七年（2008）九月 BOD 初版一刷

ISBN 978-957-547-173-6

序

一九七五年筆者進入東吳大學中國文學研究所碩士班，「經學史」一課由屈翼鵬師講授。翼鵬師授課特別嚴格，上課時要我們作口頭報告，期末時既要考試，也要期末報告。我們每天忙得團團轉；一年下來，大家精疲力竭。也慢慢體會出這一課程「困難」的所在。此後，我一直在翼鵬師的指導下，作「經學史」的研究。這十多年間，我發覺要研究經學史最迫切需要完成的有下列數事：

其一，編一部經學研究論著目錄：因缺乏一部可以反映近數十年來經學研究成果的目錄，使檢索經學資料成爲一件苦差事。每次總自以爲下很多苦功檢查各種相關索引了，後來才知道，檢得的資料仍舊缺漏不少。所以，一部總結民國以來研究成果的目錄，是最急需完成的工作。

其二，編一部中國經學史論文選集：經學史涵蓋的範圍太廣，一個人或少數幾人的力量，很難在短期內出版一部體大思精的經學史著作。如能將近數十年來研究經學史的論文，選輯數十篇編成一書，讓有志研習經學史的學者參考，也是提昇經學史研究水平的方法之一。可惜，這一工作多年來一直沒有人嚐試去做。

其三，編一部中國經學史參考文選：學習文學史要研讀文學作品，學習哲學史或思想史，也要研讀哲學或思想的原典。因此，近數十年來，大陸所編文學作品選、古代文論選、哲學文選、思想史參考資料等的原典選輯相當多，獨不見有學者編輯經學史參考文選一類的著作。研究經學史的人，也祇能望著浩如烟海的經學著作歎息而已。

其四，撰寫一部嶄新的中國經學史：文學史、思想史、哲學史的新作，源源而出，學者從研讀各種不同著作的過程中，提昇了對中國文學、思想、哲學演變的深度認識，也發現了問題的所在。可惜近五十間，竟沒有一部首尾完整的的經學史新作出現，學者要研讀這一學科時，該如何入門？

這幾件事情，筆者一直期待研究經學的學者能一件件加以完成。可惜，年復一年都失望了。自一九八三年筆者從東吳大學中國文學研究所博士班畢業以後，在「求人不如求己」的反省後，即有將上述數事逐年完成的念頭。一九八七年四月起，即邀集李光筠、張廣慶、陳恆嵩、劉昭明四位學弟一起編輯《經學研究論著目錄（1912—1987）》，計收專著和論文一萬四千二百餘條，於一九八九年十二月，由漢學研究中心出版。近八十年間的經學研究成果全彙集於此編，研究經學的學者稱便，咸認爲媲美清初朱彝尊的《經義考》。以上四事，已完成第一件。

自一九九〇年九月起，筆者在國立中央大學中國文學研究所碩士班講授「經學史」一課，也在東吳大學中國文學系四年級講授同一課程。兩個學校上課學生的層級不同，上課方式也有別。碩士班的課程，由筆者擬題，學生撰寫論文，並在課堂上作口頭報告。大學部的課程，則由筆者依經學史的時代先後，編纂講義來講授。但不論如何，學生所報告的，和筆者所講授的，內容都相當有限。因此，編輯一部經學史論文選集，作爲學生課外補充讀物的事，也特別顯得迫切。自今年九月起，筆者因研究工作繁重，辭去中央大學中文研究所碩士班的課；但東吳大學中文系此一課程卻改開在研究所博、碩士班，仍由筆者講授。上課時，仍舊需要一部有份量的補充讀物。且近數年來各大學中文研究所碩、博士班入學考試的方式有很大的變革，即廢棄考專書，而改考各種學術史，經學史即是其中的一種。編輯經學史論文選集，不但可作爲經學史課的補充教材，也可爲應考學子，提供更多的參考資料。因此，決定編輯一部論文選集；編輯工作自今年一月開始，八月完成。上述四事，已完成兩件。

第三件工作，編輯經學史參考文選，在筆者講授此一課程的兩年中，已選注一小部份。今後數年內，將與修習此一課程的學生合力編注完成。至於第四件事，可說是學術史上的偉大工程，祇能當作今後努力的目標，不敢奢望近期內能完成。

以上是筆者對研究經學史四件工作的實踐過程。下面將談談這部論文選集的編輯經過。

首先根據筆者主編的《經學研究論著目錄》，將大陸和本地適合選入的論文，擬出目錄初稿，然後將平時蒐集到的相關論文，依目錄初稿逐一挑出。有筆者未蒐集到的論文，則託大陸友人協助影印。此一工作在今年三月已大抵完成。將論文彙齊後，再作進一部挑選，計選得九十餘篇。然後按經學史發展之脈絡，分爲總論、先秦、兩漢、魏晉南北朝、隋唐、宋代、元明、清代、民國等九個時段，將論文分別納入。由於論文的篇幅甚多，約近百萬字，所以將總論至隋唐部分編爲上冊，宋代至民國部分編爲下冊。上下冊各供一學期課外閱讀參考之用。

本選集所收部分論文，曾託大陸中國社會科學院哲學研究所中國哲學史研究室孫尙揚先生、四川大學哲學系賈順先教授協助影印，至爲感謝。打字稿的初校工作由東吳大學中文研究所博士班陳恆嵩，碩士班馮曉庭、許維萍；政治大學中文研究所博士班陳逢源等四位學弟擔任，也應致謝。

研究經學史的論文，分布海內外各期刊、論文集或專著中，編者未能一一過目，難免有遺珠之憾；已收各論文，觀點或有不盡理想者，祈海內外賢達能賜予教正。

一九九二年九月編者序於中央研究院中國文哲研究所

中國經學史論文選集

上冊

目次

編輯說明

一、《本選集》選錄近八十年間研究中國經學史較具代表性的論文，上冊選錄四十四篇，下冊選錄五十篇。

二、《本選集》以輔助「中國經學史」課程之教學爲目的，臺灣一地發表之論文，因各圖書館皆可查到，大多割愛不錄。但爲顯示經學史發展之脈絡，而必須收錄者，則酌加選錄。

三、《本選集》因篇幅所限，字數太長之論文，大多割愛。字數太少，未能充分反映論題之內容者，亦不收。

四、《本選集》所收各論文，除改正誤植字、統一體例外，皆按原文編排；即有明顯之意識形態者，亦未加更動。各論文篇末均註明出處。

五、《本選集》所收論文作者多達數十位，遍佈海內外各地，無法一一事先連絡，謹致萬分之歉意。

經學史研究的基本認識

林慶彰

我國古代學術史的系統整理，大都起於清末民初。當時，經學史、哲學史的著作紛紛出版。如經學史的最早著作，是劉師培的《經學教科書》第一冊，作於清光緒三十一、二年間。往後至抗戰期間，中日學者的相關著作，計有：皮錫瑞的《經學歷史》、陳燕方的《經學源流淺說》、本田成之的《支那經學史論》、周予同的《經學歷史注釋》、安井小太郎等的《經學史》、瀧熊之助的《支那經學史概說》、馬宗霍的《中國經學史》、甘鵬雲的《經學源流考》等，可說每數年即出版一種，充分顯示一門新興學科的旺盛生命力。如果以哲學史的研究來加以比較，第一本哲學史的專著，應該是民國五年謝无量的《中國哲學史》，比起劉師培的《經學教科書》，已晚了十年。至抗戰前，有關哲學史的著作，也僅有胡適的《中國哲學史大綱上卷》、趙蘭坪的《中國哲學史》、馮友蘭的《中國哲學史》等數種而已。在數量上實無法與經學史的著作相提並論。可是，自抗戰起迄今的五十年間，卻絕未出版過一本首尾完整的經學史著作，而哲學史的著作，則如雨後春筍，如侯外廬的《中國思想通史》、馮友蘭的《中國哲學史新編》、任繼愈的《中國哲學史》、勞思光的《中國哲學史》、錢穆的《中國思想史》、韋政通的《中國思想史》、侯外廬的《中國思想史綱》等，不下十數種，這五十年間，經學史和哲學史的研究，何以如此天壤之別呢？這問題前人似乎未曾好好思考過。

筆者以爲近五十年來的經學史研究所以一蹶不振，主要的原因有下列數點；其一，前人經學史的負面影響：上述各種經學史，除皮錫瑞的《經學歷史》較具備史的觀點外，其他各書幾乎人名、書名和引錄資料排比而成。讀者從這些著作中，幾乎嗅不出經學思想演變的痕跡，這一類經學史，當然使學子望而生畏。相對地，想研究經學史的人也越來越少。其二，經學內容包含太廣，學者兼顧不易：以現代的學科分類來說，《周易》、《論語》、《孟子》是哲學，《孝經》是倫理學，《尚書》、《公羊傳》、《穀梁傳》、《左氏傳》是歷史，《周禮》是政治制度，《儀禮》、《禮記》是社會學，《詩經》是文學，《爾雅》是語言文字學。如此龐雜的內容，要在現代分工日細的學界作統合的研究，談何容易？其三，經學的資料缺乏統一的整理：《十三經注疏》、《通志堂經解》、《皇清經解》、《皇清經解續編》等，雖已保存一大部分的經學資料，但在各種學科資料紛紛有標點本問世的今天，獨不見有人爲這些經學史料作標點整理的工作，學者如何入門？其四，缺乏新方法的刺激：哲學史和文學史的研究，有西洋哲學史和文學史的研究方法作爲借鏡，近數十年來的研究成果也較豐碩。經學是我國特有的學問，並無現成的理論可取資，以致各本經學史的著作皆陳陳相因，讀者不易引起興趣。

這些原因都阻斷了學者研究經學史的興趣。由於缺乏一本較可取的經學史著作作爲導引，要提昇經學史研究的水平也就相當不易。筆者有感於此事之嚴重，不自量力擬試作《經學史話》一書，提出個人對經學演變的某些觀點，爲釐清經學史上的某些基本觀念，茲先撰作《經學史研究的基本認識》一文。

為何要研讀經學史

經學史研究所以衰落不振，是因爲研讀經學史的目的無法得到充分的理解，目的的隱晦不彰自是經學史的著作無法充分說明經學的本質和特色所致。爲讓讀者對經學史有更深入的理解，應先解答何以要研讀經學史。筆者以爲研讀經學史的目的，至少有下列數點：

㈠**認識中華文化的媒介**：古代的學術分類比較粗疏，在戰國以前，一切學問的總稱就是《詩》、《書》、《禮》、《樂》、《易》、《春秋》六藝。六藝就是後來的經學。這些學問是後來各種學術的根源。可見，經學是我國學術的總源頭，更奠定了中國文化的基本形態。要了解中國文化的內涵和特質，自應從經學的反省研究開始，經學反省研究的基礎工作，就是先有一部翔實可信的經學史。

㈡**充實學者的基本知識**：立志要研究哲學或文學的人，研讀哲學史或文學史，可說是一種基礎訓練。有志要研究經學的人，可從經學史的研讀過程中，得知各經在各個朝代發展演變的情形，及何以有此種演變的原因。有了這些基本認識，在將來的研究過程中才不至於基本知識不足，甚或孤陋寡聞。而且，也可以藉經學史的研讀，來測知自己適合研究那一經或那一個時代的經學。

㈢**作爲其他學科的輔助**：經學既含有哲學、倫理學、社會學、歷史、語言文字、文學等學科的成分，研究這些學科的學者，當然不得忽略相關的經書，如研究古代史的人，必須取材於《周易》、《尙書》、《詩經》、《周禮》、《左傳》等書；研究哲學史的人，自應以《周易》、《孝經》、《論語》、《孟子》等作爲研究對象；研究民俗學、社會學的人，自不可忽略《儀禮》、《禮記》的價值。但是，研究這些學科的學者，對各種經典的來龍去脈，自無法仔細研究。最妥當的方法，就是取資於經學史。讓經學史作爲導引，以便進入經典研究的領域。

㈣**作爲人生修養的指針**：經學的著作，如《周易》、《論語》、《孟子》、《大學》、《中庸》，都蘊涵不少人生修養的道理。歷代經學家對這些經典的闡釋，不但光大前賢的哲理蘊含，更加入了他們的不朽智慧。讀經學史的著作，可以指引我們去了解前賢遺作的智慧所在。由閱讀中慢慢潛移默化，無形中提昇了修養的境界。

經學史既有如此崇高的目的，則不論是從事學術研究的學者，或剛要進入學術領域的學生等，都有義務幫一本理想的經學史著作催生。

經學史的分期問題

歷史的分期，一方面方便研究，另一方面可以凸顯各個歷史階段的不同特色。但是，爲方便研究所作的分期，有時反而看不出各個階段的特色，這就牽涉到分期方法的適用性問題了。現有的數種經學史著作，對經學演變的分期，可歸納爲兩種，一是以朝代的更遞來分期，二是以經學的演變來分期。茲分別檢討如左：

㈠**以朝代的更遞來分期**：採用此種分期法的是劉師培的《經學教科書》第一冊、本田成之的《支那經學史論》和馬宗霍的《中國經學史》等三書。劉氏之書，共有三十六課，除第一課經學總述、第二課經學的定義外，其餘的三十四課，可歸納爲：先秦、兩漢、三國南北朝隋唐、宋元明、近儒等五個時期。本田氏之書，分爲七章，即經學的起源、經學內容的成立、秦漢的經學、後漢的經學、三國六朝時代的經學、唐宋元明的經學、清的經學等。馬氏之書，有十二章，即古之六經、孔子之六經、孔門之六經、秦火以前之經學、秦火以後之經學、兩漢、魏晉、南北朝、隋唐、宋、元明、清等之經學。這三家，劉氏的較粗略，本田氏的最不合理，馬氏的分類較細。但是，這種以朝代更遞作爲分期標準的方法，雖然稱呼非常的方便，但忽略了朝代的興替可能是一夕之間的事，而學術的演變則是溫和的、漸進的，有時跟朝代的興衰根本不相吻合，例如，所有的學者都把明、清的經學截然分開，但從明萬曆起的八、九十年間，考證之學已逐漸興起，這已是清學的先導。經學發展的實際情形既是如此，怎可不顧事實加以分割？舉此一例，即可知以朝代來分期不論分得如何細密，皆有其缺失。

㈡**以經學的演變來分期**：這是較理想的分期方法。採用這種分期法的是皮錫瑞的《經學歷史》。皮氏的書分爲十章，即：經學開闢（孔子刪六經）、流傳（孔門弟子）、昌明（漢武帝時）、極盛（漢元、成帝時及東漢）、中衰（東漢末）、分立（南北朝）、統一（隋唐）、變古（宋代）、積衰（元明）、復盛（清代）。這十章即表示經學演變的十個時期。其中有不少值得檢討的地方：一是將漢代的經學分爲三期，以漢武帝時爲經學昌明時代；以通儒倍出的東漢末爲中衰時代，恐不盡合事實。二是以分立時代來稱呼南北朝的經學，也看不出當時義疏之學流行的特色。三是以變古時代來稱呼宋代經學，其所謂「變古」，是變成古代，或改變古代成現代，語意不夠明確。四是以經學積衰時代來稱呼元代經學，恐與事實不合。五是清代的經學有三次轉折，以「復盛」來概括，看不出變化的內容。

以上以朝代的興替作爲分期的標準，既不合理，自應少採用。皮氏以經學的變化來分期，較爲理想，但實際分期後，又與事實相差甚多，仍舊未符合要求。以下是筆者根據經學的實際變化所歸納出來的分期：

1.經學的形成與流傳：包括先秦和西漢初。

2.今文經學的興起：西漢中葉至東漢初。

3.古文經學的興盛：東漢中葉至東漢末。

4.漢代經學的批判：魏晉時期。

5.義疏之學的興盛：南北朝至唐中葉。

6.漢唐經學的批判：晚唐至北宋初。

7.新經學的產生：北宋中葉至南宋末。

8.新經學的傳承：元代至明中葉。

9.新經學的批判：晚明至清初。

10.古文學的復興：清乾嘉時代。

11.今文學的復興：清道咸以後至清末。

以上分成十一個階段，幾乎徹底打破以朝代分期的束縛，且不似皮錫瑞分期之粗疏。個人自信此種分期法與經學的演變可能比較吻合，以後這本《經學史話》的分期，自以上述十一個階段爲準。

經學史研究的方法

前述的經學史著作，對於研究經學史的方法，幾乎未曾涉及。有人以爲就經學史的著作加以歸納研究，即是一種研究方法，所謂方法問題，實不必深究。也因爲前人對此一問題過於忽視，以致無法藉方法學的指導，作更深入的研究。研究方法的形成，不出於預設和實際研究所得，有時預設可以指導實際研究，有時實際研究後，可以修正預設方法的偏失。下文提到的一些研究方法，即糅合上述兩種情況而成。

㈠研究經學演變與外在環境的關係：經學既是前賢懿行，和各種典章制度的紀錄，與整個政治、社會的變遷也有不可分割的關係。所以經學史的研究，首先應該追究的是：外在環境的變遷對經學研究的衝擊如何？例如，研究兩漢經學，應該注意當時政治、讖緯對經學的影響；研究六朝經學，應該追究門第觀念和佛教思想對經學的影響；研究晚唐經學，則不可忽略古文運動和經學的關係。研究宋代經學，應論究宋人新經學興起的原因。研究晚明經學，應注意王學派與經學發展的關係。研究清道咸以後的經學，應注意當時國勢衰頽與經學發展之關係。研究民初之經學，則應討論新史學對經學研究的衝擊，且何以會有讀經問題產生？此外，每一朝代的科舉制度，與經學的興衰更是息息相關，自不可忽略。

㈡**研究經學家的個別著作**：這可以是一個人的研究，如研究朱熹、顧炎武的經學；一本書的研究，如《詩集傳》、《尙書古文疏證》的研究；一套叢書的研究，如研究《經典釋文》、《五經正義》、《五經大全》等；一個學派的研究，如齊學和魯學、吳派和皖派等；一個專門問題的研究，如師法與家法問題、今古文問題、漢宋學問題、讀經問題等；一個時代經學的研究，如三國經學、隋代經學等。不論從事那一方面的研究，都應該注意下列幾點：第一，經學家的著作，反映出什麼樣的現象，此種現象是前有所承的，或是他個人的新見解？第二，對某些懸疑不解的問題，是否有新的見解？第三，能否從經學家的著作中，看出經學家的思想體系？

㈢**將經學家的著作作比較研究**：此種研究，最容易看出各家、各派或不同時代經學的異同和特色。研究方法有下列數種：一是將同一種經書中的同時代著作加以比較，如《毛詩詁訓傳》和鄭玄《箋》的比較、梅鷟《尙書考異》和郝敬《尙書原解》的比較。邵晉涵《爾雅正義》和郝懿行《爾雅義疏》的比較。二是同一種經書，不同時代著作的比較，如王弼《周易注》、程頤《易傳》、朱子《周易本義》、焦循《易通釋》、惠棟《易漢學》等之比較；《毛傳鄭箋》、朱子《詩集傳》、姚際恒《詩經通論》、馬瑞辰《毛詩傳箋通釋》等之比較；三是不同經學著作的比較，如何休《公羊傳解詁》和杜預《春秋經傳集解》的比較；康有爲《王制箋》和孫詒讓《周禮正義》的比較。四是與經學以外著作的比較，如《禮記》的《月令》，可和《逸周書》的《時訓篇》、《呂氏春秋》的十二月紀、《大戴禮記》的《夏小正》、《淮南子》的《時則篇》相比較。比較時，應特別注意其異同，然後將異同歸納爲幾個原則，此即某一學派的特徵。

㈣**應將經學史的演變作合理的解釋**：對某一人、一書或一學派作過研究後，應將不同時代經學的變遷加以連綴，並作合理的解釋。解釋往往牽涉到個人的主觀意識，但是如果能夠根據各個階段經學的特質作基礎，解釋時所造成的主觀成分，必可大爲減低。如根據前述經學演變的分期，我們可以發現，每經數百年後，必有一批判期，魏晉時期是對漢代經學的批判；晚唐至北宋初，是漢唐經學的批判；晚明至清初，是新經學的批判。這種頻頻出現的批判，根據我們對各批判期資料的研究，原來都是一種「回歸原典」(return to sources)的運動。也就是經學的研究，經過一段時期以後，逐漸喪失以前的眞面目，而必須起而加以糾正，才能回復原貌。經學的發展，也就在一正一反的狀態中發展著。

——原載《國文天地》三卷六期（一九八七年十一月），頁六〇——六三。

中國經學史分期意見述評

張志哲

儒家經學，是地主階級知識分子和官僚對以孔子爲代表的、經過中國封建王朝「法定」的經籍的闡發和議論。它是中國封建文化的主體，開創於孔子，終止於一九一九年「五四」運動。正由於經學在中國流傳久，影響廣，儒家經典在中國封建社會一直崇奉勿替，孔子偶像崇拜不變，而經書及其注釋中又保留有大量歷史和思想資料，所以講中國傳統文化，離不開對經學的研究。作爲封建統治思想的經學是要批判的；作爲歷史文化資料的經學，卻不能簡單拋棄，而要認眞清理。特別是在中國文化史的研究中，應該重視儒家經學的研究。而中國經學歷史的分期問題，則是經學史研究的一個重大課題。自清代以來，分期問題始終意見不一。本文擬對中國經學史分期問題中有代表性的諸家意見加以評述，間附己見，以就教於讀者。

一

關於中國經學史分期問題討論得最多的是清代學者。其中主要有劉師培、紀昀、江藩、皮錫瑞四大家。茲將他們的意見分述如下。

㈠劉師培的四期說

劉師培把中國經學史分成四個時期：兩漢之時、六朝以降、宋明說經、近儒說經。他在《經學教科書・序例》（見《劉申叔遺書》）中說：

> 大抵兩漢之時，經學有今文、古文之分，今文多屬齊學，古文

> 多屬魯學。今文家言，多以經術飾吏治，又詳于禮制，喜言災異五行；古文家言，詳于訓詁，窮聲音文字之原。各有偏長，不可誣也。六朝以降，說經之書，分北學、南學二派；北儒學崇實際，喜以漢儒之訓說經，或直質寡文；南儒學尚浮夸，多以魏晉之注說經，故新義日出。及唐人作義疏，黜北學而崇南學，故漢訓多亡。宋明說經之書，喜言空理，不遵古訓，或以史事說經，或以義理說經，雖武斷穿鑿，亦多自得之言。近儒說經，崇尚漢學，吳中學派，掇拾故籍，詁訓昭明；徽州學派，詳于名物典章，復好學深思，心知其意；常州學派，宣究微言大義，或推經致用。故說經之書，至今日而可稱大備矣。

劉師培把經學史分爲四期，並對各期各派的特點予以說明，這是值得稱道的。但他的分期說的缺點亦很明顯：

第一，將學派與學術分期混同起來，這樣便不可能看出中國經學史發生、發展的規律。

第二，他以爲經學起源於兩漢，而《經學教科書》中卻有《古代之六經》、《西周之六經》、《孔子定六經》、《孔子弟子之傳經》諸「課」，所以自相矛盾，應該在兩漢以前增列一期。

第三，他說兩漢時的齊學是今文經學派，以經術飾吏治，詳於禮制，喜言災異五行；而魯學是古文經學派，詳於訓詁，窮聲音文字之源。對此有人不同意，認爲魯學屬今文經學派，並非古文經學派。劉師培將吳派、皖派與常州學派並列，這也是欠妥的。因爲常州學派雖產生於乾隆時代，卻盛行於鴉片戰爭以後。

㈡紀昀的六期說

紀昀把中國經學史分成下面六個時期：兩漢、魏晉至宋初、宋初至宋末、明正德嘉靖至明末、清初。紀昀主編的《四庫全書總目提要·經部總敘》說：

自漢京以後，垂二千年，儒者沿波，學凡六變：其初（按：指兩漢時期）專門授受，遞稟師承。非惟詁訓相傳，莫敢同異；即篇章字句，亦恪守所聞。其學篤實謹嚴，及其弊也拘。

（魏晉至宋初時期）王弼、王肅，稍持異議，流風所扇，或信或疑，越孔（穎達）、賈（公彥）、啖（助）、趙（匡）以及北宋孫復、劉敞等，各自論說，不相統攝，及其弊也雜。

（宋初至宋末時期）洛、閩繼起，道學大昌，擺落漢、唐，獨研義理。凡經師舊說，俱排斥以爲不足信。其學務別是非，及其弊也悍（如王柏、吳澄攻駁經文、動輒刪改之類）。學脈旁分，攀緣日眾，驅除異己，務定一尊。

（宋末至明初時期）自宋末以逮明初，其學見異不遷，及其弊也黨（如《論語集注》誤引包咸「夏瑚、商璉」之説，張存中《四書通證》即缺此一條，以諱其誤；又如王柏刪《國風》三十二篇，許謙疑之，吳師道反以爲非之類）。主持太過，勢有所偏，材辨聰明，激而橫決。

（明正德嘉靖至明末時期）自明正德、嘉靖以後，其學各抒心得，及其弊也肆（如王守仁之末派，皆以狂禪解經之類）。空談臆斷，考證必疏。於是博雅之儒，引古義以抵其隙。

（清初時期）國初諸家，其學徵實不誣，及其弊也瑣（如一字音訓，動辨數百言之類）。

紀昀的上述意見中，有不少精辟之處，例如他講的所謂「拘」，實即今之教條主義；所謂「悍」，即主觀主義；所謂「黨」，即宗派主義。這都反映出一個歷史時期的特點。但是，紀昀的分期意見缺點在於：

第一，中國經學起源的問題沒有解決，他從兩漢講起是不夠的，因爲經學至少起源於春秋末年孔子時代。

第二，將宋、元、明的理學分爲三期，這過於瑣碎，可以合併爲一個或兩個時期。

第三，《四庫全書總目提要》撰於清代中葉乾隆年間，此後經學的變遷發展，自非紀昀所能預斷，當須予以補充。

㈢江藩的十期說

江藩在《漢學師承記》卷一，將中國經學史分爲十個時期：三代、秦至漢興、西漢、東漢、晉、宋齊以降、唐、宋、元明之際、清。他說：

> （三代）先王經國之制，井田與學校相維，里有序，鄉有庠。八歲入小學，學六甲五方書計之事，始知室家長幼之節。十五入大學，學先聖禮樂，而知朝廷君臣之禮。所以耕夫餘子，亦得秉耒横經，漸《詩》、《書》之化，被教養之澤，濟濟乎！洋洋乎！三代之隆軌也。
>
> （秦至漢興）秦幷天下，燔《詩》、《書》，殺術士，聖人之道墜矣。然士隱山澤巖壁之間者，抱遺經，傳口說，不絕於世。漢興，乃出。言《易》，淄川田生；言《書》，濟南伏生；言《詩》，於魯則申公培，於齊則轅固生，於燕則韓太傅；言《禮》，魯高堂生；言《春秋》，於齊則胡毋生，於趙則董仲舒。
>
> （西漢）自茲以後，專門之學興，命氏之儒起。六經五典，各信師承，嗣守章句，期乎勿失。西都儒士，開横舍，延學徒，誦先王之書，被儒者之服，彬彬然有洙泗之風焉。
>
> （東漢）爰及東京，碩學大師，賈、服之外，咸推高密鄭君，生炎漢之季，守孔子之學；訓義優洽，博綜群經；故老以爲前修，後生未之敢異。
>
> （晉）晉王肅自謂辨理依經，逞其私說，僞作《家語》，妄撰

《聖證》，以外戚之尊，盛行晉代，王弼宗老莊而注《周易》，杜預廢賈、服而釋《春秋》，梅賾上僞《書》，費甝爲義疏。

（宋齊以降）於是宋齊以降，師承凌替，江左儒門，參差互出矣。然河洛尚知服古，不改舊章，《左傳》則服子愼，《尚書》、《周易》則鄭康成，《詩》則並主於毛公，《禮》則同遵於鄭氏，若輔嗣之《易》，惟河南、青、齊間有講習之者，而王肅《易》，亦間行焉。元凱之《左氏》，但行齊地；僞《孔傳》唯劉光伯、劉士元信爲古文，皆不爲當時所尚。《隋書》云：「南人約簡，得其英華，北學深蕪，窮其枝葉。」豈知言者哉！

（唐）唐太宗挺生於干戈之世，創業於戎馬之中，雖左右櫜鞬，櫛沐風雨，然銳情經術，延攬名流。即位後，讎正《五經》，頒示天下；命諸儒萃章句，爲義疏。惜乎孔沖遠、朱子奢之徒妄出己見，去取失當。《易》用輔嗣而廢康成，《書》去馬、鄭而信僞孔，《穀梁》退麋氏而進范寧，《論語》則專主平叔，棄尊彝而寶康瓠，舍珠玉而收瓦礫，不亦傎哉！

（宋）宋初承唐之弊，而邪說詭言，亂經非聖，殆有甚焉。如歐陽修之《詩》，孫明復之《春秋》，王安石之《新義》是已。至於濂、洛、關、閩之學，不究《禮》、《樂》之源，獨標性命之旨。義疏諸書，束置高閣，視如糟粕，棄等弁髦。蓋率履則有餘，考鏡則不足也。

元明之際，以制義取士，古學幾絕。而有明三百年，四方秀艾困於帖括，以講章爲經學，以類書爲博聞。長夜悠悠，視天夢夢，可悲也夫！在當時豈無明達之人，志識之士哉？然皆滯於所習以求富貴，此所以儒罕通人，學多鄙俗也。……

> （清）至本朝，三惠之學盛於吳中，江永戴震諸君繼起於歙，從此漢學昌明，千載沈霾一朝復旦。

江藩關於經學史分期問題的意見，有一些眞知灼見，他講經學起源不從兩漢始，就是一個例證，但他所存在的缺點是：

第一，在講經學源於「三代」時，流露出舊史學家的退化觀點，如說：「濟濟乎！洋洋乎！三代之隆軌也！秦幷天下，燔《詩》、《書》，殺術士，聖人之道墜矣。」事實上，漢初博士，很多是秦人，所言亦不切合實際。

第二，對鄭玄估價太高，說他「生炎漢之季，守孔子之學；訓義優洽，博綜群經；故老以爲前修，後生未之敢異」。實際上鄭玄非純古文經學派，而是「通學派」。他雜糅了今、古文兩派之說。

第三，沒有把魏晉作爲一個時期並提，只提到晉；對王弼、王肅的評價值得推敲。

第四，對宋、元、明經學的評價欠妥，說「元、明之際，以制義取士，古學幾絕」，過於武斷。例如明梅鷟作《尙書考異》，承朱熹、吳澄之說，已經明斥《古文尙書》爲皇甫謐所僞作。故不能完全說宋、元、明是「以制義取士，古學幾絕」。明清之間的學問有繼承性。清代學術成果豐碩，並非與明代毫無關系。明末淸初的三大思想家顧炎武、黃宗羲、王夫之就是最好的例證。淸閻若璩的《古文尙書疏證》和惠棟的《古文尙書考》，亦上承於梅鷟的《尙書考異》。顧炎武的《音學五書》則源於明陳第的《毛詩古音考》。

第五，《漢學師承記》成書於嘉慶十六年辛未（西元1811年）以前，到二十三年戊寅（西元1818年）由阮元刻印於廣州。此時常州學派（今文派）已經產生。但江藩囿於古文經學派之見，根本不提及，有失公允。

㈣皮錫瑞的十期說

皮錫瑞所著《經學歷史》共十章，每章論述是經學演變的一個「時代」，構成他的十期說。

第一時期，從孔子刪定六經至孔子死，爲「經學開闢時代」。皮氏認爲「孔子以前，未有經名，而已有經說」；「晚年知道不行，退而刪定六經，以教萬世。其微言大義實可爲萬世之準則」。「《詩》、《書》、《禮》、《樂》教弟子三千，而通六藝止七十二人；則孔門設教，猶樂正四術之遺，而《易》、《春秋》非高足弟子莫能通矣」。

第二時期，孔子死後至秦，爲「經學流傳時代」。皮氏認爲「經名昉自孔子，經學傳於孔門」。「七十二子支流，分於戰國」。「凡今古學之兩大派，皆魯東家之三四傳。……秦政晚謬，乃致燔燒；漢高宏規，未遑庠序。而叔孫生、伏生皆博士故官，杜田生、申公亦先朝舊學；摭拾秦灰之後，寶藏漢壁之先；豈但禮器歸陳，弦歌懷魯？」

第三時期，西漢，爲「經學昌明時代」。皮氏認爲「經學至漢武始昌明，而漢武時之經學爲最純正」。「漢人最重師法。師之所傳，弟之所受。一字毋敢出入；背師說即不用。師法之嚴如此」。

第四時期，東漢，爲「經學極盛時代」。皮氏認爲「經學自漢元、成至後漢，爲極盛時代。其所以極盛者，漢初不任儒者，武帝始以公孫弘爲丞相封侯，天下學士靡然鄉風。元帝尤好儒生，……後漢桓氏代爲師傅；楊氏世作三公，宰相須用讀書人，由漢武開其端，元、成及光武、明、章繼其軌」。

第五時期，魏晉，爲「經學中衰時代」。皮氏認爲「經學盛於漢，漢亡而經學衰」。「前漢末出一劉歆，後漢末生一王肅，爲經學之大蠹。……歆創立古文諸經，混亂今文師法；肅僞作孔氏諸書，並鄭氏（玄）學亦爲所亂」。「……晉所立博士，無一爲漢十四博士所傳者，而今文之師法遂絕」。

第六時期，南北朝，爲「經學分立時代」。皮氏認爲「自劉、石十六國幷入北魏，與南朝對立，爲南北朝分立時代；而其時說經者亦有「南學」、「北學」之分。此經學之又一變也」。

第七時期，隋唐，爲「經學統一時代」。皮氏認爲「隋平陳而天下統一，南北之學亦歸統一，……天下統一，南幷於北，而經學統一，北學反幷於南，此不隨世運爲轉移者也」。自（孔穎達）《正義》定本頒之國冑，用以取士，天下奉爲圭臬。唐至宋初數百年，士子皆謹守官書，莫敢異議矣。故論經學，爲統一最久時代」。

第八時期，宋，爲「經學變古時代」。皮氏據王應麟說，認爲「經學自漢至宋初未嘗大變，至慶曆始一大變也」。「宋人不信注疏，馴至疑經；疑經不已，遂至改經、刪經，移易經文以就己說，此不可爲馴者也」。

第九時期，元明，爲「經學積衰時代」。皮氏認爲自「宋以後，非獨科舉文字蹈空而已，說經之書，亦多空衍義理，橫發議論，與漢、唐注疏全異。……皆由科舉之習深入人心，不可滌除。故論經學，宋以後爲積衰時代」。「論宋、元、明三朝之經學，元不及宋，明又不及元」。

第十時期，清，爲「經學復盛時代」。皮氏認爲「經學自兩漢後，越千餘年，至國朝（清）而復盛。兩漢經學所以盛者，由其上能尊崇經學、稽古右文故也。國朝稽古右文，超軼前代」。「王夫之、顧炎武、黃宗羲皆負絕人之姿，爲舉世不爲之學。於是毛奇齡、閻若璩等接踵繼起，考訂校勘，愈推愈密」。「雍、乾以後，古書漸出，經義大明。惠（棟）、戴（震）諸儒，爲漢學大宗，已盡棄宋詮，獨標漢幟矣」。「若嘉、道以後，講求今文大義微言。幷不失之於瑣，學者可以擇所從矣」。

皮錫瑞關於中國經學史十個時期的論述，簡明扼要。在當前中國經學史著作缺乏的情況下，無論如何，他的《經學歷史》還是値得一讀的。遺憾的是，皮錫瑞只是經學家而非史學家，所以他的分期說仍有缺陷：

第一，他以爲「經學開闢時代，斷自孔子刪定六經爲始」。孔子以前，「不得有經」。這是今文學派的主張，太極端了。孔子所刪定的六經與三代文獻關係密切，我們不能割斷歷史，應該說與三代文獻也有關係。

第二，他的分期未能與整個中國歷史的發展規律結合起來考察。如兩漢和清代的經學，他只看到歷史的表面現象，而未能探究到問題的本質。又如用「昌明」、「復盛」之類的觀念，使人看不出今古文兩派經學的發展演變情況。

第三，魏晉應是經學的「中變」時期，是古文經學派支流盛行時期，而皮錫瑞說是「中衰」時期，顯然有片面性。

第四，宋、元、明學術思想，在中國哲學史上有其特殊的地位，而在經學史上卻不甚了了。以宋爲「變古」，尙可理解，以元、明爲「積衰」，則値得商榷。

皮錫瑞對於宋學頗不滿意，尤其對於宋人的改經、刪經深惡痛絕，對於古文經學，亦多非議；而對於淸代考據學卻大加贊賞，但也絕不以爲是經學研究的止境。總之，皮錫瑞的《經學歷史》在那個歷史時代，是一個了不起的著作。就經說言，皮氏沒有失去他的今文經學派的立場；就史學說，不免有點宣傳的嫌疑，而不可能眞正反映出中國經學歷史的發展規律。因此該書優缺點皆兼而有之。

二

鑒於以上四種分期說都有不妥之處，我認爲在進行中國經學史的分期時候，首先必須注意以下兩點：

第一，必須與中國通史緊密結合。經學是意識形態，屬上層建築，它的發生、發展、衰落，都是跟隨中國社會歷史的發展而演變的。否則，就不可能透視中國經學史發展的客觀規律，也不可能剖析其精華與糟粕。

第二，絕對不能站在經學家的立場，就經言經，或囿於宗派之見。要正確地分析各時代、各派別的複雜變化及其鬥爭情況，從而認識經學在中國漫長的封建社會生活中的作用。

目前，關於中國通史的分期討論，尙無完全一致意見。從古代史分期來說，不管是就西周封建論而言，還是就春秋封建論、戰國封建論、東漢封建論、魏晉封建論而言，我們似乎都可以把隋唐的統一（西元589年）作爲封建社會的前期；鴉片戰爭（西元1840年）以前作爲封建社會的後期。這樣，中國經學歷史的分期，基本上也可以劃分爲兩大時期、三個階段，即：中國封建社會前期的經學；中國封建社會後期的經學；鴉片戰爭以後的經學。

經書的產生有的雖早於春秋戰國，但這些古代書籍被尊爲「經」，成爲儒家學派書籍的專稱，則在孔子整理六經和儒家學派產生以後。西元前二二一年秦始皇統一中國，秦代崇奉法家，以吏爲師，但朝廷上仍有博士官和儒生，他們照樣傳經或議論政事。西漢前期，伴隨著社會經濟的發展以及除滅七國後的政治統一，漢武帝才「罷黜百家，獨尊儒術」，實行學術統一，選取《公羊》學大師董仲舒、公孫弘爲首列，儒學從此取得了獨尊的地位。這個時候，古文經傳未出，立爲博士的都是今文經，可稱之爲「西漢今文經學派的產生和盛行」時期。西漢末葉，土地兼幷日劇，農民起義如火如荼，出身外戚的王莽利用古文經學篡漢「改制」。從此，古文經學派逐漸取代今文經學派的地位，可稱之爲「東漢古文經學派的產生和發展」時期。中經三國割據，西晉短期統一，中國歷史上出現了長期混戰局面，而經學亦因鄭玄、王肅的混淆家法，致使今古學派雜糅，可稱之爲「今古文經學混淆（或稱「通學」）」時期。此後，玄學、佛學日漸發展，儒學起而抗之，但經學內容也相應起了變化，形成所謂「南學」、「北學」的分裂局面。到隋統一以後，學術上也相應地進行了統一。這是中國封建社會前期經學發展的基本情況。

隋統一後，「南學」、「北學」逐漸融合，唐代「敕撰」的《五經正義》，成爲當時科舉取士的重要經典，成爲封建王朝束縛知識分子思想的重要工具。但唐代在野的經師，如啖助、趙匡、陸淳等，則以「臆說」解經，已開「宋學」之風。宋代竭力抬高儒家，恢復三綱五常，企圖鞏固自己的統治權，善講「性理」、修身養性、尊親克欲的理學遂得日益發展，其中雖有朱（熹）、陸（九淵）之爭，以及明代王守仁「陽明學派」的崛起，但他們都是假借經學以言理學，在中國哲學史上有其特殊地位，而在經學史上則不甚了了。由於王學的虛妄，和清王朝的高壓政策，顧炎武扛了「舍經學無理學」的大旗來對抗元、明理學，「復興」古文經學，希望文字流傳，人心不死，漢族有復興的一天。所以注重經史，讀書與抗清結合，著述與實踐（致用）一致。他是清代古文經學派考據學的開創者。但是，以後的清代考據學者（乾嘉學派）爲考據而考據，拋棄了顧炎武的「致用」原則。以惠棟爲首的吳派和以戴震爲首的皖派，以及以焦循、阮元爲首的揚州學派，都和東漢古文經學派有關聯。吳派以「博學好古」爲宗旨，恪守漢人家法，收集了豐富的資料，輯了不少逸書。皖派以「實事求是」、「無徵不信」爲宗旨，取材嚴而論斷精，達到極高的成就。戴震的《孟子字義疏證》不僅是考據名著，亦是哲學名著。他對程朱理學的深刻尖銳的批判，在當時有很大的進步意義。戴震的弟子段玉裁注釋《說文解字》，王念孫疏證《廣雅》，顯示出古文經學派在考據學上的功力。他們在文字、音韻、訓詁諸方面貢獻很大。揚州派集吳、皖兩派的優點，既博且精，在名物訓詁、數學天文方面也都做出優異的成績。乾隆、嘉慶以後，考據學日趨煩瑣，走了下坡路。清代統治危機隱伏，社會矛盾加深，一部分士人拋棄訓詁名物的古文經學傳統，轉而研究與治國結合較緊密的今文經學，特別是《公羊》學盛極一時，所以常州學派應運而起。這是中國封建社會後期經學發展的基本情況。

鴉片戰爭前夜，《公羊》學者龔自珍、魏源提出了改革朝政的要求。龔自珍認爲，嚴重的社會危機將導致一場大動亂，清王朝要保持自己的統治，必須進行自上而下的改革。他說：「一祖之法無不敝，千夫之議無不靡，與其贈來者以勁改革，孰若自改革？（《乙丙之際箸議第九》）魏源不但研究中國，而且放眼世界，編寫《海國圖志》，分析國際形勢，認爲要對付外敵侵略，必須打破閉關鎖國政策，改變因循守舊態度，做到「師夷之長技以制夷」。龔、魏的思想在理學與古文經學統治的思想陳腐而沉悶的知識界，起著震聾發聵的作用，有著廣泛而深遠的影響。

鴉片戰爭之後，中國進入半封建半殖民地社會，民族矛盾、階級矛盾格外尖銳複雜。帝國主義要搞奴化教育，封建勢力要搞復古主義，它們都需要儒學。而儒學本身也已經變無可變，失去了生機。但康有爲的今文經學之說曾經風行一時。他們議論政事，發動戊戌變法。這時候，古文經學的流傳，不是爲學術而學術，就是爲復古、奴化而服務。康有爲根據《公羊》學說寫出《新學僞經考》、《孔子改制考》，認爲古文經是劉歆僞造的，爲王莽篡漢改制服務的僞經，眞正的經是今文經，那是孔子假托古代聖王言行，用以改革政治的各項主張。他打起孔子旗號向封建頑固派和洋務派發動進攻，頑固派則搬出傳統孔子偶像與之對抗，聲稱眞孔子在此，使康有爲無法前進一步。康有爲的思想靠山孔子正如他的政治靠山光緒皇帝一樣軟弱無力，在頑固派打擊下，「百日維新」以失敗而告終，從而宣告了今文經學派的政治運動的沒落。地下資料的發掘，甲骨文、金文的研究，也動搖了古文經學派所標榜的《說文解字》的地位。直到一九一九年五四運動，民主與科學的思想深入人心，孔子及儒教失去了傳統的地位與尊嚴，經學也就退出了歷史舞台。所謂「山窮水盡」，正是鴉片戰爭以後經學發展基本情況的寫照。但是，作爲一門獨立學科的中國經學史，仍需要開展深入研究。

——原載《史學月刊》一九八八年三期，頁一——六。

中國經學與語言文字學

何耿鏞

一、引　言

語言文字學過去通稱爲「小學」，而「小學」又被看作是經學的附庸，所以《四庫全書》經史子集四部中，語言文字類的著作列入經部。本文試圖對語言文字學與經學的關係以及從「小學」到現代語言學的歷史發展作一個概括性的評述。

在中國漫長的封建社會中，作爲封建專制統治法定的經典，是以十三經爲代表的儒家經典，作爲封建文化主體的是儒家經學。中國經學，源遠流長。從西漢初年算起，到現在有兩千多年。漢代是經學的興盛時代。從漢武帝「廢黜百家，獨尊儒術」之後，孔子和「六經」幾乎成爲神聖不可侵犯的聖人和經典，儒家思想成爲中國封建社會的正統思想。西漢通行今文經學，漢武帝時置《詩》、《書》、《禮》、《易》、《春秋》五經博士（「六經」中的《樂》經已亡佚，所以只有「五經」），其後五經博士又分爲十四，即所謂今文十四博士之學。古文經學在漢武帝時才陸續發現，當時雖有傳本，但只在民間傳授，不列於學官；從西漢末到東漢，古文經學逐漸興起，東漢中葉之後，就大有取代今文經學的地位而躍居獨尊之勢。漢代的今文經學和古文經學兩派在對孔子和「六經」的看法，依據的材料和對史實的解釋，研究原則和方法等方面都很不相同。今文經學以爲「六經」皆孔子手定。「六經」是孔子政治思想所託，其精粹在於「託古改制」，因此今文學派對「六經」的研究，偏重於闡發孔子的「大義微言」；

古文學派則把「六經」看作是前代的史料。他們的研究偏重於名物訓詁，强調文字、訓詁的研究對治經的重要性。我國第一部文字學著作、也是第一部字典《說文解字》和我國訓詁學的創始之作、也是第一部詞典《爾雅》就是在這種歷史背景下產生的。所以古文學派的理論和實踐與語言文字研究有直接的關係。

由於經書的寫作或成書年代比較古遠，而語言文字又是隨著社會發展而不斷變化的，因此先秦經籍中許多字句到了漢代就不容易了解，需要用當時的實際語言去加以解釋或說明。於是在漢代，注解古書，訓釋經典就成爲一時的風尙，如毛亨，孔安國、馬融、鄭玄等都是當時有名的注解家，其中特別是鄭玄，囊括大典，網羅眾家，遍注群經，成爲當時有名的經學大師。後來，人們對漢人的注解又不那麼容易理解了，需要進一步加以解釋、疏通，這就是所謂經書的注疏。王國維在《觀堂集林》卷五《書爾雅郭注後》一文中指出：「漢人注經，不獨以漢制說古制，亦以今語釋古語。」既然「以今語釋古語」，就必然在他們的箋注中包括了許多當日實際的語言資料。漢代以後，歷代學者都重視並致力於古籍的注解，對古籍中難懂的字句從語義、讀音以至文字寫法加以注解和說明，積累了豐富的語言文字研究資料（特別是語義資料），這些資料成爲中國訓詁學建立的基礎。了解了上面所述的那些情況，我們就可以明白，「小學」之所以被看作經學的附庸，主要有兩個原因：⑴語言文字研究的產生和發展與經學有密切的關係；⑵古代的語言文字研究（特別是語義的考釋和研究）主要是作爲治經的階梯和手段，是爲治經、通經服務的，是處於從屬於經學的地位，尙未形成獨立的學科。

中國語言學的發展，大致經歷了從語文學（或者叫傳統語文學）到現代語言學兩個歷史階段。「五四」以前的語言研究，大致屬於語文學的範疇。它著重於文字或書面語言研究，特別是著重於文獻資料的考證和訓詁的研究。這種研究，比較零碎，缺乏系統性。「五四」以後，由於中國語言研究本身材料積累的豐富和現代歐美語言學理論，方法的影響，中國現代語言學才逐漸建立和發展。中國現代語言學者運用新的理論和方法，一方面對傳統語言學加以批判、改造和繼承，揚棄傳統語言學落後的方面，發揚其嚴謹學風的傳統，並運用傳統語言學積累的豐富資料爲建設現代語言學服務，另一方面又擴大了研究範圍。他們不但研究書面語言，而且注意研究現實中的活語言，把語言作爲一個結構系統去加以研究。研究的結果，得出科學的、系統的、全面的語言學理論。所以在「五四」之後，中國的語言研究擺脫了對經學的附庸地位，發展成一門獨立的學科——語言學。

二、經學與文字學、字典學

西漢的今文學講陰陽五行，以陰陽五行災異之說去附會經義，又迷信讖緯，多怪誕之談，所以西漢今文學實際上成爲經學與迷信的混合物。古文學興起之後，針對今文學的弊病，强調研究名物訓詁對治經的重要性。他們認爲，訓詁不明，經義不彰，應該重視語言文字學，樹立它在經學上的崇高地位。古文學家盧植在給皇帝的奏疏中寫道：「古文科斗，近於爲實，而厭抑流俗，降在小學。中興以來，通儒達士班固、賈逵、鄭興父子，並敦悅之。今《毛詩》、《左氏》、《周禮》各有傳記，其與《春秋》共相表裡，宜置博士，爲立學官。」（註二）他的意思是說，古文學家研究語言文字，目的是爲「實」，也就是爲了治理「六經」，發揮《毛詩》、《左氏傳》、《周禮》等的經義。對語言文字的這種研究與僅僅爲教學童識字的「小學」不同。而當世流俗，把這種研究降低爲識字的「小學」是非常不合理的，應該把它提高到與《毛詩》等相同的地位。盧植的建議，實際上反映了整個古文學派的觀點。當然，古文學家注重文字訓詁，其目的並不局限於文字訓詁本身，而是强調「文字者，經義之本，王政之始」（註三），從文字訓詁入手，去闡明經義，發揚「五經之道」。但是，我們應該看到，古文學派的理論和實踐對發展語言文字學起了積極的作用。他們爲了準確解釋六藝群書，對文字、音讀、訓詁作了相當科學的研究，作出了巨大的貢獻。時當西漢末年的劉歆是古文經學的開創人物，他首先提出「六書」是漢字造字的根本法則（「六書」名稱始見於《周禮．保氏》，而「六書」的細目則始見於劉歆《七略》；他的朋友揚雄經過調査研究，編寫了《輶軒使者絕代語釋別國方言》，是漢語方言學的創始之作；其他古文學家注釋典籍也爲後代訓詁學的濫觴；經學大師許慎的《說文解字》，則吸收了前人的研究成果，成爲一部研究漢字的系統專著。古文學家的這些成就，對後人研究語言文字學、文獻學和整理文化遺產，都是不可缺少的階梯。許慎的《說文解字》雖然是爲實踐古文學派的理論主張、樹立古文學的政治和學術地位爲發揚「五經之道」而作，但它在我國語言學史上卻占有重要地位。它是我國第一部分析字形、解說字義、辨識音讀的字典，對後世語言學影響很大。我國傳統語言學門類繁多，卷帙浩繁，但大體不出《說文》所涉及的文字、音韻、訓詁的範圍，而對《說文》本身的研究也形成了一種專門的學問——許學。僅清代關於研究《說文》的著述，散見的短論不計外，專書就有三百多種，（註四）其中最著名的就是段玉裁的《說文解字注》。至於《說文》的「分別部居，不相雜廁」的編制方法，尤對後代的字書有極大的影響。西晉呂忱依據《說文》的偏旁部次編寫了《字林》；南朝梁陳之際顧野王依《說文》體例作《玉篇》；就是近代編制的用部首檢字的字典，雖然部首的建立有所改易，編次有所變更，但用偏旁立部匯集漢字的辦法，仍然是許慎所創立的體例。《說文》完整地、系統地保存了小篆和部分籀文的形體，是我們借以辨識甲骨文、金文不可缺少的階梯。《說文》

既是一部文字學的光輝巨著，又是對後世字典編纂發生深遠影響的第一部字典。

從寫作宗旨上說，《說文》雖是爲實踐古文學派的理論主張而作，但它本身卻沒有像《爾雅》一樣上升爲「經」的地位。這大概有兩方面的原因：一方面《說文》偏重於字形分析，說解的字義是字的本義，與解經關係不那麼直接，因爲經書中的字義並不限於本義，還涉及到相當複雜的引申義和假借義；而《爾雅》是故訓匯編，解釋的字義，不僅有本義，還包括了字的引申義和假借義，與解經有直接的關係，所以被譽爲「訓詁之淵海，五經之梯航」（註五）。另一方面，漢代曾把《爾雅》列爲官學，漢武帝時又正式立《爾雅》博士，所以唐朝人認爲據此便足以確立《爾雅》的經學地位，把它列爲十二經之一（後來又成爲十三經之一），而《說文》在經學史上卻沒有受到這樣的對待，只把它看作是文字學的專著，從文字學的角度去重視它、研究它。

三、經學與訓詁學、音韻學

古代經師們注釋經典，其注文的內容包括釋詞、釋句、解釋章節意義、解釋全篇大意、分析句讀、闡述語法、說明修辭手段等方面，其中最大量的最重要的就是訓釋詞義（字義）。對經典字義的訓釋，在經學中佔有很重要的地位。因爲在經學領域的不同學派對某個字的解釋可能不同，而對詞義的不同解釋又涉及到對經義的理解問題。如《尚書・堯典》「曰若稽古帝堯，曰放勳」（根據古時傳說，因爲帝堯的功勞大，所以號曰放勳）一句，古文學派的馬融，訓「稽」爲「考」，意爲帝堯順考古道而行之；而鄭玄則據今文經說訓「稽」爲「同」，訓「古」爲「天」，稽古同天，意爲帝堯同於天。在古代，哪派經說具有權威性而成爲儒生們習經、治經的標準，又往往與社會政治因素有關係，所以經傳中的詞義訓釋涉及相當複雜的問題。由於詞義訓釋是經書說解的重要內容，所以經傳中就包含著豐富的語義材料，成為訓詁字的建立的基礎，所以訓詁學家把傳注看作是「訓詁之淵藪」。由於傳注中語義材料積累的豐富，儒生們感到需要把豐富而分散的語義材料匯集起來並加以歸類和概括，使之條理化、系統化，作為研習經籍的徵引和查考。《爾雅》就是儒生們網羅眾家傳注而成的一部故訓匯編，是我國訓詁學的創始之作，也是我國第一部詞典。由於《爾雅》被看作是治經、通經的手段，所以受到歷代統治者的重視，其地位不斷提高，唐宋以後它本身也上升到「經」的地位。後世模仿《爾雅》體例而編的詞典很多，其中最著名的就是三國魏張揖所撰的《廣雅》，而對《爾雅》本身的研究，也成為一種專門學問——雅學。

在中國訓詁學上有所謂形訓、義訓和聲訓。這三種方法在漢代都已廣泛應用。《說文解字》分析字形，說解字義，用的是形訓；《爾雅》以通語釋方言俗語，以當代語釋古語，以常語釋難僻語，用的是義訓；經傳中也常常採用聲訓，劉熙《釋名》則是聲訓的集大成者。所以兩漢時期，訓詁學無論在研究方法、研究實踐和研究成果上都達到了成熟的程度。然而，中國古代的訓詁學有個很大的毛病，就是拘泥於字形與字義的關係（因漢字字形結構與字義有一定的聯繫），而忽略聲音與意義的聯繫，因而使訓詁學的發展受到一定的局限。直到清代乾嘉學派的段玉裁、王念孫等人才破除了從東漢許慎以來一千七百年間的訓詁學「是知有文字而不知有聲音訓詁」的陳腐觀念，（註六）樹起了「因形以得其音，因音以得其義」（註七），「就古音以求古義，引伸觸類，不限形式」（註八）的鮮明旗幟，從而使「訓詁之道」大明，對訓詁字的發展作出了巨大貢獻。段玉裁、王念孫等人在訓詁學上的理論和實踐，標誌著中國語言研究已發展到近代語言學的嶄新階段，奠定了中國近代語言學的科學基礎。然而，乾嘉學派基本上局限於對古代書面語言具體字義的考釋和文獻資料的研究，而未涉及現實語言系統研究，在研究方法上又陷入繁瑣的考證（乾嘉學派的後期尤其如此），所以乾嘉學派有它的嚴重局限。

經師注經，不但釋義，而且注意音讀。不過，最初的時候，只是對具體字的讀音加以描繪或說明，他們或者以通俗字去注難僻字的讀音（如《說文》：「莠……讀若酉」），或者說明某字應該讀成某音，以說明文字的假借（《禮記・儒行》：「起居競信其志」，鄭注：「信，讀爲屈伸之伸，假借字也。」）或者說明某個字讀音的不同在詞義或詞性上的差別，如《禮記・大學》「所謂誠其意者，毋自欺也，如惡惡臭，如好好色。此之謂自謙。」《經典釋文》：「惡惡，上烏路反；下如字……好好，上呼極反，下如字。」意思是說，第一個「惡」要讀Wù（去聲），是動詞，第二個「惡」要讀它本來的音，即醜惡的「惡」（入聲），是形容詞；第一個「好」讀hào（去聲），是動詞，第二個「好」讀它本來的音，即美好的「好」，是形容詞。

語音是發展的，今音不同於古音。但是人們往往不明白這個道理。所以南北朝以後研究《詩經》的人有所謂「叶韻」或「協句」的說法。到了唐宋，「叶韻」說廣爲流行，甚至出現改經陋習。明朝陳第研究古音，撰《毛詩古音考》、《屈宋古音義》。他提出了「時有古今，地有南北，字有更革，音有轉移」（註九）的重要觀點，這種觀點對後世研究漢語音韻學的人很有啓發意義。陳第以爲，《詩經》用韻是以當時的實際語音爲依據的，不是人爲的，無所謂「叶韻」；古代本來押韻的字，後來之所以變得不押韻，那是由於語音變化的結果，把宋人「叶韻」說根本推翻。陳第的《毛詩古音考》用「本證」「旁證」推求《詩經》一些字的古音，見解頗爲精闢。但是它的編寫形式以字爲單位，字的出現次序又是依見於詩韻之前後去安排的，而不是以韻爲單位去編寫的，所以還顯不出《詩經》的音韻系統。陳第等人的研究實踐對清人很有影響，顧炎武、戴震、段玉裁、王念孫等人繼承了東漢古文學派的傳統，强調研究文字、音韻、訓詁對通經的重要性。他們認爲「治經莫重於得義，得義莫切於得音」（註一〇），「訓詁聲音明而小學明，小學明而經學明」（註一一），他們十分重視考訂古音在訓詁學上的重要意義，從而致力於古音的考訂和文字訓詁的研究。應該指出，這一時期的古音研究已不局限於對具體字的古音考證，而是把古音作爲一個語音系統加以研究。他們依據《詩經》的用韻、《說文》的諧聲偏旁以及韻書資料，經過縝密的分析歸納，相互參證，建立了古音學，從顧炎武開始，直至章太炎、黃侃，經過許多學者的努力，古音學的理論、方法和古音系統的建立逐步嚴密和完善。

清代的古音研究，從宗旨上說雖是服務於經學，但是他們的研究實踐和建立的古音系統，就其實際意義來說，已經使漢語音韻研究在擺脫對經學的從屬地位而發展成爲獨立學科的道路上前進了一大步。

傳統的漢語音韻學著重於音類（或韻類）的分析歸納。還無法說明分類在語音學上的根據，在音理解釋方面又比較玄虛含混，而且由於科學水平的限制，也未能說明每個音類的具體音值，所以傳統音韻研究還有它的局限性。「五四」以後，中國現代語言學者不但在古音系統的音類方面研究得更加精密和完善，而且應用現代語言學的理論和方法，應用漢語方言等材料，用語音學原理去解釋各個音類，構擬各音的音值，並力求把古音系統的構擬符合音位學的原則，使漢語語音史的研究建立在更科學的基礎之上。

經書傳注有時也涉及到語法修辭現象的解釋和說明，如《詩經・小雅・棠棣》：「原隰裒矣，兄弟求矣。」《毛傳》：「求矣，言求兄弟也。」這兩句詩的意思是：原（高平之野）隰（低濕之地）雖是人們聚集的場所，但人們所求的是兄弟。這兩句詩形式上好像是對偶句，實際上兩句的語法結構不同。前一句的「原隰」是方位詞作主語，「裒」是謂語。後一句的「兄弟」卻是「求」的賓語，是動賓結構，不能因爲「兄弟」放在「求」的前面，就誤認爲「兄弟」是「求」的主語，所以《毛傳》用「求兄弟也」作解釋。又如《詩・小雅・苕之華》「牂羊墳首，三星在罶。」《毛傳》：「牂羊墳首，言無是道也。三星在罶，言不可久也。」按《毛傳》的解釋，這兩句詩在修辭上屬於兩種不同的比喻手法。前一句類似「歇後語」，「牂羊」是母羊，「墳首」是大腦袋。「牂羊墳首」是說母羊長出了大腦袋。可是按一般常識都知道公羊才會長出大腦袋，因此「牂羊墳首」就等於說不可能有的事或不會有的事，所以《毛傳》說「言無是道也。」後一句是用借喻的修辭手法。「三星」即心宿，在冬天天將亮時才出現，太陽一出，它就沉落了。「罶」是一種篾織或葦編的捕魚器，夜裡把它放在水堰的孔道旁，魚游進去就出不來，到天亮時人們就把罶取走。「三星在罶」就是說離人們取罶的時間沒有多久了，來比喻時間的短暫，所以《毛傳》說「言不可久也」。《苕之華》是詩人從當時經濟、政治上分析出周室將要滅亡的趨勢而發出的感慨，而當時的士大夫們卻幻想周室還能中興，詩人認爲這不過是「牂羊墳首」，根本不可能；詩人又根據國家發生的種種跡象，看到周室政權已維持不了多久，正象冬天的三星照在罶上，很快就會消失。不過，經傳中關於語法、修辭現象的分析說明還是零碎的，而且是作爲注解的形式出現的。歷代的學者、作家在研究語言時雖也注意到一些語法現象，但並沒有形成完整的語法觀念和語法系統；至於古代修辭方面的研究，基本上沒有脫離文學理論和文學批評的範疇，沒有從語言學的角度去研究修辭。眞正的漢語語法學是從一八九八年出版的馬建忠的《馬氏文通

》開始的。到了現代，語法學大爲發展，並在研究上取得巨大的成就。眞正的漢語修辭學也是現代才建立和發展起來的，其主要標誌就是陳望道的《修辭學發凡》。從此修辭學和文學評論分了家，也和語法學分了家，成爲一門獨立的學科。漢代帶有古文學派求實學術作風的揚雄所著的《輶軒使者絕代語釋別國方言》，是我國第一部方言研究專著，它開闢了語言研究的新領域。但是，揚雄以後直至清末的方言研究基本上局限於方言俗語的零星輯錄和考證，而且由於觀念的陳腐和方法的落後，只不過是局限於以古證今，替古字古義找些證明而已。從廿世紀四十年代開始，中國的語言學者應用現代語言學的理論、方法和現代技術手段去調查研究方言，才使方言研究建立在科學的基礎之上，並逐漸使之發展成爲語言學領域中一門新的學科——漢語方言學。

中國的語言文字研究，從傳統的「小學」發展到五四時期，發生了根本性的變化。這種變化，一方面由於傳統語言學在理論和方法上的局限而束縛了它的發展，要求以科學的理論和方法對它進行改造，使之繼續向前發展；另一方面又在「五四」新文化思潮的推動之下，歐美現代語言學的理論和方法對中國語言研究發生了積極而深遠的影響。標誌著這種變化的，首先是章太炎主張把「小學」改稱爲「語言文字學」。（註一二）這不是單純名稱上的改變，而是反映了當時語言學家們在思想上和理論上對語言學有了新的認識。因爲傳統「小學」爲的是識字、明經、致用，它研究的是書面文字；而「語言文字學」則明確指出，它研究的不僅是文字，而更重要的是語言。這種認識上的改變意義很大，它標誌著傳統「小學」的終結和現代語言學的開始，而章太炎則是「語言文字之學」的開山大師。章太炎之後，現代語言學者們，對漢語的歷史和現狀，對漢語的各個方面——語音、詞匯、語法（尤其是語法）和它的方言以及我國各種少數民族語言進行系統而深入的科學研究，建立和發展了中國現代語言學。

【附註】

註　一　「小學」這個名稱最初與小學校有關，古人八歲入小學，老師教以「六書」，識字是小學裡的事，所以把識字的學問稱爲「小學」。後來「小學」的範圍擴大了，包括文字（字形）、音韻（字音）和訓詁（字義）三個方面。

註　二　《後漢書・盧植傳》。

註　三　《說文解字・敘》。

註　四　郭在貽《〈說文段注〉與漢語詞匯研究》，《社會科學戰線》一九七八年第三期。

註　五　宋翔鳳《爾雅郭注義疏序》。

註　六　王念孫《說文解字注序》。

註　七　段玉裁《廣雅疏證序》。

註　八　王念孫《廣雅疏證自序》。

註　九　《毛詩古音考》自序。

註一〇　同註七。

註一一　王念孫《說文解字注序》。

註一二　見1906年《國粹學報》載《論語言文字學》。

——原載《廈門大學學報》一九八六年四期，頁一六三——一六八。

經學與史學

金景芳

經學、史學是兩種不同的學問，各有各自的領域，各有各自的研究對象、內容、方法和目的。本文主要是站在史學的立場上，著眼於二者的關係，想說明經學對於史學，特別是經學對於研究中國古代史的重要性和必要性。

經學是研究儒家經典的學問。儒家經典以孔子所傳授的六藝爲基礎，包括後人詮釋六藝的傳注說記等等。經是與傳對立的名稱。有傳然後有經，也同有子然後有父。章學誠說：「依經而有傳，對人而有我，是經傳人我之名，起於勢之不得已，而非其質本爾也。」（註一）這個說法是對的。但是經之名產生之後，由於它多是權威的作品，因而又產生了新的意義。《博物志》說：「聖人制作曰經，賢人著述曰傳。」這種說法也是有道理的。在經學中，舊有「六經」、「五經」、「九經」、「十二經」、「十三經」等等名稱。「六經」是孔子所傳授的「六藝」，即《詩》、《書》、《禮》、《樂》、《易》、《春秋》來說的。至漢《樂》亡，置五經博士，是「五經」之名所由起。至唐以「三禮」、「三傳」合《詩》、《書》、《易》爲「九經」。文宗開成間刻石國學又益以《孝經》、《論語》、《爾雅》爲「十二經」。宋刻《孟子》於經部，是爲「十三經」。世所稱「九經」、「十二經」、「十三經」，實際上不盡是孔子之書，裡邊雜有七十子後學及與此有關的著述，實是六藝之支流餘裔。今日我們研究經學與過去在封建社會、半殖民地半封建社會時期研究經學根本不同。那個時期研究經學，是把經學的思想觀點作爲人們政治生活和社會生活的最高準則；今日研究經學則不然，乃是把它作爲中華民族歷史文化遺產的一部分。由於它們是用古代語言寫的，研究它們也要從訓詁名物開始。但是我們的目的在於批判繼承，而不在其它。

史學所包括的範圍至爲廣博，舉凡古今中外一切通史、斷代史、專門史以及史學理論、史學方法等等，都屬於史學範圍。今日我們研究史學也與舊日不同。今日研究史學，不獨以才、學、識見長，更重要的要從歷史實際出發，應用馬克思主義作指導，闡明歷史發展規律，從而爲當前的政治服務。從歷史實際出發，就要求佔有大量的史料。不論是地上的、地下的，正統的、非正統的，都不應輕易放過。基於上述觀點，研究中國古代史就不能不對經學予以足夠的重視。過去在民主革命時期，我們曾經反對「尊孔讀經」。爲什麼呢？因爲當時尊孔讀經是與反對革命，維護封建地主階級的統治聯繫在一起的。正如李大釗說的「余之掊擊孔子，非掊擊孔子本身，乃掊擊孔子爲歷代君主所雕塑之偶像的權威也；非掊擊孔子，乃掊擊專制政治之靈魂也」（註二）。當然，今天如果有人假借研究經學之名，而企圖復辟封建主義，我們同樣要堅決反對。假如不是這樣，而是爲了批判地繼承祖國歷史文化遺產，爲了研究中國古代史而研究經學，就不但不應該反對，而且應該提倡。根據我多年從事中國古代史研究的經驗，準備在這裡著重地談談研究經學對於史學的重要性和必要性。

一、解決中國原始社會與奴隸社會分期問題，不可不研究經學

《禮記‧禮運》篇首有孔子一段話，原文如下：

孔子曰：「大道之行也與三代之英，丘未之逮也，而有志焉。大道之行也，天下爲公，選賢與能，講信修睦。故人不獨親其

親，不獨子其子，使老有所終，壯有所用，幼有所長，矜寡孤獨廢疾者皆有所養，男有分，女有歸，貨惡其棄於地也，不必藏於己；力惡其不出於身也，不必爲己。是故謀閉而不興，盜竊亂賊而不作，故外戶而不閉，是謂大同。

今大道既隱，天下爲家，各親其親，各子其子，貨力爲己。大人世及以爲禮，城郭溝池以爲固，禮義以爲紀，以正君臣，以篤父子，以睦兄弟，以和夫婦，以設制度，以立田里，以賢勇知，以功爲己。故謀用是作，而兵由此起。禹、湯、文、武、成王、周公，由此其選也。此六君子者，未有不謹於禮者也，以著其義，以考其信，著有過，刑仁講讓，示民有常。如有不由此者，在勢者去，眾以爲殃，是謂小康。」

這段話，王應麟《困學紀聞》卷五說：「《禮運》，致堂胡氏云：『子游作』。呂成公謂『蜡賓之嘆，前輩疑之，以爲非孔子語。不獨親其親，子其子，而以堯舜禹湯爲小康，是老聃、墨氏之論。』朱文公謂『程子論堯舜事業聖人不能，三王之事，大賢可爲，恐亦微有此意。但記中分裂太甚，幾以帝王爲二道，則有病。』」是宋人多不相信這段話是孔子說的。其所以不相信，是由於他們認爲這是理想，不是史實。孔子是不會把理想說成史實的。解放前呂思勉著《經子解題》也說：「《禮運》首節述大同之治，實孔門最高理想。」（註三）解放後郭沫若同志著《奴隸制時代》引了《禮運》「大同」一節後說：「雖然被充分理想化了，但在大體上是反映了原始氏族社會的現實。」引了「小康」一節後說：「由原始公社制轉變爲奴隸制，這在中國是在唐虞時代以後出現的，《禮運》所謂『小康』之世，大抵和這相當。」（註四）郭說「充分被理想化了」，意思還有保留，但基本上是肯定了這是事實。范文瀾同志《中國通史簡編》第一編修訂本引了「大同」一節後說：「產生在封建社會而又極端擁護封建制度的儒家學派，如果不是依據古代傳聞，不能虛構出『大同』的思想。原始公社制確在遠古存在著，這也是一個證據。」（註五）范說比郭說更前進一步，似乎完全肯定了這是事實。然而最近出版的新編《辭海》於「大同」條下依舊說是「儒家宣揚的理想社會」。也就是說，直至今日，《禮運》篇首孔子的這段話是理想還是史實，問題還沒有解決。古人不相信歷史上曾經有過一個無階級的社會，是可以原諒的。今日學習了馬克思主義理論，還不相信這一點，就不應該了。我們學習了馬克思主義理論，讀了摩爾根《古代社會》和恩格斯《家庭、私有制和國家的起源》以後，應該看到孔子的這段話驚人地反映了遠古社會的眞實情況。不僅如此，而且明確地指出中國原始社會與奴隸社會的分界線，應劃在夏初。如果具體地加以分析，可以看出以下幾方面的情形：

「天下爲公，選賢與能，講信修睦」，講的是社會情況。「天下」這個概念在不同的歷史時期有著不同的內容。這裡的「天下」，不但不能用我們今日所說的「天下」來理解，也不能用下文「天下爲家」的「天下」來理解。恩格斯講到原始時代的部落說：「部落始終是人們的界限，無論對別一部落的人來說或者對他們自己來說都是如此。」又說：「凡是部落以外的，便是不受法律保護的。」（註六）所以，這裡的「天下」至多只能是一個部落。「選賢與能，講信修睦」反映這時沒有階級，執行社會職能的氏族部落首長是由選舉產生的，氏族集團之間講求忠信和睦，沒有戰爭。

「故人不獨親其親，不獨子其子」，講的是家庭情況。反映這時是母系氏族的群婚家庭，而不是父系氏族的一夫一妻家庭。

「貨惡其棄於地也，不必藏於己；力惡其不出於身也，不必爲己」，講的是經濟情況，反映這時的經濟是原始共產制的經濟，人們沒有私有觀念。

「是故謀閉而不興，盜竊亂賊而不作」，反映這時沒有階級和階級鬥爭。

自「今大道既隱」至「是謂小康」，講的是國家出現以後的情況。

「各親其親，各子其子」，講的是家庭情況，反映這時的家庭是父權制的一夫一妻家庭。

「貨力爲己」，講的是經濟情況，反映這時是私有制經濟。

「大人世及以爲禮」至「以功爲己」，講的是社會政治情況，反映這時國家已經出現，階級統治工具相當完備。

「故謀用是作，而兵由此起」，講的是階級鬥爭，反映這時不但產生了階級，而且階級鬥爭日益加劇。

「禹、湯、文、武、成王、周公，由此其選也」，實際上是把禹、湯、文、武、成王、周公六人看作奴隸社會的代表人物，而把中國奴隸社會與原始社會的界線劃在夏初。

孔子顯然是不懂歷史唯物主義的。假如沒有事實根據，他怎能虛構出這些東西呢？孔子在這裡明明說「而有志焉」，「志」就是記載。可惜許多人硬是不相信，因而不能不影響了人們對中國古史的正確理解。事實上，《禮運》篇首孔子的這段話，是中國古代史研究者了解中國原始社會以及中國原始社會與奴隸社會分期的極爲珍貴的史料。

不僅《禮運》篇首有孔子的這段話，《孟子・萬章上》述孔子語，說「唐虞禪，夏後殷周繼，其義一也」，同樣是說明這個問題的。「禪」是民主選舉，「繼」是世襲繼承。「禪」與「繼」的不同，正反映兩個歷史時代的不同。

總之，解決中國原始社會與奴隸社會的分期問題，舍研究經學而它求，簡直是「閉塞眼睛捉麻雀」。這樣做，並不說明怎麼聰明，而是愚蠢可笑的。

二、解決中國奴隸社會內部的階段問題，不可不研究經學

《論語・季氏》有「孔子曰：『天下有道，則禮樂征伐自天子出。天下無道，則禮樂征伐自諸侯出。』」實際上這是在周平王東遷之際劃了一個分界線。東遷以前，爲禮樂征伐自天子出的時期；東遷以後，爲禮樂征伐自諸侯出的時期。禮樂征伐代表最高政治權力。這種政治權力是由天子來掌握還是由諸侯來掌握，恰恰反映中國奴隸社會是在上升時期還是在走下坡路。當然，戰國是孔子所不及見的。不過孔子的這種看法是符合歷史發展的眞實情況的，可以作爲中國奴隸社會內部分段的依據。

對於夏殷周三代的不同特點，孔子也作過研究。

《論語・爲政》有「子曰：殷因於夏禮，所損益可知也，周因於殷禮，所損益可知也。」《禮記・禮運》有「孔子曰：『我欲觀夏道，是故之杞，而不足徵也，吾得《夏時》焉。我欲觀殷道，是故之宋，而不足徵也，吾得《坤乾》焉。《坤乾》之義，《夏時》之等，吾以是觀之。』」

《論語・八佾》有「子曰：『周監於二代，郁郁乎文哉，吾從周。』」

從上述三條材料可以看到，孔子對夏殷周三代的歷史作過認眞的研究，並不以原有知識爲滿足，而且「之杞」、「之宋」作過實地調查。在調查中間，不是信任口說，而是特別重視文字材料。尤其象《坤乾》、《夏時》這樣材料，在哲學上、政治上是有極其重要的時代特徵的。所以，孔子說「周監於二代，郁郁乎文哉」，這決不是一句空話，而是有其具體內容的。它是在仔細地考察了三代歷史以後所得

出的符合實際的結論。

《禮記・表記》有「子曰：『夏道尊命，事鬼敬神而遠之，……殷人尊神，率民以事神，……周人尊禮尚施，事鬼敬神而遠之。』」這是孔子研究了夏殷周三代社會以後在意識形態方面所得出的精確的評語。可惜，當前史學界、哲學界對孔子這個評語重視不夠，例如有人談哲學史就武斷地說：「奴隸制的哲學上層建築是宗教神學」。其實這樣說法是從概念出發，而不是從歷史實際出發。說殷代的哲學上層建築是「宗教神學」，是可以的。說周代的哲學上層建築也是「宗教神學」，就很不妥當。周代社會思想的特點是「重禮尚施」，這一點可以在古書上找到大量材料來證明。禮的主要內容是親親尊尊，即正確處理當時社會在政治生活和社會生活中存在的血緣關係和階級關係，亦即把人事放在第一位，而不是把鬼神放在第一位。對於鬼神採取了敬而遠之的辦法。「遠之」就表示不相信有鬼神。「敬」則表明鬼神還可以利用。所以「事鬼敬神而遠之」這句話不應理解爲認識問題，而是有另外的原因。具體說，這是屬於政治問題。荀子說得好，「雩而雨，何也？曰：無何也，猶不雩而雨也。日月食而救之，天旱而雩，卜筮然後決大事，非以爲得求也，以文之也。故君子以爲文，而百姓以爲神。以爲文則吉，以爲神則凶」（註七）。荀子眞能了解到此中的秘密。什麼叫做「以爲文」？實際上就是說當時統治階級利用鬼神爲政治服務。《國語・周語上》說：「古者先王既有天下，又崇立於上帝明神而敬事之，於是乎有朝日、夕月，以教民事君。」恰足以證明這一點。周初統治階級中的人物，如周公，儘管不相信有鬼神，但在當時的歷史條件下，既不能廢除宗教，也不能宣傳無神論，對鬼神只能是敬而遠之。證明孔子的言論是可信的，應當重視。

所以，解決中國奴隸社會的內部分段問題，不可以不研究經學。

三、解決宗法問題，不可不研究經學

宗法是奴隸社會和封建社會共有的現象。但中國奴隸社會的宗法比較典型。這種典型的宗法是符合歷史發展規律的。恩格斯說：「一定歷史時代和一定地區內的人們生活於其下的社會制度，受著兩種生產的制約：一方面受勞動的發展階段的制約，另一方面受家庭發展的階段的制約。勞動愈不發展，勞動產品的數量、從而社會的財富愈受限制，社會制度就愈是在較大程度上受血族關係的支配。」（註八）中國奴隸社會剛剛從原始社會脫胎出來，勞動還不發展。毫不奇怪，社會制度在較大程度上受血族關係的支配。但是中國典型的宗法制度爲什麼在周代即在中國奴隸社會全盛時期出現呢？這是因爲典型的宗法制度，反映發展到一定程度上的兩種社會關係，一種是血緣關係，另一種是階級關係。經學上所謂「殷道親親，周道尊尊」，對於回答這個問題有極重要的參考價值。《史記・梁孝王世家》褚先生補載竇太后說：「吾聞殷道親親，周道尊尊，其義一也。」袁盎諸大臣通經術者解釋說：「殷道親親者立弟，周道尊尊者立子。殷道質，質者法天，親其所親，故立弟。周道文，文者法地，尊者敬也，敬其本始，故立長子。周道太子死，立嫡孫，殷道太子死，立其弟。」《春秋公羊傳》隱公七年：「齊侯使其弟年來聘。其稱弟何？母弟稱弟，母兄稱兄。」何休注說：「分別同母者，《春秋》變周之文，從殷之質。質家親親，明當親厚異於群公子也。」這是「殷道親親，周道尊尊」二語明見於經學古籍中的。古人談「殷道親親，周道尊尊」，主要是從君位繼承制這方面來談的。其實這裡涉及重母統還是重父統的問題。《禮記・表記》：「母親而不尊，父尊而不親。」殷道親親，反映殷代社會母權制還有不少的殘餘。鄭慧生《卜辭中貴婦的社會地位考述》一文說，「到了西周以後，氏族社會中婦女地位的獨立性降低了」，「但商代從母系氏族社會中來，婦女的社會地位，還沒有一下淪落到底。所以在商代的政治、經濟、思想領域中，都還保存了一些母系氏族社會的遺跡，至少貴族婦女還有一定的宗法、經濟、軍事、政治權利。這權利雖然已經不大，但仍居於周代及其以後歷代婦女地位之上」（註九）。這些事實是古人說「殷道親親」的確證。至周則父權處於絕對優勢。《禮記・喪服四制》說：「資於事父以事母而愛同。天無二日，土無二王，國無二君，家無二尊，以一治之也，故父在爲母齊衰期者，見無二尊也。」《禮記・喪服傳》說：「婦人有三從之義，無專用之道。故未嫁從父，既嫁從夫，夫死從子。故父者子之天也，夫者妻之天也。」這是「周道尊尊」爲重父統的確證。正由於周人重父統，所以產生了嫡長子繼承制；正由於實行嫡長子繼承制，所以產生了宗法。宗法是爲不繼承君位的王子或公子而設的，使別於君統，而另立宗統。對於爲君者來說，一方面不令族人與君位相對抗，另一方面又要得到族人對君位的支持。血族關係在當時依然是一種不可忽視的力量。司馬談說：「法家不別親疏・不殊貴賤，一斷於法，則親親尊尊之恩絕矣。」（註一〇）也就是說，只有進入封建社會，在政治生活和社會生活中，血族關係才大大削弱了。所以宗法制度的最重要的關健在於「別子爲祖，繼別爲宗，繼禰者爲小宗」。「別子」之得名，就在於區別於君統，另立宗統。「子」的意思，表明他是先君之子，「別」的意思，表明他有別於今君。「別子爲祖」的整個意思表明別子是宗統的初祖。「繼別爲宗」表明宗子是繼承別子的。不繼承別子，即不在宗法範圍之內。然而今日講宗法的卻有許多人說「天子是天下之大宗」，「諸侯是一國的大宗」。這顯然是不對的。天子、諸侯都有君位，不是別子或別子之子孫，怎能成爲宗法中人？古人如梅福說：「諸侯奪宗」（註一一）。孫毓說：「國君不統宗」（註一二）。賈公彥說：「君是絕宗之人」（註一三）。都是對這個問題極正確的理解。今人多不察，究其原因，顯然是不研究經學之過。

四、解決井田問題，不可不研究經學

井田制的特點是土地分配給單個家庭並定期實行重新分配。它不同於原始社會時期的氏族公社和共產制家庭公社的制度，也不同於中國封建社會時期的制度。因爲氏族公社和家庭公社不但土地公有，土地的勞動產品也公有。中國封建社會時期，土地和土地的勞動產品都爲私人所有。井田制則不然。土地公有，分配給單個家庭那份土地的勞動產品則歸這個家庭所有。所以，井田制具有兩重性。這個兩重性正如馬克思所說的，成爲「以公有制爲基礎的社會向以私有制爲基礎的社會的過渡」（註一四）。就中國歷史來說，則有井田制的社會正是由原始社會向封建社會發展的中間環節，因而它成爲中國奴隸社會土地制度的基本特點。井田制和宗法制一樣，都是原始社會進一步向前發展的合乎規律的形態。井田制是由土地公有向土地私有過渡的中間環節，宗法制是由以血族團體爲基礎的社會向完全以地區團體爲基礎的社會過渡的中間環節。否定它們就是否定中國奴隸社會的存在。過去有人否定井田制，認爲孟子所說的井田制是「烏托邦」。理由是「豆腐乾塊的井田制是不可能的」（註一五）。他說「不可能」的根據是什麼呢？他的根據不是客觀事實，而是主觀想像。凡是不符合主觀想像的，就認爲不存在，這是地地道道的唯心主義哲學。然而事實上卻證明這個「豆腐乾塊」形狀的井田制是歷史的必然。不但中國有，西歐也有。馬克思在《維・伊・查蘇利奇的覆信草稿》裡所說的「棋盤狀耕地」，恩格斯在《馬爾克》一文裡所說的「狹長帶狀地塊」，同中國的井田制從本質上說是完全一致的。所以，研究中國奴隸社會的土地制度而否定井田制，否定《孟子》、《周禮》等一些經學中的記載，猶航斷港絕潢而蕲至於海，是不可能達到目的地的。

五、解決中國哲學史中天的問題，不可不研究經學

中國古書上有許多有關天的名詞概念，例如天子、天道、天命、天討、天罰等等。對於這些名詞概念究應怎樣理解才是正確的，成爲中國哲學史中一個大問題。我的意見，要想從根本上解決這個問題，不可不研究經學。

經學中在《尚書・堯典》裡用了很大的篇幅來談「欽若昊天」的問題。孔子稱贊堯的偉大，主要在「唯天爲大，唯堯則之」（註一六）。堯禪位於舜，別的都不說，只說了「天之歷數在爾躬」（註一七）。舜禪位於禹，又把這句話重覆一遍。那麼，在堯以前有人提出過天的問題沒有？從孔子說：「唯天爲大，唯堯則之」看來，似乎沒有。不然，孔子爲什麼用了兩個「唯」字呢？堯以前之所以沒有人提到天的問題，很可能當時還沒有天這個概念。原因一，中國古代在曆法上最早有「火正」，即設專職人員觀察心宿的變化以確定季節。《左傳》襄公九年說：「陶唐氏火正閼伯居商丘，祀大火，而火紀時焉。」是其證。後世，如《詩・豳風》說：「七月流火。」《左傳》僖公五年說：「火中成軍。」昭公三年說：「火中寒暑乃退。」哀公十二年說：「今火猶西流。」等等，都是遠古實行火曆的遺跡。二，部落時代，人們所重視的是地方神即社稷，還沒有天這樣的統一的概念。只是至堯作部落聯盟首長時才有「乃命羲和，欽若昊天，歷象日月星辰，敬授人時」之事，在曆法上作了重大的改革。《呂氏春秋・勿躬》說：「羲和作占日，尚儀作占月。」羲和、尚儀都應是堯時負責改革曆法的人。「占日」就是觀測太陽，「占月」就是觀測月亮。這是造作新曆的最基本的工作。新曆制成用以「敬授人時」，於是一切政

治、經濟、官方、民方，都可以按照新曆所規定的日程辦事，因而能達到「允釐百工，庶績咸熙」的效果。所以，堯的制定新曆，頒布執行，官民稱便，成爲歷史上的創舉，影響極大。

正因爲這樣，所以羲和、尙儀（嫦娥）都變成了神話中的人物。堯禪位於舜時所說的「天之歷數在爾躬」，實際上就是把每年頒行新曆作爲掌握政權的標誌。後世所謂朔政或頒朔，實自這時開始。《春秋》文公十六年書「夏五月公四不視朔。」《論語・八佾》說：「子貢欲去告朔之餼羊，子曰：『賜也，爾愛其羊，我愛其禮。』」表明朔政之制至春秋時已變成具文，最後必然歸於廢除。然而在堯時卻是一件了不起的大事。孔子所說的「唯天爲大，唯堯則之」，顯然就是指這個事實。這個天包括日月星辰全部，所以稱爲昊天。前人釋昊天爲「元氣廣大」，無疑是對的。《書・皋陶謨》說：「無曠庶官，天工人其代之。天敘有典，勑我五典五惇哉！天秩有禮，自我五禮有庸哉！同寅協恭和衷哉！天命有德，五服五章哉！天討有罪，五刑五用哉！政事懋哉！懋哉！」這些天敘、天秩、天命、天討等等就是所謂「天工人其代之」的事實。後此如《甘誓》說：「今予惟恭行天之罰。」《湯誓》說：「天命殛之」，「致天之罰」，《牧誓》說：「今予發惟恭行天之罰」等等，這些「天命」、「天罰」，很明顯就是《皋陶謨》所說的「天命」、「天討」。語其根源，則不能不上溯至堯之則天。其它如天子的名稱，最初當然也是從則天這一事實演變而來的。儘管後世應用這類名詞概念有種種不同的理解，然而對這個問題如果溯本窮源，就不能不研究經學。有人僅憑幾條卜辭便斷言「凡是殷代的舊有的典籍如果有對至上神稱天的地方，都是不能信任的東西」，顯然是不足信據的。

六、解決中國古代的官制、禮制、兵制、學制等

問題，不可不研究經學

經學中所論及的問題非常廣泛，且多屬歷史上重大問題。它是經過有文化修養的人物前後相繼，長期進行研究總結所獲得的知識。儘管對於一些問題還沒有作過分門別類的研究，然而事實上是全面的、系統的。經過綜合研究，不難恢復其全貌。因此，關於中國古代的官制、禮制、兵制、學制等問題，都可以依賴研究經學來解決。不僅如此，經學論述古制裡邊還有很多精卓的見解。例如《禮記・昏義》說：「男女有別，而後夫婦有義；夫婦有義，而後父子有親；父子有親，而後君臣有正。故曰，昏禮者，禮之本也。」又《郊特牲》說：「男女有別，然後父子親；父子親，然後義生；義生，然後禮作；禮作，然後萬物安。」《易・序卦》說：「有天地然後有萬物，有萬物然後有男女，有男女然後有夫婦，有夫婦然後有父子，有父子然後有君臣，有君臣然後有上下，有上下然後禮義有所錯。」這些言論所說的基本內容，同恩格斯所說：「在歷史上出現的最初的階級對立，是同個體婚制下的夫妻間的對抗的發展同時發生的，而最初的階級壓迫是同男性對女性的奴役同時發生的。……個體婚制是文明社會的細胞形態，根據這種形態，我們可以研究文明社會內部充分發展著的對立和矛盾的本來性質。」（註一八）從本質上說是一致的。所謂「夫婦有義」和「父子親然後義生」，這個義，不是別的，就是階級關係。這種見解，何等珍貴！有人堅持「諡法之興，當在戰國時代」，完全不顧《禮記・檀弓上》說：「幼名、冠字、五十以伯仲，死諡，周道也。」和《史記・秦始皇本紀》說：「朕聞太古有號無諡，中古有號，死而以行爲諡，如此則子議父，臣議君也，甚無謂，朕弗取焉。自今已來，除諡法。」的明文以及古書上所記載的大量事實。這種做法顯然不是正確對待歷史的做法。今日研究古史，例如井田問題，宗法問題，長期得不到解決，其原因固然由於鄙視經學，其它問題，也多如此。可見，解決許多中國古史問題，確實都不可不研究經學。

【附註】

註　一　《文史通義・經解上》。

註　二　《李大釗全集》頁八〇。

註　三　商務印書館民國十八年版，頁五三。

註　四　人民出版社1977年版，頁一五。

註　五　人民出版社1953年版，頁二三。

註　六　《馬克思恩格斯全集》，卷二一，頁一一二。

註　七　《荀子・天論》。

註　八　《馬克思恩格斯全集》，卷二一，頁三〇。

註　九　《歷史研究》一九八一年六期，頁二九——三五。

註一〇　《史記・太史公自序》。

註一一　《漢書・梅福傳》。

註一二　《詩・公劉・疏》。

註一三　《儀禮・喪服・疏》。

註一四　《馬克思恩格斯全集》，卷一九，頁四五〇。

註一五　《井田制有無之研究》，華通書局一九三〇年版，頁二——三。

註一六　《論語・泰伯》。

註一七　《論語・堯曰》。

註一八　《馬克思恩格斯全集》，卷二一，頁七八。

——原載《歷史研究》一九八四年一期，頁一七六——一八四。

文學研究與經學

曹道衡

提起「經學」這個名詞，對現代某些青年同志來說，也許會感到有些陌生。因爲這是一門研究儒家經典的學問，而這些經典，多數已不大被人們所常讀。再說古代那些經學家，大抵是儒家的信徒，他們把孔子奉爲「聖人」。他們的學說也常有迂腐或煩瑣的毛病。所以有些同志也許會認爲這種東西跟文學研究沒有多大關係。尤其是一些文學愛好者，他們閱讀作品，主要是鑒賞其藝術成就，因此更不會對此感到興趣。其實，這種想法未免有片面之處。我們如果要研究文學，特別是古典文學，那麼對經學問題還是應該有所了解，至少也應具有初步的常識，才能弄清我國古代文學的發展情況，也只有這樣，才能眞正讀懂某些古典作品。在這裡我想根據個人的一些淺見來談談這個問題，請大家指正。

一、經書中有文學作品

古代的文論家無不認爲經書是一切文章的源頭。如梁代的劉勰在《文心雕龍・序志篇》中說：「唯文章之用，實經典枝條，五禮資之以成，六典因之致用，君臣所以炳煥，軍國所以昭明，詳其本源，莫非經典。」後來的文論家雖有種種不同的流派，但認爲文章出於經典，則幾乎是眾口一辭的。他們所說的文章，雖然不等於我們今天所謂文學，但若論現今的文體，都可以溯源於經書，卻是事實。因爲一切文學作品，從文體上說不外乎有韻之文和無韻之文兩種。我國現存的韻文，當然以《詩經》爲最早。它是古代詩歌的總集。後來的詩人無不以《詩經》爲鼻祖，並從中汲取創作經驗。由詩歌所衍生出來的辭賦、詞、曲等韻文，情況也與此類似。至于無韻之文，則當以《尚書》爲最古，《尚書》本身雖然不是純粹的文學作品，卻是後世散文之祖。稍後於《尚書》的《左傳》是我國最早的史傳文學傑作。《十三經》中的另一部名著《孟子》也因爲是較早的哲理散文而聞名。所以迄今所見的文學史著作中，不但都有專門的章節論述《詩經》、《左傳》和《孟子》，而且也都有一定的篇幅講到《尚書》等其他經書。

除了《詩經》、《左傳》和《孟子》外，《十三經》中還有不少書也有文學價值，如《易經》中的《卦辭》、《爻辭》中保存著一些古代的謠諺，某些寫作手法與《詩經》相近，讀來頗有詩意。如《明夷・初九》：「明夷于飛，垂其翼。君子于行，三日不食。」《睽・上九》：「見豕負塗，載鬼一車。先張之弧，後說之弧。匪寇婚媾。」《震・卦辭》：「震來虩虩，笑言啞啞。震驚百里，不喪匕鬯」。《婦妹・上六》：「女承筐，無實。士刲羊，無血。」這些《卦辭》、《爻辭》都產生於殷周時代，不但是當時社會史的重要史料，而且反映當時人的各種生活狀況亦頗形象。號稱《易傳》的《文言》和《繫辭》產生的時代較晚，頗有辭采，且多對偶句。清代的阮元等人指以爲駢文之祖。《尚書》雖多屬應用文字，但如《金縢》篇載周公與成王的故事，情節比較離奇曲折，作爲史料看未必可信，但從文學的角度來看，已初具小說的雛型。他如《秦誓》篇文辭優美，音調鏗鏘，歷來受人稱贊。《周禮》中的《考工記》文字簡練，頗爲後來散文家所效法，如韓愈的《畫記》，即主要得力於此書。《禮記》中如《檀弓》有很多傳誦的片段，如《晉獻公將殺世子申生》、《子夏喪其子而喪其明》、《杜蕢揚觶》、《苛政猛於虎》、《趙文子與叔譽觀乎九原》諸節，敘事簡明生動，亦爲歷來論者所稱道。《公羊傳》、

《穀梁傳》基本上缺乏史料價值及文學價值，但個別片段，如寫晉靈公謀害趙盾一段，尚有可取之處。《論語》是語錄體，但從記言中亦常能見到人物的性格。如《子路、曾晳、冉有、公西華侍坐》（《先進》）、《季氏將伐顓臾》（《季氏》）諸章，亦能以簡短的文字表現孔子幾位弟子的性格特點。這些具有文學意味的篇章不但常爲古代作家所仿效，就是現在的不少文章選本中也常入選。可見所謂《十三經》中有的本來就是文學作品；有的雖非純粹的文學作品，卻亦有不少具有文學意味的篇章。這就決定了文學研究者不可能完全摒棄《十三經》。何況「十三經」中有不少書亦頗有進步內容，如《詩經》中有一些本是民歌，還有一些雖出於文人之手，亦對黑暗統治有所譏刺；《左傳》、《孟子》等書，也有極明顯的民本思想。這些道理都是大家所熟知的。

二、經書對文學的影響

文學研究者之需要對經書有個基本了解，還不僅在於經書中有的本身就是文學作品，有的具有文學價值。因爲在古代，經書是被人們視爲「永恒的眞理」，凡人立身處世以至治國都必須遵循經書中的道理。所以古代的知識分子無不以經書爲主要學習材料。他們由於從小誦讀，所以非常熟悉。再加上統治者的提倡，因此他們在一些應用文字，特別是詔策、章表等公文中，經常要引用經書中的話或摹仿經書的文辭。這種風氣也影響到了文學創作。所以劉勰在《文心雕龍·風骨篇》中，稱「潘勗錫魏，思摹經典」；李商隱《韓碑》說韓愈寫《平淮西碑》「點竄《堯典》、《舜典》字，塗改《清廟》、《生民》詩」，都是很高的頌揚之辭。如果不熟悉經書，那麼對後來一些文學作品的文體淵源往往會弄不清楚。再者是古人詩文中，有時喜用經書典故，有時甚至搬用經書的原文，如果我們對經書毫無所知，那就很難有深刻的理解。但這些經書因爲多係先秦古籍，文字都很難懂。博學如黃侃，尙稱「予如脫離注疏，對周誥句讀幾無以下筆」（見黃焯：《黃侃手批白文十三經前言》）。至於我們一般的文學研究者，閱讀《尙書》當然更爲困難，就是其他經書，也不容易。這就使我們閱讀經書時，非看注解不可。但是，歷來人對各種經書的衆說各各不同，這方面的著作，可謂「汗牛充棟。」那麼在這紛紜的衆說中如何擇善而從？這就涉及到經學的問題了。因爲古代那些經學家的著作，雖不免有迂腐和煩瑣之弊，而我們要理解古書中的名物、訓詁以及典章制度，卻又離不開這些著作。

如果說單純地爲了讀懂一些具有文學價值的經書，問題還是比較簡單的。例如《詩經》，通行的如《毛傳》、《鄭箋》或朱熹的《詩集傳》；《左傳》有杜預注或楊伯峻先生的新注，對一般能閱讀古漢語的同志來說，就能幫助讀者基本上理解原書的意思。但是對於文學研究者來說，問題就要複雜多了。即以《詩經》而論，歷來解釋者對其中不少篇的篇義，有著種種不同的說法。後來的作家引用這些詩時，往往各據一家的說法，因此互有不同。如《周南·漢廣》，《毛詩序》云：「漢廣，德廣所及也。文王之道被於南國，美化行乎江漢之域，無思犯禮，求而不可得也。」但漢代韓嬰對此詩的解釋就不一樣。《文選》張衡《南都賦》云：「游女弄珠於漢皋之曲。」李善注：「《韓詩外傳》曰：「鄭交甫將南適楚，遵彼漢皋台下，乃遇二女，佩兩珠，大如荆鷄之卵。」阮籍《詠懷詩》：「二妃游江濱，逍遙順風翔。交甫懷環珮，婉孌有芬芳」李善注也根據《韓詩》說來解釋。如果我們只知道《毛詩》和朱熹《集傳》，就無法理解張衡那篇賦和阮籍那首詩。又如《邶風·凱風》，《毛詩序》說：「凱風，美孝子也。衛之淫風流行，雖有七子之母，猶不能安其室。故美七子能盡其孝道以慰其母心，而成其志爾。」《毛詩》的說法大約是合於先秦人的解釋的。因爲據《孟子・告子下》載，公孫丑曾對孟子講到「《凱風》何以不怨？」孟子說：「《凱風》，親之過小者也。」但陶淵明《晉故征西大將軍長史孟府君傳》云：「淵明先親，君之第四女也。凱風寒泉之思，實鐘厥心。」這裡絲毫沒有「親之過小」等意思。原來陶淵明用的也是《韓詩》的說法，與《毛詩》不同。我們現今所見的《詩經》，以《毛詩》和朱熹《集傳》爲最通行。像上述這些例子。如果不對經學問題有所了解，顯然會感到難懂。

像《漢廣》、《凱風》二詩的篇義還僅僅是兩個例子。關於《詩經》及其他經書中的不同解釋還很多。這些分歧的意見，往往是在這個問題上某一家之說較爲正確，而在那個問題上卻是另一家之說合乎情理，例如：從來解釋經書的人，有漢學和宋學兩派。這兩派各有所長，也各有所短。近人楊樹達在《曾星笠〈尚書正誤〉序》中曾評論這兩派經學家說：「漢儒精於訓詁，而疏於審詞氣；宋人頗用心於詞氣矣，而忽於訓詁，讀者兩慊焉。」楊氏此論當然是很對的。但他只是就漢宋兩代學風而言。如果細論起來，漢人與漢人，宋人與宋人，也多有不同的見解。像上面所舉《詩經》的例子，《毛詩》與《韓詩》都是漢人所作，說法也不同。所以黃侃曾經認爲「治經之法，先宜主一家之說以解經文，繼則兼通眾家之說而無所是非」（黃焯：《黃侃手批白文十三經前言》）。他所謂「無所是非」，當然不是說不作判斷，而是要消除「入主出奴」的偏見。

除了對經書的解釋以外，關於某些經書的眞僞及寫作年代等問題，歷來的學者也有過各種說法。這些說法往往也與文學史有關。例如：所謂的孔安國傳本古文《尚書》，經清初閻若璩、惠棟考定乃東晉人所僞造。然而在南北朝時代，人們對那些僞篇都信以爲眞。如《文心雕龍・明詩篇》講到古代詩歌時提到「太康敗德，五子咸怨；鍾嶸《詩品序》也說到「夏歌曰：『郁陶乎予心』」。在劉勰和鍾嶸當時，相信僞古文的《五子之歌》是完全可以理解的。如果照那種說法，那麼我國最早的詩歌，可以上溯夏代。但我們生於閻、惠之後，《五子之歌》的出於僞作已成定論，當然決不能再持此說。像這樣的問題，在學術界本來早已解決。所以梁啓超在《中國歷史研究法》一書中，曾譏笑過一個西方學者根據僞古文《尚書》的《胤征》去考證一次日蝕的時間。不幸的是前幾年有位哲學史的研究者，在他的著作中，竟把僞古文《尚書》當作眞實史料引用。這種毛病在我們的文學史研究中，當然必須避免。

《十三經》中像僞古文《尚書》這樣的贋品雖然不多。但有些書的寫作時代，也有疑問。例如：今文《尚書》中的《堯典》、《禹貢》諸篇，比起《商書》中的《盤庚》和《周書》中的《大誥》等幾篇來，文字要淺顯得多。這些篇雖非僞作，但至少也是戰國時人追記古代史事，如果信以爲虞夏時代的文章，則顯然不合事實。又如：《詩經》中的《商頌》，照《毛詩》的說法是商代詩歌；照《史記》說，則爲春秋時的正考父贊美宋襄公之作。現在看來，《商頌》文字比《周頌》要好懂，且更富辭采，作於春秋時代的可能性確實較大。但從春秋時代的史實來看，卻又不可能是正考父所作。因爲正考父是春秋初年人孔父的父親，孔父被殺時已身居要職。如果下推到宋襄公時，正考父已經一百多歲了，不可能寫詩歌頌襄公。所以傳統的兩種說法似乎都有疑問。像這樣的問題，既是一個經學問題，卻又與文學史有密不可分的關係。

對文學史研究者來說，對那些經書，不但有辨僞的必要，還有識別過去一些人盲目疑古之誤的必要。例如對《左傳》一書的眞僞問題就是這樣。《左傳》一書的史學價值和文學價值，在《十三經》中都是極高的。但過去有些學者，出於門戶之見，把它斥爲僞書；到清末的康有爲，爲了給自己的變法維新製造理論根據，曾作有《新學僞經考》，斷言《左傳》是劉歆把《國語》改編而成，且多竄亂之處。這種說法曾影響過不少人。其實，康有為當時的政治主張，在那個歷史條件下雖有進步意義，而從學術上說卻很難成立。近年來許多學者已就此問題作了有力的批駁。像這種爭論，對研究《左傳》及先秦文學的同志來說，也完全有了解的必要。

總之，經學這門學問從總的方面說來，可以說是已經陳舊了，不合現代的需要了。因為那些「經學家」都是儒家學說的信徒。他們的立場、觀點和方法跟我們完全不同。在今天來說，我們既沒有必要把孔子尊為「聖人」，也不必再有「經」這個概念。像《十三經》這些書，當然也只能和其他古書一樣，分別作為文學作品、哲學著作或歷史材料來看待。因此像那些經學家們爭正統，自封為孔子唯一合法的繼承者等迂腐、荒唐的論點都應拋棄。但作為一種歷史現象，我們也有了解之必要，何況其中的爭論問題，常常和文學史直接有關。至於他們對那些古書的解釋，我們更有必要有批判、有選擇地加以研究。特別是關於古代名物、訓詁的詮釋，他們這些著作還是很重要的參考資料。所以作為文學研究者，對經學問題還是應該有適當的了解和研究。

——原載《文史知識》一九八四年八期，頁一〇——一五。

《六經》與孔子的關係問題

周予同

我認爲，研究中國古代學術思想史，必須解決《六經》與孔子的關係問題。對於這個問題，過去學術界議論甚多，至今尙無定論。這裏提出我的一點意見，作爲研究者的參考。

研究孔子，最重要的材料，當推《論語》。它是孔子言行的彙錄，出於孔子的學生或再傳弟子之手，自然比較可信。但現行的《論語》，經過西漢末張禹和東漢末鄭玄兩次改訂（註一），已成爲今古文的混合物。其中涉及孔子與經書關係的材料，一則保存得不多，二則有的還成問題（註二）。因而，我們研究這個問題，除《論語》外，還需要借重其它材料。在現存材料中間，對於孔子刪定《六經》的史述，說得比較有系統的，要數《史記》的《孔子世家》和《太史公自序》二篇。

依照司馬遷的說法，《六經》都曾經孔子之手，雖然關係密切的程度不同。概括地說，司馬遷以爲孔子做了這樣幾件事：編次了《書》，刪訂了《詩》，編定或修訂了《禮》、《樂》，作了《易》的一部分和《春秋》的全部。據說孔子因《魯史記》而作的《春秋》，「是非二百四十二年之中，以爲天下儀表，貶天子，退諸侯，討大夫，以達王事」，因而在《六經》中頂要緊，所謂「撥亂世，反之正，莫近於《春秋》。」（註三）

司馬遷調查過孔子事迹。提供的材料，值得人們重視。然而他對《六經》與孔子的關係的看法，顯然受到董仲舒的影響。因而後來的經學家，並不都以爲他的說法可信。清末以來，歧說更多。現在我只舉兩種極端不同的見解。

一、《五經》皆孔子所作說

清末皮錫瑞在其所撰《經學歷史》和《五經通論》二書裏，極力主張《五經》（註四）都是孔子的著作。他認爲，從原材料說，《五經》雖然大部分來自孔子以前的古籍，但把那些雜亂無章的篇籍，進行整理，給它們注入經學所獨有的靈魂，即所謂「微言大義」，使之成爲「經」，則開始於孔子。例如，《經學歷史》開宗明義就說：

> 經學開闢時代，斷自孔子删定六經爲始。孔子以前，不得有經。……古《詩》三千篇，《書》三千二百四十篇，雖卷帙繁多，而未經删定，未必篇篇有義可爲法戒。……《儀禮》十七篇，雖周公之遺，然當時或不止此數而孔子删定，或並不及此數而孔子增補，皆未可知。觀「孺悲學士喪禮於孔子，《士喪禮》於是乎書」，則十七篇亦自孔子始定；猶之删《詩》爲三百篇，删《書》爲百篇，皆經孔子手定而後列於經也。《易》自孔子作《卦爻辭》、《彖》、《象》、《文言》，闡發義、文之旨，而後《易》不僅爲占筮之用。《春秋》自孔子加筆褒貶，爲後王立法，而後《春秋》不僅爲記事之書。此二經爲孔子所作，義尤顯著。（註五）

皮氏爲清代今文經學家。以《五經》爲孔子的著作，今文學者的意見大體一致。只是他們沒有認定《易》、《禮》爲孔子所作，如皮氏這樣徹底而已。皮氏的見解，是針對宋學而發的。他不滿於宋人的改經删經的方法，對於清代考證學的發展是相當地加以贊許，但又不以爲考據是經學研究的止境。我們明白了這一點，則對他的主張，就可以有合理的解釋。然而皮氏究竟只是一個經學家，而且只是立在今文派的旗幟下來批評對立面，並每每好加以主觀的議論，因而在陳述己見時便不免有不少荒謬的思想，即如上舉論點，也就有武斷之嫌。這我在五十年前已揭示過（註六）。正因爲皮氏走到了經今文學的極端，所以他的說法發表後，便很快受到章炳麟的駁斥。章氏站在經古文學的立場上，批評他以《易》、《禮》爲孔子所作的說法，乃是「妄以己意裁斷」、「愚誣滋甚」（註七）。

二、《六經》與孔子無關說

「五四」以後，錢玄同撰有《重論今古文問題》（註八）等文，完全否認孔子與《六經》有關係，當時殊爲學者所重視。現在撮錄錢氏的話於下，以見另一極端。他認爲：

1.孔丘無刪述或制作《六經》之事。

2.《詩》、《書》、《禮》、《易》、《春秋》，本是各不相干的五部書（《樂經》本無此書）。

3.把各不相干的五部書配成一部而名爲《六經》的緣故，我以爲是這樣的：因爲《論語》有「子所雅言，《詩》、《書》，執禮」，和「興於詩，立於禮，成於樂」兩節，於是生出「孔子以詩、書、禮、樂教」（《史記・孔子世家》）之說，……又因爲孟軻有「孔子作《春秋》」之說，於是又把《春秋》配上。……

4.《六經》底配成，當在戰國之末。……

5.自從《六經》之名成立，於是《荀子・儒效篇》、《商君書・農戰篇》、《禮記・經解》、《春秋繁露・玉杯篇》、《史記》（甚多）、《漢書・藝文志》、《白虎通》等，每一道及，總是六者並舉；而且還要瞎扯了什麼什麼「五常」、「五行」等等話頭來比附了！（註九）

那麼，《六經》究竟是些什麼性質的書呢？錢玄同以爲，要考孔子的學說和事實，只有《論語》比較最可信據。所以，他把《論語》之中與《六經》有關的話，逐條鈔出，進行考證後斷言：㈠《詩》是一部最古的總集；㈡《書》似乎是三代的時候的「文件類編」或「檔案彙存」，應該認它爲歷史；㈢《儀禮》是戰國時代胡亂鈔成的僞書；㈣《易》的原始卦爻，是生殖器崇拜時代的記號，孔丘以後的儒者借它來發揮他們的哲理，陸續配成了所謂「十翼」；㈤《春秋》在「六經」之中最不成東西；說它是「斷爛朝報」，或者「流水賬簿」，都極確當。（註一〇）

錢氏從「疑古派」的懷疑精神出發，全盤否定了《六經》同孔子有關係的說法。他的見解，自然不好說全不對，比如關於《詩》、《書》性質的判斷，就有道理。但總的來看，他的懷疑的立足點，卻很成問題。就是說，錢氏對這個問題先存否定的意見，然後在古代文獻中去尋找論證來替自己的觀點張目，這就不免陷於主觀主義。何況《論語》本身也還有學派和傳本的問題要仔細解決，並不是字字句句都可信據。拿現行的《論語》來作爲判斷是非的標準，從而斷定《六經》與孔子無涉，《荀子》、《史記》等書的記載都是瞎扯，豈非也有武斷之嫌嗎？所以，錢氏的主張，表面上同所謂《五經》悉爲孔子所作的主張完全相反，其實都各執一偏，不足爲據。

從前我在批評「孔教救國」論的時候說過：「孔子學說的眞相究竟怎樣；後世儒家所描寫的孔子，後世君主所提倡的儒教，後世學者所解釋的儒學，究竟是否眞的孔子，都是絕大疑問。」同時我在批評「六經致用」說的時候又說過：「孔子和《六經》的相關度，以及《六經》和致用的相關度，不僅相去很遠，而且根本上還是大疑問。」（註一一）現在我仍然覺得，當這些疑問還沒有爲科學研究解決以前，要做到客觀地深入地估計孔子的歷史功罪，恐怕也難。我們都知道毛澤東同志的一句名言：「社會主義比起孔夫子的經書來，不知道要好過多少倍。」（註一二）假如我們連孔子與「經書」的關係還鬧不太清楚，也就是對於封建主義學說的基本文獻的面目還不太了然，又怎麼能澈底剝露封建主義的落後性，清算這長期的封建社會呢？況且這些疑問搞不清楚，不僅孔子問題，連中國哲學史、中國思想史、中國史學史、中國文化史的問題，也無法澈底解決的。但我覺得很遺憾，即使前揭兩種極端的見解，雖然發表都有好幾十年了，似乎還沒有被批判地克服，用主觀臆說來捧孔子或罵孔子的現象，也似乎還存在。這無補於問題的解決。因此，我想再率直地陳說一下自己的初步看法。

第一、通過對現存的《五經》的考察，我們有理由相信，它們決非撰於一人，也決非成於一時，作於一地。舉例說，《易》的經（卦爻辭）部分，《書》和《春秋》，無論文字結構、編輯體例，或者撰述內容，都有相當大的差異。《詩》中的「風」詩，多由民間採集，屬於地方樂歌，也就是各地的土樂，它們產生的地域，除陝西外，還包括現在的山西、河南、河北、山東及甘肅的南部。人們當然要問：《經書》中這些不同的東西，是從哪裏來的呢？都是由孔子周游列國時親自採訪到的嗎？顯然不是，我認爲，這種種差異表示，在孔子以前，必有很多古代文獻遺存下來，它們的一部分，就殘存在《經書》之中。

這個事實，除《經書》本身透露的消息而外，在先秦子書中也有間接證據。比方說《莊子・天運》就記有孔子謂老聃曰：「丘治《詩》、《書》、《禮》、《樂》、《易》、《春秋》六經，自以爲久矣，孰知其故矣？」老子曰：「夫六經，先王之陳迹也，豈其所以迹哉！」可見，孔子以前確實存在著「先王之陳迹的」文獻。後世不斷出土的商周鐘鼎彝器銘文，被有的學者視作《書》類文獻的原型，我覺得是有道理的。

第二，那時「先王之陳迹」的文獻數量應該比現在的「經書」要多，而且可能已出現經過刪削的不同傳本。孔子爲了設教的需要，對各種故國文獻，加以搜集和整理，以充當教本。這些教本，傳下來便成爲儒家學派的「經典」。

關於數量的問題，可舉《詩經》爲例。《史記・孔子世家》說古者《詩》三千餘篇，及至孔子，去其重，存三百五篇。此說屬實麼？唐以來經學家們聚訟紛紜，或以爲《論語》兩稱「《詩》三百」，即是孔子未嘗刪《詩》的證據。但我認爲，如果承認《詩》中的風詩部分，主要採自民間，那麼幾百年間積累三千餘篇，當然完全可能。在採集後，需要經過刪重加工，使之適合統治者的藝術標準或政治標準，也完全可以理解。這樣的刪削加工，必定不止進行過一次。據《國語・魯語》說，孔子的十世祖正考父，曾經「校商之名頌十二篇於周太師」。既稱「名頌」，那就意味著《商頌》中還有其它作品，未被正考父校錄。到孔子正樂，使「《雅》《頌》各得其所」時，《商頌》已僅存五篇。這表明，經過刪削的《詩經》傳本，在孔子前的確有過。《詩》如此，其它《書》、《易》等，無疑也如此。

孔子對那些文獻有沒有重加整理呢？也完全可能。孔子是我國歷史上第一個創辦私立學校的教育家。《論語》記載他自己說：「自行束修以上，吾未嘗無誨焉。」《史記》記載孔門弟子先後有三千人，「通六藝者七十有二人」。可見他收學生，除學費一項外，沒有門第之類限制，因而學校規模才那樣大，高材生才那麼多。拿孔子開創的私人講學同過去教育爲學官所壟斷時候的情形互相比較，我覺得梁啓超、章太炎他們肯定孔子實行「有教無類」、「因材施教」有好作用，是不無値得考慮的。孔子既然設教講學，學生又那麼多，很難想像他沒有教本。毫無疑問，對於第一所私立學校來說，現成的教本是沒有的。《論語》記載孔子十分留心三代典章，指導學生學習《詩》、《書》及禮樂制度。因而，我以爲，孔子爲了講授的需要，搜集魯、周、宋、杞等故國文獻，重加整理編次，形成《易》、《書》、《詩》、《禮》、《樂》、《春秋》六種教本，這種說法是可信的。

孔子的確曾以《六經》爲教，這在《論語》之外的其它典籍內，也有很多記錄。如《禮記・經解》說：「孔子曰：入其國，其教可知也。其爲也人，溫柔敦厚，《詩》教也；疏通知遠，《書》教也；廣博易良，《樂》教也；潔靜精微，《易》教也；恭儉莊敬，《禮》教也；屬辭比事，《春秋》教也。故《詩》之失，愚；《書》之失，誣；《樂》之失，奢；《易》之失，賊；《禮》之失，煩；《春秋》之失，亂。」這是說可以從人們品德知識的不同表現，來分別判斷《六經》教育的效果。又如《史記・滑稽列傳》引孔子曰：「六藝於治一也：《禮》以節人，《樂》以發和，《書》以道事，《詩》以達意，《易》以神化，《春秋》以道義。」這是說《六經》教育對於治理國政可能發生的作用。它與上條引語正好從兩側面證明，孔子何等重視以《六經》施教。

所以，我認爲現存的《六經》，無疑經過孔子整理，也因此而成爲儒家學派的「經典」。

第三、孔子整理《六經》，自有他的一定的標準，這是今文經學家與古文經學家都承認的。但說到具體標準，他們的分歧可就大了，今文學者把《五經》看作孔子的《致治之術》，古文學者則把《六經》看作孔子整理古代史料之書。他們就是由各自的門戶之見出發，去尋找孔子的「經書」的義例。不消說，他們找到的種種所謂標準，必然充斥著宗派的偏見。科學與偏見不能共存，我們只能超出一切經學的派別來研究，更其應從存在決定意識的高度來研究。據淺見，關於孔子整理《六經》的標準，至少有三則記錄，值得注意：

其一是「子不語怪、力、亂、神」（註一三）。宗教觀念，說到底，反映著人們的社會關係。在周代，上帝無非是周天子的形象在天上的投影。周室東遷，地上的周天子的地位大大動搖了，於是上帝這個影子，便不能不隨之模糊起來。春秋時代的統治者中間，很有些人在思想上要擺脫舊的「天」的觀念的羈絆，表現出他們對於舊時的鬼神觀念，即舊時那種愚民政策的工具的效用，不同程度地發生了懷疑。孔子的「不語」，就體現著這股潮流，說明他也基本上不信鬼神。孔子不是也時常談「天」說「命」嗎？是的，他還有相當的宿命思想，我稱之爲反鬼神而取術數，說明他仍有迷信。但我認爲，孔子說的「天」，同殷周統治者傳統所謂的「天」，在概念上已經起了變化。孔子實際上把「天」當作宇宙間一切都在變化的代稱。然而那個時代的歷史條件，限制著他不能對宇宙變化做出符合自然規律的解釋，而剝削階級的偏見，更限制著他不敢直接否定「天」的傳統權威，因而發表的言論類似泛神論，最終流入宿命論一途。我以爲，現存的「經書」裏，很少有涉及鬼神主宰之類的蕪雜妄誕的篇章，但說「命」的內容卻存留不少，正顯示著孔子整理《六經》時的矛盾見解。這就是說，故國文獻中大量有關鬼神的糟粕，被孔子本著「不語怪、力、亂、神」的原則刪節了。

其次是孔子說的「攻乎異端，斯害也已」（註一四）。所謂「異端」，就是與孔子學說相對立的或不同的議論。這一點，我想不必也不該替孔子諱，如有些封建學者所曲爲解說的那樣。問題在於孔子爲什麼提出排斥「異端」。我覺得這同他關於「仁」的思想有密切關係。當上古統治者對於勞動的奴隸還可以任意屠殺的時候，人的地位往往比牛馬還低賤。春秋時代，對「天」的看法起變化了，對「人」的看法同樣在起變化，同樣反映了當時新舊社會力量的鬥爭。孔子及其開創的儒家學派，在這時一致强調「仁」。這個「仁」字，有沒有一點人道主義的意味呢？有沒有把人當做人的新的涵義在內呢？我以爲不能否認。當然也不能否認，沒有超階級的「人」，因而也就沒有超階級的「仁」。可是從涵義的發展來探討，便不能不注意「仁」的思想，主要是針對舊時統治者對「人」的看法而發的。孔子的這個學說，提出於社會大動蕩的時期，受到其它學說的非難，乃至攻訐，我覺得道理也就在這裏。爲了維護自己的學說，孔子起而鬥爭，把對立的學說看作應該排斥的異端，乃是百家爭鳴時代的必然現象。所以，他在整理「經書」時，刪節自己認爲是有害的見解，便不值得奇怪。這同後世的封建統治者，利用孔子的儒家學說，將它變成儒教；仗著封建統治勢力强迫人們去信仰，而把其它一切學說都加以禁止，我覺得不可同日而語。

再次就是孔子說的「述而不作」（註一五）。孔子整理《六經》，原是拿來做教本。他所依據的材料，畢竟是故國文獻。其中很多記載，都屬於古代的歷史事跡。孔子對它們，儘管有刪節，但態度是「信而好古」，也就是保持原有的文字，包括原來的史事內容和表達風格，所以現存的「經書」才仍然被我們看作研究歷史的重要史料。不過，話也得說回來，述與作也不可能有嚴格的界限。所謂《六經》，從形式說是敘述舊文，從內容上說又有創作新意。因爲既然按照一定的指導思想進行篩選，還按照自己的見解來闡明經義，那麼就總體而言，經過整理的《六經》，自然可說是孔子的一套著作，因而也同時被我們看作研究孔子和儒家學說的重要史料。

第四，孔子整理過《六經》，但現存的五部「經書」，卻不完全是孔子整理後的原書。

現存的「經書」，內容有兩部分，一部分是保存下來的孔子整理過的文字，另一部分則爲後來的儒家學派所增添。例如號稱「十翼」的《易傳》，共七種十篇，不但文體同《論語》不相似，而且思想內容也不一致；說它根本與孔子無涉，固然不可，說它為孔子所作，就更成問題。據我的考察，它就包含著孔子說《易》的記錄，和後來傳《易》學者所補充的內容。再如《儀禮》，今本有《喪服傳》一篇，相傳即子夏所作。又如《尚書》，問題更多了，除掉偽古文《尚書》二十五篇已被學術界公認為是偽作而外，眞古文《尚書》十六篇是否存在過也是疑問，而且即使是今文《尚書》二十九篇，向來被學者認為都是孔子整理過的傳本，但經過近代學者考訂，已證明至少是其中的《禹貢》篇，也是戰國時的作品。

這些事實，說明孔子整理的「經書」，經過歷代的變亂和後來儒家學派的利用，而流傳至今的那些篇章，從文字到內容，都未必能說全是當初孔子整理的舊文。我們在使用它時，必須慎重對待。

孔子根據自己的哲學、政治和歷史的見解，對大量古代文獻進行篩選，保存了很多有價值的歷史資料，也使《六經》成為系統表達儒家學說的著作；孔子訂定的這些著作，隨著封建社會的發展，儒家學派地位的變化，而被封建統治者尊為「經典」；但現存的「經書」，其中有孔子整理過的經文，也摻雜著後來儒家學派的著述，同時在流傳過程中還有散佚。所以，我認為《六經》與孔子的關係很密切，但對現存的「經書」，哪些同孔子有關，哪些與孔子無涉，則需要仔細研究。我期望有人深入研究這個問題，寫出反映歷史實際的科學著作來，對於孔子問題和中國學術思想史一系列問題的解決，必定大有好處。

【附註】

註　一　《論語》在漢代的傳本，起初有三種，即屬於經今文學的《魯論》、《齊論》，以及屬於經古文學的《古論》。西漢末，安昌侯張禹首先混合《魯論》和《齊論》，進行改訂，號稱《張侯論》

。東漢末鄭玄注《論語》，又混合《張侯論》和《古論》，於是形成《論語》的現行本。

註　二　例如今傳本《論語・述而篇》有「加我數年，五十以學《易》，可以無大過矣」，好像孔子學《易》是沒有問題的。但據《魯論》本，則孔子只是說「五十以學，亦可以無大過矣」，並沒有說自己學《易》。一字之差，就使基本事實是否靠得住成了問題。所以《論語》也還有學派和傳本的問題要仔細解決。

註　三　《史記・太史公自序》

註　四　今文經學派以爲樂本無經，存在於《詩》與《禮》之中，因而只提《五經》，不承認有《六經》。

註　五　皮錫瑞：《經學歷史・經學開闢時代》。

註　六　周予同：皮著《經學歷史》注釋本序言。

註　七　章炳麟：《駁皮錫瑞三書》，載《章氏叢書・文錄》。

註　八　見《古史辨》第五冊。

註　九　錢玄同：《答顧頡剛先生書》，載《古史辨》第一冊。

註一〇　錢玄同：《答顧頡剛先生書》，載《古史辨》第一冊。

註一一　周予同：皮著《經學歷史》注釋本序言。

註一二　《毛澤東選集》卷五，頁二五七。

註一三　《論語・述而》。

註一四　《論語・爲政》。

註一五　《論語・述而》。

——原載《復旦學報》一九七九年一期，頁五〇——五四轉頁八六。

春秋「稱詩」與孔子詩論

蕭華榮

班固《漢書・藝文志》說：「古者諸侯卿大夫交接鄰國，以微言相感。當揖讓之時，必稱詩以諭其志，蓋以別賢不肖而觀盛衰焉。」班固這裏說的是春秋時期國際外交方面的情況。「稱詩」包括引詩與賦詩。引詩與賦詩也不僅限於外交方面。根據《左傳》的具體記載，一般說來，賦詩多見於外交場合，引詩則多見於國內政治問題的議論。引詩與賦詩，特別是賦詩，是當時特定的歷史條件下的一種奇特的現象。作爲詩歌在政治、外交活動中的廣泛運用和發生作用的實踐，必然地影響到生逢其時的孔子的詩歌理論。本文試圖對春秋「稱詩」的情況和其對孔子詩論的影響以及關於孔子詩論的評價，談談自己的看法，以就正於並世碩學。

一

據朱自清先生統計，「《左傳》所記賦詩，見於今本《詩經》的，共五十八篇，《國風》二十五，《小雅》二十六，《大雅》一，《頌》一。引詩共八十四篇，《國風》二十六，《小雅》二十三，《大雅》十八，《頌》十七。重見者均不計。再將兩項合計，再去其重複的，共有一百二十三篇，《國風》四十六，《小雅》四十一，《大雅》十九，《頌》十七，佔全詩三分之一強。」（《詩言志辨・興義溯源》）《左傳》所記如此，實際上遠不止這些數字，這是可以想見的。

先說引詩。春秋時期，在政治、外交等場合，當人們發表意見、建議、主張時，往往引用詩句（除個別「逸詩」外，都是後來所說的《詩經》中的句子，或按當時人的說法——「詩三百」）作爲自己的論題的論據，以加强議論的權威性與說服力，這種情況，朱自清先生稱之爲「引詩」。舉兩個例子：《左傳》宣公二年記載：晉靈公「不君」，即失去「君德」，胡作非爲，士季勸諫，他表示要改過，另一位大臣士會就趁機鼓勵他：

> 人誰無過？過而能改，善莫大焉。《詩》曰：「靡不有初，鮮克有終。」（《大雅・蕩》）夫如此，則能補過者鮮矣。君能有終，則社稷之固也，豈惟群臣賴之！又曰：「袞職有闕，仲山甫補之。」（《大雅・烝民》）能補過也。君能補過，袞不廢矣。

一段話中，引詩兩條。再如《左傳》成公二年，晉、齊交戰，晉勝，深入齊境，齊侯派使者以寶物、土地爲代價，請求講和。晉侯不許，提出兩個苛刻條件：一是要以蕭同叔子爲抵押，二是要齊國把土地改爲東西方向耕種。使者當即據理反駁說：

> 蕭同叔子非他，寡君之母也；若以匹敵，則亦晉君之母也。吾子布大政於諸侯，而曰必質其母以爲信，其若王命何！且是以不孝令也。《詩》曰：「孝子不匱，永錫爾類。」（《大雅・既醉》）若以不孝令於諸侯，其無奈非德類也乎？先王疆理天下物土之宜而布其利，故《詩》曰：「我疆我理，南東其畝。」（《小雅・信南山》）今吾子疆理諸侯，而曰盡東其畝而已，唯吾子戎車是利，無顧土宜，其無乃非先王之命也乎？

他的嚴正的駁斥，捍衛了齊國的尊嚴與利益，使晉侯取消了兩個無理要求，同意講和。可以看得出來，他所援引的兩條詩句在該場合下是十分得當的。

以上這種引詩情況比較簡單，也很容易理解，如同後來所說的「引經據典」。賦詩就比較奇特一些。它主要是在外交之時，宴饗之中，當事的一方鄭重其事地「賦」出某首詩，或某首詩的某章甚至某句，並不旁加說明，對方就可以根據彼時彼地彼此之間的具體情況，準確地理解到他的意思，並表明態度。所謂「賦」，當是一種朗讀的語調。《漢書・藝文志》云：「不歌而誦謂之賦。」這個定義只是概而言之，其實並不很準確。「賦」不是「歌」，這是對的。如《左傳》襄公四年載：「穆叔如晉，……晉侯享之，金奏《肆夏》之三，……工歌《文王》（《大雅》之三）」；襄公十四年載：「孫蒯入使，公飲之酒使太師歌《巧言》（《小雅》之卒章），都指明是歌詩而非賦詩，顯見「歌」、「賦」有別。但「賦」也並不就是「誦」。如《左傳》襄公十八年「齊慶封來奔，……穆子不悅，使工爲之誦《茅鴟》（逸詩）」。再如《國語・周語上》：「故天子聽政，使公卿至於列士獻詩，瞽獻曲，史獻書，師箴，瞍賦，矇誦，百工諫。」「瞍賦」、「矇誦」既分而言之，足證「賦」、「誦」非一。「賦」當是一種接近於「誦」的特殊音調。從上面的一些例子也可看出，「賦詩」當是諸侯、卿、大夫等有地位有身份的人的自賦，工、大師、平民等只能「歌」、「誦」、「謳」（除前舉例證外，再如《左傳》昭公十九年「鄉人或歌之」，定公十四年「野人歌之」，哀公五年「萊之歌之」，僖公二十八年「聽輿人之誦」，宣公二年「城者謳曰」，等等）。再，《左傳》隱公三年孔穎達《正義》引鄭玄語：「賦者或造篇，或誦古。」「造篇」指本人的創作，「誦古」是朗誦昔人的成篇。實際上，「賦詩」之「賦」，在當時只不過是强調和特指朗讀的音調，並不注重是本人的創作與否，與後來的以「賦詩」專指創作不同。

春秋「稱詩」，決不是旨在活躍氣氛的文藝娛樂，也不是炫燿學問的隨意之舉。人們在嚴肅的政治與外交場合徵引古詩，爲的是「以諭其志」，「微言相感」，陳述意見，表達願望，達到政治上外交上的目的。而在特定的時間、地點、條件下，它確實可以達到這種目的。引詩的這種效果，我們從上述齊國使者面折晉侯可見一斑。賦詩也是如此，而且更加含蓄、更加微妙些。賦詩得當，恰如其分，常常可以得到刀兵所得不到的效果。自然這是以雙方根本的實際利害爲前提的，賦詩只是含蓄地暗示出這種利害而已。如：《左傳》襄公二十六年記載齊侯、鄭伯來到當時的盟主晉國，要求釋放被拘執在晉國的衛侯。齊、鄭兩方先是分別賦《蓼蕭》（《小雅》）和《緇衣》（《鄭風》），暗示要對晉侯感恩戴德，言聽計從；爾後，又分別賦《轡之柔矣》（逸詩）和《將仲子》（《鄭風》），爲衛侯講情，終使衛侯得以釋放歸國。襄公十六年，魯國受到齊國侵略，派穆叔到晉國求援，賦《祈父》（《小雅》）、《鴻雁》（《小雅》）二詩，請求晉侯憐憫，終於得到救兵。襄公十四年記載，晉國執政大臣范宣子因懷疑戎人對晉不忠，不准其參加會盟，且將拘執戎子駒支。駒支據理分辨，並賦《青蠅》（《小雅》），希望「愷悌君子，無信讒言」。范宣子感悟，同意戎人「于會」。這樣，一番話，一首詩，就使得事情轉否爲泰，化險爲夷。另外，因爲詩賦得好，個人受到稱賞的也有。如《左傳》襄公二十七年載「楚薳罷如晉涖盟，晉侯享之，將出，賦《既醉》（《大雅》）」。因爲這首詩中「既醉以酒，既飽以德，君子萬年，介爾景福」等句子用於當時的場合十分得體，得到晉國叔向的誇獎和看重。當然，也有與此相反的情況。

「稱詩」的這些作用和效果，是春秋時期特定的歷史條件下的產物。當時，周王朝雖然已經失去「天下宗主」的權威，但名義上仍是「天下宗主」，爲諸侯所表面尊奉。諸侯國之間，雖不斷互相攻伐兼併，但往往都打著「尊王」、「討伐不庭」的旗號，他們彼此之間的利害關係也往往呈現出一種錯綜複雜、互相牽制、十分微妙的狀態。

和戰之間，往往決於片言。在禮制方面，西周的繁文縟禮雖已開始崩壞，但還未完全消亡，還有一點維繫國與國、人與人的關係的力量，還有一層薄薄的溫情脈脈的虛假的「禮」的面紗。這種種微妙的關係，需要有一種微妙的方式來處理。特別是在頻繁的外交接觸中，更需要有一種帶點兒權威性的外交辭令，在彼此實際利害的基礎上，把一些事情順水推舟、不傷面子地處理過去。因此，春秋外交十分注重文辭，主張「文其言」。《左傳》襄公三十一年叔向說：「辭之不可以已也如是夫！子產有辭，諸侯賴之，若之何其釋辭也？」注重文辭，實際上是要把理由說得更雄辯、更冠冕堂皇些，把外交上赤裸裸的利己意圖說得更優雅、更含蓄些。「詩三百」的那些形象的、因而往往是多側面的、可以隨意發揮和理解的優美的句子，在當時恰巧可以起到這種作用。於是，它就交了歷史的紅運，不但當時作爲權威性的話來引用，以後還作爲「詩教」來宣傳，再以後竟被抬到了「經」的地位。這是其作者們所始料不及的。當然，從被歪曲的角度上看，又是其不幸。這我們後面再分析。「詩三百」在當時所以能夠交此紅運，還有其自身的條件。由於它們本是樂歌歌詞，在長久的聽樂娛樂和觀樂活動中，口耳相傳，再加以後來的有意識的教詩與學詩，就使得統治階層的許多成員對「詩三百」極爲熟悉，背誦如流，運用自如，反應迅速。這一切，便成爲春秋「稱詩」的歷史的、政治的、文學的背景。

二

「詩三百」的上述實際運用又成爲孔子詩論形成的重要背景。孔子詩論是其整個理論體系的組成部分，是其文學理論的核心內容。任何理論都不是人的頭腦中所固有的，也不是從天上掉下來的，它的形成需要有實踐的基礎。詩歌理論也是如此，它的形成的實踐基礎主要是詩歌創作的活躍及其流傳和發生作用。孔子的詩論具有不完備性，其特點是只講詩的社會功用，不講詩的性質與創作。這是有其原因的。因爲孔子所說的詩不是泛成一般的詩歌，而只是特指「詩三百」。不僅孔子，先秦典籍及諸子論詩，大率如此。指出這一點，對理解與評價孔子詩論很重要。「詩三百」是距孔子以前很久的年代就先後出現的作品，它們的創作情況，孔子沒有見到。孔子生活在春秋末期。當時，這些作品早已流傳和發生作用了。就孔子個人的實踐來說，他原是一個熱心政治的人，不斷地奔走游說於諸侯國之間，而且爲過政，做過官，親眼看到當時「稱詩」及其產生實際效果的情況。孔子又是一位講究實際和實用的人。因而他從社會作用方面提出自己的詩論，就是毫不奇怪的了。我認爲研究孔子的詩論，至少有兩個問題是應當注意的：第一、不能離開「詩三百」在當時實際運用的情況。社會生活在本質上是實踐的，是理論形成的最後的和根本的原因。離開「詩三百」在當時實際運用的情況去探討與研究孔子的詩論，往往會得出主觀主義的、不符合事情本來面目的結論。這也就是爲什麼單靠字義訓詁不能解決問題的原因。第二、不能離開孔子的言論本身。人們對於詩的性質與特點的認識是不斷地、甚至日新月異地發展著的。由於孔子的「聖者」的地位，後人對孔子詩論的發揮和假托之言都難免自覺或不自覺地帶有他們的時代和認識的色彩。因此，應當到孔子本人的言論（例如《論語》）中找依據。

孔子的詩論，我主要分爲三組來談，考察它們與春秋「稱詩」有著怎樣的聯繫。

> ㈠子曰：誦詩三百，授之以政，不達；使於四方，不能專對；雖多，亦奚以爲？（《論語・子路》）
>
> ……鯉趨而過庭，（孔子）曰：學詩乎？對曰：未也。曰：不學《詩》，無以言。（《論語・衛靈公》）

這是最直接地講詩的實際功用的，即「達政」、「專對」、「有以言」。這些觀念，完全是從春秋「稱詩」及其發生作用的實踐中產生出來的，完全是特殊的歷史條件下的產物。孔子關於詩的其它觀念的來源所自，我們也似乎可以由此得到啓示。「春秋之後，周道寖壞，聘問歌詠，不行於列國」（《漢書・藝文志》），歷史條件消失了，但這些觀念卻保存下來。「專對」就是當時行人使者出使別國的隨機應變的言語問答。「有以言」的「言」，也包括這種外交辭令。在外交場合，善於引詩與賦詩，能夠帶來多麼大的好處，甚至化干戈爲玉帛，變危殆爲安全，使劍拔弩張的氣氛消融在雍容爾雅的詩歌吟詠之中，這我在上文中已經比較詳細地談到了。「稱詩」既有如此的效果，當時統治階層中的人們自然要注重詩的學習，否則出使他國，便會有辱使命，本人也會受嘲弄，被貶抑，甚至於吃苦頭。比如宋人華定聘於魯國，魯人爲賦《蓼蕭》（《小雅》），他領會不了對方賦此詩的用意所在，沒有「答賦」，「不能專對」，事後魯人說他「必亡」（《左傳》昭公十二年）。齊人慶封不學無術，不解賦詩，魯人便通過兩次賦詩狠狠地嘲弄了他，第一次把他比作「相鼠」，第二次把他比作「茅鴟」，他都蒙在鼓中（《左傳》襄公二十七、二十八年）。更有甚者，賦詩弄得不好，還會招來禍患。有一次鄭伯宴享晉國權臣趙孟，鄭國七位大夫陪同，趙請他賦詩，「以觀七子之志」。七人當中，有六人的賦詩都受到讚許，唯獨伯有所賦《鶉之奔奔》（《鄘風》），甚爲不當，有影射攻擊鄭伯之嫌。事後趙孟對人說，伯有「將爲戮矣！詩以言志，志誣其上，……其能久乎？幸而後亡」。後來伯有果因此次賦詩得罪於鄭伯，遭到禍殃（《左傳》襄公二十七年）。這一切，都可以說是「不能專對」、「無以言」的實例與注腳。或者反過來說，孔子說的「不能專對」、「無以言」，正是從諸如此類的情況中總結出來的。

至於以詩「達政」，情況較爲複雜，但也包括了「稱詩」：當時從事政治的人如卿大夫等，往往引用詩句評論政策得失（因而後來的商鞅、韓非等法家極力反對稱引《詩》、《書》），提出自己的看法，對上進行諷諫，對同僚進行勸誡等等。《左傳》記載的引詩的情況，大多如此。例子太多，不勝枚舉。這也是所謂「有以言」的一種內容。當然，以詩「達政」還有另外一種情況與方法，即對人進行啓發引導（即「詩教」、「教化」），這將在後面談到。

㈡子曰：小子何莫學夫《詩》！《詩》可以興，可以觀，可以群，可以怨。邇之事父，遠之事君，多識於鳥獸草木之名。（《論語・陽貨》）

孔子在這裏提出的「興」、「觀」、「群」、「怨」之說，是他的詩論的核心，是歷來認爲最有文學價值的部分，是詩所以能夠「專對」、「達政」的途徑和方法。換言之，正是通過「興」、「觀」、「群」、「怨」，《詩》才能夠實現「專對」、「達政」的目的。另外，詩所以被孔子稱爲「思無邪」，也是由於「興」、「觀」、「群」、「怨」（說見下）。對於「興」、「觀」、「群」、「怨」的含義，歷來解釋很多，衆說紛紜，其實未必盡符孔子的本意。現在結合春秋「稱詩」和孔子本人的用詩、論詩，談談我個人的理解。「興」、「觀」、「群」、「怨」，「興」是基礎和樞紐，是核心的核心。「觀」、「群」、「怨」依賴於「興」；通過「興」，詩才能夠「觀」，能夠「群」，能夠「怨」。《說文》云：「興，起也。」「起」是「興」的基本意義。如《詩經・衛風・氓》「夙興夜寐」的「興」便是一個典型的用例。《左傳》襄公十七年記載，魯大夫季武子到晉國答謝晉的出兵助魯抗齊，「晉侯享之。范宣子爲政，賦《黍苗》（《小雅》）。季武子興，再拜稽首曰：『小國之仰大國也，如百谷之仰膏雨焉。』」「季武子興」的「興」是該字的直義，是「站起來」。季武子所以「站起來」，是因爲范宣子所賦《黍苗》一詩，意在比喻晉君如像召伯一樣憂勞魯國。《黍苗》首章云：「芃芃黍苗，陰雨膏之。悠悠南行，召伯勞之。」季武子並不是按照詩本身的形象去欣賞，而是根據彼此之間的關係去領會對方賦詩的比喻意義，於是便「站起來」表示感恩戴德。正是由這種具體可見的動作「興」（起，站起來），引伸出了那種表示思想受到啓迪的抽象的心理活動的「興」。在虛與委蛇的充滿冰冷的利己打算的外交周旋中，如果有誰眞的一本正經地去「欣賞」對方所賦詩篇固有的形象與感情，並接受其感染和激發，那才是「《詩》之失，愚」（《禮記・經解》）呢！質言之，「興」在賦詩中就是由詩句領悟出某種外交的意圖或想法，使雙方的思想得以溝通。自然，賦詩時也有確實受詩本身形象與感情感發的情況，如《左傳》隱公元年記載鄭伯與其母反目，後有悔心，相會於「大隧」之中，鄭伯賦「大隧之中，其樂也融融」，其母賦「大隧之外，其樂也泄泄」，母子遂「和好如初」。但這是觸物興情的「自作詩」，而且是個別的例子。「斷章取義」才是春秋「稱詩」的本質特徵。「古人所作，今人可援爲己詩；彼人之詩，此人可賡爲自作，期于言志而止。人無定詩，詩無定指。」（勞孝輿《春秋詩話》）斷取詩章，爲我所用而已。再看孔子本人的用例。孔子「稱詩」，已經不是以外交場上的使臣的資格，而是以「詩教」中的「夫子」的身份。關於春秋「詩教」的「興」，我們先看《國語・楚語上》的一個例子：

> 莊王使士亹傅太子箴……（士亹）問于申叔時，叔時曰：教之《春秋》，而爲之聳善而抑惡焉，以戒勸其心；教之《世》，而爲之昭明德而廢幽昏焉，以休懼其動；教之《詩》，而爲之導廣顯德，以耀明其志；教之《禮》，使知上下之則……且夫誦《詩》以輔相之，威儀以先後之，體貌以左右之……，恭敬以臨監之，勤勉以勸之，孝順以納之，忠信以發之，德音以揚

之，教備而不從者，非人也。其可興乎！

這裏說的「可興」，顯然就是孔子說的「詩可以興」。「可興」的不只是《詩》，還有《春秋》、《世》（先王世系）、《禮》等。那麼統而言「興」，分明不是藝術形象的感發，而是抽象義理的開導了。單就《詩》論，「顯德，謂若成湯、文、武、周、邵、僖公之屬，諸詩所美者也」（韋昭注），《詩經》中的《頌》及二《雅》的部分作品固然可以依靠其藝術形象「耀明其志」，但此外的絕大多數詩篇就不能直接達到這個目的，而只能如同春秋賦詩那樣進行牽附、抽象的「領悟」了。所以，「興」在春秋「詩教」中雖然也有形象的感發，但一般說來卻是抽象的啓示。孔子的「興」，大致也是如此。如《論語・八佾》記載：

子夏問曰：「『巧笑倩兮，美目盼兮，素以爲絢兮』，何謂也？」子曰：「繪事後素。」曰：「禮後乎？」子曰：「起予者商也，始可與言詩也矣。」

子夏從「巧笑倩兮」的美女形象中領悟出「禮後」即「禮」是根本這樣的道理，孔子稱贊他「起予者商也」。「起」者，「興」也。子夏的「悟禮」啓示了孔子，是「興」；那麼子夏本人從詩句中悟出抽象的義理，自然也是「興」了。傅玄論「連珠」的一段話說：「其文體辭麗而言約，不指說事情，必假喻以達其旨，而賢者微悟，合于古詩勸興之義。」（《連珠序》）「古詩」的「勸興」，便是「賢者微悟」，這種理解是不錯的。要之，一般說來，孔子說的「詩可以興」就是從形象的詩句中領悟出某種抽象的義理，受到啓迪，「耀明其志」。

這裏順便講講以詩「達政」的問題。以詩「達政」除上述的以詩言政以外，還包括以詩教化即「詩教」。《論語・陽貨》云：

子之武城，聞弦歌之聲，夫子莞爾而笑，曰：「割雞焉用牛刀

?」子游對曰:「昔者偃也聞諸夫子曰:「君子學道則愛人,小人學道則易使也。」子曰:「二三子,偃之言是也,前言戲之耳。」

在孔子之時,詩、樂是密切相關的,「樂以詩爲本,詩以聲爲用」(《通志・樂略》),「三百五篇孔子皆弦歌之」(《史記・孔子世家》)。因此,武城的「弦歌之聲」實際上也包括了詩教。從「學道」二字可以明顯看出,這裏用的也是「興」的方法,即從詩、樂中抽象和傳播「道」,灌輸於民。這段話不僅可以看出「詩教」、「樂教」的途徑,而且可以看出「詩教」、「樂教」旨在使民易使的本質。

再看「觀」。《左傳》襄公二十七年晉國趙孟請鄭國七位大夫賦詩,說是「以觀七子之志」,可見這裏的「觀」即「觀志」。根據賦詩所以能夠「觀志」,是因爲正如趙孟所說「詩以言志」,即賦詩者借「詩三百」的詩句言自家之「志」,這便是所謂「稱詩以諭其志」。這裏的「志」是志意、願望、想法等等。聽賦者可以借助上述「興」的方法以及彼此之間的具體情況理解這種「志」,並由觀賦詩者個人之志進而觀該國外交上的動向和政治上得失治亂的情況,這便是所謂「蓋以別賢不肖而觀盛衰焉」。孔子的「觀」大致也是如此。《論語》是常常講「觀」的。如:「父在觀其志。」(《學而》)「視其所以,觀其所由,察其所安,人焉廋哉。」(《爲政》)「今吾於人也,聽其言而觀其行。」(《公冶長》)另外如「盍各言爾志」,實際上也是以學生之言觀其志。「言」可觀志,詩自然也可觀志。《論語・先進》云:「南容三復『白圭』,孔子以其兄之子妻之。」孔子所以把侄女嫁給南容,是因爲從南容反複誦讀「白圭之玷,尙可磨也;斯言之玷,不可爲也」(《大雅・抑》)。這件事可以觀知其愼於言語、潔身自好之「志」,得到孔子的賞識。歷來都有人把「可以觀」的「觀」理解爲「觀風俗」和政治興廢,也許容或如此吧,但這個觀念的來龍去脈比較複雜，而且《論語》中找不到這樣的表述與暗示。

再說「群」與「怨」。通過「稱詩」，以「興」的辦法，彼此的想法達到交流與溝通，幾個國家可以聯合起來；通過「稱詩」，彼此的想法達到交流與溝通，國家內部可以「團結」起來，人與人之間可以「親密」起來，我覺得這似乎就是孔子說的「詩可以群」。如《左傳》昭公元年夏四月，晉趙孟、魯叔孫豹及曹大夫來到鄭國，鄭伯宴享他們。趙孟賦《瓠葉》（《小雅》），表示感謝鄭的盛情招待。叔孫豹賦《鵲巢》（《召南》），奉承趙孟善於治理晉國；又賦《采蘩》（《召南》），希望晉國保護魯國。鄭大夫子皮賦《野有死麕》（《召南》）的末章，要求晉國不要對其做出非禮之舉。趙孟便即賦《常棣》（《小雅》），取其「凡今之人，莫若兄弟」，表示大家都是兄弟之邦，必當互相親愛，無須彼此猜忌。這樣，他們達成諒解，似乎「親密無間」了。再如前舉鄭伯與其母賦詩於「大隧」之中「和好如初」的例子，便調和了人與人之間的關係。要之，「群」便是通過「稱詩」達到思想上的溝通與關係上的諧調。自然，這歸根結底是以彼此的實際利害爲基礎的。有人把「群」釋爲「群居相切磋」之類，不知何據。《論語》中多次講到「怨」，都有「埋怨」、「怨恨」、「怨刺」之意。孔子似乎並不很贊成「怨」，如：「放於利而行，多怨」（《里仁》），「事父母……勞而不怨」（《里仁》），「伯夷、叔齊，不念舊惡，怨是用希」（《公冶長》），「不怨天，不尤人」（《憲問》），「躬自厚而薄責於人，則遠怨矣」（《衛靈公》）等等。他講的是用詩的客觀情況。以「稱詩」進行「怨」的例子也不少。如《左傳》文公六年「秦伯任好卒，以子車氏之三子奄息、仲行、鍼虎爲殉，皆秦之良也。國人哀之，爲之賦《黃鳥》」（《秦風》）。這首詩既「哀」了「三良」，又「怨」了秦伯。關於以詩諷刺的例子，前面已舉過一些，此外尚多。

(三)子曰：詩三百，一言以蔽之，曰：思無邪。（《論語·爲政》）

「思無邪」是孔子對「詩三百」總的評價，是從以上兩種詩論必然地邏輯地得出的結論。同時，「思無邪」又從「借詩言志」轉向了探索作者之志即詩的主題思想。「詩三百」中，固然有不少爲統治階層歌功頌德之作，如三《頌》及二《雅》的一部分。但絕大部分是人民的生活的吟詠，愛情的歌唱，反抗的聲音。這從統治階層的立場看來，本來應是「有邪」的。孔子作爲統治階層的思想家，作爲「非禮勿視，非禮勿聽，非禮勿言，非禮勿動」的「禮」的熱烈的維護者，何以統統稱之爲「無邪」呢？這似乎有點兒不好理解。其實只要結合春秋「稱詩」來探討，問題就可迎刃而解了。前面說過，春秋「稱詩」特別是賦詩的根本特點是「斷章取義」。《左傳》襄公二十八年蒲癸就公然說：「賦詩斷章，余取所求焉。」所謂斷章取義，就是不顧詩的本事、內容和主題、思想，只是根據彼時彼地的情況和願望，斷取某首詩的某一章或某幾句，利用思想或形象的某種表面的、偶然的類似之處加以類比和附會。賦詩者斷章取義地賦，聽詩者斷章取義地聽，在特定的場合下，能夠達到彼此思想的交流與溝通。而此中的樞機，便是那個「興」。如《左傳》文公七年記載，晉國荀林父奉勸士會不要隨人逃往秦國，士會不從，荀爲之賦《板》之三章。查《大雅·板》的第三章爲「我雖異事，及爾同僚；我即爾謀，聽我囂囂。我言維服，勿以爲笑；先民有言，詢于芻蕘。」《板》全詩共八章，反映在當時社會、政治動蕩中統治階層某些成員大難將臨的預感。而荀並不理會這一點，只取「及爾同僚」以示關切的幾句話。另外一種情況是賦詩者雖賦全詩，但立意即落腳點仍只在某一章或某幾句，所以實際上也是斷章取義。如《小雅·蓼蕭》開頭兩句「蓼彼蕭斯，零露滑兮」只是爲的興起「既見君子，我心寫兮」的歡快心情，而齊人國景子雖賦全詩，卻暗裏斷取這兩句恭維晉侯，說晉侯的恩澤被於諸侯，如同朝露被於「蕭」（蒿）上（《左傳》襄公二十六年），晉侯對此也就心領神會了。斷章取義最典型的例子是賦情詩。我們只要看看他們如何運用情詩，就可以窺見所謂「思無邪」的秘密所在了。他們斷取情詩中贊美愛人的詩句如「彼美孟姜，洵美且都」（《鄭風・有女同車》），來取悅外交上的對方（《左傳》昭公十六年）；他們斷取情詩中描寫情人相見歡樂心情的詩句如「既見君子，云胡不喜」（《鄭風・風雨》）、「邂逅相遇，適我願兮」（《鄭風・野有蔓草》），來恭維異國的諸侯和大夫（同上）；他們斷取情詩中表達情人永相忠貞的詩句，向外交上的對手信誓旦旦：「非報也，永以爲好也。」（《衛風・木瓜》。《左傳》昭公二年）他們還借用情人之間微妙關係的詩句，來暗示外交雙方國與國之間的微妙關係。如《鄭風・褰裳》中的「子不我思，豈無他人」是情人的矜持與忸怩，而鄭國子大叔卻用以向晉國趙宣子暗示，意思是說：「如果你晉國不體恤我們，難道我們就沒有其他國家可以追隨嗎？」（《左傳》昭公十年）《召南・野有死麕》中的「舒而脫脫兮，無感我帨兮，無使尨也吠」是情人間的戲謔，而鄭國子皮卻借以警告晉國不要對鄰國採取非禮行爲（《左傳》昭公元年）。對於這種情況，《左傳》定公九年「君子」的一段話說得十分明確，很有助於我們對此問題的理解：「……苟可以加于國家者，棄其邪可也。《靜女》之三章，取《彤管》焉；《干旄》：『何以告之』，取其忠也。」可見他們並非不理解《靜女》（《邶風》）、《干旄》（《鄘風》）等情詩的本意，也並非認爲它們「無邪」，只是要斷章取義地「棄其邪」，抓住「彤管」、「可以告之」的個別詞語做牽强比附的發揮，從「無邪」的方面來理解。這樣一來，「有邪」自然就轉爲「無邪」了。孔子所謂「思無邪」，我認爲也是這麼回事。當時，「詩三百」的流傳與運用既已成爲事實，「詩三百」既已成爲帶有權威性的外交辭令，貴族子弟既已十分注重學詩，孔子既要實行「詩教」——歸根到底是「禮教」，那麼只有概而言之曰「無邪」，即要求從「禮」的方面去理解、闡述與發揮——其實多半是歪曲。這也便是所謂「君子博學於文，約之以禮，亦可以弗畔矣夫」（《論語・雍也》。鄭注：「弗畔，不違道。」），夫子「博我以文，約我以禮」（《論語・子罕》），即以「禮」規範「詩三百」，以「禮」規範人們的思想，這樣就可以防止人們「有邪」地即如實地欣賞與理解情詩和那些不合於「禮」的詩，「弗畔」於「禮」、「道」。這裏我們還可做如是的考慮：孔子概言「詩三百」「思無邪」，包括那大量的情詩在內，是不是在他看來愛情、男女之情是正當的呢？並不。他說：「少之時，血氣未定，戒之在色。」（《論語・季氏》）這顯然主要指青年男女的愛情。又說：「吾未見好德如好色者也。」（《子罕》）這雖有刺統治者荒淫好色的進步的一面，但也包括了對正當愛情的傾慕。《史記・孔子世家・集解》在這句話下引李充語：「使好德如好色，則棄邪而反正矣。」《詩經》中的情詩正是「好色」的。因此，孔子從「好德」即「禮」的方面發揮，使「棄邪而反正」，也正是順理而成章的。「巧笑倩兮，美目盼兮，素以爲絢兮」，難道孔子就不知道是描寫女性的「美且艷」，是「好色」的嗎？勿庸置疑，他是知道的，否則才是怪事呢！但他對此卻諱莫如深，避而不談（否則就是「邪」的了），只是引導學生悟出「禮後」的大道理，這樣，這首情詩就成爲「無邪」的哲理詩了。以此類推，其它的詩也大致如此。孔子的「思無邪」，從實質上說，似應是這麼回事。實現這種「有邪」向「無邪」的轉化的，關鍵在於「興」，也就是人們說的「以彼言此」：以彼領悟到此，以彼聯想到此，以彼抽繹出此——例如以「巧笑倩兮」令人奇怪地悟出「禮後」。而這也正是春秋「稱詩」斷章取義的手法。

三

以上是我對孔子詩論形成的歷史的、實踐的基礎的一些看法。直白地說吧，我認爲孔子詩論至少是在很大程度上從春秋「稱詩」中受到啓示和總結出來的。據此，我想談談對孔子詩論的評價問題。

前面講過，評價孔子詩論時，要把孔子詩論本身與後人的解釋、體會和發揮區分開來。由於孔子是「萬世師表」，由於孔子的概念內涵的不明確性，特別是由於人們對詩的性質、產生、創作、功用認識的日益深入，便往往把這種認識附會到孔子的言論上，借用孔子的用語和概念，加以闡述、發揮、補充、充實，離開或拔高了孔子的原意。自然，對那些如實的正確的闡發，還是應當辨析和吸收的。

根據前兩部分的分析，我認爲孔子的詩論基本上是實用主義。文學上實用主義的重要特點，就是完全不顧作品本身的形象與內容，把在某種情況下有用與否作爲出發點與歸宿，把文學完全地不折不扣地當作政治的附屬品，使它完全失去本身的獨立性。孔子大力提倡、鼓勵和引導學生學詩，主要目的是「達政」、「專對」、修身等實際運用，而這種運用是斷章取義的，與原作很少相干甚至毫不相干。「斷章取義」，可以說是「實用主義」的同義語。孔子的「興」、「觀」、「群」、「怨」是以己志代替作者之志，遠遠地背離了作品本身的形象，僅取某一點上偶然的、表面的、似是而非的聯繫。孔子說的「思無邪」也不是對「詩三百」的如實的、眞實的評價，而是經過棄取、割捨、歪曲從而使其於己有用之後而得出的評價。先秦時期多從社會功利價值論詩，與春秋「稱詩」以及孔子詩論是有密切聯繫的。從客觀的歷史條件來說，也是以功利價值看待事物早於以審美價值看待事物（包括文章）的規律的表現。

我對孔子詩論的評價，大致如此。因此，那種認爲孔子詩論是現實主義或基本上是現實主義的說法，我以爲是不確的。「詩三百」基本上是現實主義的光輝詩篇。作爲論述這些篇章的孔子的詩論，首先就應當如實地指出和肯定它們所反映出的彼時彼地的現實生活及基本質，如實地分析和闡述它們是如何反映生活的。但孔子卻沒有這樣做。他根本不涉及這些問題。作品中所反映的生活及其藝術形象本身對於他來說是無所謂的，他只注意從詩句中牽強附會地引申出某種與作品的本質無關的哲理和觀念。不從詩本身的形象體系及其與生活的眞實關係出發去理解詩和運用詩，闡發詩的原理，這與現實主義有何相干呢？現實主義的作品源於生活反映生活，並對生活產生反作用，但這種反作用是由其眞實的藝術形象和感染力產生的，而不是通過與形象無必然聯繫的牽附出來的「哲理」。當然，孔子詩論主張實用，注重效果，不把詩看作流連光景、迷醉風月之物，在某種條件下，是可能導致出現實主義來的，但這要經過改造與發揮，而這就是另一回事了。

另外還有一個值得商榷的問題，就是作爲孔子詩論的關鍵的「詩可以興」、「興於詩」、「興觀群怨」的「興」，是否是審美理論呢？我認爲基本上不是的。審美欣賞是與個別、具體、感性的藝術形象始終緊密相連的。它是從作品所創造的客觀的藝術形象出發，並按照這種形象所規定的方向，展開審美的聯想與想像，喚起對於與之相關的生活、經歷、體驗的回憶，產生共鳴，得到或鼓舞、或消沈、或歡欣、或悒鬱的感受，潛移默化地改變自己的情感、情操。審美欣賞中得到的理性認識與啓示也是與作品中的藝術形象融爲一體和有著必然的內在聯繫的。孔子對於藝術的審美感染力量不會是沒有覺察和認識的，否則他就不會「惡鄭聲」（《論語・陽貨》），並說什麼「《關雎》樂而不淫，哀而不傷」（《論語・八佾》）了。可以設想，正因爲他看到這種感染力量，才要以「禮」加以規範。「詩三百」的爲人所重與流播已成爲客觀現實，因此要「博學於文，約之以禮」。「博學於文」就詩來說是因爲它有用即可「達政」與「專對」，「約之以禮」是爲了使它「無邪」即無害，以至於「事父」、「事君」。而這是通過「興」達到的。孔子說的「興」要求在接觸到詩的形象之後，並不按這形象的規定性去展開回憶與聯想，並受其感染，產生共鳴。他只是引導人們在這種形象的啓發下進行理性的思索，抽象出某種與形象沒有內部必然聯繫的合於「禮」的觀念。這怎麼能說是審美活動呢？「巧笑倩兮」的美女形象並沒有感染孔子與子夏，而只是領悟到什麼「禮後」，彷彿這並不是生活中的眞實形象，而只不過是一種意念的象徵。《論語・學而》記載：

> 子貢曰：「貧而無諂，富而無驕，何如？」子曰：「可也。未若貧而樂，富而好禮者也。」子貢曰：「《詩》云：『如切如磋，如琢如磨』（《衛風・淇奧》），其斯之謂與？」子曰：「賜也，始可與言詩也已，告諸往而知來者。」

孔子與子貢並不理會《淇奧》一詩本身的形象與主題，只是用其中的句子比附「貧而樂，富而好禮」的思想。孔子稱這樣理解詩是「告往知來」。何晏注引孔安國的解釋爲：「子貢知引詩以成孔子義善取類。」這都是所謂「以此」抽象出「彼」。《論語・陽貨》「詩可以興」句下《皇疏》云：「興，謂譬喻也。孔曰：興，引譬連類。」都看出了孔子所說的「興」是以形象比附某種義理，應當說這是符合其本意的。另外，孔子除說「興於詩」以外，還說過「興於仁」（《論語・泰伯》）。「仁」不是文藝作品，而是道德義理。這也說明「興」一般說來並不是形象的感染，而是思想上的啓迪和修養上的提高。

但事情還有其複雜性。就詩來說，既然「興」首先接觸的是藝術形象，特別是有些詩如三《頌》和二《雅》的一部分等等，其藝術形象與「禮」是一致的，以欣賞的態度對待它們是孔子能夠允許的，那麼，「興」又確實含有審美的因素。正因爲存在著這種溝通，所以後世所闡發的「興」，也就接近於或者相當於我們現在所說的審美理論了。

我認爲春秋「稱詩」對孔子詩論並通過孔子這個「樞紐」對古代詩論是很有影響的。比如，我初步覺得，古代詩論所津津樂道的「比」、「興」，窮源究委，蓋出於春秋賦詩。簡括地說，賦詩者用的是「比」法，聽賦者用的是「興」法。這個問題，還有待於專文探討。朱自清先生認爲，毛、鄭解《詩經》，「一律用賦詩、引詩的方法去說解，斷章之義爲全章全篇之義，結果自然便遠出常人想像之外了。而說比興尤然。」（《詩言志辨・比興》）這個說法是很有見地的。「毛公述傳，獨標興體」（《文心雕龍・比興篇》）。以《詩經》開卷的三篇爲例：《關睢》，《小序》說是「后妃之德也」；《葛覃》，《小序》說是「后妃之本也」；《卷耳》，《小序》說是「后妃之志也」。而這一切無稽之談，《毛傳》一律說是「興也」，即這種荒唐的抽象與聯想是以「興」實現的，那麼「興」在這裏不是一種歪曲「詩三百」的手段嗎？但是，後來的人們如劉勰、鍾嶸、陳子昂、李白、白居易等把那種有實際內容、有思想寄托的創作方法稱爲「比興」、「興寄」，並加以倡導，卻無疑是正確和進步的，是符合詩的藝術規律的。這種奇異的文學理論現象，以及謬誤向著眞理轉化的過程、途徑和條件，也很值得做深入的探討。

以上是我關於春秋「稱詩」與孔子詩論的關係的一些看法。孔子詩論形成的歷史的、實踐的條件當然不只春秋「稱詩」，比如還有「詩教」等等。（但「詩教」與「稱詩」的關係如何呢？孰先孰後？）我著重談了春秋「稱詩」，意在爲孔子詩論的理解與評價提供一個側面。不當之處必多，還望前輩專家教正。

——原載《古代文學理論研究叢刊》第五輯（上海古籍出版社，一九八一年十月），頁一九二——二〇九。

從孔子到孟荀

——戰國時的儒家派別和儒經傳授

周予同

孔子去世以後，他所創立的儒家學派，內部很快起了分化；他所整理的儒家經籍，也跟著出現了不同傳本。到戰國中、晚期，以孟軻、荀況爲代表，儒家學派事實上已分成兩派。探討從孔子到孟荀的儒家派別及其經籍傳授的過程，對於研究戰國時期「百家爭鳴」的歷史，對於研究中國古代學術文化的變遷，都是不可或缺的基礎課題之一。我在這裏僅作扼要的敘述。

孔子以後的儒家派別

關於孔子以後儒家學派分化的概況，較早的系統記錄，只有《韓非子・顯學》中的一段：

> 自孔子之死也，有子張之儒，有子思之儒，有顏氏之儒，有孟氏之儒，有漆雕氏之儒，有仲良氏之儒，有孫氏之儒，有樂正氏之儒。……故孔、墨之後，儒分爲八、墨離爲三。

這就是引起古今學者注意的「儒家八派」說，以後對此說進行解釋的，有《聖賢群輔錄》，它說：

> 顏氏傳《詩》爲道，爲諷諫之儒。孟氏傳《書》爲道，爲疏通致遠之儒。漆雕氏傳《禮》爲道，爲恭儉莊敬之儒・仲良氏傳《樂》爲道，以和陰陽，爲移風易俗之儒。樂正氏傳《春秋》

　　爲道，爲屬辭比事之儒。公孫氏傳《易》爲道，爲潔淨精微之儒。

照此說來，儒家分派，原因在於孔子的幾名學生或再傳、數傳弟子，於《六經》各執其一，而在社會分工中又各守一道。但《聖賢群輔錄》一書出於僞託（註一），其說不足據。以後，學者又作了不少考證、解說。這裏擇要分述一下。

子張　孔子的學生，司馬遷說是顓孫師的字，陳人（註二）。《論語》裏記載他向孔子學干祿，問從政，但孔子對他似乎不夠滿意，一說「師也過」，再說「師也辟」（註三）。他的同學言偃、曾參，也批評他「未仁」，「難與辨爲仁」（註四）。然而到戰國時，他的後學顯然已成爲很大的派別。荀子攻擊三種「賤儒」，頭一個便是「子張氏之賤儒」（註五），嘲罵他們衣冠不正，語言乏味，只會模仿舜、禹走路的樣子（註六）。郭沫若對子張的評價則很高，以爲「他似乎是孔門裏面的過激派」，「他是偏向於博愛容衆這一方面的」，「在儒家中是站在爲民衆的立場的極左翼的」（註七）。不過我覺得，子張主張「尊賢而容衆」（註八）屬實，但「容衆」能不能解釋成「爲民衆」，至少在目前還找不到直接的材料依據。

子思　春秋戰國之際有兩子思，一個是孔子的學生原憲，一個是孔子的孫兒孔伋（註九）。這裏指哪一個呢？梁啓超以來多以爲指孔伋，根據是荀子否定過的子思即指孔伋（註一〇），韓非是荀子的學生，當然要從師說。但馬宗霍則認爲，此子思應該指原憲（註一一），因爲孔伋和孔子行輩不相接，而且據司馬遷記載，原憲到西漢時「死而已四百餘年，而弟子志之不倦」（註一二），可見他非但有門人，還發展成影響頗大的一個派別。我以爲，孔伋一派的特色在發揮孔子學說，影響在公卿間，仍不脫儒的本色，而原憲一派則重在學道能行，影響主要在民間，已流入俠的一途。所以，在這裏說的子思是指孔伋，義較長。

孟氏　究竟指誰？有人以爲就是孟軻。有人以爲當指孟軻門下。還有人以爲，韓非將他和孔門弟子顏氏、子張、漆雕氏等辨別，而孟軻的活動時間同「孔子之死」相去很遠，因此懷疑這裏非指孟軻。

樂正氏　一說乃指曾參的學生樂正子春，一說當即孟軻弟子樂正克。

以上三派，郭沫若認爲應該只是一系，即子思（孔伋），他的私淑弟子孟軻，和孟子弟子的樂正克。結論是這個思、孟學派，「事實上也就是子游氏之儒」，而不是像宋代程、朱之徒所斷言的出於曾子的傳統（註一三）。這種看法，雖然康有爲早已提出過（註一四），卻沒有郭說澈底。子游是言偃的字，在孔門四科中居文學的鰲頭。孔子說過：「君子學道則愛人，小人學道則易使也。」他聽後便頂了眞，一做武城宰，便教出遍邑弦歌之聲，連孔子也笑話他「割雞焉用牛刀」（註一五）。子游一派在戰國時的勢力想必也相當大，荀子把他們與子張、子夏二派同列爲「賤儒」，罵他們苟安怕事，不講廉恥而好吃懶做，還非要聲明「君子固不用力」（註一六）。根據這些材料，郭沫若斷定思、孟之學出於子游氏之儒，進而斷定《禮記・禮運》一篇，「毫無疑問便是子游氏之儒的主要經典」；現存的思、孟書《中庸》和《孟子》，在學說上就是《禮運》强調的五行說的發展；而《大學》實是樂正氏之儒的典籍。（註一七）這樣，郭氏便勾畫出從子游到樂正克的道統和傳經圖式。但在我看來，根據還不夠牢固，因爲子思之學源於曾子抑或子游有疑問，孟氏、樂正氏是誰有疑問，《禮運》等篇的作者也有疑問。所以，我傾向於應該先對三派作分別探討，再作綜合研究。

顏氏　孔門弟子中顏氏有八人，即顏無繇、顏回、顏幸、顏高、顏之僕、顏噲、顏何、顏祖（註一八）。所以，皮錫瑞、梁啓超都認爲，這裏說的未必是顏回，而且顏回比孔子早死，是否有弟子傳其學，也無可考（註一九）。但郭沫若則認爲，顏回是孔門的第一人，生前已有「門人」，因此顏氏之儒當指顏回一派；「他很明顯地富有避世的傾向，因而《莊子》書中關於他的資料也就特別多」（註二〇）。我以爲郭氏的考證大體可信。

漆雕氏　孔門弟子中有三漆雕：漆雕開、漆雕哆、漆雕徒父（註二一）。漆雕開曾傳《易》，《漢書・藝文志》儒家中有《漆雕子》十三篇，原注說是「孔子弟子漆雕啓後」（註二二）。韓非說：「漆雕之議，不色撓，不目逃，行曲則違於臧獲，行直則怒於諸侯」（註二三）。說者或以爲指別一人（註二四）。但章炳麟則徑指爲漆雕氏之儒，以爲他們是游俠的前身，並以爲《禮記・儒行》一篇，「記十五儒皆剛毅特立者」，就是孔門儒者中有與游俠相近的證據（註二五）。郭沫若與章氏的意見相同，而且明確地說漆雕氏之儒是「孔門的任俠一派」，它的開創者「當以漆雕開爲合格」，而《儒行》或許就是這一派儒者的典籍（註二六）。他們的說法，我看也大體可信。

仲良氏　良，或作梁。《禮記・檀弓上》有仲梁子語（註二七），鄭玄注謂「魯人」。又，《詩經・定之方中》毛傳也曾引仲梁子語。但這個仲梁子的時代和活動情況，都難以考索（註二八）。梁啓超根據孟子曾提及有個「悅周公、仲尼之道」的陳良（註二九），以爲仲良可能是陳良的字。郭沫若同梁說，認爲仲良氏之儒或許就是陳良的一派（註三〇）。但梁、郭之說均沒有文獻學的直接證明，所以這一派在經學史上仍屬疑案。

孫氏　梁啓超等說即孫卿（註三一）。皮錫瑞則以爲指公孫尼子（註三二）。有人以爲，《顯學》篇乃斥儒者，諒韓非不致詆毀其師，故孫氏只能指公孫尼子。我看這不成其爲理由。「儒分爲八，墨離爲三」，說的是客觀存在的事實，「愚誣之學，雜反之行」，則表明韓非對儒墨的評價。韓非似乎還沒有墜落到以主觀好惡來歪曲客觀事實的地步，何況荀子是當時著名的儒家大師，韓非即使有心回護老師，卻又怎能抹殺眾所周知的事實呢？

總起來說，對韓非所謂儒家八派，學者解釋不同，但也有幾點比較一致：第一、孔子死後儒家便起分化，在戰國時已形成多種派別；第二、不同的派別，不但都出於孔門（註三三），而且都仍屬儒家，都在傳授孔子之道；第三、派別之多，反映了戰國時期儒術盛行，在學術界影響很大；第四、各派的具體主張和活動情形，由於文獻不足，研究不夠，因而不甚了了，有待深入探討。

孔子以後的儒經傳授

孔子根據自己的哲學、政治和歷史的見解，對大量古代文獻進行篩選，整理編次成《易》、《書》、《詩》、《禮》、《樂》、《春秋》，作爲自己設教講學的六種教本。這些教本，保存了很多有價值的歷史資料，也使它們成爲系統表達儒家學說的著作，並隨著封建社會的發展，儒家學派地位的變化，而被封建統治者尊爲「經典」，就是所謂《六經》。這個問題，我已作過簡單的考察（註三四）。

我在談到《六經》與孔子的關係問題時還說過：現存的「經書」，其中有孔子整理過的舊文，也摻雜著後來儒家學派的著述，同時在流傳過程中還有散佚（註三五）。由前述可知，孔子去世後，儒家內部已分化成八派或八派以上。他們對孔子留下的儒家經籍，當然要繼續傳授，在傳授過程中也一定有解說，有發揮，而形成本派的「傳」，或「語錄」。

關於春秋末戰國初儒家各派的「傳經」情況，保存下來的文獻資料實在太少了，以致目前我們瞭解的只是些片段。儘管如此，我們仍然要研究。否則，我們對現存的「經書」，哪些同孔子有關，哪些與孔子無涉，怎能分辨清楚呢？學說的師承關係，固然是「流」，而不是「源」，但探討學說在流傳過程中發生的每一步變化，對於研究這一步以及變化前後的「源」，即它所反映的客觀社會實際，難道不重要嗎？如果把後儒關於「經書」的解說、發揮，不管是否墨守師說或變以新意，統統算到孔子的賬上，那一定要描畫出假孔子、假孔學的。

我認爲，在孔子的學生，或孔門再傳、三傳的弟子中間，同所謂傳「經」事業關係較大的，有這樣幾個人：

一、子夏

這是孔子的學生卜商的字。他在孔門四科中，與子游同屬「文學」之最。《論語》記有他向孔子問學，以及他發揮孔子學說的很多材料。孔子曾批評他還達不到「賢」的程度（註三六），並當面告誡他：「女爲君子儒，無爲小人儒！」（註三七）可能在孔子生時，子夏已有了自己的門人。子夏大概的確好名，還有點勢利眼吧（註三八），所以子張就批評他不像個「君子」（註三九），子游也批評他太重表面文章而不重孔子之「道」（註四〇）。他在孔子死後從事教育，還做過魏文侯的老師（註四一）。大約由於這個緣故，子夏一派到戰國中期已膨脹得很大，因而也遭到荀子攻擊。荀子說：「正其衣冠，齊其顏色，嗛然而終日不言，是子夏氏之賤儒也。」（註四二）就是罵他們是僞君子。不過很奇怪，韓非講到「儒分爲八」時，竟沒有提及這一派。郭沫若作過研究，認爲「這是韓非承認法家出於子夏，也就是自己的宗師，故把他從儒家中剔除了」（註四三）。

然而子夏在「傳經」上卻不可忽視。東漢徐防說：「《詩》、《書》、《禮》、《樂》，定自孔子；發明章句，始於子夏。」（註四四）就是說，《六經》的大部分，都來自子夏的傳授。

南宋的洪邁說得更完整：「孔子弟子，惟子夏於諸經獨有書。雖傳記雜言未可盡信，然要爲與他人不同矣。於《易》則有《傳》。於《詩》則有《序》。而《毛詩》之學，一云：子夏授高行子，四傳而至小毛公；一云：子夏傳曾申，五傳而至大毛公。於《禮》則有《儀禮・喪服》一篇，馬融、王肅諸儒多爲之訓說。於《春秋》所云不能贊一辭，蓋亦嘗從事於斯矣。公羊高實受之於子夏。穀梁赤者，《風俗通》亦云子夏門人。於《論語》，則鄭康成以爲仲弓、子夏等所撰定也。」（註四五）

洪邁之說，持之有據。但這些根據的可靠程度，卻存在問題：㈠、子夏《易傳》，《漢書・藝文志》不載，《隋書・經籍志》始著錄；但有人以爲此子夏非卜商，而是漢初傳《韓詩》的韓嬰（註四六）。㈡、《毛詩序》有大、小之分，究爲何人所作，諸說紛紜，洪邁乃依據鄭玄《詩譜》、王肅《孔子家語注》立說（註四七）；但鄭玄雜糅今古文，所語或是得自傳聞，《家語》本王肅僞造，所注當然更不可靠。㈢、洪邁所謂《毛詩》傳授，前一說來自唐朝陸德明的《經典釋文・序錄》（註四八），後一說則據晉朝陸璣的《毛詩草木蟲魚疏》（註四九）；二說列舉的傳授次序互相矛盾，所以清代的今文經學家均表懷疑（註五〇）。㈣、子夏作《儀禮・喪服》一篇說，根據是唐朝賈公彥《儀禮正義》中《喪服》篇下解題（註五一）；但也有人以爲此篇是曾向孔子學「士喪禮」的孺悲所作（註五二）。㈤、子夏爲《春秋》公羊學初祖，說據戴宏（註五三），而穀梁赤是子夏門人，則本自范寧引《風俗通》（註五四），都不盡可靠。

子夏曾受《春秋》（註五五），編《論語》（註五六），大約都是事實。但《論語》大量收入子夏等孔門弟子的語錄，說明它的寫定者，不會是子夏，而是孔子的再傳弟子。

二、曾子

曾參，字子輿，也是孔子晚年的學生。他的天份大概不高，曾被孔子批評爲遲鈍（註五七）。他名言是「吾日三省吾身」（註五八），很注重實行孔子的道德教條。他還說過「犯而不校」（註五九），「君子思不出其位」一類話（註六〇），提倡盲從精神。他又以「孝」著稱，相傳在這方面得到過孔子的特殊培養（註六一）。正因如此，他在西漢時便被封建統治者奉爲講「孝道」的楷模，而在宋以後更被封建道學家捧作與顏回並列的大賢。

《漢書・藝文志》儒家內有《曾子》十八篇，如今尚存十篇，收入《大戴禮記》。由篇題便可窺見曾子「傳經」的重點，例如《曾子本孝》、《曾子立孝》、《曾子大孝》、《曾子事父母》等，都是闡發儒家關於「孝」的觀念的。曾子以「孝」爲人生哲學的第一義，說它是「天下之大經」、「衆之本教」等等（註六二），嚴格地說已偏離了孔子的立場。因爲孔子哲學的歸宿是「仁」，而把「孝」當作入「仁」之門的方法或手段，如果不幸「仁」、「孝」發生衝突而不能兩全的時候，孔子便主張「殺身成仁」，即捨「孝」而取「仁」。但曾子則把「仁」、「孝」看作同實而異名的概念。他以爲天生地養的一切生物中，惟人爲大，因此必須謹慎地保護自己的肢體髮膚（註六三），「父母全而生之，子全而歸之，可謂孝矣；不虧其體，不辱其身，可謂全矣」（註六四）。他以爲每個人，倘使都一方面自全其身（孝），一方面全人之身（仁），則社會就根本無所謂衝突，也用不著犧牲，豈不美哉！這種思想，同莊子、楊子主張的「養內養外」和「拔一毛而利天下不爲」，倒有點相近。在家族爲本位的宗法封建社會裏，曾子這種仁孝一致的理論，很適合封建統治者鞏固其壓迫秩序的需要。於是曾子也就被尊爲「大賢」。然而《大戴禮記》中的「曾子」十篇，寫作形式都採用早期儒家慣用的語錄體，《曾子立事》篇中還載有《荀子》的《修身》、《大略》二文，因此也可能不是曾子自撰。

此外，《孝經》雖也非曾子所撰，但很可能是曾子一派的典籍。這本小書，從西漢起，在封建社會裏有很大影響，被列爲「十三經」之一。

三、子思

孔子的這個孫子，師承儘管還不明瞭，但他的學說，卻由於荀子的批評，而可窺見涯略：他是主張「法先王」的，這可以說是忠於乃祖的傳統；他是造作「五行說」的，這可以說是發展了乃祖反鬼神而取術數的思想；他是墨守「先君子之言」的，這可以說是以繼承乃祖道統爲己任（註六五）。他的這一套，後來被孟子接過去，再加以發展，即荀子所謂「子思唱之，孟軻和之」（註六六），因而儒者翕然響應，在戰國中、晚期形成一個很大的派別，人稱「思、孟學派」。

但子思傳了哪些經，已無可考。《漢書・藝文志》儒家有《子思》二十三篇，現均亡佚（註六七）。只有《禮記・中庸》一篇，相傳爲子思的著作。宋朝道學家對《中庸》特別重視，以爲「此篇乃孔門傳授心法」，朱熹並將它從《禮記》中抽出，同《大學》、《論語》、《孟子》合編爲《四書》，後來便被封建統治者規定爲官方教科書，在宣揚舊禮教、錮蔽人們智慧方面，發生了長期而極壞的影響。但這是道學家附會的「天道性命」之類鬼話所起的影響，至於《中庸》與子思究竟有什麼關係，他們從來也沒有費心考索過。到清末，章炳麟才尋出一點線索，考出《中庸》是用五行附會人事的子思遺說（註六八），郭沫若又加以闡釋（註六九），方才揭露了眞相的一角。

除《中庸》外，據南朝的沈約說，《禮記》中的《表記》、《坊記》、《緇衣》諸篇，也都取於《子思子》（註七〇）。但還找不到佐證。

四、公孫尼子

《漢書・藝文志》記有《公孫尼子》二十八篇，原注說他是七十子之弟子，也就是孔子的再傳弟子。但《隋書・經籍志》卻說似孔子弟子。皮錫瑞疑即韓非所指的八儒之一公孫氏（註七一）。《公孫尼子》一書已佚（註七二），現在也尋不出可資研究他的生平和學說的其它材料。

公孫尼子在「傳經」上所以值得注意，一是因爲今傳《禮記・緇衣》一篇，據說是他所作（註七三）；二是因爲今傳《禮記・樂記》，據說也取自《公孫尼子》（註七四），如果這是事實，他便是戰國時傳授《禮》、《樂》二經的人物之一。

五、孔門其它弟子

清初的朱彝尊，曾搜集《論語》、《史記》等書中有關孔門弟子「傳經」的記載，在《經義考》裏作了概述：「孔門自子夏兼通《六藝》而外，若子木之受《易》，子開之習《書》，子輿之述《孝經》，子貢之問《樂》，有若、仲弓、閔子騫、言游之撰《論語》；而傳《士喪禮》者，實孺悲之功也。」（註七五）但只有商瞿即子木傳《易》的說法，曾由司馬遷列出完整的傳授系統（註七六），大約比較可靠。此外都得自一鱗半爪的記錄，缺乏其它資料佐證，所以存有疑問。

由上可知，孔子整理過的《六經》，在他死後都在繼續傳授。然而，除掉子夏這個可疑的「傳經」者而外，其他人或抱著一、二「經」，或抓住一、二個觀點，在著書講學，使儒經傳授由合而分，這是一。其二，「傳經」者都沒有死守孔子的各種具體觀點，而是或吸收別家學說加以補充，或根據自己需要加以修改，使儒家學說在起變化。這個由孔子到孟荀的中間環節，我以爲在經學史、學術思想史上都很重要，但情況仍若明若暗，我期望有人下點功夫弄明白。

儒家內部孟荀兩派的對立

說起戰國時的儒家主要流派，自然要數孟子和荀子。他們的哲學見解不同，歷史認識不同，政治信念不同，已有不少論著討論過了。我準備從經學史的角度談一談。

孟軻是戰國時鄒（今山東鄒縣）人，約生於周威烈王四年（公元前三七二年），死於周赧王二十六年（公元前二八九年）。他自己說：「予未得爲孔子徒也，予私淑諸人也。」（註七七）學的是誰？他沒有明說，引起後人紛紛揣測。據我看，當以「受業於子思之門人」（註七八）一說爲是，因此他當是孔子的四傳弟子。

孟子的經歷，同孔子頗相似。幼年喪父，家裏很窮。後來讀書，成了名，便帶著一班學生跑來跑去，大至齊、梁，中至宋、魯，小至滕、鄒，都游歷過。雖然到處得到諸侯貴族的禮遇、饋贈，曾經闊得後車數十乘，隨員數百人，但一處也未被重用，而且有一次在本國得罪了鄒穆公，後者一怒便中止饋贈，鬧得他斷了糧（註七九）。好不容易等到崇拜他的滕文公即了位，但滕國太小了，不足作爲實現他「平治天下」抱負的基地，於是再輾轉入齊。這一次貴爲「齊之卿相」（註八〇），但不久又同齊宣王鬧意見，辭職下野，跑到邊境住了三夜，竟不見齊王派使者挽留，只得嘆息道「五百年必有王者興」的氣數已過（註八一），從此告別政治生涯。「退而與萬章之徒序《詩》、《書》，述仲尼之意，作《孟子》七篇」（註八二）。

據說，孟子「治儒術之道，通五經，尤長於《詩》、《書》」（註八三），由現存《孟子》來考察，孟子屢屢稱引《詩》、《書》，而對《春秋》尤其反覆頌揚，可以相信他對「經書」的確有研究。

問題在於「序《詩》、《書》」的解釋。郭沫若以爲據此「可知《詩》、《書》的編制是孟氏之儒的一項大業」（註八四），是釋「序」爲次序之意。我的看法則不同。《六經》的原型，本爲孔子以前存在的「先王之陳迹」的文獻，經過孔子整理，因此而成爲儒家學派的「經典」（註八五）。在戰國時，孟子一派還只是儒家學派的一支。如果「經書」是孟子編次的孔門遺說，那就決然得不到各派儒者的共同承認，更得不到荀子一派的承認，而現存「經書」卻大多爲荀子所傳。所以，我認爲，所謂「序」，就是「敘」，就是陳述原書著者的旨趣，這由《孟子》中可以看得很清楚。

更成問題的是孟子同《春秋》的關係。近人錢玄同拿《論》、《孟》對勘，以爲孟子竭力表彰的「孔子作《春秋》」一事，卻不見於《論語》，就說明《春秋》決不是孔子所做（註八六），「孟軻因爲要借重孔丘，於是造出『《詩》亡然後《春秋》作』，『孔子成《春秋》而亂臣賊子懼』的話」（註八七），我的意見也不同。《論語》主要是孔子及其學生的對話錄，關於孔子的實踐活動記錄甚少，例如大至孔子的官場經歷，小至孔子的婚姻狀況，都沒有提到，難道可以據此否認孔子做過官、娶過妻嗎？如果把《論語》當作研究孔子的唯一材料，那恰好應了孟子那句「盡信書不如無書」的話。何況孟子談《春秋》，本在「述仲尼之意」。他解說孔子的意圖可能一無是處，但不能以此證明孟子在造孔子的謠。

孟子對「經書」，既然重在「序」和「述意」，既然這樣做是出於政治活動失敗後要在理論上繼續申述自己的哲學政治主張，那麼他在「傳經」上的注意力，集中在確立由孔子到自己的道統（錢玄同說他要借重孔丘，是對的），而不太注意注解章句，綜核古事，便是很自然的。因此，從經學史的角度看，孟子一派可謂主觀之學。正如孟子在哲學上高唱「萬物皆備於我」一樣（註八八），孟子在經學上也是把《六經》當作發揮我見的工具。所謂《春秋》「其事則齊桓、晉文，其文則史，孔子曰：『其義則丘竊取之矣」』（註八九），實在是他對「經書」態度的「夫子自道」。因此，他言必稱堯舜，語必法先王，實則借堯、舜、禹、湯、文、武的名義，申說自己的「行仁政」、「民貴君輕」之類救世主張。他的主張的階級意義自可討論，但他治經是「託古」而不是「復古」，就連他的對手荀子也不否認（註九〇）。

荀況是趙國人，約生於周赧王二年（公元前三一三年），死於秦王政九年（公元前二三八）（註九一）。他的家世和早年經歷，至今還是個謎。熟悉故事如司馬遷，在替他作傳時，也只能開始就從「年五十始來游學於齊」寫起（註九二）。這五十之年當齊國何王何年，也仍屬糊塗賬，現在可判斷的，就是荀子跑到齊國後，在那裏的學術文化中心稷下學宮裏大大出了名，不但在學者中「最爲老師」，而且在齊國統治者授予學者列大夫頭銜時居於前茅，「三爲祭酒」（註九三），這就是他被尊爲「卿」的由來。但他在齊也沒有得意多少年，便遭人中傷，跑到楚國依附春申君，任蘭陵令。不久又遭讒而被春申君辭退，於是返趙，曾在趙孝成王前討論軍事，「趙以爲上卿」（註九四）。大約在此期間，入秦會見秦昭王和范雎（註九五），向他們大談儒有益於國。接著又應春申君請，由趙入楚復任蘭陵令（註九六）。他的學生也不少，最有名的就是韓非和李斯，相傳他還見到李斯任秦相（註九七）。不過他晚年同孔、孟一樣倒楣：「春申君死而荀卿廢」，「荀卿嫉濁世之政，亡國亂君相屬，不遂大道而營於巫祝，信禨祥，鄙儒小拘，如莊周等又猾稽亂俗，於是推儒、墨、道德之行事興壞，序列著數萬言而卒。」（註九八）

荀子憎惡的「鄙儒」、「俗儒」，顯然有孟子在內。他們同屬儒家而勢不兩立，單用宗派嫉妒來解釋是不行的，而用定階級成份的辦法來解釋也沒有足夠根據。在政治上，孟、荀都要求統一，都要求結束春秋以來的社會混亂狀態，而實現統一的政權，正是地主階級的共同要求，對發展新的封建經濟有利，怎能隨便說他們一個代表奴隸主，一個代表地主呢？在思想上，孟、荀確有很大分歧，但主要出於時代不同，形勢使然。例如關於性善性惡之爭，孟子主性善，便是站在統治階級的立場上，認爲自己階級的性是善的，因而由這個性所規定的理、義也是善的。他把這一點推廣到適用於整個社會，當被統治者對統治者的理、義表示順從的時候，便說他們性善，反之就是性惡，就是邪說誣民、充塞仁義。荀子主性惡，難道他以爲統治階級的性是惡的麼？不然，否則他就不可能認定存在著制禮的聖人，也不可能認定存在著遵禮的士大夫。他談性惡，同樣也是站在統治階級的立場上，但提問題的角度與孟子相反。他是說被統治者的性本是惡的，因此要用統治者制定的禮和刑，來强迫被統治者順從。所以，據我的看法，孟、荀關於人性善惡的說法儘管不同，然而在本質上都是宣布統治階級的利益不可侵犯。不過孟子指望用說教達到目的，而荀子則斷定非用強制手段不能解決問題，這正是戰國後期的階級矛盾比戰國中期更尖銳的一種反映。孟、荀的其它分歧，如法先王與法後王之爭，王霸義利之爭，又何嘗不應作如是觀呢？顯然，當歷史發展到戰國後期，專制主義的中央集權的封建統一政權即將出現的時候，荀子的學說更適應地主階級的需要。

在「傳經」事業上，荀子也高於孟子。清朝汪中的《荀卿子通論》（註九九）說：「荀卿之學，出於孔氏，而尤有功於諸經。」我以爲近於事實。汪中對荀子「傳經」作了詳細考證，文長不擬備錄，試爲列表如下：

《詩》
- 《魯詩》：荀子－浮邱伯（包邱子）－申公（《魯詩》開創者）
- 《韓詩》：引荀子以說《詩》者凡四十四。
- 《毛詩》：子夏－曾申－李克－孟仲子－根牟子－孫卿－大毛公

《春秋》
- 《穀梁》：荀子－浮邱伯－申公－瑕丘江公
- 《左傳》：左丘明－曾申－吳起－吳期－鐸椒－虞卿－荀卿－張蒼－賈誼（註一〇〇）。

《禮》
- 《荀子》中的《禮論》、《樂論》，見今《禮記》的《樂記》、《三年問》、《鄉飲酒》三篇中。
- 《荀子》中《修身》、《大略》，見今《大戴禮記・曾子立事》篇

《易》—劉向又稱「荀卿善為《易》（註一〇一），其義亦見《非相》、《大略》二篇」。

據此可知，荀子與《詩》、《禮》、《春秋》、《易》諸經的傳授，都有關係。汪中的結論說：「蓋荀卿於諸經無不通，而古籍闕亡，其授受不可盡知矣。《史記》載孟子受業於子思之門人，於荀卿則未詳焉。今考其書始於《勸學》，終於《堯問》，篇次實倣《論語》。《六藝論》云：《論語》，子夏、仲弓合撰。《風俗通》云：穀梁為子夏門人。而《非相》、《非十二子》、《儒效》三篇，每以仲尼、子弓並稱。子弓之為仲弓，猶子路之為季路，知荀卿之學，實出於子夏、仲弓也。《宥坐》、《子道》、《法行》、《哀公》、《堯問》五篇，雜記孔子及諸弟子言行，蓋據其平日之聞於師友者，亦由淵源所漸、傳習有素而然也。（註一〇二）

近人劉師培，曾參照汪中的考證，進一步列出《孔子傳經表》（註一〇三），認為從孔子的學生算起，到西漢初年為止，《書》學出於孔子的子孫和漆雕開一派的傳授，《易》學出於商瞿一派的傳授，而《春秋》學的傳授，三傳均出於子夏一派，荀子則是《穀梁》、《左傳》的直接傳授者。

汪、劉之說，自然不免含有揣測的成份，但秦漢儒生所學習的《五經》及其解說，大多來自荀子，則為經學史家們所共同承認。因此，荀子對後代儒學的發展起了重要影響，是可以斷定的。

總之，我認為，戰國時期的儒家學說，到荀子就作了綜合。雖然在漢武帝以後，封建統治階級由於荀子主張不法先王，不敬天地，否認命運，人性本惡諸說，不合自己愚民的需要，因而將他本人摒於道統之外，遂使荀子在儒學中的地位不及孟子顯赫；並因此引起後人對荀子學說的種種誤解，可是他實為孔子以後儒家的傳經大師，實為戰國末期儒家學說的集大成者，實為秦漢時期為封建專制主義的統一政權準備了理論基礎的儒家學派的先驅人物，則不能否定。

【附註】

註　一　《聖賢群輔錄》二卷，一名《四八目》，相傳為東晉陶潛撰，其實係晚出偽書，不足憑信。詳可參考《四庫全書總目提要》子部類書類存目。

註　二　《史記・仲尼弟子列傳》。

註　三　均見《論語・先進》。馬融注：「子張才過人，失在邪辟文過。」

註　四　均見《論語・子張》。

註　五　《荀子・非十二子》：「弟佗其冠，神禫其辭，禹行而舜趨，是子張氏之賤儒也。」

註　　六　同註五。

註　　七　《儒家八派的批判》，載《十批判書》，群益出版社一九五〇年版（下引同），第一三〇、一三四頁。

註　　八　《論語・子張》。

註　　九　原憲字子思，見《史記・仲尼弟子列傳》，孔伋亦字子思，見《史記・孔子世家》、《漢書・藝文志》。

註一〇　《荀子・非十二子》：「略法先王而不知其統，猶然而材劇志大，……子思唱之，孟軻和之，世俗之溝猶瞀儒，嚾嚾然不知其所非也，遂受而傳之。」

註一一　馬宗霍：《中國經學史》，商務印書館一九三七年第五版，第十六頁。

註一二　《史記・游俠列傳》。

註一三　《十批判書》，第一三四頁。

註一四　見康有為《孟子微》序：「子游受孔子大同之道，傳之子思，而孟子受業於子思之門。」

註一五　《論語・陽貨》。

註一六　《荀子・非十二子》：「偷儒憚事，無廉恥而耆飲食，必曰君子固不用力，是子游氏之賤儒也。」

註一七　詳見《十批判書》，第一三四～一四六頁。

註一八　《史記・仲尼弟子列傳》。

註一九　皮說見《經學歷史・經學流傳時代》。

註二〇　《十批判書》，第一四七頁。

註二一　《史記・仲尼弟子列傳》。

註二二　漆雕啓，即漆雕開。郭沫若以為「後」字乃衍文，見《十批判書》，第一五一頁。

註二三　見《韓非子・顯學》。

註二四　見《韓非子・顯學》王先愼集解。

註二五　《訄書・儒俠》。

註二六　《十批判書》，第一五〇～一五二頁。

註二七　《禮記・檀弓上》：「曾子曰：『尸未設飾，故帷堂小斂而徹帷』。仲梁子曰：『夫婦方亂，故帷堂小斂而徹帷。』」語氣似在解釋曾子語，因而仲梁子可能爲曾子後學。

註二八　《漢書・古今人表》有仲梁子，列於「中上」，但究屬戰國何時人，未可臆度。

註二九　《孟子・滕文公上》：「陳良，楚產也，悅周公、仲尼之道，北學於中國。北方之學者，未能或之先也。」

註三〇　《十批判書》，第一五二～一五三頁。

註三一　孫卿，即荀卿。王先愼《韓非子集解》引顧廣圻說，亦謂指孫卿。

註三二　見《經學歷史・經學流傳時代》。

註三三　馬宗霍《中國經學史》：「竊謂《韓非》敘八儒承孔子之死而起，雖曰某氏之儒，或指在某氏之門者而言，未必即是本人。而所謂某氏者，似應皆指孔子之徒。」「《韓非》八儒，容有在七十子之外，三千之中者。」「至若名不在七十子之列，八儒之列，而學有可考者，如孺悲之學《士喪禮》，見於《雜記》；賓牟賈之論樂，見於《樂記》；仲孫說與何忌之學《禮》，見於《左氏傳》；鞠語之明於禮樂，審於服喪，見於《晏氏春秋》；固亦孔門經學之傳也。」（商務一九三七年五版，第十六～十七頁。）按馬氏以爲八派代表者，「容有在七十子之外」，頗有見地，但說大約都在三千弟子之中，還沒有確實證據。

註三四　周予同：《六經與孔子的關係問題》，載《復旦學報》（社會科學版）一九七九年第一期。

註三五 周予同：《六經與孔子的關係問題》，載《復旦學報》（社會科學版）一九七九年第一期。

註三六 《論語・先進》：「子貢問：『師與商也孰賢？』子曰：『師也過，商也不及。』」

註三七 《論語・雍也》。

註三八 《論語・子張》：「子夏之門人問交于子張。子張曰：『子夏云何？』對曰：『子夏曰：可者與之，其不可者拒之。』子張曰：『異乎吾所聞：君子尊賢而容眾，嘉善而矜不能。我之大賢與，於人何所不容？我之不賢與，人將拒我，如之何其拒人也？』」

註三九 《論語・子張》：「子游曰：『子夏之門人小子，當洒掃應對進退則可矣。抑末也，本之則無，如之何？』」

註四〇 見註三九。

註四一 見《史記・仲尼弟子列傳》。

註四二 《荀子・非十二子》。

註四三 《十批判書》，第一三〇頁。

註四四 《後漢書》卷七四《徐防傳》。

註四五 洪邁：《容齋隨筆》。

註四六 隋王儉《七志》引劉向《七略》：「《易傳》，子夏韓氏嬰也。」此外又或以爲《易傳》作者係丁寬，或以爲係馯臂子弓，但都沒有證明之確據。今傳《子夏易傳》，蓋出僞託。

註四七 《四庫全書總目提要》經部《詩》類《詩序》：「以爲《大序》子夏作，《小序》子夏、毛公合作者，鄭玄《詩譜》也。以爲子夏所序《詩》即今《毛詩序》者，王肅《家語注》也。」

註四八 《序錄》謂：「徐整云：子夏授高行子，高行子授薛蒼子，薛蒼子授帛妙子，帛妙子授河間人大毛公。毛公爲《詩故訓傳》於家，以授趙人小毛公。」

註四九　疏謂：「孔子刪《詩》，授卜商。商爲之《序》，以授魯人曾申。……荀卿授魯國毛亨。毛亨作《訓詁傳》，以授趙人毛萇。」

註五〇　可參看魏源《詩古微》、康有爲《新學僞經考》。

註五一　解題謂：「傳曰者，不知是誰人所作，人皆云孔子弟子卜商字子夏所爲。」

註五二　《禮記・雜記下》：「孺悲學士喪禮於孔子，《士喪禮》於是乎書。」

註五三　徐彥《春秋公羊傳疏》載何休《序》引戴宏序。

註五四　楊士勛《春秋穀梁傳疏》，載范寧《序》題下引《風俗通》。

註五五　《史記・孔子世家》：「至於爲《春秋》，筆則筆，削則削，子夏之徒不能贊一辭。」

註五六　見陸德明《經典釋文・序錄》引鄭玄《六藝論》。

註五七　《論語・先進》：「參也魯。」

註五八　《論語・學而》。

註五九　《論語・泰伯》。

註六〇　《論語・憲問》。

註六一　《史記・仲尼弟子列傳》：「孔子以爲（曾參）能通孝道，故授之業。」

註六二　均見《大戴禮記・曾子大孝》。

註六三　《論語・泰伯》：「曾子有疾，召門弟子曰：『啓予足，啓予手。詩云：戰戰兢兢，如臨深淵，如履薄冰。而今而後，吾知免夫！小子！』」

註六四　均見《大戴禮記・曾子大孝》。

註六五 《荀子・非十二子》。

註六六 《荀子・非十二子》。

註六七 清末黃以周有輯本，名《子思子》。

註六八 章炳麟：《子思孟軻五行說》，載《太炎文錄初編》卷一。

註六九 《十批判書》，頁一三九——一四〇。

註七〇 見《隋書・音樂志》引沈約說。

註七一 見《經學歷史・經學流傳時代》。

註七二 清馬國翰《玉函山房輯佚書》輯有《公孫尼子》一卷。

註七三 孔穎達《禮記正義・緇衣》篇解題引南朝劉瓛說。

註七四 見《隋書・音樂志》引沈約語。

註七五 子木，商瞿字。子開，漆雕開字。子貢，端木賜字。仲弓，冉雍字。

註七六 見《史記・孟子荀卿列傳》。

註七七 《孟子・離婁下》。

註七八 《史記・孟子荀卿列傳》。

註七九 見應劭《風俗通・窮通》。

註八〇 《孟子・公孫丑上》。

註八一 關於孟子去齊的經過，詳見《孟子・公孫丑下》。

註八二 《史記・孟子荀卿列傳》。關於《孟子》的篇數、編者，後來學者異說紛紜，不詳辨。

註八三 趙岐：《孟子題辭》。

註八四 《十批判書》，頁一四一。

註八五 參見周予同：《六經與孔子的關係問題》，載《復旦學報》一九七九年第一期。

註八六 錢玄同：《論〈春秋〉性質書》，載《古史辨》第一冊，頁二七六。

註八七 錢玄同：《答顧頡剛先生書》，載《古史辨》第一冊，頁七八。

註八八 《孟子・盡心上》。

註八九 《孟子・離婁下》。

註九〇 《荀子・非十二子》：子思、孟軻，「案飾其辭而祇敬之曰，此眞先君子之言也。」

註九一 關於荀子的生卒時間，學者衆說紛紜。荀子死於楚國春申君被殺之年（西元二三八年）以後，大約可以斷定。但生年就成問題，如據舊說他五十游齊是在齊湣王晚年，則荀子壽高至一百三十餘歲，宋以來學者都認爲不可信。這裏暫據姜亮夫《歷代人物年里碑傳綜表》（中華書局一九五九年版）

註九二 《史記・孟子荀卿列傳》，劉向《敘錄》同。但應劭《風俗通・窮通》說「年十五」至齊，有人據此認爲《史記》「五十」乃「十五」之僞。但應劭說荀子至齊便說齊相行王道，則十五歲便作此事業，也未必可信。

註九三 見《史記・孟子荀卿列傳》。

註九四 見《戰國策・楚策四》，劉向《敘錄》。

註九五 荀子入秦，在《荀子》中的《儒效》、《彊國》等篇均有記載。據《風俗通・窮通》，入秦時間在初次任楚國蘭陵令被辭退之後。但羅根澤以爲當在五十游齊之前，見《荀卿游歷考》（《諸子考索》，人民出版社一九五八年版。）

註九六 據劉向《敘錄》。《戰國策・楚策四》提到春申君再次《使人請孫子於趙」，未說再作蘭陵令。

註九七 《鹽鐵論・毀學》：「李斯相秦，始皇任之，人臣無二，而荀卿爲之不食。」

註九八 《史記・孟子荀卿列傳》。

註 九 九　見汪中《述學・補遺》內，又見王先謙《荀子集解・考證下》等書內。

註一〇〇　康有為等今文經學家以為不足信。

註一〇一　見劉向《敘錄》。

註一〇二　《荀卿子通論》。

註一〇三　見劉師培《經學教科書》。

——原載《學術月刊》一九七九年四期。

孟子論《春秋》

呂紹綱

孟子最了解《春秋》。孟子未給《春秋》作過章句訓詁，似乎也不曾接觸過《春秋》三傳。孟子書中提及《春秋》的地方並不多，主要的只有兩處。但是，這僅有的兩處卻把《春秋》的幾個問題講清楚了。孟子關於《春秋》的觀點對後世《春秋》學的發展有極大影響。特別是漢代公羊家，他們的一些關於《春秋》的基本論點，肯定是吸取了孟子的成果。孟子說：

> 世衰道微，邪說暴行有作，臣弒其君者有之，子弒其父者有之。孔子懼，作《春秋》。《春秋》，天子之事也。是故孔子曰：『知我者其惟《春秋》乎！罪我者其惟《春秋》乎！』

又說：

> 昔者禹抑洪水而天下平，周公兼夷狄，驅猛獸而百姓寧，孔子成《春秋》而亂臣賊子懼。

以上見《孟子・滕文公下》。《離婁下》說：

> 王者之迹熄而詩亡，詩亡然後《春秋》作。晉之《乘》，楚之《檮杌》，魯之《春秋》，一也。其事則齊桓、晉文，其文則史，孔子曰：「其義則丘竊取之矣。」

與《孟子》類似的文字亦見於《公羊傳》和董仲舒的言論。《公羊傳》昭公十二人說：「《春秋》之信史也，其序則齊桓、晉文，其會則主會者爲之也，其詞則丘有罪焉耳。」《史記・太史公自序》引董仲舒的話說：「子曰：『我欲載之空言，不如見之於行事之深切著明也』。」可見孟子關於《春秋》的見解與《公羊傳》及公羊家說是相通的。

《孟子》書關於《春秋》的這兩段論述解決了三個問題。第一、它明白無誤地肯定《春秋》爲孔子所作。第二、它正確地回答了孔子作《春秋》的政治用意。第三、它指出《春秋》與一般史書不同，史書重事，《春秋》重義。

第一個問題，《春秋》是否孔子所作，是漢代及其以後經今古文兩大門派爭執不休的問題。這個問題的焦點在於《春秋》究竟是孔子將魯史舊文抄錄一過，還是孔子以魯史舊文作材料，加入自己的政治觀點，從而形成自己的一部新作品。孟子是肯定《春秋》爲孔子所作的。《孟子》說「王者之迹熄而詩亡，詩亡然後《春秋》作」，文簡意賅，有理有據，可謂抓住了問題的癥結所在。

什麼是「王者之迹熄」？「王者之迹熄」，就是孔子所見所聞之春秋時代的時代特點。春秋時代，周室衰微，諸侯力政，子弒父臣弒君的非禮行爲比比出現，孔子理想中的西周盛世的王政已爲霸政所取代。孔子面對這君臣父子名分紊亂的狀況，感到恐懼，以爲發展下去不堪收拾，所以據魯史舊文以作《春秋》。《春秋》實非孔子偶然所爲，孔子是抱著一定的政治用意而作《春秋》的。這用意不是別的，就是正名。《論語》有孔子爲政主張正名的話，與《孟子》所說「王者之迹熄而詩亡，詩亡然後《春秋》作」正好相印證。孟子說孔子懼而作《春秋》，是說得對的。

孔子懼而作《春秋》，然而《春秋》確是魯國的史記，史記是史官記載的舊文，爲什麼說是孔子作呢？「孔子懼，作《春秋》」的這個「作」字的含義究竟是什麼？這個問題也是孟子第一個講明白的。孟子說「晉之《乘》，楚之《檮杌》，魯之《春秋》，一也。其事則齊桓、晉文，其文則史。孔子曰：『其義則丘竊取之矣。』」，說清楚了孔子作《春秋》的「作」字的含義。孔子作《春秋》的作，是指依據魯史舊文加以改造而言，不是說原先什麼也沒有，孔子無中生有地硬造出一部《春秋》來。古人已經認識到這一點，所以常常將未經孔子加工的魯《春秋》叫做不修《春秋》。經過孔子修過的《春秋》與先前的不修《春秋》有本質上的不同。

不同表現在哪裏？就內容說，孔子修的《春秋》所講依然是齊桓、晉文之類的霸業，就文體說，與不修《春秋》一樣，是一部史書。不同之處就在於孔子修《春秋》時把自己的政治思想加進去了。這是不修《春秋》所沒有的，純屬孔子的創造。孔子對此並不隱諱，所以他說：「其義則丘竊取之矣。」這「竊取」一詞實不簡單。它表明孔子所修的《春秋》中有不修《春秋》中所沒有的義。這義孔子自己承認是他竊取的。孔子給《春秋》竊取了一定的義，這義當然屬於孔子。這就是孔子作《春秋》的含義。這個奧秘也是孟子第一個指明的。孟子的確說對了。如果《春秋》並沒有孔子竊取的含義，只是一部普普通通的魯史，孔子自己完全不必如此看重《春秋》，以至於說後世無論罵他捧他必然根據《春秋》這部書。

把孔子作《春秋》一事講明白，是孟子對《春秋》學的一大貢獻。漢代學者如董仲舒、司馬遷、班固等都事實上繼承了孟子的觀點，肯定《春秋》乃孔子作。最早否定孔子作《春秋》的是晉人杜預。杜預出於政治上的原因，用《左傳》壓《春秋》，以周公排擠孔子。他在《春秋序》中說：「仲尼因魯史策書成文，考其眞僞，而志其典禮，上以遵周公之遺制，下以明將來之法」，「其發凡以言例，皆經國之常制，周公之垂法，史書之舊章，仲尼從而修之，以成一經之通體」。既然說《春秋》凡例主要是周公之遺制，只有一部分凡例屬於孔子，便等於說《春秋》非孔子作。杜預爲自己的論點找到的論據是《左傳》昭公二年韓宣子適魯見易象與魯《春秋》曰：「周禮盡在魯矣」這一條。以爲用這一條即可證明孔子修《春秋》不過翻檢周公舊制，鈔錄魯史舊文而稍加刊正而已。

古人對杜預早已作過有力的駁難。唐人陸淳在《春秋集傳纂例》一書中指出，杜預以爲《左傳》之五十凡例皆周公之舊制，實不足信。《左傳》之凡例有云：「弑君稱君君無道也，稱臣臣之罪也。」周初未見有臣弑君之事，周公何能預先定下書臣弑君之辦法？清人皮錫瑞在所著《經學通論》中說，倘依杜氏，孔子修《春秋》不過經承舊史，鈔錄一過，並無自己的褒貶義例，「孔子何以有知我罪我，其義竊取之言」？「孟子何以推尊孔子作《春秋》之功配古帝王，說得如此驚天動地」？

杜預否定《春秋》爲孔子作，但不可不理睬孟子。他在《春秋序》中採用了孟子論《春秋》那段話中的一句，即：「楚謂之《檮杌》，晉謂之《乘》，而魯之《春秋》，其實一也。」並將孟子的這句話同《左傳》昭公二年韓宣子適魯觀易象春秋那段記載連在一起，作爲《春秋》非孔子作的證據。但是，孟子强調的顯然是魯之不修《春秋》與別國史記本無不同。經過孔子修過的《春秋》則大不一樣了。所以孟子緊接著還有一句：「孔子曰：『其義則丘竊取之矣。』」因爲這一句於杜說不利，引用時便被斷然捨棄了。

第二個問題，關於孔子作《春秋》的宗旨，孟子講的最爲清楚、深刻。孟子說：「孔子懼，作《春秋》」，「孔子成《春秋》而亂臣賊子懼」，兩個「懼」字下得鏗鏘有聲。孔子因懼亂臣賊子作亂不息而作《春秋》，亂臣賊子因孔子作《春秋》而不能不有所畏懼。孟子的話符合實際情況。孔子是一個政治上極端保守的思想家。根據《論語》記載，孔子對東遷以後的社會變化，確是憂心忡忡。禮壞樂崩，名分淆亂的狀況，在他看來無異於洪水猛獸。他想恢復西周奴隸制盛世而又深知力不能及，乃作《春秋》，針砭當時，規範後人，以達王事。亂臣賊子是歷史的產物，當然不是一部書能夠解決的，但是孔子作《春秋》的用意確然如此。孟子又說：「《春秋》，天子之事也。」表明孟子認爲《春秋》絕非普通史書，它是一部反映一定的政治觀點的政治學著作。

兩千多年來，孟子是講明《春秋》宗旨的第一人。司馬遷《史記・自序》關於《春秋》宗旨引用董仲舒的幾句話，即：「孔子知言之不用，道之不行也，是非二百四十二年之中，以爲天下儀表，貶天子，退諸侯，討大夫，以達王事而已矣。」不過是孟子觀點的發揮。《公》、《穀》、《左》三傳無明文言及孔子作《春秋》的宗旨。左氏家以爲孔子因周公之凡例，述周公之志而成《春秋》，自然不強調孔子修《春秋》的政治用意。公羊家雖肯定《春秋》孔子作，但卻無端生出所謂孔子絀周王魯，以《春秋》當新王之說，把孔子作《春秋》的宗旨給歪曲了。穀梁家則說平王東遷，周室衰微，天下板蕩，王道盡矣，孔子傷之，乃作《春秋》，著勸誡，以繼「三王」。其說大體可取，但遠不及孟子精粹。

《春秋》還有個大義微言的問題。《漢書・藝文志》採劉歆說，以爲「昔仲尼沒而微言絕，七十子喪而大義乖，故《春秋》分爲五」。范寧作《穀梁傳序》亦云「微言隱，異端作，而大義乖」。從而提出了《春秋》有所謂大義微言的問題。但是究竟什麼是大義微言，古人一直沒講清楚。皮錫瑞《經學通論》說「大義在誅討亂賊，微言在改立法制」。誅討亂賊乃孔子作《春秋》的目的，孟子早已指明，倘若這就是《春秋》之大義，人們本應一目了然，何以自漢迄清一直無定論？又漢人去古未遠，何以竟宣布孔子作《春秋》之大義微言已乖已絕！應當說，大義微言是孔子作《春秋》達到誅討亂賊之目的的手段。《史記・司馬相如列傳》說「《春秋》推見至隱」，「推見」指記事，「至隱」即明義。《春秋》通過記事以明義，是有一套辦法的。這辦法就是大義微言，亦即《春秋》書法。《春秋》書法內容是豐富的、複雜的。《史記・孔子世家》說的「據魯、親周、故殷」和《公羊傳》說的「所見異辭，所聞異辭，所傳聞異辭」以及「內其國而外諸夏，內諸夏而外夷狄」，即是《春秋》書法的主要部分。後來何休把這三條概括爲所謂「三科九旨」。這「三科九旨」的內容，《孟子》書未見涉及。

第三個問題，關於《春秋》一書的性質，孟子也完全講明白了，孟子說《春秋》「其事則齊桓、晉文，其文則史。孔子曰：『其義則丘竊取之矣』」。這話看來簡單，其實深刻，三言兩語便將《春秋》的特點給刻劃出來了。據孟子的看法，《春秋》寫的是齊桓、晉文之類的事件，採取的文體形式是歷史，而要表達的則是作者自己的義。《莊子・天下》說「《春秋》以道名分」，《史記・自序》說「《春秋》以道義」，與孟子意同。都是肯定《春秋》表面上看是史書，實質上是一部政治書。

《春秋》不過一萬六千五百字，寫二百四十二年的歷史，用這樣少的文字寫出這樣長的歷史，孔子用的辦法概括起來說有兩點，一是筆削，二是用辭多變。筆就錄，削就是不錄，錄與不錄都有一定的意義。錄，在用辭上又有一定的差別，利用用辭的差別表達一定的意思。例如莊公四年載：「紀侯大去其國。」本來是齊襄公出兵滅了紀國，可以書「滅紀」。孔子不書「滅紀」而書「紀侯大去其國」，是爲了表彰齊襄公報他的九世祖齊哀公因紀侯譖而爲天王所烹的仇。如《公羊傳》所說：「大去者何？滅也。孰滅之？齊滅之。曷爲不言齊滅之？爲襄公諱也。《春秋》爲賢者諱，何賢乎襄公？復仇也。」

又如僖公二十二年載：「冬十有一月，己巳朔，宋公及楚人戰於泓，宋師敗績。」此爲偏戰，稱日可矣。稱日又稱朔。表示宋襄公的行爲《春秋》要肯定。《公羊傳》解釋說，宋襄公在你死我活的戰爭中能夠做到「不厄人」，「不鼓不成列」，「臨大事而不忘大禮」，所以孔子褒獎他。

又如桓公十一年載：「宋人執鄭祭仲。」此稱字不稱名是「賢也」。「何賢乎祭仲」？《公羊傳》認爲孔子賢祭仲是因爲祭仲知權。權，是辦事既守原則又能權宜應變的意思。宋人執祭仲，威逼他趕走忽，立突爲鄭國國君。祭仲照辦了。結果，鄭國未亡於宋，且最終鞏固了合法繼承人忽的君位，趕走了突。

齊襄公、宋襄公和鄭祭仲三人的事迹被孔子寫進《春秋》中，這就叫筆，也叫錄，孔子把一個人物一個事件錄進《春秋》，都有一定的用意。怎樣表達他的用意呢？這要靠用辭的變化，孔子借用這三個人的三件事，用「大去其國」、稱朔、稱字不稱名的不同修辭方法分別表達他的復仇之義、行仁義之師之義和知權之義。由此我們可以肯定地說，《春秋》不是普通的歷史書，它是一部以史書爲形式的政治學著作。王安石說它是「斷爛朝報」，梁啓超說它是「流水帳簿」，都因爲他們只把《春秋》當作一部史書來看。

從歷史的角度衡量《春秋》，它的價值無法與《左傳》相比，說它是「斷爛朝報」實不爲過。然而《春秋》卻昂然存在了兩千五百年，人們持久不斷地研究它，爲它寫出數不盡的著作來。它對後世政治生活所產生的影響，是任何史書望塵莫及的。原因沒有別的，就是因爲它是一部政治性的書。《春秋》的這一性質是隱晦不明的，不像亞里斯多德《政治學》那樣一目了然。《春秋》的這一性質，需要人們去認識。首先指出《春秋》是明義之書的是孟子。

後世仍不斷有人不理會孟子的關於《春秋》的言論。他們以史法繩《春秋》，否認《春秋》中有孔子竊取之義，以爲孔子修的《春秋》與列國國史無異。杜預是其中有代表性的一個。他在《春秋左傳集解》後序中將《春秋》與《竹書紀年》相比照，證明《竹書紀年》「

文意大似《春秋》經，」進而推定此乃「古者國史策書之常」，孔子爲《春秋》，一仍舊史，無甚變化。其所舉例是：竹書「稱魯隱公及邾莊公盟於姑蔑，即《春秋》所書邾儀父》。竹書「稱晉獻公會虞師伐虢滅下陽，即《春秋》所書虞師晉師滅下陽」。竹書「稱周襄王會諸侯於河陽，即《春秋》所書天王狩於河陽」。杜預忽略了《竹書紀年》記諸侯列會皆舉謚號，表明它不是春秋當世正史，乃是戰國魏襄王時人的追記之作。它的體例並非「古者國史策書之常」，它文意簡約雖似《春秋》，但是是它仿《春秋》，不是《春秋》仿它。

唐人劉知幾更不解《春秋》的特點，所作《史通》有《惑經》、《申左》二篇，以實錄與否認「三傳」短長，以史家標準衡量《春秋》，指摘《春秋》「於內則爲國隱惡，於外則承赴而書。求其本事，大半失實」，「尋斯義之作也，蓋是周禮之故事，魯史之遺文，夫子因而修之，亦存舊制而已」。劉氏揚《左傳》而抑《春秋》，視《左傳》之義高於《春秋》。所謂「孔子成《春秋》而亂臣賊子懼」，「善人勸焉，淫人懼焉」，唯《左傳》當之無愧，《春秋》是大爲遜色的劉氏謬矣，殊不知《春秋》不是史書，故不必實錄，亦不必善惡必書。它固然離不開史，但它不是史；它的特點是明義，卻不空言義。它從明義出發取捨史料，亦從明義出發，遣辭行文，如《左傳》閔公元年載晉侯滅耿、滅魏、滅霍，此滅國大事，史書不可缺如，但《春秋》以爲此於義無補，故削而不書。僖公十六年春，同一個月裏發生「隕石于宋五」和「六鷁退飛過宋都」兩件事。事件雖小，《春秋》以爲此異事，且發生在王者後的宋國，故筆而錄之。劉知幾不知《春秋》有筆削之義，對於《春秋》大事所不書，小事有所不削的現象大惑不解，斷定《春秋》於外事一仍赴告，全無用心，表明劉氏於《春秋》所知甚淺，不逮孟子遠矣。

《春秋》一書的實際情形，也證明孟子是最了解《春秋》的人。

《春秋》「爲尊者諱，爲賢者諱，爲親者諱」。什麼是諱呢？有些事情如果照直說，不符合孔子的思想觀點，因而往往把事情換一種說法表達出來，這就是諱。要諱，就做不到善惡必書。劉知幾以實錄與否要求《春秋》，肯定錯了。如閔公二年狄滅衛，這是事實，《春秋》卻書成「狄入衛」。「入」與「滅」含義根本不同。「入」是占領之後又撤去，「滅」則是國家滅亡，不復存在。《春秋》把狄滅衛書成「狄入衛」，是爲尊者諱。尊者指齊桓公。衛國是華夏國家，它在堂堂霸主齊桓公的眼皮底下竟被狄人滅了。《春秋》爲無損尊王攘夷的信念，也爲維護霸主齊桓公的尊嚴，不得不把「滅」書成「入」。這又證明孟子說《春秋》其事則齊桓、晉文，其文則史，其義則丘竊取之矣，是正確的。

更爲典型的例子是僖公二十八年晉文公召周襄王至溫會諸侯。分明是文公召天子，《春秋》卻書作「天王狩於河陽」，彷彿天子是主動巡狩，而不是被召。這反映了孔子的尊王思想。《左傳》引孔子語說：「以臣召君，不可以訓。」《左傳》作者尚且理解孔子用意，獨劉知幾譴責《春秋》不是實錄，夠不上良史。《春秋》非史，何爲以史視《春秋》！襄王受召，《春秋》書狩河陽，正可見《春秋》以正名爲務，以明義爲重，看來是史書，實爲一部政治書。劉氏視《春秋》以史，倘非盲昧，亦屬偏見。

總之，孟子最了解《春秋》。能夠用簡短三五句話將《春秋》的幾個主要問題如此準確恰當地概括起來，不是對《春秋》有深刻的了解是辦不到的。趙岐《孟子題辭》說孟子「通五經，尤長於《詩》、《書》」，不能算是全面的評價。孟子於《詩》、於《書》唯引用而已，評論絕少，而於《春秋》則體會宏深，非後世膚淺之輩可比。漢代經今文家許多觀點得自孟子，公羊家治《春秋》更以孟子爲起點，說孟子最了解《春秋》，是兩千多年《春秋》學的奠基人，他是當之無愧的。

——原載《史學史研究》一九八六年一期，頁四二——四六。

《易傳》作者的思想述評

高　亨

《易傳》七種——《彖》、《象》、《文言》、《繫辭》、《說卦》、《序卦》、《雜卦》，不是一人所作。作者都是儒家者流，借解釋《易經》以闡述他們的世界觀。他們解釋《易經》，雖有分歧；但他們的世界觀並無矛盾，而彼此補充，構成獨具特色的思想體系。因此，將他們的思想合併論述，當無不可。

一、《易傳》作者與戰國時代

《易傳》作者大都是生於戰國時代。戰國時代的社會情況有許多研究歷史的專家均作了論述，所以本文從略，只簡單地指出幾個要點：

這個時代的社會性質，可以肯定，是封建社會初期，所以存在著一些奴隸社會的殘餘。

這個時代的中國局面，不是統一的，秦、楚、齊、魏、趙、韓、燕七個大國及周、魯、衛、宋等幾個小國，分區割據，各自爲政，所以各地的社會發展是不平衡的。

這個時代的生產力，較春秋時代大有提高，生產工具廣泛使用鐵器，農業手工業和商業都發展很快，因而商人和新興地主的勢力日漸壯大。

這個時代的生產關係，主導是地主階級剝削農民階級，也包括手工業主剝削手工業工人，商業主剝削商業僕役，殘餘的奴隸主剝削奴隸。

這個時代的社會制度，主要是體現封建社會生產關係的剝削制度。地主對農民有實物地租及貢物、徭役、軍賦各樣剝削方式。其剝削是很殘酷的。更殘酷的是還有奴隸社會剝削制度的殘餘。此外，應該指出：各國舊有的統治貴族仍多保持奴隸社會的一些制度，來維護他們的特殊權利。例如分封制度。

這個時代的社會矛盾，㈠是國與國間的矛盾，七個大國統治者發動頻繁的激烈的慘酷的兼併戰爭，並展開了合縱連横的外交活動。㈡是勞動人民與統治階級的矛盾。㈢是新興地主與舊有統治貴族的矛盾。㈣是統治階級中貴族與貴族，上階層與下階層的矛盾。後三種矛盾，展開了形形色色的鬥爭。尤其是勞動人民與統治階級的矛盾鬥爭必更爲尖銳，可是古籍上少有記載。

這個時代的社會文化，確取得了繽紛燦爛的成就。個人講學授業的私塾式教育大爲推廣，培養出大量知識分子。其中傑出的人物可以稱爲那個時代的思想家、政治家、軍事家、外交家。思想家們有儒家、道家、墨家、名家、法家、農家、陰陽家、雜家諸派，抱有不同的哲學思想，互相辯論，著書立說，形成百家爭鳴的現象。其次，在數學、力學、光學、工藝、農藝、醫藥、天文、地理、律歷、經學、史學、文學、藝術各個方面，均取得了程度不同的成績。再次，人們對於自然界和社會的認識水平提高了，辯證思維和邏輯思維的能力加强了。但大多數人還迷信鬼神，卜筮相面占星候歲等方士的巫術仍盛行於時。

戰國時代各派思想家的思想都是在當時的社會背景下產生的，各有明顯的階級性。《易傳》作者都是儒家，是站在封建統治階級的立場，維護封建統治階級的利益，爲封建統治階級服務，傳中含有濃厚的封建主義毒素；但其中辯證法因素與唯物論因素，則比較突出；而亦雜有形而上學觀點與唯心論觀點。

二、《易傳》論自然界與社會事物有共同性

《易傳》作者的認識世界，在《易經》的啓引下，重在抓住自然界與社會事物的共同性，加以闡述。

《易經》本是筮書。在筮人心目中，《易經》的乾☰坤☷震☳巽☴坎☵离☲艮☶兌☱八卦是象徵八類事物的符號，每一卦可以象徵自然界與社會有共同性的一類事物。筮人將筮得的卦所象徵的自然界與社會有共同性的事物與當前事物會通而結合之，加以牽强附會，以論斷人事的吉凶。這本是巫術的技倆。《易傳》作者則將巫術的技倆予以哲學的意義，認爲：《易經》的一卦既可象徵自然界與社會有共同性的事物，就能反映自然界與社會有共同性的事物，從而研究《易經》的全部卦象和卦辭（包括卦名），觀察自然界與社會事物的共同現象，探索自然界與社會事物的共同法則，也會通而結合之，提出他們的創見或曲解，以解釋《易經》，以解釋世界。可見抓住自然界與社會事物的共同性，是作者認識世界的主要準則。這一點在下文常常見到，現在略述如下。

《謙》卦《彖傳》說：

天道虧盈而益謙。地道變盈而流謙。鬼神害盈而福謙。人道惡盈而好謙。

這是說自然界天地的法則與社會人事的法則都損盈而益謙。（鬼神是虛构的，下文再談。）作者舉出這個共同性，意在教人倘謙虛而戒驕滿。（《易傳》所謂謙是封建統治階級虛僞自利的謙虛）又《賁》卦《彖傳》說：

剛柔交錯，天文也。文明以止，人文也。觀乎天文以察時變。觀乎人文以化成天下。（今本無「剛柔交錯」四字，據唐郭京《

周易舉正》補。止當作正。）

這是說自然界有天文，社會有人文。作者舉出這個共同性，意在教統治者觀察天象的變化和社會制度等的利弊，以推行政治。又《坎》卦《彖傳》說：

天險不可升也。地險山川丘陵也。王公設險以守其國。

這是說自然界有天險地險，社會有人爲的險。作者舉出這個共同性，意在教人利用地形的險並修建城池以守其國家。又《繫辭下》說：

天地節而四時成。節以制度，不傷財，不害民。

這是說自然界天地與社會人類均有節度。作者舉出這個共同性，意在教統治者建立節度。《彖傳》又說到自然界與社會事物有泰通與否塞矛盾對立的共同現象（《泰》卦、《否》卦），有永恒與變革矛盾對立的共同現象（《恒》卦、《革》卦），有睽異與合同矛盾對立的共同現象（《睽》卦），有盈虛消息互相轉化的共同現象（《豐》卦），分見下文。

此外如《豫》卦《彖傳》說：「天地以順動，故日月不過，而四時不忒。聖人以順動，則刑罰清而民服。」《頤》卦《彖傳》說：「天地養萬物。聖人養賢以及萬民。」《離》卦《彖傳》說：「日月麗乎天。百谷草木麗乎土。重明以麗乎正，乃化成天下。」（麗，附也。）《咸》卦《彖傳》說：「天地感而萬物化生。聖人感人心而天下和平。」《益》卦《彖傳》說：「損上益下，民說無疆。天施地生，其益無。」（方說讀爲悅。）《姤》卦《彖傳》說：「天地相遇，品物咸章也。剛遇中正，天下大行也。」《歸妹》卦《彖傳》說：「歸妹，天地之大義也。天地不交，而萬物不興。歸妹，人之終始也。」均是自然界與社會事物有共同性的說法，綜計有十六條。

這種觀點，其它先秦古籍也偶爾有之。例如《左傳》宣公十五年：「天反時爲災。地反物爲妖。民反德爲亂。」這是說天地人都有反常的行爲。又有人談到自然界與社會事物的殊異性。例如《管子》《宙合》篇：「天不一時。地不一利。人不一事。」《樞言》篇：「天以時使。地以材使。人以德使。」又有人談到自然界與社會事物的相反性。《老子》七十七章：「天之道損有餘而補不足。人之道則不然，損不足以奉有餘。」（指階級社會的剝削制度）《易傳》反大談自然界與社會的共同性，未談其殊異性和相反性。

《易傳》作者運用自然界與社會事物有共同性這一觀點，以解釋世界，這是他們思想體系的一大特色，有一定的哲學意義。尤其是他們認識到自然界與社會事物有矛盾對立與運動變化的共同現象與法則，意義更爲重大。但是自然界與社會的本質是迥不相同的，作者有時強加拍合，指定爲共同性，只是主觀的唯心看法罷了。

三、《易傳》論事物的矛盾對立統一與鬥爭

毛主席在《矛盾論》中指出：

> 辯證法的宇宙觀，不論在中國，在歐洲，在古代就產生了。但是古代的辯證法帶著自發的樸素的性質。根據當時的社會歷史條件，還不可能有完備的理論，因而不能完全解釋宇宙，後來就被形而上學所代替。

《易傳》中反映了作者樸素的辯證法的宇宙觀，即初步認識到自然界與社會事物的矛盾對立統一與鬥爭的根本法則。

先談作者對於矛盾對立統一的認識。

《易傳》作者認爲：自然界與社會的一切事物可分爲陰陽兩大類，矛盾對立，並存於宇宙間，這是自然界與社會的普遍現象。《繫辭》上說：

> 一陰一陽之謂道。

這句話是說陰陽矛盾對立是自然界與社會事物的規律。《說卦》說：

立天之道曰陰與陽。立地之道曰柔與剛。立人之道曰仁與義。

這是說天道是陰陽矛盾對立，地道是柔剛矛盾對立，人道是仁義矛盾對立。柔與仁都是陰的品德，剛與義都是陽的品德，那麼，這就是天道、地道、人道都是陰陽矛盾對立，自然界與社會事物的共同法則是陰陽矛盾對立。

《繫辭下》說：

乾，陽物也。坤，陰物也。陰陽合德，而剛柔有體，以體天地之撰，以通神明之德。（撰，具有也。下體字猶分也。）

乾爲天。坤爲地。天爲陽物，其性爲剛。地爲陰物，其性爲柔。陰陽合德，是說天地是陰陽矛盾統一。剛柔有體，是說天地是剛柔矛盾對立。以體天地之撰，是說以陰陽分析天地所具有的萬物，劃分其異類。以通神明之德，是說以陰陽綜合萬物的神妙明顯的性質，會通其同類。這幾句話正是說自然界的天地萬物分爲矛盾對立的陰陽兩類。《繫辭下》有幾句話，說明社會上君與民的矛盾對立。

陽卦多陰，陰卦多陽，其故何也？陽卦奇，陰卦耦。其德行何也？陽一君而二民，君子之道也。。陰二君而一民，小人之道也。（《易傳》稱統治者爲君子，稱庶民爲小人。）

陽卦多陰，是說震☳坎☵艮☶爲陽卦，都兩陰爻，一陽爻。陰卦多陽，是說巽☴離☲兌☱爲陰卦，都是兩陽爻，一陰爻。陽卦奇，是說震坎艮三卦的爻畫都是五，五是奇數，奇數是陽數，所以這三卦是陽卦。陰卦耦，（耦與偶通）是說巽離兌三卦的爻畫都是四，四是偶數，偶數是陰數，所以這三卦陰卦。（乾☰是陽卦，爻畫是三，三也是陽數。坤☷是陰卦，爻畫是六，六也是陰數。《易傳》略而未談。）據《易傳》，陽卦象君，陽爻也象君。陰卦象民，陰爻也象民。「陽一君而二民，君子之道也，」是說震坎艮三陽卦都是一陽爻，兩陰爻，乃象一君統治多數人民，這就是統治者所走的道路。「陰二君而一民，小人之道也。」是說巽離兌三陰卦都是兩陽爻，一陰爻，乃一民受多數統治者的層層統治，這就是人民所走的道路。至此得出如下的結論：第一，震坎艮是陽卦，《說卦》：「震爲雷。坎爲水。艮爲山。」那麼，雷水山是陽物了。巽離兌是陰卦，《說卦》：「巽爲風。離爲火。兌爲澤。」那麼，風火澤是陰物了。據此，天與地，雷與風，水與火，山與澤，都是陰陽矛盾對立的物，這是屬於自然界的。第二，陽卦和陽爻都象君，陰卦和陰爻都象民，君與民是陰陽矛盾對立的人，這是屬於社會的。

《說卦》有幾句話說明男女的矛盾對立。

> 乾，天也，故稱乎父。坤，地也，故稱乎母。震☳一索而得男，故謂之長男。巽☴一索而得女，故謂之長女。坎☵再索而得男，故謂之中男。離☲再索而得女，故謂之中女。艮☶三索而得男，故謂之少男。兌☱三索而得女，故謂之少女。（索，數也，動詞。）

乾震坎艮都是陽卦，所以都象男。坤巽離兌都是陰卦，所以都象女。這是以陽卦象男，以陰卦象女的明證。震的第一爻、坎的第二爻、艮的第三爻都是陽爻，所以都是「索而得男」。巽的第一爻、離的第二爻、兌的第三爻都是陰爻，所以都是「索而得女」。這是以陽爻象男，以陰爻象女的明證。然則男爲陽，女爲陰，男女是陰陽矛盾對立的人。這是屬於自然界的又屬於社會的。

《易傳》以奇數爲陽數，以偶數爲陰數（上文曾提到），《繫辭上》說：

> 天數五。地數五。……天一，地二；天三，地四；天五，地六；天七，地八；天九，地十。

天爲陽，地爲陰。可見奇數一、三、五、七、九爲陽數，偶數二、四、六、八、十爲陰數。然則數目也是陰陽矛盾對立的物。這是屬於社會的。

總之，《易傳》認爲自然界與社會的事物均是陰陽矛盾對立，是普遍的現象和法則。

《易經》的陽爻和陰爻，是陰陽矛盾對立的符號。三爻相疊，配成八卦，乾震坎艮爲陽卦，坤巽離兌爲陰卦，八卦也是陰陽矛盾對立的符號。兩卦相重，配成六十四卦，六十四卦又是陰陽矛盾對立的符號。然則陰陽矛盾對立是《易經》卦爻的普遍法則。《易傳》作者認爲：《易經》的陰陽矛盾對立的卦爻，可以象徵自然界與社會的陰陽矛盾對立的事物，所以《易經》卦爻陰陽矛盾對立的普遍法則，正是反映自然界與社會事物陰陽矛盾對立的普遍法則。

《易經》作者以陰陽爲準，來劃分自然界與社會的一切事物，有的合於實際，如天爲陽而地爲陰，暑爲陽而寒爲陰，晝爲陽而夜爲陰……等是。有的不合實際。首先《易傳》定坎爲陽卦，離爲陰卦，因而以水爲陽物，以火爲陰物，就是問題。（《左傳》昭公九年：「火，水妃也。」是說水爲男，火爲女。又昭公十七年：「水，火之牡也。」是說水爲牡，火爲牝。可見水爲陽物、火爲陰物的說法，《易經》前已經有了。）其次，《說卦》：「坎爲月。離爲日。」那麼，月是陽性，日是陰性了，豈非顚倒事實。又《說卦》：「坎者，……正北方之卦也。」「離者，……南方之卦也。」那麼，北方是陽方，南方是陰方了，又豈非顚倒事實。又《說卦》：「坎爲豕。離爲雉。」那麼，豕是陽物，雉是陰物了，豈非無理可尋。諸如此類是相當多的。要之，物不是儘有陰陽兩性，而《易傳》硬劃爲陰陽兩類，有時不免用歪曲、牽强、附會、機械的手段，指定其陰陽性，這是形而上學與唯心論的觀點和方法。因此，我們說：《易傳》作者認爲矛盾對立是事物的普遍法則，是正確的；認爲矛盾的兩方面必是一陰一陽，是錯誤的。

《易經》六十四卦，按其矛盾對立的卦形或卦象，分為三十二偶。《雜卦》一篇，以簡要的語句，解釋六十四卦的卦義，每一偶卦為一聯，約有半數是用矛盾對立的意義加以解釋。例如：

《乾》剛《坤》柔。

《比》樂《師》憂。

《臨》《觀》之義，或與或求。

《震》，起也。《艮》，止也。

《損》《益》，盛衰之始也。

《謙》輕而《豫》怠也。（輕讀為勁，勤也。）

《兌》見而《巽》伏也。

《咸》，速也。《恒》，久也。

《解》，緩也。《蹇》，難也。

《睽》，外也。《家人》，內也。

《否》《泰》，反其類也。

《革》，去故也。《鼎》，取新也。

《離》上而《坎》下也。

很明顯，《雜卦》作者認為：《乾》與《坤》，《比》與《師》等偶卦都具有矛盾對立的意義。這一點足以說明作者是掌握樸素的辯證觀點來理解《易經》的卦義。

《繫辭下》說：

夫乾，天下之至健也，德行恒易以知險。夫坤，天下之至順也，德行恒簡以知阻。（乾，天也。坤，地也。易，平也。知猶見也。）

易與險，簡與阻，都是矛盾對立的兩種現象。《易傳》是說：天的品德和行動常是平易，（指晝夜四時的運行都有規律）但是也能造成災險。（指狂風暴雨大旱久澇等）地的品德和行動常是簡單，（指地生養萬物也有規律）但是也能造成阻難。（指高山峻嶺大川大湖的複雜多阻的地形）這是說易與險的矛盾現象統一於天之德行，簡與阻的矛盾現象統一於地之德行。《睽》卦《彖傳》說：

> 《睽》：天地睽而其事同也。男女睽而其志通也。萬物睽而其事類也。（睽，離也。）

睽與合是矛盾對立的兩種現象。《彖傳》是說：自然界天地相睽離，而生育萬物之事則合作；萬物相睽離，而爭取生存之事則相類；社會男女相睽離，而思想感情則相通。這是說：睽與合的矛盾現象統一於自然界天與地、物與物的關係上，也統一於社會男與女的關係上。要之，《易傳》認識到同一事物中存在著不同的矛盾的現象。所以《睽》卦《象傳》概括地說：

> 君子以同而異。

就是說：認識事物要同中求異。異就是矛盾，同就是統一。

由此可見，《易傳》作者對於自然界與社會事物矛盾統一的法則，也有一定的認識，只是他們認識到的都很簡單而淺近。

《易傳》作者對於矛盾統一既有一定的認識，對於矛盾鬥爭，也有一定的認識。《坤》卦《文言》說：

> 陰疑於陽，必戰。（疑讀爲擬，比也，等同也。）

這是說陰的勢力與陽的勢力相等，則兩者必發生鬥爭。此乃揭出事物的一個規律。

《繫辭下》說：「剛柔雜居。」（陽爲剛。陰爲柔。）是說陰陽的矛盾統一。《繫辭》上說：「剛柔相摩。」是說陰陽的矛盾鬥爭。《說卦》說：「八卦相錯。」是說天、地、雷、風、水、火、山、澤的矛盾統一。《繫辭》上說：「八卦相盪。」是說天、地、雷、風、水、火、山、澤的矛盾鬥爭。

《泰》卦《彖傳》說：

《泰》：則是天地交而萬物通也，上下交而其志同也，內陽而外陰，內健而外順，內君子而外小人，君子道長，小人道消也。（《易傳》稱有才德之人爲君子，稱無才德之人爲小人。）

《否》卦《彖傳》說：

《否》：則是天地不交而萬物不通也，上下不交而天下無邦也，內陰而外陽，內柔而外剛，內小人而外君子，小人道長，君子道消也。（《否》，閉塞也，與《泰》相反。）

先秦人對於天地現象不可能有科學的理解。《繫辭下》：「天地絪緼，萬物化醇。」（絪緼讀爲氤氳，二氣交融。醇，均也。）《禮記·樂記》：「地氣上齊，天氣下降，陰陽相摩，天地相盪，鼓之以雷霆，奮之以風雨，動之以四時，暖之以日月，而百化興焉。」（齊讀爲躋，升也。）這就是他們對於天地生育萬物的基本看法。在自然界，天地是矛盾對立的。《彖傳》所謂「天地交」，是說天氣下降，地氣上升，二氣交流，天地合作。《樂記》所謂「天地相盪」，則有天地二氣鬥爭的意味，而《彖傳》不是這樣講。《彖傳》所謂「天地不交」，是說天地不合作。所謂「內陽而外陰」，即陽氣長而陰氣消。所謂「內陰而外陽」，即陰氣長而陽氣消。《樂記》所謂「陰陽相摩」，則有陰陽二氣鬥爭的意味，而《彖傳》不是這樣講。由此可見，《彖傳》作者對於天地陰陽的認識，是矛盾的合作或不合作，未能明言天地陰陽矛盾鬥爭的實質。在社會，上與下是在社會地位上矛盾對立的人，即統治階級與被統治階級，統治階級的上階層與下階層等。《彖傳》所謂「上下交」，是說上下同心同德，上下合作。（即「其志同」）所謂「上下不交」，是說上下離心離德，上下不合作。由此可見，《彖傳》作者對於社會兩個階級或級層的認識，是矛盾的合作或不合作，未能明言階級鬥爭與階層鬥爭的實質。君子與小人是在才德上矛盾對立之人。《彖傳》所謂「內君子而外小人」，即君子進而小人退。所謂「內小人而外君子」，即小人進而君子退。由此可見，《彖傳》對於君子小人的認識，是矛盾人物的進退，未能明言君子小人矛盾鬥爭的實質。（內健而外順，內柔而外剛，健順柔剛是陰陽的品德，所以從略。）

《彖傳》中常有剛柔相應之說。剛柔相應就是陰陽矛盾的合作。例如：《恒》卦䷟《彖傳》說：

> 《恒》：久也，剛柔皆應。……

《恒》卦的三雙同位爻（第一爻與第四爻同居下位，第二爻與第五爻同居中位，第三爻與第六爻同居上位。）都是陽陰相對，剛柔相對，是爲剛柔皆應。《彖傳》認爲：天爲剛，地爲柔。陽氣爲剛，陰氣爲柔，君上爲剛，臣民爲柔，男爲剛，女爲柔。剛柔皆應，乃象徵天與地，陽與陰合作，君上與臣民合作，男與女合作，這是恒久之道，所以卦名叫做《恒》。由此可見，《彖傳》强調矛盾合作。

《易傳》也認爲君子小人的矛盾可以合作。《大有》卦䷍《彖傳》說：

> 《大有》：柔得尊位大中，而上下應之曰《大有》。（中，正也。上卦的中爻爲尊位，又爲大中。）

《大有》卦的第五爻爲陰爻，爲柔，其上下五爻均爲陽爻，爲剛。是爲上下五剛應一柔。《彖傳》認爲：小人爲柔，君子爲剛，《大有》卦的六爻乃象徵小人得到尊貴之位，行事合於大正，有衆君子輔佐他，成就可大，是以卦名叫做《大有》。又《小畜》卦䷈《彖傳》說：

> 《小畜》：柔得位而上下應之曰《小畜》。（第四爻爲陰位。）

《小畜》卦的第四爻爲陰爻，爲柔，其上下五爻均爲陽爻，爲剛。也是上下五剛應一柔。《彖傳》認爲：小人爲柔，君子爲剛，《小畜》卦的六爻乃象徵小人得到適當職位，有衆君子輔佐他，成就則小，是以卦名叫做《小畜》。由此可見，《彖傳》認爲君子小人的矛盾是可以合作的。

但《易傳》又認爲君子小人的矛盾是有鬥爭的。《剝》卦☶☷《彖傳》說：

> 《剝》：剝也，柔變剛也，……小人長也。（《剝》：剝也，是說《剝》卦之剝是剝落。）

《剝》卦的下五爻均爲陰爻，爲柔，上一爻爲陽爻，爲剛。《彖傳》認爲：小人爲柔，君子爲剛，《剝》卦的六爻乃象徵小人勢力衆强，君子的勢力孤弱，小人戰勝君子，能改變君子的行事和職位。這當然是說君子小人的鬥爭。又《夬》卦☱☰《彖傳》說：

> 《夬》：決也，剛決柔也。

《雜卦》說：

> 《夬》：決也，剛決柔也，君子道長，小人道憂也。

《夬》卦的下五爻均爲陽爻，爲剛，上一爻爲陰爻，爲柔。《彖傳》認爲：君子爲剛，小人爲柔，《夬卦》的六爻乃象徵君子的勢力衆强，小人的勢力孤弱，君子戰勝小人，能決定小人的行事和職位。這當然也是說君子小人的鬥爭。由此可見，《彖傳》認爲君子小人的矛盾是有鬥爭的。

自然界與社會的事物，矛盾對立是普遍的法則，矛盾統一是相對的，矛盾鬥爭是絕對的，統一之中也有鬥爭。綜觀《易傳》，作者對於自然界與社會事物矛盾對立的普遍法則，關於矛盾統一，均有明確的認識，但關於矛盾鬥爭，則僅有一些認識。摘要來講，作者將矛盾的兩方面予以陰陽性的劃分，落入形而上學與唯心論的窠臼，這是第一個缺點。作者認識所及大都是事物的表面現象，不是事物的內部實質，這是第二缺點。作者所講的都是片段零散，沒有明晰的系統，沒有完整的理論，這是第三個缺點。當然，這種缺點，都是作者的階級立場和當時歷史條件決定的。

四、《易傳》論事物的運動變化

我們看到《易傳》作者重視事物運動變化的研究。《繫辭上》說：

言天下之至賾而不可惡也。言天下之至動而不可亂也。擬之而後言，議之而後動，擬議以成其變化。（賾，雜也。惡猶誣也。成，定也。）

這是說天下的事物極爲複雜，論之不可誣妄。天下的事物永遠變動，談之不可謬亂。人應該經過研究，而後言動。研究在於確定事物的變化。

《易傳》作者對於事物運動變化的認識，要點如下：

第一，作者認爲自然界與社會的事物都在運動變化。《繫辭上》說：

在天成象，在地成形，變化見矣。

這是說天地間一切物都在變化。《繫辭下》說：

有天道焉，有人道焉，有地道焉，道有變化。……

所謂「道有變化」，是說天道、地道、人道都有變化，即自然界與社會的事物都在運動變化，不是靜止不動，一成不變的。可見作者認爲事物運動變化乃是自然界與社會的普遍法則。

第二，《易傳》作者認爲：自然界與社會事物，變化或不變化，都是相對的，不是絕對的，有它的變化性，也有它的恒久性，《恒》卦《彖傳》說：

《恒》：天地之道恒久而不已也。……日月得天而能久照。四時變化而能久成。聖人久於其道，而天下化成。

《革》卦《彖傳》說：

《革》：天地革而四時成。湯武革命，順乎天而應乎人。

這是說：自然界天地的運動，日月的照臨，四時的循環，都是恒久的，同時又都是變化的，日月的一出一入是變化，四時的一往一來又是變化。恒久規律之中有變化，變化的順序又是恒久。社會的制度政策等，或則保持一定恒久的時間，或則革命。即在一定條件下出現恒久現象，在一定條件下出現變化現象。要之，恒久與變化的矛盾現象統一於天地的運動過程，也統一於社會的發展過程。

第三，自然界與社會事物的運動變化，都是有規律地必然性地向它的對立物轉化，同時在這種變化的過程中，也有無規律的偶然性的變化。《易傳》對於這種情況，僅有粗淺的認識。《繫辭下》說：

日往則月來，月往則日來，日月相推而明生焉。寒往則暑來，暑往則寒來，寒暑相推而歲成焉。往者屈也。來者信也。屈信相感而利生焉。尺蠖之曲，以求信也。龍蛇之蟄，以存身也。精義入神，以致用也。利用安身，以崇德也。……（信讀爲伸。）

這是說：自然界日月的往來，寒暑的往來，尺蠖的屈伸，龍蛇的蟄動，都是有規律地必然性地向它的對立物或對立面轉化。日月寒暑有這種變化，才能利萬物。尺蠖龍蛇有這種變化，才能生存。社會上的人幼而努力學習，長而用其所學以幹事業，也正是由屈到伸的變化。《豐》卦《彖傳》說：

日中則昃。日盈則食。天地盈虛，與時消息，而況於人乎。（昊與昃同，食謂虧缺。）

這是說：自然界，日行的中昃，月光的盈虧，天地的盈虛消長，都是有規律地向它的對立面轉化，社會的人事也是這樣。《繫辭上》說：

通變之謂事。陰陽不測之謂神。

陰陽不測，是說自然界陰陽的變化不可測度，即指自然界事物無規律的偶然性的運動變化。例如風雲雷雨的忽起忽止、地震、山崩、水竭、星墜等是。自然界與社會事物無規律的變化，也值得重視，可惜《易傳》對於自然界的這種變化講的很少，對於社會的這種變化也未多談。《序卦》釋《泰》、《否》、《同人》、《大有》四卦的順序說：

> 《泰》者通也。物不可以終通，故受之以《否》。物不可以終否，故受之以《同人》。與人同者物必歸焉，故受之以《大有》。

這主要是說：社會上的人事，總是通泰必轉爲否塞，否塞能夠同人必轉爲大有。（同人是變化的條件和因素）《序卦》又釋《蹇》、《解》、《損》、《益》、《夬》五卦的順序說：

> 《蹇》者難也。物不可以終難，故受之以《解》。《解》者緩也。緩必有所失，故受之以《損》。損而不已必益，故受之以《益》。益而不已必決，故受之以《夬》。《夬》者決也。

這主要是說：社會上的人事，總是困難必轉爲解緩，解緩必轉爲損失，損失必轉爲增益，增益必轉爲潰決。《繫辭下》又說：

> 危者安其位者也。亡者保其存者也。亂者有其治者也。是故君子安而不忘危，存而不忘亡，治而不忘亂，是以身安而國家可保也。

這是說：社會上的人事，危是安的變化，亡是存的轉化，亂是治的轉化，所以君子處在安、存、治的時期，常警惕危、亡、亂的來臨，才能保持安、存、治的現狀。以上三例，都是說社會事物是有規律地必然性地向它的對立物轉化。

我認爲：《易傳》作者對於自然界與社會事物的變化的這些認識是粗淺的，論其要點如下：

首先指出：作者對於自然界與社會事物變化的規律性，僅具有表面的認識，未具有實質的認識，所以要抓住它們的共同性，而相提並論。很明顯，自然界事物的規律性與社會事物的規律性，其現象雖有相同，其實質則大不相同。自然界，寒暑的往來，日月的往來，日行的中昃，月光的盈虧，它們變化的規律性有三大特點：㈠是循環式的變化，㈡是有固定時間的變化，㈢是有固定因素的變化。而社會事物，泰與否，損與益，安、存、治與危、亡、亂等的互相變化，則不是循環式的，不是有固定的時間的，不是有固定的因素的。例如階級社會裏，統治朝廷由存在到滅亡，剝削階級由興起到沒落，是個必然規律。但是這些變化，各有不同的方式，各有不同的時間，各有不同的因素。所以自然界事物的變化規律，社會事物的變化規律，現象雖有相同之處，而實質是不同的。《易傳》作者僅認識到其相同的現象，未認識到其不同的實質。

其次指出：社會事物都是有規律地向它的對立物轉化。對立物或者是屬於相反方面的對立物，如上所述；或者是屬於發展進程的對立物。後者更爲重要。人類歷史總是向前發展的歷史。向前發展的歷史就包括許多東西向其發展進程的對立物轉化。最大者例如生產力的發展是通過生產鬥爭，由低級到高級的變化。生產關係的發展是通過階級鬥爭，由低級到高級的變化。所以社會的發展，原始社會、奴隸社會、封建社會、資本主義社會、社會主義與共產主義社會，這個有規律的發展過程，就是前進的、由低級到高級的變化過程，不會有倒退的、轉入相反方向的變化。封建社會不會倒退到奴隸社會。資本主義社會不會倒退到封建社會。社會主義社會更不會倒退到資本主義社會。歷史的長程雖然有曲迴的路徑，然而前進的歷史車輪，誰也不能扭轉。當然《易傳》作者不可能具有此種認識。只是對於社會事物向發展進程的對立物轉化，也有所認識，所以主張「神而化之」，「制而用之」，「化而裁之」。（見下文）

第四，作者認爲：自然界和社會的事物，人類不只是要利用它們，尤其是要改造它們，要加以人爲使它們變化，使它們發展，以適合人們的需要。《繫辭上》說：

> 闔户謂之坤。闢户謂之乾。一闔一闢謂之變。往來不窮謂之通。見乃謂之象。形乃謂之器。制而用之謂之法。利用出入，民咸用之謂之神。

闔戶謂之坤，是說自然界的門閉，萬物（指草木昆蟲等）不能生長，是地的陰氣當令，所以叫做坤。闢戶謂之乾，是說自然界的門開，萬物都生出來，是天的陽氣當令，所以叫做乾。一闔一闢謂之變，是說自然界的門一閉一開，萬物一入一出，就叫做變化。往來不窮謂之通，是說萬物一入一出，一往一來，永不窮止，就叫做通。見乃謂之象，形乃謂之器，是說萬物有現象，有形體。制而用之謂之法，是說人們制裁而利用萬物，有其軌道，有其技術，就叫做方法。利用出入，民咸用之謂之神，是說人們利用這方法，有所出入，有所改進，到達人們都去利用的地步，就叫做神妙。要之，《易傳》作者認爲：人們要適應自然界的變化，針對萬物的形象，加以制裁，拿出方法，不斷改進，使人們都去利用，以適合人們的需要。《繫辭上》又說：

> 形而上者謂之道。形而下者謂之器。化而裁之謂之變。推而行之謂之通。舉而錯之天下之民謂之事業。（錯讀爲措）

形而上者謂之道，是說屬於精神範疇的東西，例如社會制度、宗法、倫理、道德等等都叫做道。形而下者謂之器，是說屬於物質範疇的東西，例如鳥獸蟲魚草木、生活物品，生產工具等等都叫做器。化而裁之謂之變，是說人們把道和器加以改造（包括創造），就叫做變。推而行之謂之通，是說把改造的道和器推行下去，就叫做通。舉而錯之天下之民謂之事業，是說把改造的道和器普遍推行於天下人，就叫做事業。要之，《易傳》作者認爲：人們對於自然界與社會上物質的東西與精神的東西，都要加以改造，以推行於天下，適合人們的需要。《繫辭下》又說：

> 黃帝堯舜氏作：通其變，使民不倦；神而化之，使民宜之。《易》窮則變，變則通，通則久。

通其變，使民不倦，是說推行關於自然界與社會事物的改造，使人們前進不怠。（這個通字就是「推而行之謂之通」的通）化而裁之，使民宜之，是說改造事物，使之適合人們的需要。易窮則變，變則通，通則久，是說《易經》所講的即一切事物在人們中間行不通，就要改造，改造才能行得通，行得通才能長久（相對的長久）。要之，《易傳》作者認爲：自然界與社會事物，人們加以改造，才能適合人們的需要，才能行得通。

由此可見，作者的世界觀：自然界與社會的事物，都要加以人爲的變化，其原因和目的就是適合人們的需要。作者在謀求人類利益（主要是謀求統治階級利益）的前提下，主張創新，反對守舊，承認事物向前發展，否認事物靜止不變，這是含有唯物辯證法因素的進步觀點。

第五，作者認爲：自然界與社會事物的變化都以時間爲轉移，所以人們利用自然界的事物，處理社會的事物，必須抓住「時」字，隨「時」以變化其行動。。《易傳》所謂「時」，不僅指時間，乃包括環境和條件。因爲世界上沒有抽象的時間，只有具體的時間，而具體的時間必有具體的環境和條件，三者不可分割，所以《易傳》的「時」字有三方面的實際意義。

> 《易傳》強調「時」字，例子很多。《艮》卦《彖傳》說：時止則止，時行則行，動靜不失其時，其道光明。

這是說：人的行止動靜能不失時機，則他所走的道路是光明的。再看下列各卦《彖傳》：

《豫》之時，義大矣哉。（《豫》卦。豫是以順動。）

《隨》之時，義大矣哉。（《隨》卦。今本誤作「隨時之義大矣哉」，據《釋文》引王肅本改正。隨是追隨他人。）

《頤》之時，大矣哉。（《頤》卦。頤，養也。）

《大過》之時，大矣哉。（《大過》卦。大過是大者過其分）。

險之時，用大矣哉。（《坎》卦。險指設險守國。）

《遁》之時，義大矣哉。（《遁》卦。遁是隱居。）

《睽》之時，用大矣哉。（《睽》卦。睽，離也。）

《蹇》之時，用大矣哉。（《蹇》卦。蹇是見險而止。）

《解》之時，大矣哉。（《解》卦。解是解緩、解脫。）

《姤》之時，義大矣哉。（《姤》卦。姤是陰陽相遇。）

《革》之時，大矣哉。（《革》卦。革是變革。）

《旅》之時，義大矣哉。（《旅》卦。旅是出外作客。）

竟這麼強調「時」字。《繫辭下》說：

君子藏器於身，待時而動，何不利之有。知幾其神乎。……幾者，動之微，吉凶之先見者也。君子見幾而作，不俟終日。（今本脫凶字，據《漢書・楚元王傳》引補。）

待時而動，見幾而作，不俟終日，是說不先時而動，不後時而動，要及時而動。《繫辭下》說：

變通者趣時者也。

這句話眞是一語破的。自然界與社會的事物是因時間而變化的。人的行動必須及時地針對事物變化的形勢，適應事物變化的需要而變化，所以變通在於趣時。《豫》卦《彖傳》說：

天地以順動，故日月不過，而四時不忒。聖人以順動，則刑罰清而民服。

順動是順時（包括環境和條件）而動。順動是趣時的準則。

總之，《易傳》作者對於自然界與社會事物變化的認識是：事物都在運動變化；事物的變化性和恒久性，是相對的；事物的變化都是有規律地向它的對立物轉化；人們對於事物要加以人爲，使它變化，使它適合人們的需要；人們的行動要因事物的變化而變化，趣時而順動。他們認識有的流於片面表面和錯誤，有的是辯證觀點和唯物觀點。

五、《易傳》論自然界與社會形成的過程

《易傳》曾經論及自然界形成的過程。《繫辭上》說：

《易》有太極，是生兩儀，兩儀生四象，四象生八卦。……

太極是天地未分的物質元素。兩儀是天地。四象是四時。春爲少陽，夏爲老陽，秋爲少陰，冬爲老陰。四時以陰陽劃分，則稱做四象，意即四種氣象。《周易》筮法中的少陽老陽少陰老陰四種爻，就是代表四象。所以說「四象生八卦」。由此可見，《易傳》認爲：宇宙的發展過程是先有天地未分的物質元素，這個物質元素產生了天地，天地產生了四時。

晚周時代的思想家，也有別人抱這種看法。《禮記・禮運》篇：「夫禮必本於大一，分而爲天地，轉而爲陰陽，變而爲四時。」（大一即太一）《呂氏春秋・大樂》篇：「太一出兩儀，兩儀出陰陽，……萬物所出，造於太一，化於陰陽。」均略同於《易傳》。而最早的當是《老子》。《老子》四十二章：「道生一，一生二，二生三，三生萬物。萬物負陰而抱陽，衝氣以爲和。」（「道生一」似當作「道太一」，後人誤改）一即太極，二即天地，三即陰氣陽氣和氣。《易傳》作者、《禮運》作者和老子均未否定鬼神，然而他們不說神創造宇宙，而說天地之始便是物質。這一點基本是唯物觀點。

《易傳》也曾經論及天地生萬物的道理。《乾》和《坤》《彖傳

》說：

大哉乾元，萬物資始。（乾，天也。元，德之善也。）至哉坤元，萬物資生。（坤，地也。）

《繫辭上》說：

乾道成男。坤道成女。乾知大始。坤作成物。（知猶主也。）

《泰》和《否》《彖傳》說：

《泰》，……則是天地交而萬物通也。

《否》，……則是天地不交而萬物不通也。

《繫辭下》說：

天地絪縕（氤氳），萬物化醇。男女構精，萬物化生。

《易傳》作者指出：天地二氣（即陽陰二氣）交流，以生長萬物。又指出：天給予萬物以生命，創始萬物。地養成萬物的生命，生育萬物。天象男。地象女。天地生萬物的分工合作象男女生孩子的分工合作。按戰國時代，自然科學僅取得初步成就。作者受當時歷史條件的局限，對於天地萬物的性能和關係，不可能具有科學的理解。他們的天地相交的論點，雖有錯誤，但還是根據自然界的客觀的表面現象，含有唯物論因素。他們的天男地女的論點，直是荒謬，自然界並無這種現象，而是他們專憑主觀想象，純屬唯心論了。

《易傳》又曾經同時論及自然界與社會形成的過程。《序卦》說：

有天地然後有萬物，有萬物然後有男女，有男女然後有夫婦，有夫婦然後有父子，有父子然後有君臣，有君臣然後有上下，有上下然後禮義有所錯。（錯讀爲措）

這是說：自然界的發展先有天地，次有萬物，次有人類（男女），尙不誤謬。又說：社會的發展，先有夫婦，次有父子，次有君臣，次有上下，次有社會制度和道德等，則不盡正確。這一點不必細論。應該指出：作者這幾句話歸結於有禮義。所謂禮義當然是從封建統治階級的立場出發，維護封建統治階級的利益的工具。

《易傳》作者因爲講《易經》而提到以上兩個問題，並不是爲了講這兩個問題而講這兩個問題，所以他們的話不代表他們對於這兩個問題的全面認識，只是反映他們的基本看法而已。

六、《易傳》論人類的創造發明

《易傳》又曾經論及人類的創造發明。《繫辭下》說：

古者包犧氏之王天下也，仰則觀象於天，俯則觀法於地，觀鳥獸之文與地之宜，近取諸身，遠取諸物，於是始作八卦，以通神明之德，以類萬物之情。作結繩而爲罔罟，以佃以漁，蓋取諸《離》。（離卦☲☲是兩離相重。離爲繩。卦象是繩與繩相聯，所以爲網罟。）

包犧氏沒，神農氏作，斲木爲耜，揉木爲耒，……蓋取諸《益》。（《益》卦☴☳是上巽下震。巽爲木。震爲動。卦象是木動耕田，所以爲耒耜。）日中爲市，……蓋取諸《噬嗑》。（《噬嗑》卦☲☳是上離下震。離爲日。震爲動。卦象是在日下動，所以爲市場。）

神農氏沒，黃帝堯舜氏作。……黃帝堯舜氏垂衣裳而天下治，蓋取諸《乾》《坤》。（乾☰爲天，在上，所以象衣。坤☷爲地，在下，所以象裳。）刳木爲舟，剡木爲楫，……蓋取諸《渙》。（《渙》卦☴☵是上巽下坎。巽爲木。坎爲水。卦象是木在水上，所以爲舟楫。）

服牛乘馬，引重致遠，……蓋取諸《隨》。（《隨》卦☱☳是上兌下震。兌爲牲畜。震爲車爲動。卦象是牲畜引車而動，所以爲服牛乘馬。）重門擊柝，以待暴客，蓋取諸《豫》。（《豫》

卦☳☷是上震下坤，震爲雷，雷動有聲。坤爲地。卦象是有聲的物動於地上，所以爲擊柝。）**斷木爲杵，掘地爲臼，……蓋取諸《小過》**。（《小過》卦☳☶是下震下艮。震爲雷，雷動有聲。艮爲穀實。卦象是有聲的物動於穀實上，所以爲杵臼。）**弦木爲弧，剡木爲矢，……蓋取諸《睽》**。（《睽》卦☲☱是上離下兌。离爲繩。兌爲竹，竹是木類。卦象是繩加於竹上，所以爲弓矢。）

上古穴居而野處，後世聖人易之以宮室，上棟下宇，以待風雨，蓋取諸《大壯》。（《大壯》卦☳☰是上震下乾。震爲雷。乾爲天，天形穹隆，古代屋蓋也作穹隆形。卦象是雷在穹隆的物上，所以爲御雷雨的宮室。）**古之葬者厚衣之以薪，葬之中野，……後世聖人易之以棺槨，蓋取諸《大過》**。（《大過》卦☱☴是上兌下巽。兌爲凹坑。巽爲木。卦象是木在凹坑內，所以爲棺槨。）**上古結繩而治，後世聖人易之以書契，……蓋取諸《夬》**。（《夬》卦☱☰是上兌下乾。兌爲竹。乾爲金，爲刀。卦象是用刀刻竹，所以爲書契。）

《易傳》所舉包犧氏、神農氏、黃帝堯舜氏的創造，都是傳說中的人物故事，不須考論。現在只指出下列三點：

作者說：八卦、網罟是包犧所作，耒耜、市場是神農所作。衣裳、舟楫、乘駕牛馬、更柝、杵臼、弓矢是黃帝堯舜所作。宮室、棺槨、書契是後世聖人所作。作者認爲包犧、神農、黃帝堯舜都是古代帝王。（其實都是傳說中的原始社會的部落酋長）作者所謂「後世聖人」當然也是帝王或大臣。根據歷史唯物主義的觀點——最科學的歷史觀點，這些都是上古勞動群衆集體的創造發明。而作者歸功於個人，歸功於帝王或大臣，把勞動人民的智慧說成帝王大臣的智慧，把勞動人民的勳績說成帝王大臣的勳績，這是出於作者用統治階級偏見，來觀察古史，是第一個荒謬。（古書記人類創造發明的事，多是這樣，集中於《世本‧作篇》。）

作者說包犧作八卦，而觀傳文之意，六十四卦也是包犧所重。因而接著說：包犧作網罟，神農作耒耜、市場，黃帝堯舜作舟楫等等都是取象於《易經》某卦。即是《易經》某卦的卦象給他們以啓示，而後他們才創造出某種事物。《繫辭上》說：「《易》……以制器者尙其象。」就是指這件事。根據歷史唯物主義的觀點，這些都是上古勞動群衆在生產鬥爭和生活實踐中，運用集體智慧，而創造發明的與六十四卦毫無關係。在古代，六十四卦不過是迷信神權，玩弄巫術的工具，並沒有也不可能有指導生產，啓示創造發明的功用。而《易傳》作者虛誇卦象的功用，提出觀象制器的妄說，（雖然用個「蓋」字，來表示疑而未定。）以曲解歷史。這是完全出於作者的主觀臆測。先秦思想家再無人發此等言論，是第二個荒謬。

作者說包犧觀察天地萬物，加以分析綜合，劃爲八類，因作八卦以標明之。天地萬物中性質相同的用同卦標明，即所謂「以通神明之德」。天地萬物中性質相異的用異卦標明，即所謂「以類萬物之情」。那麼，八卦是記事物的符號，能記宇宙間八類物，能記宇宙間一切物。功用同於文字，而用做占筮的工具。按八卦的原始用途，沒有文獻可以徵信，《易傳》說八卦代表天地萬物的八類，原來就用它占筮，這恐不是八卦的原始用途。這是第三個荒謬。

總之，《易傳》論述人類的創造發明，純是唯心主義的觀點，歪曲歷史。

七、《易傳》作者重視人民的利益

《易傳》中有「聖人君子」養民保民的說法。《頤》卦《彖傳》說：

天地養萬物。聖人養賢以及萬民。

《臨》卦《象傳》說：

君子以教思無窮，容保民無疆。

所謂「聖人君子」都是指統治者。認爲他們能養民保民，是何等荒謬。在階級社會裏，從事生產，創造財富，以養統治階級的，是勞動人民。製造武器，參加軍隊，以保統治階級的，也是勞動人民。那麼，乃是民養聖人君子，不是聖人君子養民，是民保聖人君子，不是聖人君子保民。《易傳》的說法正是顚倒事實。有人說：「《易傳》所謂聖人君子養民，是說統治者實行養民的政策，減輕剝削，使人民得以養生。所謂聖人君子保民，是說統治者實行保民的政策，減輕刑罰，使人民得以保命。」按統治者減輕剝削，仍有剝削，統治者掠奪人民財富的事實未變，哪有什麼養民政策。統治者減輕刑罰，仍有刑罰，統治者殘害人民生命的事實未變，哪有什麼保民政策。而況減輕剝削，減輕刑罰，多是空談，即或偶爾有之，亦是統治者迫於勞動人民的反抗鬥爭，不得不然，並非統治者有意使人民得以養生，得以保命。所以聖人君子養民保民的說法，乃是《易傳》作者的空想。

《易傳》又提出損下益上與損上益下、矛盾對立的說法。《損》卦《彖傳》說：

損下益上，其道上行。

損下益上，是說損人民以益君上，即統治者剝削人民的財物以自利。其道上行，是說損人民以益君上的制度乃君上制定而推行的。這句話尙揭出階級制度的本質。《益》卦《彖傳》說：

損上益下，民說無疆。（說讀爲悅。）

損上益下，民說無疆，是說損君上以益人民，則人民喜悅無限。統治者絕不會有損上益下的行爲，這也是《易傳》作者的空想而已。

八、《易傳》提出德禮刑三個政治工具

《易傳》作者都是儒家。他們的政治思想大都繼承儒家的傳統學說。

《論語・爲政篇》記孔子曰：「道之以政，齊之以刑，民免而無耻。道之以德，齊之以禮，有耻且格。」《子路篇》記孔子曰：「禮樂不興，則刑罰不中。刑罰不中，則民無所措手足。」在孔子的政治思想中，德、禮、刑是相輔而行的統治勞動人民的工具。而以禮爲核心，德所以教人守禮，刑所以禁人越禮。孔子重視以德教育，以禮約束，不强調以刑制裁。這是孔子和以後儒家的政治綱領。《易傳》作者也主張用德、禮、刑這三個工具。例如：

> 《繫辭上》：「聖人有以見天下之動，而觀其會通，以行其典禮。」
>
> 《節》卦《象傳》：「君子以制數度，議德行。」（數度即禮）
>
> 《蠱》卦《象傳》：「君子以振民育德。」
>
> 《旅》卦《象傳》：「君子以明愼用刑。」
>
> 《豫》卦《彖傳》：「聖人以順動，則刑罰清而民服。」

儒家所謂禮，有「經禮」，即階級制度、等級制度、宗法制度等。有「曲禮」，即婚嫁、喪葬、祭祀等儀式。曲禮是經禮的枝葉，並不推行於勞動人民。統治階級制定階級制度，對勞動人民進行殘酷的租稅剝削、貢物剝削、傜役剝削。（儒家主張減輕剝削，僅是幻想。）又制定等級制度，來維護他們層層統治的權利，制定宗法制度，來維護他們輩輩統治的權利。所以禮乃是鉗制勞動人民的枷鎖，而德是爲了推行禮而用的麻醉勞動人民的毒酒，刑是爲了維持禮而用的迫害勞動人民的刀斧。這就是儒家三個政治工具的階級本質。

九、《易傳》維護君權統治與男權統治

《易傳》作者把自然界與社會的事物分爲陰陽兩類，例如天爲陽而地爲陰，雷爲陽而風爲陰，水爲陽而火爲陰，山爲陽而澤爲陰，男爲陽而女爲陰，君爲陽而臣民爲陰，有才德的君子爲陽而無才德的小人爲陰，前已講過了。這種分法在政治方面有其特殊意義。意義在哪裏？就是用它做爲理論基礎，闡述君尊民卑、男貴女賤的主張，以維護封建主義的君權統治和男權統治。。

先談《易傳》中君尊民卑的謬說。

《易傳》作者以天比君。以地比臣民。《說卦》說：「乾爲天，爲君。」就是以天比君。（《左傳》宣公四年：「君，天也。」可見以天比君乃統治階級的傳統思想。）《說卦》又說：「坤爲地，爲眾。」眾指臣民。《繫辭上》說：

> 天尊地卑，乾坤定矣。卑高已陳，貴賤位矣。動靜有常，剛柔斷矣。

《繫辭下》說：

> 夫乾，天下之至健也。……夫坤，天下之至順也。……（乾天也。坤，地也。）

這是說：天尊地卑，天貴地賤，天動地靜，天剛地柔，天健地順，天出令地從命。所以《坤》卦《彖傳》說：「至哉坤元，……乃順承天。」《坤・文言》也說：「坤道其順乎，承天而時行。」那麼，《易傳》以天比君，以地比臣民，正是說君尊貴而臣民卑賤，君剛健而臣民柔順，君出令而臣民從命。

《易傳》又以天比君，以澤比民。《履》卦☰☱《象傳》說：

> 上天下澤，《履》。君子以辯上下，定民志。（《序卦》釋《履》卦說：「《履》者，禮也。」〔今本脫此句，據唐李鼎祚《周

易集解》本補。〕辯讀爲辨。）

《履》的上卦爲乾，下卦爲兌。乾爲天。兌爲澤。所以說：「上天下澤，《履》。」《易傳》以天比君，以澤比民，因而認爲《履》的卦象是君在上，民在下，《履》卦的含義是禮，禮是階級制度與等級制度，禮的作用是劃清君上民下的社會地位。《文子・上德》篇：「高莫高於天也。下莫下於澤也。天高澤下，聖人法之，尊卑有序，天下定矣。」直是給《易傳》作解。

由上舉兩例看來，《易傳》作者尊君卑民的荒謬觀點極爲突出。

作者從君尊而臣民卑的原則出發，强調主張臣民必須服從其君，用這個觀點來曲解《易經》。例如：

《比》六四：「外比之，貞吉。」《象傳》：「外比於賢，以從上也。」（《易傳》釋比爲輔，釋貞爲正。）

《頤》六五：「居貞吉。」《象傳》：「居貞之吉，順以從上也。」

《家人》六四：「富家大吉。」《象傳》：「富家大吉，順在位也。」

《訟》六三：「食舊德，貞厲終吉。」《象傳》：「食舊德，從上吉也。」（食讀爲飾，修也。厲，危也。）

《革》上六：「小人革面。」《象傳》：「小人革面，順以從君也。」（《易經》稱統治者爲君子，勞動人民爲小人。《易傳》釋革爲改。）

很顯然，《易傳》認爲：臣民服從其君，才是賢良，才是正道，才能富家，才能吉利。象這樣强調臣民服從君上，在先秦爲統治階級服務的思想家，實爲少見。

次談《易傳》中男貴女賤的謬說。

《易傳》以天比父，以地比母。《說卦》說：「乾，天也，故稱乎父。坤，地也，故稱乎母。」這是父尊貴而母卑賤，（兩方相對比較而言）也是說夫尊貴而妻卑賤。又以陽卦陽爻象男，以陰卦陰爻象女，這不僅在劃分其屬於自然界的男女性別，也在劃分其屬於社會的貴賤地位。要之，貴男賤女的主張，在《易傳》中極爲明確。

《易傳》從男貴女賤的原則出發，強調男剛健而女柔順，男出令而女從命，主張女服從男，反對女反抗男。用這個觀點來曲解《易經》。例如：

> 《恒》六五：「恒其德，貞婦人吉，夫子凶。」《象傳》：「婦人貞吉，從一而終也。夫子制義，從婦凶也。」（夫子，丈夫。）

這是說：妻服從夫，則爲正爲吉；夫服從妻，則非正爲凶。

> 《家人》六二：「無攸遂，在中饋，貞吉。」《象傳》：「六二之吉，順以巽也。」（遂讀爲墜。巽，伏從也。）

這是說女主持炊食，順從男的指揮，則爲正爲吉。

> 《屯》六二：「女子貞不字，十年乃字。」《象傳》：「六二之難，乘剛也。十年乃字，反常也。」（字，許嫁也。乘剛是柔乘剛的省文。柔乘剛指女凌男。女爲柔。男爲剛。）

這是說女凌男，則沒有人敢聘，十年才能許嫁。

> 《蒙》六三：「勿用取女，見金，夫不有躬，無攸利。」《象傳》：「勿用取女，行不順也。」（取讀爲娶。金，陪嫁的錢幣。）

這是說女不順從男，娶她極爲不利。這四個例子，說明《易傳》主張女必須服從男，男不可服從女。後來封建社會有婦女三從的說法，即在家從父，既嫁從夫，夫死從子，剝削了婦女自主的一切權利，就是《易傳》謬說的發展。

《易傳》高唱君尊民卑、男貴女賤的謬論，比較晚周諸子特別突出。封建社會的統治階級，以君尊民卑爲準則，建立封建制度和道德，來維護君權統治，奴役勞動人民。又以男貴女賤爲準則，建立封建家法和道德，來維護男權統治，壓迫婦女。君權男權都是加在勞動人民身上的枷鎖。自勞動人民的立場來說，自古以來就要斬斷銷毀君尊民卑的枷鎖。自婦女的立場來說，自古以來就要斬斷銷毀男貴女賤的枷鎖。解放以後，勞動人民和婦女均已翻身作主人，君權男權均已成爲歷史的垃圾。現在於《易傳》中看見畫於兩千年前的枷鎖圖樣，哪能不嚴加批判呢。

十、《易傳》作者的天命論與神權論

《易傳》作者雖然已經認識自然界與社會事物的矛盾對立與運動變化的法則，並强調人必須及時地因事物的變化而變化其行動，以爭取事業的成功，避免失敗；然而仍未跳出迷信神權的泥坑。《萃》卦《彖傳》說：

利有攸往，順天命也。

《无妄》卦《彖傳》說：

大亨以正，天之命也。无妄之往何之矣？天命不祐，行矣哉！

《繫辭下》說：

《易》，窮則變，變則通，通則久。是以自天祐之，吉无不利。

《乾》卦《文言》說：

夫大人者……與鬼神合其吉凶。

《謙》卦《彖傳》說：

鬼神害盈而福謙。

可見作者認爲：有天帝鬼神存在，天帝鬼神所保佑而賜福的主要是所謂「順」人，天帝鬼神所不保佑而加禍的主要是所謂「妄」人。那麼，作者既迷信神權能決定人的命運，又相信人事能決定神權的行使，人沒有天命宿定的富貴貧賤，而有鬼神因事而施的吉凶福禍，神權以人事爲轉移，樞機在人事而不在神權。這種神權與人事統一的議論與墨子的天志、明鬼非命的學說相同。比較迷信神權而主張「死生有命，富貴在天，」（見《論語・顏淵篇》）的宿命論，稍有鼓勵人前進的積極意義。但也在痲醉勞動人民，來鞏固封建統治。

《易傳》作者又給統治者獻策，主張以神道設教，宣傳神權迷信的思想。《觀》卦《彖傳》說：

觀天之神道，而四時不忒。聖人以神道設教，而天下服矣。

以神道設教，不是統治者否定神權存在而仍以神道設教，乃是統治者肯定神權存在而才以神道設教。原始社會的人們，祭祀天地祖先，是向天神地祇人鬼祈求保佑的一種方式。進入階級社會，祭祀仍有這種意義，同時統治階級又以祭祀爲神道設教的一種手段。《易傳》作者正是這樣。《渙》卦☴☵《象傳》說：

風行水上，《渙》。先王以享於帝立廟。

《渙》的上卦爲巽，下卦爲坎。巽爲風。坎爲水。所以說：「風行水上，《渙》。」實際《易傳》乃以風比教育，以水比群衆，以風行水上比教育行於群衆之上。什麼教育行於群衆之上呢？就是教育群衆祭祀天帝祖先，就是教育群衆迷信鬼神。統治者則自身奉行，以爲倡導，所以說：「先王以享於帝立廟。」那麼，統治者以祭祀爲神道設教的一種手段，是很明顯的。以神道設教的目的是什麼呢？就是教勞動人民迷信鬼神，相信鬼神能賜福於「順」人，加禍於「妄」人。所謂「順」「妄」，當然以統治者所建立的制度道德爲準則，以維護統治階級利益爲準則。遵從制度道德，則符合統治階級的利益，就是「順」；違犯制度道德，則損害統治階級的利益，就是「妄」。神道是代表統治階級利益的。統治者教勞動人民希望鬼神賜福，而努力作「順」事，作「順」人；恐怕鬼神加禍，而不敢作「妄」事，作「妄」人。這就是以神道設教的唯一目的。統治者以神道設教，播散這種思想種子於勞動人民的心田，使之根深蒂固，於是不反抗統治者，《彖傳》所謂「聖人以神道設教，而天下服矣。」就是這個意思。要之，《易傳》作者是站在統治階級的立場，提倡以神道設教的謬說，以鞏固封建統治。

荀子不迷信神權，而也主張祭祀。其書《禮論篇》說：「天地者，生之本也。先祖者，類之本也。……無天地，惡生？無先祖，惡出？……故禮上事天，下事地，尊先祖。……」（惡，何也。）這是說：天地是人類生存的本，先祖是人類血統的本，人祭祀天地先祖，不是迷信，而是報本。《易傳》作者以神道設教的說法是保守主義，荀子報本的說法是改良主義，不是革命。所以《易傳》中的觀點在戰國儒家中還是落後的。

《易傳》作者既誤認爲《易經》能反映自然界與社會的一切事物，又誤認爲《易經》能表達鬼神的意向，占筮非常靈驗，作者首先指定蓍草是天生的神物。《繫辭上》說：

天生神物，聖人則之。（神物指蓍草）

《說卦》說：

昔者聖人之作易也，幽贊於神明而生蓍。

次則指定八卦出於天賜的神圖。《繫辭上》說：

河出圖，洛出書，聖人則之。

河出圖，洛出書，本是說古人畫出黃河流域的地圖，寫出洛水流域的地記，後來演爲神話，乃說：河出圖是黃河中有龍馬出現，身上有花紋似八卦，包犧摹仿它而作八卦。《禮記・禮運》篇：「河出馬圖。」也是說河出圖是指龍馬身上的花紋。（洛出書說從略。）再次指定卜筮非常靈驗。《繫辭上》說：

《易》，……以卜筮者尚其占。是以君子將有爲也，將有行也，問焉而以言。其受命也如響，无有遠近幽深，遂知來物，非天下之至精其孰能與於此。……探賾索隱，鈎深致遠，以定天下之吉凶，成天下之亹亹者，莫大乎蓍龜。（賾，雜也。亹亹，勤勉前進也。）

《易傳》說：蓍草是天生的神物，八卦出於天賜的神圖，用《易經》占筮非常靈驗，這充分反映了作者迷信神權和卜筮的思想。

戰國時代，迷信神權的思想正在動搖。進步的思想家已經不談鬼神，不信卜筮。《荀子・天論篇》：「日月食而救之，天旱而雩，卜筮然後決大事，非以爲得求也，以文之也。故君子以爲文，而百姓以爲神，（此乃輕視勞動人民的謬說）以爲文則吉，以爲神則凶也。」又《大略篇》：「善爲《易》者不占。」《韓非子・飾邪篇》舉例力言鬼神卜筮不可信，提要性的一句話是：「龜筴鬼神不足以舉勝。」（筴指蓍草。舉，取也。）《逸周書・史記篇》：「昔者玄都賢鬼道，廢人事天，謀臣不用，龜策是從，神巫用國，哲士在外，玄都以亡。」（玄都，國名。策也指蓍草。）直言迷信鬼神卜筮足以亡國。荀子不迷信鬼神，還取卜筮以爲文飾，這是改良的。韓非等不迷信鬼神，以卜筮爲誤事而棄絕之，這是革命的。《易傳》作者迷信鬼神，又以卜筮爲靈驗，這是保守的。荀子落後於韓非等，《易傳》作者又落後於荀子。

結　語

《易傳》作者的思想最值得我們重視的，是辯證法的世界觀。現在對於這一點提出簡單的評價。

我們評價《易傳》作者的辯證法的世界觀，必須掌握歷史觀點。《易傳》作者生於兩千年前封建社會初期，受歷史條件的局限，因而他們運用辯證法觀點，以認識自然界與社會，僅能見到矛盾對立的表面現象，未能洞察矛盾鬥爭的內在實質，而且論述也樸素粗淺，缺漏散碎，沒有完備的理論，沒有明晰的系統。其中有辯證法的成分，也有形而上學的成分，有唯物論的成分，也有唯心論的成分。這是歷史條件所決定的。但是綜觀晚周時代的思想家，《易傳》作者在辯證法思想方面，比其他諸子，則較爲豐富而多彩，較爲深刻而獨到，也是不可否認的事實，可以稱爲晚周哲學界一面光輝旗幟。

其次評價《易傳》中的辯證法世界觀，也必須掌握階級觀點。我在前文已經指出，《易傳》作者乃站在封建統治階級的立場，維護封建統治階級的利益，而爲封建統治階級服務的。《易傳》中的辯證法觀點更爲多見。他們論述自然界與社會事物的矛盾對立和運動變化，確有許多是處，但是他們的主要結論是：自然界的物與社會上的人分陰陽兩類，天與君與男爲陽，地與臣民與女爲陰，陽尊貴剛健而出令，陰卑賤柔順而從命等等。從而提出君尊民卑的謬說，以維護封建社會的君權統治，提出男貴女賤的謬說，以維護封建社會的男權統治。他們雖然運用辯證法觀點，以觀察事物，但是在抉擇時則限於封建統治階級的偏見，也流於主觀片面，陷入形而上學與唯心論的泥坑。

我的認識水平，理論水平都很低，初學馬克思列寧主義，讀毛主席著作也沒有深刻的理解，尙不能運用之以觀察問題，分析問題，解決問題。這篇拙作，略述《易傳》作者的主要思想，提出簡單粗淺的批判，疏漏錯誤必然很多，希望讀者予以指正！

——原載《歷史論叢》第一輯（山東：齊魯書社，一九八〇年八月），頁七九——一一六。

論兩漢經學的流變

章權才

兩漢時期，在意識形態領域，發生了一件對後來封建社會具有重大影響的大事，這就是春秋戰國時期還屬「百家」之一的儒家，坐上了「獨尊」的位置；儒家的主要代表作《詩》、《書》、《禮》、《易》、《春秋》，被尊奉爲「經典」了。據《漢書・兒寬傳》載：武帝時，「以寬爲掾，舉侍御史，見上，語經學，上說（悅）之」，可見隨著「經」的成立，「經學」也就出現了。這種變革不是偶然的。經典作家指出：「統治階級的思想在每一時代都是佔統治地位的思想。這就是說，一個階級是社會上佔統治地位的物質力量，同時也是社會上佔統治地位的精神力量。」（註一）西漢時期「經」的成立和「經學」的出現，恰恰說明了，取得了社會統治地位的地主階級，它們要把儒家經典作爲理論教條，作爲精神力量，用來經緯社會，用來統治被壓迫階級了。

儒家經典是相對穩定的。但是對儒家經典的解釋和發揮卻不是一成不變的。這有兩個基本的原因：一是封建地主階級是歷史地發展著的；一是地主階級內部也確實存在著階層的分野。這樣，同是經學，同是地主階級意識形態，不同時期，卻具有不同的表現形態。

關於兩漢經學的流變，作者在這裏提出的觀點跟傳統的觀點略有不同。歷來認爲，兩漢經學分兩派，即西漢的今文學派和東漢的古文學派。作者卻認爲，兩漢經學實際分三派，即今文學派、古文學派和綜合學派。今文學派盛行於西漢，經義主要反映處於上升時期的中小地主的利益，經師以董仲舒爲代表；古文學派出現於西漢後期而盛行於東漢，經義主要反映具有復古傾向的世家豪族的利益，經師以劉歆爲代表；綜合學派盛行於東漢中後期，它的出現反映了地主階級內部各階層的調和，地主階級趨向保守，經師以鄭玄爲代表。這種流變是自然歷史的過程，是不依人們的主觀意願爲轉移的。

一

西漢的今文經學，嚴格說來是從武帝建元以後才正式出現的。建元五年，武帝採納了今文學家董仲舒「罷黜百家，獨尊儒術」的建議，作爲統治思想的「經」於是乎成立。武帝始置五經，爲《詩》、《書》、《禮》、《易》、《春秋》置博士。圍繞五經，最初有八家之學，即《史記·儒林傳》所說的：「言《詩》於魯則申培公，於齊則轅固生，於燕則韓太傅。言《尚書》自濟南伏生。言《禮》自魯高堂生。言《易》自菑川田生。言《春秋》於齊魯自胡母生，於趙自董仲舒。」宣、元時期，這些經學由師法而家法，繁衍爲十四博士之學。據說這些經學先師所用的經本是用當時流行的隸書把口耳相傳的儒家經典抄寫出來的，所以他們的經學就叫做「今文經學」。

以今文經學爲代表的儒學所以能登上「獨尊」的寶座，是因爲它適應了一種歷史的和現實的需要。眾所周知，自春秋戰國以來，封建地主土地所有制逐步發展成爲主導的經濟形態。秦漢統一的封建專制主義中央集權制國家的建立，也意味著地主階級的政治統治不可逆轉。但是必須指出，漢武帝以前，地主階級還沒有在全國範圍內建立起與封建經濟和政治狀況相適應的強有力的統治思想。戰國時期是百家爭鳴。秦始皇統一六國後，「師申商之法，行韓非之說」，以法律當《詩》、《書》，把法家思想尊爲統治思想。這對於戰國，自然是一個進步。秦始皇並不是一般地反對以鼓吹精神感化爲特徵的儒學，他那種「焚書坑儒」的政策只不過是打擊儒家保守派的政策，但他忽視儒學在意識形態領域中的作用卻是事實。這就使秦代的統治思想出現疲弱狀態。入漢以後，六十年間，意識形態領域仍然是混亂異常，戰國時期的反映不同階級和階層利益的「百家」還存在餘緒，道、法、儒、陰陽、縱橫各家仍保有相當的地盤。這種與封建經濟與政治不相適應的意識形態的結構，到漢武帝上台前夜，隨著封建經濟的發展和地主階級統治地位的鞏固，再也不能繼續下去了。於是，作爲地主階級統治思想的「經學」便應運而生。

從現實情況看，從高祖到武帝的六十餘年間，在政治舞台上，是統一勢力與分裂割據勢力反覆較量的時期。大小封君、强宗豪右、富商大賈爲主要構成的世家豪族是分裂割據勢力的代表。這些分裂割據勢力的存在是漢初百家之學得以存在和發展的重要因素。分裂割據勢力尤其愛好「黃老之學」。本來，黃老之學在漢初，是由朝廷一手提倡的。面對滿目瘡痍的社會局面，這是一種權宜之計。朝廷提倡黃老之學，卻產生了兩種正相反對的後果：一方面，凋敝的社會經濟固然得到一定程度的恢復和發展；另方面，分裂割據勢力也在這項政策掩蓋下拚命擴充自己的地盤。「無爲而治」是導致景帝時期吳楚七國之亂的重要原因。漢武帝是反對「無爲而治」的，是反對分裂割據勢力胡作非爲的，因而也是反對黃老之學的。但是，那一種學說更接近於自己的要求呢？武帝爲太子時，受少傅王臧的影響，對儒學有了感情；執政後，經過反覆討論，也覺得儒學比較適合自己的口味。於是，建元六年，提倡黃老之學的竇太后一死，他就立即把儒學扶上正統的地位。

從《史記》《漢書》披露的情況看，漢初首批今文學家大多出身於地主階級的中下層。董仲舒家有產業，但卻是「出自私庭」（註二），屬於非身份性的白衣地主。伏生、胡母生、轅固生、韓太傅等雖然在秦漢之際做過「博士」官，實際上也是屬於沒有多少政治地位的、普普通通的文化教員。稍後的夏侯勝「其先夏侯都尉」，孟喜曾「舉孝廉」；梁丘賀「以能心計爲武騎」；顏安樂「家貧，爲學精力」（註三）……這些今文學家，原來的社會地位也不顯赫。傳《易》的田何曾徙杜陵，施讎曾徙長陵，表明他們的先人可能出身於世家豪族，但從他們的學說漢初能得到肯定和流傳這一點看，可知他們與新興地主階級有著千絲萬縷的聯繫。可以說，漢初第一批今文學家，正是新興地主階級、主要是在野的中小地主知識分子的政治代表。

史實表明，西漢今文學家對經義的闡發主要是通過「例」的形式表現出來的。孟子有「其事則齊桓、晉文，其文則史，孔子曰，其義則丘竊取之矣」的說法，表明孔子在修《春秋》時，把「義」擺在首要的位置。這個「義」，其實就是褒貶。褒貶時君，自然不行，於是靠秘密傳授。到《公羊春秋》問世時，它把這個私下傳授的褒貶之「義」表示出來，便有了諸如書、不書、先書、後書的說法，這就是借事明義，也就是所謂「例」。「屬辭比事，《春秋》之教」，就是指「例」而言的。如果說，先秦時期只是出現了「例」的形式，那麼，到了漢初，這個形式便得到進一步的運用和發展。劉師培說：「漢儒暢通條例」（註四），這是有根據的。漢初《公羊》先師董仲舒和胡毋生，都熱衷於以「例」說《春秋》。董仲舒說：「《春秋》，義之大者也，得一端而博達之，觀其是非，可以得其正法；視其溫辭，可以知其塞怨」（註五）；「論《春秋》者，合而通之，緣而求之，伍其比，偶其類，覽其緒，屠其贅，是以人道浹而王法立」（註六）。他所著《春秋繁露》和《春秋決事比》，其實就是以「例」說《春秋》的專著。另據何休的說法，胡毋生也是有「條例」專著的。漢儒暢通條例，意義重大。如果說「罷黜百家獨尊儒術」是學術統一的外部表現；那麼，以「例」說經，則是學術統一的內部表現。

西漢今文經學的經義主要有如下幾點：

㈠**宣揚「天人合一」的政治哲學**。如在《春秋繁露》中，陰陽五行一類的闡述天人關係的說教佔了很大的篇幅。《詩經》本來是比較樸素的典籍，但到了漢初，《齊詩》也滲進了「三始」「五際」的神秘內容。顯然，今文學家大力宣揚「天人合一」的學說，其目的是企圖借助「天命」或「神道」，把地主政權塗上神聖不可侵犯的色彩，要人們相信「天不變，道亦不變」的道理。董仲舒說明：「孔子作《春秋》，上揆之天道，下質諸人情，參之於古，考之於今，故《春秋》之所譏，災害之所加也；《春秋》之所惡，怪異之所施也」（註七）。可見今文學家大談天人之際，還蘊藏著歆動時君，視儒家經典爲載道之書的企圖。

㈡**宣揚中央集權的「大一統」主張**。這個主張，主要包括兩方面內容：「人臣無將，將而誅」，反對臣下擅權；一是「罷黜百家，獨尊儒術」，改變那種「師異道，人異論，百家殊方，指意不同」的狀況。

㈢**主張任人唯賢，發展地方教育**。董仲舒等人繼承了《公羊》中「譏世卿」的思想，對漢初的選舉制度提出了異議，指出：「夫長吏多出於郎中、中郎、吏二千石子弟，選郎吏又以富訾，未必賢也。且古所謂功者，以任官稱職爲差，非所謂積日累久也。……今則不然，累日以取貴，積久以致官，是以廉恥貿亂，賢不肖混淆」（註八）。爲了改變這種狀況，他們拿出了兩條主意：第一，「論賢才之義，別所長之能」（註九），把賢者提拔起來。第二，發展地方教育，以養天下之士。董仲舒對武帝說：「夫不素養士，而欲求賢，譬猶不琢玉而求文采也。故養士之大者莫如太學。……臣願陛下興太學，置明師，以養天下之士，數考問以盡其材，則英俊宜可得矣！」（註一〇）

㈣**主張「塞兼併之路」**。今文學家引經據典，指出：「《詩》云

：『采葑采菲，無以下體，德音莫違，及爾同死。……』天不重與有角不得有上齒，故已有大者，不得有小者，天數也。夫已有大者，又兼小者，天不能足之，況人乎？故明聖者象天所爲爲制度，使諸有大奉祿亦皆不得兼小利，與民爭利業，乃天理也。」（註一一）這種作爲「天數」「天理」推出來的反兼併學說，主要有兩方面的內容：一方面，反對「限民名田」，這是從土地關係上說的，另方面，主張「鹽鐵皆歸於民」，這是從工商業上說的。

當然，漢初今文經學的理論遠不止這些，上述四個方面只是擇其要者。但從這幾個方面已可以看出，漢初今文經學是新興地主階級的學說，它主要反映了廣大的中小地主的利益，其打擊方向，是指向地主階級保守勢力的。他們主張中央集權，旨在反對分裂勢力的胡作非爲；他們主張任人唯賢，旨在反對世家豪族對仕途的壟斷；他們主張塞兼併之路，其目的更加明顯，就是反對那些「因富貴之資力，以與民爭利於下」（註一二）的保守勢力的巧取豪奪。

從武帝開始，迄至宣、元，西漢統治階級對今文經學的態度有幾點發人深思。首先，他們對「經」和「經學」有輕重之分。如武帝重《春秋》，尤重《公羊春秋》。他曾對嚴助說過：「具以《春秋》對，毋以蘇秦縱橫」；他把治《公羊春秋》的公孫弘提拔起來做丞相，足見他的偏愛情緒。相反，他對《尚書》一類則不那麼感興趣，認爲《尚書》屬於「樸學」，難以適應現實需要。其次，他們對今文經學的經義並非全盤接受，而是有取有捨。他們對「大一統」理論加以利用；對「天人合一」論加以限制，只容許用這個理論強化君權，不容許用警示天譴的形式削弱君權；對「禪讓」論、「明堂議政論」、「伐無道開有德」的犯上作亂論，則採取了否定的態度，甚至不惜對鼓吹這種理論的今文學家處以極刑。再次，他們既重視「師法」，又重視「家法」，主張用「家法」補充「師法」，結果所立今文博士越來越多。還有，從武帝組織辯難到宣帝「石渠故事」，統治者曾經召開過多次經學會議，並「稱制臨決，對今文經學應該提倡什麼，反對什麼，採取了十分明確的決斷態度。西漢統治者對今文經學採取諸如此類的態度說明了什麼呢？作者認爲，至少說明了三點：第一，統治者對統治思想的建立是非常重視的，是嚴加控制而不是放任自流的；第二，統治者是站在整個地主階級的立場上來考慮問題、決定取捨的；第三，今文經學雖然成爲「官學」，但由於它著重反映了中小地主的利益，有了局限性，並不完全適應統治者的要求。這樣，經學的流變，也就成了歷史的必然趨勢。

二

如果說，西漢今文經學在他出現的時候體現了新興地主階級比較激進的性格，代表了上升著的中小地主的利益；那麼，西漢後期興起的古文經學則主要反映了保守性很強的世家豪族的要求。

西漢時期，世家豪族力量的消長經歷了一個曲折的歷史過程。因爲它們在政治上表現爲分權，經濟上表現爲分財，與專制主義中央集權發生矛盾，所以從漢初開始，它們便受到朝廷接二連三的打擊。但世家豪族又是地主階級中最具實力的階層，朝廷跟它們無疑存在著某種一致性。不可避免的政治現象是：朝廷一方面打擊一批不守本份的世家豪族；另方面又通過政治上的優寵和經濟上的賞賜而不斷造就一批新的世家豪族。武帝元狩以後，由於「征伐四夷，重賦於民」，加速了小農經濟的破產，中小地主的利益也受到了嚴重的威脅。到王莽上台前夜，土地兼併日熾，越來越多的土地集中在世家豪族手中。荀悅《漢紀》就披露了當時「豪强之暴，酷於亡秦，今豪民佔田，或至數千百頃，富過王侯」的現象。

西漢後期世家豪族勢力的發展跟階級鬥爭的激化是相一致的。世家豪族的肆意侵呑把廣大農民推向水深火熱之中。加上天災頻繁，官吏盤剝，農民已面臨死亡的邊緣。史稱哀帝時農民已達到「七亡七死」的慘境（註一三）。廣大農民無以爲生，於是揭竿而起。至王莽上台前夜，農民起義已成燎原之勢，如哀帝建平四年，關東農民以祭西王母爲號召，集合起義，聲勢浩大，「經歷郡國，西入關，至京師」，京師爲之震動。（註一四）類似的例子在史書中俯拾即是。不久，即釀成赤眉、銅馬大起義，把殘喘的西漢政權席捲而去。

西漢後期世家豪族勢力的發展和農民反抗鬥爭的激烈展開，促成經學發生變革。當時的經學變革存在著兩種情況：一種是今文經學的分化；一種是古文經學的驟興。經學變革的總趨勢是，經義朝著保守以至復舊的方面演變。。

這個時期，確實還有一些經學家繼承和堅持了西漢前期今文經學中比較激進的理論。比如，成、哀時期的經學家師丹就繼承了董仲舒「限民名田」的理論。這個理論針對世家族巧取豪奪而發，因遭到他們的激烈反對而不果行。不過，像師丹那樣保有激進思想的今文學家已不多見，在世家豪族專政局面業已形成的情況下，他們要革除弊政，其實困難重重。

有的同志把元帝時期匡衡以《齊詩》干仕，位極丞相，進而突出《詩》學，强調《詩》教，看成是今文經學流向保守的根據。這固然不錯。因爲《詩》教一向被目爲「溫柔敦厚」的教育，它無疑適應世家豪族的保守要求，便於他們肆無忌憚地奢侈腐朽。不過，在史籍中有關這個時期《詩》學的位置和作用的記述畢竟不多。筆者認爲，主要根據別有所在，這就是今文經學日益流爲「章句之學」。西漢後期章句之學的特點是「分文析字煩言碎詞」，它尋章摘句，無限演繹，像治《尙書》的秦延君，竟把夏侯建有限的《尙書》說教演繹至百餘萬言。「章句小儒，破碎大義」，章句之學興，則義理之學衰。今文經學從西漢前期生機勃勃的義理之學變爲西漢後期死氣沈沈的章句之學，正是世家豪族的政治實力和保守意向在今文經學營壘中的反映。

今文經學在變！但不論《詩》教的提倡還是「章句之學」的盛行，畢竟還是在今文經學框框以內，而且不具進取的態勢。這樣的變革自然適應不了世家豪族的要求。爲了保護本階層的既得利益和擺脫日趨尖銳的階級矛盾，世家豪族的政治代表決定衝破今文經學的框框，另起爐灶。他們採取的主要方法，就是通過發掘中秘，找出一些文字比較古老、義理比較保守、或者比較容易穿鑿附會的著作，加以整理，在整理當中寓入自己的主張，然後把它高高舉起，取得朝廷的認可，使之成爲「經學」的一部分。這就是在經學發展史上引人注目的「古文經學」的由來。

開闢這條道路的是西漢後期的經學家劉歆。劉歆出身名門，史載從漢初楚元王開始，六傳而至劉歆，其中祖輩或爲王侯，或爲大夫，身居要位，累世顯赫。劉歆從少年時代開始，就飽讀《詩》、《書》，但對今文學家「黨同門，妒道眞」的門戶之見很反感。他認爲今文學家的一大弱點是「信口說而背傳記，是末師而非往古」（註一五）。劉歆好古，今文學家卻非古，這就使他下定了衝破今文經學藩籬的決心。史載成帝時，他受詔與父向領校秘書；向死後，又奉詔卒父前業。就在領校中秘的時候，他發現了一批用古籀文字寫成的著作，《左傳》一類即在其中。他校讀之餘，乃「大好之」，覺得這些著作既是古文古言，又爲世人所鮮見，極可以加以利用。於是，在他極力攛掇之下，古文經學便一部一部地被拋了出來。

作爲古文經學一大支柱的《左傳》是這樣登上大雅之堂的：劉歆在領校中秘時發現了《左傳》古本，立即引起了他的極大興趣。在尋師訪友以後，他給《左氏》注入了新的成份。《漢書》本傳作了這樣的記載：「初，《左氏傳》多古文古言，學者傳訓故而已。及歆治《

左氏》，引傳文以解經，轉相發明，由是章句義理備焉。」這裏，關鍵的是「引傳文以解經」這幾個字眼。「經」，指的是《春秋經》。在此之前，《左傳》跟《春秋》是相對獨立的兩部書；到了劉歆，他「引傳文以解經，轉相發明」，把這兩部書內在地聯繫起來了。我們在這裏不打算全面評述《左傳》的價值，也不打算評述劉歆這樣做的是非功過，我們只想說明，通過劉歆「轉相發明」，《左傳》便搖身一變，被納入「經學」的軌道，並從訓故之學變爲義理之學了。接著就是推薦、爭立、認可。

古文經學的另一根支柱是《周禮》。《周禮》原名《周官》。《史記・封禪書》已提到這部書，可見成書必在先秦。這是一部記載官制職掌的著作。從內容上加以分析，其中所載典章制度，有周朝舊制，有先秦儒家保守派的添補。在西漢中期以前，也許是不合時宜，這部書並不爲朝廷所重視。到了成、哀之際，情況爲之一變。荀悅《漢紀》載：「劉歆奏請《周官》六篇列之於經爲《周禮》」，《周官》變爲《周禮》，不單純是稱謂的不同，其地位也從私學變爲官學，變爲「經」的重要組成部分了。

世家豪族的政治代表劉歆對《左傳》、《周禮》一類古文經學那樣感興趣，決非偶然。在《春秋》三傳中，漢代經學家認爲，《左氏》深於君父，《公羊》多任權變（註一六）。《公羊》是一部政治著作，所謂「多任權變」，其實是指這部書的作者和述者往往站在向上發展的中小地主的立場上解釋《春秋》，主張行權，主張變革，以打破舊的一套統治秩序。《左傳》是一部歷史著作，所謂「深於君父」，就是用大量的篇幅，寓君臣父子之義於歷史敘述當中，把舊的道德規範和盤托出。兩者相較，劉歆認爲，《公羊》那種「多任權變」的理論體系是危險的；而《左傳》則是古色古香，用《左傳》代替流行的《公羊》學，政治上就會保險得多，對鞏固世家豪族的既得利益會有利得多。

《周禮》具有鮮明的復古色彩。這個復古色彩如此强烈，以至東漢時期的何休竟懷疑它是「六國陰謀之書」。何休的懷疑不是沒有根據的。因爲政治上，《周禮》宣揚一種以周朝的分封制爲基礎的典章制度；經濟上，又主張推行一種以周朝的王田制相彷彿的井田制。在王莽、劉歆看來，這種政治與經濟的藍圖，適應了世家豪族的需要，也迎合了他們篡漢的圖謀。

但劉歆推出古文經學，並非一帆風順。它不可避免地要遭到今文學家的堅決抵抗。考史，從西漢後期到東漢，今古文之爭凡四次，而主要的一次則發生在西漢哀帝時期。當時，「歆親近，欲建立《左氏春秋》、及《毛詩》、《逸禮》、《古文尙書》，皆列於學官」（註一七）。哀帝令歆與今文學家講論，今文學家不肯置對，於是，劉歆移書太常博士而責讓之。這場鬥爭十分激烈，史載：「諸儒皆怨恨。是時名儒光祿大夫龔勝，以歆移書，上疏深自罪責，願乞骸骨罷。及儒者師丹爲大司空，亦大怒，奏歆改亂舊章、非毀先帝所立。」劉歆懼，求外出補吏，以避鋒芒。以此爲開端的接二連三的今古文之爭，主要是經義之爭，前者要師古，後者則非古。此外，也還包含學術之爭和利祿之爭。所謂「學術之爭」，就是今古學對五經當中所反映的歷史事件的不同解釋。所謂「利祿之爭」就是班固所說的：「自武帝立五經博士，開弟子員，設科射策，勸以官祿，訖於元始，百有餘年，傳業者寖盛，枝葉藩滋，一經說至百餘萬言，大師衆至千餘人，蓋利祿之路然也。」（註一九）這條「利祿之路」，向爲今文學家所獨佔，現在冒出古文經學，要立學官，要爭地盤，自爲今文學家所不許。

這場今古文之爭，隨著世家豪族政治代表王莽地位的上升和新莽政權的建立，以古文經學的勝利而告終。但是必須指出，古文經學的勝利並不意味著對今文經學的揚棄。只是形成了兩相並行的局面而已。班固指出，在漢代，最高統治者對今古文學總是採取「網羅遺失，兼而存之」的態度。王莽的態度也不例外，他酷愛古文經學，支持它、讓它登上「經學」的寶座。但在上台後的多次下詔中，又往往引用今文經學的經義以自飾。他仍然給人一種「網羅遺失，兼而存之」的形象。

王莽的復古改制是古文經學產生後，主要是在古文經學理論指導下的第一次政治大實踐。王莽改制內容涉及面很廣，但其主要方面則以古文經學中的《周禮》爲依據。在政治改革中，王莽實行了層次分封，受封者曾經達到一千三百多人（註二〇）。雖然後來他强調「戶籍未定」（註二一）而不讓受封者到封地去，但他封官許願本身卻使那些曾經支持過他篡漢的世家豪族多多少少得到了慰藉。在經濟改革中，他下令實行「王田制」具體內容是：「今更天下田爲王田，……不得買賣。。其男口不盈八而田過一井者，分餘田予九族鄰里鄉黨。故無田今當受田者如制度。」（註二二）這種田制仿於周代。實行這樣的田制，是對春秋戰國以來萌發壯大的地主土地所有制的一種否定，也是對當時世家豪族土地兼併的一種束縛，這又爲世家豪族所不取。

王莽以古文經學爲主要依據的復古改制，違背了歷史潮流，遭到社會各階層的猛烈反抗。隨著赤眉、綠林農民大起義，這種改制被掃進了歷史的垃圾堆。但値得注意的是：主要反映世家豪族利益的古文經學，卻沒有因新莽政權的垮台而消聲匿跡。相反，它竟以更大的勢頭在社會上到處流傳。究其原因，一則因爲世家豪族雖然受到農民起義的打擊，但它們仍有很大的社會勢力；二則古文經學在其產生和爭立過程中，已經一定程度地吸收了今文經學中一些對地主階級各階層普遍有用的東西；三則古文經學把漢初政治化了的「經」還原爲「史」，寓政治主張於歷史敘述當中，也增强了自身的生命力。東漢時期出現的綜合學派，正是以古文經學爲基礎，通過進一步的綜合改造而發展起來的。

三

竊取了綠林、赤眉起義勝利果實而建立起來的東漢政權，一開始就十分重視經學。據《漢書・儒林傳》載：「昔王莽、更始之際，天下散亂，禮樂分崩，典文殘落。及光武中興，愛好經術，未及下車，而先訪儒雅，採求闕文，補綴漏逸。先是四方學士多懷協圖書，遁逃林藪。自是莫不抱負墳策，雲會京師，范升、陳元、鄭興、杜林、衛宏、劉昆、桓榮之徒，繼踵而集。於是立《五經》博士，各以家法教授。」從這段記載可見，光武中興也包括經學中興。中興經學，起碼有三個目的：一是企圖把西漢末年被攪亂了的統治思想重新建立起來；二是企圖通過經學中宣揚的繁文縟節，把中興政權神授化；三是企圖通過倡導經學，把地主階級知識分子團結在自己的周圍，並且通過他們，跟整個地主階級溝通聯繫。

東漢政權是以保守性很强的地方豪强爲核心建立起來的。漢光武本人在登極前就是地方豪强的典型代表。光武的親屬，或「重樓高閣」，或「著姓」，或「巨富」。他所依靠的雲台二十八將，其實就南陽一帶的地方豪强集團。地方豪强有兩個明顯的特點：其一，它帶有地方性，跟地方上的白衣地主存在著利害關係的一致性。其二，它又是豪强，是地主階級的上層，跟官僚地主也有著千絲萬縷的聯繫。從地主階級內部的結構上看，可以說地方豪强是貴族地主與白衣地主之間的中間環節。由地方豪强建立起來的東漢政權，決定了它的社會基礎比西漢初期來得廣泛。這樣的特點在對待今古文學的態度上也有所反映。在東漢政權看來，今文經學是西漢以來傳統的官學，是地方地主的仕途利祿所在，要取得地方地主的支持，非重視今文經學不可。不過他們又覺得，西漢後期冒出來的古文經學也不是洪水猛獸；恰恰相反，古文經學中「古」的色彩和保守的說教，也確實合乎自己的口味。這樣，東漢政權從一開始便對今古文學左右逢迎，擺出了兼收並蓄的架勢。上述引文中所列舉的「抱負墳策」歸於漢光武麾下的經學家中，范升等是今文學家，鄭興、陳元等則是古文學家。由於兼收並蓄，使經學發展到東漢，面貌又為之一變，即從今古文學的分野和鬥爭，到向綜合學派逐步過渡。

筆者認為，東漢綜合學派的發展大體經歷了三個相互銜接的階段，即今古文學並行發展階段；初步綜合階段；最終形成階段。每個階段都存在著特定的社會和政治背景。

從漢光武到章帝，是今古文學並行發展的階段。這個階段，東漢政權剛剛建立，最高統治者面臨的重要問題就是網羅人才，安定秩序。建武時期，尚書令韓歆上疏，欲為古文經學中的《費氏易》、《左氏春秋》立博士，遭到今文學家范升等人的反對。於是光武親自出面，召開了一次辯論會，讓兩派學者各抒己見。先是范升與韓歆辯論，接著范升又跟陳元辯論。辯論以光武對今文經學的認可和「卒立《左氏》學」（註二三）結束。辯論中，范升有「從之則失道，不從則失人」（註二四）的說法，可見在今古文學的立學選擇中，網羅人才是統治階級十分注意的問題。光武在認可今文經學的同時，卒立《左氏》學，恰恰體現了這個企圖。這個企圖如此強烈，以至使派別之見很強的今文學家也無法違背。

章帝也以「扶微學，廣異義」以自標。他曾效法西漢宣帝石渠故事，大會群儒於白虎觀，組織辯難，考詳同異，連月乃罷。通過稱制臨決，成就了一部以今文經學中的禮學為主體的《白虎通》，作為《國憲》，頒發下去。於此同時，他又詔古文學家入講，並詔高才生受

《古文尚書》、《毛詩》、《穀梁》和《左氏春秋》（註二五）。朝廷這種「網羅遺失，博存衆家」的立學方針，使今古文學得以並行不悖地發展起來。

從章帝後期開始到桓、靈前夜，約五十年，爲今古文學從並行發展到初步綜合的過渡時期。「並行」爲「綜合」提供了前提。章帝組織白虎觀辯難，就有「考詳同異」的提法。所謂「考詳同異」，就是不僅考其異，而且考其同。最高統治者早就看出，今古文學之間並非水火。不過在章帝以前，派別之見仍甚激烈，非毀師家法仍要受到指謫。只是到了章帝後期，才有那麼一批人從派別之見中超脫而出。代表人物就是賈逵。歷來認爲，賈逵屬古文學派。筆者則認爲賈逵應是綜合學派的初期代表，他在經學史上的地位是開了綜合工作的先河。《後漢書》本傳云：「逵數爲帝言《古文尚書》與經傳、《爾雅》詁訓相應，詔令撰歐陽、大小夏侯《尚書》古文同異。逵集爲三卷，帝善之。復令撰齊、魯、韓《詩》與毛氏異同。並作《周官解故》」；「逵所著經傳義詁及論難百餘萬言……學者宗之，後世稱爲通儒」。「通」者，既指兼通今古文學；又指他在今古文學之間找尋共通的語言。由上可知，他把《尚書》今古文說溝通了；又把《詩》今古文說溝通了。史載建初元年，逵在條奏中高度評價《左傳》著明「君臣之正義，父子之綱紀」，並指出《左傳》「同《公羊》者什有七八，或文簡小異，無害大體」，可見他把《左傳》和《公羊》也溝通了。可以說，賈逵是在比較廣泛的基礎上找尋今古文學之間共同基礎的經學家。這種打破壁壘之見的做作，爲後來地主階級中的有識之士競相效仿。

爲什麼東漢章、和以後，在今古文學之間會出現綜合趨勢呢？除了世家豪族勢力的發展和朝廷的有意倡導外，筆者認爲，還有一個更加直接的原因，就是世家豪族集團跟宦官集團的鬥爭。和帝以後，特別是外戚大將軍竇憲被誅以後，宦官集團的勢力迅速膨脹，「遂享分土之封，超登宮卿之位」。甚至達到「舉動回山海，呼吸變霜露，阿旨曲求，則光寵三族；直情忤意，則參夷五宗」（註二六）的地步。他們「剝割萌黎，競恣奢欲，構害明賢，專樹黨類」（註二七），直接侵害了世家豪族的利益。受害的世家豪族，既包括外戚，又包括官僚，還包括以經學致仕、門生故吏遍天下的儒家大族。他們結成集團，相與爭衡。在這種情況下，一些有遠見卓識的經學家起來拆除派別藩籬，這原是順理成章的事情。

桓、靈時期，是綜合學派最終形成時期。這個時期，社會諸矛盾大大激化了。在統治階級內部，宦官集團與世家豪族的矛盾幾經反覆，愈演愈烈。考史，從桓帝建和元年到靈帝中平六年，四十年間，兩大集團的衝突就不下十數次，每次衝突都有一大批人被殺戮、被禁錮。在敵對階級之間，農民的反抗鬥爭更是風起雲湧，見諸《後漢書》和《後漢紀》的就達二十多次，陳留、長平、琅邪、南陽、長沙、桂陽、渤海等地的鬥爭，聲勢尤爲浩大。這樣，擺在統治階級面前的主要問題，就是如何把統治力量組織起來，共同鎮壓農民起義的問題。經學中的綜合學派，恰恰是從意識形態領域執行了這一使命。

以鄭玄爲代表的東漢後期的綜合學派，有如下幾個特點：

第一，混淆家法。儒有一家之學，故稱家法。兩漢時期，家法隨著經學的流傳，繁衍枝蔓。家法之戒，其實是經學中的派別之見。東漢以來，家法包含了兩層意思：一是今學與古學的分野；一是今學與古學內部，也存在著不同的派別。這種門戶之見和彼此之間的相互攻訐，使統治思想陷於軟弱無力的狀態。以鄭玄爲代表的綜合學派，力糾前弊，致力於建立一道共通的橋樑。《後漢書》本傳云，玄「師事京兆第五元先，始通《京氏易》、《公羊春秋》、《三統歷》、《九章算術》。又從東郡張恭祖受《周官》、《禮記》、《左氏春秋》、

《韓詩》、《古文尚書》。以山東無足問者，乃西入關，因涿郡盧植，事扶風馬融。」第五元先、張恭祖、盧植、馬融，都是學貫古今、不拘拘於家法的一代通儒；鄭玄拜他們爲師，學到了廣博的知識，爲他後來建立綜合學派提供了堅實的基礎。鄭玄著述宏富，史稱「玄所注《周易》、《尚書》、《毛詩》、《儀禮》、《禮記》、《論語》、《孝經》、《尚書大傳》、《中候》、《乾象歷》。又著《天文七政論》、《魯禮禘祫義》、《六藝論》、《毛詩譜》、《駁許慎〈五經異義〉》、《答臨孝存〈周禮難〉》，凡百餘萬言。」他的著述有兩個特點：一是遍注群經，二是混淆家法，而遍注群經的目的則是爲了混淆家法。他注《尚書》用古文，走的是馬融混淆古今的路子，但又與馬融有異。他箋《詩》以毛本爲主，又博采魯、齊、韓三家之所長。他注《儀禮》並存今古文，從今文則注內疊出古文，從古文則注內疊出今文。這樣一來，前此家法林立的局面被打破，經學面貌爲之一變。。

第二，突出禮教。禮教，是儒家學說的重要組成部分。在五經當中，一方面有《禮》經；另方面，《詩》、《書》、《易》、《春秋》也跟禮教緊密相聯。兩漢時期，儘管經學派別滋蔓，觀點不盡相同，但在維護封建倫理道德方面卻是相同的。從西漢到東漢的最高統治者，無不希望經學在維護封建禮教方面發揮突出的作用。朝廷通過組織辯難，考詳同異，使經學從漢初的政治學逐漸向以後的倫理學過渡。這個過程，其實就是地主階級整個地趨向保守的結果。以鄭玄爲代表的綜合學派，把突出禮教看成是治學的要務，他們清楚，在今古文學當中，在經學的千門百戶當中，禮教，是各家均能接受的東西。强調禮教，也能迎合最高統治者的要求。因此，鄭玄在著述當中便突出了如下三條：第一條，把《三禮》全面注釋起來；第二條，把浸透禮教的《左傳》强調出來；第三條，用封建禮教遍注其他經典。《易經

》本來是一部哲理性很強的強調「變易」的經典，但是到了鄭玄手裏，卻變成了一部倫理性很強的強調「不易」的經典。《周易》鄭玄《易贊》云：「天尊地卑，乾坤定矣！卑高以陳，貴賤位矣！」鄭玄正是運用這種尊卑貴賤的倫理觀念說《易》。難怪張惠言《周易鄭荀義敘》有這樣的評價：「其列貴賤之位，辯大小之序，正不易之倫，經倫創制，吉凶損益，與《詩》、《書》、《禮》、《樂》相表裏，則諸儒未有能及之也。」

第三，詳於訓詁。馬融、許慎、鄭玄這些綜合學派的佼佼者，不僅遍注群經，而且對其中所涉及的歷史事件、典章制度、文字章句都作了詳細的考訂。但綜合學派的訓詁之學跟西漢時期的章句之學有所不同，兩者相較，綜合學派的知識廣博得多，涉獵面廣泛得多，治學態度嚴謹得多，因此，在經學史上，綜合學派在訓詁方面取得的成績也就顯著得多。

如果說東漢章、和以前經學處於「枝葉繁滋」的時代，那麼，以鄭玄爲代表的綜合學派則開創了經學的「小統一」時代。由於鄭玄箋《詩》以毛本爲主，兼采今文三家，所以鄭《詩》箋行而三家《詩》廢。由於鄭玄注《尙書》用古文而兼采今文，所以鄭《書》注行而歐陽、大小夏侯《尙書》廢。由於鄭玄注《禮》博采諸家，所以鄭《禮》注行而大小戴《禮》廢，對此，《後漢書·鄭玄傳贊》作了這樣的論述：「自秦焚《六經》，聖文埃滅。漢興，諸儒頗修藝文。及東京，學者亦各名家，而守文之徒，滯固所稟，異端紛紜，互相詭激，遂令經有數家，家有數說，章句多者或乃百餘萬言，學徒勞而少功，後生疑而莫正。鄭玄括囊大典，網羅眾家，刪裁繁誣，刊改漏失，自是學者略知所歸。」范曄如是評論應不是過分的。

綜上所述，由今文經學而古文經學，由今古文學的並行到今古文學的綜合，這就是兩漢經學流變的大勢。馬克思指出，理論家們「在理論上得出的任務和作出的決定，也就是他們的物質利益和社會地位在實際生活中引導他們得出的任務和作出的決定」（註二八）；又指出，思想家的「個性是受非常具體的階級關係所制約的和決定的」（註二九）。經學各派的產生不是偶然的，各派經學家通過闡發經義，在理論上得出的任務和作出的決定，各自受著十分具體的物質利益和社會地位所制約。在其產生的時候，今文學派主要反映了上升時期的中小地主的利益；古文學派主要反映了世家豪族的利益；綜合學派則反映了地主階級內部各種勢力的折衷和調和。可以說，兩漢經學流變的過程，大體上就是地主階級由上升到日趨保守的過程。東漢以後千餘年來世代相傳的經學，實際上不是古文經學，而是綜合經學。儘管各朝各代表現形式不同。但它反映了地主階級保守趨勢的加強和延續。這就是本文所要得出的主要結論。

【附註】

註　一　《馬克思恩格斯全集》卷三，頁五二。

註　二　參閱洪邁《容齋隨筆・漢人姓名》。

註　三　見《漢書・儒林傳》。

註　四　劉師培《春秋左氏傳時月日古例詮微序》，見《劉申叔先生遺書》。

註　五　《春秋繁露・楚莊王》。

註　六　《春秋繁露・玉杯》。

註七、八　《漢書・董仲舒傳》。

註　九　《春秋繁露・十指》。

註一〇　《漢書・董仲舒傳》。

註一一　《春秋繁露・度制》。

註一二　《漢書・董仲舒傳》。

註一三　《漢書・鮑宣傳》。

註一四　《漢書・哀帝紀》。

註一五　《漢書・楚元王傳》附《劉歆傳》。

註一六　《後漢書・賈逵傳》。

註一七、一八　《漢書・楚元王傳》附《劉歆傳》。

註一九　《漢書・儒林傳贊》。

註二〇、二一、二二　《漢書・王莽傳》。

註二三、二四　《漢書・范升傳》、《陳元傳》。

註二五　《後漢書・賈逵傳》。

註二六、二七　《後漢書・宦者傳》。

註二八　《馬克思恩格斯全集》卷八，頁一五二。

註二九　馬克思、恩格斯《德意志意識形態》頁七六。

——原載《學術研究》一九八四年二期，頁七三——八〇。

西漢《易》學卦氣說源流考

王葆玹

古今中外凡對《周易》感興趣的學者，大概都知道歷史上有過一種被稱爲「卦氣」的學說。人們通常把秦漢以來的《易》學分爲兩個系統，一是義理學派，一是象數學派。著名的玄學代表人物王弼和理學創始者程頤，都被看作義理學派的代表人物；而西漢孟喜、京房等人的卦氣學說，則被公認是象數學說的核心部分。從學派的分野可以看出，卦氣說在中國思想史上的地位是極爲重要的。什麼是卦氣呢？按《易緯稽覽圖》鄭注的解釋，其所謂「卦」是指六十四卦，「氣」是與卦對應的季節氣候。卦氣這名稱顯示出它的宗旨，是要將《易》卦與氣候曆法相配合。其配合的方法有很多，最常見的是將坎、離、震、兌配於四方、四時，稱爲「四正卦」或「四方伯」；將四卦的二十四爻配於二十四氣，四卦初爻則分主冬至、夏至、春分、秋分；以復䷗、臨䷒、泰䷊、大壯䷡、夬䷪、乾䷀、姤䷫、遯䷠、否䷋、觀䷓、剝䷖、坤䷁十二卦配十二月，稱爲十二消息卦、十二月卦或十二辟卦；十二月卦共七十二爻，配七十二候，因而卦氣之學有時又稱爲卦候或《易》候之學；《周易》的六十四卦除去四正，便是雜卦，六十雜卦共三百六十爻，配一歲三百六十五又四分之一日（$365\frac{1}{4}$日），每卦主六又八十分之七日（$6\frac{7}{80}$），一般稱爲六日七分。不過這只是泛泛而論，如果進行深入的研究，便會看出這學說當中有著不少的疑點。例如，假若有人問：卦氣說是在怎樣的思想背景下出現的？它的龐大體系是一下子形成的，還是逐漸地、層累地形成的？它的內部有多少派系？包括孟、京在內的各派說法有同有異，其中的共同點在哪裏？差異點在哪裏？這些問題在現今學術界恐怕一時還得不到圓滿的解決。下面就此作一粗淺的考辨，希望讀者指正。

一、卦氣說的淵源和發端

關於孟喜、京房的學術淵源，班固在《漢書・儒林傳》與《京房傳》中作了介紹，例如說孟喜早年「從田王孫受《易》」，後因得到一部「《易》家候陰陽災變書」，從而改變了「師法」。又說京房「受《易》梁人焦延壽」，而焦氏易學是一種「隱士之說」。這些介紹顯然過於簡略，孟喜所得的「《易》家候陰陽災變書」是什麼書，焦、京承襲的「隱士之說」是什麼學說，古往今來一直沒有徹底搞清楚。今按孟喜創立新說是在西漢宣帝時期，京房則活動於西漢元帝時期，而在武帝、昭帝、宣帝之間，恰有河內逸《易》的出土以及魏相采奏《易陰陽》與《明堂月令》的事件發生。研究一下這兩件事與孟京《易》學的關係，或許會有益於孟京學術淵源問題的澄清。

《漢書・宣元六王傳》說：「是時（張）博女婿京房，以明《易陰陽》得幸於上，數召見言事。自謂爲石顯、五鹿充宗所排，謀不得用，數爲博道之。」這裏的京房顯然就是在漢元帝時宣揚六日七分學的焦延壽弟子，而京房通曉的《易陰陽》顯然就是宣帝時魏相所采奏的兩書之一。《漢書・魏相傳》說：「（魏相）又數表采《易陰陽》及《明堂月令》奏之」，這就是京房通曉的《易陰陽》的來歷。《漢書》中「采」字的意思一般是說將民間流傳的詩歌或古籍采集上來，如《藝文》、《食貨》兩志都載有「采詩」的傳說，即是典型的例證；《漢書》中提到某人將某書「奏之」，一般是說將某種古書獻予朝廷，如《藝文志》著錄《雅琴趙氏》七篇，下有班固自注：「宣帝時丞相魏相所奏」，即可爲證。這樣看來，魏相「采……奏之」，就是將失而復得的《易陰陽》與《明堂月令》兩部書從民間采集上來，獻予宣帝。由於這是新發現的古書，在宣元時期被看作是奧秘難解的珍奇之物，因而京房的精通《易陰陽》便被看作特殊的優點，竟由此「得幸於上」，獲得「數召見言事」的機遇。另外，《易陰陽》既受宣、元兩帝的重視，自然會有很多迎合潮流的學者去進行解釋和發揮，孟喜所得的「《易》家候陰陽災變書」可能就是《易陰陽》的外圍作品。這就是說，在京房精通《易陰陽》之前，孟喜已受了這部古書的影響。

《易陰陽》這一名稱，很容易使我們想起西晉太康二年汲郡魏襄王墓出土的《陰陽說》（見《春秋經傳集解後序》）。《陰陽說》附於《易繇陰陽卦》之下，「似《說卦》而異」（見《晉書・束皙傳》），全名應是《易繇陰陽說卦》，即現存《周易・說卦傳》的早期傳本。那麼，魏相所獻、京房所通的《易陰陽》是不是《說卦》呢？這問題可由河內逸《易》而得到解決。《論衡・正說篇》云：「至孝宣皇帝之時，河內女子發老屋，得逸《易》、《禮》、《尚書》各一篇。奏之，宣帝下示博士，然後《易》、《禮》、《尚書》各益一篇，而《尚書》二十九篇始定矣。」《隋書・經籍志》云：「及秦焚書，《周易》獨以卜筮得存，唯失《說卦》三篇，後河內女子得之。」河內女子所發現的逸《易》顯然就是《說卦》，《隋志》說爲三篇是誤將《序卦》與《雜卦》包括進去了。其實，《序卦》在武帝時已有流行，如《淮南子・繆稱篇》已加引用，後來人們改變了《周易》編次，將《說卦》移至《序卦》之前，《隋志》的作者遂誤以爲《序卦》也是後得的。在《說卦》補入《周易》之後，揚雄在《法言・問神篇》中還說「《易》損其一」，這只能是就《雜卦》而論。《隋志》的作者不了解這一情況，遂將《序卦》的出現也歸功於河內女子。辨明這誤會的緣由，便可確定河內女子所發現的、魏相所奏獻的，都是現存的《說卦》一篇。十翼當中《說卦》的流傳史可能是最曲折的，它在秦漢之際一度佚失，漢初典籍均未徵引。到了宣帝初期它又以出土文物的面貌再度公布於世（註一），並影響了孟京卦氣說的形成。魏相所獻的古書除《說卦》之外，還有一部《明堂月令》。考慮到《說文》等書徵引《禮記・月令篇》，多稱篇名爲《明堂月令》，可以肯定魏相所獻的《明堂月令》即是《禮記・月令》，亦即經由河內女子發現而補入《禮記》的逸《禮》一篇。這一篇的文字散見於《呂氏春秋》十二紀之首，早已得到司馬遷及淮南王的賓客們的延襲，然而它在武、宣之際是以儒家經典的新面目出現的，這在尊儒的時代顯然會產生更大的影響。

實際上，僅憑魏相的奏文就可推斷他所奏獻的是《說卦》和《月令》。他的奏文說：「東方之神太昊，乘震執規司春；南方之神炎帝，乘離執衡司夏；西方之神少昊，乘兌執矩司秋；北方之神顓頊，乘坎執權司冬；中央之神黃帝，乘坤、艮執繩司下土。」這段文字是關於《易陰陽》與《明堂月令》的思想內容的介紹，而這介紹正是關於《月令》五行圖式與《說卦》八卦圖式的綜合。在這綜合圖式中，震木位東配春，離火位南配夏，兌金位西配秋，坎水位北配冬，與孟京卦氣說中的四正卦理論一致，當是四正卦說的雛形，爲卦氣說的起源。

二、十二月卦與分卦值日之法

唐以後的多數學者認爲，卦氣學說中的四正卦說、十二消息卦說及六日七分說都是孟喜創立的，京房只是「用之尤精」而已。在清代近代，只有個別學者持有異議，例如吳翊寅在《易漢學考》中力證孟喜只講四正卦與十二月卦，不講六日七分。但這說法的影響不大，現代學者仍多相信孟喜是六日七分學說的創始者，理由是唐代一行《卦議》提到「當據孟氏，日冬至初，中孚用事」。筆者以為，唐代去漢久遠，根據一行的只言片語來判斷孟京同異，似難成為定論。如果將班固的《漢書》當作主要的依據，可以看出吳說在基本上符合歷史的眞實情況。不過應注意一點：每卦六日七分在古代易學中常被稱作「分卦值日」，而在孟京之間還曾有過一種與六日七分不同的「分卦值日之法」，就是焦延壽所使用的方法。如果將孟京異同的問題化為孟、焦、京三家異同的問題，也許會使孟喜是否講六日七分的難題獲得更好的解決。

焦延壽是京房的老師，他的生平事跡與學說特點略見於《漢書·儒林傳》與《京房傳》。《儒林傳》說：「京房受《易》梁人焦延壽。」又說：「延壽云嘗從孟喜問《易》」，當是偶然的請教，而無嚴格的師生名份。孟喜死後，京房羨慕他在學術界的聲望，遂稱「延壽《易》即孟氏學」，可是孟喜的弟子翟牧、白生不予承認，「皆曰非也」。劉向在漢成帝時奉詔校書，指出施、孟諸家都屬於田何、楊何、丁寬的系統；而京房黨從焦延壽，屬於「隱士之說」的系統。關於這兩個系統的差別，《儒林傳》沒有提到，《京房傳》則透露出一點消息：「延壽字贛，……其說長於災變，分六十四卦更直（直，通「值」）日用事，以風雨寒溫為候，各有占驗。房用之尤精」。在「風雨寒溫為候」句下，顏注引孟康說：

> 分卦直日之法，一爻主一日，六十卦（註二）為三百六十日。餘四卦，震、離、兌、坎，為方伯監司之官。所以用震、離、兌、坎者，是二至二分用事之日，又是四時各專王之氣。各卦主時，其占法各以其日觀其善惡也。

其中「各卦主時」一句，似指震、離、兌、坎分主四時。但這規定使易卦與曆法的配合有失完美，因為在這裏配日的只有六十雜卦，所配日數只有三百六十，與一年日數的差距得大。察宋本《易林》卷首序文也載有這段文字，不作「各卦主時」，而作「各卦主一日」，勝過顏注所引，當是孟康原文。由此可知焦延壽與孟康的「分卦直日」原是這樣的：一方將震、離、兌、坎分布於春分、夏至、秋分、冬至之首，一卦主一日；另一方面將其餘六十雜卦的三百六十爻配三百六十日，一爻主一日。四正卦與六十雜卦配日數之和爲三百六十四，與一年日數已非常接近了。根據《漢書・京房傳》的記載，這種「分卦直日之法」，乃是焦氏易學的核心內容，並且是焦氏《易》學不同於孟氏《易》學的主要特點所在。

孟喜不曾講過上述這種「分卦直日之法」，已是可以肯定的了。但他是否講過六日七分的「分卦直日之法」呢？恐怕更不可能！《周易・復卦》「七日來復」句下，孔疏引《易緯稽覽圖》云：「卦氣起中孚，故離、坎、震、兌各主其一方。其餘六十卦，，卦有六爻，爻別主一日，凡主三百六十日。餘有五日四分日之一者，每日分爲八十分，五日分爲四百分，四分日之一又爲二十分，是四百二十分。六十卦分之，六七四十二，卦別各得七分，是每卦得六日七分也。」由這敘述可以看出，六日七分的法則在古代數學中是比較複雜的，不像焦延壽的「一卦主一日」、「一爻主一日」那麼簡單。按照六日七分的法則，六十四卦配三百六十五又四分之一日（$365\frac{1}{4}$日），正是一年的日數；而按照焦延壽的法則，六十四卦只配三百六十四日，與一年日數尚有一又四分之一日（$1\frac{1}{4}$日）的差額。如果我們承認，某一時代的、不曾發生斷裂的思想變化過程總是從簡單到複雜，從粗糙到精緻，那麼六日七分學說便只能在焦延壽的學說之後出現。或者說，六日七分學說的創始人不會是孟喜，而只能是孟喜和焦延壽的晚輩。

這一焦、孟的晚輩人物，很容易使我們聯想到京房。湊巧的是，後代學者議論六日七分一般只提京房，不提焦、孟。如《後漢書・郎顗傳》說「顗父宗、字仲綏，學京氏《易》，善風角、星算、六日七分」；《崔瑗傳》說：「（崔瑗）明天官、曆數、京房《易傳》、六日七分」。吳翊寅注意到這些情況，斷定「兩漢皆以六日七分爲京氏學，非孟氏之說甚明」。今按這方面最有效的證據，也許是王充《論衡・寒溫篇》的記載：「《易》京氏布六十卦（註三）於一歲中，六日七分，一卦用事。」王充與孟京相距不過百餘年，當時孟京兩家《易》學都立於學官，他在這種情況下議論六日七分而歸之京氏，足證六日七分說的創始者是京房而不是孟喜。時至唐代，孟京《易》學已「有書無師」（《隋志》），而《新唐書・曆志》所載唐代一行《卦議》仍這樣說：「十二月卦出於孟氏章句，其說《易》本於氣，而後以人事明之。京氏又以卦爻配期之日」，這也是孟喜不講六日七分的證據之一。《卦議》下文說：「當據孟氏，自冬至初，中孚用事，一月之策，九、六、七、八，是爲三十。而卦以地六，候以天五，五六相乘，消息一變。十有二變，而歲復初。坎、震、離、兌，二十四氣，次主一爻，其初則二至、二分也。……」這裏所講的都是孟喜關於十二月卦與四正卦的理論，「卦以地六」是說十二月卦中每卦或每月有六候，六在天地之數當中屬陰，故稱「地六」；「候以天五」是說一候有五日，五在天地之數當中屬陽，故稱「天五」。《黃帝內經・六節藏象論》說：「五日謂之候」，即是「候以天五」一說的來歷。有的學者說，「卦以地六」是指一卦主六日七分，這解釋肯定不對，因爲每月的六候乘每候的五日，正是《卦議》下文所說的「五六相乘，消息一變」。假如「地六」是六日七分，怎麼能與每候的五日相乘呢？至於這裏提到六日七分學說中的「中孚用事」，大概是由於西漢以後孟京著作通常是合編的（詳見下節），而《易緯稽覽圖》所講「卦氣起中孚」已成爲隋唐時期曆法氣象中的常識。一行所謂的「中孚用事」不過是指一歲之初，根據這話便斷定孟喜講六日七分，是靠不佳的。

實際上，孟喜的十二月卦說如果不經過改造，恐怕很難與六日七分的體系相容。根據一行的介紹，可以知道孟喜是以復、臨、泰、大壯等十二卦配十二月，每卦主一月三十日，而在京房六日七分的體系中，復、臨等十二卦每卦只配六又八十分之七日（$6\frac{7}{80}$日），與其餘雜卦所配的日數相等。其中的差距是如此之大，孟喜怎麼會將十二月卦與六日七分容納在一個理論體系中呢？由於在十二卦所配日數的問題上說法不同，孟、京爲十二卦擬定了各有特色的名稱，一稱「月卦」，一稱「辟卦」。一行《卦議》說：「十二月卦出於孟氏章句」，可見「月卦」一詞出自孟喜的杜撰。《漢書・京房傳注》引孟康說：「（京）房以消息卦爲辟。辟，君也。息卦曰太陰，消卦曰太陽，其餘卦曰少陰少陽，謂臣下也。」可見「辟卦」一詞出自京房的發明。辟就是君，與臣對待。京房將十二消息卦與其餘雜卦同列，每卦用事日數相等，不稱「辟卦」便不能顯示出它的重要性。至於「月卦」一詞，京房大概不會使用，因爲十二卦在他的體系中是配日而不是配月。從這名稱的差別也可看出，十二月卦理論體系的創始者是孟喜，十二辟卦與六日七分理論體系的創始者是京房。而焦延壽的「分卦直日之法」，則是由孟喜《易》學向京房《易》學過渡的中間環節。

三、六日七分與方伯八卦

在《說卦》規定的八卦方位當中，震、離、兌、坎分處於東、南、西、北，歷史上一般稱其爲「四正」；乾、艮、巽、坤分處於西北、東北、東南、西南，歷史上通常稱其爲「四隅」。一行《卦議》說，孟喜的卦氣理論是將坎、離、震、兌的二十四爻配二十四氣，「次主一爻」，四卦的初爻分別在「二至二分」，亦即冬至、夏至、春分、秋分。《卦議》又說，京房的理論是將坎、離、震、兌配於「二至二分」的首日，四卦「皆得八十分日之七十三（$\frac{73}{80}$日）」；這些日數是從頤、晉、井、大畜四卦日數中扣除的，因而頤、晉等四卦「皆五日十四分（$5\frac{14}{80}$日）」；其餘五十六卦，「皆六日七分（$6\frac{7}{80}$日）」。《卦議》關於京房理論的介紹，可用下面的等式表示：

$$365\frac{1}{4}\div 60\text{（卦）}=6\frac{7}{80}\text{日}$$

$$6\frac{7}{80}-\frac{73}{80}=5\frac{14}{80}\text{日}$$

不過這裏有一個疑點：京房既已「托之孟氏」，他便只能在孟喜理論的基礎上增添內容，不應當同孟喜的理論發生明顯的、直接的抵觸。坎、離、震、兌每卦用事的時間在孟喜的理論體系中長達一個季節，在京房的理論體系中卻不足一日。這差距未免太大，京房在這情況下竟敢冒充孟氏學，實在令人難以置信。那麼，我們便有理由推測：一行《卦議》關於京房卦氣說的介紹會不會是錯誤的？京房理論中四正卦所配日期是否可能不限於八十分之七十三日，而是更多呢？

唐宋類書引有一些京房《易占》的佚文，迄今尚未引起人們的注意，而這些佚文恰好論及四正卦的「用事」問題，今舉數例如下：

「立冬（註四）乾王，不周風用事，人君當與邊兵，治城郭，行刑，斷獄訟，繕宮殿。」（《藝文類聚》卷三）

「立秋坤王，涼風用事。」（見《初學記》卷三）

「夏至離王，景風用事，人君當爵有德，封有功。」（同上）

「冬至坎王，廣莫風用事。」（見《太平御覽》卷二十五）

其中坎、離在八卦屬於四正，乾、坤在八卦屬於四隅，京房以這四卦配於冬至、夏至、立春、立秋，恰與漢唐時期流行的八卦配八節八風的說法相合。例如隋蕭吉《五行大義》卷四引《易緯通卦驗》說「艮東北主立春，震東方主春分，巽東南主立夏，離南方主夏至，坤西南主立秋，兌西方主秋分，乾西北主立冬，坎北方主冬至。」京房《易占》所採用的正是這種說法，顯然是以八卦分主冬至、夏至、春分、秋分、立春、立夏、立秋、立冬，每卦主一節十五日。又察今存《乙巳占》一書題爲唐代李淳風撰，書中卷十有《八方暴風占》一節，沿襲了京房的學說，今摘錄如下：

> 北方坎風，名曰廣莫風，主冬至四十五日。京房云：「四時暴風起於北方，主盜賊起，天下兵皆動，令人病濕飲帶下，難以起居。」
>
> 東北艮，曰條風，主立春四十五日。……
>
> 東方震，曰明庶風，亦名宂風，主春分四十五日。京房云：「人流，盜起相攻，風發天下，旱冥霜起，歲大饑，令人病變節四肢不可動搖。」
>
> 東南巽，曰清明風，主立夏四十五日。京房云：「民多泄痢，乳婦暴病死喪。」
>
> 南方離，曰景風，主夏至四十五日。……
>
> 西南坤，曰涼風，一作諫（風），主立秋四十五日。……
>
> 西方兑，曰閶闔風，亦名飄風，主秋分四十五日。京房曰：「秋旱霜，主天下兵動，日月蝕，令人患疥癬瘡。」
>
> 西北乾，曰不周風，主立冬四十五日。……京房云：「有盜賊相攻，人多疽疾，人流亡疾疫，多死喪。……」
>
> 右八節，但暴風起其方即占。京房云：「八方暴風之候，及八卦風別名。春白、夏黑、秋赤、冬黃，皆爲凶，下逆上，兵革四動。各隨其部日辰占之。」

《乙巳占》的作者是否眞爲李淳風，也許可以商榷，不過這書出於宋以前是無疑的。其中所引京房關於災異的議論，在文字風格與思想內容上都與《漢書・五行志》所引京房《易傳》相似，當是京房《易傳》的佚文。《乙巳占》說八卦分主八節，又說八卦分別用事四十五日，似有矛盾。《周禮・春官・保章氏疏》引《易緯通卦驗》說：「三月、六月、九月、十二月，皆不見風。〔風〕（註五）惟有八，以當八卦、八節。」可見漢唐八風說中每卦只配一節十五日，《乙巳占》中「四十五日」均爲十五日之誤。根據這段記載，可以得出與上文相同的結論：即京房卦氣說中有八卦配八節的圖式，其中坎、離、震、兌每卦用事的時間應是一節十五日，而不是八十分之七十三日（$\frac{73}{80}$日）。一行說京房以四正卦分主「八十分日之七十三」，肯定是錯誤的。

不過在這裏需要解釋一下，隋唐時期京房著作尚有流行，一行不是沒有查閱的機會，他介紹京房的四正卦說怎麼會發生錯誤呢？爲說明這個問題，有必要將京房著作流傳的情況搞清楚。《漢書・藝文志》著錄《孟氏京房》十一篇、《災異孟氏京房》六十六篇、《京氏段嘉》十二篇，其中京房的著作都不單行，而與孟喜或段嘉等人的著作合編在一起（註六）。段嘉即《漢書・儒林傳》所提到的殷嘉，爲京房弟子。顧實《漢書藝文志講疏》說：「京房之學，出於孟喜。段嘉之學，出於京房。故曰《孟氏京房》、《京氏段嘉》。」這說法是正確的。在漢武帝尊儒之後，學者著述常用「拉大旗作虎皮」的方式。京房成名晚於孟喜，他爲使自己的著作得官方的承認和輿論的支持，遂「托之孟氏」，將自己的著作附於當時已立學官的孟喜著作之後。在段嘉等京氏弟子著述的時候，京房的名聲已經很大，於是也用合編的辦法，從而有了《京氏段嘉》十二篇的產生。到了隋唐時代，這種合編的情況似已不大爲人所知，《隋書・經籍志》著錄《周易》十卷、《風角要占》三卷、《周易占事》十二卷、《周易守林》三卷、《周易集林》十二卷、《周易飛候》九卷、《周易錯卦》七卷、《周易混沌》四卷、《逆剌占災異》十二卷等等，都說是京房一人所撰。這些書中肯定摻有京房弟子段嘉等人的作品，但在唐代已無法甄別了。《隋志》還說：「梁有《周易飛候六日七分》八卷，亡。」這書本未著明撰人名氏，但後人常常將它看作京房的作品，也是將段嘉等人的著作與京房著作混淆了。一行《卦議》斷言京房以四正卦分主八十分日之七十三（$\frac{73}{80}$日），定是誤將段嘉等人的說法當成了京房的原話。推究段嘉等人違背京說的原因，應上溯到焦延壽。京房以八卦配八節，四正配四節，乃是引用孟說來修正焦說，並以此作爲「托之孟氏」的理由。當京氏易學立學官之後，孟、京兩派矛盾激烈，「托之孟氏」已無必要，段嘉等人遂又引用焦說來訂正京說，並將焦氏關於四正卦一卦主一日的說法改爲一卦主八十分日之七十三（$\frac{73}{80}$日），從而導致了一行的誤解。

基於以上的分析和考辨，可將西漢易學卦氣說的源流作一簡單的概括。卦氣說不是一下子全部完成的，而是逐漸形成的。它的形成過程至少可分爲五個階段：第一階段，魏相對河內女子發現的《月令》和《說卦》加以綜結，將坎、離、震、兌配於四時，坤、艮配於中土，可說是四正卦說的雛形，爲卦氣說的起源。第二階段，孟喜沿襲了魏相關於坎離震兌配四時的理論，又進一步，將四卦的二十四爻配二十四氣，並放棄了坤艮配中央的說法，提出「十二月卦」的概念，以包括坤卦在內的十二卦配十二月，以十二卦的七十二爻配七十二候，使卦氣理論初具規模。第三階段，焦延壽以六十四卦配三百六十四日，其中坎、離、震、兌一卦主一日，其餘六十卦共三百六十爻，一爻主一日。第四階段，京房對孟、焦兩說進行了綜合改造，以八卦配八節，其中四正分主冬至、夏至、春分、秋分；以四正之外的六十卦配一年三百六十五又四分之一日（$365\frac{1}{4}$日），每卦六又八十分之七日（$6\frac{7}{80}$日），亦即六日七分；改稱十二月卦爲十二辟卦，每卦六日七分，只是在名稱等方面强調它的重要性。第五階段，京房弟子段嘉等人又以焦說訂正京說，以坎、離、震、兌各主八十分之七十三日（$\frac{73}{80}$日），頤、晉、井、大畜各主五日十四分（$5\frac{14}{80}$日），其餘五十六卦，每卦六日七分（$6\frac{7}{80}$日）。在這發展過程中，舊的理論未因新理論的出現而消失，而是與新的理論並行，於是五個階段的學說又代表著卦氣學說中的五個流派。東漢以至隋唐人們議論卦氣往往相互矛盾，這種混亂局面都是由上述五種學說的對峙與發展造成的。

【附註】

註　一　河內古佚書出現的時間或說在武帝末年。筆者認爲，河內女子發現這些書確在武帝末期，而經過采集、上獻、上奏、「下示博士」以及討論的過程，到補入經傳的時候，已是宣帝初期了。

註　二　「六十卦」原作「六十四卦」今從張文虎與楊樹達說，據宋本《焦氏易林序》所引孟康說刪去「四」字。

註　三　六十卦，原作「六十四卦」，從劉盼遂《論衡集解》說，據王充《寒溫篇》上下文義，刪去「四」字。

註　四　《類聚》上文引《通卦驗》云：「立冬不周風至」，可見此處「春冬」當爲「立冬」之誤。

註　五　「風」字因重疊而脫，今據文義補。

註　六　這裏說是合編，可能會引起爭議。但《漢志》還著錄《易經》十二篇，施、孟、梁丘三家；《章句》施、孟、梁丘各二篇；可見若不是合編爲一部書，《漢志》一般指明爲不同「家」，或用「各」字標出。《孟氏京房》，《京氏段嘉》不屬於這一類，其爲合編是無疑的。

——原載《中國哲學史研究》一九八九年四期，頁七三——七九轉頁九五。

兩漢《尚書》學的演變過程

李偉泰

一、兩漢《尚書》學的思想變遷

大體上說，後起的《古文尚書》說，比較伏生一脈傳下來的《今文尚書》說平實。今古文《尚書》說的差異，不僅代表了學派的不同，並且顯示了兩漢經學思想的變遷。戴師靜山先生在《兩漢經學思想的變遷——〈書經〉部分》一文中，列舉十幾條實例，說明漢代《尚書》學思想的變遷，是由怪異而帶神話性的經說，轉變爲平實無奇的經說。謹錄其第一條例證：

一 稽古 《堯典》開始云：「粵若稽古帝堯，曰放勳。」孔穎達《尚書正義》云：「鄭玄信緯，訓稽爲同，訓古爲天。言能順天而行之，與之同功。」案鄭玄依據緯書，當是今文說。《三國志・魏志・少帝紀》敘高貴鄉公曹髦即帝位的第二年，臨幸太學親問諸儒。內有一問關於《堯典》的，他說：「鄭玄云，稽古同天，言堯同于天也。王肅云，堯順考古道而行之。二義不同，何者爲是？博士庾峻對曰：先儒所執，各有乖異，臣不足以定之。然《洪範》稱三人占，從二人之言。賈、馬及肅，皆以爲順考古道。以《洪範》言之，肅義爲長。帝曰，仲尼言唯天爲大，唯堯則之，堯之大美在乎則天。順考古道，非其至也。今開篇發義，以明聖德，而舍其大更稱其細，豈作者之意邪？」據此，賈逵、馬融、王肅等，俱訓稽爲考，訓若爲順，粵若稽古，意謂順考古道，他們的解釋是古文說。鄭玄把稽古

> 解作同天，《正義》明說根據緯書，雖不能考其出於《尚書》何緯，而緯書如《考河命》、《契握》、《擿雒貳》等，俱有若稽古之文（原注：參看《尚書今古文注疏．堯典第一上》），可能今文經師他們宗信緯候，而有同天之解釋。案《後漢書．范升傳》：「升奏曰，臣聞主不稽古，無以承天。」范升是今文家，他是光武時博士，可見這種說法，當是博士相傳，鄭玄就采用了它。又《尚書．僞孔序．正義》引鄭氏云：「尚者上也，尊而重之，若天書然，故曰《尚書》。」《正義》更批評他說：「鄭玄依書緯以尚字是孔子所加，故書贊曰，孔子乃尊而名之曰《尚書》。《璿璣鈐》云，因而謂之《書》，加尚以尊之。又曰，《書》務以天言之。鄭玄溺于《書》緯之說，何有人言而須繫之於天乎？」足可旁面證明稽古同天，確是出於緯書。緯書是兩漢間的顯學，崇天的思想非常濃厚，復多怪異之說。但爲帝王所重，光武、明、章俱信讖緯，已述於上篇，（泰按：即《兩漢經學思想的變遷──〈詩經〉部分》）自然也是博士所宗，可以說是皇家之學。可是民間的學者，他們厭惡這種思想，就加以變更，因古文本子而改說爲順考古道。這無論在訓詁上說，在思想上說，都是平平實實的。（註一）

靜山師說明東漢經學轉而尊崇古文的原因，認爲：

> 主要原因只有一點，就是經學思想的變遷。由今文學的荒唐的、神秘的、奇怪的經說，轉變爲古文學的平凡的、實在的、合乎情理的經說。換句話說，就是由神秘主義轉變爲自然主義。（註二）

翼鵬師在《尚書釋義．敍論》中指出：「今文家說經，率皆借經論政，而不注重訓詁；且雜以陰陽五行迂誕可怪之論。其說《尚書》，自不例外。而《尚書》中《洪範》一篇，尤爲陰陽五行說之總匯。」漢

末至魏晉間，鄭玄及王肅注盛行，今文家說漸廢，終於亡於永嘉之亂，原因便在於其立說不如古文家平實。（註三）

靜山師和翼鵬師的文章，對於兩漢經學思想的變遷，以及《今文尚書》說亡佚的原因，已經解釋得很清楚，所以本文引述其中主要的論說如上。

二、經說分歧的情形謀求統一經說的努力

以下本文擬從經說的分立與合流、經說內含的會通、論難的風氣對經說的影響、經說字數的增減等方面，探討前後漢四百年間，《尚書》學的演變過程，並對其原因試加推測。

《漢書・夏侯勝傳》載：

> 從父子建，字長卿，自師事勝及歐陽高，左右采獲，又從五經諸儒問與《尚書》相出入者，牽引以次章句，具文飾說。勝非之，曰：「建所謂章句小儒，破碎大道。」建亦非勝爲學疏略，難以應敵，建卒自顓門名經。（註四）

夏侯勝的主要活動時間在昭、宣二帝時。昭帝時官至長信少府，宣帝時仍爲長信少府，遷太子太傅，年九十卒。夏侯建爲其從父子，並師事勝，時代當較夏侯勝晚。按，這段記載顯示了幾件重要的事實：㈠由於經說內容的差異，造成經學家派的分立。㈡經說的內含已講求會通。㈢論難的風氣對經說頗有影響。㈣經說的字數在增加中。

《漢書・儒林傳・贊》敍述前漢諸經博士分立的情形說：

> 初《書》唯有歐陽、《禮》后、《易》楊、《春秋》公羊而已。至孝宣世復立大小夏侯《尚書》，大小戴《禮》，施、孟、梁丘《易》，穀梁《春秋》。至元帝世復立京氏《易》。平帝時又立左氏《春秋》、《毛詩》、《逸禮》、《古文尚書》。（註五）

宣帝增置博士之事，又見於《漢書・宣帝紀》甘露三年、《百官公卿表序》、《藝文志》、《劉歆傳》、《後漢書・章帝紀》建初四年詔，其間記載互異。王國維以為「宣帝末所有博士，《易》則施孟梁邱，《書》則歐陽大小夏侯，《詩》則齊魯韓，《禮》則后氏，《春秋》公羊、穀梁，適得十二人。」（註六）後漢初年博士凡十四家，《後漢書・儒林傳・序》云：

> 及光武中興……於是立五經博士，各以家法教授，《易》有施、孟、梁丘、京氏，《尚書》歐陽、大小夏侯，《詩》齊、魯、韓、毛（《集解》引何焯曰：「衍一毛字」），《禮》大小戴，《春秋》嚴、顏，凡十四博士。（註七）

關於博士家數及員額的更動，可看王國維《漢魏博士考》，錢穆《兩漢博士家法考》。

從宣帝以後，《今文尚書》立於學官的一直是歐陽及大小夏侯三家，此後雖不再另外分家，但三家內部，由於經說的差異，仍然不免有分派的情形，《漢書・儒林傳》云：

> 林尊字長賓，濟南人也。事歐陽高，為博士，論石渠。後至少府，太子太傅，授平陵平當、梁陳翁生。當至丞相，自有傳。翁生信都太傅，家世傳業。由是歐陽有平、陳之學。（註八）

成帝時，「當以經明《禹貢》，使行河，為騎都尉，領河堤。」（《漢書・平當傳》）其治河事跡詳《漢書・溝洫志》。平當對《禹貢》特別有研究，《儒林傳》說歐陽有平、陳之學，則兩家經說重點應有不同。《儒林傳》又云：

> 周堪字少卿，齊人也，與孔霸俱事大夏侯勝。……堪授牟卿及長安許商長伯。牟卿為博士。霸以帝師賜爵號褒成君，傳子光，亦事牟卿，至丞相，自有傳。由是大夏侯有孔、許之學。商善為算，著《五行論曆》，四至九卿。（註九）

成帝時，許商曾為河堤都尉，事詳《漢書．溝洫志》。許商也是屬於「經明禹貢」的學者，與孔光之學，當有重點上的不同。《儒林傳》又云：

> 張山拊字長賓，平陵人也。事小夏侯建，為博士，論石渠，至少府。授同縣李尋、鄭寬中少君、山陽張無故子儒、信都秦恭延君、陳留假倉子驕。無故善修章句，為廣陵太傅，守小夏侯說文。恭增師法至百萬言，為城陽內史。倉以謁者論石渠，至膠東相。尋善說災異，為騎都尉，自有傳。寬中有儁材，以博士授太子。成帝即位，賜爵關內侯，食邑八百户，遷光祿大夫，領尚書事，甚尊重。……由是小夏侯有鄭、張、秦、假、李氏之學。（註一〇）

小夏侯五派之中，秦恭經說多達百萬言，桓譚《新論》說秦延君解釋「曰若稽古」至二萬言，《文心雕龍．論說篇》說他注《堯典》十餘萬字。張無故守小夏侯說文，《李尋傳》云，尋「治《尚書》，與張孺（《漢書補注》引齊召南云：當云張子儒，傳寫之訛，遂合兩字為孺字耳。）、鄭寬中同師，寬中等守師法教授，尋獨好《洪範》災異，又學天文月令陰陽事。」李尋曾依陰陽五行說發表治河意見。可見小夏侯五派之中，至少可分為三支：秦恭經說字數獨多，李尋善說《洪範》災異，鄭寬中、張無故、假倉守小夏侯師法。

《後漢書．儒林傳》沒有特地記載這一類分派的情形，但並非沒有分派的事實，《桓郁傳》云：

> 初（桓）榮受朱普學章句四十萬言，浮辭繁長，多過其實。及榮入授顯宗，減為二十三萬言，郁復刪省，定成十二萬言。由是有桓君大小太常章句。（註一一）

朱普師事平當，屬於歐陽家中的平氏之學。（《漢書．儒林傳》）朱普卒於王莽篡位之初，桓榮得授明帝，桓郁授章帝、和帝。《張奐傳

》云：

> 奐少遊三輔，師事太尉朱寵，學歐陽《尚書》。初，牟氏章句浮辭繁多，有四十五萬餘言，奐減爲九萬言。（註一二）

朱寵師事桓郁，屬於歐陽家中的桓君小太常章句。（《桓郁傳》）《後漢書・儒林傳》云，牟長字君高，樂安臨濟人。「長少習歐陽尙書，不仕王莽世。建武二年，大司空弘特辟，拜博士，稍遷河內太守，坐墾田不實免。長自爲博士及在河內，諸生講學者常有千餘人，著錄前後萬人。著《尙書章句》，皆本之歐陽氏，俗號爲牟氏章句。」（註一三）張奐主要活動時間在桓、靈二帝時。桓榮、桓郁、張奐刪減前人的尙書章句，不僅經說的量有不同，刪減之時，取捨必有主觀上的標準，所以刪減過後的經說，必然和前人的面貌相異。。

由於這些經說大部分已經亡佚，無法將各支派差異之處詳細列舉。但他們的特色，還可以從記載中得知其大概。例如平當「經明《禹貢》」，許商「治《尙書》，善爲算，能度功用。」（《漢書・溝洫志》）二人均以明於《禹貢》參與治河的工作。李尋善說《洪範》災異，也曾依陰陽五行說發表治河的意見。（註一四）秦恭以經說特繁著稱，桓榮、桓郁、張奐則前刪前人章句。正是由於這些經說上的差異，造成了家內分派的現象。

上述一經分立數家博士，以及一家之中又衍生支派的情形，是一種普遍的事，並不只限於《尙書》。在通經致用的時代，這種經說紛歧的現象，對於政府和儒生，都有不便的地方。政府處理政治事務及訂立制度時，需要經義上的依據，（註一五）如果異說紛紜，究應何所適從，就頗費周章了。經生研讀數家之說，也是一件沉重的負擔。加以經學既成利祿之途，自成一說的儒生，自然希望自己一派立於學官。這些問題都牽涉到政治，經說的紛歧既非純粹學術上的爭議，自然不是全靠儒生自己能解決的，最後只好由朝廷召開學術會議，並且搬出皇帝來裁決。《漢書・宣帝紀》甘露三年（西元前五一年）載：

> 詔諸儒講五經同異，太子太傅蕭望之等平奏其議，上親稱制臨決焉。乃立梁邱《易》、大小夏侯《尚書》、穀梁《春秋》博士。（註一六）

這便是石渠之議，主要目的原在平公羊、穀梁的同異（《漢書・儒林傳》），而兼及「五經同異」，使大臣平奏其異同，由宣帝裁決，意圖整齊歸於一是，永不再有異說出現。對於已經成立的異說，則承認分立的既成事實，增立梁邱《易》、大小夏侯《尚書》、穀梁《春秋》等博士，並有限定於這數家的用意。這個政策，朝廷大致上是繼續貫徹下去的。雖然此後經說紛歧的現象依舊，除了今文家分立家派以外，還加入了劉歆以來古文家要求立博士的爭端，但博士家數自宣帝末的十二博士，後漢初年增爲十四博士，直到東漢末年，一直沒有大的變動。（註一七）其目的便在於防止儒生因爲利祿的緣故，紛立異說，以求立於學官。哀帝建平元年（西元前六年），劉歆「欲建立《左氏春秋》及《毛詩》、逸《禮》、《古文尚書》皆列於學官。」大司空師丹「奏歆改亂舊章，非毀先帝所立。」（《漢書・劉歆傳》）光武帝初年，「尚書令韓歆上疏，欲爲費氏《易》、左氏《春秋》立博士，詔下其議。」博士范升反對立左氏《春秋》，理由之一，也是「非先帝所存」。范升又說：

> 臣聞主不稽古，無以承天；臣不述舊，無以奉君。陛下愍學微缺，勞心經藝，情存博聞，故異端競進。近有司請置京氏《易》博士，群下執事，莫能據正。京氏既立，費氏怨望，左氏《春秋》復以比類，亦希置立。京、費已行，次復高氏，《春秋》之家，又有騶、夾。如令左氏、費氏得置博士，高氏、騶、夾、五經奇異，並復求立，各有所執，乖戾分爭。從之則失道，不從則失人，將恐陛下必有厭倦之聽。……（註一八）

防止「異端競進」，以免各種異說層出不窮，紛紛求立，是范升反對立費氏《易》及左氏《春秋》的主要理由。他的意見，是消極的避免鼓勵異說的發展。章帝時，楊終建議依石渠故事，召開學術會議來論定五經異同，則要求積極的統一異說。《後漢書・楊終傳》載：

> 終又言：「宣帝博徵群儒，論定五經於石渠閣。方今天下少事，學者得成其業，而章句之徒，破壞大體。宜如石渠故事，永爲後世則。」於是詔諸儒於白虎觀論考同異焉。（註一九）

《後漢書・肅宗孝章帝紀》，載建初四年（西元七九年）十一月壬戌詔曰：

> 蓋三代導人，教學爲本。漢承暴秦，褒顯儒術，建立五經，爲置博士。其後學者精進，雖曰承師，亦別名家。孝宣皇帝以爲去聖久遠，學不厭博，故遂立大小夏侯《尚書》，後又立京氏《易》。至建武中，復置顏氏、嚴氏《春秋》，大小戴《禮》博士。此皆所以扶進微學，尊廣道藝也。中元元年（西元五六年）詔書，五經章句煩多，議欲減省。至（明帝）永平元年（西元五八年），長水校尉儵奏言，先帝大業，當以時施行。欲使諸儒共正經義，頗令學者得以自助。……（註二〇）

章帝的詔書指出儒生違背師說，造成了經說紛歧的現象。（雖曰承師，亦別名家。）並引述光武帝中元元年詔書，以爲五經章句煩多，有減省的必要。最後引樊儵的奏議，表示要使諸儒共正經義。《章帝紀》又云：

> 於是下太常，將大夫、博士、議郎、郎官及諸生、諸儒會白虎觀，講議五經同異，使五官中郎將魏應承制問，侍中淳于恭奏，帝親稱制臨決，如孝宣甘露石渠故事，作《白虎議奏》。（註二一）

可見白虎觀之會和石渠會議具有相同的目的，就是統一紛歧的經說。

《白虎議奏》（即《白虎通德論》，又稱《白虎通義》，簡稱《白虎通》。）的著成，把漢代今文家的經說分門別類的作了一番全面的整理，（註二二）是漢代今文經說集大成的著作。雖然各家派的說法仍然存在，但有了這麼一本記錄諸儒定說的書，總算初步達成了朝廷自宣帝以來，整理紛歧經說的目的。

整理紛歧經說的努力，何以在宣帝時不成功，卻在章帝時收到了功效？到了東漢末年，沒有利用政府的力量，何以能自然的達成今古文的合流？其中關鍵性的原因，在於學術本身，那便是治經講求會通的潮流下。在這種潮流下，經生面對「經有數家，家有數說」的情形，不僅治學徒勞而少功，並且困惑於種種異說，自然希望紛歧的說法能夠統一。（參《後漢書・鄭玄傳・論》）

三、治經講求兼通的風氣與經學昌明的關係

據《漢書・夏侯勝傳》，夏侯建「自師事勝及歐陽高，左右采獲，又從五經諸儒問與《尚書》相出入者。」說明最遲從夏侯建開始，經師業已衝破了一經的藩籬，講求經說的會通。到了東漢初年，一部分經師進一步打破了家法的限制。《後漢書・儒林傳》載：

> （張玄）少習顏氏《春秋》，兼通數家法。……及有難者，輒爲張數家之說，令擇從所安。諸儒皆服其多通，著錄千餘人。……會顏氏博士缺，玄試策第一，拜爲博士。居數月，諸生上言玄兼說嚴氏、宣氏（《集解》引惠棟曰：「宣氏當作冥氏，字之誤也。」），不宜專爲顏氏博士。光武且令還署，未及遷而卒。

博士弟子每年考試，能通一藝以上，可以補文學掌故缺，成績好的，還可以擔任郎中以上的官職（見《史記・儒林傳・序》公孫弘等議），所以不願意兼習數家法，多添負擔。但治經講求兼通已是大勢所趨

，是經學昌明以後必然要走上的路，在這種大潮流的衝激下，學者只好擺脫家法的範限。和帝時，徐防曾經爲了這種現象，上疏建議加以阻止。《後漢書・徐防傳》載：

防以五經久遠，聖意難明，宜爲章句，以悟後學。上疏曰：「……伏見太學試博士弟子，皆以意說，不修家法，私相容隱，開生姦路。每有策試，輒興爭訟，論議紛錯，互相是非。……今不依章句，妄生穿鑿，以遵師非義，意說爲得理，輕侮道術，寖以成俗，誠非詔家書實選本意。……臣以爲博士及甲乙策試，宜從其家章句，開五十難以試之。解釋多者爲上第，引文明者爲高說，若不依先師，義有相伐，皆正以爲非。……雖所失或久，差可矯革。」

詔書下公卿，皆從防言。（註二三）徐防的疏，本傳繫於永元十四年（西元一〇二年）之後，十六年（西元一〇四年）之前，前述張玄，卒於光武帝時。（西元五七年以前）從張玄爲顏氏《春秋》博士，到徐防上疏，大約五十年的光景，太學諸生從反對兼說數家法，演變成「皆以意說，不守家法。」如此劇烈的變化，原因就在於治經講求兼通的潮流洶湧不可遏抑。這股潮流不僅衝破了墨守一經的藩籬，打破了家法的範限，最後並且促成今古文的合流。（合流時內容的取捨，則受經學思想的支配。）

治經講求兼通，是漢代經學日漸昌明的現象。關於漢興以來經學的發展，《史記・儒林傳・序》有很扼要的說明：

及至秦之季世，焚《詩》《書》，阬術士，六藝從此缺焉。……故漢興然後諸儒始得修其經藝，講習大射、鄉飲之禮。叔孫通作漢禮儀，因爲太常。諸生弟子共定者，咸爲選首。於是喟然歎興於學，然尚有干戈，平定四海，亦未暇遑庠序之事也。孝惠、呂后時，公卿皆武力有功之臣。孝文時頗徵用，然孝文帝本好刑名之言。及至孝景，不任儒者，而竇太后又好黃老之術，故諸博士具官待問，未有進者。及今上（武帝）即位，趙綰、王臧之屬明儒學，而上亦鄉之，於是招方正賢良文學之士。……及竇太后崩，武安侯田蚡爲丞相，絀黃老刑名百家之言，延文學儒者數百人。而公孫弘以《春秋》白衣爲天子三公，封以平津侯，天下之學士靡然鄉風矣。（註二四）

按，高帝五年（西元前二〇二年）十二月，項羽自刎，天下粗定。然而由於高帝起自民間，不喜《詩》《書》（《史記・陸賈列傳》：「高帝罵之曰：迺公居馬上而得之，安事《詩》《書》！」）。蕭何本爲秦吏，所熟習的是律令，都沒有注意到儒術的重要性。晚到惠帝四年（西元前一九一年），才廢除了挾書律。從惠帝即位到景帝駕崩（西元前一九四至一四一年），五十餘年間，儒者仍然沒有得到大用，所以安定的環境對經學的發展並沒有產生大的助益。直到武帝即位後，採取了一連串的措施來獎勵儒學。其中最重要的措施是罷絀百家，獨尊儒術。從此以後，二千年來，儒家定於一尊。（註二五）獨尊儒術的原則既定，公孫弘奉命與太常博士商議爲博士置弟子，地方設學校。於是公孫弘等提出建議，其要點爲：㈠地方設立學校。㈡爲博士置弟子。㈢以利祿來加以誘導。博士弟子每年考試，能通一藝以上，可以補文學掌故缺，成績好的，還可以擔任郎中以上的官職。（註二六）這一番措施的效果，《史記・儒林傳・序》云：

自此以來，則公卿大夫士吏斌斌多文學之士矣。（註二七）

《漢書・儒林傳・贊》云：

自武帝立五經博士，開弟子員，設科射策，勸以官祿，訖於元始，百有餘年，傳業者寖盛，支葉蕃滋，一經說至百餘萬言，大師眾至千餘人，蓋祿利之路然也。（註二八）

由於朝廷的獎勵，通經可以致用，治經的人多起來了，學問因講習而明，是必然的事。（所謂經學昌明的意義，有必要在此加以說明：如果不涉及經說內容的是非，用客觀的眼光，純粹從經學的發展過程來看，那麼治經人數日多，經師不僅精通一經，並且講求經說內容的會通，新說紛起，章句字數增多，經說日漸詳密，著述日益繁富，這些都是當日經學興盛的現象。至於探究經說的內容，加以「質樸」「浮誕」等類評語，則是後人主觀的價值判斷。本文著重客觀的描述，有時也加入主觀的判斷。）

武帝的大力獎勵，是漢代經學日漸昌明的關鍵。回溯漢代初年，承秦火及楚漢相爭之後，學術歷經幾番摧殘，漢初經師在學術上的造詣，自然遠不及武帝以後諸大師的廣博及深厚。劉歆《移太常博士書》對漢代初年傳經的困難有一番描述，其中一段說到武帝初年的情形，很值得注意。他說：

> 至孝武皇帝，然後鄒、魯、梁、趙頗有《詩》、《禮》、《春秋》先師，皆起於建元之間。當此之時，一人不能獨盡其經，或爲《雅》，或爲《頌》，相合而成。《泰誓》後得，博士集而讀之。故詔書稱曰：「禮壞樂崩，書缺簡脫，朕甚閔焉。」（註二九）

由於劉歆是提倡古文經學的健將，因此後人對於他批評今文經學的話，常持較爲保留的態度，不敢輕易採信。但就這段話來說，有些資料可以證明他的話是相當可信的。《漢書・儒林傳》云：「申公獨以《詩經》爲訓詁以教，亡傳，疑者則闕弗傳。」「漢興，高祖過魯，申公以弟子從師入見于魯南宮。」武帝曾就立明堂的事徵詢他的意見，那時他已八十多歲了。（註三〇）《儒林傳》又云：「景帝時，（丁）寬爲梁孝王將軍，距吳楚，號丁將軍。作《易說》三萬言，訓詁舉大誼而已，今小章句是也。」（註三一）申公是魯《詩》的開創先師，而不能獨盡其經，「疑者則闕弗傳」。《儒林傳》說丁寬讀《易》

精敏，寬授田王孫，王孫授施讎、孟喜、梁丘賀。施、孟、梁丘三家之學在宣帝時都立了博士。丁寬讀《易》雖稱精敏，但其《易說》僅三萬言。《易說》雖已亡佚，不能藉此推測他的《易》學造詣，但由其字數之少，卻可以推定他所引用的資料絕不會多，是一本頗爲「質樸」的經說。所以劉歆說武帝初年以前經師學術簡陋的情形，是有其事實根據的。無怪乎大司空師丹雖然大怒，也僅「奏歆改亂舊章，非毀先帝所立。」（《劉歆傳》）沒有說他無中生有，毀謗先師學術。

相對於武帝初年以前經師學術的簡陋，夏侯建的《尚書》經說參考了五經諸儒的說法，經師從不能獨盡一經到會通群經，這是經學昌明之後必然會走上的路。古文經學興起以後，順著會通的路子走下去，自然走到會通古文之途。

四、論難之風與兼通之風的關係

論難的風氣，是推動經說走上會通的另一項動力。前引《漢書・夏侯勝傳》，夏侯建「左右采穫，又從五經諸儒問與《尚書》相出入者，牽引以次章句，具文飾說」的原因，便是「非勝爲學疏略，難以應敵。」關於兩漢經師間的論難，比較突出的如：公羊學與穀梁學的辯論（《漢書・儒林傳・瑕丘江公傳》）；宣帝時詔諸儒講五經同異於石渠閣（《漢書・宣帝紀》甘露三年、《儒林傳・瑕丘江公傳》）；章帝時詔諸儒會白虎觀，講議五經同異（《後漢書・章帝紀》建初四年）。一般性的如：轅固生與黃生在景帝面前，辯論湯武到底是受命或是弒君（《史記・儒林傳》）；章帝每於讌見時，常使賈宗與丁鴻論議於前（《後漢書・賈復傳》）；和帝因朝會召見諸儒，魯丕、賈逵、黃香相難數事（《後漢書・魯丕傳》）。這一類論難不僅有關個人的面子及職業，甚至關聯到學派的盛衰。（如《瑕丘江公傳》所載公、穀之爭）

為了應付論難，經師必須知己知彼，所以夏侯建從五經諸儒問與《尚書》相出入者。今古文學的爭端興起之後，經師不得不兼通今古文經學，例如范升通《論語》、《孝經》，習梁丘《易》、《老子》，是個今文學者。光武帝建武四年（西元二八年），他反對韓歆為費氏《易》、左氏《春秋》立博士的建議，「奏左氏之失凡十四事」，「又上太史公違戾五經，謬孔子言，及左氏《春秋》不可錄三十一事。」（註三二）可見他也是兼通古學的。李育少習公羊《春秋》，也頗涉獵古學，嘗讀《左氏傳》，後來作《難左氏義》四十一事。章帝建初四年（西元七九年），他參加白虎觀之會，「以公羊義難賈逵，往返皆有理證，最為通儒。」（註三三）

但治經講求會通，主要原因還是經學發展的趨勢所致。西漢以來，許多經師兼習今古學或數家法，主要動機恐怕還是為了好學，未必先抱著應付論難的目的。這類例子如：翟方進「雖受穀梁，然好《左氏傳》、天文星曆。」（《漢書・翟方進傳》）張玄「少習顏氏《春秋》，兼通數家法。」孫期「習京氏《易》、《古文尚書》。」張馴「能誦《春秋左氏傳》，以大夏侯《尚書》教授。」尹敏「初習歐陽《尚書》，後受古文，兼善毛《詩》、穀梁、左氏《春秋》。」（以上並見《後漢書・儒林傳》）賈逵、鄭玄雖然都和今文學家有過爭議，但他們之所以兼通今古學，卻是因為師承及好學的緣故。《後漢書・賈逵傳》云：

> 父徽，從歆受左氏《春秋》，兼習《國語》、《周官》，又受《古文尚書》於塗惲，學毛《詩》於謝曼卿，作《左氏條列》二十一篇。逵悉傳父業，弱冠能誦《左氏傳》及五經本文，以大夏侯《尚書》教授，雖為古學，兼通五家穀梁之說。（註三四）

又《鄭玄傳》云：

> （玄）遂造太學受業，師事京兆第五元先，始通京氏《易》、公羊《春秋》、《三統歷》、《九章算術》。又從東郡張恭祖受《周官》、《禮記》、左氏《春秋》、韓《詩》、《古文尚書》。以山東無足問者，及西入關，因涿郡盧植，事扶風馬融。（註三五）

賈逵所受父業，除了《國語》外，都是所謂古文經典，大概是范曄的強調手法，處在今文經學立於官學的時代，賈徽不太可能不通習一兩門今文經。所以賈逵通大夏侯《尚書》，兼通五家穀梁《春秋》，固然可以是從師學來的（師承不明），但更可能是家學。至於鄭玄通習今古學，都是從師學習所得。從劉歆爭立古文經到他那時候，今古文的爭端已歷二百年的時間，兼通今古學的風氣日漸普徧，但也帶給學者沉重的負擔與困惑（《後漢書・鄭玄傳・論》曰：「學徒勞而少功，後生疑而莫正。」），正需要高才碩學的大師出來解開這種困局。

五、經說字數的增減

根據《漢書，夏侯勝傳》的記載，夏侯建的經說參考了五經諸儒的說法，「牽引以次章句，具文飾說。」夏侯勝罵他是「章句小儒，破碎大道。」章句不只是零星的詞和字的解釋，而是整段逐句的文義解釋，其中可以並列很多種說法，所以章句是一種很繁的經說。（註三六）從夏侯勝到夏侯建，經說的字數一定增加了不少。夏侯建授張山拊，張山拊授秦恭，恭增師法至百萬言。（《漢書・儒林傳》）可見從夏侯建之後，經說的字數還在繼續增加。秦恭說「曰若稽古」至二萬字（桓譚《新論》），注《堯典》用了十餘萬字（《文心雕龍・論說篇》），一部《尚書》的經說多達百萬言，在經說的字數方面達到了登峰造極的地步。

夏侯建為了論難應敵，參考了五經諸儒的說法，使他的經說字數大爲增加。經說流於繁瑣，自然引人反感。當初夏侯勝就已頗不滿意，以爲是「章句小儒，破碎大道。」古文經學的興起，表明一部分人對西漢今文經學有所不滿。《漢書・藝文志》對西漢「博學者」的批評，可以作爲這種不滿的一個代表：

> 古之學者耕且養，三年而通一藝，存其大體，玩經文而已，是故用日少而畜德多，三十而五經立也。後世傳經既已乖離，博學者又不思多聞闕疑之義，而務碎義逃難，便辭巧說，破壞形體，說五字之文，至於二三萬言。後進彌以馳逐，故幼童而守一藝，白首而後能言。安其所習，毀所不見，終以自蔽，此學者之大患也。（註三七）

班固的批評，重點正在經法的字數。對於繁瑣經說的不滿，並不限於古文家，夏侯勝固然早就不贊同，到了東漢，今文家更進一步從事刪減章句的工作，而且徧及群經。（註三八）在《尚書》方面，《後漢書・桓郁傳》載：

> 初（桓）榮受朱普學章句四十萬言，浮辭繁長，多過其實。及榮入授顯宗，減爲二十三萬言，郁復刪省，定成十二萬言。由是有桓君大小太常章句。（註三九）

朱普卒於王莽篡位之初，桓榮得授明帝，桓郁授章帝、和帝。《後漢書・張奐傳》載：

> 奐少遊三輔，師事太尉朱寵，學歐陽《尚書》。初，牟氏章句浮辭繁多，有四十五萬餘言，奐減爲九萬言。（註四〇）

張奐的主要活動時間在桓、靈二帝之時。牟氏章句是牟長作的，牟長是前後漢之際的人物。（《後漢書・儒林傳》）牟長、朱普、桓氏父子、張奐，都是歐陽《尚書》的經師。在齊《詩》方面，《後漢書・儒林傳》載：

> 伏恭，字叔齊，琅邪東武人，司徒湛之兄子也。湛弟黯，字稚

文，以明齊《詩》，改定章句，作解説九篇。位至光祿勳，無子，以恭爲後。恭性孝，事所繼母甚謹。少傳黯學，……初，父黯章句繁多，恭乃省減浮辭，定爲二十萬言。（註四一）

伏恭在明帝永平二年（西元五九年）代梁松爲太僕，章帝建初二年（西元七七年）行饗禮，以恭爲三老，年九十。在公羊學方面，《後漢書・樊儵傳》載：

儵刪定公羊嚴氏《春秋》章句，世號樊侯學。（註四二）

又《張霸傳》載：

……後就長水校尉樊儵受嚴氏公羊《春秋》，遂博覽五經。……霸以樊刪嚴氏《春秋》，猶多繁辭，迺減定爲二十萬言，更名張氏學。（註四三）

樊儵主要活動時間在光武及明帝之時，張霸於和帝永元中爲會稽太守，後遷爲侍中。根據上述資料，可知這種刪減章句的工作，業已成爲東漢經學的一股潮流。就時間來說，自光武到桓、靈；就經書來說，不只限於一經。雖然說「孝者，善繼人之志，善述人之事者也。」（《禮記・中庸》）然而東漢的孝子卻刪減其父的章句。若非大勢所趨，則以漢人之重孝及重守師法，自不會輕易大量刪減其父其師的經說。所以說對於西漢今文經說過於繁瑣的不滿，並不限於古文家。

至於今文家這種刪減章句的工作，除了對於字數加以刪減以外，對於經說中「神奇」、「怪異」的成分，究竟作了何種程度的修正，由於這些經說的亡佚，無法加以確切的考察。但因學術上的變遷，彼此互有關聯，今文家既已同古文家一樣不滿意於章句的繁煩，動手加以刪減，他們必然會刪除部分不平實的經說，這是可以斷言的。

六、結　論

武帝以利祿來獎勵經學，通經可以致用，是漢代經學日益昌明的關鍵性原因。也正因爲通經致用，使漢代今文《尚書》說染上極爲濃厚的政治色彩。後人看來種種怪誕的陰陽五行災異之說，卻正是當日的經世致用之學。（註四四）古文不立於學官，反而能免除許多通經致用所引起的毛病。兩漢《尚書》說從今文的「怪異」轉變爲古文的「平實」，除了經學思想的變遷以外，通經致用與否也是原因之一。

治經講求兼通，是漢代經學日益昌明以後必然走上的路子。經說字數的增加，則是經說日趨詳密以後的結果。治經講求兼通，經說日漸詳密，正象徵了經師學術造詣的進步。經說的兼通與字數的增加，也曾受到論難風氣的影響。

夏侯建的分家，是因爲他治經講求會通，參考了五經諸儒的說法，使他的經說不同於夏侯勝所致。他這麼做，據他自己說是爲了論難應敵。治經講求兼通爲學術發展大勢所必趨，論難應敵則是當日客觀情勢的需要。除此之外，利祿及通經致用也是造成經說分立的重要因素。經學既然成了祿利之途，經師另創一說，自成一個新的體系，就有希望立於學官。所以漢人雖極重師法，而分立出來的家派，卻都是違背師說的，除了經學上的見解有所歧異之外，利祿的誘惑也是造成分立的重要原因。今文經學既立於學官，今文經師有很多從政的機會，有些經說，顯然是爲了通經致用而創立的。例如《尚書・堯典》說堯爲了試驗舜的才能，「納于大麓烈風雷雨弗迷。」伏生及歐陽說以麓爲山麓，和馬融、鄭玄古文說以麓爲山足相同。大小夏侯說則以大麓爲大錄，以爲大錄是居三公之位。《漢書・于定國傳》云：「上（元帝）報定國曰：萬方之事，大錄于君。」當時于定國正爲丞相。（註四五）依伏生及歐陽說，大麓沒有特殊含意，依大小夏侯說，卻可以作爲行政措施在經書上的依據。這一類差異，無疑也是經說分立的重要原因。

經學昌明之後，治經講求兼通的風氣日漸普偏。王充就主張儒生應該五經皆習，並博覽百家之言。（《論衡・別通篇》）但是西漢以來，經分數家，家有數說，經說多的達到百餘萬言，造成「幼童而守一藝，白首而後能言」的流弊。（《漢書・藝文志》）在這種狀況下，一般學者實在難以通習五經，遑論兼通今古文及數家說法。所以東漢以來的經師，紛紛刪減前人的章句。這種趨勢的結果，自然導向經說的統一，混一今古文的大師，首推鄭玄。《後漢書・儒林傳・論》云：

> 漢興，諸儒頗修藝文。及東京學者，亦各名家。而守文之徒，滯固所稟，異端紛紜，互相詭激。遂令經有數家，家有數說。章句多者，或迺百萬餘言。學徒勞而少功，後生疑而莫正。鄭玄括囊大典，網羅眾家，刪裁繁誣，刊改漏失，自是學者略知所歸。（註四六）

鄭玄徧注群經，皆兼採今古文。（註四七）當時學者苦於家法繁雜，至此莫不翕然相從。其後王肅雖駁鄭玄，而他也是兼採今古文的。或以今文說駁鄭之古文，或以古文說駁鄭之今文。（註四八）到了鄭玄、王肅手裏，宣帝、章帝謀求整齊異說的努力終於得到了成功，此後今古文的界限就變得混淆不清了。

【附註】

註　一　《梅園論學續集》，頁二三、二四。（藝文印書館本）

註　二　《兩漢經學思想的變遷——〈詩經〉部分》，見《梅園論學續集》，頁二。

註　三　《尚書釋義・敘論》，頁十四、十五。（中華文化出版事業社本）

註　四　《漢書》卷七五，頁五。（據王先謙《漢書補注》，藝文印書館影印長沙王氏校刊本。）

註　五　《漢書》卷八八，頁二五。

註　六　《漢魏博士考》，見《觀堂集林》卷四，頁一八四。（世界書局本）

註　七　《後漢書》卷七九上，頁一。（據王先謙《後漢書集解》，藝文印書館影印長沙王氏校刊本。）

註　八　《漢書》卷八八，頁十二。

註　九　《漢書》卷八八，頁十二、十三。

註一〇　《漢書》卷八八，頁十三、十四。

註一一　《後漢書》卷三七，頁五。

註一二　《後漢書》卷六五，頁七。

註一三　《後漢書》卷六五，頁七，《張奐傳》注云：「時牟卿受書於張堪，爲博士，故有牟氏章句。」《集解》引洪亮吉，以爲「張字應作周字」。這是把牟長和牟卿當作一人。按，牟長決非牟卿。牟卿師事周堪，習大夏侯《尙書》。（《漢書・儒林傳》）牟長師承不明，習歐陽《尙書》。（《後漢書・儒林傳》）洪亮吉《傳經表》，也是把他們當作兩人看待。

註一四　平當、許商、李尋的治河意見，載於《漢書・溝洫志》。參閱拙著《兩漢〈尙書〉學及其對當時政治的影響》（以下簡稱《拙著》）六章五節：「以《尙書》作爲治河及畫分地理區域的依據」。（作者六十一年六月油印本）

註一五　參閱《拙著》下編：《兩漢〈尙書〉學對當時政治的影響》各章節，頁一〇〇至一〇二有簡單的例證。

註一六　《漢書》卷八，頁二三。

註一七　元帝京氏《易》博士，未幾而廢。平帝立《古文尙書》、毛《詩》、逸《禮》、《樂經》、左氏《春秋》博士。後漢初年博士凡十四家。慶氏《禮》曾一度立於博士，後因慶氏學微而中廢。光武帝興立左氏、穀梁博士，未幾而罷。自此訖於後漢之末，無所增損。說詳王國維《漢魏博士考》，《觀堂集林》頁一八二至一八七。

註一八 《後漢書》卷三六，頁八。

註一九 《後漢書》卷四八，頁二。

註二〇 《後漢書》卷二，頁六。

註二一 《白虎通》按爵、號、諡、五祀等分門別類整理今文經說。細目及各種說法所本。可參閱陳立《白虎通疏證》。

註二二 《後漢書》卷七九下，頁十、十一。

註二三 《後漢書》卷四四，頁四、五。

註二四 《史記》卷一二一，頁二、三。

註二五 參閱《拙著》五章一節：《儒家的獨尊與通經致用》。

註二六 公孫弘等人的建議，見《史記・儒林傳》，卷一二一，頁四。（藝文印書館影印乾隆武英殿刊本）

註二七 《史記》卷一二一，頁五。

註二八 《漢書》卷八八，頁二五。

註二九 《漢書》卷三六，頁三二、三三。

註三〇 《漢書》卷八八，頁十五、十六。

註三一 《漢書》卷八八，頁七。

註三二 《後漢書・范升傳》，卷三六，頁六、九。《陳元傳》，卷三六，頁九、十。

註三三 《後漢書》卷七九下，頁十一。

註三四 《後漢書》卷三六，頁十二。

註三五 《後漢書》卷三五，頁十。

註三六 關於漢人解經的方式，請參閱戴師靜山先生《經疏的衍成》一文，《梅園論學續集》，頁九三至一一七。

註三七　《漢書》卷三十，頁二七。

註三八　《論衡・效力篇》云：「王莽之時，省五經章句，皆爲二十萬。博士弟子郭路，夜定舊說，死於燭下。」按，王莽省五經章句，《漢書》、《後漢書》皆未記載。後漢初年經說，也多在二十萬字以上。所以《論衡》的話未必可信。

註三九　《後漢書》卷三七，頁五。

註四〇　《後漢書》卷六五，頁七。

註四一　《後漢書》卷七九下，頁二。

註四二　《後漢書》卷三二，頁五。

註四三　《後漢書》卷三六，頁七。

註四四　參閱《拙著》二章五節：《陰陽五行說影響下的經說》。

註四五　參閱《拙著》二章二節：《尙書神聖化》，頁二四至二六。

註四六　後漢書卷三五，頁十六。

註四七　見《後漢書》卷三五《鄭玄傳》。參看皮錫瑞《經學歷史》，周予同增註本頁一二四。（藝文印書館本）

註四八　參看皮錫瑞《經學歷史》，周予同增註本，頁一三七。

——原載《孔孟學報》三〇期（一九七五年九月），頁八三——一〇〇。

論《毛詩序》的美學思想

聶恩彥

《毛詩序》，是《詩毛氏傳》前面，《國風・周南》第一首詩《關雎》題下的一篇序言。這篇序言的作者是誰？有無大小序之分？現在均尚無定論。但是，這篇序言卻繼承和發展了春秋、戰國以來儒家的詩歌、音樂理論，第一次系統地總結了《詩經》的創作經驗，提出了許多富有創造性的獨特見解，成了漢代經師們傳《詩》的一種最新美學理念，對後世的詩歌和文藝評論，發生了巨大的影響，很有必要加以深入的討論。因此，我就想從這篇序言常用的「風」這個美學術語入手，論述一下《毛詩序》的美學思想。

《毛詩序》全文不長，總共不到五百字，寫得極爲疏闊，但卻一連使用了十七個「風」字，其基本涵義有二：一是普通意義的風，共有三個風字；一是專用意義的風字，共有十四個：都是作爲美學術語來使用的，涵義非常活泛。

先說普通意義的風字，也有兩種涵義：一是風字的本義，如：「風以動之」（見《毛詩正義》，以下凡引該書原文或注疏，均不再注出處）。這個風字，在整句話中雖然是個比喻詞，但卻是用的風字的本義，是指自然界的空氣流動現象，亦即《莊子・齊物論》所謂「夫大塊噫氣，其名爲風」。風就是氣，是「風伯鼓動之風」。二是風字的一般引申意義，如：「移風俗」，又如：「形四方之風」。這兩句話中的兩個風字，都是風俗的意思，是從風字的本文引申而來的，指歷代相沿積久而成的社會風尚和習氣。孔穎達在《毛詩正義・小雅・

谷風》的注疏中就這樣解釋道：「《漢書·地理志》云：『凡民稟五常之性，而有剛柔緩急音聲不同，繫水土之風氣，故謂之風；好惡取捨動靜無常，隨君上之情欲，故謂之俗。』解風俗之事也。風與俗對則小別，散則義通。」這就是說，由自然條件不同而形成的習尙叫風，由社會環境不同而形成的習尙叫俗，合起來可稱爲風俗，分開來也可稱爲風，都是指一種社會風俗而言的。

再說專用意義的風字，這也有兩種涵義：一是用作名詞，風就是詩歌的意思；而且由於古代詩歌的一般形式，都是詩歌、音樂、舞蹈三位一體的，緊密結合的，所以這個風字，也可以指音樂和舞蹈。就是說，風字是詩歌、音樂、舞蹈的同義語。二是用作動詞，風就是風化的意思；風化就是教化。而且由於教化的方式不同，風還可與諷相通，有諷諭、諷諫、諷刺的意思。這兩種涵義的風字，都是風字的特殊引申意義，是作爲美學術語來使用的，如：《毛詩序》的開頭就說：「《關雎》，后妃之德也。風之始也。所以風天下而正夫婦也。」這裡的兩個風字，就都是專用意義的風；「風之始也」的風，名詞，就是說《關雎》這首詩，是《詩經·國風》開頭的第一首詩。何謂《國風》呢？《毛詩正義》的釋文曰：「國者，總爲十五國；風者，諸侯之詩。」就是說：《國風》是十五個諸侯國詩歌的總名稱，即十五個地域的民歌，是《詩經》中的一部分詩歌，一種詩體的名稱，可以簡稱爲風。所以，這個風字，就是詩歌的意思。「所以風天下而正夫婦也」的風字，是動詞，就是說《關雎》這首詩，是周王朝用來風化人民，使其皆正夫婦之道的。所以這個風字，就是風化的意思；風化，就是教化，指詩歌對人們的教育感化作用而言。因爲詩歌對人的教育感化，不是乾巴巴地直說，冷冰冰地講理，而是通過鮮明生動的藝術形象來感染人們，啓迪人們，使人們在美的享受中，受到教育感化。所以，詩歌對人的教育作用，對社會風氣的改革作用，就能夠像風動萬物一樣，搖蕩人們的性靈；能夠像風化育萬物一樣，入人也深，化人也速，讓人們在不知不覺之中，潛移默化地受到教育感化。因此，就可以把詩歌對人的這種風化作用，簡稱爲風。而且由於詩歌對人們的風化方式不同，風字還可以與諷字相通，包含有諷諭、諷諫、諷刺的意思。如；「上以風化下，下以風刺上」。這兩個風字，都有兩層意思：㈠風就是詩歌的意思；㈡風就是風化的意思。前者是說在上的人君，用詩歌來風化在下的臣民，所以風字也可與諷字相通，是諷諭的意思。後者是說在下的臣民，也可用詩歌諷諫、諷刺在上的人君，所以風字也可與諷字相通，是諷諫、諷刺的意思。總起來說，這類專用意義的風字，就是指詩歌對人們的風化作用而言的，包涵有風化、諷諭、諷練、諷刺等意義，是古代文論中常用的一個美學術語。

由於風字既是詩歌、音樂、舞蹈的同義語，又是指詩歌對人們的風化教育作用而言，所以《毛詩序》就對風這個美學術語，作了這樣的精確界說：「風，風也，教也；風以動之，教以化之。」這裡有三個風字，涵義各不相同：第一個風字，是緊承上文「風之始也。所以風天下而正夫婦也」而提出的，把風詩風化天下的「風」字提出來。因此，這個風字是專用意義的風，即作爲美學術語使用的風字。第二個風字，是對第一個風字的解釋，是說，風就是風化的意思。也可與諷相通，解釋爲諷諭。因爲《毛詩正義》引《崔靈恩集注》本，風即作諷。所以劉氏云：「動物曰風，托音曰諷。」崔云：「用風感物，則謂之諷。」從劉、崔二人的考證來看，這個風字，就包涵有風化和諷諭兩層意思，都是指詩歌對人的教育感化作用而言的。因此，《毛詩序》又進一步具體解釋曰：風就是「教也」。教，就是教化的意思。合起來講：「風也，教也」就是指詩歌對人們的風化、諷諭和教化作用而言。所以孔穎達就這樣解釋道：「序又解名教爲風之意，風訓諷也，教也。諷謂微加曉告，教謂殷勤誨示，諷之與教，始末之異名耳。言王者施化，先依違諷諭以動之，民漸開悟乃後明教命以化之，風之所吹，無物不扇，化之所被，無往不霑，故取名焉。」這樣解釋，就把「風，風也，教也」的意思，具體細緻地說清楚了。那麼，風詩又是如何風化、諷諭呢？第三個風字就具體形象地回答說：「風以動之，教以化之」。這個風字，就是「風伯鼓動之風」即自然界的空氣流動現象，在這裡是比喻風詩對人們的風化作用，就像風對萬物的鼓動育養一樣，能夠用藝術形象打動人們的心靈，淪肌浹髓地教化人們，迅速地改變社會風氣。所以，《毛詩正義》引沈氏云：「君上風教，能鼓動萬物，如風之偃草也。」生動地說明了風詩對人們的風化教育作用，有如風吹草倒一樣，普遍迅速地教化人們，能夠成爲統治階級推行政教的有力工具，所以說風詩對人們的教育感化，能夠起到「風以動之，教以化之」的作用。這就是《毛詩序》第一次對風這個美學術語作出的精確詮釋。

但是，風這個美學術語的使用，卻不是從《毛詩序》才開始的，早在先秦時期就比較普遍了。比如，《荀子・儒效》云：「《詩》言是其志也，《書》言是其事也，《禮》言是其行也，《樂》言是其和也，《春秋》言是其微也。故《風》之所以爲不逐者，取是以節之也；《小雅》之所以爲《小雅》者，取是而文之也；《大雅》之所以爲《大雅》者，取是而光之也；《頌》之所以爲至者，取是而通之也。天下之道畢是矣。」這段話裡的風字，就是指《詩經・國風》的風，即《詩經》中的一種詩歌；風就是詩歌的意思，是各地的土風歌謠。再如，《論語・先進》中有這樣的一句話：「浴乎沂，風乎舞雩，詠而歸。」這個風字，一般都解釋爲風涼的意思，但王充在《論衡・明雩篇》中，卻解釋爲「歌也」。就是說，風是歌唱的意思，是歌唱不配樂的徒歌。又再如《左傳》襄公十八年云：「師曠曰：不害，吾驟歌北風，又歌南風，南風不競，多死聲，楚必無功。」這裡的三個風字，都是音樂的意思，是指能夠配樂演奏的南、北不同的詩歌。最後，《山海經・大荒西經》云：「太子長琴，始作樂風。」注云：「風，曲也。」就是說，這個風字是樂曲的意思；樂曲既是音樂，又是伴奏舞蹈的樂曲。因此，風也可以說是音樂、舞蹈的同義語。

如上所述，風這個美學術語，既然可以作爲詩歌、音樂、舞蹈的同義語來使用，就可以進一步作爲一種審美標準來評價詩歌、音樂的思想性和藝術性的尺度來使用。比如，《詩經・大雅・烝民》這首詩，序云是「尹吉甫美宣王也，任賢使能，周室中興焉。」詩的最後一章，在寫了周王朝希望仲山甫速歸朝廷之後，便寫作詩之意曰：「吉甫作誦，穆如清風，仲山甫詠懷，以慰其心。」《箋》云：「穆，和也；吉甫作此工歌之誦，其調和人之性，如清風之養萬物然。仲山甫述職多所思而勞，故述其美以慰安其心。」《正義》曰：「解詩而比風之意，以清微之風化養萬物。故以比清美之詩，可以感益于人也。」這就是說，風這個美學術語，已經成爲一種審美尺度，可以用來評價詩歌的思想性深淺和藝術性高低，所以尹吉甫才說自己寫的這首詩，有如清微之風化養萬物一樣，能夠調和人的情性，對人教益非淺。再比如：《左傳》襄公二十九年，吳公子季札聘魯觀周樂，樂工便爲他演奏《詩經》的各部分詩歌音樂。當樂工演奏完《齊風》後，季札批評道：「美哉！泱泱乎大風也哉，表東海者其太公乎，國未可量也。」意思是說，齊國的詩歌和音樂很美，表現了姜尙開國以來的弘大風教，堪爲一方之表率，其國祚不可限量。所以，「泱泱乎大風也哉」，就是對《齊風》的歌辭內容和音樂形象最美的評語，風就是一種審美的標準了。因此，司馬遷在《太史公自序》中就說，「《詩》長于風」。以上都是把風字作爲美學術語來使用的。但是，風這個美學術語，在先秦時期的使用，還是不自覺的，所以是散見於一些古籍之中的。而《毛詩序》運用風這個美學術語，卻是自覺的，所以才以風這個美學術語爲綱，總結《詩經》的創作經驗，并對風這個美學術語，第一次作了精確的界說。從此以後，風這個美學術語，才被普遍自覺地使用了起來。

那麼，風原指自然界的空氣流動現象，怎麼樣能被引申爲美學術語呢？這得從風字的本義說起。《說文》曰：「風，八風也。東方曰明庶風，東南曰清明風，南方曰景風，西南曰涼風，西方曰閶闔風，西北曰不周風，北方曰廣莫風，東北曰融風。从虫，凡聲。風以動之，故蟲八日而匕。凡風之屬皆从風。」這就是許慎對風字的解釋，他不僅極概括地說明了風字的本義是指自然界的空氣流動現象，而且也簡扼地說明了風字从虫之意，因爲虫是經過風化的作用，八日後從蛹變出；而其變化的形跡，卻不易爲人所見。所以，人們就可以根據風的這種化養萬物的作用，引申來指一切有似於風的事物。因此，段玉裁就注釋曰：「風之用大矣，故凡無形而致者，皆曰風。」統治階級認爲，社會上任何一種風尙習俗的形成，都是他們德行政教的結果，但卻是人們在不知不覺中形成的，所以可以把社會風俗稱爲風。詩歌和音樂等文藝作品，是統治階級歌頌功德、推行政教的工具，能夠像風鼓動化養萬物一樣，潛移默化地教育人們，所以風字就可以引申爲詩歌、音樂、舞蹈的同義語，就可以成爲一個美學術語，專指詩歌、音樂等文藝作品的社會作用，也可以作爲一種審美標準，來評價文藝作品的內容和藝術形式美不美。比如，《論語・顏淵》中說：「君子之德風，小人之德草，草上之風，必偃。」這是孔子教康子爲政之道時用的比喻，意思是說，在上的君子，德行政教就像風一樣，在下小人的從化之德有如百草，要把君子的德行政教推及到人民之中，就像是加草以風，無不仆倒，人民無不從化。所以孔安國就注釋曰：「加草以風，無不仆者，猶民之化于上。」詩歌既然是推行政教的工具，就能夠像風吹草偃一樣，教育化養人們，社會作用是非常大的。所以孔子才說：「小子何莫學夫《詩》？《詩》可以興，可以觀，可以群，可以怨。邇之事父，遠之事君，多識于鳥獸草木之名。」（見《論語・陽貨》）這段話，非常透闢地闡明了詩歌等文藝作品的社會作用，成了後代文學批評與創作的指導原則。《毛詩序》就根據孔子的這種觀點，對詩歌的巨大社會作用，極爲誇張地概述道：「故正得失，動天地，感鬼神，莫近于詩。先王以是經夫婦，成孝敬，厚人倫，美教化，移風俗。」可見詩歌的社會作用是何等巨大。《毛詩序》正是基於對詩歌的社會作用的認識，才自覺地運用風這個美學術語，并第一次對風這個美術學語作出精確界說的。

但是，《毛詩序》認爲：詩歌之所以能夠有如此大的社會作用，是和詩歌的本質特徵分不開的。因此，《毛詩序》在對風這個美學術語的內涵作了界說之後，就從詩歌的內容和形式兩方面，論述了詩歌的本質特徵，探討了詩歌的藝術表現手法，極爲精闢地說明了詩歌的巨大社會作用并不同於風化萬物那樣無跡可尋，而是有其客觀規律的。所以說：「詩者，志之所之也，在心爲志，發言爲詩。情動于中而形于言，言之不足，故嗟嘆之，嗟嘆之不足，故永歌之，永歌之不足，不知手之舞之，足之蹈之也。」這是本於《尚書・堯典》和《禮記・樂記》來論述詩歌的本質特徵的。《堯典》曰：「帝曰：夔！命女典樂，教冑子。直而溫，寬而栗，剛而無虐，簡而無傲。詩言志，歌永言，聲依永，律和聲。八音克諧，無相奪倫，神人以和。」《禮記・樂記》曰：「凡音者，生人心者也。情動于中，故形于聲……。故歌之爲言也，長言之也。總之，故言之，言之不足，故長言之，長言之不足，故嗟嘆之，嗟嘆之不足，故不知手之舞之，足之蹈之也。」把這三種說法加以比較，就不難發現《毛詩序》的說法，是比《堯典》和《樂記》的說法大大地前進了一步的。因爲《堯典》的「詩言志」說，是中國古代文論「開山的綱領」（見朱自清《詩言志辨序》）

，強調了詩歌言志的本質特徵。什麼是志呢？《說文》曰：「志，意也，从心之聲。」又曰：「意，志也，从心音，察言而知意也。」綜合起來看，志與意相通，都是指產生於人心中的一種思想和志向，就是人們在心坎上確立的人生目的和理想，要用語言表達出來，人們才能夠明察到。而詩歌正是表達人們的這種意志的，所以說「詩言志」。但是，詩歌所表達的人們的心志，乃是人們爲了達到某種目的而產生的一種心理狀態，是人們主觀能動作用的表現。人們的這種意志，雖然形成於社會實踐之中，并受客觀規律制約，但卻偏重於主觀的嚮往和理想，屬於理性認識。詩歌應該表現人們的這種思想認識；但如果詩歌僅僅表現人們的一種意志，那就容易產生公式化、概念化的不良傾向，成爲某種思想的傳聲筒，沒有強烈的感情，缺乏打動人心的藝術感染力量。所以《毛詩序》沒用《堯典》的原文，而只對原文作了發揮的解釋，并直接引用《樂記》的緣情說，來補充《堯典》言志說之不足，突出地強調了詩歌抒情的本質特徵。《樂記》所謂「情動于中」的情，就是人們的喜怒哀樂好惡欲等感情、是人心感物而產生的一種好惡傾向。因爲感情是伴隨著各人的立場、觀點和生活經歷的不同而不一樣，它不是對客觀對像本身的反映，而是人們對客觀某一事物的肯定與否定，愉快與悲哀，愛慕與仇恨等等感情體驗，或好或惡的態度傾向。人們的這種心理活動，往往是直覺的感受，屬於感性認識階段。所以，人們就不能停留在這種主觀感情體驗上，而必須前進一步，用言語和行動表現出來，詩歌、音樂、舞蹈等文藝作品，就是這樣產生的。但是，詩歌如果只是表現人們的感情體驗，不受理性的意志節制，那就容易走上脫離現實政治、歪曲現實生活的邪路，創作出有傷風化的淫靡虛僞的文藝作品。因此，《毛詩序》才把《樂記》的緣情說和《堯典》的言志說結合起來，第一次用情志統一的觀點，論述了詩歌的本質特徵，說明詩歌在內容上是表現人們的情志的。

而人們的情志，是人心感於外物而產生的，說出口來，表現爲語言，就是詩歌；而當語言還不足以表現人們的心志情感時，人們就發聲嗟嘆，音節搖曳地歌唱，這就是音樂；而當這種抑揚頓挫的詠唱，還不足以表達人們的情志，人們就自然而然地隨著音聲的節拍，手舞足蹈了起來，用有形的動作來突出詩歌、音樂所表達的情志，這就是舞蹈了。而這種詩歌、音樂、舞蹈三位一體、緊密結合的特點，就是詩歌的一般形式。形式是受內容決定的，核心就是人們感於外物而產生的意志和感情：情志昂揚，辭氣就激越，配上的樂曲也就高昂，舞蹈的容態也就奔放；情志委婉，辭氣也就委曲，配上的樂曲也就婉轉，舞蹈的容態也必然舒緩。而任何文藝作品中的情和志，總是水乳交融，互相滲透，永不分離的。因此《毛詩序》就明確地要求詩歌能夠「發乎情，止乎禮」把情和志統一起來。因爲這裡所謂禮義，是指統治階級爲了鞏固等級制度和宗法關係而制定的禮法條規和道德規範，體現了統治階級的意志，是統治階級要求人們在思想深處應該樹立的理想和嚮往。所以禮義也就是人們的一種思想意志。詩歌要抒情，就不能不言志，因爲「發乎情，民之性也，止乎禮義，先王之澤也」。情和志是揉合在一起的，思想消融在感情之中，感情也消融在思想之中，思想是感情的昇華，感情是思想的結晶。這樣的詩歌，才能以感情爲基礎，以意志爲主導，成爲合乎禮義的、以情感人的「思無邪」的作品。

當然，詩歌所表現的情和志，都是屬於人們的一種主觀意識，是觀飲形態的東西，是一定的社會環境和歷史的產物；人們受一定的客觀現實所激發，才不能不言。因此，詩歌言了志，抒了情，也就必然反映了一定的社會現實。所以《毛詩序》不僅從情志統一的觀點出發，第一次正確地說明了詩歌言志抒情的本質特徵，而且還進一步從作詩者和讀詩者兩方面，深刻地闡述了古代詩歌「勞者歌其事，飢者歌其食」的現實主義的本質特徵。首先，從作詩者來說，詩歌所表現的情和志，都是作者的靈秀之心，爲外物所感，才情動於中而形於言的發憤之心。因此，詩歌就能夠深刻地反映現實生活。所以《毛詩序》說：「至于王道衰，禮義廢，正敎失，國異政，家殊俗，而變《風》變《雅》作矣。國史明乎得失之跡，傷人倫之廢，哀刑政之苛，吟詠情性，以風其上，達于事變而懷其舊俗者也。」這就是說，周王朝衰弱之後，政無常道，諸侯各國各行其政，大夫之家的風俗也隨之一變，於是就產生了變《風》變《雅》這類詩歌，客觀地反映了周王朝由盛變衰、由治變亂的眞實情況。特別是周王朝的史官們，非常了解統治者所作所爲的得失善惡，知道當時社會上人倫等級關係的廢棄情況，和刑罰政令苛虐的種種表現，因而，才把人們「感于哀樂，緣事而發」的詩歌，採集來配上樂曲，令樂工演奏，用這些吟詠情性的作品，表現自己明達社會政治變亂而懷念太平世道風俗的心情，以達到諷諫和諷刺統治者的目的。這就是古代詩歌具有現實主義本質特徵的根源。其次，從讀詩者來說，因爲詩歌都是作者情志的藝術表現，是「人心之動，物使之然也，感于物而動，故形于聲」的作品，因此詩歌就與政教相通，人們能夠通過詩歌，了解當時的社會生活的人民的思想感情，認識統治者政教的得失和好壞。所以《毛詩序》說：「情發于聲，聲成文，謂之音。治世之音安以樂，其政和；亂世之音怨以怒，其政乖；亡國之音哀以思，其民困。」就是說，詩歌所表達的人們的思想感情，是作家對客觀現實生活主觀能動的審美反映。由於詩歌的辭氣能夠和宮、商、角、徵、羽的聲調相配合，就能成爲悅耳動聽的音樂。人們讀了、聽了這樣的詩歌和音樂，就能夠了解當時的政敎得失與好壞。因爲那太平世道的詩歌、音樂，表現了人們安於統治階級教化的喜悅之情，說明其政治教化和順。而那衰亂世道的詩歌、音樂，則表現了人們對統治階級政教的怨憤感情，反映了統治階級政治措施的暴虐無道。那些周朝將要滅亡時的詩歌、音樂，則表現了人們思慕太平盛世的哀傷感情。這種對現實生活的再現與主觀心理感受的表現和諧統一，也是古代詩歌具有現實主義本質特徵的重要表現。《毛詩序》就是這樣論述詩歌的本質特徵的，所以它既能夠避免言志和緣情兩種詩歌理論的各自片面性，又能夠從情志統一的觀點上，說明詩歌的現實主義傳統，是一種審美的意識形態，因此就能夠言志抒情，反映現實生活，有如風鼓動化養萬物一樣的藝術力量，感化教育人們，為統治階級推行政教服務。所以風字就可以成為一個美學術語，藝術的審美標準。

但是，詩歌之所以具有如風一樣的教育感化人的力量，不僅僅是因為思想正確，感情強烈，眞實地反映了現實生活；而且主要地還是因為詩歌對人的教育感化，不是簡單的羅列現象，抽象地講說道理，而是運用一定的藝術表現手法，塑造出鮮明生動的藝術形象，反映現實，抒發情志，以形動人，以情感人，讓人們在審美享受之際得到教益，在藝術的潛移默化之中改造靈魂，轉變作風。所以，詩歌就能夠像風鼓動化育萬物一樣，迅速深入地感化教育人們，成為推行政教的有力工具。因此，《毛詩序》在論述詩歌的本質特徵時，也深入地探討了詩歌的藝術表現手法，闡述了詩歌打動人們心靈的藝術規律。這樣，《毛詩序》的美學理論，就遠遠地超出春秋、戰國以來儒家的詩歌和音樂理論，成了漢代經師們傳《詩》的一種最新美學理論。因為我國古代，詩是以聲用的，到了孔子的時代，詩歌與音樂才開始分開。但孔子的詩論，卻只偏重於詩歌的思想內容和音樂形象感人的藝術力量，所以孔子只說「《詩》三百，一言以蔽之，曰：思無邪」（《論語・為政》），而沒有論述詩歌的藝術表現手法。《周禮・春官・太師》中，雖然提到了「教六詩，曰風、曰賦、曰比、曰興、曰雅、曰頌，以六德為之本，以六律為之音」，但也只是從周王朝太師的職掌角度上，把詩歌當作教育貴族子弟的六種內容而提出的，沒有嚴格地區別《風》、《雅》、《頌》三種詩體和賦、比、興三種藝術表現手法，只是簡單地并列在一起，通稱為六詩，好像是《詩經》中有六種不同體制的詩歌。因此，鄭玄在注釋《周禮》時，也就依次解釋道：「風言賢聖治道之遺化；賦之言鋪，直鋪陳今之政教善惡；比見今之失，不敢斥言，取比類以言之；興見今之美，嫌于媚諛，取善事以喻勸之；雅，正也，言今之政者以為後世法；頌之言誦也，容也，誦今之德，廣以美之。」這樣發明六詩之義，雖隱約地指出了賦、比、興是三種不同的藝術表現手法，但卻仍然失之籠統，沒有把《風》、《雅》、《頌》三種詩體與賦比興三種藝術表現手法嚴加區別，清楚明白地注釋出來。所以王國維等人，就認為六詩是六種不同體制的詩歌。《毛詩序》卻與《周禮》大不相同，第一次把詩歌體制和藝術表現手法嚴格區別開了，清楚明白地說：「故《詩》有六習焉：一曰風，二曰賦，三曰比，四曰興，五曰雅，六日頌。」表面看來這裡的六義與《周禮》的六詩，在內容上完全相同，好像沒區別，但實際上卻有了原則的不同，說明了《毛詩序》不同意《周禮》的說法，才有意識地把六詩改為六義，并對六義的內容，用數字排列了明確的次序。所以孔穎達在注疏時就說：《毛詩序》的六義與《周禮》的六詩，在內容上雖「各自為文，其實一也」。「然則風雅頌者，詩篇之異體，大小不同而得并為六義者。賦比興是詩之所用，風雅頌是詩之成形，用彼三事，成此三事，是故得稱為義。非別有篇卷也。」這就是說，《毛詩序》把詩歌的體制和藝術表現手法明確地區別開了，所以才把六詩改稱為六義。這樣注釋，是符合《毛詩序》的本意的。因為《毛詩序》是在總結《詩經》的創作經驗的基礎上，來繼承前人的詩論成果的，并不是簡單化地因襲前人的成說，東拼西湊地照抄前人的結論。所以《毛詩序》的美學思想，理應比《周禮》前進的多，細致的多。這只要仔細研究一下《毛詩序》對於六義的論述就清楚了。

《毛詩序》論述詩之六義，是以風這個美學術語爲綱的，明確地以風爲首，說明六義通可以稱爲風。而在具體論述時，又明確地以風、雅、頌三種詩體爲目，著重地論述賦、比、興三種藝術表現手法。先說頌吧，《毛詩序》曰：「頌者，美盛德之形容，以其成功告于神明者也。」這裡說明了兩個問題：㈠什麼是頌詩？根據《毛詩序》的解釋，頌是容的意思。鄭玄在《周頌譜》中曰：「頌之言容。天子之德，光被四表，格于上下，無不覆燾（蓋），無不持載，此之謂容。」意思是說天子的德行包容一切，因爲發出歌頌。《周頌譜・正義》曰：「頌之言容，歌成功之容狀也。」意思是說頌是歌舞的容狀。王國維《說周頌》曰：「頌之聲較風、雅爲緩。」這是說頌詩的音樂比風、雅舒緩。綜合起來看，頌這種詩體，是舞曲樂歌，講究容狀，音節較緩，是用來歌功頌德的。㈡頌詩的藝術表現手法，是用的直陳其事的賦。所以孔穎達《疏》曰：「明訓頌爲容，解頌名也。以其成功告于神明，解頌體也。……《易》稱，聖人擬諸形容，象其物宜，則形容者，謂形狀容貌也。」就是說，頌體詩是借著舞蹈形象表現情態的，直述祭祀之狀，直陳其成功之事，徧告神明，以報神恩。用鋪敍這樣的藝術手法，塑造藝術形象，表現詩歌的內容，正是賦這種藝術手法的特點，所以朱熹就說：賦是「敷陳其事而直言之也」。當然，賦這種直敍事物的藝術手法，是任何一種文學體裁都離不開的，風、雅兩種詩體，也必然要用賦的手法來敍事。因爲賦這種敷陳其事而直言之的藝術表現手法，是對客觀形象的直接敍寫，也可以不必假借物象而直接敍事言志，抒發感情。敍寫的形象不同，說話的口吻不同，就可以形成一種强烈的感發力量，風化教育人們。而且比、興兩種藝術表現手法，也必須在敍述的基礎上才能運用，所以賦、比、興三藝術表現手法，在詩歌中往往是結合使用的，因此，也難於截然分開。

這樣，《詩經》中就有不少賦而比、賦而興的等等藝術表現方法，說明了賦是詩歌的基本藝術表現手法。因此，《毛詩序》就在論述頌詩時，重點地說明了賦這種藝術表現手法。現在再說風和雅。所謂風，《毛詩序》解釋爲風化和諷刺，故曰：「上以風化下，下以風刺上。」就是說，在上的統治者是用詩來風化在下的臣民的，而在下的臣民則作詩以諷諭、諷諫和諷刺在上的統治者。這就是風這種詩體的特點，所以朱熹說：「吾聞之，凡詩之所謂風者，多出於里巷歌謠之作。所謂男女相與詠歌，各言其情者也。」就是說，風這種詩體，主要是里巷歌謠，是周王朝從各地採集來的地方樂歌，用於教化。所謂雅，《毛詩序》解釋曰：「雅者，正也，言王政之所由廢興也。」據近人考證，雅是秦聲，雅可以假爲夏：秦聲是周都的音調，是華夏正聲，對四方的樂歌來說，雅聲最標準，所以稱正音。這種詩體的詩歌，主要是周王朝公卿士大夫言王政之所由廢興的。風和雅這兩種詩，雖在體制上有所區別，但在表現手法上卻基本相同，都著重於採用比和興的藝術手法，所謂比，就是比喻，朱熹曰：「比者，以彼物比此物也。」所謂興，是起的意思，即托物起興，朱熹曰：「興者，先言他物以引起詠之辭也。」而不論比或興，都是表示作者的情志與藝術形象之間的關係和作用的。比是先有情志然後有形象，是作者替自己心中的意象找到一個適當的外物形象，來傳達自己的情志，所以比接近於理性的衡量。興則是先有外界景物的形象，然後引起作者內心的情志，於是景物與情志交融一起，造成藝術的意境，傳達作者的情志，所以興接近於感性的直接觸發。因此，孔穎達注釋比和興說：「鄭司農云：比者，比方于物，諸言如者皆比辭也。司農又云：興者，托事于物，則興者起也，取譬引類，起發己心，詩文舉草木鳥獸以見意者皆興辭也。比之與興，雖同是附托外物，比顯而興隱。」可見比和興都是借助外物來塑造藝術形象的藝術表現手法，詩歌創作如果能夠很好地運用比和興，就能夠塑造出成功的藝術形象，特別是典型的藝術形象，傳達出作者心靈中最幽微隱深的情志，產生一種巨大的感發力量，打動讀者的心靈，起到教育感化的作用。所以《毛詩序》在論述風和雅這兩種詩體時，著重論述了比和興塑造藝術形象的兩個特點：

㈠《毛詩序》曰：「上以風化下，下以風刺上，主文而譎諫，言之者無罪，聞之者足以戒，故曰風。」這就是說，詩歌創作用比興塑造形象，最大的特點就是「主文而譎諫」。所謂主文，就是「主與樂之宮商相應也」；所謂譎諫，「譎者，權詐之名，托之樂歌，依違而諫，亦權詐之意，故謂之譎諫。」即不是直言其事，而是微言諫諍。所以孔穎達曰：「其作詩也，本心主意，使合于宮商相應之文，播之于樂而依違譎諫，不直言君之過失，故言之者無罪，人君不怒其作主而罪戮之，聞之者足以自戒，人君知其過而悔之，感而不切，微動若風，言出而過改，猶風行而草偃，故曰風。」這就是說，用比興的藝術表現手法塑造藝術形象，就能夠避免直言其事的淺露，而成爲有巨大意蘊的詩歌意境，含蓄隱微地達到勸諫的目的。這實際上講的是詩歌和音樂的藝術形象性，也就是比興藝術表現手法的第一個特點。

㈡《毛詩序》曰：「是以一國之事，繫一人之本，謂之風。言天下之事，形四方之風，謂之雅。」這裡所謂的風和雅，雖指兩種不同的詩體，但卻是互文，是相通的。所以孔穎達注釋曰：「言詩人作詩，其用心如此。一國之政事善惡，皆繫屬于一人之本意，如此作詩者，謂之風。言道天下之政事，發現四方之風俗，如是而作詩者，謂之雅。言風雅之別其大意如此也。一人者，作詩之人，其作詩者道己一人之心耳，要所言一人心，乃是一國之心，詩人覽一國之意以爲己心，故一國之事繫此一人使言之也，但所言者直是諸侯之政行風化于一國，故謂之風，以其狹故也。言天下之事，亦謂一人言之，詩人總天下之心，四方風俗，以爲己意，而詠歌王政，故作詩道說天下之事，發見四方之風，所言者乃是天子之政，施齊政于天下，故謂之雅，以其廣故也。風之與雅，各是一人所爲。風言一國之事繫一人，雅亦言天下之事繫一人，雅言天下之事，謂一人言天下之事，風亦一人言一國之事。序者逆順之文，互言之耳。」這實際上就是論述典型化原則的。因爲作詩者用比興手法塑造出的藝術形象，既是一個獨特的個性形象，又是一個具有鮮明共性特徵的藝術典型，是一般和個別的統一。這種藝術形象，都是作家透過自然和生活的種種迷霧，把那些眞正感動了自己的自然景物和生活現象，經過典型化的途徑，加以集中和概括，造成情景交融的意象，運用比興的手法表現出來，塑造成一個完整統一的藝術典型形象，表達自己的情志，反映天下一國的政教風俗，達到風化教育的目的。這就是風和雅的典型化原則，也就是比和興塑造藝術形象的第二個特點。

總之，《毛詩序》所謂六義，是指風、雅、頌三種詩歌體制和賦、比、興三種種藝術表現手法而言的，作詩者只要很好運用賦、比興這三種藝術表現手法，就能夠把從生活中選擇出的個別偶然現象，結構成鮮明生動的藝術形象，表現生活的一般必然的本質規律，像風動萬物那樣，教育感化天下人民，成爲推行政教的有力工具。所以《毛詩序》就用風這個審美標準，高度地評價了《關雎》這首詩的美學價值說：「《關雎》，后妃之德也，風之始也，所以風天下而正夫婦也。故用之鄉人焉，用之邦國焉。」又說：「是以《關雎》樂得淑女，以配君子，憂在進賢，不淫其色；哀窈窕，思賢才，而無傷善之心焉，是《關雎》之義也。」當然，《關雎》這首詩，本來是一首民歌，可能是迎親時演唱的詩歌，所以寫的是一個青年男子對一個美善姑娘的熱烈追求和傾心愛慕，感情眞摯，思想健康，語言優美，音節和諧，是藝術性很高的愛情詩。但是，《毛詩序》卻依據前人的成說，用以意逆志的辦法，錯誤地認爲《關雎》是歌頌周文王后妃之德的，是周文王「刑于寡妻，以御于家邦」的王化之始，周王朝也就可以把這首詩用於宴會和其他儀式舉行時演奏的樂歌，風化天下臣民，使其皆正夫婦之道，所以孔子聽了這首樂歌，高興地讚許道：「《關雎》樂而不淫，哀而不傷。」又說：「師摯之始，《關雎》之亂，洋洋乎盈耳哉！」可見，《關雎》的藝術形象，感人是至深的，不但能使人得到美的享受。而且還能夠使人在思想感情上發生共鳴，受到感化教育。不僅《關雎》一詩如此，《詩》三百篇莫不如此，都是用賦、比、興的藝術表現手法，塑造合乎理想的藝術形象，把現實生活中美或醜的事物，經過藝術的提煉，更加鮮明突出地表現出來，教育感化人們。《毛詩序》就這樣第一次把詩歌的體制和藝術表現手法嚴格區別開來，深刻地論述了詩歌的藝術表現手法，闡明了詩所以能夠像風鼓動化養萬物那樣教育感化人們的藝術規律，因此它才能成爲一種最新的美學理論，對後世的詩歌創作和文藝評論，發生巨大的影響。

——原載《雲南社會科學》一九八四年二期，頁七八—一八六。

董仲舒與春秋公羊學

呂紹綱

西漢董仲舒是《春秋》學史上第一位聲名顯赫的公羊大家。他雖未給《公羊傳》作注，但是他的著名作品《春秋繁露》幾乎涉及了《春秋》一書的全部主要問題。他的觀點無論對錯，都對後世的《春秋》公羊學產生過深刻的影響。兩千年來的《春秋》公羊學，其精華與糟粕無不與董仲舒有關。研究孔子的《春秋》經，離不開公羊學；公羊學的理論框架是漢代人搭起的；漢代人公羊學的根底是董仲舒奠定的。

董仲舒，景帝時爲《春秋》博士，爲人廉直，終身不治產業，只做學問，是個典型的儒生。史稱自漢高至武帝五世間，以治公羊而得名的，唯他一人而已。其著作，《漢書・藝文志》有《公羊董仲舒治獄》十六篇，《隋書・經籍志》有《春秋決事》十卷，《春秋繁露》十七卷。今存世者只有《春秋繁露》一書，另有《漢書》本傳所記武帝時對策一段文字。

《春秋繁露》是董仲舒治《春秋》公羊學的一部論文集。清人著《四庫全書總目提要》將它作爲附錄列在經部《春秋》類諸書之後。《提要》肯定這書應屬於董仲舒，說：「今觀其文，雖未必全出仲舒，然中多根極理要之言，非後人所能依托也。」

從《春秋繁露》一書看董仲舒的《春秋》公羊學，儘管糟粕不容忽視，而貢獻畢竟是主要的，可謂功大於過。

第一、《春秋》大義是《春秋》學的一個大問題，董仲舒有所觸及，有些地方講得很深很透也很對。

《春秋》是一部奇特的書。表面看它是一部史書，實際上又不是史書。《孟子・離婁下》說「其事則齊桓、晉文，其文則史，孔子曰：『其義則丘竊取之矣。』」《莊子・天下》說：「《春秋》以道名分」，說的正是《春秋》的這一特點。《史記・司馬相如列傳・贊》說：「《春秋》推見至隱」，是對《春秋》這一特點的更爲簡練的概括。孔子作《春秋》，由於種種原因，許多要表達的思想未能直接寫進書中，另用口說的方式傳授給他的弟子們。這就是所謂《春秋》微言大義。

《春秋》之微言大義應當保存在由孔子的弟子們直接傳授下來的《公羊傳》和《穀梁傳》之中。但是，什麼是《春秋》微言大義，二傳並未明確點出。於是後人生出種種疑端，見仁見智，莫衷一是。《漢書・楚元王傳》記劉歆的話說：「夫子沒而微言絕，七十子終而大義乖。」這表明孔子既沒，《春秋》微言便成爲難以知曉的謎，待孔子之七十弟子死後，《春秋》大義又被曲解。清人皮錫瑞的《春秋通論》說大義是誅討亂臣賊子，微言是改制立科。這是不對的。因爲，誅討亂賊是孔子作《春秋》的目的。孔子自己對此並不諱言，孟子也已講得清清楚楚。如果這便是微言大義，那麼人們早已明白，漢人何以談到「絕」和「乖」呢？實際上《孟子》書並未涉及《春秋》大義問題。第一個觸及《春秋》大義的，是董仲舒。

《公羊傳》成公十五年說：「曷爲殊會吳？外吳也。曷爲外也？《春秋》內其國而外諸夏，內諸夏而外夷狄。王者欲一乎天下，曷爲以外內之辭言之？言自近者始也。」所謂內外之別，係指地域上的遠近而言，非謂華夏與夷狄之種族上的差別。周代制度，京師爲中，諸夏爲外，夷狄爲再外。《公羊傳》認爲《春秋》記事便依據這個先內後外的原則。它把這叫作「自近者始」。「自近者始」反映在地域關係上便是「內其國而外諸夏，內諸夏而外夷狄」。《公羊傳》的這兩句話正是《春秋》大義之一。《春秋》大義，其實也就是《春秋》書法。書法亦即寫書時遵循的原則。

董仲舒對於《公羊傳》「自近者始」這一觀點理解極爲深透。《春秋繁露・王道》說：「親近以來遠，故未有不先近而致遠者也。故內其國而外諸夏，內諸夏而外夷狄，言自近者始也。」他把《公羊傳》「自近者始」的觀點加以發揮，從地域遠近問題推及到其它方面。在董仲舒看來，《春秋》處處包含著「自近者始」的精神。《春秋繁露・觀德》篇甚至將《春秋》「隕石於宋五」和「六鷁退飛」都說成是「自近者始」原則的體現。說那是「耳聞而記，目見而書，或徐或察，皆以其先接於我者序之」。推及至國家大事，更是如此。他舉會盟朝聘之禮爲例，說「諸侯與盟者眾矣，而儀父獨漸進」，「諸侯朝魯者眾矣，而滕薛獨稱侯」，「吳楚國先聘我者見賢」，都蘊含著《春秋》「自近者始」的原則。

《公羊傳》於隱公元年、桓公二年、哀公十四年三次述及「所見異辭，所聞異辭，所傳聞異辭」。這也是《春秋》大義之一。根據《公羊傳》的這一條，我們知道《春秋》不僅在地域方面有「自近者始」的精神，在時間上也遠近的差別。所謂所見所聞所傳聞之說，並沒有什麼神秘，其實就是今日之現代、近代、古代之分。今人寫歷史，時代愈久愈簡約，愈近愈加詳，古人也是這樣。

董仲舒清楚地看到了這一點。他在《春秋繁露・楚莊王篇》中把《春秋》十二公劃分爲所見、所聞、所傳聞三個段落。說《春秋》對這三個時期的記事，用辭是有區別的：「於所見微其辭，於所聞痛其禍，於所傳聞殺其恩」。「微其辭」、「痛其禍」、「殺其恩」，其說雖異，其義相同，即時間遠近不同，對待亦不同。爲什麼要這樣呢？董仲舒解釋說，「義不訕上，智不危身，故遠者以義諱，近者以智畏。畏與義兼，則世逾近而言逾謹矣」。遠的事情有所諱避，近的事情有所畏忌。總起來說，時間越近，說話越小心謹慎。董仲舒據《公羊傳》提出的所見所聞所傳聞之說，把《春秋》所說二四二年歷史按魯十二公劃分爲三個階段，並且指出孔子作《春秋》對三個階段的的事情有不同的對待辦法，這無疑是正確的。

還有一項《春秋》大義，董仲舒也注意到了。《孟子》說：「《春秋》，天子之事也。」《公羊傳》僖公四年說：「桓公救中國而攘夷狄，卒怗荆，以此爲王者之事也。」《春秋》「天子之事」，《春秋》「王者之事」，其含義不外是說《春秋》站在王者的高度，用王道的標準衡量、評說二四二年的歷史。《春秋》用以表達它的這個用意的主要辦法是筆削。

司馬遷從董仲舒學過《春秋》，對於董仲舒的《春秋》公羊學他是了解的。他說：「余聞董生曰：『周道衰廢，孔子爲魯司寇，諸侯害之，大夫壅之。孔子知言之不用，道之不行也，是非二四二年之中，以爲天下儀表，貶天子，退諸侯，討大夫，以達王事而已矣。』」又說：「夫《春秋》上明三王之道，下辨人事之紀，別嫌疑，明是非，定猶豫，善善惡惡，賢賢賤不肖，存亡國，繼絕世，補弊起廢，王道之大者也。」（註一）據司馬遷的轉述，我們看得出董仲舒很了解孔子作《春秋》的深遠用意。孔子夢想恢復西周盛世而又深感力不能及，乃作《春秋》針砭當時，規範後人，以達王事。達王事的辦法，司馬遷在《史記・孔子世家》中已經講明白了。司馬遷說：「至於爲《春秋》，筆則筆，削則削，子夏之徒不能贊一辭。弟子受《春秋》，孔子曰：『後世知丘者以《春秋》，而罪丘者亦以《春秋》。』」司馬遷認爲孔子作《春秋》，有筆有削，通過筆削達到他褒貶王侯，鞭撻時人的目的。這就是所謂「以達王事」，就是「王道之大者也」，這當然也是孔子作《春秋》的一項重要原則。司馬遷關於《春秋》

的認識，無疑是來自董仲舒的。

董仲舒的另一些言論，完全可以證明司馬遷上面轉述的思想確實屬於董仲舒。《漢書・董仲舒傳》記董仲舒的話說：「孔子作《春秋》，先正王而繫萬事，見素王之文焉。」《春秋繁露・俞序》說：「史記十二公之間，皆衰世之事，故門人惑，孔子曰：『吾因其行事而加乎王心焉。』」孔子說他借記事表達他的「王心」。「王心」不是別的，當然就是孔子的王道思想。董仲舒說孔子作《春秋》先正王而繫萬事，見素王之文，可謂深得孔子自己概括出來的「王心」之意。

董仲舒之後，還有一些學者持相同的觀點。《史記・太史公自序》引壺遂的話說：「孔子之時，上無明君，下不得任用，故作《春秋》垂空文以斷禮義，當一王之法。」壺遂以孔子作《春秋》比作司馬遷之作《史記》，司馬遷當即表示不敢當，說把他的《史記》「比之於《春秋》，謬矣」。但他並未說壺遂認爲《春秋》「當一王之法」不對。可見，《春秋》「當一王之法」的觀點，是當時大家公認的。賈逵《春秋序》說：「孔子覽史記，就是非之說，立素王之法。」盧欽《公羊序》說：「孔子自因魯史而修《春秋》，制素王之道。」董仲舒說的「素王之文」，賈逵、盧欽、壺遂說的「素王之法」、「素王之道」、「一王之法」，含義是一致的，無非說孔子以文字爲武器，垂空文以斷禮義，評擊亂賊，警惕後人，行王者之道。

第二、董仲舒對《春秋》用辭有常有變的特點，理解非常深刻，這是他對《春秋》公羊學的又一貢獻。《春秋繁露》的許多篇章都談到這個問題，分析都極透徹。《竹林》篇說：「《春秋》無通辭，從變而移。」這是對《春秋》用辭特點的最爲恰當的概括。《竹林》篇又說：「《春秋》之道，固有常有變，變用於變，常用於常，各止其科，非相妨也。」又進一步發揮了《春秋》無通辭的特點。餘如《精華》篇說：「《春秋》固有常義，又有應變。」《玉英》篇說：「《

春秋》有經禮有變禮」。《楚莊王》篇說：「《春秋》之用辭，已明者去之，未明者著之。」等等，這些言論儘管考慮問題的角度不同，但意思是一貫的。那就是說，用辭多變，不拘一執，是《春秋》的一大特色。這一點，後世治《春秋》的人大多承認。尤其是公羊家更強調《春秋》的這個特點，因爲《春秋》的這個特點對於公羊家的全部理論的創立，至關重要。而這個特點是董仲舒第一個提出，第一個講明白的。

董仲舒對《春秋》的熟悉程度是驚人的。爲了說明自己的觀點，他舉了許多例子，彷彿信手拈來，卻又具有極大的說服力。孟子明明說：「《春秋》無義戰」，而實際上《春秋》對於數百起戰攻侵伐之事必一二書，而且有所謂偏戰、詐戰之分，這是一個矛盾，董仲舒從《春秋》多變的角度把這個問題解釋得很得當。《竹林篇》說：「會盟之事，大者主小，戰伐之事，後者主先。」幾個國家舉行盟會，《春秋》記載時要把大國放到前面。幾個國家發生戰爭，《春秋》記載時畏把先發者列在後頭，使之居下，以示懲誡。《春秋》用這個辦法在不義的戰爭中將交戰各國分出優劣來。至於《春秋》處理戰爭有偏戰、詐戰之分，董仲舒說《春秋》之於偏戰，只是善其偏，而不是善其戰。偏戰「比之詐戰，則謂之義。比之不戰，則謂之不義」，故「戰不如不戰，然而有所謂善戰。不義之中有義，義之中有不義，辭不能及，皆在於指」。董仲舒的這段話頗有點辯證法的味道，比孟子講的「《春秋》無義戰」那句獨斷的話，更靈活，也更符合《春秋》的實際。《春秋》正是如此，用辭機動得很，即使有時無法直接表達出細微的分寸來，只要你仔細玩味它的用心，可以讓你體會出它的含義。

再如，《春秋》宣公十五年書「宋人及楚人平」，依《春秋》常辭，無魯國參與的外平，不書。這裏卻書了。這就是《春秋》的變辭。《春秋》往往運用變辭來把它要表達的義表達出來。「宋人及楚人平」這件事，記的是楚莊王圍宋，宋國易子而食，析骸而爨，楚軍亦只有七日之糧。在這交戰雙方瀕臨絕境的情況下，楚國的司馬子反未經請示，即擅行與宋國媾和。依《春秋》常例，「卿不憂諸侯，政不在大夫」。司馬子反是楚國的大夫而恤宋民，是犯了「卿不憂諸侯」一條。又，當時楚莊王在軍中，他不復君命即與故國媾和，是犯了「政不在大夫」一條。兩條都犯了，孔子竟書進《春秋》給予表彰，這是什麼原故呢？董仲舒解釋說，司馬子反在特殊情況下違背了常禮，做了當仁不讓的事，孔子以變禮書之。董仲舒因此強調說，讀《春秋》不可以「平定之常義」懷疑「變故之大義」。董仲舒的看法是正確的。後世公羊家無不承繼它，發揮《春秋》有常義變義之說。

第三、《春秋》記事在對待魯國自身、周王室和殷後宋國的態度上是有差別的。司馬遷把三種不同的對待概括爲「據魯、親周、故殷」。這個概括是正確的。司馬遷曾向董仲舒學《春秋》，所以這個觀點很可能得之於董仲舒。

什麼是「據魯、親周、故殷」？《史記・孔子世家》說孔子「因史記作《春秋》，上至隱公下迄哀公十四年，十二公。據魯、親周、故殷，運之三代，約其文辭而指博」。《索隱》解釋說：「言夫子修《春秋》以魯爲主，故云據魯。時周雖微，而親周王者以見天下之有宗主也。」《索隱》解釋的很恰當。《春秋》本魯史，理應以記魯事爲主，這叫「據魯」。周是天子之國，有些事情雖與魯無關，例不應書，但因發生於周，孔子也要書進《春秋》，這叫「親周」。宋國乃殷之後，宋國發生的事情，《春秋》也要適當予以書之，這叫「故殷」。「故殷」就是「故宋」。「故宋」與「親周」意義相同，只是周比宋更重要，更親近，故《春秋》記周事詳於宋事。

司馬遷概括出來的這三句話與《公羊傳》的意思如何符節。《公羊傳》宣公十六年說：「成周宣謝災。成周者何？東周也。宣謝者何？宣宮之謝也。何言乎成周宣謝災？樂器藏焉爾。成周宣謝災，何以書？記災也。外災不書，此何以書？新周也。」新、親二字古通用。《公羊傳》之「新周」即《史記》之「親周」。孔廣森《公羊通義》把「新周」之「新」解作新舊之新，說：「周之東遷，本在王城。及敬王避子朝之難，更遷成周。作傳者據時言之，號成周爲新周。猶晉徙於新田謂之新絳，鄭居郭鄶之地，謂之新鄭云爾。」孔說本極荒謬，陳澧《東塾讀書記》卷十卻說：「《公羊》『新周』二字自董生以來將近二千年，至巽軒乃得其解。」一九四三年出版的羅倬漢《史記十二諸侯年表考證》一書更將孔說視爲定論。孔說其實大謬。金景芳早在一九四〇年《春秋釋要》一文中已斷然指出：「親、新古字通用。《公羊》『新周』即《繁露》與《史記》之『親周』也。且就傳文論，說以『親周』則不煩言，而解以爲『新周』，反詰屈難通。孔氏之蔽正坐誤會一『新』字耳。」金說於文於理最爲明通，實與《公羊傳》本義相符。倘依孔說，訓「新」爲新舊之新，將它作爲形容詞與動詞「據」、「故」並列使用，則不僅有悖於《春秋》原義，且在語法上亦屬窒礙。

關於「故宋」，《公羊傳》襄公九年說：「宋火何以書？記災也。外災不書，此何以書？爲王者後記災也。」《穀梁傳》說：「宋災。外災不志，此其志何也？故宋也。」二傳所云相同，「故宋」的「故」肯定是動詞無疑。「新周」與「故宋」，句式當爲一例，都是謂賓結構。若「新」訓爲新舊之「新」，則「新周」將不知所云爲何。

董仲舒對於《公羊傳》之據魯、親周、故宋的說法究竟注意到沒有呢？我看是注意到了的。《春秋繁露・三代改制質文》對這個問題固然講得很混亂，如既言「親周」，又講「存周」、「王魯」，自相矛盾。但是這實不難理解，因爲《春秋繁露》一書經過後人的嚴重竄亂，出些矛盾，實未足奇。若遍檢全書，仔細尋繹，董氏以爲《春秋》「親周」而非「絀周」、「王魯」的觀點，是明晰可見的。如《王道篇》說：「晉文再致天子，皆止不誅，善其牧諸侯，奉獻天子而復周室，《春秋》予之爲伯，誅意不誅辭之謂也。」既說《春秋》肯定晉文有「奉獻天子而復周室」的勳勞，自然不會認爲《春秋》有「絀周」之意。又《奉本篇》說：「齊桓、晉文不尊周室不能霸。」又《王道篇》說：「魯舞八佾，北祭泰山，郊祀天地如天子之爲。」這些言論都表明董仲舒的確不曾認爲《春秋》將周室絀至二王後的地位。

可以肯定地說，《史記・孔子世家》講的《春秋》「據魯、親周、故殷」的原則得之於董仲舒。這一條原則連同上文提及的「內其國而外諸夏，內諸夏而外夷狄」和「所見異辭，所聞異辭，所傳聞異辭」兩條，後來經另一位公羊大家何休概括爲「三科九旨」，成爲兩千年《春秋》公羊學的理論框架。這個框架的奠基人，應當說不是別人，就是董仲舒。

董仲舒《春秋》公羊學的糟粕也不應忽視。他的天人感應說對當代和後世所產生的壞作用，無論怎樣估計都不會過分。他把人世間的變化和自然界的災異通歸諸天意之感應。《王道篇》說：周衰，諸侯背叛，並兼無已，臣下上僭，於是「日爲之食，星隕如雨，雨螽，沙鹿崩，夏大雨水」，「地震，梁山崩，雍河三日不流，慧星見於東方，孛於大辰，鸜鵒來巢」「《春秋》異之，以此見悖亂之徵」。「董氏將他這天人感應的臆說硬加到《春秋》頭上，既給後世的《春秋》公羊學投下了深刻的陰影，也開了漢代政治生活中符瑞、讖緯風的先河。

總之，公羊家的長處和短處都可以在董仲舒那裏找到它的根源。董仲舒作爲漢代第一位負盛名的經學大師，他對於《春秋》公羊學的貢獻，無論如何也應當說是主要的。

【附註】

註　一　均見《史記・太史公自序》。

——原載《天津社會科學》一九八六年一期，頁八八——九一轉頁八三。

《史記》與漢代經學

劉家和

司馬遷的《史記》作於漢武帝時代，正值經學在中國歷史上開始崛起的時期。作爲一部既能在相當程度上反映時代學術水平又能從一定角度上反映時代精神面貌的傑作，《史記》自然會與當時的經學有著頗爲密切的關係。至於這種關係的性質以及具體情況如何，則自班彪、固父子以下，學者的見解實多分歧。如果想詳細地、逐點地討論前人爭論過的具體問題，那在一篇文章中是作不到的。因此，以下可分爲幾個主要問題來作一些討論。

一、關於司馬遷對於經學的基本態度問題

《史記》對於經學所持的態度，是貶抑？還是重視？這是涉及二者之間的關係的性質的問題。

東漢初期，班氏父子在論述司馬遷時，是把他視爲離經叛道者的。班固說他：「又其是非頗繆於聖人。論大道，則先黃老而後六經；序游俠，則退處士而進奸雄；述貨殖，則崇勢利而羞賤貧。此其所蔽也。」（《漢書・司馬遷傳》）班固的說法源出於其父，不過班彪的話說得更重，竟說司馬遷「此其大弊傷道，所以遇極刑之咎也。」（范曄：《後漢書・班彪列傳》）當然，有類似看法的也不止班氏父子。班彪同時代人博士范升曾向光武帝「謹奏左氏之失凡十四事。時難者以太史公多引左氏，升又上太史公違戾五經、謬孔子言及左氏《春秋》不可錄三十一事。」范升所說具體內容已不可知，而其對手陳元

上書光武帝說：「臣元竊見博士范升等所議奏左氏《春秋》不可立及太史公違戾，凡四十五事。按升等所言前後相違，皆斷截小文，媟黷微辭。以年數小差，掇爲巨謬；遺脫纖微，指爲大尤。抉瑕擿衅，掩其弘美。所謂小辯破言，小言破道者也。」（見《後漢書・鄭范陳賈張列傳》）不論范陳二人爭論的是非如何，有一點可以肯定：在東漢初年，司馬遷《史記》是否離經叛道，這已是學者爭論的問題了。

對於班氏父子的說法，宋代的沈括、晁公武皆有辯難；而清人梁玉繩的辯駁尤爲針鋒相對。梁氏說：「夫史公考信必於六藝，造次必衷仲尼，是以孔子儕之世家，老子置之列傳。尊孔子曰至聖，評老子曰隱君子，六家要指之論歸重黃老，乃司馬談所作，非子長之言；不然，胡以次李耳在管晏下，而窮其弊於申韓乎？固非先黃老而後六經矣。《游俠傳》首云以武干禁，又云行不軌於正義，而稱季次、原憲爲獨行君子。蓋見漢初公卿以武力致貴，儒術未重，舉世任俠干禁，嘆時政之缺失，使若輩無所取材也。豈退處士而進奸雄者哉？貨殖與平準相表裏，敘海內土俗物產，孟堅《地理志》所本。且掘冢、博戰、賣漿、胃脯，並列其中，鄙薄之甚。三代貧富不甚相遠，自井田廢而稼穡輕，貧富懸絕，漢不能挽移，故以諷焉。其感慨處乃有激言之，識者讀其書因悲其遇，安得斥爲崇勢利而羞貧賤耶？況孟堅於史公舊文未嘗有所增易，不退處士，不羞賤貧，所以不立《逸民傳》？又何以仍傳游俠、貨殖？」（《史記志疑》，卷三十六）梁氏詞鋒之利，可以使班氏語塞。不過，梁氏所說三條本身仍有待於分析。

第一、「考信必於六藝」（語出《伯夷列傳》），「造次必衷於仲尼」（語出《孔子世家・贊》），這都是司馬遷自己的話。司馬遷作《史記》，基本上也實踐了自己的話。考信於六藝，這是他在選擇與解釋歷史材料時的一個標準；折衷於仲尼，這是他在說明歷史進程時的一個標準。當然，他在考信於六藝時，對六藝本身即有自己的理解；他在折衷於仲尼時，對孔子本人也是有他自己的理解的。關於這一層意思，以下將有兩節作專門的討論。這裏只想說明，班氏簡單地說司馬遷不推崇孔子、不重視經學，是不對的；同樣，梁氏簡單地駁斥班氏，也難以使認識深入一步。因此有進一步具體分析的必要。

第二、司馬遷作《游俠列傳》，對於能救人之急而不自矜的游俠與設財役貧、侵凌孤弱的豪强作了區別，對游俠頗有稱讚與同情。（《自序》說，游俠，「仁者有采」，「義者有取焉」。）在他的眼中，游俠比「以術取宰相卿大夫」的儒生還要高尚一些。司馬遷反對公孫弘之類的儒生，這是無疑問的。但這也並不證明他就完全反對儒學本身。

第三、司馬遷在《貨殖列傳》中對「賢人所以富者」是取肯定態度的，而且說過「富者人之情性，所不學而俱欲者也」這樣的話。梁氏爲他的辯護是無力的。不過，班氏父子把這也說成司馬遷是非謬於聖人的罪行之一，那也是不對的。孔子本人曾說：「富而可求也，雖執鞭之士，吾亦爲之；如不可求，從吾所好。」（《論語·述而》）又「子適衞，冉有僕？子曰：『庶矣哉。』冉有曰：『既庶矣，又何加焉？』曰：『富之。』曰：『既富矣，又何加焉？』曰：『教之。』」（《論語·子路》）可見，儒者對自己的標準是：可以發財、求富，但不能取不義之財；對於一般人民的標準是：先富之，再教之，富先於教。孟子見梁惠王，聽到的第一句問話就是：「亦將有利於吾國乎？」於是他對梁惠王說：「王何必曰利？亦有仁義而已矣！」理由是，恐怕王帶頭言利，弄得「上下交征利，而國危矣。」（《孟子·梁惠王上》）可是也正是孟子，他多次談到「制民之產」的問題，認爲只有使人民富足起來，然後才可能興禮樂教化。他遵循的仍是孔子的思想。司馬遷的《貨殖列傳》表彰了編戶之民經營農牧工商而致富者，贊成「倉廩實而知禮節，衣食足而知榮辱」的說法，這是他的主張的一面；還有另一面見於《平準書》中，在那裏他表彰慷慨輸財的卜式而貶斥專門與民爭利的桑弘羊之流，此篇之末說到元封元年小旱，武帝下令官兵求雨，「卜式言曰：縣官當食租衣稅而已，今弘羊令吏坐市列肆，販物求利。烹弘羊，天乃雨。」所以司馬遷主張的也是：在上者不應與民爭利以至損民以自利，而人民則必富而後始可言禮義。這基本上與孔孟的主張是一致的，說不上是離經叛道。

從以上三點分析來看，司馬遷與其父談在學術見解上的確有所變異，即從尊黃老之說轉而尊儒。現在再就太史公父子見解轉變的背景與條件作一個簡要的說明如下：

漢高帝居馬上得天下，一向輕儒。不過他很想從秦之速亡吸取經驗教訓，所以陸賈向他陳述儒家仁義之理的重要性以後，他對孔子和儒生表示了一定的尊重。（見《史記・陸賈列傳》）但是要漢高帝眞懂得什麼是儒學那是很困難的，他看了叔孫通爲了尊顯皇帝威嚴而創立的朝儀，心裏很舒服地說：「吾能爲此」（見《史記・叔孫通列傳》）。這也就是他據自己的文化水平所能體會到的儒者的用處。當然還有一個原因，即漢初經大亂之後，經濟凋敝，百廢待興，統治者一時也無暇顧及儒家的六藝之學。

漢高帝以後直到文景時期，漢統治者採用了黃老之道。黃老之道主清靜無爲，這既適應於當時經濟狀況和與民休息的需要，又簡易而便於爲統治者（如惠帝、呂后、文帝、周勃、灌嬰、竇太后、景帝、周亞夫等）所奉行。

到漢武帝時，情況發生了很大的變化。從經濟情況來看，漢初「自天子不能具鈞駟，而將相或乘牛車，齊民無蓋藏」，「至今上（武帝）即位數歲，漢興七十餘年之間，國家無事，非遇水旱之災，民則人給家足；都鄙廩庾皆滿，而府庫餘貨財。京師之錢累巨萬，貫朽而不校；太倉之粟，陳陳相因，充溢露積於外，至腐敗不可食。……」

（《史記・平準書》）清靜無爲的黃老之道使漢初社會與國家由貧而富，但同時有另一方面的後果，即「當此之時，網疏而民富，役財驕溢，或至兼併；豪黨之徒，以武斷於鄉曲。宗室有王公卿大夫以下，爭於奢侈，室廬輿服，僭於上，無限度。」（《平準書》）於是在黃老之道的推行過程中就準備了否定它自身的條件。

其實，在黃老與法術之間，本來就有著某種內在聯繫。司馬遷在《老子韓非列傳》中以老、莊、申、韓並列，最後又指出：「申子卑卑，施之於名實；韓子引繩墨，切事情，明是非，其極慘礉少恩，皆原於道德之意。」這正道出了二者之間的思想上的聯繫。試看《韓非子・主道》篇，不難發現，人君的「虛靜」、「無事」完全是一種「執其契」、「操其符」的南面君人之術；人君的無爲原來就是建立在臣下有爲的基礎之上。因此，毫不足奇的是，漢景帝在奉行黃老之道的同時，不僅曾經重用「學申、商刑名」、「爲人陗直刻深」的晁錯（見《史記・袁盎晁錯列傳》），而且也用郅都這樣的酷吏來對付豪強、貴族。《史記・酷吏列傳》就是從晁錯、郅都開始寫起的。到漢武帝時期，酷吏就更多了。司馬遷對於酷吏中具體的人的邪正污廉，給予了不同的具體評價；但是他更擔心的是酷吏將帶來吏治的敗壞以至造成政治危機。他說：「法令者，治之具，而非制治清濁之源也。昔天下之網嘗密矣，然奸僞萌起，其極也上下相遁，至於不振」。這是講的秦代的歷史教訓，賈誼早已作過透徹的分析了。司馬遷對賈誼的《過秦論》是銘記在心的，他自己又親眼看到：「自溫舒等以惡爲治，而郡守、都尉、諸侯二千石欲爲治者，其治大抵盡放溫舒，而吏民益經犯法，盜賊滋起。……於是作『沈命法』，曰：『群盜起，不發覺，發覺而捕弗滿品者，二千石以下至小吏，主者皆死』。而後小吏畏誅，雖有盜不敢發，恐不能得，坐課累府。府亦使其不言。故盜賊寖多，上下相爲匿，以文辭避法焉。」（見《酷吏列傳》）這當然是一種使他憂慮的危險朕兆。

司馬談主要生活於文景時期，所見的主要也是黃老之道的積極的一方面，因而推崇黃老，這是很自然的。司馬遷則生活於武帝時期，看到了黃老之道所生的反面效果，因而改變了父親的主張，這也是很自然的。

司馬遷轉而崇儒，也與思想受了董仲舒的影響有關。至於他與董仲舒這樣的經師的不同，以下將有所論述。

二、《史記》引經主要為今文或古文問題

司馬遷是一位偉大的史學家，他的崇儒首先表現在他的史學實踐上。這就是上文所說的「考信於六藝」與「折衷於仲尼」。因爲漢代經學有今古文學之分，司馬遷的考信與折衷所依據的是今文說或古文說，就成爲學者們長期討論的一個問題。這一節先討論司馬遷在考信於六藝方面的經學傾向問題。

這一問題的提出，始於漢代的班固，而爭論最盛則在經學甚盛的有清一代。這裏先簡略地介紹一下前人的爭論，然後再談個人的見解。

《尙書》是司馬遷編撰《史記》時所依據的最重要的材料之一，而他所用的《尙書》是今文還古文的問題，學者爭論也最多。班固說：「孔氏有古文《尙書》，孔安國以今文讀之，因以起其家。……而司馬遷亦從孔安國問故。遷書載《堯典》、《禹貢》、《洪範》、《微子》、《金滕》諸篇，多古文說。」（《漢書・儒林傳》）

對於班固的說法，清代學者的見解不一。臧琳認爲：「《史記》載《尙書》今文爲多，間存古文義。其訓詁多用《爾雅》，馬融注及《僞孔傳》往往本之。」他以《堯典》爲例，一條條地證明《史記》所引《尙書》的文字爲今文而非古文。（《經義雜記・五帝本紀書說

》條，載《皇清經解》卷二〇二）段玉裁進一步對《尙書》（不包括僞古文）通篇地作了今古文字的辨析。他認爲：「馬班之書皆用歐陽、夏侯字句，馬氏偶有古文說而已。」並稱「玉裁此書，詳於字而略於說。」（《古文尙書撰異》，引文見此書序。載《皇清經解》卷五六七）班氏以爲《史記》引《尙書》「多古文說」，而臧、段二氏只認爲「間存」或「偶有」古文說，所以見解顯然不同。孫星衍作《尙書今古文注疏》，不滿於段氏「僅分別今古文字」（按段氏實際不僅分別今古文字，也有辨今古文說處，不過詳字略說而已），而著意分別《尙書》今古文說。他以爲：「司馬氏遷從孔氏安國問故，是古文說。」（引文見《尙書今古文注疏》序及凡例，載《皇清經解》卷七二五）陳壽祺，喬樅父子致力於經今古文說之辨，於今文經說用功尤勤。陳壽祺一方面很讚賞段玉裁的《史記》引《尙書》文字依今文之說，另一方面又指出，《史記》引《尙書》「實有兼用古文者」。不僅於此，他還指出，「今文《尙書》中有古文。」爲什麼會這樣呢？他解釋說：「司馬子長時，《書》唯有歐陽，大小夏侯未立學官。然則《史記》所據《尙書》，乃歐陽本也。」至於今文《尙書》中有古文，他以爲伏生所傳今文《書》中宜即兼有古文文字。（《左海經辨》中《今文尙書中有古文》、《史記用今文尙書》、《史記採尙書兼古文》等條。載《皇清經解》卷一二五一）其子喬樅以爲：「按遷嘗從孔安國問《尙書》，孔氏家世傳業，安國、延年皆以治《尙書》爲武帝博士。安國得壁中書後，始治古文，先實通今文《尙書》。則遷之兼習古今文，從可知矣。」（《今文尙書經說考・今文尙書敍錄》，載《皇清經解續編》卷一〇七九）總之，臧琳、段玉裁以爲《史記》用今文而間存古文說，陳壽祺、喬樅父子基本同意此說，又指出《史記》亦間有引古文文字處。他們立論皆有證據，是可信的。唯孫星衍據司馬遷問故於孔安國而斷言《史記》爲古文說，失之武斷，不能成立。

《詩經》是《史記》的另一重要文獻依據。那麼，《史記》所引《詩經》是今文還是古文呢？陳壽祺說：「兩漢毛《詩》未列於學。凡馬、班、范三史所載，及漢百家著述所引，皆魯、齊、韓《詩》。」（《三家詩遺說考自序》）這就是說，司馬遷所引爲今文《詩》。陳喬樅繼承父業，完成《三家詩遺說考》。他認爲：「孔安國從申公受《詩》爲博士，至臨淮太守。見《史記・儒林傳》。太史公嘗從孔安國問業，所習當爲魯《詩》」。（《三家詩遺說考・魯詩遺說考自序》。上引陳氏父子文均載《皇清經解續編》卷一一一八）這就又把《史記》所引定爲今文家之魯《詩》。皮錫瑞說：「今文三家《詩》、公羊《春秋》，聖人皆無父感天而生，爲一義。古文毛《詩》、《左氏》，聖人皆有父不感天而生，爲一義。……當時（西漢）毛《詩》未出，所謂詳言即三家《詩》所謂傳記，即《五帝德》、《帝繫姓》之類，太史公據之作《三代世表》，自云「不離古文者近是」。是以稷、契有父，皆黃帝子，乃古文說。故與毛《詩》、《左氏》合，與三家《詩》、公羊《春秋》不合。太史公作《殷、周本紀》，用三家今文說，以爲簡狄呑玄鳥卵，姜嫄踐巨人跡；而兼用古文說云：殷契母曰簡狄，有娀氏之女，爲帝嚳次妃；后稷母有邰氏女，曰姜嫄，爲帝嚳元妃。是亦合今古文義而兩言之。」（《經學通論・詩經・論詩齊、魯、韓說，聖人皆無父，感天而生；太史公、褚先生、鄭君以爲有父、又感天，乃調停之說》條）這就又是說《史記》雜採古今了。

至於《春秋》以及與之有關的三傳，自然也是《史記》所引據的重要文獻。不過，司馬遷所引是今文或古文的問題，前人未作具體討論。如有討論，那麼肯定也會有分歧意見，而且也會有認爲他雜採今古的說法的。

現在開始談談個人的看法。我認為，《史記》引用經書的文字和所取的解說為今文或古文的問題，其本身是很複雜的。為了解決這種複雜的問題，前人設立了一些劃分今古文的標準。這些標準是有價值的，但是又不能被絕對化。例如，前人根據司馬遷曾從孔安國問故這一事實，便設立了《史記》引《書》為古文說（如班固、孫星衍）或兼今古文說（如陳喬樅）的標準，設立了引《詩》為今文魯《詩》的標準（如陳喬樅）。這種標準的價值在於，它提出了一種可能的條件。可是，只有這一條件顯然是不夠的。實際上當前人在應用這一標準時還有一個在他們看來是不言而喻的條件，即漢儒守師說、重家法。而這一點也恰恰需要具體分析。漢初伏生傳《尚書》，有弟子歐陽生、張生，張生又傳夏侯氏。武帝時，歐陽《尚書》立博士。至宣帝時，大夏侯（勝）、小夏侯（建）《尚書》又立博士。夏侯勝受業於族父夏侯始昌，又問於歐陽氏；夏侯建受業於族父夏侯勝，又從師於歐陽氏。結果大小夏侯又分為二家。（見《漢書・儒林傳》又《漢書・眭兩夏侯京翼李傳》）如果漢儒眞的嚴守師說，怎麼會有這許多分分合合？學術流派的分合，本是學術發展過程中的正常現象。試看《漢書・儒林傳》，因「改師法」而未能補博士缺的，亦僅孟喜一人而已。可是孟喜的弟子以後還當上了博士。可見孟喜未被重用實際與其個人人品不佳有關。那麼漢儒為什麼高談師法呢？看來不過是為了標榜自己是「眞正老王麻子」，以便獨取官祿罷了。司馬遷時代的經師都沒有眞正嚴守師法（如他們自我標榜的那樣），司馬遷並非經師，也無意補博士缺，當然更無嚴守一家師法之必要。所以，他從師問學，自然會受到影響，我們所能確定的僅僅是這種可能性，而得不出他嚴守師法的結論。又例如，從司馬遷時《書》唯有歐陽立於學官這一事實出發，陳壽祺便得出他引《尚書》為歐陽本的標準。但是這個標準也不能絕對化。司馬遷時，諸經立於學官者皆為今文。因此，他考信於六藝時候，自然有採用今文的較大的可能性。不過，也不能說，除今文經與經說以外，當時就沒有先秦古文典籍與傳說的存在。所以，連陳壽祺本人也認爲《史記》採《尙書》兼今古文。他說：「遷非經生，而好釣奇，，故雜臚古今，不肯專守一家。《魯周公世家》載《金滕》，其前周公奔楚事乃古文家說，其後成王改葬周公事爲今文說，此其明證矣。」（《左海經辨・史記採尙書兼今古文》）

其實，只要對《史記》的引經略作具體分析，我們就不難發現，司馬遷既未墨守於當時已立於學官的經和經說，又未嚴守任何師法。例略如下：

⑴《五帝本紀》引《尙書・堯典》，基本爲今文經。但是司馬遷既不滿於「《尙書》獨載堯以來」，又不滿於「百家言黃帝，其言不雅馴」；於是他引用了「儒者或不傳」的「孔子所傳宰予問《五帝德》及《帝繫姓》」，並說「總之不離古文者近是」。如果株守《今文尙書》，那就不可能寫《五帝本紀》。《五帝德》、《帝繫姓》（此二篇先秦古文資料在司馬遷死後又被收入《大戴禮記》中）保存了黃帝以下的世系傳說。此篇還引了《左傳》，亦屬於古文。

⑵《夏本紀》引《尙書》之《禹貢》、《皐陶謨》、《甘誓》，基本皆爲今文經。但是也引用了《帝繫姓》、《五帝德》的文字。

⑶《殷本紀》引《尙書》之《湯誓》、《高宗肜日》、《西伯戡黎》，基本皆爲今文經並用《尙書大傳》說，但又引《逸周書・克殷解》；引《詩・商頌・玄鳥》，承認「天命玄鳥」之說，但又取契有父（帝嚳）說。

⑷《周本紀》引《尙書》之《牧誓》、《呂刑》，《泰誓》皆爲今文經並取《尙書大傳》說，但是又博採《逸周書》之《克殷解》、《度邑解》以及《國語》、《左傳》；引《詩・大雅・生民》，承認棄母履大人跡說，又言棄有父。

(5)《三代世表》主要據《五帝德》、《帝繫姓》，兼取《尚書》。在當時流傳的一部分古文資料中，「黃帝以來皆有年數，稽其曆譜諜終始五德之傳，古文咸不同乖異。」他對不可信的古文並不迷信。

(6)《十二諸侯年表》主要據《春秋曆譜諜》和《左氏春秋》、《國語》。他在此篇序中首次承認《左傳》爲解《春秋》之書。

(7)《魯周公世家》引《尚書》之《金縢》，兼取今古文說，引《費誓》基本爲今文，但又大量引據《左傳》、《國語》。

(8)《宋微子世家》引《尚書》之《微子》、《洪範》，基本皆爲今文經，以爲正考父作《商頌》以美宋襄公亦爲今文韓《詩》說；但此篇亦大量引據《左傳》。他說：「襄公既敗於泓，而君子或以爲多，傷中國缺禮義，褒之也。宋襄之有禮義也。」所用既是今文韓《詩》說，又是今文《公羊傳》說。可是他記宋襄公泓之戰的歷史，完全依據《左傳》，筆下至少毫無褒意。

通過上述例證，我們還可以看出，司馬遷兼採今古文非出於簡單的釣奇的愛好。因爲，一則，司馬遷引經並非從主觀上願意或不願意引某書出發，而是首先要看能說明某一時代歷史的究竟是些什麼文獻。黃帝以下至堯以前，他不得不用古文的《五帝德》、《帝繫姓》，春秋時期，他又不得不主要據《左傳》、《國語》。這就是說，他引書有無法選擇的一面。二則，當今古文資料並存時，他又非從釣奇或師法出發。他對於「近是」的古文，取之，甚至作《仲尼弟子列傳》時也採用了孔氏古文的弟子籍；而對於「乖異」的古文，則不取之。他的確重視《今文尚書》，但是《殷本紀》中竟然未引《盤庚》，《周本紀》中竟然未引周初諸誥。他爲什麼不引用這些極爲寶貴而重要的材料？看來因爲這些篇《尚書》太難懂，當時今文經師未能解釋通，甚至解釋有「乖異」，（段玉裁即曾指出漢代《尚書》今文說有「乖異」處，見《古文尚書撰異》）處。總之，在有選擇餘地時，不論古文或今文，凡其說乖異者，他皆不選。三則，他既兼引今古文，在一定條件下，也就不得不兼容並包，信以傳信，疑以傳疑。例如，他既從今文韓詩說，以爲契、稷皆感天而生，又從古文《帝繫姓》說，以爲此二人皆有父。這看來是留下了矛盾，實際是並存了古代的兩種傳說。古代有生於圖騰說或感天神而生說，同時古人又有重血緣而明譜系的傳統。儘管兩種說法都很不可靠，但兩種說法反映的古代傳統本身則是眞實的。試看《新約聖經》，第一章《馬太福音》一開頭就開列著耶穌的家譜，從亞伯拉罕直到耶穌母親的丈夫約瑟，共四十二代；同時又說明耶穌之母馬利亞是童貞女，從上帝聖靈而孕育了耶穌。兼存古代傳說，並非《史記》或其他中國古史所特有。

如果用司馬遷自己的話來概括他引書兼容並包的方法，那就是：「厥協六經異傳，整齊百家雜語」（《太史公自序》）。這是否說明司馬遷引書是雜家式的？不是。他引六經時協其異傳，整齊百家雜語時「考信於六藝」。這就說明也是「折衷於仲尼」的。但是他又有自己的特色；一則，與當時株守一經及一家之說而拒斥他說的陋儒不同，司馬遷對儒家諸經之間的態度是開放的；二則，與董仲舒的罷黜百家、獨尊儒術的態度不同，司馬遷主張兼容百家，只不過以儒家的六經爲最高標準來整齊百家，所以對百家的態度也是開放的。

三、司馬遷與董仲舒今文經學在思想上的異同

以上談了《史記》在引據和解釋典籍的層次上與當時經學的關係。現在再就學術觀點的層次談談《史記》與當時經學的關係。那麼，當時經學主要研討的是什麼問題呢？漢武帝在策問董仲舒時說：「蓋聞善言天者，必有徵於人；善言古者，必有驗於今。故朕垂問乎天人之應，上嘉唐虞，下悼桀紂，寖微、寖災、寖明、寖昌之道。」（《漢書・董仲舒傳》）漢武帝提出的問題，出於漢統治者從理論上總結

歷史經驗以鞏固其統治的需要；而他所提出的，也正是當時在理論上尙未解決的問題，即天人之際與古今之變兩個問題。現在分別討論如下。

第一，關於古今之變的問題，也就是人類歷史如何演變的問題。

在漢代經學興起以前，這個問題就已經提出好久了。孔子說：「殷因於夏禮，所損益可知也；周因於殷禮，所損益可知也。其或繼周者，雖百世可知也。」（《論語・爲政》）這就是說，當前一朝的治變爲亂的時候，下一朝就要加以損益或變革以求治；當下一朝的治再轉爲亂的時候，更下一朝又要加以損益以求治。如此在因循與損益過程中一治一亂地走下去，這大概就是孔子自以爲百世可知的歷史演變方式了。孟子說：「天下之生久矣，一治一亂。」（《孟子・滕文公下》）看來這是他對孔子說法的概括，也是他自已對歷史演變方式的看法。不過，孟子又加了一條：「五百年必有王者興。」（《孟子・公孫丑下》）這樣就多了一個五百年一回轉的具有神秘色彩的圈子。孟子以後，鄒（騶）衍「稱引天地剖判以來，五德轉移，治各有宜，而符應若茲。」（《史記・孟子荀卿列傳》）鄒衍書已不傳，其說略見於《呂氏春秋・有始覽・應同》。這就是，「黃帝之時，天先見大螾大螻。黃帝曰：土氣勝。土氣勝，故其色尙黃，其事則土。及禹之時，天先見草木秋冬不殺。禹曰：木氣勝。木氣勝，故其色尙青，其事則木。及湯之時，天先見金刃生於水。湯曰：金氣勝。金氣勝，故其色尙白，其事則金。及文王之時，天先見火，赤鳥銜丹書集於周社。文王曰：火氣勝。火氣勝，故其色尙赤，其事則火。代火者必將水，天且先見水氣勝。故其色尙黑，其事則水。水氣至而不知，數備將徙於土。」這種說法比孟子的「一治一亂」和「五百年必有王者興」更系統化、更神秘化了。鄒衍五德終始說中有著一種戰國時期的以力取勝與除舊布新的精神，所以採用了以木克土、金克木、火克金、水克火、土克水的相代嬗的演變方式，但總的體系仍是一個圈子。五行相勝說在秦漢時期曾經盛行。秦始皇正式宣布秦為水德以代周。（《史記・秦始皇本紀》）漢文帝時即有人提議至武帝時（太初元年）正式宣布漢為土德以代秦。（《史記・封禪書》）

以董仲舒為代表的今文經學家對於歷史演變的解釋，雖然受到五行相勝說的某種影響，但實際上是與之不同的。董氏在回答漢武帝策問道是否有變化時說：「道者，萬世無弊。弊者，道之失也。先王之道必有偏而不起之處，故政有眊而不行。舉其偏者以補其弊而已矣。三王之道所祖不同，非其相反，將以救溢扶衰，所遭之變然也。故孔子曰：『無為而治者其舜乎。』改正朔，易服色，以順天命而已，其餘盡循堯道，何更為哉？故王者有改制之名，無變道之實。然夏上忠、殷上敬、周上文者，所繼之救當用此也。孔子曰：『殷因於夏禮，所損益可知也；周因於殷禮，所損益可知也。其或繼周者，雖百世可知也。』此言百王之用，以此三者矣。夏因於虞，而獨不言所損益者，其道如一，而所上同也。道之大原出於天，天不變，道亦不變。是以禹繼舜，舜繼堯，三聖相受，而守一道，無救弊之政也。故不言所損益也。由是觀之，繼治世者其道同，繼亂世者其道變。今漢繼大亂之後，若宜少損周之文致，用夏之忠者」。（《漢書・董仲舒傳》）這一段話有三層意思：一則，天不變，道不變，故歷史實無變；所謂變，只是舉偏補弊，把偏離於道之弊糾正並返回於道上來。二則，既是救弊，便沒有五行相勝說的前後相反。三則，把孔子三代因循損益之說神化為教條，認為一切歷史的變都不會超出三代的圈子；於是五行的圈子為三代的圈子所代替。

為了神化其事，董仲舒又把他的三代圈子展開為三統說或三正說。他說：「三正以黑統初，正日月朔於營室，斗建寅。天統氣始通化物，物見萌達，其色黑。」「正白統者，曆正日月朔於虛，斗建丑。

天統氣始蛻化物，物始芽，其色白。」「正赤統者，曆正日月朔於牽牛，斗建子。天統氣始施化物之始動，其色赤。」他認爲，夏爲黑統，以正月（建寅）爲歲首；殷爲白統，以十二月（建丑）爲歲首；周爲赤統，以十一月（建子）爲歲首。十一月（冬至所在月）陽氣在地下開始萌動，植物的根株是紅色的；十二月，植物在地下萌芽，其色白；正月，植物芽始出地面，其色黑。這樣他就給夏殷周三代的三正、三統、三色找出了似爲科學而實爲神學的理論根據。（註一）他還構造出一個大的推衍體系。例如，周以本代及前二代夏殷爲三代，以三代前自黃帝至舜的五朝爲五帝，以黃帝以前的神農氏爲九皇。那麼，代周者，將以自身及前二代殷、周爲三代，黜夏爲五帝之一，再上黜黃帝爲九皇，如此等等。（見《春秋繁露・三代改制質文》）由此又可看出，董氏三統說與鄒氏五行說還有兩個重要差別：第一，董氏三統、三正之變，只是同一個道在不同階段的展現形式之不同（具體化爲同一植物根芽在不同階段的顏色不同），不是一物爲另一物所代替。第二，董氏三統說中，沒有以十月（建亥）爲歲首的一統；這樣他就把以十月爲歲首的秦代排除在正統之外。以後劉歆作《世經》，就正式把秦當作閏統。儒家經學的正統說容納不了反儒的秦王朝，這與五行說承認秦占一德，漢繼秦爲土德不同。以後劉歆《世經》中又以周爲木德，木能生火，漢繼周爲火德。（《漢書・律曆志下》）這就是繼承了董仲舒不予秦爲正統的方法。

司馬遷在解釋歷史演變時，既沒有引用五行相勝說，又沒有引用三統、三正說；大概因爲它們都神秘化而遠於人事。但是也引用了董仲舒的說法。例如，「太史公曰：夏之政忠。忠之敝，小人以野，故殷人承之以敬。敬之敝，小人以鬼，故周人承之以文。文之敝，小人以僿，故救僿莫若以忠。三王之道若循環，終而復始。周秦之間，可謂文敝矣。秦政不改，反酷刑法，豈不繆乎？故漢興，承敝易變，使人不倦，得天統矣。」（《史記・高帝本紀・贊》）這裏既承認夏、殷、周三代忠、敬、文三種政教的承敝易變的關係，又把秦置於三王之道以外加以批評，顯然受了董仲舒經學的影響。但是，司馬遷說：「秦取天下多暴，然世異變，成功大。《傳》曰：『法後王。』何也？以其近己，而俗變相類，議卑而易行也。學者牽於所聞，見秦在位日淺，不察其終始，因舉而笑之，不敢道。此與以耳食無異，悲夫。」（《史記・六國年表・序》）秦取天下多暴，是事實；其成功大，也是事實。漢基本上繼承了秦制，這就是法後王。這仍然是事實。怎能拋開這些事實對秦採取「舉而笑之不敢道」的態度呢？司馬遷把這種對秦的態度嘲笑爲「與以耳食無異」，應該說這就是對於不予秦爲正統的學者（當然首先是董仲舒）的不指名的批評。這是司馬遷不同於董仲舒者之一。又如，司馬遷在比較三代諸侯與高祖功臣侯者異同時指出，同是諸侯，三代諸侯那麼多，歷時又那麼長久，而漢初受封的功臣侯者百餘人，僅經百年，至武帝太初時僅剩下五個，「餘皆坐法隕命亡國，秏矣。」於是他深有感慨地說：「居今之世，志古之道，所以自鏡也。未必盡同。帝王者各殊禮而異務。要以成功爲統紀，豈可緄乎？」（《史記・高祖功臣侯者年表・序》）這就是說，由於時移世異，古今情況已有很大不同；所以用古作爲鏡子照照還是有益的，要求今就像古一樣那就是不可能的。因此，司馬遷說漢代用夏之忠，那只是說以之爲借鑒，而決非漢代又回到了夏的情況。在這裏，司馬遷是司馬遷、董仲舒是董仲舒，「豈可緄乎？」這是司馬遷不同於董仲舒者之二。總之，司馬遷看歷史的演變，從事實而不是從經學或五行說公式出發，同意歷史的演變有某種循環的特徵，而並不認爲客觀的歷史眞的就是在封閉的圓圈中循環的。

第二，關於天人之際的問題。在古代，不少思想家都用天人關係來解釋人世間的盛衰與禍福，有時候還用這種關係來解釋歷史演變的原因。

在儒家典籍中，是有以天人關係解釋歷史演變的傳統的。在《尙書》中，王朝的更替往往被說成爲「皇天上帝，改厥元子」。（《尙書・召誥》）天爲什麼會改換「元子」（即天子）呢？這是爲了把這個天子的地位從無德者的手中奪回來，轉交給有德者的手中。夏代先王曾經有德，所以得了天命即王位；夏代末王失去了德，天就命令有德者商湯革了夏代的命。商湯以有德得天命，至其末王又失去了德，於是天又命令周文王、武王革了商代的命。《尙書・周書》中有許多篇都反復講這個道理。周統治者意識到天命是會轉移的，因而也是不易把握的。怎樣才能知道天命的動向呢？「天棐忱辭，其考我民。」（《尙書・大誥》）看看民心就知道天命的動向了。《孟子・萬章上》引眞古文《尙書・泰誓》說：「天視自我民視，天聽自我民聽。」說的也就是這個意思。所以，在《尙書・周書》中，把天看作能賞善罰惡的主宰者或上帝，這個認識的水平並不算太高；可是，把天命看作民心的反映，這種認識中就已經具有水平甚高的理性因素了。

孟子對《尙書》中的上述思想作了進一步的發揮。萬章問孟子說，堯把天下傳給了舜，有此事嗎？孟子回答說，天子不能拿天下給別人，舜得天下是天給的。怎見得是天給的呢？堯在位時用舜作副手，這就是薦舜於天。舜祭祀，神接受，舜辦事，「百姓安之」。這就是「天與之，人與之」。堯死以後，人民擁護舜而不擁護堯的兒子。這樣就是天把天下給予舜了。萬章又問，有人說，禹的德行就不行了，天下不傳賢而傳子，對嗎？孟子回答說，不對。「天與賢則與賢，天與子則與子。」因爲禹也曾薦益於天，可是禹死後，人民不擁護益，而擁護禹的兒子啓。所以啓得天下也是天給予的。益爲什麼不能得到人民擁護呢？孟子說，舜做過堯的副手二十八年，禹做過舜的副手十七年，「施澤於民久」，而堯、舜的兒子又都不肖，所以舜、禹能得人民擁護；而益只做過禹的副手七年，「施澤於民未久」，禹的兒子啓又賢能，所以益得不到人民的擁護，先前的國君的兒子賢或不肖，被薦者作副手的時間長短，這都不是人力所能決定的。「莫之爲而爲者，天也；莫之致而至者，命也。」所以傳賢或傳子都決定於天、於命。（見《孟子・萬章上》）這樣，孟子就又給天加上了一種偶然性的解釋。不過，就連這些偶然性，最終也要由人民的擁護這一決定因素來實現。所以，在孟子看來，天命和民心是一致的；他以天命解釋歷史的演變，實際即是以人心向背來解釋歷史的演變。

鄒衍的陰陽五行說，講的也是天人關係問題。他的五行相勝說，是以木克土、金克木、火克金、水克火、土克水的形式表示一種不依人的意志爲轉移而人只能適應它的天命。他的五行相生說，是講「禨祥度制」（《孟子荀卿列傳》）。因而「大祥而眾忌諱，使人拘而多所畏」（《太史公自序》）的，其說大體可見於《呂氏春秋・十二紀》或《禮記・月令》中。這種思想產生的背景大概是，戰國社會劇變而爭戰酷烈，舊體制的破壞勢成命定，不以人的意志爲轉移了。秦始皇正式宣布秦得水德，「剛毅戾深，事皆決於法，刻削毋仁恩和義，然後合五德之數」。（《史記・秦始皇本紀》）看來他是在自覺地適應以水克火的天命，而不再顧忌人心了。實際上他也是認爲人心不足畏的。

漢代秦以後，儒家講天人關係，大體分爲兩支：《今文尚書》家講《洪範》主要以五行說災祥；而陸賈、賈誼等則又注意以人心解釋天命，因爲他們在總結秦亡的經驗時重新認識到了人心的重要性。到了董仲舒的手裏，二者又合而爲一。他的《春秋》公羊說，既以人心解釋天命，又以五行相生、相勝說來講災祥。他對漢武帝說：「臣謹按《春秋》之中，視前世已行之事，以觀天人相與之際，甚可畏也。國家將有失道之敗，而天乃先出災害以譴告之。不知自省，又出怪異以警懼之。尙不知變，傷敗乃至。以此見天心之仁愛人君，而欲止其亂也。自非大無道之世者，天盡欲扶持而全安之，事在强勉而已矣。」「故治亂廢興在於己，非天降命不可得反，其所操持悖謬，失其統也。臣聞天之所大奉使之王者，必有非人力所能致而自至者，此受命之符也。天下之人同心歸之，若歸父母，故天瑞應誠而至。」「《詩》云：『宜民宜人，受祿于天』。爲政而宜於民者，固當受祿於天。」（《漢書・董仲舒傳》）董仲舒把天說成人格化的上帝，上帝是愛護人君的，會對人君給以警告以至獎懲，而最後獎懲的標準還在於人君是否能得民心。這實際是把孟子的說法作了宗教神學化的加工，本質上還是儒家以人心的解釋天命的思想。董氏以天人感應之說講災祥，備見《春秋繁露》書中，成爲以後史書中《五行志》的濫觴，這裏不多說了。

司馬遷對於天人之際的解釋，與董仲舒有同也有異。一方面，司馬遷相信災祥，與董仲舒有相似處。《史記・天官書》前面的絕大部分都是古代天官理論或占星學理論，大概是司馬談從唐都那裏學來又傳給司馬遷的。「太史公曰：自初生民以來，世主曷嘗不曆日月星辰，及至五家三代，紹而明之。內冠帶，外夷狄，分中國爲十有二州。仰則觀象於天，俯則法類於地。天則有日月，地則有陰陽；天有五星，地有五行；天則有列宿，地則有州域。三光者，陰陽之精。氣本在地，而聖人統理之。」這是司馬遷對上文所引天官理論的總結和提要，說明天官理論的核心在於天地亦即天上人間之間的對應與相通。司馬遷承認天地或天人之際的對應與相通，就與董仲舒有了一個基本的共同點。但是，司馬遷不贊成以天官理論胡亂解釋歷史。他在《自序》中說：「星氣之書，多雜禨祥，不經。推其文，考其應，不殊，比集論其行事，驗於軌度以次，作《天官書》。」所以，《天官書》中，自從「太史公曰」以下，都是他以史書記載與天官理論相核驗的推文考應之作。他對春秋時期，只舉了很少的例證，而對於秦滅六國、項羽破秦、漢之興、平城之圍、諸呂作亂，吳楚之亂等等，都列舉了星象的先兆，並說「此其犖犖大者，若至委曲小變，不可勝道。由是觀之，未有不先形見而應隨之者也。」爲什麼要有這種天人之際的理論呢？司馬遷說：「日變修德，月變省刑，星變結和。凡天變過度，乃占。國君强大有德者昌，弱小飾詐者亡。太上修德，其次修政，其次修救，其次修禳，正下無之。」所以，這種理論旨在利用天變警戒人君，使之改過、修德。其目的與董仲舒也是一致的。不過，儘管如此，司馬遷與董仲舒仍然有很大的不同。司馬遷的態度是：對於天官災祥理論，必須以歷史事實去檢驗之，能核實者（儘管這也是偶合）才承認之。他的方法是歸納的、實證的。董仲舒則是盡力作天人之際的比附（事見《春秋繁露》書中，恕不舉例），其方法是演繹的、玄想的。所以，如果說董仲舒爲漢代今文經學的神學化奠了基石，那麼司馬遷則在一定程度上作了以後興起的古文經學的先導。儘管司馬遷在相信災祥說的內容上頗有與今文經學一致的地方。

另一方面，司馬遷講天人之際，還有與董仲舒頗爲異趣的地方。董仲舒對於皇天上帝的賞善罰惡的性質是充分肯定的，而司馬遷對此卻將信將疑，甚至疑多於信。他說：「或曰：『天道無親，常與善人』。若伯夷、叔齊，可謂善人者非耶？積仁潔行如此而餓死。且七十子之徒，仲尼獨薦顏淵爲好學，然回也屢空，糟糠不厭，而卒早夭。天之報施善人，其何如哉？盜跖日殺不辜，肝人之肉，暴戾恣睢，聚黨數千人，橫行天下，竟以壽終。是遵何德哉？此其尤大彰明較著者也。若至近世，操行不軌，專犯忌諱，而終身逸樂富厚，累世不絕。或擇地而蹈之，時然後出言，行不由徑，非公正不發憤，而遇災禍者，不可勝數也。余甚惑焉。倘所謂天道是耶？非耶？」（《史記・伯夷列傳》）由於對賞善罰惡的天人之際的懷疑，司馬遷對天及天人之際提出了一種新的理解。

司馬遷在論秦的興起時說：「秦始小國，僻遠。諸夏賓之，比於戎翟。至獻公之後，常雄諸侯。論秦之德義，不如魯衛之暴戾者；量秦之兵，不如三晉之強也。然卒并天下，非必險固便、形勢利也。蓋若天所助焉。」（《史記・六國年表・序》）又說：「說者皆曰：『魏以不用信陵君故，國削弱，至於亡』。余以爲不然。天方令秦平海內，其業未成，魏雖得阿衡之佐，曷益乎？」（《史記・魏世家・贊》）秦暴戾而終於因天助而得勝，就像《伯夷列傳》中所說壞人得好報一樣，那麼，這個天又是什麼樣的天呢？其實，司馬遷對助秦的「天」已經作了分析和回答。他說：「是（春秋中期）後，陪臣執政，大夫世祿，六卿擅晉權，征伐會盟，威重於諸侯。及田常殺簡公而相齊國，諸侯晏然弗討，海內爭於戰功矣。三國終之卒分晉，田和亦滅齊而有之。六國之盛自此始。務在強兵併敵，謀詐用而從橫短長之說起，矯稱蜂出，誓盟不信，雖置質剖符，猶不能約束也。」（《六國年表序》）山東各國內部及各國之間的爭權奪利，本來都爲了營其私利，而結果在鬥爭中削弱了自己的力量並破壞了彼此間的團結，終於爲秦的征服與兼併掃清了道路。爲秦兼併掃清道路的本是山東六國的人的行爲，怎能說是天呢？因爲他們的本來目的不是爲秦掃清道，掃清道路是莫之爲而爲、莫之致而至的違反他們本來目的的客觀後果，所以這就是天是命了。司馬遷在分析秦楚之際形勢變化之快並比較先秦統一之難與漢高帝統一之易的時候說：「秦既稱帝，患兵革不休，以有諸侯也。於是無尺土之封，墮壞名城，銷鋒鏑，鉏豪傑，維萬世之安。然王跡之興，起於閭巷，合從討伐，軼於三代。鄉秦之禁，適足以資賢者爲驅除難耳。故憤發其所爲天下雄，安在無土不王。此乃《傳》之所謂大聖乎。豈非天哉，豈非天哉！」（《史記・秦楚之際月表・序》）秦本爲維護自己的統治而不立諸侯，結果卻爲漢高帝的統一掃清了道路。這也是莫之爲而爲、莫之致而至的事，所以豈非天哉。司馬遷所說的這種天，如果換用黑格爾的話來說，就叫做「理性」或「普遍的東西」。黑格爾說：「熱情的特殊利益，和一個普通原則的活潑發展，所以是不可分離的：因爲『普遍的東西』是從那特殊的、決定的東西和它的否定所生的結果。特殊的東西同特殊的東西相互鬥爭，終於大家都有些損失。那個普遍的觀念並不捲入對峙和鬥爭當中，……它驅使熱情去爲它自己工作，熱情從這種推動裡發展了它的存在，因而熱情受了損失，遭了禍殃——這可以叫做『理性的狡計』(The Cunning of Reason)。」（《歷史哲學》，王造時譯，三聯版，第七二頁）每一個個體或特殊者都在爲自己的利益而熱情地鬥爭著，而站在背後的普遍者、理性或天卻假手於個體間的熱情的鬥爭去實現天自己的計劃，個體的自覺的努力卻使其自身轉變爲天的不自覺的工具。司馬遷在二千餘年以前對天人之際的認識，就已經接近於黑格爾的理解，實在是難能可貴的。用這樣的天人之際來解釋歷史的發展，其深度遠遠超出漢代經學水平之上了。

不過，司馬遷的這種天人之際的思想卻有其經學的來源。在《尚書》裏，天假手於商湯以伐桀、假手於周武王以伐紂，是假手善人以伐惡；人是天的自覺工具，有天人之間的同一而無對立。在《左傳》中，又有了這樣的記載：蔡侯般是一個弒父而篡位的人（襄公三十年），十二年後，楚靈王把他召到申，殺了他又派兵圍蔡。晉國的韓宣子問叔向楚是否能勝利，叔向說楚能勝利，因爲「蔡侯獲罪於其君，而不能其民，天將假手於楚以斃之。」而楚靈王也不是好人，所以叔向又說：「天之假助不善，非祚之也，厚其凶惡而降之罰也。」（昭公十一年）楚靈王滅蔡，只是爲了自己兼併的目的，天卻假手於他，一則懲罰蔡侯般，二則爲他自己的滅亡準備條件。楚靈王作了天要他做的事，在這一點上天人一致；可是他個人的目的與天的目的又是不同的，這一點上天人又相對立。但是，最終天還是利用楚靈王而實現了天的目的，楚靈王只不過是天的一個熱情的而又不自覺的工具。以上曾經說到司馬遷多引《左傳》，現在又可以看出，他的這一傑出的天人之際的見解，顯然也是受了古文經的影響的。當然，司馬遷的見解比《左傳》又進了一步。《左傳》只說到天假手罪人以罰惡人，而《史記》則已經看到天假手懷有自私目的的人去推動歷史的發展了。

【附註】

註 一　夏、殷、周歲首推移的次序與三代相傳次序相反。《白虎通・三正》解釋說：「天道左旋，改正者右行，何也？改正者，非改天道也，但改日月年。日月右行。故改正亦右行也。」

——原載《史學史研究》一九九一年二期，頁一一——二二。

《毛傳》條例探原

蕭　璋

關於《毛傳》訓詁條例，孔穎達已經注意，清代更不乏其人，不過都沒有談到條例淵源有自，這就容易造成一種印象：似乎《毛傳》最古。我們知道古有六藝之教，古代經都有傳，以備學習。《史記·孔子世家》說：孔子「序書傳。」又說：「書傳禮記自孔氏。」可證《毛傳》以前，經典古已有傳。因此章炳麟說：「明孔子序《尚書》，兼錄其《傳》，故楝下生得通其文。」（註一）不但解說經典古已有之，就訓詁條例，亦非《毛傳》所獨創。《毛傳》以前，散見於《左傳》、《禮記》、《孟子》等古傳記中者，實不一而足。至於解《詩》的，經典中就有不少，其中涉及訓詁和解釋方式的頗多，這都是《毛傳》訓詁條例的源泉。《毛傳》自有師傳，但師傳往往主要是傳授觀點，至於訓詁條例，恐怕不是一派所能獨創，而應該說是眾家所共有。因此《毛傳》所有的條例，當亦不出古六經傳記所用的之外，不同者，不過是《毛傳》善於繼承、發展並靈活運用，委曲順經罷了。我們今天研究《毛傳》條例，應具有歷史發展的眼光，首先要探討出它的來源，然後再研究分析其繼承、發展和運用的情況及其影響，說明《毛傳》在訓詁學史上的建樹。本文就是按照這條道路探索前進的第一步。

一

現存典籍中引詩說詩，目的在印證己說，故多斷章取義，不用全文，從中觀察訓詁條例，也就只能窺見一斑。想求得古人詩傳條例，也就是探討《毛傳》重要條例之原，自當從古書中說《詩》、《書》等的材料和古書本身的訓詁材料中歸納整理出來。這將在下面幾章專門討論。現在我們先舉《國語・周語》所引晉羊舌肸說《周頌・昊天有成命》的一段話來討論一下。古書中解說《詩》之全篇的，恐怕只此一見，要窺探古詩傳解釋整篇的基本形式，這是唯一的材料。

這篇詩的全文是：

> 昊天有成命，二后受之，成王不敢康。夙夜基命宥密。於緝熙亶厥心，肆其靖之。

羊舌肸是這樣解釋的：

> 是道成王之德也。成王能明文昭，能定武烈者也。夫道成命者而稱昊天，翼其上也。二后受之，讓於德也。成王不敢康，敬百姓也。夙夜，恭也。基，始也。命，信也。宥，寬也。密，寧也。緝，明也。熙，廣也。亶，厚也。肆，固也。靖，龢也。其始也，翼上德讓，而敬百姓；其中也，恭儉信寬，帥歸于寧；其終也，廣厚其心，以固龢之。始于德讓，中于信寬，終于固和，故曰成。

羊舌肸這段解釋，可以說已經具備了後代人們所見詩傳的雛形。首先他說：「是道成王之德也。」「是」指「昊天有成命」這篇詩，這是總論全詩意旨的話，也就是全詩的主題。《毛傳》每篇詩都指明主題，即《小序》。這篇詩的《小序》說：「郊祀天地也」，是從《昊天有成命》作爲郊祀天地之樂歌的角度說的，和羊舌肸的解釋不同，但作爲全篇主題，卻是一樣的。

說詩涉及到主題的，古書中屢見不鮮，有的還和《毛詩・小序》基本相同。譬如：襄公四年《左傳》載晉行人子員問魯卿叔孫穆子爲什麼歌《四牡》詩而重拜，叔孫穆子回答說：「四牡，君所以勞使臣也，敢不重拜。」「《四牡》，君所以勞使臣也」正是叔孫穆子解釋《四牡》詩主題的話。這句話《國語・魯語》作「《四牡》，君之所以章使臣之勤也。」而《毛詩・四牡・小序》說：「《四牡》，勞使臣之來，有功而見知則說矣。」意思都差不多。再如《禮記・射義》：「采蘋者，樂循法也。采蘩者，樂不失職也」。《毛詩・采蘩・小序》說：「采蘩，夫人不失職也。」《采蘋・小序》說：「大夫妻能循法度也。」和《射義》所說有共同點。又如孟子回答咸邱蒙《小雅・北山》詩句的問題，首先說的是「是詩也，勞於王事而不得養父母也。」也就是點明全詩主題，接著才談到詩句。《毛詩》這篇詩的《小序》也正是孟子首先說的那個意思。

這幾個例子都說明古人學詩，都要先明主題，而遇到解說詩句需要涉及全詩意旨時，也要先釋全詩意旨。由此可知羊舌肸說《昊天有成命》，首先說的「是道成王之德也」這句話，是全詩主題，也就是《小序》，當無疑問。羊舌肸接著說的「成王能明文昭，能定武烈者也」，是對主題的補充說明，也是主題的一部分。這種情況，《毛詩》的《小序》也有。譬如上面說的《四牡》主題，《左傳》、《國語》都只一句話，而《毛詩・小序》卻於「勞使臣之來也」後面，多說了「有功而見知則說矣」一句，這也是對前句所說主題的補充，和羊舌肸說《昊天有成命》的旨趣一樣。

我們再來考察羊舌肸下面的話。從「夫道成命者而稱昊天」到「敬百姓也」這幾句，是分別解釋全詩開頭三句的。因爲這三句沒有字詞的訓詁問題，所以無須解釋字義，就直接說句義了。再往下，是分別解釋「夙夜基命宥密」以下三句的單字字義，只有「夙夜」二字是作爲詞組來解釋。後面的「翼上德讓而敬百姓」是結合了「昊天有成命」以下三句分別解釋之後的總概括。「恭儉信寬，帥歸于寧」和「廣厚其心，以固龢之」，則是結合上面有關詞組和單字的訓詁對「夙夜基命宥密」和「於緝熙，亶厥心，肆其靖之」的句義解釋。

最後，「始于德讓」到「故曰成」是羊舌肸對這篇詩進行具體分析之後的總結，對全詩主題也起了補充作用。

孔穎達說：「古人說詩者，因其節文，比義起象，理頗溢於經意，不必全與本同。」（註二）羊舌肸說《昊天有成命》詩，雖不是節文，但他是針對周王卿士單靖公能「儉敬讓咨，以應成德」而發的，也不免有「比義起象，理頗溢於經意之嫌，不過從訓詁條例來看，首談全詩主題，次解經義；需加訓詁的，則先釋經字，再釋經義；不需加訓詁的，則徑釋經義，這正是《毛傳》解《詩》的通例。所以我們說羊舌肸這段解釋，已經具備了詩傳的雛型。這種雛型可以代表古代說詩的一般形式，正是《毛傳》之所本。

二

前章所述是關於《毛傳》的基本形式，結論是《毛傳》的通例是有所本的。本章以下所要談的是《毛傳》的一些具體訓詁條例，也有所本。

我們知道《毛傳》訓詁條例很精細，很系統。探討這些精細條例的來源，要分別情況，有的可能探得出來，有的不太可能探得出來。譬如《毛傳》解詞句、解經義而牽涉到上下章之類的，探原就比較困難。因爲前面說過，古人引詩說詩多半斷章取義，以證己說，不是眞正從全篇詩意著眼，而且極少引全篇的。所以他們解詩句，是不考慮上下章，甚至不考慮上下句的，因而很難窺見出這方面的條例。我們現在姑且把這類條例排開，先就不涉及上下章和上下句的有關訓詁條例來探求其原。必須說明：就是這些不涉及上下章和上下句的有關訓詁條例，《毛傳》中也爲數不少，本文旨在說明《毛傳》條例淵源有自，並非最古，因此不一定非把《毛傳》這些條例一一探出其原方爲功，我們認爲只要就其中比較重要也比較複雜的條例找出其原，就可以說明問題。本著這個原則，在解釋單字方面，本文選了「疊字釋單字」、「連文釋單字」、「點明含意」、「義隔相訓」四種；在解釋句子方面，《毛傳》一般多用「翻譯」、「推因」和「點明含意」三種，我們都選用了。不過在翻譯中，著重於用語法解釋的一類；在意譯中，著重與經文語氣不同而相輔相成的一類。此外，《毛傳》解釋字句還有「互文見義」、「遞相爲訓」、「連類而及」三種重要條例，我們也選用了。最後再討論一下《毛傳》常用而較重要的兩個訓詁術語「言」和「猶」。

首先討論單字訓詁。

《毛傳》對單字的訓詁有不少方法，其中有最常用的如「以通語釋別語」之類（如《大雅・生民》「以歸肇祀」和《周頌・維清》「肇禋」的兩個「肇」字，《傳》都訓「始」，《夏小正》；「貍子肇肆」，《夏小正・傳》也把「肇」訓爲「始」，而《昊天有成命》的「肇」字，《毛傳》訓「始」則依《國語》）。這是古人解語的通法，無須討論。這裏只討論幾種重要而較複雜的。

㈠迭字釋單字

《禮記・樂記》記載子夏回答魏文侯問古樂說：「《詩》云：『肅雍和鳴，先祖是聽。』夫肅肅，敬也；雍雍，和也。夫敬以和，何事不行。」顧亭林曰：「《詩》本肅、雍一字，而引之二字者，長言之也。《詩》云：『有洸有潰』，毛公傳之曰：『洸洸，武也；潰潰，怒也。』即其例也。」（註三）臧琳也說：「經傳每正文一字，釋者重文，所謂長言之也」，亦引《樂記》以「肅肅」釋「肅」、「雍雍」釋「雍」爲證。（註四）顧、臧的話很有啓發。《樂記》在前，《毛傳》在後，這種訓詁條例顯然在《毛傳》以前已爲學者所使用，《毛傳》只不過因襲前人成規罷了。《毛傳》以前除《樂記》引子夏說《詩》用此條例以外，《夏小正・傳》也有。譬如《夏小正》「羵羊」下，《傳》曰：「羊有相還之時，其類羵羵然，記變爾。」又如「拂桐芭」下《傳》引或說：「言桐芭始生貌拂拂然也」，就是用疊字「羵羵」和「拂拂」訓單字「諱」和「拂」的。這都足以證明這類條例，《毛傳》以前，古已用之。

㈡連文釋單字

《毛傳》解釋經文語詞，喜用連文。譬如《衛風・氓》：「言笑晏晏」，《爾雅・釋訓》解爲「晏晏，柔也」，而《毛傳》則解爲「晏晏，和柔也。」再如《大雅・文王》：「厥猶翼翼」，《爾雅・釋訓》解爲「翼翼，恭也，」而《毛傳》則解爲「翼翼，恭敬也・」孔穎達《正義》曰：「敬是恭之類，故連言之。」此外，《毛傳》還有很多以連文釋單字，即以雙字釋單字的地方，譬如《小雅・蓼蕭》：「我心寫兮，」《毛傳》：「輸寫其心也，」即以「輸寫」釋「寫」。陳奐《詩毛氏傳疏》曰：「《傳》云：『輸寫』，此以雙字釋單字，輸亦寫也。《廣雅・釋言》：『輸，寫也』，輸寫蓋古語。」用這種意義相近的兩個單字釋單字比以單字釋單字清楚，是一種比較進步的方法。

但是這種方法，《毛傳》以前也是有的。如襄公二十七年《左傳》：「鄭伯享趙孟於垂隴，公孫段賦《桑扈》。趙孟曰：『匪交匪敖，福將焉往？若保是言也，欲辭福祿，得乎？』」案《詩・小雅・桑扈》：「彼交匪敖，萬福來求。」趙孟雖以「福將焉往」反問句解「萬福來求」，後又申述說：「若保是言也，欲辭福祿，得乎？」即以連文「福祿」解「福」字。而「左傳」以「福祿」解「福」。恰似《毛傳》以「福祿」解「祿」（《小雅・楚茨》：「以綏後祿。」《毛傳》：「綏，安也。安然後受福祿也。」）。又如《墨子・天志中》說：「皇矣道之曰：『帝謂文王，予懷明德，不大聲以色，不長夏以革，不識不知，順帝之則。』帝善其順法則也，故舉殷以賞之，使貴爲天子，富有天下，名譽至今不息。」也是以連文「法則」解釋「順帝之則」的「則」。還有《荀子》解《詩》也有這種情況。《儒效篇》和《議兵篇》都說：「四海之內若一家，通達之屬，莫不從服，夫是之謂人師。《詩》曰：『自西自東，自南自北，無思不服』，此之謂也。」兩處都是以連文的「從服」釋「無思不服」的「服」。而《孟子・萬章》在講完《北山》詩主題後，緊接著說的「此莫非王事，我獨賢勞也」那兩句話，就是解釋經文「我從事獨賢」一句的。孟子也是以連文「賢勞」釋經文「賢」。《毛傳》於《北山》此句下雖然沒有連文解釋，只以「勞」解「賢」，但《毛傳》別處以連文解單字的很多，卻不能說沒有來源。

㈢點明含意

《毛傳》解經，爲了以意逆志，有時解詞不管其實際意義，而從推求該詞所代表的人或事物的特性入手以定訓詁。譬如《小雅・巧言》「君子信盜」的「盜」字，《毛傳》說：「盜，逃也。」孔穎達《正義》是這樣解釋的：「文十八年《左傳》曰：『竊賄爲盜』，則盜爲竊物之名，毛解名曰盜意也。《風俗通》亦云：『盜，逃也，言其晝伏夜奔逃避人也。』」按「盜意也」之「意」，核諸上下文，可能是「逃」字之誤，但作「意」解，亦未嘗不可。就是說《毛傳》以「逃」解「盜」，是撇開了「盜」的實際意義——「竊賄」，而抓住「盜」這種人的特性——「務求逃避人」來探求詩人用這個詞的言外之意，即詩人的本意。這種解釋，我們稱它爲「點明含意」。這是《毛傳》訓詁條例精微的一方面。但是這種條例，在《毛傳》之前的古書中是常見的。譬如《禮記・祭義》：「唯聖人爲能饗帝，孝子爲能饗親。饗者，鄉也，鄉之然後能饗焉。」「饗」字的實際意義是食其所獻，並沒有嚮往、嚮慕的意思，但是《祭義》於「饗帝」、「饗親」

後，接著用「鄉」解釋「饗」，這就是點出了底下「鄉之，然後能饗焉」那句話的意思，說明「饗」的關鍵在「鄉」。所以孔穎達《正義》說：「此一節明孝子祭祀欲親歆饗之意。」這個「意」是指經文「饗」字的言外之意。又如《禮記．郊特牲》：「天子大蜡八。伊耆氏始為蜡。蜡也者，索也。歲十二月合聚萬物而索饗之也。」也是不用「年終祭名」這個蜡祭的實際意義來解釋「蜡」，而是用「索」字點出蜡祭之「蜡」這種祭祀的特點，使人知道「蜡」是求索各神而饗之的一種祭祀。

㈣義隔相訓

義隔相訓是說兩詞意義本來疏遠，不能相訓，但就兩詞的相互作用來看，可以打破隔閡，曲通其義。《毛詩》解經為了曲逆詩意，有時採用此法。《唐風．揚之水》：「素衣朱繡」。《毛傳》：「繡，黼也。」「刺繡」為「繡」，「白與黑」為「黼」，義不相近，但《毛傳》卻以「黼」釋「繡」。其道理孔穎達說得很清楚：「繡為刺名，《傳》言繡黼者，謂於繒之上繡刺以為黼，非訓繡為黼也。孫炎注《爾雅》云：『繡刺黼文以褗領（按指《爾雅．釋器》：「黼領謂之襮」一條是孫炎注。郭璞《注》：「繡刺黼文以褗領」，即本孫炎說）是取毛繡黼為義』」。孔說：「非訓繡為黼」是從强調兩詞義隔的角度而言，而曲通其義也就是「義隔相訓」了。

這種條例，《毛傳》不只一見，但《毛傳》以前，古人解經也有。前面舉的《昊天有成命》詩，其中「夙夜基命宥密」的「命」，羊舌肸解為「信也」，就是一例。「命」和「信」意義相差很遠。但凡有命，無論對於發出者或承受者來說都與「信」有關。例如宣公十五年《左傳》說：「臣能承命為信。」僖公七年《左傳》又說：「守命共時之謂信。」即皆就「守命」、「承命」而言。對《昊文有成命》這句話羊舌肸下面解釋為「恭儉信寬，帥歸于寧。」韋昭《注》：「

帥，循也。」這個「帥」就是指遵循天命，也就是「守命」、「承命」。《毛傳》因襲了《國語》，也把「命」解為「信」，這說明《毛傳》不但承繼了古人這種義隔相訓的條例，而且也接受他們的觀點。還有孟子在《滕文公》篇中說：「《書》曰：『洚水警余』。洚水者，洪水也。」「洪水」是大水；而「洚水」的本義，孟子解為「水逆行、（《告子》：「水逆行謂之洚水」）。兩義不同，而孟子卻以「洪水」解釋「洚水」。什麼道理？段玉裁在《說文》「洚」字下注云：「水不遵道，正謂逆行，惟其逆行，是以絕大。洚洪二字，義實相因。」義實相因也就是義相聯繫，可曲通其義。是孟子解《尚書》也用了義隔相訓的條例。還有《夏小正》：「剝棗。」《傳》曰：「剝也者，取也。」又：「栗零。」《傳》曰：「零也者，降零而後取之，故不言剝也。」按《詩・豳風・七月》：「八月剝棗。」《毛傳》：「剝，擊也。」段玉裁於《說文》「剝」字下說：「《夏小正・傳》云『取』，《毛傳》云『擊』，此後人訓詁，必密於前人也。」「剝」與「攴」古音相近，《毛傳》訓「擊」，固甚確切，《夏小正・傳》訓「取」，實欠精密，但《夏小正・傳》所謂「降零而後取之」，是說擊落而後取。所以《夏小正・傳》訓「取」，與《毛傳》訓「擊」，實際都是擊而取之的意思，不過《毛傳》用的是「以通釋別」的訓詁方法，而《夏小正・傳》用的方法，則無妨說是義隔相訓。

三

毛傳解釋句子，也有不少條例。大致說來，可分三種，即翻譯、推因（包括引證）和點明含意，當然也還有串講。翻譯之中，又可分直譯和意譯。我們認為這幾種條例，在《毛傳》以前古人也都用過。現在分別討論於下：

㈠翻譯

1.直譯

我們所謂的直譯，是指字義和經文相應，譯文和經文語法結構基本相同，在不影響語法結構的前提下，允許增字。《毛傳》解釋句子，比較謹嚴，直譯的不少。但我們這裏要談的不是《毛傳》一般的直譯，而是比較能顯示出經文語法結構的。譬如《鄭風・揚之水》：「揚之水，不流束楚。」《毛傳》：「激揚之水，可謂不能流楚乎？」經文的字面是否定的：不能流束楚，但實際的意思是肯定的：是說能流束楚。《毛傳》在經文後加個疑問語氣詞「乎」，說明經文原來是個反問句，所以孔穎達又申毛說：「言能流漂之。」又《大雅・常武》：「王命卿士，南仲大祖。」《毛傳》：「王命南仲於大祖。」《毛傳》加了一個介詞「於」，使我們知道經文八字是一句，「卿士南仲」是「命」的賓語，「大祖」是補語，顯出了這句的語法結構，因而經義大明，即如孔穎達所說：「於太祖之廟命南仲也。」

這種補一兩個虛詞，顯出經文的語法結構的解句條例，古人也有。孟子在《告子》篇中引《詩・大雅・烝民》曰：「天生蒸民，有物有則，民之秉夷，好是懿德。孔子曰為此詩者，其知道乎？故有物必有則。民之秉夷也，故好是懿德。」孟子引孔子釋詩的話，於經文第二句中加了個「必」字，使我們知道經文原是條件複句，所以趙岐這樣注：「有物則有所法則。」三、四兩句中，加了個「故」，使我們知道經文原是因果複句，而且於「民之秉夷」後，加了一個「也」字，起了強調原因的作用。又如《呂氏春秋・不屈篇》記載惠子說詩：「詩曰：『愷悌君子，民之父母。』愷者，大也。悌者，長也。君子之德長且大者，則為民父母」這是經過字詞解釋後翻譯的，中間加了一個「則」字，說明經文是條件句。這都說明《毛傳》以前就有從語法角度解釋詩句的條例。

2.意譯

意譯是指不拘經文的詞義和語法結構而譯經義。《毛傳》這種情況比較多，但我們所要討論的，不是一般的意譯，是《傳》和經文語氣不同而起相輔相成作用，因而更能顯明經義的一種。《毛傳》這種意譯方法，對理解經義，深有啓發。譬如《邶風・柏舟》：「我心匪石，不可轉也；我心匪席，不可卷也。」《毛傳》：「石雖堅，尙可轉；席雖平，尙可卷。」經文以心比石和席，各用兩個否定副詞來表示心不像石之可轉，不像席之可卷，而《傳》文不順著經說，卻用兩個轉折句，說石堅而可轉，席平而可卷，反襯出心之堅平甚於石席，深入地體現了經義。所以鄭《箋》申成《傳》義說：「言己心志堅平，過於石席。」又如《小雅・小弁》：「維桑與梓，必恭敬止。」《毛傳》：「父之所樹，己尙不敢不恭。」經言「必」，《傳》言「不敢不」，用兩個否定詞來反射出「必」的語氣，效力很大。

這種意釋的辦法，古書中不少見。文公十五年《左傳》記載季文子引《周頌・我將》曰：「『畏天之威，於時保之，』不畏於天，將何能保？」這是季文子引詩而以不同的語氣解釋，起了相輔相成的作用。又襄公二十九年《左傳》：「鄭子展曰：《詩》云：『王事靡盬，不遑啓處。』東西南北，誰敢寧處？」這是鄭子展以反問句解釋經文的敍述句，也有相輔相成之效。孟子解《詩》，也有這種條例。《離婁》篇中引《詩》「不愆不忘，率由舊章」後，緊接著說：「遵先王之法而過者，未之有也。」孟子以「過」釋「愆」，以「遵」釋「率」，以「先王之法」釋「舊章」，而其全句解釋，則是從反面來顯經義。

㈡推因

《毛傳》解釋句子，有一種情況是不解釋句子本身的意思，而是找出爲什麼會有詩中所說的這種情況的原因，有時也引古書或傳說來加以印證。我們現在不談印證，只談推因。

和意譯一樣，《毛傳》在推因時也是變化多端，有助理解經義的。譬如《周南・汝墳》：「魴魚赬尾。」《毛傳》：「赬，赤也。魚勞則尾赤。」說明魴魚尾之所以變赤是因爲勞。孔穎達曰：「魴魚之尾不赤，故知勞則尾赤。」又如《鄘風・墻有茨》：「墻有茨，不可掃也。」《毛傳》：「欲掃去之，反傷墻也。」說明「傷墻」是「不可掃」的原因。又如《小雅・何人斯》：「以詛爾斯。」《毛傳》：「民不相信則盟詛之。」孔穎達曰：「解所以有詛者，民不相信則盟詛之，言古者有此禮，故欲與之詛也。」這是闡明《傳》文說詛之原因。

《毛傳》以前，古人解《詩》句也用此法。宣公十六年《左傳》：「羊舌職曰：吾聞之，禹稱善人，不善人遠，此之謂也。夫《詩》曰：『戰戰兢兢，如臨深淵，如履薄冰。』善人在上也。善人在上則國無幸民。諺曰：『民之多幸，國之不幸也。』是無善人之謂也。」這段文字，從前後上下文來看，很清楚，羊舌職是以「善人在上也」這句話作爲「戰戰兢兢」三句的原因來解釋的。所以杜預《注》說：「言善人居位則無不戒懼。」還有《禮記・射義》：「《詩》云：『發彼有的，以祈爾爵。』祈，求也，求中以辭爵也。酒者，所以養老也，所以養病也，求中以辭爵者，辭養也。」這是引《詩》之後解釋詞義句義，但最後一句，也是舉出了「以祈爾爵」的原因就是「辭養」。

古人不僅解《詩》用這個方法，別處也用。《夏小正》：「剝鱓。」《傳》曰：「以爲鼓也。」古代剝鱓（即鱉）皮用以冒鼓，知「以爲鼓也」是說明「剝鱓」的原因。

㈢點明含意

前面講《毛傳》解釋單字時，已經談到點明含意這個條例。這個條例，《毛傳》也用於解釋句子。譬如《小雅・小宛》：「如臨于谷。」《毛傳》：「恐隕也。」又《大雅・公劉》：「酌之用匏。」《毛傳》：「酌之用匏，儉以質也。」這都不是解釋句子的表面意義，而是點明內含的實質，也就是言外之意。

這種在解釋句子時點明含意的方法古人也有。《禮記・大學》引了《衛風・淇奧》第一章全文後，接著就解釋說：「如切如磋者，道學也。如琢如磨者，自脩也。瑟兮僩兮者，恂慄也。赫兮咺兮者，威儀也。有斐君子，終不可諠兮者，道盛德至善，民之不能忘也。」《爾雅・釋訓》也有對這幾句經文的解釋，和《大學》完全相同。所謂「道學也」，「自脩也」，「恂慄也」，「威儀也」，都不是解釋有關經文的表面意義，而是分別點明其含意。不但說《詩》有這種情況，解釋別的也用。比如《易經・坤卦・六四爻辭》說：「括囊无咎无譽。」《象辭》說：「括囊无咎，慎不害也。」《象辭》以「慎不害」解釋《爻辭》「括囊无咎」，也不是從字面著眼，而是說這句的言外之意。因爲括囊是譬喻之辭，譬喻賢人的才智藏在心裏，不顯露出來，如同物之貯於囊中把它繫上，不拿出來用一樣，這樣就不會與世相抵觸，可以免禍。「括囊」的實際含義是「謹慎避害」，所以《文言》說：「《易》曰：『括囊无咎无譽』，蓋言謹也。」孔穎達解釋說：「蓋言賢人君子於此之時須謹慎也。」他們都用訓詁術語「言」來說明這裏是在點明含意，可以與《象辭》相證。

關於《毛傳》解釋單字的四種條例和解釋句子的三種條例，就談到這裏。下章接著討論「互文見義」、「遞相爲訓」和「連類而及」三個條例，最後談一下「言」和「猶」兩個訓詁術語問題。

四

㈠互文見義

互文見義，是古書常見的一種表達方法。《毛傳》解《詩》也有這個條例。大約可分兩種：一種是《毛傳》本身的互文見義，一種是經文和《毛傳》的互文見義。前一種如《邶風・泉水》首章：「出宿于泲。」《毛傳》：「泲，地名。」二章：「出宿于干。」《毛傳》：「干言所適國郊也。」孔穎達說得很清楚：「《聘禮》：『遂行，舍於郊。』則此出宿當在郊，而《傳》云泲，地名，不言郊者，與下《傳》互也。下干云所適國郊，則此泲亦在郊也。此泲云地名，則干亦地名矣。」後一種如《大雅・生民》：「取蕭祭脂。」《毛傳》：「取蕭合黍稷臭達墻屋，既奠而後爇蕭合馨香也。」《毛傳》這兩句，用的是《禮記・郊特牲》文。陳奐說：「《禮記》（按指《郊特牲》）言黍稷不言脂，《詩》言脂不言黍稷，互文錯見也。」不是《詩》與《禮記》互文，而是《毛傳》與經互文錯見。

這種情況，古書上也有。《儀禮・士喪禮》：「士喪禮，死于適室。」《既夕禮》（按即《士喪禮》之下篇）云：「《記》：『士處適寢』。」賈公彥《疏》：「《士喪》篇首云士死于適室，此《記》云適寢者，適室一也，故互見其文。若不疾則在燕寢，將有疾乃寢臥於適室，故變室爲寢也。」按鄭玄注「適室」說：「適室，正寢之室也。」經和《記》合起來，就是死於正寢之室。又本文三章討論點明含意條例所引《大學》對《衛風・淇奧》第一章全文的解釋，也是互文見義。孔穎達說得很清楚：「言初習謂之學，重習謂之脩，亦謂詩本文互而相通也」（見《大學》孔穎達《正義》）又說：「《釋訓》與《大學》皆云瑟兮僩兮，恂慄也；赫兮晅兮，威儀也。以瑟僩者，自矜持之事，故云恂慄也，言其嚴峻戰慄也；赫晅者，容儀發揚之言，故言威儀也，其實皆是威儀之事，但其文互見，故分之。」（見《詩・衛風・淇奥・正義》）

㈡遞相爲訓

《毛傳》解《詩》，常常一訓接著一訓，使後訓足成前訓，其中有各種情況，我們只討論遞相爲訓這一種。《周南・芣苢》：「采采芣苢。」《毛傳》：「芣苢，馬舃，馬舃，車前也。」按《爾雅・釋草》也有這一條。郭璞《注》：「今車前草。」孔穎達《詩正義》引陸機《疏》云：「馬舃，今藥中車前子是也。」《毛傳》這樣解釋，除廣異名，足前訓外，還有以今名釋古名的意思。

這種遞相爲訓的情況，古書也有。成公二年《左傳》：「今納夏姬，貪其色也，貪色爲淫，淫爲大罰。」既以「淫」解「貪色」，又以「大罰」解淫。《禮記・祭統》：「賢者之祭也，必受其福，非世所謂福也。福者，備也，備者，百順之總名也，無所不順者謂之備，言內儘于己而外順于道也。」這都是爲了使道理層層深入，愈解愈明，而自然表現出來的遞訓方法。比《毛傳》稍後的《尚書大傳・酒誥篇》說：「若是則兄弟之道備。備者，成也；成者，成于宗室也」（註五），也用了這種遞訓方法。

㈢連類而及

連類而及，也是古書常見的一種表達方法。《毛傳》也用這種方法解釋經文。譬如《魯頌・泮水》：「思樂泮水。」《毛傳》：「泮水，泮宮之水也。天子辟雍，諸侯泮宮。」按《禮記・王制》說：「天子曰辟雍，諸侯頖宮。」《毛傳》本之以解《詩》。但詩句說的是魯僖公的泮宮，乃諸侯所立之大學，沒有涉及天子所設立的，而《毛傳》卻連《王制》說的「天子曰辟雍」這句話一並引出來以證經文。

這種情況在《毛傳》以前也是有的，尤其是《左傳》爲《春秋經》發凡起例，常用這種條例。宣公十六年《春秋經》：「夏，成周宣榭火。」《左傳》說：「夏，成周宣榭火，人火之也。凡火，人火曰火，天火曰災。」經文只言從人而起的人火，並未言自然而起的天火，但《左傳》卻因人火連及到天火，從而爲《春秋經》起了一例。不但古代解經用這個條例，古人行文中也有這種情況。《禮記・少儀》

：「請見不請退。朝廷曰退，燕遊曰歸，師役曰罷。」《少儀》這篇文章，據陸德明《經典釋文》引鄭玄云：「以其記相見及薦羞之小威儀。」而孔穎達《正義》解釋「請見不請退」到「師役曰罷」這一節也說「明卑者見尊及朝廷歸退之辭。」按這一節主要是第一句「請見不請退。」下三句都是因「退」而連及的。首句說的「退」，「退」是退歸，因而連及到從朝廷退歸叫「退」，燕遊退歸叫「歸」，師旅退歸叫「罷」。

《毛傳》這種連類而及的訓詁有時還有窮源遞訓的作用・譬如《小雅・鴻雁》：「百堵皆作。」《毛傳》：「一丈爲版，五版爲堵。」解經之「堵」而牽涉到「版」，這是連類而及，堵是五版，每版爲一丈，又是窮源遞訓。這種情況，也不自《毛傳》始。莊公三年《春秋經》：「冬，公次于滑。」《左傳》說：「冬，公次于滑，將鄭伯謀紀故也。鄭伯辭以難。凡師一宿爲舍，再宿爲信，過信爲次。」解經之「次」，既涉及到「信」、「舍」，又層層遞訓，也是窮源。

五

最後談談《毛傳》所用訓詁術語的來源問題。

《毛傳》用的訓詁術語比較多，這裏只談兩個比較重要的：「言」和「猶」。

先談「言」。《毛傳》用「言」字的地方很廣。總的說，前面關於解釋句子的幾種情況都可以用「言」，串講也還可以用。現在我們只談點明含意這一種。我們知道《毛傳》解釋詞和句子都有點明含意這個條例。但有的用「言」，有的不用。本文爲了把「言」和「猶」作爲專節來談，避免重複雜亂，前面舉的例證，都是不用「言」的。其實不用「言」的那些例證，如果加上「言」，也是可以的。

《毛傳》用「言」表示點明含意的很多。其中解釋單字的極少。

像《鄭風・將仲子》：「無折我樹杞。」《毛傳》：「折言傷害也。」這種情況不易碰到。《毛傳》以前，古書上也有這種情況，但很少。襄公十三年《春秋經》：「夏，取邿。」《左傳》說：「夏，取邿，分爲三，師救邿，遂取之。凡書取言易也，用大師焉曰滅，弗地曰入。」解釋經文「取」而兼說「滅」和「入」，這是連類而及，但以「易」解「取」，則是用「言」字來表示點明單字「取」的含意。

至於《毛傳》用「言」解釋句子而表示點明含意的，則較常見。如《小雅・十月之交》：「高岸爲谷，深谷爲陵。」《毛傳》：「言易位也，」便是一例。這是詩人用比喻之辭來諷刺周幽王無道，使得應處上者下退，應處下者上進，如陵谷之變遷，即鄭《箋》所說：「易位者，君子居下，小人處上之謂也。」這種條例，古書也很多。襄公二十年《春秋經》：「陳侯之弟出奔楚。」《左傳》說：「書曰：『陳侯之弟黃出奔楚』，言非其罪也。」孔穎達《正義》說：「《釋例》曰：『兄而害弟者，稱弟以章兄罪。』陳侯不能制御臣下，使逐其弟。《傳》曰：『言非其罪也。』非黃之罪，則罪在陳侯，示互舉之文也。」《左傳》說：「言非其罪也」是點出了經文爲什麼不說「公子黃出奔楚」而說「陳侯之弟出奔楚」的實際含意。又如《禮記・中庸》引《詩》並加解釋說：「『鳶飛戾天，魚躍于淵，』言其上下察也。」點出經文比喻的實際含意，而《大雅・旱麓》這兩句的《毛傳》：「言上下察也」，就是援用《中庸》的。

《毛傳》用「猶」字的地方很多。我們知道《毛傳》用「猶」有個特殊情況，即陳奐所說的：「《詩》三章，第二章與第一章同意，《傳》於第二章即承第一章立訓，如《羔羊》：『革猶皮也。』《緇衣》：『好猶宜也。』此通例也。」（註六）這種通例都是以單字釋單字，中加「猶」字。從形式上看，《毛傳》以前，這種訓詁形式也不少。《禮記・禮器》：「禮也者猶體也。」就是一例。

此外，《毛傳》還另有以疊字訓疊字，或以連緜字訓連緜字，或以連文訓連文而中加「猶」字的。特別是疊字訓疊字中加「猶」的較多。《魏風・葛屨》：「摻摻女手。」《毛傳》：「摻摻猶纖纖也。」段玉裁說：「《傳》以今喻古，故曰猶」（註七）。這種條例，孟子書上就可以找到。《孟子・離婁》：「《詩》云：『天之方蹶，無然泄泄。』泄泄猶沓沓也。事君無義，進退無禮，言則非先王之道者，猶沓沓也。」孟子這段對《詩》的解說是先以「沓沓」解釋「泄泄」，接著又解釋「沓沓」，是用後訓足成前訓的辦法，也是遞訓的方法。不過前一訓則是疊字釋疊字中加「猶」的方式，也是以今語釋古語。而「泄泄猶沓沓」一句，毛亨則本之以作《傳》。

以上所述是就《毛傳》中比較重要的條例來探討其來源，而不是《毛傳》條例的全部。前面說過，《毛傳》訓詁條例很精細，有系統，如果全面研究它，自當另作專文，本篇只不過著重探原，企圖說明《毛傳》條例並非毛亨所獨創，而是繼承發展前人成就而成的。是否有當，望讀者指正。

【附註】

註一　《國故論衡・明解故上》。

註二　《詩・昊天有成命・正義》。

註三　《日知錄》卷六《肅肅，敬也》條。

註四　《經義雜記》卷二十八「將其來施」條。案臧氏於二十三卷《毛傳文例最古》條中亦云「有經本一字而《傳》重文者」，則僅舉《毛傳》為例，未及《樂記》。這是因為後者係就十三經內部的比較而言。

註五　據陳壽祺校注《尚書大傳定本》。

註六　《詩毛氏傳疏》：《王風・中谷有蓷》。

註　七　《說文解字注》「攕」字下。

——原載《訓詁研究》第一輯（北京師範大學出版社，一九八一年四月），頁一二三——一四〇。

兩漢章句之學重探

林慶彰

一、問題的提出

章句之學是什麼？前人的解釋是否正確，似乎尚未有人作進一步的討論。此事不但關涉到對章句之學的正確認識，也有助於解決兩漢經學研究的某些問題，是以有重新檢討的必要。

孔穎達《毛詩注疏・關雎・疏》說：

> 句者局也，聯字分疆，所以局言者也。章者明也，揔義包體，所以明情者也。（卷一，頁二四）

孔氏所說的章句，是就《詩經》各篇分章分句來說的。清人沈欽韓《漢書疏證》說：

> 章句者，經師指括其文，敷暢其義，以相教授。（王先謙《漢書・藝文志補注》引）

什麼是「指括其文，敷暢其義」，沈氏卻沒有說明。呂思勉《章句論》說：

> 顧考諸古書，則古人所謂章句，似即後世之傳注。（頁一）

呂氏以章句爲「傳注」。馮友蘭的說法也很接近，他的《中國哲學史史料學初稿》說：

> 章句是從漢朝以來的一種注解的名稱。先秦的書是一連串寫下來的，既不分章，又無斷句。分章斷句，都須要老師的口授。在分章斷句之中，也表現了老師對于書的理解，因此，章句也成爲一種注解的名稱。（頁一四〇）

馮氏以爲章句是分章斷句，分章斷句表現了老師對典籍的理解。這種理解可說是一種注解，所以章句就是注解。皮錫瑞的《經學歷史》曾說：

> 治經必宗漢學，而漢學亦有辨。前漢今文說，專明大義微言；後漢雜古文，多詳章句訓詁。章句訓詁不能盡饜學者之心，於是宋儒起而言義理。（頁八九）

皮氏似乎也把章句認爲是一種注解，所以章句訓詁連在一起說。他認爲前漢今文家，專明大義微言，後漢古文家，多詳章句訓詁；則章句似乎專屬於古文家的一種注解。皮氏的說法是否正確？

戴君仁先生的《經疏的衍成》一文，認爲漢人的經說大抵可歸併爲解故和章句兩種。解故和章句是不相同的，《尚書》既有《大、小夏侯解故》，又有《大、小夏侯章句》，可知是有分別的。戴先生並引沈欽韓所舉《左傳》宣公二年的《疏》，證明章句不是，或不僅是零星的詞和字的解釋，而是整段逐句的文義解釋。又引《漢書》卷八八《儒林・張山拊傳》：「（秦）恭增師法至百萬言」，以爲師法即章句。又引《後漢書》卷七八《宦者蔡倫傳》「各讎校漢家法」，以爲家法即博士們的五經章句。所以「家法、師法、章句當是一物之異稱。皮錫瑞分別師法家法，我想是不必的。」（註一）戴先生有關章句、師法和家法的闡述應是目前爲止較爲詳盡可信的。但是，由於前人累積太多不正確的說法，戴先生的論文又非專門討論章句而設，所以想了解章句之學的人，未必見過。且有些問題戴先生也未討論到，如：

1.爲何說「章句小儒，破碎大道」？

2.章句之徒所破壞的是「形體」或是「大體」？

3.有「小章句」，是否也有「大章句」？

4.如果章句與師法、家法，是一物的異稱，何以要有此異稱？

5.嚴守師法和家法，有何意義？

6.博通的學者何以會「不守章句」？

這些問題，看似無關緊要。其實，唯有徹底解決這些問題，兩漢章句之學的眞正面貌才有可能呈現出來。能夠掌握章句之學的眞貌，談兩漢經學才不致於人云亦云，甚或歪曲解釋。

本文僅討論章句之學本身的問題，兩漢經學的諸多糾纏問題將不涉及。再者，對以上諸問題的討論也僅表示個人的一點看法而已。

二、章句是什麼？

章句並不全是對經書的注解，此點前引大、小夏侯《尙書》，既有《章句》二十九卷，又有《解故》二十九篇，已足以證明。另外，《漢書・揚雄傳》說揚雄「不爲章句，訓詁通而已。」《後漢書・桓譚傳》說桓譚「博學多通，徧習五經，皆詁訓大義，不爲章句。」《班固傳》說班固「所學無常師，不爲章句，舉大義而已。」從揚雄、桓譚、班固的傳記，可知三人讀經時，皆不爲章句，通訓詁而已。章句、訓詁之不同，這裏又是很好的例證。我們雖已知章句和訓詁不同，但章句的性質如何，似仍有待進一步的闡述。

《漢書・夏侯勝傳》說：

> 勝從父子建字長卿，自師事勝及歐陽高，左右采獲，又從五經諸儒問與《尙書》相出入者，牽引以次章句，具文飾說。勝非之曰：「建所謂章句小儒，破碎大道。」建亦非勝，爲學疏略，難以應敵；建卒自顓門名經。（卷七五，頁三一五九）

夏侯勝和夏侯建，是西漢宣帝時代的人。夏侯勝是夏侯建的叔叔。夏侯建曾拜他爲師。夏侯建研究《尙書》的方法是：「左右采獲，又從五經諸儒問與《尙書》相出入者，牽引以次章句，具文飾說。」這段話是研究章句之學最早、最值得注意的資料。所謂「左右采獲」，是說從夏侯勝和歐陽高兩處援引了不少相關的資料。「以次章句」的「次」，是排列的意思。亦即順著經文各章、各句的脈絡，將所援引的資料納入，然後再加以引申闡述，這就是「具文飾說」。這種解經方式，自成一種格局，且由於牽引資料太多，往往妨害到對本文的理解，經文中所蘊含的聖人之道，已無法兼顧，甚或茫然無所知。所以，夏侯勝要批評夏侯建是「章句小儒，破碎大道」。這裏的「大」、「小」是相對立的，聖人之道是一種「大道」，能通聖人之道的是「大儒」，不能通聖人之道的，是「小儒」。小儒所以不能通聖人之道，是因為祇顧援引資料，證成自己的論點，聖人的原意如何，已棄置不道。此種解經方式，有一部分是為應付論敵用的。夏侯建研經的著眼點即在此。而夏侯勝承繼西漢初的學風，訓詁通而已（註二），所以夏侯建才批評他「為學疏略，難以應敵」。

另外，班固《漢書・藝文志》中的一段話，對了解章句之學也頗有助益，茲引錄如左：

> 古之學者耕且養，三年而通一藝，存其大體，玩經文而已。是故用日少而畜德多。三十而五經立也。後世經傳既已乖離，博學者又不思多聞闕疑之義，而務碎義逃難，便辭巧說，破壞形體，說五字之文，至於二、三萬言。後進彌以馳逐，故幼童守一藝，白首而後能言；安其所習，毀所不見，終以自蔽。此學者之大患也。（卷三〇，頁一七二三）

這裏所說的「古之學者」，可能是指西漢初的學者，它們研究經書，乃從經文中去探討聖人著書的眞義，所以說「存其大體，玩經文而已。」所謂「後世」，大概是指西漢中葉以後，經書的各種注解逐漸出現，學者專在傳注上下工夫，甚至鑽牛角尖，刻意彌縫者也所在多有，所以說「碎義逃難，便辭巧說」。至於「破壞形體」，顏師古以為當時經學家為了逃避別人的攻擊，故為便辭巧說，以析破文字之形體。這種情形在當時可能相當嚴重，許愼《說文解字・敍》曾指出當時的經生「競逐說字解經誼」，說字時乃根據隸書的字形來解說的，如「馬頭人爲長」、「人持十爲斗」、「虫者屈中」……等。許愼認爲這種說解文字的方式，「不合孔氏古文，謬於史籀」。並批評那些隨意解字的俗儒鄙夫，「翫其所習，蔽所希聞，不見通學，未嘗睹字例之條。」這種隨意解說文字的現象，或許就是班固所指摘的「破壞形體」。至於「說五字之文，至於二、三萬言」，大概像秦近君說《堯典》篇目兩字十餘萬言，說「曰若稽古」三萬言之類。班固雖在批評當時章句之學的弊病，但從另一角度來看，章句之學的特點即在此。當時經學家說經既如此煩瑣，所以「幼童守一藝，白首而後能言。」由於祇顧自己所知者加以闡釋發揮，自成一封閉的系統，無意接受新知，所以才有「安其所習，毀所不見，終以自蔽」的「大患」出現。

以上對《漢書・夏侯勝傳》和《藝文志》等兩段文字的疏解，對章句之學的性質已有較明晰的概念。那麼，是否有現存的章句資料，可輔助說明前面的論點。《漢志》著錄以章句爲書名的，《易經》有施讎、孟喜、梁丘賀章句各二篇；《尙書》有大、小夏侯章句各二十九卷；另有公羊章句三十八篇和穀梁章句三十三篇。這些章句都已亡佚，清人馬國翰和黃奭等人的輯佚，僅是斷簡殘篇，已無法窺見章句的完整形式。（註三）現存以章句爲書名的著作，有趙岐的《孟子章句》和王逸的《楚辭章句》。這兩部書都是東漢時代的作品，是削減章句以後才出現的，恐不足以反映章句極盛時代的面貌。這兩書的內容和一般所說的傳注並沒有什麼不同，但對經文的每一句都有簡明的釋義。這種對各章、各句作簡明釋義的，可能就是《丁寬傳》所說的「作《易說》三萬言，訓故舉大誼而已，今小章句是也。」（《漢書》，卷八八）可知解經如僅僅「訓故舉大誼」，就是「小章句」（註四）。這種小章句，可能就是章句之學最早的形式，如果牽引很多資料，甚至單就某一問題作詳盡縝密的闡釋，就可能變成「大章句」。西漢末至東漢時代所要刪削的，就是這種動輒數十萬言，或百萬言的大章句。

小章句的形式是怎樣呢？清人沈欽韓曾說：「章句者，經師指括其文，敷暢其義，以相教授。左宣二年傳疏，服虔載賈逵、鄭眾或人三說，解叔牂曰『子之馬然也』，此章句之體。」（《漢書・藝文志補注》引）沈氏以爲宣公二年《左傳疏》，載有賈逵、鄭眾、或人（不知名之人）等三種說法，在解說「子之馬然也」這句話。這些解說，就是章句的一種形式。茲將沈氏所舉的《左傳疏》抄出來：

> 服虔載三說，皆以「子之馬然」爲叔牂之語，「對曰」以下爲華元之辭。賈逵云：叔牂宋守門大夫，華元既見叔牂，牂謂華元曰，子見獲於鄭者，是由子之馬使然也。華元對曰：非馬自奔也，其人爲之也。謂羊斟驅入鄭也。奔，走也。言宋人贖我之事既和合，而我即來奔耳。鄭眾云：叔牂即羊斟也，在先得歸。華元見叔牂，牂即誣之曰，奔入鄭軍者，子馬然也。非我也。華元對曰，非馬也，其人也，言是汝驅之耳，叔牂既與華元合語而即來奔魯。又一說，叔牂，宋人，見宋以馬贖華元，謂元以贖得歸，謂元曰：子之得來，當以馬贖故然。華元曰，非馬也，其人也，言已不由馬贖，自以人事來耳。贖事既合，而我即來奔。

就所錄的疏文加以分析，賈逵、鄭眾、又一說等三家都在闡述「子之馬然」一句話的文意，三家解釋互有不同，但力求文句的眞意則並無二致。可是，賈逵、鄭眾都是東漢時代的人，他們的說法，出在章句減化以後的時代，也許可視爲一種較純淨簡潔的章句，即前文所說的「小章句」。至於什麼是「大章句」呢？

現在雖然沒有那一種流傳的文獻，直接說某某資料就是大章句。

但是，前人所說的數十萬言，或百萬言的「大章句」，其詮釋形式，恐怕不會像前文所引的那麼簡潔扼要。《漢志》著錄施、孟、梁丘氏的《易經章句》各二篇，他們的原書已亡佚，但孟氏章句的一部分，仍保存在開元中唐僧一行的《卦議》中。其所引的孟氏說如左：

> 自冬至初，中孚用事，一月之策，九六、七八，是爲三十。而卦以地六，候以天五，五六相乘，消息一變，十有二變而歲復初。坎、震、離、兌，二十四氣，次主一爻。其初則二至、二分也。坎以陰包陽，故自北正，微陽動于下，升而未達，極於二月，凝涸之氣消，坎運終焉。春分出於震，始據萬物之元，爲主於內，則群陰化而從之。極于正南，而豐大之變窮，震動究焉。離以陽包陰，故自南正，微陰生於地下，積而未章，至于八月，文明之質衰，離運終焉。仲秋陰形于兌，始循萬物之末，爲主於內，則群陽降而承之。極于北正，而天澤之施窮，兌功究焉，故陽七之靜始於坎；陽之動始于震。陰八之靜始于離，陰六之動始于兌。故四象之變，皆兼六爻，而中節之應備矣。（卷二七上，歷三上）

這是孟喜的十二月卦，一行說：「十二月卦出於孟氏章句。」可見孟氏的十二月卦，也是一種章句之學。如果一行所說的無誤，那麼，漢代《易》學家的象數之學，是否可算是一種章句之學？個人以爲不單是《易》學家的象數學，西漢宣帝以後的經學研究，都可以說是一種廣義的章句學。

宣帝以後的經學是一種有別於漢初古學的「今學」。今學的主導者是博士。博士領政府的俸祿，主要的任務是傳承某一種經書。博士在政府核定的員額內招收弟子，博士弟子即是政府部門所儲備的人才。博士用他所專精的一門經書作爲教材，由於經書大都是先秦留傳下來的文獻，如果沒有注解、闡釋已不易了解。這些經師所作的注解，或稱傳、說、故，或稱章句，名稱雖不同，其爲經書作注，則並無二致。而當時的博士，爲了長久保有他的地位，解釋經書時，逐漸和政治結合也是很必然的現象。當時統治者喜歡陰陽災異，這些博士和他的弟子，馬上把經書附會上陰陽災異；統治者喜歡以經書論教化，經書也成了教化的工具。統治者，喜歡圖讖，經書也染上圖讖的色彩。在這種情況下，經師們對經書的解釋，已不僅是字句的訓詁或文義的闡釋，而是假借經書中的一兩話，牽引許多資料，甚而發展出一種新的理論。《易經》的象數論，《尙書》的《洪範》五行說，《齊詩》的五際六情等等理論，就是在時勢的需求下逐次發展起來的。這些看似注解，其實是發揮個人理論的詮釋方式，可能被稱爲「大章句」，原先那種解釋文義的「章句」，由於篇幅短小，祇好稱爲「小章句」了。

這樣看來，廣義來說，西漢宣帝以後被稱爲「今學」的經學，都可以說是一種章句之學。這種經學，因爲代代相傳，又不願與其他經師相溝通，形成一種自我封閉的系統。在激烈變動的時代中，其不能迎合時勢潮流也是很必然的事。所以王莽時代起，削減章句之聲此起彼落，原因即在此。

三、章句之學與師法、家法

檢討兩漢的經學，除了章句之學外，又有師法、家法。什麼是師法、家法？它們與章句之學的關係如何？前人似乎僅著眼於師法和家法的分別，如皮錫瑞《經學歷史》說：

> 前漢重師法，後漢重家法。先有師法，而後能成一家之言。師法者，溯其源；家法者，衍其流也。（頁一三六）

皮氏所說的師法、家法之別，是從經學的授受源流來說的。馬宗霍《中國經學史》也說：

師法者，魯丕所謂說經者傳先師之言，非從己出，法異者各自說師法，博觀其義是也。家法者，范曄所謂專相傳祖，莫或訛雜，繁其章條，穿求崖穴，以合一家之說也。（頁三八）

馬氏則著重在師法、家法的特色來立論。戴君仁先生則以爲章句、師法、家法爲一物的異稱，皮氏分別師法、家法，則爲不必。這些見解的是非如何，也有待重新檢討。茲將《前、後漢書》中，有關師法、家法的記載擇要臚列，並加以檢討。《漢書》中有關師法的記載，《翼奉傳》說：

（元帝）召問奉：「來者以善日邪時，孰與邪日善時？』奉對曰：『師法用辰不用日。」（卷七五，頁三一七〇）

又《李尋傳》說：

（尋）治《尚書》，與張孺、鄭寬中同師，寬中等守師法教授，……（卷七五，頁三一七九）

又《張禹傳》說：

甘露中，諸儒薦禹，有詔太子太傅蕭望之問，禹對《易》及《論語》大義，望之善焉，奏禹經學精習，有師法，可試事。奏寢，罷歸故官。（卷八一，頁三三四）

又《孟喜傳》說：

喜好自稱譽，得《易》家候陰陽災變書，詐言師田生且死時枕喜郗，獨傳喜。諸儒以此耀之。同門梁丘賀疏通證明之，曰：『田生絕於施讎手中，時喜歸東海，安得此事？』……博士缺，眾人薦喜，上聞喜改師法，遂不用喜。（卷八八，頁三五九九）

又《張山拊傳》說：

（秦）恭增師法至百萬言，爲城陽內史。（卷八八，頁三六〇五）

以上是《漢書》中有關師法的記載。至於《後漢書》中提及師法的資料有：《卓茂傳》說：

> 茂，元帝時學於長安，事博士江生，習《詩》、《禮》、及歷算，究極師法。（卷二五，頁八六九）

又《吳良傳》說：

> （良）治《尚書》，學通師法，經任博士，行中表儀。（卷二七，頁九四三）

又《劉寬傳》李賢注引《謝承書》說：

> 劉寬少學歐陽《尚書》、京氏《易》，尤明《韓詩外傳》。星官、風角、算歷，皆究極師法，稱爲通儒。（卷二五，頁八八六）

這是《後漢書》中有關師法的記載。綜合《兩漢書》中的資料，可歸納出幾點現象：其一，說經必須守師法，如能守師法，仕進也較順利，孟喜因改師法，而失去博士的位子。其二，經師教學時，也都應守師法教授，不能守師法教授的，可能受到制裁。其三，經師可以依實際需要增加師法，亦即增加章句，「（秦）恭增師法至百萬言」，即增加章句至百萬言。可知，章句和師法有時意義是相同的。用「章句」一詞，是從當時經學的詮釋方式來說的，用「師法」一詞，是指此一詮釋方式和精神，都是由某一始祖代代相承而來，而形成一種典範。既是始祖所傳，所以稱爲「師法」。

再看看有關家法的記載。《漢書》中尙無「家法」一詞。《後漢書》中有關家法的記載，則有《質帝紀》說：

> 千石、六百石、四府掾屬、三署郎、四姓小侯先能通經者，各令隨家法，其高第者上名牒，當以次賞進。（卷六，頁二八一）

李賢的注說：「儒生爲《詩》者，謂之詩家，《禮》者謂之禮家，故言各隨家法也。」（同上引）又《魯恭傳》說：

> 魯恭……，其後拜為《魯詩》博士，由是家法學日盛。（卷二五，頁八七八）

又《徐防傳》，徐防上疏說：

> 伏見太學試博士弟子，皆以意說，不修家法，私相容隱，開生姦路。每有策試，輒興諍訟，論議紛錯，互相是非。今不依章句，妄生穿鑿，以遵師為非義，意說為得理，輕侮道術，寖以成俗，誠非詔書實選本意。（卷四四，頁一五〇〇）

又《左雄傳》說：

> 左雄又上言：「……請自今孝廉年不滿四十，不得察舉，皆先詣公府，諸生試家法。」（卷六一，頁二〇二〇）

李賢注說：「儒有一家之學，故稱家法。」（同上引）又《蔡倫傳》說：

> （安帝）元初四年，帝以經傳之文，多不正定，乃選通儒謁者劉珍，及博士良史，詣東觀，各讎校漢家法，令倫監典其事。（卷七八，頁二五一三）

又《儒林傳上》說：

> 及光武中興，……立五經博士，各以家法教授，《易》有施、孟、梁丘、京氏；《尚書》，歐陽、大小夏侯；《詩》，齊、魯、韓；《禮》，大、小戴；《春秋》，嚴、顏十四博士，太常差次總領焉。（卷七九上，頁二五四五）

又《張玄傳》說：

> 張玄，……少習顏氏《春秋》，兼通數家法。……後玄去官，舉孝廉，除為郎。會顏氏博士缺，玄試策第一，拜為博士。居數月，諸生上言玄兼說嚴氏、冥氏，不宜專為顏氏博士。（卷七九下，頁二五八一）

以上是《後漢書》中有關家法的文獻記載。從這些資料，可以得到數點啓示：其一，諸生考試時，皆應「試家法」，經師教授時，也應以家法教授；其二，兼通數家法的，對仕途反而不利，如張玄因學顏氏、嚴氏、冥氏數家法，所以不能專爲顏氏博士。這和改師法不能當博士的情形是一樣的。其三，家法可以讎校。「讎校」即校讎，家法如果未記載成文字，如何能讎校？既可讎校，可見是記錄成文字的。這些有文字記載的，即是章句。徐防的疏也可以證成這一論點。徐氏說當時的博士弟子，都「不修家法……互相是非。今不依章句，妄生穿鑿，以遵師爲非義。」「不修家法」，是說不願依照家法學習：「不依章句」，表示不遵守章句。則「不修家法」和「不依章句」，顯然指的是同一回事。博士弟子既以「遵師爲非義」，當然不會去修習老師所世代相傳的家法。

章句既是當時經師的一種解經方式，此種詮釋方式是由創立學派的經師所傳，凡是受學於此一學派的經生，代代皆應以此種解經方式爲典範。此種典範，即稱爲「師法」或「家法」。不能奉行師法或家法的，可能受到相當嚴厲的制裁。

討論到這裏，又衍生一個問題，即：師法既是經生所要奉行的規律，何以還會有家法出現呢？後漢章帝建初四年（西元七九年）曾下詔說：「漢承暴秦，褒顯儒術，建立五經，爲置博士。其後學者精進，雖曰承師，亦別名家。」（《後漢書》卷三《章帝紀》，頁一三七）對「雖曰承師，亦別名家」，李賢注說：「雖承一師之業，其後觸類而長，更爲章句，則別爲一家之學。」（同上引）是知遵守師法應是個大原則，如果有經師能觸類旁通，另外完成章句的，即可成一家之學。這家的章句，就是他們的家法。能成一家之學的，即有可能成爲政府的官學，所以王充曾批評當時的經生說：「世俗學問者，不肯竟經明學；深知古今，急欲成一家章句。」（《論衡・程材篇》）經生不肯好好的研究經學，「急欲成一家章句」，當然是有了章句以後，可以獲選爲博士，博得美名，贏取利祿。經生既爲利祿而研經，經學也流爲經生晉身的敲門磚而已。如何宏揚聖人之道，恐已無暇顧及。

如就另一個角度來說，章句之學本身即是一閉鎖系統，而非開放系統。各家有自己的章句，又限制自己一派的經生，不可兼習他家的章句。經生在此一閉鎖系統的控制下，缺少交流溝通的機會，拘守固蔽也是很必然的事。本來閉鎖，是爲了鞏固本身的某種利益，章句之學，經過一百六十多年的發展（註五），卻因閉鎖而斷送了它在學術舞台的主導地位。

四、章句之學的衰落

章句之學，本身既是一閉鎖的系統，又爲了要博取利祿，不惜牽強附會，久而久之，所謂的「章句」，不但內容煩瑣，且已無法善盡解經的功能。因此，東漢初年時，這種解經方式，即遭到各方的質疑。

當時學者，對章句的煩瑣，迭有描述，桓譚《新論》說：

> 秦近君（應作「延君」）能說《堯典》篇目兩字之說至十餘萬言；但說「曰若稽古」三萬言。

又《後漢書・鄭玄傳論》說：

> 經有數家，家有數說，章句多者或乃百餘萬言，學者勞而少功，後生疑而莫正。（卷三五，頁一二一三）

應劭《風俗通義序》也說：

> 漢興，儒者競復比誼會意，爲之章句。家有五、六，皆析文便辭，彌以馳遠；綴文之士，雜襲龍麟，訓註說難，轉相陵高，積如丘山，可謂繁富矣。

這種經學詮釋的煩瑣現象，如果有益於經世致用，學者也許還不會有怨言，但大家學章句，守章句的結果，卻像顏之推所說的：「空守章句，但誦師言，施之世務，殆無一可。」（《顏氏家訓・勉學篇》）由於空守章句，卻無法經世致用，所以「通人惡煩，羞學章句」（《文心雕龍・論說篇》）西漢末以來的學者，已逐漸不守章句。意即對章句這種典範的一種懷疑、背離，甚至唾棄。有關的記載不少，如：《漢書・揚雄傳》說：

> 雄少而好學，不為章句，訓詁通而已。（卷八七上，頁三五一四）

又《後漢書・馬援傳》說：

> 嘗受《齊詩》，意不能守章句。（卷二四，頁八二七）

又《桓譚傳》說：

> 博學多通，徧習五經，皆詁訓大義，不為章句，能文章，尤好古學。（卷二八上，頁九五五）

又《班固傳》說：

> 所學無常師，不為章句，舉大義而已。（卷四〇上，頁一三三〇）

又《王充傳》說：

> 好博覽而不守章句。（卷四九，頁一六二九）

又《荀淑傳》說：

> 少有高行，博學而不好章句，多為俗儒所非，而州里稱其知人。（卷六二，頁二〇四九）

又《韓韶傳》說：

> 子融，……少能辯理，而不為章句學。（卷六二，頁二〇六三）

又《盧植傳》說：

> 少與鄭玄俱事馬融，能通古今學，好研精而不守章句。（卷六

四，頁二一一三）

從這些記載，可知講求博通的學者，大多不好章句，或不守章句。這是爲什麼呢？他們所以不好章句，是因爲章句之學已流爲追逐利祿的工具，有志氣，有出息的學者根本不屑於去學習它。不守章句，是因爲章句之學專門名家，學問格局太小，不符合博通的要求。

當時除了學者不好章句或不守章句外，朝廷和一般學者也開始削減章句，《論衡・效力篇》說：

王莽之時，省五經章句，皆爲二十萬。博士弟子郭路，夜定舊說，死於燭下。

《後漢書・章帝紀》，章帝曾下詔說：

五經章句煩多，議欲減省。（卷三，頁一三八）

又《鍾興傳》說：

詔令定《春秋章句》，去其復重，以授皇太子，又使宗室諸侯從興受章句。（卷七九下，頁二五七九）

又《樊儵傳》說：

儵刪定《公羊》嚴氏《春秋章句》，世號「樊侯學」。（卷三二，頁一一二五）

又《伏恭傳》說：

初，父黯章句繁多，恭乃省減浮辭，定爲二十萬言。（卷七九，頁二五七一）

又《桓郁傳》說：

初，榮（桓郁之父）受朱普學章句四十萬言，浮辭繁長，多過其實。及榮入授顯宗，減爲三十三萬言。郁復刪省定成十二萬言，由是有桓君大小太常章句。（卷三七，頁一二五六）

又《楊終傳》說：

著《春秋外傳》十二篇，改定章句十五萬言。（卷四八，頁一

六〇一）

又《張霸傳》說：

初，霸以樊儵刪嚴氏《春秋》猶多繁辭，乃減定爲二十萬言，更名張氏學。（卷三六，頁一二四二）

又《張奐傳》說：

初，牟氏章句浮辭繁多，有四十五萬餘言，奐減爲九萬言。（卷六五，頁二一三八）

張奐是桓、靈帝時代的人。可見從王莽至東漢末的桓、靈時代，都有人在刪章句。被刪減過的章句，書中的浮辭或繁辭顯然是減少了，但構成章句的根本思想或意識形態，也許不是藉刪削可以除去的。章帝時的校書郎楊終，以爲「章句之徒，破壞大體。」應該像西漢宣帝召開石渠會議邀集諸儒論定經義。建初四年（西元七九年）舉行白虎觀會議，由章帝親臨裁決，討論的結果經整理爲《白虎通德論》，把當時分歧的章句之學作了整合（註六）。可惜已無法挽救章句之學的沒落。代之而起的是承繼西漢初治經傳統的古學。這種古學的特色，是講求博通，不似章句之學的自我封閉。有如此開闊的格局，自然可以取得主導學術的地位。

五、結　論

兩漢經學的發展，約可分爲三個階段：一是西漢初至昭帝時代，古學盛行，治經訓詁舉大義而已；二是西漢宣、元至東漢明、章時代，今學盛行，用章句的方式來詮釋經書；三是東漢和帝至獻帝時代，古學復興，治經倡行訓詁通大義而已。此一階段，雖仍有許多學者從事章句之學，但已無太大的影響力。

這流行於西漢末、東漢初的章句之學，是今學博士用來詮釋經書的一種方式。最早的章句形式，除了對字、詞的解釋外，還兼疏通文義。這種兼疏釋文義的解經方式，就是《漢書・丁寬傳》所說的「小章句」。後來，經生爲了要鞏固自己的地位，解經時，不但牽引不少相關的資料，甚至就經書中的某些概念，發展出一套自己的理論，像《易經》的象數學，《尙書》的《洪範》五行說，《齊詩》的五際六情等，都可以說是今學博士的章句之學，此種「具文飾說」的解經方法，一方面可以凸顯出該家的「家法」，更可以藉發揮理論的機會，與朝廷的政策相配合。這種章句的字數，可以多到數十萬言或百萬言，也許就是「大章句」。西漢末以來，所要刪削的就是這種大章句。從西漢宣、元至東漢明、章時代的一百六十多年間，現在看來，時間好像很短，但是，一百六十多年間的章句之學，不可能一成不變的維持「小章句」的形式。在政治、社會環境的衝激之下，章句的形式和內容跟著變化，也是很自然的事。所以由小章句演變至大章句，雖沒有更直接的資料可以證實，但這個論斷，應該是合乎歷史發展規律的。

傳習一經的始祖所建立的解經方式和規範，可以說是他的師法。師法是一個學派解經的指導原則，也是約束、規範這學派成員的一種法律，所以每一位經生都應遵守他們的師法。但是，能成一家之學的，才享有博士的榮寵。經生在這種利祿的誘惑下，遵守師法也許僅是個大原則，人人爭著揚名立萬，各家之學也就紛紛出現。創立一家之學的經師，增飾了老師的師法，所以秦恭可以「增師法至百萬言」。但他們還是會要求自己的學生要守家法，這些學生也如法炮製，又增飾他們老師的家法，《兩漢書》中某某經有某家之學（註七），就是這樣形成的。如果章句是當時經師解經形式的一種總稱。師法就是傳習一經的始祖所留傳下來的典範，一經往往只有有一位始祖，所以師法一詞大多出現於西漢，由一經始祖分出來的各家，在增飾師法的過程中，逐漸形成一家之學，他們留下來的典範，就是「家法」，所以

「家法」一詞多流行於東漢。由此可知，不論是師法或家法，都可以說是一種章句之學。師法和家法，可以增强自己學派的凝聚力，也是制裁不守規範的經生的一種法律。甚至可以藉它來攻擊他人，瓦解異己的勢力，以鞏固自己的威權。就學術來說，章句之學因有師法和家法的傳承關係，形成了一種特殊的解經典範；就政治來說，透過師法和家法的有效應用，也可作爲控制經生思想的一種工具。

由於每一家都增飾了它們的章句，以贏取利祿，章句的內容不但日漸龐雜，與經書的本意也越來越遠。當時追求博通的學者，如揚雄、桓譚、班固、王充等人都看不慣章句家的作風，而「不爲章句」、「不守章句」。揚雄說：「大人之學爲道，小人之學也爲利。」（《法言・學行》）大概是針對當時的經生說的。從王莽時代起，至東漢末，刪削章句的事屢見不鮮。可見章句之學對經學研究的負面作用，當時學界已有較充分的認識。但是，削章句所刪減的，僅是有形的「繁辭」或「浮辭」，整個貫穿章句的思想意識，是刪除不盡的。所以，章帝時祇好接受楊終的建議，開了白虎觀的經學會議，以挽救章句之學的沒落。可是，章句是博士的著作，當時的今學博士倚席不講，不求上進，章句漸疏，即使朝廷開再多的會議，也無法挽救它們的衰亡。當時的學術舞台，祇好換一批講博通的古學家來演出。

【附註】

註　一　戴先生的論文，原載於《孔孟學報》十九期（民國五十九年四月），頁七七－九六。後收入戴先生所著《梅園論學續集》（臺北縣：藝文印書館，民國六十三年十一月），頁九三－一一七。

註　二　西漢文、景、武帝時代，雖立有博士，但並未有章句。當時博士治經，僅「訓詁舉大義」而已。至宣、元時代才有章句。詳見錢穆先生《兩漢博士家法考》和《東漢經學略論》二文。

註 三 馬國翰有《玉函山房輯佚書》，所輯以章句爲名的經書，《易》類有施讎的《周易施氏章句》一卷、孟喜的《周易孟氏章句》二卷、梁丘賀的《周易梁丘章句》一卷、京房的《周易京氏章句》一卷、劉表的《周易劉氏章句》一卷。《尚書》類有歐陽和伯的《尚書歐陽章句》一卷、夏侯建的《尚書小夏侯章句》一卷。《詩經》類有薛漢的《韓詩薛君章句》二卷。《春秋》類有尹更始的《春秋穀梁傳尹氏章句》一卷、鄭眾的《春秋牒例章句》一卷。《論語》類有包咸的《論語包氏章句》二卷、周氏的《論語周氏章句》一卷。《孟子》類有程曾的《孟子程氏章句》一卷、高誘的《孟子高氏章句》。黃奭的《黃氏逸書考》（原名《漢學堂叢書》）所輯的家數和各家章句的內容都較少。

註 四 就事物的發展來說，一定先有某一事物，後來又有某一類似的新事物，爲新舊、前後、大小有別，所以在兩件事物名稱的上面，各加上用以分別的形容詞，如《前、後漢書》、《新、舊唐書》等都是。就章句的發展來說，本來祇有章句，有了新形式的章句，其內容又較龐大，所以把原先的章句，改稱爲「小章句」。

註 五 從西漢宣帝元平元年（西元前七四年）至東漢章帝章和二年（西元八八年），約一百六十多年，是章句之學由興起、極盛和衰微的時代。

註 六 有關白虎觀會議的敍述，可參考錢穆先生《兩漢博士家法考》一文第十五小節《白虎觀議奏與今古學爭議》。當時是想藉開會來解決章句煩瑣的問題，但是各家師心自用，這個會議根本無法發揮作用。

註 七 如有關《尚書》的有：「由是歐陽有平（當）、陳（翁生）之學」；「由是《尚書》有大、小夏侯之學」；「由是大夏侯有孔（霸）、許（商）之學；小夏侯有鄭（寬中）、張（無故）之學，秦（恭）、假（倉）、李（尋）氏之學。有關《魯詩》的有：「由是《魯詩》有韋氏學」；「由是《魯詩》有張（長安）、唐（長賓）、褚（少孫）之學」。詳《兩漢書》各列傳。茲不具舉。

參考書目

經學歷史　皮錫瑞撰　周予同注　河洛圖書出版社　民國六十三年九月
中國經學史　馬宗霍撰　臺灣商務印書館　民國五十七年十月
中國經學史　本田成之著　古亭書屋　民國六十四年四月
中國經學發展史論（上）　李威熊著　文史哲出版社　民國七十七年十二月
兩漢經學今古文平議　錢穆撰　東大圖書公司　民國六十七年七月
西漢經學與政治　楊向奎撰　獨立出版社　民國三十四年十二月
東漢經術與士風　翁麗雪撰　國立臺灣師範大學國文研究所碩士論文　民國七十二年四月
周易注疏　魏王弼、韓康伯注　唐孔穎達疏　藝文印書館　民國五十四年
易學哲學史（上）　朱伯昆撰　北京大學出版社　一九八六年十一月
尚書學史　劉起釪著　中華書局　一九八九年六月
章句論　呂思勉著　臺灣商務印書館　民國六十六年三月
新校史記三家注　漢司馬遷撰　宋裴駰等注　世界書局　民國六十一年十二月
新校漢書注　漢班固撰　唐顏師古注　世界書局　民國六十一年十二月
新校後漢書注　宋范曄撰　唐李賢等注　世界書局　民國六十一年十二月

中國哲學史史料學初稿　馮友蘭撰　上海人民出版社　一九六二年十二月

荀子與兩漢儒學　徐平章著　文津出版社　民國七十七年二月

兩漢儒學研究　夏長樸著　國立臺灣大學文學院　民國六十七年二月

漢代思想史　金春峰著　中國社會科學出版社　一九八七年四月

兩漢思想史　祝瑞開著　上海古籍出版社　一九八九年六月

論衡注釋　漢王充撰　北京大學歷史系論衡注釋小組注　中華書局　一九七九年十月

玉函山房輯佚書　清馬國翰輯　文海出版社　民國五十八年

經疏的衍成　戴君仁撰　收入梅園論學續集　藝文印書館　民國七十年九月

兩漢經學獨尊與經學諸問題的探討　李威熊撰　孔孟學報四二期，民國七十年九月

論兩漢博士家法及其株生原因　羅義俊撰　中國文化月刊一一六期　民國七十八年六月

東漢經學略論　錢穆撰　收入中國學術思想史論叢（三）　東大圖書公司　民國六十六年七月

讖緯思想下的東漢政治與經學　金發根撰　收入沈剛伯先生八秩榮慶論文集　聯經出版事業公司　民國六十五年十二月

——原載《漢代文學與思想學術研討會論文集》（臺北：文史哲出版社，一九九一年），頁二五五——二七八。

論漢代讖緯神學

黃開國

一

讖緯神學是漢代的一種社會思潮。讖和緯的含義是不同的。讖具有應驗、靈驗之義。《說文》曰：「讖，驗也，从言，韱聲。」可見，讖的本義是應驗，它是同人的語言有關的。凡是有應驗的預言，就叫做「讖」。宣揚這種宗教預言的書，就叫做「讖書」。張衡說：「立言於前，有徵於後，故智者貴焉，謂之讖書。」（《後漢書・張衡傳》）緯是什麼呢？《說文》曰：「緯，織橫絲也。」織布上的橫絲是緯的本義。因爲織布上的縱絲稱經，緯相對經而言。因而，用神學觀點來解釋經書的書，被稱作緯書。漢代儒學有「五經」、「七經」之說，緯書也有「五緯」、「七緯」之稱。

讖與緯雖有差別，但都具有十分濃厚的宗教神秘色彩。讖書作者托名於天帝、神仙。漢成帝時甘忠可製造讖書，托名赤精子，說是「上帝使眞人赤精子，下教我此道。」（《漢書・李尋傳》）王莽時，哀章在銅匱上所造的讖文，其一托名「天帝」，其一托名「赤帝」（《漢書・王莽傳》）。當時有的讖文還托丹石、三能文寫、鐵契、石龜、文圭、玄印、石書、玄龍石、神井、大神石、銅符帛圖等（同上）。讖書作者爲增加神秘性，還在讖書中配有古怪的圖畫，因此讖書也叫做圖書、圖讖。緯書托名孔子。孔子本來是春秋末期儒家學派的創始人，但在讖緯中卻被描繪成「前知千歲，後知萬世」（《論衡・實知篇》）的神人。讖語有「孔子作《春秋》，爲赤制而斷十二公」

（《後漢書·公孫述傳》）的說法。漢自稱繼堯之後，推五行終始屬火德，色尚赤。赤制就是漢制，西漢正好十二代皇帝。孔子在大約三百年前就預先規定好了西漢歷史的發展，這不是「後知萬世」的神人嗎？《孝經鉤命訣》還將孔子的形貌描繪成海口、牛唇、舌理七重、虎掌、龜脊、輔喉、駢齒。班固在《典引篇》中說：「夫圖書亮章，天哲也；孔猷天命，聖孚也。」（《後漢書·班固傳》）可見在讖緯神學盛行的東漢，人們心目中的孔子已經不是「人」，而是通天的「神」。緯書也有圖書，七緯中有《稽覽圖》、《坤靈圖》、《演孔圖》、《保乾圖》、《握誠圖》等（《後漢書·方術列傳·注》）。

讖緯的神學本質，主要表現在它所宣揚的神學內容。《後漢書·光武帝紀·注》：「讖，符命之書也，……言爲王者受命之徵驗也。」故讖書又稱「符命」、「符書」。王莽一伙所造的讖文，就叫「符命」。「大歸言莽當代漢有天下云」（《漢書·王莽傳》）。就是說王莽代漢是受命於天的。劉秀即位告天文引讖曰：「劉秀發兵捕不道，卯金修德爲天子。」（《後漢書·光武帝紀》）用以說明他當天子，是天帝在讖文中早就注明了的。劉秀在封禪文告中還六引讖文，用以證明他封禪是天命決定的（詳見《後漢書·祭祀志上》）。

緯書也是講上天符命的，不過在形式上是通過孔子所預言的。如《後漢書·五行志·注》引《春秋潛潭巴》三十三條，全是說明某日日蝕，就是上天向人君預示某種變亂，天人感應的神學氣味十分濃厚。

二

讖緯神學起源於何時？東漢大思想家張衡曾說：

> 讖書始出，蓋知之者寡。自漢取秦，用兵力戰，功成業遂，可謂大事，當此之時，莫或稱讖。若夏侯勝、眭孟之徒，以道術

立名，其所著述，無讖一言。劉向父子領校秘書，閱定九流，亦無讖錄。成、哀之後，乃始聞知。……」

又言「別有益州」。益州之置，在於漢世。其名三輔諸陵，世數可知。至於圖中訖於成帝。……至於王莽簒位，漢世大禍，八十篇何爲不戒？則知圖讖成於哀、平之際也。（《後漢書·張衡傳》）

張衡這段話，從西漢的學術發展和讖緯內容兩方面，說明了讖緯神學起源於西漢的成、哀之後。

從學術思想發展，張衡講了兩點理由。第一，是夏侯勝、眭孟的著作，沒有一句講讖緯的話。夏侯勝見於《漢書·夏侯勝傳》和《漢書·儒林傳》。他曾從夏侯始昌「受《尙書》及《洪範五行傳》，說災異。」昭帝時爲《尙書》博士。宣帝時爲太子太傅，「受詔撰《尙書》、《論語說》。」他的著作雖有濃重的陽陰五行論的神秘色彩，但畢竟是解經的著作，不同於緯書。眭孟見於《漢書·眭孟傳》和《儒林傳》。他略早於夏侯勝，曾「從嬴公（董仲舒高足弟子）受《春秋》，以明經爲議郎，至符節令。」昭帝元鳳三年（西元前七八年）正月，泰山萊蕪山南有大石自立，上林苑中枯柳復生，有蟲食樹葉成文字「公孫病已立」（《漢書·昭帝紀》）。「孟推《春秋》之意，以爲石柳皆陰類，下民之象，泰山者岱宗之岳，王者易姓告代之處。今大石自立，僵柳復起，非人力所爲，此當有從匹夫爲天子者。枯社木復生，故廢之家公孫氏當復興者也。」並要「漢帝宜誰差天下，求索賢人，禪以帝位，而退自封百里，如殷周二王後，以承順天命。」（《漢書·眭孟傳》）從這件事來看，他的思想同西漢今文經學家董仲舒的哲學思想是相通的，這同讖緯神學也是有區別的。

第二點理由是，劉向父子領校秘書、閱定九流，未見讖緯。據《漢書·藝文志》載，劉向在成帝年間受詔領校《五經》等。劉向去世後，哀帝初年劉歆繼承父業。劉向父子所校六藝、傳記、諸子、詩賦、數術、方技等，後由劉歆總爲《七略》，並分諸子爲儒、墨、道、名、法、陰陽、縱橫、雜、農、小說等家，這可從《漢書・藝文志》中窺見大略。從班固根據《七略》修成的《漢書・藝文志》看，其中沒有讖緯的類別，《河圖》、《洛書》及七緯的書名、篇名，也未見到。

張衡從讖緯神學內容方面講了三點理由。第一，讖書中有益州的記載，而益州建置於漢武帝元封二年（西元前一〇九年）。圖讖有益州的記載，證明圖讖成書是在漢武帝置益州之後。第二，圖讖中關於「三輔諸陵世數」最近可以考知的是漢成帝，圖讖既有漢成帝陵墓的記載，證明圖讖成書於漢成帝死後。第三，圖讖中對王莽代漢沒有戒告，而王莽代漢是西漢後期的重大事件，可見圖讖成書於王莽代漢以前。

張衡是東漢「通《五經》，貫六藝」（《後漢書・張衡傳》）的名儒，又是東漢最傑出的自然科學家。在哲學上他是讖緯神學的激烈反對者，對讖緯神學應該是了解的。關於西漢經學和最早出現的讖緯神學的資料，他比後人也見得多。因而，張衡關於讖緯產生於西漢成哀之後的看法，基本上是可信的。

《漢書・李尋傳》關於讖緯出現的最早年代的記載，較張衡所說的時間略早。它說：

> 初。成帝時，齊甘忠可詐造《天官曆》、《包元太平經》十二卷，以言「漢家逢天地之大終，當更受命於天，天帝使眞人赤精子下教我此道。」忠可以教重平夏賀良、容丘丁廣世、東郡郭昌等。中壘校尉劉向奏忠可鬼神罔上惑眾，下獄治服，未斷病死。」（《後漢書・李尋傳》）

哀帝即位後，夏賀良通過李尋、解光、郭昌等人推薦，甘忠可製造的讖緯被哀帝接受。漢哀帝還以此在建平二年（西元前五年），導演了一次改元易號的鬧劇。《漢書・哀帝紀》說：「待詔夏賀良等言赤精子之讖。」《漢書・王莽傳》也說：「甘忠可、夏賀良讖書藏蘭台。」可見，甘忠可所造的書就是最早出現的讖書。根據這條史料，我們可以說讖緯神學產生的確切年代是成、哀年間。

《漢書》的記載，似乎同張衡的觀點是矛盾的。一是張衡講劉向父子「閱定九流，亦無讖錄」，但《漢書・李尋傳》明確講劉向在成帝時，「奏忠可假鬼神罔上惑眾」，哀帝初，劉歆也認爲甘忠可的讖書「不合《五經》」。可見劉向父子在校書前或校書過程中是見到過讖書的。但張衡又說劉歆校定的書目，沒有讖書。從《漢書・藝文志》看，確實如此。這好像說不通，其實並不矛盾。劉向父子見到過讖書，校書時又沒有記錄，二者都是事實。因爲劉向父子是堅決反對甘書的。同時讖書始出，數量太少，專列一項不大可能，附於別的項類，又似不妥。這兩種原因都有可能使劉歆見到讖書，而又未把它列於所校書目內。

第二點矛盾是，張衡講讖緯在「成、哀以後乃始聞之」，「成於哀、平之際」，但班固的《漢書》記載是成帝時甘忠可已造出讖書，時間上明顯不合。但這也並非不可解決的矛盾。首先，成、哀、平是三代相繼的國君，成帝在位二十一年，哀帝只有六年，平帝只有五年，在時間上兩種說法差異不大。其次，成帝時，甘忠可被下獄病死，夏賀良被殺了頭，推薦讖書的李尋等也差點送了命。讖書雖然已經出現，但由於被當政者視作「違經背古」的妖書，因而不可能在社會上廣泛傳播，知道的人自然很少。哀帝後，王莽實際上控制了西漢王朝，適應王莽代漢的需要，讖緯神學大肆興起，知道的人才多起來。因而張衡的說法和班固的記載，我們可以這樣來看，即最早的讖書成於成、哀年間，而作爲一股社會思潮，讖緯神學則興起於哀、平之際。

讖緯神學產生於成、哀年間，絕非偶然，既有思想淵源，又有社會根源。從甘忠可的「漢家逢天地之大終，當更受命於天」的話來看，它是西漢以董仲舒爲代表的儒家的天命論與陰陽五行說合流的產物。從「天帝使眞人赤精子下教此道」看，顯然是秦漢以來方士思想的影響。

除了思想原因，更重要的是當時社會矛盾的反映。成、哀年間，除了繁重的賦稅、徭役外，各級官吏和豪強地主兼併土地的現象也十分嚴重，成帝在詔書中說：公卿、列侯、近臣「廣務第宅、治園地」（《漢書・成帝紀》）；哀帝在詔書中也說：「諸侯王、列侯、公主、吏二千石及富民多畜奴婢，田宅亡限。」（《漢書・哀帝紀》）許多農民由於喪失土地，變成了「流民」。他們連最起碼的生活也得不到保障，「民有七亡而無一得」，「民有七死而無一生」（《漢書・鮑宣傳》）。於是，農民起義便在各地相繼爆發，農民與地主的矛盾空前激化。當時統治階級內部的矛盾，特別是劉氏集團與王氏集團之間的矛盾也很尖銳。整個社會處於嚴重的危機之中。在這種情況下，或爲了挽救西漢滅亡，或爲了奪取劉氏政權，都需要一種新的思想武器，讖緯神學正是適應這種政治要求，便在吸取西漢今文經學與方士迷信的基礎上應運而生。

三

從西漢末年到東漢末年，讖緯神學的發展大致可以分爲兩個階段。從甘忠可製造讖書到劉秀宣布圖讖於天下，是讖緯神學發展的第一階段；從劉秀宣布圖讖於天下到東漢王朝滅亡，是讖緯神學發展的第二階段。在這兩個發展階段上，讖緯神學具有不同的特點。

在第一階段，讖緯神學是各種政治勢力相互鬥爭的思想武器，尙未法定地統一起來。王莽、劉秀、公孫述等政治力量，都根據自己的需要，製造和利用讖緯。王莽以「告安漢公莽爲皇帝」的讖文，做上了假皇帝。兩年後「廣饒侯劉京、車騎將軍千人扈雲、大保屬臧鴻奏符命。京言齊郡新井，雲言巴郡石牛，鴻言扶風雍石，莽皆迎受。」王莽又以此爲根據，正式取代了西漢王朝。「是時爭爲符命封侯，其不爲者相戲曰：『獨無天帝除書乎？』」王莽鑒於此，曾一度企圖將讖緯統一起來，專門爲他服務，在西元九年，「遣五威將王奇等十二人班《符命》四十二篇於天下。」並且宣布「非五威將率所班，皆下獄。」但是，由於王氏政權尚不穩固，相應地思想統治也不穩定。王莽班《符命》後，甄尋製造讖書同王莽進行爭權的鬥爭。其後，更有李焉與卜者王況等製造讖文，預言「漢家當興」（以上均見《漢書・王莽傳》）。可見，王莽在實際上並沒有把讖緯眞正法定地統一起來。

其後，劉秀根據「劉秀發兵捕不道，卯金修德爲天子」的讖文，登上了皇帝寶座。當時，公孫述也引用讖緯證明他是眞命天子，並同劉秀作鬥爭。《後漢書・公孫述傳》曰：「述亦好爲符命鬼神瑞應之事，妄引讖記。以爲孔子作《春秋》，爲赤制而斷十二公，明漢至平帝十二代，曆數盡也，一姓不得再受命。又引《錄運法》曰：『廢昌帝，立公孫。』《括地象》曰：『帝軒轅受命，公孫氏握。』《援神契》曰：『西太守，乙卯金。』謂西方太守而乙絕卯金也。五德之運，黃承赤而白繼黃，金據西方爲白德，而代王氏，得其正序。又自言手文有奇，及得龍興之瑞。數移書中國，冀以感動衆心。」劉秀對此也很害怕，還專門給公孫述寫信，對讖文作出不同解釋。

在這個階段上，讖緯神學的第二個特點是，讖緯的製造者和宣揚者主要是方士和投機政客。最早製造讖書的甘忠可是方士，王莽時有卜者王況、道士西門加惠（見《漢書・王莽傳》、《後漢書・光武帝紀》），都是方士。此外，製造讖緯的還有孟通、劉京、扈雲、臧鴻、哀章、甄尋、張永、蔡少公等，這些人大都是投機政客。儒生製造讖緯的，只有華强曾造作《赤伏符》（《後漢書・光武帝紀》）。信奉圖讖的有《易》經博士蘇竟。劉歆雖是王氏集團的重要成員，但並未有他製造或宣揚圖讖的記載。相反地，激烈反對甘忠可所造的讖書，倒是史有明文的。可見，在這個階段，儒生製造和宣傳讖緯的是極少數的。

在這個階段，讖緯神學的第三特點，就是比較粗陋。尹敏在受詔校定圖讖後曾說：「讖書非聖人所作，其中多近鄙別字，頗類世俗之辭。」（《後漢書・儒林傳》）從現存資料來看，王莽、劉秀、公孫述等所引讖文都是很短小的，他們的擁護者所造的讖文也是如此。這個階段上人們所引讖文均不見《河圖》、《洛書》和七緯的書名。可見，這時《河圖》、《洛書》和七緯還未成書。

建武十一年（西元三五年），劉秀統一了全國。隨著劉氏政權的逐步鞏固，思想上的統治也加强了。讖緯神學在劉秀奪取政權的鬥爭中，雖是有力的思想武器，但讖緯神學又具有危險性，特別是在社會動亂年代，一切人都可以利用它來爲自己服務。王莽已經看到了這一點，曾力圖統一讖緯神學。劉秀同樣懂得這一點，所以很重視將讖緯法定地統一起來。據《後漢書・儒林傳》載：「帝以（尹）敏博通經記，令校圖讖，使蠲去崔發所爲王莽著錄次比。」又載：薛漢在「建武初，爲博士，受詔校定圖讖。」可見劉秀在統一全國過程中，就已開始注意讖緯的統一問題。

中元元年（西元五六年），光武帝「宣布圖讖於天下」（《後漢書・光武帝紀》）。如果尹敏、薛漢是在建武二年受詔校定圖讖的話，到這時正好三十年。所謂「校定」，校只是次要的，定才是主要的。就是說薛漢等人受詔校定圖讖的主要任務，就是制定爲東漢王朝服務的統一的讖緯神學。《河圖》、《洛書》和七緯就是經薛漢等人之手，成於這個時期。

這從《後漢書・祭祀志》中也透露一點音訊。「建武三十二年正月，上齋，夜讀《河圖・會昌符》」二月，劉秀在封禪文告中引有《河圖・赤伏符》、《河圖・會昌符》、《河圖・合古篇》、《河圖・提劉予》、《洛書・甄曜度》、《孝經・鉤命決》。這是《後漢書》中最早注明《河圖》、《洛書》及其篇名的地方。恰好在這一年，劉秀宣布圖讖於天下，這決不是偶然的巧合。從中我們可以看出，第一，《河圖》等緯書成書的最遲年代是建武三十一年，即西元五五年。第二，薛漢等人所造《河圖》等書，吸收了以前爲劉秀服務的讖緯，但又把它發展得更精巧更神秘了。如華强曾造《赤伏符》說：「劉秀發兵捕不道，卯金修德爲天子。」而《河圖・赤伏符》則曰：「劉秀發兵捕不道，四夷雲集龍鬥野，四七之際火爲主。」很顯然後者是在吸收前者的基礎上，發展而成的。第三，《河圖》等是由劉秀欽定，並抬到法典地位的。劉秀夜讀《河圖》等，實際上是審定讖文。他在封禪文告中宣布「皇帝唯慎《河圖》、《洛書》正文」，隨後又宣布圖讖於天下，就是皇帝出面把讖緯抬到國典的地位。

在這個階段上，讖緯神學不僅相當精巧，而且被法定地統一起來了，成爲東漢王朝的統治思想。此時，誰敢擅造圖讖，就是大逆不道，一旦被發現，難免殺身之禍。楚王劉英是劉秀的兒子，明帝永平十五年（西元七十年），被告發「英與漁陽王平、顏忠等造作圖書，有逆謀。」結果以「大逆不道」的罪名被廢，不久自殺（《後漢書・光武十王列傳》）。

讖緯神學在這個階段上的另一個特點是，不少經學家和儒生都是讖緯神學的熱烈信奉者。據《後漢書》載：《易》經博士蘇竟「善圖讖」。（《蘇竟傳》）《韓詩》博士薛漢「尤善說圖讖災異。」（《儒林傳》）博士郭鳳「亦好圖緯。」兼明《五經》的樊英「又善風角、星算，《河》、《洛》七緯。」（《方術列傳》）博士郤信仲、曹褒也善圖讖（《黨錮列傳》、《曹褒傳》）。沛獻王劉輔「善說《京氏易》、《孝經》、《論語》傳及圖讖」（《光武十王列傳》）被稱爲關西大儒的法眞亦「通內外法典」。（《後漢書・逸民列傳》）四世傳《詩》的翟酺「尤善圖緯」，並作《援神解詁》、《鉤命解詁》（《翟酺傳》）。楊統教授三千門生，他祖孫三代都「善圖讖學」，楊統著有《內讖解說》（《楊厚傳》）。此外，東漢經學大師賈逵、班彪父子、馬融、鄭玄等人，也無不深受讖緯神學的影響。

由於東漢的儒生一般都信奉讖緯神學，不少經學家都以讖緯作爲解釋儒家經典的依據，使經學神學化。據《儒林傳》載：景鸞「作《易說》及《詩解》，文句兼取《河》、《洛》。」李育認爲「前世陳元、范升之徒更相排折，而多引圖讖，不據理體。」後來，賈逵以圖讖爲據，說：「《五經》家皆無以證圖讖明劉氏爲堯後者，而《左氏》獨有明文。使《左氏春秋》立於學官（《賈逵傳》）。」從東漢名儒丁恭學《公羊嚴氏春秋》的樊鯈，「與公卿雜定郊祠禮儀，以讖正《五經》異說。」（《樊鯈傳》）明帝時曹充上書，建議另制漢禮，其中一引《河圖》，一引《尙書緯》作爲依據，明帝「善之」。他兒子曹褒受詔撰漢儀時，也「雜以五經讖記之文。」（《曹褒傳》）馬融「集諸生考論圖讖，」以圖讖作爲儒生教學的內容（《馬融傳》）。章帝建初四年，召開的白虎觀會議，實際上是一次以讖緯統一五經的會議。

——原載《中國哲學史研究》一九八四年一期，頁五五——六〇。

《白虎通義》的思想體系

楊向奎

東漢時期，當政的世族地主爲了使西漢以來爭論不休的今古文經更好地爲他們的政權服務，需要對經學重新作出總結。建初四年（西元七九年）章帝詔經師丁鴻「與廣平王羨及諸儒樓望、成封、桓郁、賈逵等，論定五經同異於北宮白虎觀，使五官中郎將魏應主承制問難，侍中淳于恭奏上，帝親稱制臨決」（《後漢書・桓榮丁鴻列傳》）。這次在白虎觀舉行的經學討論會，「帝親稱制臨決」，目的是使經書成爲欽定的封建教科書，此後經書便取得了更爲崇高的地位。參與討論的諸儒，雖然多屬今文經學派，但是今文經學已逐漸凝固化，缺乏初期多變的生命力，儘管在形式上成爲官學，其實徒具形式，不能完全適應封建統治階級的需要。當時的世族豪門地主把宗族和親朋團聚在一起，擁有大量土地，役使千百家農民，他們初步具有「割據自雄」的物質力量，這是使中央集權削弱的因素，是使大一統局面削弱的因素，是封建帝王最爲擔心的事，但這種局面終於來臨了。宦官、外戚在朝廷中爭權奪利，世族豪强則掌握了地方上的實權，這時的階級矛盾日益尖銳化，正當所謂「太平盛世」的時候，也是流民問題最爲嚴重的時候。於是統治階級更加寄望於儒家的思想權威，企圖使儒家思想宗教化，利用宗教的力量來强化思想統治。作爲白虎觀會議書面總結的《白虎通義》，正是這種情況下的產物。

西漢中葉以後，讖緯學產生，儒家思想逐漸宗教化。到東漢章帝舉行白虎觀會議的時候，這種趨勢更加顯著。在我國歷史上，《白虎通義》首先提出「教」以代替過去的所謂「道」，《白虎通義》說：

> 王者設三教者何？承衰救弊，欲民反正道也。三正之有失，故立三教以相指受。夏人之王教以忠，其失野，救野之失莫如敬；殷人之王教以敬，其失鬼，救鬼之失莫如文；周人之王教以文，其失薄，救薄之失莫如忠。（《三教》）

此處所謂「教」的含義和宗教的教義當然還有不同，但《白虎通義》的全部內容是使儒家更進一步宗教化，他們把已經宗教化的儒家理論結集起來，凝固起來，更把這些結集起來的條文公布於天下，成為天下共同遵守的條文，在本質上這也是一種宗教教義。雖然儒家始終沒有正式變成宗教，——這是今文經學的企圖，後來的今文圖讖和傳統的迷信行為相結合，便發展成為道教。

《白虎通義》曾經給「教」下定義道：

> 教者何謂也？教者效也。上為之，下效之，民有質樸，不教不成。（《三教》）

此所謂「教」，好像有教育的含義，並不是宗教。但首先肯定農民愚昧無知，待教之而後善，因此對農民的所謂「教」，實際上是宗教教育，而不是知識教育，他們是用「教」來麻醉人民，而不是來開導人民。傳統儒家的政治思想教育是從倫理學入手的，因此倫理學和政治學混為一體，他們通過倫理來穩定人與人之間的關係，也就鞏固了封建秩序。這是倫理學，又是道德學，也是政治學。「三綱」、「六紀」的教條，始終是束縛勞動人民的枷鎖，這種教條的肯定下來始於《白虎通義》，其中有云：

> 三綱者，何謂也，謂君臣、父子、夫婦也。六紀者，謂諸父、兄弟、族人、諸舅、師長、朋友也。故《含文嘉》曰：「君為臣綱、父為子綱、夫為妻綱。」又曰：「敬諸父兄，六紀道行；諸舅有義，族人有序，昆弟有親，師長有尊，朋友有舊。」

何謂綱記？綱者張也，紀者理也。大者爲綱，小者爲紀，所以，張理上下，整齊人道也。人皆懷五常之性，有親愛之心，是以綱紀爲化，若羅網之有紀綱而萬目張也。（《三綱六紀》）

董仲舒的《春秋繁露》，曾以君臣、父子、夫婦爲「王道之三綱」（《春秋繁露・基義》）；《漢書・賈誼傳》中也有「六紀」的提法。這些提法由今文經師繼承下來，披上神秘的外衣，而由讖緯書加以發揮，到東漢的《白虎通義》，遂以總結的方式固定下來。這是教義，是天地間的綱紀，在長期的封建社會內它始終發揮著束縛人民的作用。這也說明早期具有進步意義的今文經學已變成一股逆流，公羊學派所具有的一些積極因素消失了。

《白虎通義》無疑反映了當時豪門大族的意識形態，而豪門大族的存在也就是地方割據勢力的存在，於是《白虎通義》中也有「天下非一家之有」的說法。如：

王者所以存二王之後，何也？所以尊先王，通天下之三統也。明天下非一家之有，謹敬謙讓之至也。（《三正》）

王者存二王之後，與本朝爲三，所以通三統，這是《公羊》古義，但「明天下非一家之有」卻是新說。傳統的儒家與經學都是說「天下一家」，都是說「溥天之下，莫非王土；率土之濱，莫非王臣」，如今卻提出「天下非一家之有」，這說明《白虎通義》不遵循《公羊》古義大一統的理論，而提倡諸侯對於天子有「天純臣」的關係：

王者不純臣諸侯何？尊重之，以其列土傳子孫，世世稱君，南面而治，……異於眾臣也。（《王者不臣》）

其實在東漢並不存在強大的諸侯，列侯雖然享受優厚的待遇，但不許他們參與政治。建武二十四年（西元四八年）劉秀曾下詔重申「阿附蕃王法」，凡附益諸侯王者都要受到嚴厲的處分。以後又下詔逮捕王侯賓客，牽連致死者八千人。這樣的案件說明一個事實，列侯雖受限制，但具有强大的分裂力量，不過當時具有强大物質力量的並不是這些名義上的列侯，而是素封之家的豪門大族，後來取得割據地位的也往往是這些豪門大族。

意識形態是客觀現實的反映，既然擁有割據的物質力量，就會有反映這種現實的思想意識。天子既然不是一尊，天下並非一家，於是「天子」這一名稱也不過是普通爵稱之一。《白虎通義》開宗明義指出：

天子者，爵稱也。（《爵》）

本來相傳殷爵三等，周爵五等，而今明確說「天子」亦「爵稱」，不過是幾種爵稱中的一種而已，這不是天子的升級而是貶低了。在漢章帝親自主持下作出天子爲爵稱的論斷，這是值得注意的問題。這是重新調整階級關係的時候，在重新調整中，豪門大族的地位提高，而天子的地位貶低。天子之子亦稱「士」，士就是士族、世族、豪門大族的簡稱，《白虎通義》說：

王者太子亦稱「士」何？舉從下升，以爲人無生得貴者，莫不由士起。是以舜時稱爲天子，必先試於士。《禮·士冠經》曰：「天子之元子，士也」。（《爵》）

天子不是超士或超人，亦得由士起，這是指出天子也不過士族中的一員而已，帝室也不過是士族中的一家，他們是貴族，但並不高於其它貴族。這一切都說明當時的豪門大族要和天子平起平坐了。

到了魏晉時代，豪門世族和寒門地主有了嚴格的區別，雖然他們同屬於地主階級，但在政治上寒門地主是受排擠的，這種情況，東漢已開其端，《白虎通義》云：

刑不上大夫何？尊大夫。禮不下庶人，欲勉民使至於士。故禮爲有知制，刑爲無知設也。（《五刑》）

「欲勉民使至於士」的說法，在過去是不曾有過的，因爲這是不能溝通的兩個階級。在東漢雖然他們之間還不能溝通，但士族正在形成，遮族地主勉强可以上升爲士，否則庶人之子雖有千金，也不能以士禮相待。庶族可以升爲士族，商人地主屬於庶族，但士族地主也有經營商業的，因之《白虎通義》對於商賈有適當肯定：

商賈何謂也？商之爲言商也。商其遠近，度其有亡，通四方之物，故謂之商也。賈之爲言固也，固其有用之物以待民來，以求其利者也。行曰商，止曰賈。《易》曰：「先王以至日閉關，商旅不行，後不省方」。（《商賈》）

這種肯定商賈的議論，在中國封建社會是少見的，這只能說隨著商人地主力量的强大，他們的社會地位在上升中。

因爲這是一個社會轉變時期，階級關係在調整中，所以代表階級關係的一些名詞、稱謂也在調整中而重新給予定義，比如：

或稱君子者何？道德之稱也。君之爲言群也。子者丈夫之通稱也。……何以知其通稱也？以天子至於民，故《詩》云：「愷悌君子，民之父母。」《論語》曰：「君子哉若人。」此謂弟子，弟子者民也。（《號》）

「君子」在戰國以前是貴族的稱謂，但隨著社會的發展，階級關係在改變中，舊貴族沒落了，作爲舊貴族通稱的「君子」也失去其原有的意義，於是君子由具有階級涵義的稱謂變作具有道德意味的稱呼。在階級社會中，道德是有階級性的，「已饗其利者爲有德」，所以階級的稱謂和道德的符號可以互換。

這個新的時代是豪門大族登上統治地位的時代，他們是大族，通過宗族賓客、門生故吏、部曲徒附而構成盤根錯節的勢力，宗族的勢力也引人注意了，於是《白虎通義》也給宗法以定義：

宗者何謂也？宗者尊也，爲先祖主者，宗人所遵也。……古者所以必有宗何也？所以長和睦也。大宗能率小宗，小宗能率

> 群弟，通其有無，所以紀理族人者也。宗其爲始祖後者爲大宗，此百世之所宗也；宗其爲高祖後者，五世而遷也。（《宗族》）

必有大宗，以大宗統率小宗，小宗附隸於大宗，上下輻湊，形成一種政治上經濟上的強大力量，這個集團也稱之曰「族」。所以《白虎通義》說：

> 族者何也？族者湊也、聚也，謂恩愛相流湊也。上湊高祖，下湊元孫。一家有吉，百家聚之，合而爲親，生相親愛，死相哀痛，有會聚之道，故謂之族。（《宗族》）

封建和宗法始終結有不解之緣，雖然在某一個時期它爲農民起義所沖刷，但是根深蒂固，大宗保護小宗，小宗支持大宗，連緜不絕。所以又說：「大宗不可絕，同宗則可以爲後。爲人作子何？明小宗可絕，大宗不可絕，故舍己之後，往爲後於大宗，所以尊祖，重不絕大宗也」（《白虎通義・封公侯》）。這本來是領主封建時的制度，如今重新搬出來，封建社會本來就是這樣循環前進。以後講述這種宗法關係的，遂有所謂譜牒之學。

封建宗法制度本來是用以維護封建勢力的組織，但當新興地主階級起而代替舊貴族的時候，舊的宗法制度自然也受到沖擊；但當新興地主階級發展成爲豪門大族的時候，因爲他們是新的士族，於是舊的宗法又復出現。這些士族又以貴族自居，他們不同於庶民，於是在貴族中用禮、在庶人中用刑的理論又復出現：

> 朝廷之禮，貴不讓賤，所以明尊卑也。鄉黨之禮，長不讓幼，所以明有年也。宗廟之禮，親不讓疎，所以有明有親也。此三者行，然後王道得，然後萬物成。（《白虎通義・禮樂》）

「禮」以別貴賤、長幼、親疏，故「禮爲有知制，刑爲無知設」（《白虎通義・五刑》）。所謂「有知」指士族，「無知」即指勞動人民。這樣「禮」、「刑」對立，使人們又想到春秋以前的宗法封建制。

《白虎通義》又是一部講「禮」的書，它具備了繁文縟禮，這是士族間的行爲準則，是士族間的等級關係的表現，而「刑」是他們對待勞動人民的手段，士族和勞動人民之間當然無「禮」可言。所以東漢以後「禮」與「律」都是顯學，是這種現實的反映。新興地主變成士族地主，新興地主階級的「大一統」理想，也被他們拋棄。原來在「大一統」的理論內，「中國」、夷狄都是政治上的界限或者是文化上的界限，「中國」可以退爲夷狄，夷狄可以進爲「中國」，如今在《白虎通義》中夷狄爲君子所不臣，比如：

> 夷狄者與「中國」絕域異俗，非中和氣所生，非禮義所能化，故不臣也。《春秋傳》曰：「夷狄相誘，君子不疾。」《尚書大傳》曰：「正朔所不加，即君子所不臣也」。（《王者不臣》）

這是一種狹隘的民族主義思想，本來在公羊學體系內，夷狄、諸夏與「中國」已經跳出民族或種族的界限，如今又退回到種族的概念中，站在大漢族立場，以爲夷狄「非中和氣所生，非禮義所能化，故不臣也」。這違背了《公羊》義法，違背了「大一統」的含義，《白虎通義》走上了絕路。又說：

> 王者制夷狄樂，不制夷狄禮何？以爲禮者身當履而行之。夷狄之人不能行禮樂者，聖人作爲以樂之耳，故有夷狄樂也。（《禮樂》）

這些理論都和原來的《公羊》乖忤，《公羊》的理論是「王者無外」，所以《公羊》中「許夷狄」者不一而足，如《公羊》昭公二十三年云：

> 「中國」亦新夷狄也。

可見「中國」與夷狄是可以互相轉化的，他們之間不是種族不同，而是由他們的行爲來判斷。但《白虎通義》卻把他們絕對化了，夷狄被擯於大一統之外，這也說明「大一統」的思想被拋棄了。

這時之所以拋棄「大一統」的思想，是因爲這時的王朝已無力維護這大一統的局面，士族地主逐漸形成割據力量，在地主階級內部削弱了大一統，這時的少數民族，有的也已強大起來，在這種情況下，《白虎通義》沒法維持公羊學派的理想，於是拋棄了其中有積極意義的內容。今文經學只能與讖緯結合而走向宗教化，但儒家與經學本身並不具備宗教化的條件，於是讖緯與民間迷信結合而形成道教。公羊學另一次有意義的總結卻來自東漢末年的經師何休，他保存了前期公羊學派的傳統，這是後來公羊學終於能夠發皇起來的根源之一。

——原載《繹史齋學術文集》（上海人民出版社，一九八三年五月），頁一五四——一六一。

《五經異義》的內容及其影響

張啓煥

許慎的著述，除了他的名著《說文解字》外，還有《五經異義》、《孝經古文說》、《淮南子注》等。但這些論著，除《說文解字》一書通行至今外，餘皆亡佚。

《五經異義》一書，《隋書・經籍志》、《舊唐書・經籍志》、《新唐書・經籍志》等均有著錄，共十卷。但此書宋時已佚，前人輯錄的僅存百餘篇，清福州陳壽祺著有《五經異義疏證》三卷。（註一）這一部分，我們主要根據此書及《十三經注疏》、《說文解字注》、《釋名疏證補》、《廣雅疏證》和一些有關論著寫成。

一、《五經異義》一書的體例

《五經異義》一書，原書的面貌、體制，已無從得知。但據清福州陳壽祺的《五經異義疏證・自序》稱：「隋、唐經籍志著錄十卷，宋時已佚，近人編輯，僅存百有餘篇。」今查該書條文，其中冠有《五經異義》或「異義」字樣的，計有一百一十三條（即篇），可是由於篇目大都不存，故書中的篇題不明，只「第五田稅、第六天號、第八罍制三事篇次尚存，其他以類相從，略具梗概。」（《自序》，頁一）其次，對於《五經異義》，鄭康成（玄）有駁義的，則直書其後，無駁義的，陳氏則指出「鄭氏無駁，與許同」。下面略舉數例。以資說明。

1.異義第五田稅、今《春秋公羊》說，十一而稅，過於十一大桀小桀，減於十一大貉小貉。十一稅，天子之正（〔蒙案〕：當作天下之中正，文見《公羊》宣十一年傳），十一行而頌聲作，故《周禮》國中園廛之賦，二十而稅一，近郊十而稅一，遠郊二十而稅三。有軍旅之歲，一井九夫，百晦之賦，出禾二百四十斛，芻稾二百四十斤，釜米六十斗。謹案：《公羊》十一而稅，遠近無差。漢制收租，田有上中下，與《周禮》同義。（卷上頁一）

這是該條（這裏一律稱「條」，不稱「篇」，下同。）《異義》的全文。許氏首引《春秋公羊》說，次提《周禮》，後下「謹案」，表明自己對「田稅」的見解，緊接《異義》之文的是「鄭駁」。「鄭駁」有兩種方式：一曰「玄之聞也」，一曰「鄭駁之云」。比如在上條「田稅」的正文後，緊接著的就是鄭玄的駁文，如：

玄之聞也，《周禮》制稅法，輕近而重遠者，爲民城道溝渠之役，近者勞遠者逸故也。其授民田，家所養者多，與之美田；所養者少，則與薄田。其調均之而足，故可以爲常法。漢無授田之法，富者貴美且多，貧者賤薄且少。美薄之收，不通相倍蓰而上中下也（〔蒙案〕此五字當作而云上中下），與《周禮》同義，未之思也。又《周禮》六篇，無云軍旅之歲。一井九夫，百畝之稅，出禾芻釜米之事，何以得此言乎！（卷上頁一）

這是鄭玄的駁文。這類駁文，有的補充說明《異義》的，有的則是所本不同，故說法各異。

2.異義《今尚書》夏侯、歐陽說，類，祭天名也。以事類祭之奈何（〔蒙案〕：奈何上當重「以事類祭之」五字）。天位在南方，就南郊祭之是也。《古尚書》說非時祭天謂之類，言以事類告也。肆類於上帝，時舜告攝，非常祭。許愼謹案：《周

禮》郊天無言類者，知類非常祭。從《古尚書》說。《禮記·十二》王制正義云，鄭氏無駁，與許同也。（卷上頁十五）

這條《異義》文，與《說文·示部》的段注基本相同。但「類」《說文》作「禷」，訓爲「以事類祭天神」。段氏對「禷」的訓釋，亦引自《五經異義》，字句亦基本相類，只稍有出入。段氏所引的原文爲：

《五經異義》曰：《今尚書》夏侯、歐陽說：禷，祭天名也。以禷祭天者，以事類祭之。以事類祭之何？天位在南方，南郊祭之是也。《古尚書》說：非常祭天謂之禷，言以事類告也。肆禷於上帝，時舜告攝，非常祭也。許君謹案：《周禮》郊天無言禷者，知禷非常祭。從《古尚書》說。（註二）

段氏引用的《異義》這條原文，較陳氏《疏證》裏的條文清晰，其次，段氏在引文後還加了按語，說「郊天不言禷，而肆師類選造上帝。《王制》：天子將出，類於上帝，皆主軍旅言。凡經傳言禷者皆因事兆，依郊禮而爲之。《說文》亦從《古尙書》說」。

這條《異義》文，陳氏在《疏證》後的小字注裏說：「鄭氏無駁，與許同也。」這是從《疏證》中可以看出的另一種情況（前條有鄭的駁文，此條無）。

前引兩條《異義》文，引文前有的冠有「異義」二字，或冠其全名「五經異義」四字於篇首。但也有一些條文不書文出《異義》或《五經異義》，而係陳氏根據文意而歸入的。例如：

3.許愼曰：《詩》云：八鸞槍槍，則一馬二鸞也。又輶車鸞鑣，知非衡也。（卷下頁23）

陳氏在引用了這條《異義》文之後，在小字注裏說：「《續漢輿服志》注不言出《異義》，今以文義定之。」另外，有的雖篇首亦無《異義》或《五經異義》字樣，但行文中有「許愼謹案」四字，按其體例，亦知係《異義》文。例如：

> 諸侯自相奔喪。《禮》、《公羊》說，遣大夫吊，君會其葬。《左氏》說：諸侯之喪，士吊，大夫會葬。文襄之霸，令大夫吊，卿共葬事。許慎謹案：《周禮》無諸侯會葬義，知不相會葬。從《左氏》義。（卷下頁五〇）

不過上面所引，均非許書之舊，大抵均係《疏證》一書之體例，因為原書的面貌，已不復見。下面舉一有《異義》文，有鄭駁，有疏證者陳氏的「蒙案」的篇章，照錄於後，以見一斑。

> 異義《公羊》說，「諸侯比年一小聘，三年一大聘，五年一朝天子。《左氏》說，十二年之間，八聘朝再會一盟。謹案：《公羊說虞夏制，《左氏》說四《周禮》，《傳》曰三代不同物，明古今異說。（卷中頁六九）
>
> 鄭駁之云：三年聘，五年朝，文襄之霸制周禮大行人，諸侯各以服數來朝，其諸侯歲聘閑朝之屬，說無所出。晉文公強盛諸侯耳，非所謂三代異物也。
>
> 蒙案：《王制・正義》曰：案昭十三年《左傳》云：歲聘以志業，閑朝以講禮，再朝而會，以示成，再會而盟，以顯昭明。賈逵服虔以為朝天子之法，崔氏以為朝霸主之法，鄭康成以為不知何代之禮。（卷中頁六六——七〇）

在陳氏的《疏證》中，有的僅有《異義》文，有的並附有鄭駁，有的還有疏證者的「蒙案」，不完全相同，視內容而定。

二、《五經異義》的主要內容

《五經異義》的篇題，正如陳氏在《自序》中所指出的，只「第五田稅，第六天號，第八罍制三事篇次尚存」。而「篇題」一般是內容的指旨。正由於其他各篇「篇次」不存，故《五經異義》的內容，正如陳氏所指出的，只能「以類相從」。但到底什麼是「類」，他並未明指，只是魚貫地一條一條地編排下去，沒有分類標志。這種情況給我們確定提旨，區分類別帶來一些困難。因此我們據此所分的類，可多可少，不一定十分準確、恰當，只能說是個大致的分類罷了。

正由於這種種原因，我們這裏所說的《五經異義》的內容，也只是個大致情況。下面我們就把《五經異義》所揭示的內容，分為以下二十五類。

第一田稅、役賦類
第二天號（釋天）類
第三罍制類
第四祭祀類
第五虞主類
第六竈神類
第七明堂制類
第八台觀、朝覲類
第九婚冠類
第十諸侯之數類
第十一刑治類
第十二聲樂類
第十三名與字類
第十四九族、爵號類
第十五天子駕數類
第十六五玉、服飾類
第十七祿位類
第十八立廟、朝會類
第十九奔喪類
第二十復讎類
第二十一天文、地理類
第二十二城垣類
第二十三五行類
第二十四天象類
第二十五微象類

《五經異義》的內容，一般是作者先引述各種經傳之說，後作者持一說。因為各種經傳，對於某事、某物，說法各異，立論有別，比如第一田稅、役賦這一條，作者先引《春秋公羊》之說，次引《周禮》，後許氏於二說中持一說。下面我們照錄這條《異義》的原文：

異義第五田稅，今《春秋公羊》說，十一而稅，過於十一大桀小桀，減於十一大貉小貉。十一稅天子之正，十一行而頌聲作。故《周禮》國中園廛之賦，二十而稅一，近郊十而稅一，遠郊二十而稅三。有軍旅之歲，一井九夫，百畝之賦，出禾二百四十斛，芻秉二百四十斤，金米十六斗。謹案：《公羊》十一而稅遠近無差，漢制收租，田有上中下，與《周禮》同義。

這條《異義》，許氏先引《春秋公羊》之說「十一而稅」，次引《周禮》說「二十而稅一，近郊十而稅一，遠郊二十而稅三」，說明遠近有差。而《公羊》則說「十一稅遠近無差」，許取《周禮》之意，而鄭玄的「玄之聞也」的駁文，實際上是補充說明「遠近有差」的，與《周禮》之意相同。鄭說：「《周禮》制稅法，輕近而重遠者，爲民城道、溝渠之役，近者勞，遠者逸故也。」這也就是說，近郊之民人，除田稅外，還有「城道溝渠」之役，遠者則無此役。這就是「近者勞遠者逸」的原因。正因爲如此，所以近郊才「十而稅一」，而遠郊則「二十而稅三」。許取《周禮》義，不用《春秋公羊》之說。這就是《五經異義》，作者擇其一說而從之。

至於第一條第二方面的內容，是說明井田賦的。不同的地段，稅法不同。《左氏》把九州之地，分爲山林、藪澤、京陵、淳鹵、疆潦、偃豬、厚防、隰皋和衍沃九等，以配九州。「山林之地，九夫爲度，九度而當一井；藪澤之地，九夫爲鳩，八鳩而當一井……隰皋之地，九夫爲收，二牧而當一井；衍沃之地，九夫爲井，賦法積四十五井，除山川坑岸三十六井，定出賦者九井，則千里之畿，地方百萬井，除山川坑岸三十六井，定出賦者六十四萬井。長轂萬乘。」（卷上頁三）

在這裏，《左氏》把從山林至衍沃之地，分爲九等，等不同，賦稅則有差。《左氏》之說爲賈逵所取，許從。

第三方面的內容是「役賦」。許先引《禮・王制》：「五十不從力政，六十不服戎」，次引《易》孟氏及《韓詩》，即年二十行役，三十受兵，六十還兵。」後引古《周禮》說「國中自七尺以及六十，野自六尺以及六十有五，皆徵之。」最後許在「謹案」裏說，「五經說各不同，是無明文可據。」又說：「漢承百王之制二十三而役，五十六而免，六十五已老，而周復徵之，非用民意。」（卷上頁五）這裏許又以《周禮》爲非，與上述不同。

第二類天號　天號的內容，相當於《爾雅・釋天》。這裏，許氏先引述《今尚書》歐陽說（「春曰昊天，夏曰蒼天，秋曰旻天，冬曰上天，總爲皇天」），接著指出：「《爾雅》亦然」（張案：《爾雅》之說，與《今尚書》歐陽說不盡相同。《爾雅・釋天》原文爲：「春爲蒼天，夏爲昊天，秋爲旻天，冬爲上天。」）次引用《古尚書》說（「天有五號，各用所宜稱之，尊而君之則曰皇天，天氣廣大則稱昊天，仁覆愍下則稱旻天，自上監下則稱上天，據遠視之蒼蒼然則稱蒼天」。）最後許氏在「謹案」下引《尚書・堯典》：「（乃）命羲和欽若昊天」句，指出「總敕四時，知昊天不獨春。」又引《春秋左氏》說（「夏四月己丑孔子卒，稱旻天不吊，時非秋天。」）（卷上頁七）。段玉裁在注釋《說文》「旻」字時說：「許作《五經異義》，不從《爾雅》，而從《毛詩》，造《說文》，則兼採二說（「旻，秋天也……仁覆閔下，則稱旻天。」七上日部）。

以上兩類，稍爲詳細地說明一下《五經異義》裏這兩條的基本內容。至於許氏所引述的經書的原文，以下各條一般不再全文複引。

第二罍制類　罍制類共三條，均爲釋禮器或器皿的。如第五條餘引《韓詩》及《毛詩》說。《韓詩》云：「金罍，大夫器也，天子以玉，諸侯大夫皆以金，士以梓。」《毛詩》說：「金罍，酒器也……刻爲雲雷之象。」《韓詩》說「天子以玉」，許認爲「經無明文」。以下兩條，係說明經文裏各種器皿的名稱與容量的同異的。如《韓詩》說「一升曰爵，二升曰觚，三升曰觶，五升曰散。」又指出「古《

周禮》亦與之同。」許氏在「謹案」後復指出：「《周禮》一獻三酬當一豆，即觚二升不滿豆矣。」其說與《韓詩》異（卷上頁九——一〇）。

第四祭祀類　祭祀類包括祭天、郊祭、祭祖考、祭宗廟等，言祭天者如「王者一歲七祭天」（卷上頁一四）、「祭天有尸」（卷上頁一五）、「非時祭天謂之類」（同上）等；言郊祭者如「魯上辛郊，不敢與天子同也」、「以龍旗承祀爲郊祀（卷上頁一六）」「春秋魯郊祭三望，言郊天日月星河海岱，凡六宗，魯下天子不祭日月星，但祭其分野星，其（國）中山川故言三望六宗」（與古《周禮》說同）（卷上頁三五）等；言社祭者如「《孝經》說曰：社者土地主……《左氏》說共工氏有子曰句龍，爲后土，后土爲社。」許氏在「謹案」下說：「春秋稱公社，今人謂社神爲社公，故知社是上公非地祇。」《左氏》說：「列山氏之子曰柱，死祀爲稷，稷是田正，周棄亦爲稷，自商以來祀之」（卷上頁三七）等；言祭祖考者、祭宗廟者如古《春秋左氏》說：「古者先王日祭於祖考，月荐於曾高，時享及二祧，歲禱於壇禘及郊宗石室」，古《周禮》說「大宗伯曰凡祀大神享大鬼，大祇率執事而卜，曰大鬼，謂先王也。」（卷上頁六四）《左氏》說「凡君薨祔而作主，特祀於寢，畢三時之祭，期年前後烝嘗，禘於廟」。《禮・祭法》云：「天子有祧。遠廟日祧，將祧而去之，故曰祧。去祧曰壇，去壇曰墠，皆藏於祖廟」（卷上頁六七）（張案：《禮・祭法》云：「天下有王，分地建國，置都立邑，設廟、祧、壇、墠而祭之。」按：廟、祧、壇、墠皆祭祀之所）、「王者宗有德、廟不毀，宗而復毀，非尊德之義」等。

第五虞主類　所謂虞主，即古代葬後虞祭時所立的神主。古代祭祀神靈，要替死者立一個木制的牌位，這牌位稱主，而這木主，便被認爲是神靈之所憑依。在闡明虞主時，許氏引《論語》之文說：「夏后氏以松，殷人以柏，周人以栗。」（卷上頁八二）這也就是說，夏、商、周三代，分別以松木、柏木、栗木制作牌位，作木主。但《周禮》卻說「虞主用桑，練主以栗，無夏后氏以松爲主之事」，許從《周禮》，認爲《論語》所云，係指社主，非宗廟主。又說「主者神象也，孝子既葬，心無所依，所以虞而立主以事之。唯天子諸侯有主，卿大夫無主，尊卑之差也」（卷上頁八三）又說：「按《公羊》說，卿大夫非有土之君，不得祫享昭穆，故無主。」又說：「據《春秋左氏傳》，言大夫以石爲主。」（卷上頁八五）

以上所述，係有主無主之事，接著又論述虞主藏於何處，許氏引《戴禮》及《公羊》之說，說虞主埋於壁兩楹之間，一說埋於廟北牖下，《左氏》說虞主所藏無明文可據。（卷上頁八八——八九）

第六爲竈神類　所謂竈神，其說各異。許引《周禮》，說顓頊氏有子曰黎，爲祝融，祀以爲竈神。但《大戴記》禮器裏則曰竈者老婦之祭，許按《月令》，認爲「孟夏之月，共祀竈，五祀之神，王者所祭，非老婦也。」（卷上頁九八）許從《周禮》。（以上六類爲上卷內容）

第七明堂制類　關於明堂之說，歷代禮家眾說紛紛。許引用下列諸說來說明它的作用和性質。

1.明堂自古有之，凡有九室，室有四戶八牖，三十六戶七十二牖，以茅蓋屋，上圓下方所以朝諸侯。其外名曰辟雍。（《禮記・明堂位・正義》）

2.明堂高三丈，東西九仞，南北七筵，上圓下方，四堂十二室，室四戶八牖，其宮方三百步，在近郊近郊（按重「近郊」二字）三十里。

3.講學大夫淳于登（西漢末人）說，明堂在國之陽，丙巳之地三里之外七里之內，而祀之就陽位。上圓下方，八窗四闥，布政之宮。

周公祀文王於明堂，以配上帝。

4.古《周禮》、《孝經》說：「明堂，文王之廟，夏后氏世室，殷人重屋，周人明堂。」（中卷頁一）

許慎在引述了上面四說之後，在「謹案」下說，「古禮今禮，名以其義說，無明文以知之。」

《禮・月令》、《孝經》、《漢書》、《白虎通》諸書及蔡邕《明堂月令論》，對明堂制皆有論述，然說法各異。下面僅引桓譚的《新論》、班固的《白虎通》及蔡邕《明堂月令論》來說明明堂的性質和作用。

1.桓譚《新論》曰：「王者造明堂，上圓下方。象天地爲四方，堂各從其色以倣四方。天稱明，故命曰明堂，……上圓法天，下方法地，八窗法八方，四達法四時，九室法九州，十二坐法十二月，三十六戶法三十六雨，七十二牖法二十二風。」

2.班固《白虎通》曰：「天子立明堂者，所以通神靈、感天地、正四時，出教化、宗有德、重有道、顯有能，褒有行者也。」又說：「禮三老於明堂，所以教諸侯孝也；禮五更於太學，所以教諸侯弟也。」

3.蔡邕《明堂月令論》曰：「明堂者天子太廟，所以崇禮其祖以上配上帝者也。夏后氏曰世室，殷人曰重屋，周人曰明堂。東曰青陽，南曰明堂，西曰總章，北曰玄堂，中央曰太室，《易》曰：離也者明也，南方之卦也。聖人南面而聽，天下向明而治，人君之位莫正於此焉。故雖有五名而主以明堂也。其正中焉皆曰太廟，謹承天隨時之命，昭令德宗祀之禮，明前功百辟之勞，起尊老敬長之義，顯教幼誨稚之學，朝諸侯造選士於其中，以明制度。生者乘其能而至，死者論其功而祭，故爲大教之宮而四學具焉。譬如北辰，居其所而衆星拱之，萬象翼之，政教之所由生，變化之所自來，明一統也，故言明堂。

事之大義之深也，取其宗祀之清貌則曰清貌；取其正室之貌則曰太廟，取其尊崇則曰太室；取其堂則曰明堂；取其四門之學則曰太學；取其四面周水圓如壁則曰辟雍。異名同事，其實一也。」

總結上引諸說，雖歷代禮家衆說紛紜，然觀東漢蔡邕之說，似較全面。新修訂的《辭源》，對於明堂，則作了更概括的解釋：

〔明堂〕古代帝王宣明政教的地方。凡朝會、祭祀、慶賞、選士、養老、教學等大典，均在此舉行。其後宮室漸備，另在近郊或東南建明堂，以存古制。（註三）

第八臺觀、朝覲類　對於臺觀，許氏首引《公羊》說：「天子有靈臺，以觀天文；有時臺，以觀四時施化；有囿臺，（以）觀鳥獸魚鱉……諸侯卑不得觀天文，無靈臺。皆在國之東南二十五里。」次引《韓傳》及《左氏》說。《左氏》說：「天子靈臺在太廟之中。雍之靈沼謂之辟雍。諸侯有觀臺，亦在廟中，皆以望嘉祥也。」末引《毛傳》之說：「靈臺不足以監視。靈者，精也。神之精明稱靈，故稱臺曰靈臺，稱囿曰靈囿，稱沼曰靈沼」最後，許氏在「謹案」下表示己見，指出《公羊傳》及《左氏》之說：「皆無明文，說各無以正之。」（卷中頁六六）

至於朝覲之禮，許氏首引《公羊》之說：「諸侯比年一小聘，三年一大聘，五年一朝天子。」次引《左氏》說：「十二年之間八聘四朝再會一盟。」許認爲《公羊》說的係虞夏之制，《左氏》說的係周禮，又引《傳》曰：「三代不同物，明古今異說。」（卷中頁七〇）

至於朝名，許從《周禮》之說：「春曰陽，夏曰宗，秋曰覲，冬曰遇，」因時而異。

最後還談到天子有無下聘義。《公羊》說無有，《周禮》說有下聘義。許從《周禮》。次謂天子結盟不。《左氏》據「《周禮》有司盟之官，殺牲歃血，所以盟事神明」。但《公羊》則說「古者不盟」

。許從《左氏》，認爲有「盟詛之禮」。（卷中頁七一）

第九婚冠類　關於婚冠，許氏首引《禮》戴說：「男子二十而冠」，又引《古尚書》說：「成王十四言弁，知已冠矣。」而《春秋左氏傳》卻說：「人君十二可以冠，」並說「夏殷天子，皆十二而冠」。由此可知，男子冠年，因尊卑而異。

關於婚娶，許認爲諸侯娶同姓，犯誅滅之罪（卷中頁七七）；其次，許又引《春秋公羊》說，自天子至庶人（陳氏案：「庶人下當有『娶』字，見《毛詩正義》）皆親迎。但《左氏》卻說「天子至尊無敵，故無親迎之禮。」（卷中頁七八）許從《左氏》，認爲「天子無親通」之禮。而鄭玄則舉例說明天子有親迎之禮。如說「太姒之家在渭之涘，文王親迎於渭，即天子親迎明文。」（卷中頁七九）

至於嫁娶，大戴說：「男三十女二十有婚娶，合爲五十，應大衍之數。自天子達於庶人同一也。」許認爲「舜三十不娶，謂之鰥，文王十五而生武王，尙有兄伯邑考，知人君早昏（婚）娶，不可以年三十非重昏嗣也。」（卷中頁八〇——八一。以上爲卷中部分內容）

第十諸侯之數類　諸侯之數，《公羊》說殷三千諸侯，周千八百諸侯。《春秋左氏傳》說：「禹會諸侯於涂山，執玉帛者萬國。」許從《左氏》，並引《易》「萬國咸寧」、《書》「協和萬邦」（卷下頁一——二）之說，表明從《左氏》說。但鄭玄認爲諸侯多少，異世不同。

次謂諸侯朝宿之邑。《公羊》說諸侯朝天子，天子之郊皆有朝宿之邑。《左氏》說諸侯有功德於王室，京師有朝宿之邑。許認爲京師之地，皆有朝宿之邑，周千八諸侯，京師之地不能容，不合事理之宜。《公羊》、《左氏》之說，許皆不從。（卷下頁八）

第十一刑法類　關於刑法，戴說刑不上大夫，《古周禮》說士尸肆諸市，大夫尸肆諸朝，是大夫有刑。許從《周禮》，認爲無刑不上

大夫之事。（卷下頁六）

第十二聲樂類　《異義》首據《論語》，說鄭國之爲俗，有溱洧之水，男女聚會謳歌相感，故云鄭聲淫。許從數量上看，認爲「鄭聲二十一篇，說婦人者十九，故鄭聲淫也」陳氏在《疏證》中指出：「今案鄭詩，說婦人者惟九篇，《異義》云十九者，誤也，無十字矣。」次謂先王之樂，是用以節百事的。此外，還談到舞樂等。（卷下頁一〇）

第十三名與字類　關於名與字，許從《左氏》義，說「二名者楚公子棄疾弒其君，即位之後改爲熊居，是爲二名。（卷下頁一二）

第十四九族、爵號類　所謂九族，據《禮》戴及《尙書》，「九族乃異姓有屬者。」即「父族四、五屬之內爲一族；父女昆弟適人者與其子爲一族；己女昆弟適人者與女子爲一族；己之女子適人者與其子爲一族。母族三：母之父姓爲一族；母之母姓爲一族；母女昆弟適人者與其子爲一族。妻族二：妻之父姓爲一族；妻之母姓爲一族。（卷下頁一三）

但《古尙書》卻說，九族者從高祖至玄孫，凡九，皆同姓。許則認爲九族不得但施於同姓。

天子有爵否？《周禮》說：「天子無爵，同號於天。」許從《周禮》。次謂三公。《周禮》說「天子立三公」。據《周禮》三公即太師、太傅、太保。許認爲此係周制。如周公爲傅，召公爲保，太公爲師，皆官名。（卷下頁一六）

第十五天子駕數　天子駕數，有駕六、駕四等說。《易》及《公羊》說駕六，《毛傳》說駕四。許引《毛傳》的「四騵彭彭」，爲武王所乘句，可知許從《毛傳》的駕四之說。（卷下頁三二——三三）

第十六五玉、服飾類　所謂五玉，即古代有五等爵號（公、侯、伯、子、男）的諸侯所執的五種玉石（即珪、璧、琮、璜、璋）。許據《周禮》，說「五玉摯自公卿，以下執禽，尊卑有差也。」又說：「禮不下庶人，工商又無朝儀，五經無說庶人工商有摯。」（卷下頁三五）至於服飾，其說各異，從略。

第十七祿位類　《左氏》說：「大夫得世祿，不得世位。」許據《孟子》，認爲「周制世祿。」（卷下頁三二）次謂「純臣」和「世子」。《公羊》說：諸侯不純臣」，《左氏》說純臣。許從《左氏》（卷下頁三三）。至於世子，《公羊》說質家立世子弟，文家立世子子。

第十八立廟、朝會類　許氏在《異義》裏提出：「未逾年之君立廟不？」接著引《公羊》及《左氏》之說。《公羊》說未逾年君有子則書葬立廟，無子則不書葬，恩無所錄也。」但《左氏》卻說「臣之奉君悉心盡恩，不得緣君父有子則爲立廟，無子則廢也……」接著許下按語，認爲《禮》云：「臣不殤君，子不殤父，君無子而不爲立廟是背義棄禮，罪之大者也。」（卷下頁三四）

許愼復提出：「諸侯未逾年出廟會不？出會何稱？」《公羊》認爲「不出境，在國中稱子，以王事出亦稱子。」但《左氏》卻認爲「在國內稱子，以王事出則稱爵，詘於王事不敢伸其私恩，鄭伯代許是也。」（卷下頁三五）許也認爲「春秋不得以家事辭王事，諸侯蕃衛之臣，雖未逾年，以王事稱爵是也。」許取《左氏》義，鄭用《公羊》義，理解不同。

接著許還提出：「未逾年之君繫父不？」《公羊》說「皆繫於父」。《左氏》卻認爲「未葬繫於父……成爲君不繫於父。」許取《左氏》義，認爲「君喪未葬已葬，儀各有差，嗣君號稱亦宜有差。」（卷下頁三七）

至於「妾母之子爲君，得尊其母爲夫人不？」《公羊》說「皆繫於父」，《左氏》卻認爲「未葬繫於父……成爲君不繫於父。」許取

《左氏》義，認爲「君喪未葬已葬，儀各有差，嗣君號稱亦宜有差。」（卷下頁三七）

至於「妾母之子爲君，得尊其母爲夫人不？」《公羊》說「得稱夫人」，《左氏》說：「成風得立爲夫人，母以子貴，禮也。」許亦認爲「魯僖公本妾子，尊母成風爲小君，經無譏文。《公羊》、《左氏》義是也。（卷下頁四十）

第十九奔喪類　奔喪類內容較多，大致可分：

1.諸侯有妾母喪，得出朝會不？《左氏》說「妾子爲君，當尊其母，有三年之喪，而出朝會，非禮。」（卷下頁四四、四五）

2.天王之喪，諸侯是否奔喪？許認爲，據《易傳》甘容說，「諸侯在千里內皆奔喪，千里外不奔喪，若同姓，千里外猶奔喪。」許又說：「親，親也，容說爲近禮。」（卷下頁四六）

3.大鴻臚眭生說：「諸侯逾年即位，乃奔天子喪，春秋之義，未逾年君死，不成以人爲君禮，言王者未加其禮，故諸侯亦不得供其禮於王者，相報也。」許認爲「不得以私廢公，卑廢尊。如禮，得奔喪。」又指出：「人臣之義，不得較計天子未加禮於我亦執之不加禮也。」許以眭生之說爲非。（卷下頁四九）

4.諸侯自相奔喪事。《禮》、《公羊》說遣大夫吊，君會其葬；《左氏》說諸侯之喪，士吊，大夫會葬。許認爲按《周禮》，無諸侯會葬義。許從《左氏》義。（卷下頁五〇）

5.諸侯夫人喪，《公羊》說卿吊，君自會葬，《左氏》說諸侯夫人喪，士吊，士會葬。許認爲《公羊》、《左氏》之說，俱不別同姓異姓。（卷下頁五一）

6.今《春秋公羊》說「諸侯曰薨，赴於鄰國亦當稱薨。」《左氏》說「諸侯薨赴於鄰國亦稱名，則書名稱卒者，終也。」許認爲不別尊卑，皆同言卒。卒者，終也，是終沒之辭也。（卷下頁五二）

7.臣子死後稱名或稱字。《左氏》說「既沒稱字而不名」許取《左氏》義，鄭亦同。（卷下頁五三）

8.葬而遇雨。《公羊》說「雨不克葬，謂天子諸侯也。卿大夫臣賤，不能以雨止。」《穀梁》說「葬既有日，不爲雨止。」許據《論語》，說「死葬之以禮，以雨而葬是不行禮。」許以《穀梁》之說爲非。認爲「雨不克葬，」從《公羊》之義。（卷下頁五四）

第二十復讎類 《公羊》說：「復百世之讎。」古《周禮》說「不過五世。」許從《周禮》，認爲「魯桓公爲齊襄公所殺，其子莊公與齊桓公會，春秋不譏……是不復百世之讎。」至於君非理殺臣，《公羊》說「子可以復讎」，《左氏》說「君命，天也，是不可復讎。」（卷下頁五五、五六）

次謂王命與父命。許說：「《公羊》以爲孝子不以父命辭王命，許拒其父。《左氏》以爲子而拒父悖德，逆倫，大惡也。」許從《左氏》，鄭從《公羊》。（卷下頁五七）

第二十一天文、地理類 《異義》首言日食月食的基本規律，說「月高則其食方於上，月下則其食方於下……」次謂地有九州，足以承天。所謂承天，即古人認爲九州可以配九野。但什麼是九野？依陳氏的「蒙案」，九野即(1)中央鈞天，其星角亢；(2)東方皞天，其星房心；(3)東北變天，其星斗箕；(4)北方玄天，其星須女；(5)西北幽天，其星奎類；(6)西方成天，其星胃昴；(7)西南朱天，其星參狼；(8)南方赤天，其星與鬼柳；(9)東南陽天，其星張翼珍。（卷下頁六四——六六）

第二十二城垣類 《異義》曰天子之城，高九仞，伯五仞、子、男三仞，尊卑不同，高低不一。次謂板、堵、雉的具體含量。《韓詩》說八尺爲板，五板爲堵，五堵爲雉。古《周禮》及《左氏》說一丈爲板，板廣二尺，五板爲堵，一堵之牆，長丈高丈，三堵爲雉，一堵

之牆，高三丈長一丈。（卷下頁六六——六八）

《異義》復引《周禮》，說「天字城高七雉，隅高九雉；公之城高五雉，隅高七雉；侯、伯之城高三雉，隅高五雉。都城之高皆如男子之城高。」（同上）其說與前引不同。但較詳盡具體。

第二十三五行類　什麼是五行，諸經之說不盡相同。許取《古尚書》說，即：脾，木也；肺，火也；心，土也；肝，金也；腎，水也。許又按《禮・月令》，說春祭脾，夏祭肺，季夏祭心，秋祭肝，冬祭腎。均採《古尚書》說，不取《今尚書》歐陽說。歐陽《尚書》之五行爲：肝，木也；心，火也；脾，土也；肺，金也；腎，水也。與《古尚書》異。（卷下頁七〇）

第二十四天象類　許認爲「眾星者，庶民之象也。」又認爲如果「與列宿俱滅，則中國微滅也。」（卷下頁七一）

次謂獲麟之事。許引《公羊》，說此乃「受命之瑞，周亡失天下之異。」但《左氏》卻說：「麟是中央軒轅，大角獸。孔子備春秋修禮以致其子，故麟來爲孔子瑞。陳欽說，麟，西方毛蟲，孔子作春秋有立言，西方兌，兌爲口，故麟來。」諸說各異。許認爲「議郎尹更始待詔劉更生等議，以爲吉凶不並，瑞災不兼，今麟爲爲周亡天下之異，則不得爲瑞，以應孔子至。」鄭玄的駁議認爲：「周將亡，事勢然也。興者爲瑞，亡者爲災，其道則然，何吉凶不並，瑞災不兼之有乎？」又說：「如此修母致子，不若立言之說密也。」（卷下頁七三、七四）

次謂騶虞、鼷鼠、鸜鵒，《詩》韓、魯說騶虞係天子掌鳥獸之官，《毛詩》說係義獸，白虎黑文，食自死之肉，不食生物，人君有至信之德則應之。《周南》終《麟趾》、《召南》終《騶虞》、俱稱嗟嘆之，是麟與騶虞皆獸名。」許從《毛詩》，認爲皆獸名，非鳥獸之官。（卷下頁七四）

至於鼷鼠，《公羊》認爲係神，食牛角，咎在有司，又有咎在人君，取已有災而不改之義。鸛鵒，《公羊》以爲係夷狄之鳥，穴居，今來至魯之中國。巢居，此權臣欲自下居上之象。《穀梁》亦以爲如此。（卷下頁七五），許從二《傳》義，鄭卻以爲非。

第二十五徵象類　《易》曰：「臣動養君，其義理也。」《穀梁》說：「隕石於宋五，象宋公德劣國小陰類也，而欲行霸道，是陰而欲陽行也，其隕將構執之象也，是宋公欲以諸侯行天子道也。（卷下頁六六、六七）

次引《公羊》謂後夫人之家專權擅世，秉持國政，蠶食百姓，是故有「蟲飛反墜」之象。鄭玄亦以爲據《穀梁》意，亦以宋德薄，後將有禍，故蟲飛在上，墜地而死。（同上）

三、《五經異義》對經學等的影響

秦始皇兼並天下，焚詩書，坑術士，是故詩書散亡益多，六藝亦從此而缺。漢興，革秦之敝，徵賢良，求能治經書者，並置五經博士，勸以官祿，於是當時之儒者始得修其經學，講習五經。據《後漢書・儒林傳》載，當時言《易》者有淄州田生；言《書》者有濟南伏生；言《詩》者於魯有申培公（其詩稱魯詩），於齊有轅固生（其詩稱齊詩），於燕有韓太傅嬰（其詩稱韓詩），於趙有毛公亨（其詩稱毛詩）；言《禮》者有魯高堂生；言《春秋》者於齊有胡母生，於趙有董仲舒；修《春秋左氏傳》者有北平侯張蒼、梁太傅賈誼、京兆尹張敞、太中大夫劉公子等。及至孝宣之世，復立大、小夏侯《尚書》、大、小戴《禮》，施、孟、梁丘《易》及《穀梁春秋》等。平帝時，又立《左氏春秋》、《毛詩》（毛萇）、《逸禮》、《古文尚書》等等。五經六藝之學，自元始（西元前十六年）起大興。

但王莽之亂，又使禮樂分崩，經文再度殘落。至光武中興，經學才得復振。據《後漢書・儒林傳》載：「（光武）未及下車，而先訪儒雅，採求闕文，補綴漏逸。」（註五）是故四方學士，如范升、陳元、鄭興、杜林、衛宏、劉昆及桓榮等人，雲集京師，各以家法教授五經，及明帝即位（西元五八年），帝「正坐自講，諸儒執經問難於前……其後復爲功臣子孫、四姓末屬別立校舍，搜選高能以受其業。」（註六）章帝爲皇太子時，亦愛好儒術，特好《古文尚書》及《左氏傳》，即位後，於建初元年（西元七六年），詔（賈）逵入講北宮白虎觀，南宮雲臺」，並「今逵自選《公羊》嚴、顏諸生高才者二十人，教以《左氏》。」（註七）建初四年（西元七九年），又大會諸儒於白虎觀，講議五經同異，作《白虎議奏》；章帝親臨稱制，並詔令高才生受《古文尚書》、《毛詩》、《穀梁》、《左氏春秋》等。許慎約於此時，「從逵受古學」而且可能是高材生之一。

東漢之際，由於光武、明帝、章帝等均愛好經術，故通經者倍增。正如《後漢書・儒林傳》所稱：「東京學者猥眾，難以詳載，今但錄其能通經名家者，以爲儒林篇。」（註八）許被收入《儒林篇》，可見他不僅是「通經名家」之一，而且還被譽爲「五經無雙許叔重」。這正如王捷南在其《後序》中所指出的：「西京儒者……大都專治一經，兼經者蓋不多得，而至東漢，兼經者漸多，然唯許叔重、鄭康成二大儒最著」，影響也最大。就許慎來說，他不僅是「五經無雙」的經學大師，而且是著名的文字學家、訓詁學家。他的《五經異義》、《說文解字》二書。爲歷代學者所沿用。就《五經異義》來說，在《十三經注疏》裏，歷代注釋家、訓詁學家，每每引用《異義》之說，其次，就是在段玉裁的《說文解字注》裏，也不乏其例。下面援引數例，以資說明。

1.孔穎達在疏證《尚書》時，在引證通經名家庸生，劉歆、賈逵及馬融等諸大儒的同時，亦多次轉引許慎的《五經異義》之說，並把它作爲一家之言列入經典。如孔氏在注疏《堯典》裏的「克明俊德，以親九族，九族既睦，平章百姓」（註九）這一章句中的「九族」時，據孔安國的《傳》曰：「九族上自高祖，下至玄孫」，鄭玄也認爲「上至高祖，下及玄孫是爲九族」。但許愼在《五經異義》中，則取夏侯、歐陽說，認爲「九族者，父族四，母族三，妻族二」，是爲九族。鄭玄採用孔安國之說，以九族爲帝之九族，非民之九族。孔穎達的正義也認爲「堯不自親九族，而待臣使之親者，此言用臣法耳，豈有聖人在上，疏其骨肉乎……且言親九族者，非徒使帝親之，帝亦令其自相親愛，故須臣子之化也。」這說明在漢時，對經文裏的「九族」一語，有不同的理解。

2.《十三經》裡的《詩經》，爲漢毛公《傳》，鄭玄《箋》，唐孔穎達等《正義》。孔氏在疏證《卷耳》一詩中的「我姑酌彼金罍，唯以不永懷」（註一〇）裏的「金罍」一語時，認爲《毛傳》的「人君黃金罍」，「無此文也」。接著孔氏引用許愼的《異義》文。《異義》在「罍制」下引《韓詩》說：「金罍，大夫器也，天子以玉，諸侯大夫皆以金，士以梓。」復引《毛傳》，《毛傳》說：「金罍，酒器也。諸臣之所酢，人君以黃金飾尊，大一碩，金飾龜目，蓋刻爲雲雷之象。」最後，許下按語，指出「天子以玉」之說：「經無明文，謂之罍者，取象雲雷，博施如人君下及諸臣。」鄭玄對許氏此解，無異議，與許同義。（註一一）

其次在《詩・鄘風・干旄》裏，孔氏在注疏「良馬五之」這一詩句時，也採用《異義》之說，認爲「天子駕四」，不駕六。孔氏亦取《毛傳》「天子駕四」義，不採《易》及《公羊》的「駕六」之說，與《異義》義同。

3.《周禮》爲漢鄭玄注，唐賈公彥疏證。賈氏在注疏《冬官・考工記・梓人》下的「一獻而三酬則一豆矣」等章句時，亦引用《異義

》文。其文曰：「《韓詩》說：『一升曰爵，二升曰觚，三升曰觶，四升曰角，五升曰散』，古《周禮》與之同」。許氏又說：「一獻三酬當一豆，即觚二升不滿豆矣。」（註一二）但鄭玄對「不滿豆矣」句持有異議，認爲「豆當爲斗」，「與一爵三觶相近。」這裏，許未指明「豆」與「斗」在語音上的關係，而鄭氏卻指出了「豆當爲斗」，即音近假借（「豆」定母，「斗」端母）。其次，在《禮記·禮器》裏，孔穎達在詮釋「爵」、「觚」一類器物時，亦引《異義》文。如《韓詩》說一升曰爵，爵，盡也；二升曰觚，觚，寡也，飲當寡少；三升曰觶，觶，適也，飲當自適也；四升曰角，角，觸也，不能自適觸罪過也；五升曰散，散，訕也，飲不能自節爲人所謗訕也。總名曰爵。」（註一三）在這裏，既釋器物及容量，又從音訓的角度來注釋每個禮器的意義，是訓詁學上聲訓的實例，具有重要的學術價值。

4.《春秋左傳》爲晉杜預注，唐孔穎達等正義。孔氏疏證「鄭伯請釋泰山之祀而祀周公……不祀泰山也」（註一四）等章句時，亦採用《異義》之說。許氏在這裏引用《左氏》之說：「諸侯有大功之德乃有朝宿湯沐之邑」但《公羊》則以爲「諸侯皆在朝宿湯沐之邑」，許氏以《公羊》之說爲非，指出：「京師之地皆有朝宿之邑，周千百諸侯，京師之地不能容之，不合事理之宜。」晉杜預注《左傳》，從許說。孔氏爲之作《正義》，亦從許說。可見許以《公羊》之說爲非，得到晉杜預、唐孔穎達等歷代注釋家和訓詁學家的贊同和採納，也爲後世經學界所遵用。

5.清段玉裁在注解《說文》時，亦往往採用《異義》之說。如對示部的「祏，宗廟主也」一句，段氏解釋「祏」義時，亦首引《異義》文，說「今《春秋公羊》說，祭有主者，孝子以主繫心，夏后氏以松，殷人以柏，周人以栗。」其次，在「《周禮》有郊宗石室」下，又引《五經異義》文：「古《春秋左傳》說，古者日祭於祖考，月薦於曾高，時享及二祧，歲祫及壇墠，終禘及宗郊石室」。再次，在「一曰大夫以石爲主」下，復用《五經異義》文，「今《春秋公羊》說；卿、大夫、士非有土之君，不得祫享序昭穆，故無木主。大夫束帛依神，士結茅爲菆。許君謹案：《春秋左氏傳》曰：「衛孔理反祏于西圃，祏，石主也，言大夫以石爲主。」（註一五）對許氏此段文字，鄭玄有駁文。其文曰：「大夫、士無昭穆，不得有主……結茅爲菆，大夫以石爲主，禮無明文。」鄭氏這段批駁文字，段玉裁下了案語，指出：「《異義》先出，《說文》晚成，多所更定。故《說文》之說，多有異於《異義》同於鄭駁者。『祏』以宗廟主爲本義，以大夫石主爲或義是也。」段氏在注釋「祏」字時，對於許氏的每一句說解，都採用《異義》文。在其他方面，也不乏其例。由此足見《五經異義》之說，在經學中頗有影響，不然，不會有「五經無雙許叔重」之譽。這也正如陳氏在《自序》中所指出的：「今許鄭之學，流布天下，此編雖略，然典禮之閎達，名物之章明，學者循是而討論焉」。

【附註】

註　一　《五經異義疏證》據清嘉慶閩三山陳氏本，共三卷。以下引文，簡稱卷上、卷中、卷下。

註　二　見《說文解字注・示部》頁四。

註　三　見《十三經注疏・禮記・祭法》頁一五八九。

註　四　見《辭源》第一分冊《日部》頁一四一〇。

註　五　見《後漢書・儒林傳》頁二四四五。

註　六　同上書頁二五四五——二五四六。

註　七　見《後漢書・賈逵傳》頁一二三九。

註　八　同上書《儒林傳》頁二五四五。

註　九　見《十三經注疏・尚書・堯典》頁一一九。

註一〇　見《十三經注疏・詩・卷耳》頁二七八。

註一一　見《十三經注疏・詩・干旄》頁三一九。

註一二　見《十三經注疏・周禮・冬官・考工記・梓人》頁九五。

註一三　見《十三經注疏・禮記・禮器》頁一四三三。

註一四　見《十三經注疏・春秋左氏傳》頁七三三。

註一五　同上。

——原載《許慎與說文解字》（開封：河南大學出版社，一九八八年六月），頁三五——五六。

論何休

楊向奎

一

何休，東漢末年人，是公羊學派的經師。何休生活的時代和公羊學誕生的時代已經有很大的不同。東漢時代地主階級更加强大，而且出現了世族豪門，農民則更加貧困，更加處於依附的地位，階級矛盾尖銳化，大規模農民起義正在醞釀中；統治階級的內部矛盾也在加深，强大的世族地主越發膨脹而逐漸出現割據的局面；少數民族逐漸興起，他們的社會經濟也日趨發展，他們逐漸由被壓迫的地位解脫出來，他們也要「問鼎中原」了。這正是階級矛盾與民族矛盾交織，東漢統一政權眼看陷於土崩瓦解的時代。

公羊學派原是隨著先秦新興地主階級的產生而產生的。它隨著地主階級的壯大而凝固，失去原有的進取精神，爲世族豪門效勞，違背自己原有的學說而走向反面，《白虎通義》正好是這方面的代表作。但在漢末，世族地主的統治地位不是公羊學派的鼓吹可以維護得住的，世族地主的地位岌岌可危，於是公羊學逐漸變成脫離實際的空談，它失去任何現實意義，這時既不存在公羊理想的大一統，也不存在公羊學之近於法家的中央集權。公羊學不發生實際作用了，是需要重新作總結的時候了，依公羊說作出新的總結也就是爲新的後王立法。在當時來說這是一個脫離實際的紙上空談。因爲是脫離當時實際的空談，所以它仍然可以保存原來公羊派的理想，由這些理想凝固成的理論，經何休總結出來，到中國封建社會末期的晚清時期還發揮了應有的作用。

何休的《公羊傳解詁》是比較完備的公羊學派義法的總結，此後既然失去了公羊派所以產生的社會基礎，它不能發揮作用，也就沒有人注意它，於是它處於「長眠」的狀態中。一直到鴉片戰爭前夕，古老的中國封建社會處於解體的前夕，而凶狠的資本主義侵略勢力正在叩關，封建政權處於危急的時候，地主階級中的開明分子感覺到有變的必要了，有改變這古老的封建制度以應急的必要了，於是他們想到這古老的地主階級的應變哲學——公羊，於是公羊學復出。

何休在序《公羊傳解詁》時有云：

傳《春秋》者非一，本據亂而作，其中多非常異義可怪之論。

傳《春秋》者不只一家，而「非常異義可怪之論」只集中在《公羊傳》一家，何休的《公羊傳解詁》於「非常異義可怪之論」更多所發揮。我們說過，公羊學是歷史學派，它通過自己所理解的歷史法則來解釋歷史，影響政治，而它的政治理論來源於它的歷史學說，它不屬於儒家的道德學派，沒有發揮儒家正統派的道德學，儒家正統派的政治理論是和他們的道德學一致的，而他們的道德學又是和他們的世界觀一致的，這又是一種「天人之學」。屬於儒家的道德學派和歷史學派都講究「天人之學」，但歷史學派很少涉及道德學說，一直到清朝的常州學派才改變傳統，使道德學與歷史學結合，而道德學派的歷史學說是言必稱「先王」的復古派。

《公羊傳解詁》中有許多「非常異義可怪」的歷史學說，這些歷史學說又集中在何休的《春秋文謚例》中，他曾經歸納《春秋》的文例說：

此《春秋》五始、三科、九旨、七等、六輔、二贊之義，以矯枉撥亂為受命品道之端，正德之紀也。

在以上文例中「三科九旨」又是主旨所在，何休說：「三科九旨者，新周故宋，以《春秋》當新王，此一科三旨也。所見異辭，所聞異辭，所傳聞異辭，二科六旨也。內其國而外諸夏，內諸夏而外夷狄，是三科九旨也。」這是由何休總結出來的《公羊》中的歷史理論，也是政治理論。這些理論有他因襲的傳統，也有他自己的創見。他把歷史分作三個階段，即所謂：所見異辭階段，所聞異辭階段，所傳聞異辭階段。或者說這就是他的上古史、中古史和近代史階段。他以爲傳聞之世，也就是上古史階段，還是衰亂的階段。由衰亂到升平到太平是他的機械的發展史觀。他把理想的太平世放在現代而不是托之遠古，這是和正統派儒家的歷史觀完全不同的地方。這種觀點也不同於法家，法家具有發展史觀。公羊學派歷史觀是一種机械的和帶有循環色彩的發展史觀，因爲它究竟是向前看，因而也具有一定的積極意義，它並非以古代爲黃金世界的復古派，也不是向後看齊的倒退的政治理論。

正統派儒家的歷史觀也經過變化，孔子曾經希望當時逐漸崩潰的封建領主制度能夠穩定下來，最好是恢復到西周的模樣，因爲西周初年做到了「大一統」，他把這種局面當做一個理想的時代，所以他說：「周監於二代，郁郁乎文哉，吾從周」（《論語・八佾》）。其實這也只能是一種理想，社會總是在發展，東周雖然不統一了，但社會經濟文化還是在前進著，所以「郁郁乎文哉」是東周而不是西周。不過他判斷西周勝過夏、商兩代的理論，還是正確的，這給公羊學派以啓發，公羊的「三世說」受了這種說法的影響，它也是何休「三世說」的不祧之祖。

三世說究竟是一種機械的歷史發展史觀，也是矛盾百出的歷史學說。他們雖然把理想的太平世界放到未來，但又呆板地結合到某一代歷史上，而且把歷史的發展歸納爲直線性的不能改變的三世說，這既不符合歷史發展的事實，又有矛盾。比如他們一方面鼓吹「張三世」

，一方面又强調「復古」。《公羊》有云：「舍中軍者何？復古也」（《公羊傳》昭公五年）。舍中軍爲復古，因爲過去諸侯無中軍。何休在《解詁》中也說：「善復古也。」何休也在「善復古」，但在他的歷史理論中以古爲「據亂世」，而善其復古，豈非自相矛盾？公羊學派就是這樣徘徊於「復古」與「法今」之間，先秦法家向前看，是今而非古；頑固的儒生是古而非今，荀子一派則提倡「法後王」而理想的社會還是先王，所以我們說公羊近於荀學。公羊與荀學在歷史觀上都有他們的弱點，是今就不能復古，復古就排斥是今，這本身在邏輯上是「二律背反」，不能兩立的。我們也曾經說公羊徘徊於儒法之間，自相矛盾，這種矛盾在公羊學派內始終保留著，清末今文學派的大師康有爲還是如此，他一方面鼓吹變法，一方面主張保皇，這種矛盾的主張和他們的傳統歷史哲學分不開，他們向前看但又頻頻回顧，歷史哲學決定他們的政治理論，而政治理論又支配他們的具體措施。

封建領主逐漸爲封建地主階級所代替，是公羊學派發生、發展的階級基礎，因之它具有過渡時期過渡學派的特點，在它的思想體系中既有新的萌芽也有舊的因素，這是自相矛盾的思想體系。新興的地主階級已經掌握政權，階級地位逐漸鞏固以後，部分地主逐漸變成世族豪門，他們是當政者，是既得利益者，他們失去了原先的生氣，正在走下坡路，《白虎通義》的出現代表當時的公羊學。何休的時代——東漢末年，大一統的局面逐漸難於維持，世族豪門進行割據的準備，這時而總結公羊派的義法，只能是紙上空談，作不結合實際的書面總結了。

關於「三科九旨」的具體內容，何休曾經有過詳細發揮，《解詁》中有云：

> 所見者，謂昭、定、哀，己與父時事也。所聞者，謂文、宣、成、襄，王父時事也。所傳聞者，謂隱、桓、莊、閔、僖，高

祖、曾祖時事也。異辭者，見恩有厚薄，義有深淺。時恩衰義缺，將以理人倫，序人類，因制治亂之法。……於所傳聞之世，見治起於衰亂之中，用心尚麤觕，故內其國而外諸夏，先詳內而後治外，錄大略小，內小惡書，故小惡不書。大國有大夫，小國略稱人，內離會書，外離會不書，是也。於所聞之世，見治升平，內諸夏而外夷狄，書外離會，小國有大夫。……至所見之世，著治大平，夷狄進至於爵，天下遠近小大若一，用心尤深而詳，故崇仁義，譏二名，……所以三世者，禮爲父母三年，爲祖父母期，爲曾祖父母齊衰三月。立愛自親始，故《春秋》據哀錄隱，上治祖禰，所以二百四十二年者，取法十二公，天數備足，著治法式，又因周道始壞，絕於惠隱之際」（隱公元年）。

以上所謂「三世」，是把春秋時魯昭公、定公、哀公作爲「所見世」；文公、宣公、成公、襄公作爲「所聞世」；隱公、桓公、莊公、閔公、僖公作爲「所傳聞世」。所見世作爲太平世，所聞世作爲升平世，所傳聞世作爲衰亂世。衰亂世的時候，諸侯割據，未能一統，表現在《公羊春秋》的義法上是「內其國而外諸夏」，只能是以魯國爲主體。升平之世，逐漸華夏一統，於是進一步而「內諸夏而外夷狄」。太平世界則是天下大一統，「夷狄進至於爵，天下遠近小大若一」。這雖然是發展史觀，但卻是理想的發展史觀，因爲不存在這種歷史事實，《春秋》二百四十年的歷史也並非如此。但即使是一種空想的機械史觀，它也具有積極意義，因爲它拋棄了《白虎通義》中「夷狄者……非中和氣所生，非禮義所能化，故不臣也」的狹隘大漢族主義論調，這種論調不是公羊的原有義，公羊原義諸夏與夷狄是可以互相轉化的。何休沒有因襲《白虎通義》，這是他的卓越處。

公羊三世說與史實矛盾，這是何休所理解的，比如說昭、定、哀之際是太平世，而太平世必須是大一統，但這正好是日趨分裂的時候，他理解這種矛盾，於是指出，昭、定、哀的時候也並不太平，說它是「太平世」，也只是「文致太平」而已。《解詁》有云：

> 《春秋》定哀之間，文致太平，欲見王者治定，無所復爲譏，唯有二名，故譏之。此《春秋》之制也。（定公六年）

他是在「欲見王者治定」，無復爲譏，吹毛求疵，只譏二名，不過理想與事實乖違，只能是「文致太平」。這是把理想世界放在後來的結果，他認爲歷史是在發展，但他機械地形式地來理解這種發展，以致形成矛盾。今文學派把《春秋》當作一種政治綱領，他們說這部書代表著新王太平之治，《公羊傳》宣公十六年說：「成周宣榭靈何以書？記靈也。外靈不書，此何以書？新周也。」何休的《解詁》說：

> 孔子以《春秋》當新王，上黜杞，下新周而故宋。因天靈，中興之樂器，示周不復興，故繫宣榭于成周，使若國文，黜而新之，從爲王者後記靈也。

這是以周爲三恪之一，杞是夏後，宋是殷後，周雖新，但爲「勝國」之餘，將來的王不是周而是《春秋》，即所謂「以《春秋》當新王」，而《春秋》非王，故又說「爲新王立法」。《春秋》雖不是人王，但具備人王的條件，《解詁》有云：

> 《春秋》有改周受命之制。（隱公二年）

《春秋》可以改周受命，是以《春秋》當新王，因爲只有新王才可以改制受命。但《春秋》只是一部書而不是人或國，於是又以魯當新王，以魯作爲新受命的王，《解詁》有云：

> 不言公，言君之始年者，王者諸侯皆稱君，所以通其義於王者，惟王者然後改元立號。《春秋》托新王受命於魯，故因此錄即位。明王者當繼天奉元，養成萬物。（隱公元年）

以魯作新王也就是以《春秋》當新王，亦即「《春秋》托新王，受命於魯的確解。以魯當新王，而以魯昭、定、哀之世爲太平世，並且以大一統的國王看待魯君，所以說「明王者當繼天奉元，養成萬物」。其實這只是一種書面上的要求，是「文致太平」，實際上當時並不太平，魯君不過是面臨滅亡的小諸侯。

何休把《春秋》當作一部理想的政治典範，太平、升平、據亂等世都有模型，但他並沒有具體地描繪出太平世界的景象。什麼才是太平世？如何才可以達到太平世？公羊學派以至何休還是心中無數的。何休不是一位政治家，他是一位善於作書面總結的歷史哲學家，他可以歸納一些脫離實際的公式，指出歷史發展的三階段，但不具有這三個階段的具體內容，他的公式也只能是一種空想。

二

公羊學派的歷史哲學決定他們的政治態度，如今我們分析他們政治態度中的幾個問題。公羊學最主要的理想是「大一統」，這在《公羊傳》及其學派中有許多發揮，但何休對此沒有進一步的解說，他只是強調了「一法度，尊天子」（《公羊傳解詁》隱公元年）。這是因爲時代變了，東漢末年，大一統的天下正面臨瓦解，階級矛盾與民族矛盾交織，天子不尊，法令不一，諸侯割據的局面逐漸形成，於是他有「一法度，尊天子」的呼聲，同時他也在譏世卿而讚揚孔子的「隳三都」。何休時代的世族可以比於古代的世卿。公羊學派站在新興地主階級立場譏世卿，何休站在「尊天子」的立場也譏世卿；這前後世卿都是獨立的割據力量，他們的存在威脅著天下一統。《公羊傳》隱公三年「譏世卿」，何休《解詁》說：

> 禮，公卿大夫士皆選賢而用之。卿大夫任重職大，不當世爲，其秉政久，恩德廣大，小人居之，必奪君之威權。……君子疾其末則正其本。

「公卿大夫士皆選賢而用之」，代表先秦新興地主階級的要求，是後來科舉制度的理論根據。這和世襲貴族的傳統是不協調的，而且何休時代新的世族正在興起，這種選賢的辦法也逐漸行不通了。

「隳三都」是《公羊傳》所肯定的一件大事，關於此事的歷史意義前文已經有過分析，這裏我們來分析何休的議論。事見於定公十二年傳，從孔子的維護一統的角度看，三都的建立是「非常異義可怪」的現象，所以他主張「隳三都」。我們也知道孔子的思想和公羊學派的政治思想不完全一致，公羊學派的思想徘徊於正統派的儒家與法家之間，它的大一統理論也不同於孔子，這新的大一統的階級基礎和西周式的一統並不一致，而何休的時代又不同於公羊的時代。「大一統」對何休來說，不成問題又成問題。因爲秦漢已經統一數百年，可以說公羊學派的理想已經實現了，所以這不成問題。但何休的時代又出現新的情況，新的不統一的因素萌芽了，世族強大，少數民族崛起，階級矛盾尖銳化，出現了割據和分裂的苗頭，統一的封建王朝搖搖欲墜了。何休鼓吹「隳三都」，弱臣勢，不能不反映這種具體情況，他在《解詁》中說：

> 郈，叔孫氏所食邑；費，季氏所食邑。二大夫宰吏數叛，患之，以問孔子。孔子曰：「陪臣執國命，采長數叛者，坐邑有城池之固，家有甲兵之藏故也。」季氏說其言而墮之。……書者，善定公任大聖，復古制，弱臣勢也。（定公十二年）

雖然《公羊傳》與何休的議論相同，但出發點並不一致。他們也都不理解，三都強大，陪臣執國命是社會發展的必然結果，新興的統治者從陪臣執國命開始，新的大一統也自此萌芽，沒有新興的力量，沒有新興的階級，不會有新的大一統事業。何休的時代與公羊學派產生的時代不同，那時的新興地主階級這時有些已轉化爲世族地主，所以何休的時代和公羊學派產生的時代有類似的問題存在，過去是領主貴族妨礙了大一統，如今是世族地主打算割據，分裂這大一統，不同時代遭遇到相同的問題，但應有其不同的解決方案，何休對此是不理解的。

三

漢代經師一般都講讖緯，講陰陽災異，在何休的著作中也講讖緯災異，我們在這裡不想討論這些問題，值得注意的是何休與鄭玄的爭論。他們都是經師，但學派不同，學風不同。何休是一個典型的今文經師，而鄭玄是一個雜糅今古文經的學者，因此他們的觀點有相同處，比如他們都講災異，不廢讖緯。但鄭玄因爲也繼承了古文經學的傳統，他注意訓詁，尊重史實，樹立了古文學派比較樸實的學風，爲所謂漢學或者是樸學奠立下基礎，當然不止他一人，服虔、賈逵、馬融、鄭興、鄭衆、許慎等都是。

何休堅守今文經的堡壘，曾著有《公羊墨守》、《左氏膏肓》、《穀梁廢疾》等書，用以表揚《公羊》，而排斥《左》、《穀》。鄭玄批判了何休而著有《發墨守》、《箴膏肓》、《起廢疾》等書。何休看到這些著作後嘆息道：「康成入吾室，操吾戈，以伐我乎」（《後漢書・鄭玄傳》）。這是一場針鋒相對的論爭，服虔也曾經加入這一論爭，因爲他們的學派不同，學風不同，重點不同，彼此之間缺乏共同關心的問題，因而論爭測重於考辨史事。公羊學雖然是歷史學派，但他們主要發揮歷史哲學而不注意史實，他們不免曲解史實以附會他們的理論。鄭玄則是一個淵博的學者，因爲學識淵博所以在爭論中可以左右逢源，他反對曲解史實的學風，何休遭遇到學術上的勁敵，以致他有「入室操戈」之嘆。

在《左氏膏肓》中，何休曾經抨擊《左傳》隱公元年「春王周正月，不書即位，攝也」的理論，他說：

> 古制諸侯幼弱，天子命賢大夫輔相爲政，無攝代之義。昔周公居攝，死不記崩。今隱公生稱侯、死稱薨，何因得爲攝者？

何休反對魯隱公居攝說，以爲《公羊》無居攝義，因爲隱公「生稱侯、死稱薨」，乃正式即位非居攝者。鄭玄針對何休的議論，加以駁斥，說：「周公攝政，仍以成王爲主，直攝其政事而已，所有大事，稟王命以行之，致政之後乃死，故卒稱薨，不記崩。隱公所攝，則位亦攝之，以桓爲太子，所有大事，皆專命以行。攝位被殺，在君位而死，故生稱公，死稱薨，是與周公異也。且《公羊》以爲諸侯無攝，宋穆公云：『吾立乎此，攝也。』以此言之，安得非《左氏》」（《箴膏肓》）。他舉出幾點理由：㈠周公攝政，仍以成王爲主，攝政而不攝位；魯隱公攝政亦攝位，所有大事皆專命以行。㈡周公致政而後死，不死於攝政，所以卒稱薨不記崩；隱公在君位而死，故生稱公，死稱薨。㈢諸侯有居攝義，宋穆公云云可以爲證。上述兩說比較，何休是以史實牽就《公羊》的義例，未免曲解。鄭玄的說法在各方面都說得通，所以何休對之有「入室操戈」之嘆。

何休還有曲解史實的例子，比如關於季武子作三軍，《左傳》襄公十一年春云：「季武子將作三軍，……三分公室兩各有其一。」這是當時的大事，等於後來的「三家分晉」，雖然他們還沒有廢除魯君。這是卑公室而不是尊公室，《左傳》也沒有說這是「尊公室」。但何休說：

> 《左氏》說云「尊公室」，休以爲與「舍中軍」義同，於義《左氏》爲短。（《箴膏肓》引）

這完全不是事實，所以鄭玄駁斥說：「《左氏傳》云：『作三軍，三分公室，各有其一。』謂三家始專兵甲，卑公室。云《左氏》說者『尊公室』，失《左氏》義遠矣」（《箴膏肓》）。鄭玄即以《左氏》原文作證，指出這是何休的曲解。又《公羊傳》桓公十一年有「古者鄭國處於留」的記載，鄭玄說：

> 鄭始封君曰桓公者，周宣王之母弟，國在宗周畿內，今京兆鄭縣是也。桓公生武公，武公生莊公，遷易東周畿內，國在虢鄶之間，今河南新鄭是也。武公生莊公，因其國焉。留乃在陳守之東，鄭受封至此適三世，安得古者鄭國處於留，祭仲將往省留之事乎？（《發墨守》）

這是相當精彩的小考據，雖然結論錯誤，但方法可取，爲後來的樸學建立下基礎，清代漢學家盛稱「許鄭」或「服鄭」是有原因的。何休一派的微言大義在史事方面，有時是曲解的，一直到康有爲粗枝大葉的學風，還是如此。因此我們說，公羊學派的理論，尤其是通過何休總結出來的理論，有時是建立在主觀想像、曲解史事上的。歷史學派而不顧史實，所以他們的歷史哲學有精華也有糟粕。他們具有一定的發展史觀，但也回頭看。鄭玄的抨擊，使何休無法作答，何休實際上也結束了早期的公羊學派。

四

何休是爲公羊學作總結的人，如今我們給何休的公羊總結作總結。自戰國到漢末，公羊學有了許多發展和變化，積累了許多公式和義法。但後來的公羊學隨著社會的演變和發展，違背了過去的義法，過去的義法也脫離了當時的現實，何休有時未免進退失據，因而歪曲事實，曲解歷史。

先秦的公羊學本來是新興地主階級意識形態的反映，而新興地主階級和原來的宗法貴族有著千絲萬縷的關係，因此公羊學派的歷史觀接近法家，能夠向前看，但也沒有完全脫離正統派儒家的法先王，它徘徊於兩者之間，雖然是以前者爲主，所以說公羊接近荀學。西漢社會的現實，適當地解決了公羊學派的矛盾觀點，這時實現了它所提倡的大一統，而事實上也就是經今文學派取得了儒家的正統地位。至東漢社會發展到一個更新的階段，世族地主出現了。他們的思想不同於過去的新興地主階級，原來新興地主階級所强調的，比如說大一統，這時有被拋棄的危險，因之早期的公羊學與社會現實脫節，而新的公羊理論以不同於早期的公羊理論出現，所以有《白虎通義》的結集，公羊學走上了背叛自己的路。

早期公羊學脫離了社會實際，它處於日暮途窮的境地，何休就是在這種情況下作公羊學的理論總結的。因爲它脫離社會實際，所以這種總結只能是紙上空談。不過它究竟保存了公羊學原有的義法和理論。這是新興地主階級的歷史哲學，同時也寄托了他們的政治理想。在後來長期的中國封建社會內，當地主階級走投無路的時候，他們又想到公羊學，清中葉以後公羊學之所以復興的根本原因在此，他們找到了《公羊》，找到了何休的總結——《公羊傳解詁》，以此我們說何休的總結還是有積極意義的。

——原載《繹史齋學術文集》（上海人民出版社，一九八三年五月），頁一六二——一七三

論鄭玄通學產生的歷史原因

楊廣偉

經今文學與經古文學，是漢代經學內部的兩大對立派別。它們各以經學的正宗自居，相攻若仇，互不相讓，形成極深的經學門戶之見。直到東漢末年，鄭玄在古文經的基礎上，兼容今、古文兩經，創立了通學（又稱鄭學），才使長達二百餘年的經今、古文學之爭告一結束。所謂通學，就是以古文經爲主的經今、古文的合流。

爲什麼通學會出現於東漢末年？爲什麼能以古文經爲主實現兩派的合流？爲什麼鄭玄能成爲通學的創始人？這決非偶然，而是有著深刻的社會歷史原因並爲經學自身發展的歷史必然性所決定的。本文就此談一些不成熟的看法。

一

任何思想理論的變化、發展，都要受到社會條件的制約。經今、古文學在東漢末年從對立走向合流，乃時代之使然，反映著封建地主階級擺脫日益深重的社會危機的需要。

東漢政權自和帝以後就開始走下坡路。外戚專權，宦官擅政，中央政權內部的傾軋與鬥爭愈演愈烈。到了東漢末年，中央政權嚴重削弱了，「自桓、靈之間，君道秕僻，朝綱日陵，國隙屢啓」。面對封建統治的嚴重危機，一些經學大師憂心重重，「靡不審其崩離」（註一）。通學派的創始人鄭玄曾無限感嘆地說：「漢世之事，誰與正之」（註二）。他們爲改變這種頹敗局面所作的一種努力，就是强化封建統治階級的精神支柱——經學。鄭玄在給兒子的信中稱：「但念述先聖之元意，思整百家之不齊，亦庶幾以竭吾才。」（註三）顯然，鄭玄之創立通學，正是以「整百家之不齊」作爲宗旨與出發點的。

所謂「百家之不齊」，在當時的突出表現就是今、古文經的嚴重對立。自西漢末年劉歆與今文經博士展開大辯論以來，兩派的激烈鬥爭一浪接著一浪。今文經家指責古文經變亂師法，古文經家則指責今文經家「黨同門，妒道眞，違明詔，失聖意。」（註四）古文經家推崇《左傳》的臣君大義，今文經家則認爲「左氏淺末」。今文經家何休「以春秋駁漢事六百餘條」，古文經家服虔則「以《左傳》駁何休之所駁漢事」（註五）。總之，他們各執己見，相互攻難，勢不兩立。又由於「守文之徒，滯固所稟」，致使經學內部出現了「異端紛紜，互相詭激」（註六）的混亂局面。這種紛擾與爭吵，無疑會削弱精神支柱的作用，不利於中央集權的鞏固。對此，封建統治者是有所覺察的。早在西漢末年，哀帝就憂慮經學的派別之爭會造成「文學錯亂」（註七）。東漢章帝也擔心兩派無止境的爭吵會導致「先師微言將遂廢絕。」（註八）到了東漢末年，鄭玄更發出「所好群書率皆腐敝」（註九）的哀嘆。特別是社會危機日趨嚴重的情況下，「相互詭激」的經學，就更加顯得軟弱無力。因此，「整百家之不齊」，實現經義的統一，便成爲從意識形態方面强化封建統治的當急之務。

應當看到，處於內外交困情況下的東漢末年統治者，自顧不暇，已經無力解決這個問題。雖然在漢代的歷史上，曾有過西漢宣帝召集石渠閣會議，「詔諸儒講五經同異」（註一〇）的先例，東漢章帝也曾命諸儒於白虎觀討論經義，炮制出《白虎通義》，但是，中央政權極度衰弱的桓、靈二帝，已經不可能像宣帝、章帝那樣，運用政權的力量，自上而下地召集群儒對經義進行討論，「親稱制臨決」。儘管靈帝曾頒布熹平石經，「使天下咸取則焉」，然而實際上不過是改變一下「文字多謬」（註一一）的狀況，並未能解決經義分歧的問題。於是，經義的統一，就只能靠那些忠心維護封建統治的大儒自下而上地來完成了。

還應當看到，由今文經學派的儒者來負擔這個任務，也是不可能的。今文經在西漢和東漢初年，一直處於官學的地位，但不久就從獨占鰲頭的地位跌了下來。正如古文經大師劉歆所諷刺的，其「分文析字，煩言碎辭，學者罷老且不能究其一藝」（註一二），使人們漸漸對它產生厭惡情緒，出現了「通人惡煩，羞學章句」（註一三）的情況。白虎觀會議時，由於今文經博士只會「信口說而背傳記」（註一四），不會概括大義，因此要編一部條理明白、義旨簡要的《白虎通》，今文博士竟無人可以勝任，只得求救於古文學者班固，於此足見今文經學的衰敗。而古文經學卻隨著今文經學的衰落逐漸興盛起來。古文經學派有著學風踏實、善於吸取別派之長的特點，許多古文學者都以弘覽博達、高文贍學而風靡一時，就連後世曾攻擊過古文經的康有爲也不得不承認：「以古學者多博洽，人皆信之，此古學所以盛也。」（註一五）古學既盛，今學又衰，由古文經學者出面統一兩派的對立，就顯得十分自然了。

古文經學大師鄭玄，正是這一任務的主動承擔者。他所說的「漢世之事，誰與正之？」正表明了他維護日趨衰敗的漢室統治的抱負；他爲改變經學研究中「同事相違」的狀況，以「述先聖之元意，思整百家之不齊」爲己任，並爲之花費了畢生的精力。他自幼「日夜誦讀，未曾怠倦」，年輕時「遂博稽六藝，粗覽傳記，時睹秘書緯術之奧」（註一六）。他憑著自己的淵博學識，不僅有大量著述，而且對群經逐一進行了注釋。在鄭玄看來，處於當時動亂的社會條件下，要自下而上地解決經義分歧，一種最爲可行的辦法就是注經。據《全後漢文》記載，鄭玄注釋的經書有：《周易注》九卷、《尚書注》九卷、

《尙書大傳注》三卷、《毛詩箋》二十卷、《周禮注》十二卷、《儀禮注》十七卷、《禮記注》二十卷、《孝經注》一卷、《論語注》十卷、《古文論語注》十卷（註一七）等。

正因爲鄭玄的注經是爲了實現「齊百家」的目的，這就決定了他的注經具有與人不同的特點。他很注意借鑒前人的注經成果。以《周禮》爲例，在他之前，經學大師鄭興、鄭眾、賈逵、馬融等，均作過解詁，鄭玄注《周禮》，正是在他們的基礎上進行的，所謂「鄭康成乃集諸儒之成爲周禮注」（註一八），講得就是這個意思。鄭玄一再强調：「竊觀二三君子之文章（指周禮解詁）……可謂雅達廣攬者也。然猶有參錯，同事相違。」（註一九）針對這種情況，他採取「讚而辨之」的態度，合理從之，不合理則不從。例如《周禮・天官冢宰》，「設官分職」，鄭玄就一字不改地引了鄭眾的解釋：「鄭司農（鄭眾）云置冢宰司徒、宗伯、司馬、司寇、司空，各有所職而百事舉。」又如鄭眾把「官刑」釋爲平常所說的五刑，注云：「官刑謂司刑所掌墨罪、劓罪、宮罪、刖罪、殺罪也。」鄭玄不同意這種解釋，認爲官刑是司寇之職，專門施於官府之中，他注道：「玄謂官刑司寇之職，五刑其四曰官刑，上能糾職」。唐代賈公彥在爲此注作疏時指出，鄭玄「於義爲當也」（註二〇）。鄭玄還能融合古、今文兩經，根據兼容並蓄，「義彊者從之」的原則，統一兩派的紛爭（這一點，將在二、三節著重分析），從而使他注釋的經文，起到了過去欽定本（如《白虎通》）那樣的作用，「自是學者略知所歸」（註二一）。從這個意義上說，把鄭玄的注經稱爲《白虎通》的繼續，是一點也不過分的。當然，兩者也有不同：第一，如前所述，《白虎通》是自上而下的統一經義的產物，而鄭注經書卻是非官方的；第二，白虎觀會議雖然吸收古文學家參加，但《白虎通》中卻很少吸收古文經的經義，而鄭注經書卻是以古文經爲基礎，熔今、古文經爲一爐，通學的成果標誌者漢代經學發展的一個新階段。

東漢末年社會危機的加劇，不僅提出了統一經義的需要，而且客觀上爲這種統一提供了條件。首先，黨錮之禍使得經學的派別之爭相對和緩，出現了有利於兩家合流的可能性。當時，宦官「權傾海內」，「侵犯百姓」，既妨礙了大批官僚和知識分子的仕宦之途，又激化了社會矛盾，「民不堪命，多爲盜賊」（註二二），嚴重威脅著封建統治秩序，「於是天下豪傑及儒學行義者一切結爲黨人」（註二三）。經學內部派別的爭論，本來是在根本利益一致前提下的矛盾，當他們政治上需要聯合以對付宦官的時候，原來的派別之爭就顯得次要了；隨著黨人的結合，反映在經學內部就是今、古文的爭論漸趨平息，「海內希風之流，遂共相標榜，指天下名士，爲之稱號。」彼此以「八俊」、「八顧」、「八及」、「八廚」相稱，如少習家學《古文尚書》的孔昱和學《弗氏易》等古文經的劉表被列入「八及」，學今文經《嚴氏春秋》、《小戴禮》等的劉祐則被號爲「八俊」之一（註二四）。今、古文經的暫時和平相處，就使通學的崛起並站穩腳跟有了現實的可能。其次，長達十餘年的「黨錮之禍」，還在學界帶來另一個後果，即不少學者無心仕宦之途，紛紛退居學齋，潛心於學術研究。他們看到不少政界、學術界有影響的人物死於非命，「高名善士多坐流廢」（註二五），從而把研讀與教授經書看成是自己的唯一出路。例如郭太在「知名之士多被其害」的惡況下，「遂閉門教授，弟子以千數。」（註二六）鄭玄也因「遇閹尹擅執，坐黨禁錮十有四年」（註二七），於是，「教授不輟，弟子數百人」（註二八）。仕宦之途既被阻斷，便決心「隱修經業，杜門不出」（註二九）。他的許多注述，特別是三禮的注，就是在這段時間內完成的。他自稱「遭黨錮之事，逃難注禮」（註三〇），當是一個證明。應該指出，由於此時的東漢王朝已處於「無可奈何花落去」的境地，因而鄭玄統一後的經義，便再也不能獲得它想要獲得的業績了。

二

鄭玄通學的產生，除了時代提出的需要之外，也是經學自身發展的必然結果。

兩漢的經學經歷了由簡到繁（所謂繁，既表現爲注經的繁瑣，又表現爲著作的繁多，本文分析的是後者），又由繁到約的過程；鄭玄通學標誌著這個過程的完成。也可以說，正是由於師法、家法接連被打破，才使這一過程得以完成。

西漢經學強調守師法，所以儒生們基本上持「述而不作」的態度，大師各抱一經，很少撰述。皮錫瑞對這種情況曾作過如下描述：「前漢篤守遺經，罕有撰述。章句略備，文彩未彰。藝文志所載者，說各止一二篇，惟災異孟氏京房六十六篇爲最夥。」（註三一）到劉歆時，「毀師法，令學士疑惑」（註三二），師法一破，當然會使拘泥於師說的儒生「疑惑」，而大部分儒生儘管仍有家法的束縛，但多少有了一點自己發揮的餘地。因此，東漢與西漢不同，出現了大規模的撰述活動。據《後漢書・儒林傳》記載，「周防撰《尚書雜記》三十二篇，四十萬言」；景鸞「作《易說》及《詩解》」，「又撰《禮內外記》，號曰《禮略》」、「及作《月令章句》，凡所著述五十餘萬言」；程曾「著書百餘篇，皆《五經》通難，又作《孟子章句》」；何休「作《春秋公羊解詁》，……又注訓《孝經》、《論語》」，「作《公羊墨守》、《左氏膏肓》、《谷梁廢疾》」；許慎「撰爲《五經異義》，又作《說文解字》十四篇」；賈逵作《左氏傳解詁》三十篇，撰歐陽、大小夏侯《尚書》、《古文尚書》同異，集爲三卷，撰齊、魯、韓詩與毛詩異同，並作《周官解故》，所著經傳義詁及論難百餘萬言（註三三）；荀爽「著《禮》、《易經》、《詩傳》、《尚書正經》、《春秋條例》……凡百餘篇。」（註三四）可見撰述之多，已是浩如煙海了。

但是，事情到了極端，就要走向反面。隨著漢代注經的盛行，出現了日趨繁瑣的現象。這種情況對儒生眞正掌握經義，反而帶來極大困難。范曄的《後漢書・鄭玄傳論》也說當時的情況是：「經有數家，家有數說，章句多者或乃百餘萬言。學徒勞而少功，後生疑而莫正。」所以，經學的進一步發展，便要求就簡削繁。鄭玄順應了這一要求，「括囊大典，網羅衆家，删裁繁誣，刊改漏失」（註三五），遂將通學推上歷史的舞台。比如，《尙書》今文經有三家，古文經有一家，鄭注《書》以後，揉諸家爲一家。《易》今文經有施、孟、梁丘、京四家，古文經有費氏一家，鄭玄《易注》一出之後，其它各家均不再流行了。《詩》有今文的齊、魯、韓三家與古文的毛詩一家，鄭玄在《六藝論》中云：「注詩宗毛爲主，毛義若隱略，則更表明，如有不同，即下己意，使可識別也。」（註三六）陸德明也稱：「鄭玄作毛詩箋，申明毛義，難三家，於是三家遂廢矣。」（註三七）可見，在漢代經學由繁到約的發展過程中，鄭玄的注經起著極其重大的歷史作用。

當然，鄭玄的通學不光是「删裁繁誣」，更重要的是「和同古、今」。經今、古文學的區別，不僅在於兩者的文字不同，而且對經義的解釋也有不同，且又導致對古代不少史實的不同詮解。例如對夏商周的「封建」制度、宗法家族制度以及宗教等等的看法，都存在著根本的分歧。而在這些各持己見的解釋中，又往往是瑕瑜互見，各有長短。因此，破除門戶之見，取別派之長，補己派之短，就成爲整理經書十分必要的事了。比如，關於古代「封建」制度，古文經的《周禮・夏官》講，「凡邦國千里，封公以方五百里則四公；方四百里則六侯；方三百里則七（七爲十一之誤）伯，方二百里則二十五子，方百里則百男。」這裡，明顯是講按五等爵制授地。鄭玄注云：「一州之中，以其千里封公則可四，又以其千里封侯則可六，又以其千里封伯則可十一，又以其千里封子則可二十五，又以其千里封男則可百。」（註三八）而今文經的《禮記・王制》卻講：「公侯田方百里，伯七十里，子男五十里。」這裡說的是按三等爵制授地，而且授地的多寡也與夏官所云不同。那麼究竟孰是孰非呢？鄭玄經過綜合比較研究後，認爲今文派講的爲殷制，古文派講的爲周制，所以兩種分等方法各有所據。他在爲《禮記・王制》作注時，就特地註明：「此地，殷所因夏三等之制也。」並指明《周禮・夏官》中所講的五等爵制是周武王時改行的。他在注中寫道：「周武王初定天下，猶因殷之地。以九州之地尙狹也。周公攝政，致太平，斥大九州之界，制禮成武王之意，封王者之後，爲公及有功之諸侯，大者地方五百里，其次侯四百里，其次伯三百里，其次子二百里，其次男百里。」（註三九）這樣就使古文經《周禮・夏官》與今文經《禮記・王制》的歧意合理地得到解決。鄭玄博采兩家之長，有利於學術的發展與進步。皮錫瑞在《經學通論》中指出「鄭注王制而引周官，能和同古、今文皆不背其說」（註四〇）。鄭玄通學的出現，正是突破今、古文學派的門戶之見，在學術上相互交流的產物。

三

通學並不是在東漢末年突然形成的。在鄭玄以前，已經有一大批精通幾經的通儒出現，他們遍注群經，相互借鑒，爲今、古文經的融合和鄭玄的通學打下了學術上的基礎。

西漢的時候，經學家大都只專一經，很少兼通，漢武帝時，甚至通一經的人也不多。劉歆《移太常博士書》稱：「當此之時，一人不能獨盡其經，或爲雅，或爲頌，相合而成，泰誓後得，博士集而讀之」（註四一）。這種情況到東漢方才有了改變，出現了學通幾經並且兼學今、古文的潮流。這種潮流所以出現，一方面是由於經籍初具規模，通幾經已有可能；另一方面則由於當時的官方已把通幾經作爲培養、考核人才的標準：「十五入大學授《禮》，十六授《詩》，十七授□，十八授《易》，十九授《春秋》。」（註四二）東漢統治者很懂得儒學的政治效用，所謂「跡衰弊之所由致，而能多歷年所者，斯豈非學之效乎？」（註四三）可算他們經驗之總結。這樣，通經的要求便擴大到今、古文兩個方面。

在東漢，首先實行經今、古文學並用方針的是光武帝。他雖「起於學士大夫，習經術」，卻對經學中孰爲正宗不感興趣，關心的是如何使其爲自己的統治服務，因此廣采博納，「緣飾學問以充其美」（註四四），受到兩家大師的歡迎。古文經大師陳元、鄭興、衛宏，今文經大師范升等，紛紛接受光武帝的邀請，「莫不抱負墳策，雲會京師。」（註四五）光武帝甚至不顧今文經派的激烈反對，設立了古文經《左傳》的學官，開創了兩家經兼容並用的新局面。

章帝在他執政的二十餘年內，進一步提高了古文經的地位，促進了經學兩派的交流。他所以「特好《古文尚書》、《左氏傳》」（註四六），爲的是「網羅遺逸，博存衆家」（註四七），以免「先師道喪。」他經常與古文經大師賈逵探討古文經的統治效用問題，賈逵爲了給古文經爭得學官的地位，也竭力强調它對强化中央集權的特殊作用。他說，《左傳》「皆君臣之正義，父子之紀綱」，又說「左氏崇君父，卑臣子，强幹弱枝，勸善戒惡，至明至切，至直至順。」君君、臣臣、父父、子子，這是封建統治者理想的統治秩序，而「强幹弱枝」又是鞏固中央集權的最好措施。於是，章帝詔令賈逵在學習今文經《公羊春秋》的學生中間，挑選一些高材生，教授古文經《左傳》。他還要賈逵考辨今、古文經的異同，「詔令撰歐陽、大小夏侯尚書、古文同異」，又「復令撰齊、魯、韓《詩》與《毛詩》異同」。建初八年，章帝再次下詔，「諸儒各選高材生，受《左氏》、《穀梁春秋》、《古文尚書》、《毛詩》。」（註四八）皇帝親自下令，學今文經的也要學習古文經，這對於儒生兼學兩經不能不產生較大影響。在這樣的氣氛之下，學者通經的現象就很普遍了。據《後漢書・儒林傳》所載，不少學者既通古文經，又通今文經，如任安「受《孟氏易》（今文經），兼通數經」；孫期「習《京氏易》（今文經），《古文尚書》」；張馴「能誦《春秋左氏傳》（古文經），以及大夏侯《尚書》（今文經）教授」；尹敏「初習歐陽《尚書》（今文經），後受古文，兼善《毛詩》、《穀梁》、《左氏春秋》（古文經）」；至於像賈逵、馬融等一些古文大師，更是以「博通古、今學」而著稱於世。

鄭玄正是在這種博通今、古文經的潮流中成長起來的一位通儒。他很早就入太學讀書，曾學習今文經，「師事京兆第五元先，始通《京氏易》，《公羊春秋》」等，後又「從東郡張恭祖受《周官》、《禮記》、《左氏春秋》、《韓詩》、《古文尚書》」等。他學通了上述今、古文經後，認爲「山東無足問者」，遂西入關中，求教於當時學人仰慕的古文經大師馬融的門下，在馬融的悉心教導下，鄭玄的經學造詣有了進一步的加深，當他離開馬融時，馬融感嘆地對人說：「鄭生今去，吾道東矣。」博學多見，使鄭玄不僅成爲精通古文經的大師，而且對今文經也有很深的造詣，以至今文經大師何休驚呼：「康成入我室，操我戈，可乎！」（註四九）這種兼通今、古文經的有利條件，使他成爲漢代經學大師中的佼佼者，清代著名學者俞樾以鄭玄爲兩漢經學集大成者，「發一義無不貫穿群經。」（註五六）這決非溢美之詞。

通儒的出現和學者通經的蔚成風氣，不能不對他們的注經和撰述產生影響。他們一改以前通一經、注一經、遵一經的傳統，而是在通幾經的情況下，對一經下注。雖然他們稱著今、古文學派別的限制，不便在注釋中公開標明哪些出自古文經義，哪些採自今文經義，但兼容並蓄的現象客觀上是存在著的。如《尙書・堯典》中「欽明文思安安」一句的「思」字，古文作「思」，今文作「塞」，馬融在注釋這一條時寫道：「道德純備謂之思」，是讀「思」爲「塞」，參用了今文說（註五一）。儘管他的參用不像後來鄭玄那樣明確，又遠不及鄭玄那樣廣泛，但卻爲以後的經學大師全面融合今、古文經開了先例。

鄭玄比起馬融來又前進了一步。他敢於衝破今、古文學派的界限，在注釋中明確標明哪些是今文義，哪些是古文義。這一點，我們可以從他的代表作即《十三經注疏》所收的《周禮》、《儀禮》、《禮記》注中看出。《四庫全書總目・儀禮注疏》指出：「元（鄭玄）注參用二本（即高堂生所傳的今文本和孔壁所謂的古文本），其從今文而不從古文者，則今文大書，古文附注，……從古文而不從今文者，則古文大書，今文附注」。陳澧《東塾讀書記》也說：「鄭注周禮並存故書、今書，注儀禮並存古文、今文；……從今文則注內疊出古文，從古文則注內疊出今文。」例如《儀禮・鄉飲酒禮》「賓介不與」，鄭玄注云：「古文與爲預」（註五二）。又《儀禮・鄉射禮》「主人卒洗壹揖壹讓」，鄭玄注云：「古文壹皆作一」（註五三）。這就是他從今文而於注內疊出古文。再如《儀禮・士冠禮》「孝友時格，永乃保之。」鄭玄注云：「今文格爲嘏。」（註五四）又《儀禮・鄉射禮》「皆揖就席」，鄭玄注云：「今文揖爲升」（註五五）。這就是他從古文而於注內疊出今文。鄭玄注禮的這一特點，賈公彥曾給以概括，他指出：「鄭注禮之時，以今古二字並之，……或從今，或從古，皆逐義彊者從之。若二字俱合義者，則互換見之」（註五六）。阮元也稱：「鄭注疊古今文最爲詳核」（註五七）。

由於鄭玄能兼融今、古文兩經，加上他「不受徵群之高節，甄綜垰緯之碩學，適有高壽，遍注群經，高譽隆洽」（註五八），爲天下學者歸宗，「求學者不遠千里，贏糧而至，如細流之赴巨海，京師謂康成爲『經神』」（註五九）。今、古文經的合流最後由鄭玄來完成，那是不足爲怪的。後人把通學冠以「鄭學」的稱號，對鄭玄本人來講，確實當之無愧。

【附註】

註一、註四三　《後漢書・儒林傳論》。

註二、註一一　《後漢書・蔡邕傳》。

註三、註九、註一六、註二七、註二九、註四九　《後漢書・鄭玄傳》。

註四、註七、註一二、註一四、註四一　《漢書・楚元王傳》。

註五、註二五、註四五、註四七　《後漢書・儒林傳》。

註六、註二一、註三五　《後漢書・鄭玄傳論》。

註　八　《後漢書・肅宗孝章帝紀》，又見《後漢紀》卷十二。

註一〇　《漢書・宣帝紀》。

註一三　《文心雕龍・論說》。

註一五、註五八　康有爲：《新學僞經考》。

註一七　嚴可均：《全上古三代秦漢三國六朝文》卷八十四。

註一八　阮元：《周禮注疏校勘記序》。

註一九　《序周禮廢興》，見《十三經注疏・周禮注疏》。又見《鄭氏佚書・三禮目錄》。

註二〇　《十三經注疏・周禮注疏》卷一、卷二。

註二二　《東漢會要》卷二十四。

註二三　《後漢書・孝靈帝記》。

註二四　《後漢書・黨錮列傳》。

註二六　《後漢書・郭太傳》。

註二八　《後漢紀》卷二十九。又見《鄭氏佚書・鄭君紀年》。

註三〇　《唐會要》卷七十七《論經義》。

註三一　皮錫瑞：《經學歷史・經學極盛時代》。

註三二　《漢書・王莽傳》。

註三三、註四六、註四八　《後漢書・賈逵傳》。

註三四　《後漢書・荀爽傳》。

註三六　《四庫全書總目・毛詩正義》。又見《鄭氏佚書・六藝論》。

註三七　陸德明《經典釋文》卷一。

註三八　《十三經注疏・周禮注疏》卷三十三。

註三九　《十三經注疏・禮記注疏》卷十一。

註四〇　皮錫瑞：《經學通論》「論鄭君和同古、今文於《周官》古文《王制》今文，力求疏通有得失」。

註四二　後漢建初殘墓磚，參見范文瀾《群經概論》。

註四四　王夫之，《讀通鑒論》卷六。

註五〇　《鄭氏佚書序》。

註五一　見陳喬樅：《今文尚書經說考》。

註五二　《十三經注疏・儀禮注疏・鄉飲酒禮》卷十。

註五三、註五五　《十三經注疏・儀禮注疏・鄉射禮》卷十一。

註五四、註五六　《十三經注疏・儀禮注疏・士冠禮》卷三。

註五七　阮元：《儀禮注疏校勘記序》。

註五九　《鄭氏佚書・鄭君紀年》。

——原載《復旦學報》一九八二年五期，頁一〇二——一〇七。

鄭玄箋詩寄托感傷時事之情

劉成德

鄭玄箋《詩》遵從毛《傳》，但並不墨守毛《傳》，而是有所發揮，有所訂正，所謂毛義「若隱略，則更表明，如有不同，即下己意，使可識別。」（《毛詩正義》卷一《鄭氏箋・正義》）。鄭玄就在表明毛義隱略之處有時借題發揮，抒發自己生活在桓靈之時，目睹衰亂之政所產生的鬱悶心情。但是這些感傷之語是自然流露出來的，未破壞箋注的謹嚴體例，未溢於經文之外，所以不同鄭玄所處的時代相聯繫，不與其他的《詩經》注疏相對照，相比較，是不易覺察出來的。

清代著名今文學家皮錫瑞曾說，研究《詩譜》和鄭《箋》，「可知聲音之道與政通。」（《經學通論》詩經部分頁四六，中華書局一九五四年版）他所說的聲音之道指的是作詩的目的，詩的內容和功能，意思是說詩是政治的一面鏡子，有什麼樣的政治，就有與之相應的詩作，這正如《禮記・樂記》所說：「治世之音，安以樂，其政和；亂世之音怨以怒，其政乖；亡國之音哀以思，其民困。」《毛詩正義序》一語破的，道出了《詩經》在封建社會中所起的特殊作用：「夫詩者，論功頌德之歌，止僻防邪之訓。」這是概括了鄭玄在《詩譜序》中闡述所謂孔子錄《詩》唯取三百篇的深意。鄭玄作《詩譜》，對《詩經》有個總的論述，他按其內容，將《詩經》分爲兩大類。第一類是文、武、成王、周公等聖明君王當政的太平盛世產生的詩之「正經」，風有二南，小雅有《鹿鳴》至《六月》共十六篇，大雅有《文王》至《民勞》共十八篇。第二類自懿王、夷王而下至厲、幽等昏君當政的衰微亂世產生的「變風」、「變雅」。風雅中除第一類外均屬此類。鄭玄沒有明確說三頌的歸屬，但研究一下他寫的三頌譜，便可知道三頌當屬第一類，即詩之「正經」。因為「《周頌》者，周室成功致太平德洽之詩，其作在周公攝政、成王即位之初。」而《魯頌》是歌頌周公的長子伯禽的十九世孫魯僖公遵伯禽之法、復魯舊制的功勞的詩篇，實則也是歌頌周公之德的詩篇，當與《周頌》同屬一類。《商頌》是商王朝散逸的禮樂的一部分，與《周頌》、《魯頌》一樣可以讓後王借鑒三代成功的經驗，也屬詩之「正經」。

鄭玄根據詩經的產生時代及其反映的內容，指出「勤民恤功（憂念功業），昭事（勤勉侍奉）上帝，則受頌聲，宏福如彼（彼指文武成王）；若違而弗用（不用詩義），則被劫殺，大禍如此（此指厲幽陳靈）。吉凶之所由（產生的原因）憂娛之萌漸（起因），昭昭在斯。足作後王之鑒，於是止矣。」清代學者陳澧認為鄭玄這段話「乃三百篇之大也……此詩學所以大有功於世也。」（《東塾讀書記》，又見《經學通論》）陳澧引小雅《桑扈》、《小宛》、《雨無正》三首詩中鄭玄的一些箋注，說明鄭箋有感傷時事之語，進而說明詩學有功於世——漢末的鄭玄可以根據自己的身世、經歷來理解《詩經》的大義，而這種理解與《詩經》的本來之義並無牴牾，而他對詩義的闡明，有助於時人對詩的理解。用我們今天的話來說，鄭玄的箋注具有現實意義。下面結合陳澧所舉的例子來討論一下鄭玄在箋中是如何感傷時事的。

例一：《桑扈》：「不戢不難，受福不那。」《毛傳》：「戢，聚也。不戢，戢也。那，多也。不多，多也。」《箋》云：「王位至尊，天所子也。然而不自斂以先王之法，不自難以亡國之戒，則受福祿亦不多也。」《正義》釋《毛傳》，說：「則天下之民不戢聚而歸之乎？言戢聚而歸之也；不畏難而順之乎？言畏難而順之也。民皆順之，則爲天所佑，其受福豈不多乎？言受福多也。今王不能然，故刺之。」顯而易見，《毛傳》與鄭《箋》對這二句的理解大不相同。《毛傳》認爲三個不字都是語氣詞，無義，鄭玄則認爲三個不字都是否定詞，此二句都是否定句，《正義》不懂《毛傳》之意，將此二句釋爲反問句，以傅會《毛傳》所說的「不戢，戢也；不難，難也；不多，多也。」毛亨未串講，此二句的具體含義，依《正義》所云，迂曲晦澀，恐非毛意。朱熹參照鄭《箋》，修改《正義》，解釋爲「蓋豈不斂乎？豈不慎乎？其受福豈不多乎？（《詩集傳》頁一六〇，中華書局一九五八年版）表面上看起來，對「戢」與「難」的解釋，朱《傳》同鄭《箋》更接近一些。其實對此二句大意的理解，朱《傳》與孔《疏》是相同的，都認爲是肯定的意思，是正面歌頌，所不同的是朱熹認爲這首詩都是頌禱之詞，此二句是頌辭中的一部分；而《正義》則認爲這兩句是詩人借頌先王之德來刺幽王。

清代學者馬瑞辰釋戢爲濈，和也；釋難爲戁，敬也。兩個不字皆語氣詞。說「此言君子對人既和且敬。」（《毛詩傳箋通釋》二十二）高亨吸取朱熹、馬瑞辰之說，進一步指出這是一首君子頌德祝福的詩。（《詩經今注》頁三三六，上海古籍出版社）

綜上所述，可見除了鄭玄，歷代學者對此二句的解釋基本上一致：都認爲是頌辭。那麼，鄭玄何以獨獨認爲是表示否定之義呢？這是他附會《詩小序》的緣故。《小序》云：「桑扈，刺幽王也。君臣上下，動無禮文焉。」鄭玄對最後一句作注說：「舉事而不用先王之禮法威儀也。」因爲要找出「刺惡」的意思，只能把這兩句中的三個不字都訓爲否定詞。對鄭玄的這種解釋，清代學者多不以爲然，例如王引之在《經傳釋詞》中引此詩爲例，說明不字的特殊用法，認爲這三個不字都是語氣詞，指出鄭《箋》釋爲否定詞失之。（頁二二〇，中華書局一九五六年版）可是鄭玄如此解釋，既符合《詩序》所說的刺幽王之義，又自然地表達了自己的感傷時事的感情。陳澧「深知鄭君箋詩之意」，（皮錫瑞語）敏銳地指出「此蓋嘆息痛恨於桓靈也」。我們知道鄭玄一生主要是在桓靈二帝時代度過的，這是一個權臣專朝，宦官當政，貴戚橫恣的衰微末世。鄭玄從自己所處的亂世去理解周幽王的惡德，又從周幽王敗國亡身的歷史教訓中看出漢朝亡國的危險，於是很自然地將「不戢不難，受福不那」解釋為不以先王之法來約束自己（指最高統治者），不吸取歷史上的亡國亡身的教訓，那麼就不能長享福祿、永保君位了。這很有點古為今用，借古諷今，警告當政者的味道。鄭玄要借詩來喚醒沉緬享樂，不知亡國之禍的桓靈君臣們。這樣解釋也正好說明了「吉凶之所由，憂娛之萌漸」的道理，發揮了詩可以當諫書，（《漢書·儒林傳》載王式說：「臣以三百五篇當諫書。」）可以當「止僻防邪之訓」的作用。這也說明鄭玄「深知孔子錄詩之意」。（皮錫瑞語）這樣說，並不是想論證鄭玄的解釋最符合詩的原意。我們知道，歷代學者解說詩經，見仁見智，眾說紛紜，莫衷一是。究其原因，主要在於對所論的詩的產生時代、美刺的對象說法不同。唐以前主要依據《詩序》，而《詩序》是根據詩的產生時代作的，但每一首詩的創作年代難以一一斷定。這一點，鄭玄早已看出，他曾說過：「詩本無文字，後人不能盡得其次第，錄者直錄存其義而已」。（據《詩譜序·正義》所引）所以，鄭玄對《詩序》所說多有更改。可見他也不是盡信《詩序》的。自宋代學風大變，疑古風起，鄭樵、朱熹攻《小序》，依詩句說詩意，破除迷信，對人們重新認識《詩經》很有啓發，而在詞語的解釋上「訓詁用毛鄭者居多。」（《四庫全書總目提要·毛詩正義提要》）這就是朱《傳》比起鄭《箋》來較接近詩的原意的原因。再看這首詩中的另一個例子。

例二：「旨酒思柔。」毛無傳。鄭《箋》云：「其飲美酒，思得柔順中和，與其共樂，言不憮敖自淫恣也。」朱《傳》：「思，語詞也。」馬瑞辰說柔通脜，依《說文》：「脜，善嘉肉也。」引申爲善嘉之義。思爲語詞。旨酒思柔猶言飲酒孔嘉。

從鄭《箋》串講這句詩的大意可知，他訓思爲動詞，訓柔爲柔順中和，這是一種好品質和好作風，是「思」的對象。這柔順中和就是所謂的賢良方正之士，當是詩人理想中的士人，也是鄭玄所嚮往的治國人才，他有感於漢末小人包圍君王、殘害忠良，特在箋注中加上一筆：（君子）飲美酒、思賢才，想與他們結交同樂。

結合上下文來看，對這句的解釋，朱《傳》和馬瑞辰之說通暢圓滿，而鄭玄之說如此迂迴，其原因仍然是爲了附會小序。

下面的例子更能說明問題。

例三：「君子樂胥。」《毛傳》：「胥，皆也。」《箋》云：「胥，有才知之名也。王者樂臣下有才知文章，則賢人在位，庶官不曠，政和而民安。」朱《傳》云胥，語詞。馬瑞辰說《毛傳》訓胥爲皆之皆，不是副詞，不當「全」講，而是嘉義，《廣雅・釋言》：「皆，嘉也。」樂胥猶言樂嘉。這與朱《傳》訓胥爲語氣詞雖然不同，但從對這句詩的大意的理解來說，都是一致的，並無分歧。而鄭玄的解釋就不一樣了。鄭玄釋胥爲才知，其根據是胥、諝古通用，《說文》「諝，知也。」從訓詁上來講，鄭玄的解釋是有所本的，不是主觀臆斷的鑿空之說。而他這樣訓釋，正可借此諷刺靈帝親小人，遠賢人，製造黨錮之禍，迫害仁人志士的黑暗政治。

例四：《小宛》「螟蛉有子，蜾蠃負之。」《毛傳》：「螟蛉，桑蟲也；蜾蠃，蒲盧也。負，持也。」《箋》云：「蒲盧取桑蟲之子負持而去，煦嫗養之以成其子。」這兩句詩的字面意思，大致如鄭《箋》所釋，且在詩中爲比興之辭。這些，歷代注詩者的說法基本相同，但比興什麼呢？鄭玄說「喻有萬民不能治，則能治者將得之。」朱熹說「以興不似者可教而似也。」可見朱《傳》與鄭《箋》迥異。這又涉及到鄭朱二人對這首詩的主題思想的看法。鄭玄認爲此詩主旨是大夫刺厲王，而朱熹則認爲是「大夫遭時之亂，而兄弟相戒以免禍之詩。」兩相比較，鄭玄之說「有深意焉」。《詩序》說此詩「大夫刺幽王」，鄭玄說：「當爲刺厲王。」鄭玄改變《詩序》之說是有他的深意的。史載，周厲王暴虐專橫，人民怨聲載道，於是厲王命令衛國神巫監視國人，禁止國人說話，違者殺戮。結果引起國人暴動，厲王被放逐到彘（今山西霍縣），後來死在那裡。太子靖立，是爲周宣王。鑒於厲王被人民推翻的教訓，宣王厲精圖治，周室稍有起色，史稱「宣王中興」。鄭玄云「有萬民不能治」，即指國人暴動，「流（厲）王於彘」這件事，云「有德者將得之」，即指太子靖登上王位這件事。這樣說來，似乎鄭箋於史有證，《小宛》可謂史詩了。其實，這只是後人的猜測，因爲沒有確鑿的事實可以證明此詩寫在厲王或幽王時代，只從此首詩本身很難斷定它的寫作時間和作者的眞正意圖。相比之下，倒是朱熹的說法較合情理一些，他認爲這是兄弟相戒之語：不能只是自己獨善其身，還要好好教育子女，使他們也多做好事，原來不善的經過教育可以變好，就如同螟蛉之子被蜾蠃抱養之後就變成蜾蠃一樣。而鄭玄作那樣的箋注，不但基本上符合《詩序》之義，而且能隱約地表達他對漢室將亡的憂慮之情，他以周厲王的下場諷諫靈帝（註一），如果不改弦易轍，漢家的庶民百姓就要被異姓奪去，就要重演改朝換代的悲劇；同時還表達了他希望有能治的明君出現重建太平盛世的願望，陳澧說鄭君對這兩句的箋注「蓋痛漢室將亡而曹氏將得之也。」如上所述，鄭《箋》痛漢室將亡之意是很明顯的，但並未預見到「曹氏將得之也。」因爲曹操是在鎮壓黃巾起義，討伐董卓的戰爭中逐漸擴充兵力的，而他成爲挾天子以令諸侯的權臣則是在建安時期。鄭注《毛詩》時，曹操還只是一個官階低微的縣令、郎官，

《魏書・武帝紀》云：「（曹操）年二十舉孝廉爲郎，除洛陽北部尉，遷頓丘令，徵拜議郎。」曹操二十歲正是靈帝熹平三年（西元一七四年），過了十年，才爆發黃巾起義，這時鄭玄的《毛詩箋注》早已完成，而曹操羽毛尚未豐滿。所以那時鄭玄不可能預見到漢室將會被曹氏取代。可見這後一句是陳澧根據以後的歷史說的，並不是鄭玄當時的預見。這裡姑且不說是誰將要取代漢室，只說鄭《箋》本身，我們可以說鄭玄借箋注這句詩感傷時事之意是溢於言表的，陳澧的提示對我們進一步理解鄭《箋》也是很有啓發的。

鄭玄在箋注緊連這兩句的上兩句詩時也發出了同樣的感傷之語。請看下面的例子。

例五：「中原有菽，庶民采之。」《箋》云：「藿生原中，非有主也，以喻王位無常家也，勤於德者則得之。」而《毛傳》只泛泛地注了一句話：「力采者則得之。」鄭《箋》卻是對當政者的諷諫和警告。

例六：「戰戰兢兢，如履薄冰。」《箋》云，「衰亂之世，賢人君子雖無罪，猶恐懼。」這兩句在《小雅・小旻》中也出現過，作「戰戰兢兢，如臨深淵，如履薄冰。」毛亨在第一句下注曰：「戰戰，恐也；兢兢，戒也。」在第二句下注曰：「恐隊（墜）也。」在第三句下注曰：「恐陷也。」因爲《小旻》在前，《小宛》在後，所以毛亨在此無傳。《小旻》中的這三句詩，在《左傳》中出現過兩次，在《論語》中出現過一次（註二），已成爲告誡人們小心慎謹的警句格言。《小宛》中的這兩句可以看成是《小旻》中的三句的簡化，其義是一樣的。讀了《小旻・毛傳》後，這兩句的意思不待言也是明白的，可鄭玄加箋注，其原因在於他認爲《小旻》詩中的戰戰兢兢三句表示的是詩人諫王當常懷恐懼，警惕小人亡害國家，而《小宛》詩中的戰戰兢兢二句的主體是賢人君子，他們所恐懼的不只是國家將亡，而且還恐懼自己將遭迫害身陷囹圄以至身首異地。鄭玄能從這兩句語義顯豁的詩中引發出如此深意，這與他的遭遇不無關係。

據史書記載，一六八年漢靈帝大興黨獄，殺李膺、范滂等名士一百餘人，禁錮六七百人，太學生被捕一千餘人，黨人五服內親戚以及門人故吏凡有官職者，全部免官禁錮，這是東漢第二次黨錮之禍。鄭也被牽扯在內，「坐黨（因犯黨人之罪）禁錮，十有四年。」鄭玄看到如此眾多的「賢人君子」遭受殺戮之禍，而自己也飽嘗禁錮之苦，怎能不產生恐懼之感呢？怎能不發出生不逢時偏生於亂世的感慨呢？

鄭玄是一位「不樂爲吏」好學不倦的學者，他年輕時辭官「自游學十餘年乃歸鄉里，家貧客耕東萊。」就是這樣一位與世無爭潛心學問的賢人君子也被牽連到黨錮之禍中去，這大概是因爲「學徒相隨，已數百千人」。成百上千的儒生學士跟隨他，聽他講學，這怎能不引起專權的宦豎們的猜忌呢？他被禁錮後「遂修經業，杜門不出」。這正是他遍注群經，包括箋注《毛詩》之時，他自然地把自己的遭遇和感傷流露於筆端。所以結合鄭玄的經歷看，這兩句的箋注確實含有「傷黨錮之禍」（陳澧語）的深意的。

雖然鄭玄箋注《小宛》詩含有諷刺現實，傷感時事的深意，但是從詩本身看，鄭玄之說似較牽强。這一點，朱熹早就明確指出來了。他說：「此詩之詞最爲明白，而意極懇至。說者必欲爲刺王之言，故其說穿鑿破碎，無理尤甚。今悉改定，讀者評之。」（《詩集傳》頁一三九）

例七：《雨無正》「維曰於仕，孔棘且殆。云不可使，得罪於天子；亦云可使，怨及朋友。」《毛傳》：「於，往也。」《箋》云：「棘，急也。不可使者，不正不從也。可使者，雖不正，從也。居今衰亂之世，云往仕乎？甚急迮（ze，逼迫）且危。急迮且危，以此二者也。」孔《疏》解釋鄭《箋》說：「以可使與不可使者，皆君論臣之辭，謂稱己意爲可使，不稱己意爲不可使也。箋解賢人之意，不可使者，君有不正，我不從之，君則以我爲不可使也。可使者，君雖不正，我亦從之，如是，則君以我爲可使也。」看來鄭《箋》所言，都是這幾句詩的應有之義，鄭玄並未引發什麼，增添什麼，好像與前面幾例箋注寄托感傷時事之情有所不同。但是，只要我們聯繫鄭玄的生平事蹟來讀這段箋注，就會明白這一段極客觀的注釋，同時也道出了他屢被徵而不仕的原因——居今衰亂之世，往仕甚急迮且危。這是說生在這個衰敗動亂的時代，如果去做官，那將很爲難又很危險，於是「吾自忖度，無任於此，但念述先聖之元意，思整百家之不齊，亦庶幾以竭吾才。」基於這個原因，他先是辭去鄉嗇夫的小官，黨錮解除後拒絕大將軍何進的禮遇優待，「不受朝服，而以幅巾見，一宿逃去。」後來大將軍袁紹「舉玄茂才，表爲左中郎將，皆不就。公車徵爲大司農，給安車一乘，所過長吏送迎。玄乃以病自乞還家。」他在病重時寫給兒子的遺訓中欣慰地說：「吾雖無紱冕之緒，頗有讓爵之高，自樂以論贊之功，庶不遺後人之羞。」他預見到自己的業績會載於史傳，史家的評論大概不會使自己的後人爲有他這樣的先人而感到丟臉。歷史證明，鄭玄潛心學問，隱修經業，不樂爲吏，屢徵不就的路走對了，他的預言也被證實了。《後漢書・鄭玄傳》中的論贊，代表了後人對鄭玄的評價：「鄭玄括囊大典，網羅眾家，刪裁繁誣，刊改漏失，自是學者略知所歸。」又說鄭玄對諸經經義的訓釋「仲尼之門不能過也。」

鄭玄在箋注《雨無正》另外兩句時，透露出自己屢辟不就的表面原因，請看下面的例子。

例八：「鼠思泣血，無言不疾。」《毛傳》：「無聲曰泣血。無所言而不見疾也。」《箋》云：「鼠，憂也。我憂思泣血欲遷王都。見女（汝），今我無一言而不道疾者，言己方困於病，故未能也。」

《正義》解說《毛傳》之意云：「我所以憂恐泣血欲汝還者，（指讓離開王都的朋友再還回來）以孤特在朝，無所出言而不爲小人所見憎疾，故思汝耳。」又說：「見者，自彼加己之辭，是詩人言己爲人所疾也。」

比較一下傳箋，差別是很明顯的：毛亨認爲這兩句是留在王都的人說的話，說自己憂思泣哭，是因爲自己在朝廷無朋友相幫，一說話就招來小人的憎恨、攻擊。釋「疾」爲痛恨，用爲被動，加上表示被動的「見」字；見疾，被人厭惡痛恨。鄭《箋》則認爲這兩句話是離開王都者說的話，說自己懷念朝廷，懷念朋友，以至憂思泣哭，但是因爲己自正患疾病，不能還居王都。釋「疾」爲病，不疾，不說有病。

從上下文看，此「疾」就是痛心疾首之疾，即痛恨之義。朱傳曰：「至於憂思泣血，有無言而不痛疾者，蓋其懼禍之深至於如此。」朱熹之說與《毛傳》同。鄭《箋》之說似迂曲晦澀，他之所以如此箋注，大概是與他托病不受官爵，不願在王都做官的經歷有關。

綜上所述，我們可以說，鄭玄在箋詩時或有意地寄托自己感傷時事之情，或無意地流露出感傷時事之語。

【附註】

註　一　鄭玄生於漢順帝永建二年，即公元一二七年。他自說「年過四十乃歸供養，假田播植，以娛朝夕。遇閹尹擅勢，坐黨禁錮十有四年。」本傳說他被禁錮後「遂隱修經業，杜門不出。」這正是鄭玄遍注群經的時期，約爲公元一六八——一八四年左右。這也正值漢靈帝當政之時。所以鄭玄箋詩當在靈帝之時。

註　二　《左傳》僖公二二年：「臧文仲曰：『國無小，不可易也。無備雖眾，不可恃也。詩曰：「戰戰兢兢，如臨深淵，如履薄冰。」

』杜預注「《詩・小雅》，言常戒懼。」又《左傳》宣公十六年：「於是晉國之盜逃奔於秦，羊舌職曰：『吾聞之，禹稱（舉）善人，不善人遠，此之謂也。夫詩曰：「戰戰兢兢，如臨深淵，如履薄冰。」善人在上也。』杜預注：「善人居位無不戒懼。」又《論語・泰伯》：「曾子有疾，召門弟子曰：『啓予足啓予手，詩曰：「戰戰兢兢，如臨深淵，如履薄冰。」而今而後，吾知免夫！小子』」。孔安國注曰：「言此詩者，喻己常戒愼，恐有所毀傷。」

——原載《蘭州大學學報》一九九〇年一期，頁一二七——一三二。

論鄭玄《詩譜》的貢獻

王洲明

一

研究《詩經》者對於《毛詩》鄭玄《箋》歷來都十分看重，但對鄭玄另一部有關《詩經》研究的專著──《詩譜》，卻未能給予足夠的重視。其中一個原因恐怕是懷疑今傳《詩譜》非鄭氏《詩譜》之舊觀。這懷疑雖有道理，卻不能成爲忽視它的根據。

《後漢書・鄭玄傳》記載鄭玄遍注群經的同時，又指明曾著《六藝論》、《毛詩譜》等書。其後的隋、唐史志也皆有載錄，而北宋《崇文總目》則不見有關《詩譜》著錄。歐陽修也說：「世言鄭氏《詩譜》最詳，求之久矣不可得，雖《崇文總目》秘書所藏亦無之。」又說：「慶曆四年，奉使河東，至於絳州偶得焉。其文有注而不見名氏，然首尾殘缺，自『周公致太平』以上皆無之。其國譜旁行尤易爲訛舛，悉皆顚倒錯亂，不可復序。凡詩雅頌兼列商魯，其正變之風十有四國，而其次比莫詳。……初余未見鄭譜，嘗略考《春秋》、《史記》本紀、世家、年表，而合以毛鄭之說爲《詩圖》十四篇，今因取以補鄭譜之亡者，足以見二家所說世次先後甚備，因據而求其得失較然矣。而仍存其圖，庶幾一見予於鄭氏之學盡心焉爾。……凡補譜十有五，補其文字二百七，增損塗乙改正者八百八十三」。（《詩本義・詩譜補亡後序》）據歐陽氏言得知：他所偶得《詩譜》爲殘本；而在未得《詩譜》前已作《詩圖》十四篇，因據以補鄭譜之亡者；在鄭氏「圖譜……悉皆顚倒錯亂，不可復序」的情況下，進行了大量的訂補工作，並將其所訂補之圖譜存載。到南宋，都承認歐陽修補亡鄭譜，《直齋書錄解題》載：「《詩譜三卷》，漢鄭康成撰，歐陽修補亡。」可是到元代，就出現了複雜的情況，《宋史・藝文志》載：「鄭玄《詩譜》三卷」，同時又載：「歐陽修《詩本義》十六卷，又補注《毛詩譜》一卷。」《宋史・藝文志附編》載：「歐陽修《詩譜》一卷」，同時又載：「鄭康成撰《詩譜》一卷」。這究竟是怎麼回事？我們推測不外乎如下兩種情況：第一，《崇文總目》所不見之鄭譜，元代修宋史時又復見。不過這種可能性很小。第二，《宋史》所謂鄭玄《詩譜》，即歐陽修慶曆四年所偶見之殘譜，這種可能性極大。至清代，考訂《詩譜》凡有數書，而皆就歐陽氏補亡譜重加釐定，如吳騫《詩譜補亡後訂》（拜經樓叢書本）、丁晏《詩譜考正》（花雨樓校本），即其中上乘者。尤其丁氏《考正》，被江翰譽爲「皆援據確鑿，非好爲異論者比。」（《續修四庫全書總目提要》。本文引《詩譜》皆據此，不另注明。）鄭氏殘譜則不被提及。

從上述有關鄭氏《詩譜》的著錄，我們可得如下結論：自成書至隋唐，該書一直傳世；北宋一度亡佚，又失而復得，但所得已爲殘譜；其後至清代，歐陽修的《補譜》一直傳世，學者們又在《補譜》的基礎上做了些考訂工作。其間，雖亦有人懷疑歐陽氏所得殘譜的眞僞，謂「殘本欺人，蕪不足據」（胡元儀《毛詩譜・序》），但證據不足，相信者甚少。

在檢查有關《詩譜》著錄時，孔穎達的功績應特別提及。他在奉敕作《毛詩正義》時，將鄭氏譜分冠風、雅、頌之首，雖所存鄭譜「亦難免有佚脫」（丁晏《詩譜考正序》），但必所錄有據，大體近是。以致歐陽氏作補譜、丁晏等作《詩譜考正》，雖於圖譜中調整詩國先後順序、確定詩篇產生時代，用心甚苦，時有新見，但圖譜前的序文皆以孔氏所錄爲準。準此，即便歐陽氏《補譜》爲「欺人」之作，僅孔穎達所錄鄭氏譜文，已保存了鄭氏《詩譜》的基本內容，足資論析。

還應提及的是，《詩譜》爲鄭玄積多年研治《詩經》之所得，較系統地反映了他對《詩經》諸多的認識，因而值得格外重視。《詩譜》作於何年，已無從考知。然而除《詩譜》內容本身外，又如：鄭玄於《詩譜・大小雅譜》中，認爲《小雅・棠棣》應爲成王時詩，而與《鄭志》中答弟子趙商時所說不同。《鄭志》載答趙商云：「於文武時兄弟失道，有不合協之意，故作詩以感切之。至成王之時，二叔流言作亂，罪乃當誅，悔乃何及？未可定此篇爲成王時作」。爲什麼兩說不一呢？孔穎達解曰：答趙商時，「鄭未爲譜，故說不定也。言未可定此篇爲成王時，則意欲從之而未決。後爲此譜則決定其說爲成王時也」（《毛詩正義》）。孔氏的解釋是可信的。又據《後漢書・鄭玄傳》，玄「年六十，弟子河內趙商等自遠方至者數千」。由此，確定《詩譜》爲鄭玄晚年所作，不至於爲誣罔之說。

二

鄭玄生當漢季末世，在他之前的漢代，《詩經》和上層社會的人們發生了密切的關係，詩傳、詩序、詩說之類的解釋文字，可謂汗牛充棟。他就是在這基礎上，爬梳縷析，在爲毛詩作箋後又從事《詩譜》寫作的。如果說他爲《毛序》、《毛傳》所作的箋釋，更多地著眼於篇義、詞義、字義，那麼《詩譜》則是對《詩經》進行綜合的觀察和研究。統觀現存漢代有關《詩經》的研究，只有《毛序》算較爲系統之作。拿《詩譜》和《毛序》相較，鄭玄雖然吸取了《毛序》諸多之說，但就所論問題的多寡深淺上，《詩譜》遠非《毛序》所能及。鄭玄在《詩譜》中所做的工作，可籠統地概括爲：明時代、定地理、說正變。所謂明時代，即「顯其始封之主，省其上下，知其眾源所出」，並將三百零五篇「各當其君，君之化傍觀其詩」；所謂定地理，即規劃十五國風地理方位，「遞其土地之宜」（《詩譜序》孔疏），並連及風土民情；所謂論正變，即以傳統詩教作標準，將詩篇分述爲「詩之正經」以及變風、變雅。上述三方面的內容，一縱一橫，且縱橫交錯，構成了《詩譜》論詩的統一整體。

㈠明時代

《詩經》三百零五篇的時代問題，三家說和毛說不一，三家說亦不一，鄭玄於眾說紛紜之際，一一確定了風雅頌的產生時代。

在《國風》中，鄭玄認爲《周南》、《召南》最早產生，「文武之德，光熙前緒，以集大命於厥身，遂爲天下父母，使民有政有居。其時詩，風有《周南》、《召南》。」又說：「武王伐紂定天下，巡守述職，陳誦諸國之詩，以觀民風俗。……其得聖人之化者謂之『周南』，得賢人之化者謂之『召南』。」由此，鄭玄以「二南」爲文王、武王時詩。依次又謂「邶風」、「鄘風」、「衛風」爲夷王以後詩；謂「檜風」爲夷王、厲王時詩；謂「鄭風」爲幽王以後詩；謂「齊風」爲懿王以後詩；謂「魏風」爲平、桓之世詩；謂「唐風」爲周公、召公共和以後詩；謂「秦風」爲宣王以後詩；謂「陳風」爲厲王以後詩；謂「曹風」爲惠王以後詩；謂「豳風」爲成王、周公時詩，謂「王風」爲平王東遷以後詩。

至於雅詩，鄭玄把它們劃歸爲兩個時代，一部分爲西周昌盛時代即文王、武王、周公、成王時的詩，一部分則爲周室衰微以後即自懿王、夷王至幽王時的詩。具體說：《大雅・文王之什》，《小雅・鹿鳴之什》、《大雅・生民之什》的《生民》、《行葦》、《既醉》、《鳧鷖》、《假樂》、《公劉》、《泂酌》、《卷阿》，《小雅・南有嘉魚之什》的《南有嘉魚》、《南山有臺》、《蓼蕭》、《湛露》、《彤弓》、《菁菁者莪》爲西周初期的詩篇；而《大雅・蕩之什》

、《小雅》中的《鴻雁之什》、《節南山之什》、《谷風之什》、《魚藻之什》、《南有嘉魚之什》中的《六月》、《采芑》、《車攻》、《吉日》以及《大雅・生民之什》的《民勞》、《板》則爲西周後期的詩篇。共計前期詩三十四篇（大雅十八，小雅十六），後期詩七十一篇（大雅十三，小雅五十八）。

前已說過，《毛序》是現存漢代《詩經》研究唯一較有系統之作。鄭玄在確定詩篇時代時，就是把《毛序》當作重要依據的。但他又絕非視其爲不二法門，亦步亦趨，而是有所發現，有所創新。這不僅表現於把時代作爲論詩的重要問題貫通於詩譜之中，且不憚其煩地制定圖譜，還表現爲對《毛序》的訂正和補充上。關於這一點，我們和《鄭箋》聯繫起來進行統一考察，問題就更加明白。從下就雅詩和風詩略舉幾例：

> 《毛序》：《十月之交》，大夫刺幽王也。
>
> 《鄭箋》：當爲刺厲王，作詁訓傳時，移其篇第，因改之耳。《節（南山）》刺師尹不平，亂靡有定，此篇譏皇父擅恣，日月告凶；《正月》惡褒姒滅周，此篇疾艷妻煽方處；又幽王時司徒乃鄭桓公友，非此篇之所云番也，是以知然。

從《箋》文看，鄭玄改《毛序》所定幽王時詩爲厲王時詩，是建築在對詩篇內容及有關歷史的考定基礎之上的，非隨意爲之。他把《十月之交》與《節南山》、《正月》進行比照，是對詩篇內容上的考察，而指出「幽王時司徒乃鄭桓公友」，詩篇中卻云「番維司徒」的矛盾，則是從詩篇的內容出發，同時顧及到了歷史。對《十月之交》後的《雨無正》、《小旻》、《小宛》，鄭玄也改變《毛序》「刺幽王」「刺宣王」的說法，統定爲厲王時詩。後來他很鄭重地把這些意見寫進了《詩譜》之中，並强調說：「漢興之初，師移其第耳，亂甚焉。

既移文改其目，義順上下，刺幽亦過矣。」由此足見他在確定詩篇的時代上，確有一番潛研之功。

對於《毛序》未言明寫作時代的有些詩篇，鄭玄在爲序作箋釋時，除銓釋內容外，又特意補充、指明其寫作的時代。例如：

《毛序》：《無將大車》，大夫悔將小人也。

《鄭箋》：……幽王之時，小人眾多，賢有與之從事，反見譖害，自悔與小人群。

《毛序》：《小明》，大夫悔仕於亂世也。

《鄭箋》：名篇曰小明者，言幽王日小其明，損其政事以至於亂。

《毛序》：《緜蠻》，微臣刺亂也。大臣不用仁心，遺忘微賤，不肯飲食教載之，故作是詩也。

《鄭箋》：……幽王之時，國亂禮廢恩薄，大不念小，尊不恤賤，故本其亂而刺之。

《毛序》：《既醉》，太平也。醉酒飽德，人有士君子之行焉。

《鄭箋》：成王祭宗廟，旅醻不偏群臣，至於筭爵，故云醉焉。……

《毛序》：《無衣》，刺用兵也。秦人刺其君，好攻戰，亟用兵，而不與民同欲焉。

《鄭箋》：此責康公之言也。

凡此種種，鄭玄後來也都把這些意見寫進了《詩譜》之中。

還有一種情況，對於同一篇詩的寫作時代，往往有一種甚至多種不同意見。鄭玄能做到不爲家法所拘，不被時說所惑，甚至勇於修正自己過去的觀點。《王風・葛藟》，皇甫士安認爲是桓王時詩（註一），而鄭玄卻定其爲平王時詩。這種力排眾議獨抒己見的情況，如果說在雅詩風詩中還不多見，那麼在確定頌詩特別是「魯頌」和「商頌」時代時就表現得十分明顯。

關於「周頌」的寫作時代，戰國時的看法就很不一致。《左傳・宣公十二年》引楚子語云：「……武王克商，作頌曰：『載戢干戈，載櫜弓矢。……』又作《武》，其卒章曰：『耆定爾功。』其三曰：『鋪時繹思，我徂維求定。』其六曰：『綏萬邦，屢豐年』。」楚子，指楚莊王，所引詩句分別見於《周頌》的《時邁》、《武》、《賚》和《桓》諸篇。尋繹文意，當以該四詩作於武王時代。鄭玄作《詩譜》則摒棄《左傳》之說，十分肯定地指出：「《周頌》者，周室成功致太平德洽之詩，其作在周公攝政、成王即位之初。」

鄭玄定《周頌》爲周公、成王時所作，也是注意到詩篇所表現的內容。他認爲「頌」即「容」，「天子之德，光被四表，格於上下，無不覆幬，無不持載，此之謂『容』。」而只有當「周室成功」，方能具備如此盛德，「於是和樂興焉，頌聲乃作」。從鄭玄爲《毛序》所作的箋釋也透露了這層意思。爲《周頌》的《毛序》所作箋釋凡二十五，言明時代者凡九，且皆與《毛序》所論相符，舉其要者如次：

《毛序》：《清廟》，祀文王也。周公既成洛邑，朝諸侯，率以祀文王焉。

《鄭箋》：……天德清明，文王象焉，故祭之而歌此詩也。……成洛邑居攝五年時。

《毛序》：《維天之命》，大平告文王也。

《鄭箋》：告太平時，居攝五年之末也。……

《毛序》：《小毖》，嗣王求助也。

《鄭箋》：……成王永忠臣早輔助己爲政以救患難。

《毛序》：《酌》，告成大武也。言能酌先祖之道，以養天下也。

> 《鄭箋》：周公居攝六年，制禮作樂，歸政成王，乃後祭於廟而奏之，其始成告之而已。

這九篇中的《維清》還需略加說明。《毛序》：「《維清》，奏象舞也。」鄭《箋》：「象舞，象用兵時刺伐之舞，武王制焉。」此所言武王所制，爲制作舞容，非爲制作歌詩。而《維清》又爲「奏象舞之所歌」（蔡邕《獨斷》），而這「歌」則應爲周公所制。胡承珙《毛詩後箋》曰：「鄭謂武王所制者，武王之作象舞，其時似但有舞耳。考古人制樂，聲容固宜兼備，然亦有徒歌徒舞者，三百篇皆可歌，不必皆有舞。則武王制象舞時殆未必有詩，成王周公乃作《維清》以爲象舞之節，歌以奏之。」胡氏所論似較符鄭玄之本意。

和《周頌》相比，在確定《魯頌》和《商頌》的時代時，鄭玄面臨更加複雜的情況。先說《魯頌》：「故皋陶歌虞，奚斯頌魯。」（班固《兩都賦序》）「故奚斯頌僖，歌其路寢。」（王延壽《靈光殿賦》）「昔奚斯頌魯，考甫咏殷。」（《後漢書・曹褒傳》引曹褒語）「韓詩魯頌曰：『新廟弈弈，奚斯所作』。薛君曰：『奚斯，魯公子也。言其新廟奕奕然盛，是詩公子奚斯所作也。』」（《文選・兩都賦序》引）以上爲三家詩說。「《駉》，頌僖公也。僖公能遵伯禽之法，儉以足用，寬以愛民，務農種穀，牧於坰野。魯人尊之，於是季孫行父請命於周，而史克作是頌。」以上爲毛詩說。而鄭玄《詩譜》謂：

> 僖二十年，新作南門，又修姜嫄之廟，至於復魯舊制未徧而薨。國人美其功，季孫行父請命於周，而作其頌。

研究比較上列諸項：《詩譜》顯然不同三家說。其實鄭玄在作箋釋時，把「新廟弈弈，奚斯所作」釋爲「作廟」而非「作詩」已與三家說異。《詩譜》說也與《毛序》說不同：《詩譜》明謂僖公薨後而「作其頌」，此其一；《詩譜》只言季孫行父「請命於周」，而不言「史克作是頌」，此其二。而鄭玄在為《毛序》作箋釋時，卻又同意《毛序》之說（註二）。那麼，為什麼鄭玄要對自己的意見加以修正，出現這種前後不一的情況呢？我們推測：鄭玄時代，三家詩說依然盛行，即以「奚斯頌魯」說為例，除上引諸條外，尚多有載錄（註三）。面對三家詩派眾口嘵嘵的情狀以不顧而一意從毛，定《魯頌》為史克所作，在無確證的情況下，鄭玄也覺得難為其辭。而不言「史克作是頌」，則「奚斯頌魯」之意似可統括於《詩譜》義中了。考《左傳》及《公羊傳》，奚斯凡五見，早為《左傳・閔公二年》，晚為《公羊傳・僖公一年》，僖公在位三十三年，則僖公薨後，仍有「奚斯頌魯」之可能。至於為何謂僖公薨後所作，孔穎達意見可備一說。孔氏曰：「此頌之作在僖公薨後，知者以大夫無故不得出境上請天子頌君德。雖則群臣發意，其行當請於君。若在僖公之時，不應聽臣請，王自頌己德，明是僖公薨後也。」我們作此種推測，不僅因為漢代學術已趨合流，也不僅因為鄭玄注經兼收古今文之學，還與鄭玄注經的態度相一致。鄭玄曾說：「天下之事以前驗後，其不合者，何可悉信？是故悉信亦非，不信亦非。」（《詩經・大雅・生民・正義》引《鄭志》）又說：「探意太過，得無誣乎？」（《詩經・商頌・長發・正義》引《鄭志》）時代綿邈，典籍雲散，聞知無多，此論是耶？非耶？以待識廣者正誤。

再說「商頌」。

有關「商頌」制作時代最早的載錄當推《國語・魯語》中的一段話：「昔正考父校商之名頌十二篇於周太師，以《那》為首。」漢人對這條載錄的理解就很不一致。《毛序》曰：

> 《那》，祀成湯也。微子至於戴公，其間禮樂廢壞，有正考甫者，得《商頌》十二篇於周之太師，以《那》為首。

案：明謂「得」而不語「校」者，即不含近人所謂「審校音節」之義，《序》意當以「商頌」爲正考父以前之作品。而三家詩說則與《序》說或同或異：

自夏以往，其流不可聞矣。殷頌猶有存者，周詩具備。（班固《漢書·禮樂志》）

此爲齊詩說，與《毛序》說同。

宋襄公之世，修行仁義，欲爲盟主。其大夫正考父美之，故追道契、湯、高宗，殷之所以興，作《商頌》。（司馬遷《史記·宋世家》）

正考文，孔子之先也，作《商頌》十二篇。（《後漢書·曹褒傳》注引薛君《韓詩章句》）

此爲魯、韓說，謂《商頌》爲宋大夫正考父所作，與《毛序》說異。鄭玄作《詩譜》，從《毛序》義而摒棄魯、韓說，並對序說詳加審明之：

此三王（指湯、中宗、高宗）有受命中興之功，時有作詩頌之者。……武王伐紂，……封紂兄微子後爲宋公，代武庚爲商後。……自從政衰，散亡商之禮樂。七世至戴公，時爲宣王，大夫正考父者，校商之名頌十二篇於周太師，以《那》爲首，歸以祀其先王。孔子錄詩之時，則得五篇而已。……又問曰：周太師何由得《商頌》？曰：周用六代之樂，故有之。

《詩譜》比序說多出內容有：㈠因三王有中興之功，當時即有「作詩頌之者」；㈡指明正考父爲商后宋之大夫；㈢針對以《商頌》爲正考父所作的魯、韓詩說，特加審辨之語。

在《商頌》制作時代問題上，鄭玄究竟主《毛序》說抑或主魯、韓說，也即究竟以《商頌》爲商時詩抑或宋時詩的問題，歷史上還有一樁公案。孔穎達爲《毛詩大序》作疏，引了兩段《六藝論》：

孔子錄周衰之歌及眾國賢聖之遺風，自文王創基至於魯僖，四百年間凡取三百五篇，合爲國風雅頌。

文王創基至於魯僖，則商頌不在數矣。

按孔穎達疏義，鄭玄意爲：「周詩是孔子所錄，《商頌》則篇數先定，論錄則獨舉周代，數篇則兼取商詩。而云合爲風雅頌者，以商詩亦周歌所用。」若準此，則《六藝論》主「商頌」爲商代之詩。宋羅泌《路史》則謂「《商頌》，宋頌也，宋襄公之詩耳」，並引《六藝論》「商頌不在數」之語爲證。皮錫瑞又以羅氏爲是，以孔氏爲非，並謂「是鄭君作論時從三家之明證。」（《經學通論》）我們覺得，羅氏、皮氏之見未必確論。以《商頌》爲殷商時詩似鄭玄一貫主張，他爲《毛序》作箋釋在前，而對《商頌・那》的序說未提出不同意見；他作《詩譜》在後，以之爲殷商所作，更是言之鑿鑿。其實，把《商頌》「另眼相觀」，不自鄭玄始，似爲漢人之通見。班固說：「自夏以往，其流不可聞矣。殷頌獨有存者，周詩具備。」（《漢書・禮樂志》）此把殷頌、周詩分而言之。又說：「孔子純取周詩，上采殷，下取魯，凡三百五篇。」（《漢書・藝文志》）此則把《商頌》、《魯頌》與周詩分而言之。由此觀之，孔疏較符合鄭氏《六藝論》之原意。

㈡定地理

和確定詩的產生時代一樣，對於《詩經》中的地理問題，鄭玄也很早就注意到了。據粗略統計，鄭玄在箋釋《毛詩》時言及地理者不下二十幾處。如謂「楚宮」：「楚丘之宮也」（《鄘風・定之方中・箋》）；謂「鎬、方」；「鎬也，方也，皆北方地名」（《小雅・六月・箋》）；謂「敖」：「鄭地，今近滎陰」（《小雅・車攻・箋》）。《鄭志》還載：弟子問「楚宮今在何地？答曰：楚丘在濟河間，疑在今東郡界。」（《鄘風・定之方中・正義》引）足見詩地理問題，也是鄭玄師徒相與切磋的重要內容。我們拿箋釋中所言地理與《詩譜》中所言地理進行比較，卻發現二者有著根本的不同，《詩譜》已不是詩中所涉及的具體地名的解釋，其內容包含有十五《國風》、《小、大雅》、《周頌》、《魯頌》、《商頌》產生地的古今政治沿革，漢時的地理方位，以及各地的風土民情。應該這是我國最早的有關《詩經》地理問題總體的、系統的論述。

鄭玄從事《詩經》地理問題的論撰，的確充分吸取了前人的成果，比如，古今政治沿革多來自司馬遷《史記》的「本紀」、「世家」，漢時的地理方位多採自班固《漢書・地理志》，各地的風物民情除多採自《地理志》外，還多用《毛序》之說。但《詩譜》所論地理問題卻具備自己獨到的貢獻，這不僅表現於他對那些並非專門研究《詩經》的材料廣搜博求而又融會貫通，從而形成自己的理論體系，還表現於對已有的材料或取或捨，或刪繁就簡，或另創新說，或補充其內容，進行了一番創造性的工作。如：在《詩譜》中邶鄘衛合譜，譜云：

> 邶鄘衛者，商紂畿內方千里之地。其封域在《禹貢》冀州太行之東，北踰衡漳，東及兗州，桑土之野。
>
> 周武王伐紂，以其京師封紂子武庚爲殷後。庶殷頑民被紂化日久，未可以建諸侯，乃三分其地，置三監，使管叔、蔡叔、霍叔尹而教之。
>
> 自紂城而北謂之邶，南謂之鄘，東謂之衛。
>
> 武王既喪，……三監導武庚叛，成王既黜殷命，殺武庚，復伐三監，更於此三國建諸侯，以殷餘民封康叔於衛，使爲之長。後世子孫稍幷彼二國，混而名之。……

《漢書・地理志》則云：

> 河內本殷之舊都，周既滅殷，分其畿爲三國，詩風邶鄘衛國是也。邶以封紂子武庚，庸管叔尹之，衛蔡叔尹之，以監殷民，

謂之三監。故《書》序曰：「武王崩，三監叛」。周公誅之，盡以其地封弟康叔，號曰孟侯，以夾輔周室。

而《史記・衛世家》與《漢書》內容相同。我們比較這兩段文字，《詩譜》明顯吸取了《漢書・地理志》的內容，甚至邶鄘衛合譜也是受其影響。但又有不同：㈠《詩譜》云三監爲管叔、蔡叔、霍叔，而《地理志》則襲《史記》成說，無霍叔而以「紂子武庚」爲三監之一。鄭玄之說源於何處不得而知，後人還專論鄭說非是（註四）。但從文意看，明言三監有霍叔，則於理較合。㈡《地理志》謂伐三監後，即「盡以其地封弟康叔」，而《詩譜》則云伐三監後，「以殷餘民封康叔於衛，使爲之長。後世子孫稍并彼二國」。孔穎達看出了這種區別，曰：「如《志》之言，則康叔初封，即兼彼二國，非子孫矣。服虔依以爲說。鄭不然者，以周之大國，不過五百里，王畿千里；康叔與之同，反過周公，非其志也。」由此，可看出鄭玄的細心處。㈢關於地理方位，《地理志》僅言及「河內」、「殷之舊都」；而《詩譜》則詳定其方位；「在《禹貢》冀州太行之東，北踰衡漳，東及兗州桑土之野。」「自紂城而北謂之邶，南謂之鄘，東謂之衛。」從現存有關鄭玄生平著述看，他未必對詩產生地作過實地考察，但的確根據歷史載錄並結合詩篇中的地名，對詩的產生地進行了審慎的釐定工作。孔穎達云：「詩人所作，自歌土風，驗其水土之名，知其國之所在。衛曰：『送子涉淇，至於頓丘』。頓丘，……在朝歌紂都之東也。紂都河北，而鄘曰：『在彼中河』，鄘境在南明矣。都既近西，明不分國，故以爲邶在北。……」孔氏之言當係對鄭玄作譜的推測之辭，但也不無道理。

和邶、鄘、衛風一樣，對其它各國風產生地的政治歷史沿革及漢時的地理方位，《詩譜》也都作了一一論述。如果說鄭玄採《史記》的「本紀」、「世家」內容撰述「國風」產生地的政治歷史沿革多爲刪繁就簡，那麼，採《漢書·地理志》的內容撰述「國風」產生地的漢時方位，則補充了偌多的內容。如：《詩譜》定《周南》、《召南》方位爲「《禹貢》雍州岐山之陽」，「今屬右扶風美陽縣」；定檜國方位「在《禹貢》豫州外方之北，滎波之南，居溱洧之間」；定唐國方位「在《禹貢》冀州太行、恆山之西，太原太丘之野」；定豳方位「在《禹貢》雍州岐山之北」；定「王風」產地「在《禹貢》豫州太華外方之間，北得河陽，漸冀州之南」，皆爲《漢書·地理志》所未言及。而定齊國「東至於海，西至於河，南至於穆陵，北至於無棣，在《禹貢》青州岱山之陰，濰淄之野」；定陳國「在《禹貢》豫州之東」，「西望外方，東不及明豬」，其內容雖《漢書》言及，但語焉不詳。我們覺得，鄭玄在這方面的創造性的工作，值得充分肯定，它給歷代《詩經》研究帶來很大方便。雖朝代更替，地理變遷，但尋鄭氏之說，並參照古籍，我們仍可定出詩產生地在今天的大體方位。

至於「明地理」中的風俗問題，與正變說聯繫更加緊密，因述於後。

㈢論正變

鄭玄把除《魯頌》和《商頌》之外的二百九十六篇周詩，皆納入其正變之說。確定《周南》、《召南》、「周頌」、《大雅·文王之什》、《大雅·生民之什》中的《生民》、《行葦》、《既醉》、《鳧鷖》、《假樂》、《公劉》、《泂酌》、《卷阿》以及《小雅·鹿鳴之什》、《小雅·南有嘉魚之什》中的《南有嘉魚》、《南山》、《有臺》、《蓼蕭》、《湛露》、《彤弓》、《菁菁者莪》共九十篇爲詩之正經，而謂除《周南》、《召南》外的十三國風、《大雅·生民之什》中的《民勞》、《板》、《大雅·蕩之什》、《小雅·南有嘉魚之什》中的《六月》、《采芑》、《車攻》、《吉日》以及小雅的《鴻雁之什》、《節南山之什》、《谷風之什》、《甫田之什》、

《魚藻之什》共二百零六篇爲詩之變風變雅。

鄭玄的正變說之源起，無疑受《詩大序》「至於王道衰，禮義廢，政教失，國異政，家殊俗，而變風變雅作矣」的影響。他所做的工作，不僅具體指明了何爲正，何爲變，且論正變發生之原因更趨詳備。他認爲「文武之德，光熙前緒，以集大命於厥身，遂爲天下父母，使民有政有居」，「及成王、周公致太平，制禮作樂而有頌聲興焉」，是詩之正經產生的原因；他又認爲厲王、幽王「政教尤衰，周室大壞」，「五霸之末，上無天子，下無方伯，善者誰賞，惡者誰罰，紀綱絕矣」，是變風變雅產生的原因。更應提及的，是他兼採《漢書・地理志》有關詩產生地風俗民情的內容以及《毛序》中有關政教衰陵的內容，對變風變雅產生的原因，作了詳細論述，爲正變說提供了堅實的根據。如：《陳譜》曰：「（太姬）好巫覡，禱祈鬼神歌舞之樂，民俗化而爲之」。此用《地理志》內容。又採《宛丘》《毛序》義補充曰：「五世至幽公，當厲王時，政衰，大夫荒淫，所爲無度，國人傷而刺之，陳之變風作矣」。《曹譜》曰：「昔堯嘗游成陽，死而葬焉。舜漁於雷澤，民俗始化。其遺風重厚多君子，務稼穡，薄衣食以致蓄積」。此用《地理志》內容。又採《蜉蝣・毛序》義補充曰：「夾於魯衛之間，又寡於患難，末時富而天教，乃更驕侈。……當周惠王時政衰，昭公好奢而任小人，曹之變風始作」。《唐譜》曰：「昔堯之末，洪水九年，下民其咨，萬國不粒。於時殺禮以救艱厄，其流乃被於今」。此顯然附會《地理志》「其民有先王遺教」義。又採《蟋蟀・毛序》義補充曰：「當周公、召公共和之時，成侯曾孫僖侯甚嗇愛物，儉不中禮，周人閔之，唐之變風始作」。它如衛譜、齊譜、魏譜、豳譜、王譜也皆聯繫政治興衰，明變風產生之原因。

鄭玄採《毛序》政教衰陵的內容作爲變風產生的原因，其道理易於理解。而採《漢書・地理志》有關詩產地風俗的內容以明變風產生之原因，卻頗值得思考。我們覺得，他可能是注意到了兩個方面：古之頹風，於時猶存，如《陳風》；古之正風，於時驟變，如《曹風》、《唐風》、《魏風》。總之，其著眼點仍在突出一個「變」字。這種從政教、風俗歷史發展變化中尋求變風產生原因的努力，與《詩大序》的籠統之說相比，其進步是顯而易見的。

三

如果拿我們今天對《詩經》的認識與鄭玄在《詩譜》中對《詩經》的認識對比，毋庸諱言，鄭玄的許多結論是不妥的、錯誤的。比如：定《周南》、《召南》全爲文武時代的作品，與詩篇實際內容也不盡相符；其有關正變內容的劃分，也非皆爲的論。至於鄭玄把文學的詩當作「經夫婦，成孝敬，厚人倫，美教化，移風俗」，「作後王之鑒」的「經」，與我們今天通過研究文學的詩歌，認識歷史，總結文學創作的規律，其出發點和歸宿更是在本質上不同。這只是問題的一方面。另一方面，我們只要把《詩譜》放在歷史的發展中加以全面地考察，就能夠發現，它除了對我們今天認識《詩經》仍有極大的參考價值外，涉及的一些重大理論問題，其中有的還甚有見地。疑古的古史辨派用「呆」和「傻」評判鄭玄的功過是不符合實際的。

從《詩經》最早產生的詩篇到鄭玄的時代，已經有一千多年的歷史，先秦人和漢人對詩篇產生的原因進行過多方的探求，其結論也不乏合理的因素。《詩大序》「在心爲志，發言爲詩。情動於中而形於言，言之不足故嗟嘆之，嗟嘆之不足故咏歌之。……」的論述，不僅是對先秦詩言志說的總結，同時與言情結合在一起，比較準確地抓住了詩的特徵。又謂「頌者，美盛德之形容，以其成功告於神明者也」，謂「王道衰，禮義廢，政教失，國異政，家殊俗，而變風變雅作矣，也注意到頌詩、變風變雅的產生與社會政治的關係。唯其對風的解釋，所謂「風也，教也」，「上以風化下，下以風刺上」，則主要側重風詩的社會作用而言。在詩產生原因問題上，鄭玄汲取了前人的成果，認爲變風變雅的產生，是幽王、厲王之後，「政教尤衰，周室大壞」，五霸之末，綱紀廢絕，「故孔子錄懿王、夷王時詩，訖於陳靈公淫亂之事，謂之變風變雅」。對所謂「詩之正經」產生原因的解釋，也是汲取「美盛德之形容」之義，作了具體的說明。但在這具體說明中卻透露出了前人不曾認識，或雖已認識卻不曾言及的新的命題。他說：「周自后稷播種百穀，黎民阻饑，茲時乃粒，自傳於此名也。陶唐之末，中葉公劉，以世修其業，以明民共財。至於大王、王季，克堪顧天。」即是說，后稷的時代，黎民饑饉，播種百穀之後，民方以五穀爲食。此時當然不會產生什麼頌詩。公劉中興，遷都於豳，也僅使民上下有別，共享財用；到大王、王季，方能顧及天意，此時當然也不會有什麼頌詩可言。只有到文、武時代，其德「光熙前緒，以集大命於厥身，遂爲天下父母，使民有政有居」，成王、周公時代，「致太平，制禮作樂」，於是「頌聲興焉」。鄭玄從國家富足、政治清明、禮樂興隆諸方面考察頌詩產生的原因，這就不僅只是和社會政治關係相聯繫，而且把詩歌這種精神的生產和物質的生產緊緊地聯繫在一起了。馬克思主義認爲，作爲上層建築觀念形態之一的詩歌，歸根結底是經濟基礎的反映。從這一點出發考察鄭玄的認識，我們覺得它的確具有唯物的因素，它比《詩大序》僅言及社會政治的原因又前進了一步。

在詩的社會作用方面，鄭玄的認識更帶有他所處時代的特徵，他更加强調「怨」的作用，且怨的含義也不全同於怨家「怨而不怒」、「哀而不傷」的傳統詩教。他看重怨詩，把除《周南》、《召南》外的十三國風皆歸爲變風；他不僅注意到了怨詩的「刺怨」、「刺過譏失」的內容，而且注意到了怨詩的揭露、譴責的內容。他評價變風變雅說：「勤民恤功，昭事上帝，則受頌聲，弘福如彼；若違而弗用，則被劫殺，大禍如此。吉凶之所由，憂娛之萌漸，昭昭在斯，足作後王之鑒」。這雖然强調的是怨詩警世懲俗的社會作用，但實際涉及到了怨詩對社會政治的揭露內容。《大小雅譜》評論變雅時還有這樣一段文字：

> ……問者曰：「《棠棣》閔管、蔡之失道，何故列於文王之詩？」曰：閔之閔之者，閔其失兄弟相承順之道，至於被誅；若在成王、周公之詩，則是彰其罪，非之，故爲隱閔，推而上之，因文王有親兄弟之義。

有關《棠棣》之舊說莫衷一是，此不贅述。孔穎達解釋這段文字曰：「此鄭自問而釋之也。周公雖內傷管、蔡之不睦而作親兄弟之詩，外若自然須親，不欲顯管、蔡之有罪。緣周公此志有隱忍之情，若在成王詩中，則學者之知由管、蔡而作，是彰明其罪，非爲閔之，由此故爲隱，推進而上之文王之詩，因以見文王有親兄弟之義也。」案：孔疏云爲周公所作，本自《棠棣》箋說。尋鄭玄意，實際注意到了成王之時，管、蔡導武庚作亂，至於被誅，失親兄弟之道，故周公作《棠棣》之詩。可又要「爲聖者諱」、「爲賢者諱」，故曲爲回護，而上推定爲文王時詩。鄭玄坦白態度誠可嘉，而具體做法則無足取，此姑且不論；但他的確看到了若定爲成王時詩，則彰管、蔡之罪的效果。這與前所云「大禍如彼」一樣，已脫離了「溫柔敦厚」傳統詩敎的認識。我們知道，漢人把《詩經》當作政治讀本，當作行事立言的根據；而鄭玄生當漢季末世，政治昏暗，黨爭蜂起，且親身經受黨錮之患，那麼，他較重視怨詩，評詩中觸及到了怨詩中的揭露和譴責內容，就不是無因的了。他發出的「弘福如彼」、「大禍如此」、「昭昭在斯」、「作後王鑒」的慨嘆，也應不全是經生們的經義常談。

《詩譜》所遵行的某些方法論，在文學批評史上也彌足珍重。孟子的確最早說了「知人論世」的話。但正如朱自清先生所言，這裡的「知人」和「論世」，「並不是說詩的方法，而是修身的方法；『頌詩』『讀書』與『知人論世』原來三件事平列都是成人的道理，也就是『尙友』的道理。」（《詩言志辨》）眞正用「知人論事」方法說詩的，當首推漢人。司馬遷和王逸對「楚辭」中屈原作品的評論爲「知人」說詩；而《毛序》及三家詩序則爲「論世」說詩；「論世」說詩的系統之作則是鄭玄的《詩譜》。他的「論世」，不僅論及時代變遷、政治興廢，而且論及地形地物、風土民情，是從多方面及其相互關係中來考察詩的內容。以這樣較全面、較系統的論詩方法論詩，在漢代還找不出第二個人。誠然，鄭玄的認識不是自天而降，漢人以至先秦人論詩的長期積累，爲鄭玄帶有總結性的「論世」說詩奠定了基礎，荀子的「詩言是其志也」，《詩大序》的「詩者，志之所之也」、「吟咏情性以諷其上」，以及《毛序》的以政勢說詩，《漢書·地理志》以地理風俗民情說詩，對鄭玄「論世」說詩的影響是顯見的。而鄭玄作《詩譜》雖也言及風俗民情，但那用意卻是用風俗民情以解詩。由此可見，在論題的內容上有借鑒、有繼承，但出發點和歸宿迥異；在「論世」方法上也有借鑒和繼承，但由於將更多方面的內容納入了「論世」的方法之中，且進行了更加細緻具體的闡述，這就使鄭玄的「論世」說詩具有了開創性的意義。

人們對《詩經》的認識，經過了長時期的探求。封建時代的經學家們，雖然都未能脫離開「經學」論詩，但在以「經學」眼光論詩過程中，卻也不斷地提出一些合理的、進步的見解。鄭玄作《詩譜》，能夠不被家法所拘，衝破東漢章句之學的重重迷霧，吸收並繼承了《詩大序》等前人進步的成果而又有所創新，在對《詩經》的認識上，又向合理、進步的方向跨進了一步。我們認爲，《詩譜》是雖仍帶有「經學」色彩的、不科學的、但畢竟開始從社會以及社會各方面的聯繫中對《詩經》進行綜合立體考察的一部《詩經》研究專著，它在理論上（雖然不是很多）特別是在批評實踐上的重大貢獻，標明它在我國文學批評史上應當占居相當重要的地位。

【附註】

註　一　見陸德明《毛詩音義》。

註　二　鄭玄在《魯頌・駉・毛序》後的箋釋云：「季孫行父，季文子也。史克，魯史也。」

註　三　詳見皮錫瑞《經學通論》。

註　四　見王引之《經義述聞三・三輔》。

——原載《中國古典文學論叢》第四輯（北京：人民文學出版社，一九八六年十月），頁三九——五七。

論鄭玄《三禮注》

楊天宇

一、引　論

《三禮》，是指《周禮》、《儀禮》、和《禮記》。

《周禮》又名《周官》（註一），學者一般認爲戰國時人所作（註二）。但此書晚出，西漢景帝、武帝時期，爲河間獻王從民間搜集所得，旋入秘府，世儒莫得見。至成帝時，劉向、劉歆父子校理秘書，始發現此書，著於《錄、略》。（註三）全書凡六篇（《天官》、《地官》、《春官》、《夏官》、《秋官》、《考工記》。）（註四）西漢平帝時，王莽執政，立《周禮》於學官，至新朝滅亡，遂廢。東漢時，由於杜子春、鄭興、鄭眾、賈逵、衛宏、馬融、盧植等一班古文學大師爲之訓詁解說，（註五）《周禮》遂大行於世，然終未得立學官。

《儀禮》一名《士禮》，或徑稱《禮》（註六），亦戰國時人所作。（註七）漢初高堂生傳《禮》十七篇。至宣帝時，后蒼最明《禮》學（註八），授予戴德、戴聖（戴德兄之子）和慶普，於是《禮》學分爲三家，即《大戴禮》（戴德）、《小戴禮》（戴聖）和《慶氏禮》。三家皆立學官。（註九）東漢時，三家《禮》雖相傳不絕，然已浸微。傳二戴《禮》之經師中未有顯於儒林者；傳《慶氏禮》者雖景況較佳，然影響較著也，也只有曹充及其子曹褒，以及犍爲董鈞而已。（註一〇）

《禮記》今傳本凡四十九篇，是一部先秦至秦漢的禮學文獻匯編。孔穎達《禮記正義・序》在談到《禮記》各篇的作者時說：「《中庸》是子思伋所作；《緇衣》公孫尼子所撰；鄭康成云《月令》呂不韋所修；盧植云《王制》謂漢文時博士所錄。其餘眾篇皆如此例，但未能盡知所記之人也。」孔穎達所說諸篇之作者雖未為定論，但《禮記》諸篇之作者與時代紛雜不一，則為古今學者所共識。舊說以為該書初為戴聖（小戴）所編輯（註一一），故亦名《小戴禮記》。至東漢馬融、盧植又加增刪編定，乃成今本《禮記》。鄭玄即依此本以作《注》。（註一二）然據今人洪業先生考證，今傳鄭玄所注之《禮記》，其中雜糅今古文，並非今文禮家戴聖所傳（同樣，八十五篇之《大戴禮記》亦非戴德所傳，而是在二戴之後、鄭玄之前，今古文界限漸寬，禮家鈔合今古文《記》而成，不必為一手之所輯，亦不必為一時之所成。然東漢之禮博士，仍以二戴名家，至使鄭玄亦誤會其所注四十九篇之《禮記》為戴聖所傳，實則張冠而李戴之矣。洪氏此論甚確，千年迷霧，為之一掃，頗有功於經學。說詳其所著《禮記引得序》及《儀禮引得序》。（註一三）

東漢末鄭玄注《三禮》以前，無《三禮》之名，自鄭玄注《周禮》、《儀禮》、《禮記》，始「通為《三禮》焉」。（註一四）

鄭玄，字康成，北海高密（今山東高密縣）人。生於順帝永建二年（一二七年），卒於獻帝建安五年（二〇〇年）。（註一五）鄭玄先從京兆第五元先通今文經，又從東郡張恭祖受古文經。後以山東無足問者，乃西入關，師事扶風馬融。鄭玄自出外游學，十餘年乃歸鄉里。黨錮事起，鄭玄與同群孫嵩等四十餘人俱被禁錮，於是隱修經業，杜門不出。至靈帝中平元年（一八四年），黃巾起義，黨錮禁解，仍隱居不仕，專心經術。鄭玄著述繁富，「凡玄所注《周易》、《尚書》、《毛詩》、《儀禮》、《禮記》、《論語》、《孝經》、《尚書大傳》、《中候》、《乾象曆》，又著《天文七政論》、《魯禮禘祫義》、《六藝論》、《毛詩譜》、《駁許慎五經異義》、《答臨孝存周禮難》，凡百餘萬言」。（註一六）

鄭玄所處的時代，正是東漢末政治上最黑暗、腐敗的時代，也是階級矛盾極其尖銳化並達到總爆發的時代。鄭玄目睹了宦官、外戚和官僚爭權的醜劇，親身感受了黃巾起義的革命風暴，並親眼看到東漢統治集團怎樣在農民起義的打擊下分崩離析，作爲一個有正義感的頭腦清醒的地主階級知識分子，他憎惡當時黑暗腐敗的政治統治，絕不與當權者合作，不論是舉賢良方正，或是公府徵辟，皆不應。他主張革除弊政，緩和階級矛盾。針對當時的政治情勢，他特別强調「順民」和「任賢」。（註一七）另一方面，他認爲要挽救和維護封建統治，就必須加强思想統治。所以他致力於經學，「但念述先聖之元意，思整百家之不齊」（註一八），其目的就是要通過他的經注和著述，來寄托自己的社會政治理想，爲維護封建統治盡心竭力。

鄭玄遍注群經，而尤重禮學。王鳴盛曰：「按《英華》卷七百六十六劉子元引康成《自序》云：『遭黨錮之事，逃難注《禮》；黨錮事解，注《古文尚書》、《毛詩》、《論語》。爲袁譚所逼，未至元城，乃注《周易》。』……《自序》言『遭黨錮逃難注《禮》』，……合之《戒子書》『坐黨錮十四年』，則是康成注經，《三禮》居首，閱十四年乃成，用力最深也。」（註一九）鄭玄之《三禮注》遂爲後世治禮學者所宗，故孔穎達云：「《禮》是鄭學。」（註二〇）漢末社會混亂，封建之禮法崩壞，君不君，臣不臣，農民起義，「犯上作亂」。要維護封建統治，就必須正定「名分」，「序尊卑之制，崇敬讓之節」（註二一），維護封建的等級禮法制度，即鄭玄所謂「爲政在人，政由禮也」（註二二），「重禮所以爲國本」。（註二三）這正是鄭玄特重禮學的根本原因。

自古研究鄭玄禮學的著作，浩如煙海。這些著作，大體可分爲兩派：或「申鄭」，或「駁鄭」。雖亦有「申」、「駁」兼之者，然於兩派中亦有其明顯的傾向（宋儒有「視漢儒之學若土梗」者（註二四），然亦須先事研討之，而後方能別出之）。但這些研究，不論是「申鄭」也好，「駁鄭」也好，大都不外乎章句字讀、名物訓詁，以及典章制度等方面的煩瑣考辨。其目的，乃在於爲封建統治階級提供「文治」的武器。我們今天當然不能走這樣的老路了。然而解放後之新史界，尙無一人對鄭玄這樣一位在中國學術史上占有重要地位和有著巨大影響的人物，作過專門的硏究，亦不見研究鄭玄禮學的專著，實在是一件憾事。我這篇文章，試圖對鄭玄《三禮注》的注經方法和體例，作一粗淺的分析，並辨其正謬得失，算是拋磚引玉吧。

二、《三禮注》的注經方法

鄭玄在《詩譜・序》裡曾對他自己的注經方法，作過這樣一個概括：「舉一綱而萬目張，解一卷而衆篇明，於力則鮮，於思則寡，其諸君子亦有樂於是與？」這裡雖不能概括鄭玄注經方法的全部，卻道出了鄭玄注經方法的主要特色。

原來作爲兩漢官方經學的今文經學，由於家法紛立，枝離蔓衍和日趨煩瑣，已經走入末路。儘管漢統治者也看到這個問題，並多次下令刪減經《注》（註二五），也不能改變這一趨勢。其結果，「守文之徒，滯固所稟，異端紛紜，互相詭激，遂令經有數家，家有數說，章句多者或乃百餘萬言，學徒勞而少功，後生疑而莫正」。（註二六）在這種情況下，鄭玄的提綱挈領、簡明扼要的經《注》出現了，自能使人耳目一新。

鄭玄經《注》之簡約，往往《注》少於經。如《儀禮》之《少牢饋食禮》經二千九百七十九字，《注》二千七百八十七字；《有司徹

》經四千七百九十字，《注》三千三百五十六字。《禮記》之《學記》、《樂記》二篇，經六千四百九十五字，《注》五千五百三十三字；《祭法》、《祭義》、《祭統》三篇，經七千一百八十二字；《注》五千四百九字，等等，皆《注》少於經。鄭玄在談到他的注經方法時還說過：「文義自解，故不言之。凡說不解者耳。」（註二七）如《周禮・地官・司稽》「掌巡市而察其犯禁者與其不物者而搏之」，鄭《注》：「不物，衣服視占不與衆同及所操物不如品式。」理解此句經文的關鍵就在「不物」二字，此二字一解，意皆明矣。

鄭玄注經，不唯簡約，且欲以一持萬。然爲達此目的，必先有由萬求一的功夫不可。鄭玄博貫今古文學，旁及諸子百家、緯候術數，無所不通，在當時確是個博學通儒。（註二八）當時漢之經學，不僅有今古學之對壘，且遍設家法之藩籬，互相詭激，論難攻訐，使學者莫知所從。鄭玄則能打破今古學之界限，衝破家法之藩籬，囊括大典，網羅衆家，刪裁繁誣，刊改漏失，擇善而從，自是學者方略知所歸。對此，皮錫瑞有一段議論：「按鄭注諸經，皆兼採今古文。注《易》用費氏古文，爻辰出費氏分野，今既亡佚，而施、孟、梁丘《易》又亡，無以考其同異。注《尚書》用古文，而多異馬融；或馬從今而鄭從古，或馬從古而鄭從今。是鄭注《書》兼採今古文也。箋《詩》以毛爲主，而間易毛字。自云：『若有不同，便下己意。』所謂『己意』，實本三家。是鄭箋《詩》兼採今古文也。注《儀禮》並存今古文；從今文則《注》內疊出古文，從古文則《注》內疊出今文。是鄭注《儀禮》兼採今古文也。《周禮》古文無今文，《禮記》亦無今古文之分，其《注》皆不必論。注《論語》，就《魯論》篇章，參之《齊》、《古》爲之注，云：『《魯》讀某爲某，今從《古》。』是鄭注《論語》兼採今古文也。注《孝經》多今文說，嚴可均有輯本。」（《經學歷史五・經學中衰時代》）從這段文字，我們對鄭玄注經方法的特點，可有個大致的了解。這裡，僅就鄭玄的《三禮注》，作一具體分析。

先說《儀禮注》。皮錫瑞說鄭玄「注《儀禮》並存今古文；從今文則《注》內疊出古文，從古文則《注》內疊出今文。是鄭注《儀禮》兼採今古文也」。按《儀禮》有今古文之分。今文者，即漢初高堂生所傳《儀禮》十七篇是也。又《漢書・藝文志》有《禮古經》五十六卷（篇），則古文《禮》也。其十七篇與今文《禮》相似，多三十九篇，即所謂《逸禮》。（註二九）據《後漢書・儒林傳》鄭玄「本習《小戴禮》，後以古經校之，取其義長者，故爲鄭氏學」，即今本鄭注《儀禮》是也。故今本《儀禮》乃混合今古文而成（註三〇）。所謂「從今文則《注》內疊出古文」者，即採今文經而於《注》內存古文經之異文也。如：

> 《士冠禮》：「筮人還東面，旅占卒，進告吉。」鄭《注》：「古文旅作臚也。」

所謂「從古文則《注》內疊出今文」者，即採古文經而於《注》內存今文經之異文也。如：

> 《士冠禮》：「加皮弁如初儀，再醮攝酒。」鄭《注》：「今文攝爲聶。」

至於鄭玄從今、從古的標準，古人曾有評論，如賈公彥曰：「《儀禮》之內或從今，或從古，皆逐義強者從之。若二字俱合義者，則互換見之。」（註三一）又阮元《儀禮注疏卷一校勘記》曰：「鄭疊今古有三例：辭有詳略則疊之，『賓對曰，某敢不夙興』，『今文無對』是也（按前句引文爲經文，後句爲《注》文。下同）；義有乖互則疊之，『禮於阼』，『今文禮作醴』是也；字有通借則疊之，『闑西閾外』，『古文闑爲槷、閾爲蹙』是也。」

皮錫瑞是從鄭玄混淆今古文家法的角度，來談論鄭《注》的，故於《周禮》、《禮記》則無所論。實際上，鄭注《周禮》、《禮記》，亦體現出兼採異文、擇善而從的特點。

《周禮》有故書、今書的不同。何謂故書、今書？《天官・大宰職》賈《疏》曰：「言故書者，鄭注《周禮》時，有數本，劉向未校之前，或在山巖石室有古文（按即所謂「故書」），考校後爲今文（按即所謂「今書」），古今不同。」（註三二）因此，所謂故書、今書，是指《周禮》在校書前後文字版本的不同。鄭玄注《周禮》，則並存故書、今書，即凡從今書，則於《注》中存故書異文。如：

> 《天官・大宰職》：「以九貢致邦國之用，……二曰嬪貢。」鄭《注》：「嬪，故書作賓。」賈《疏》：「鄭據今文注，故云故書作賓。」

然而若鄭從故書，則《注》內不言「今書某作某」。爲什麼呢？因爲鄭《注》本以故書爲主，凡《注》言「故書某作某」，則據今書；若不言故書、今書，皆故書原文，而今書之同於故書與否，則置而不論（當然，其中亦有變例，此處不詳論）。因此，鄭注《周禮》對於今書乃是擇善而從，並非無條件地與故書並存。（註三三）

鄭注《禮記》，亦間存異文。（註三四）如：

> 《曲禮》：「宦學事師，非禮不親。」鄭《注》：「學或爲御。」
>
> 《檀弓》：「叔仲衍以告。」鄭《注》：「衍或爲皮。」
>
> 《王制》：「周人養國老於東膠。」鄭《注》：「膠或作絿。」

凡此類皆鄭《注》存異文之例。蓋當時流行之《禮記》或有數本，鄭玄擇善而從，而於《注》中存其異文也。

又《禮記》乃雜糅今古文而成，故亦有今古文異文的問題。鄭玄或從今，或從古，亦於《注》中存其異文，猶《儀禮》於《注》中疊出今古文之例。如：

> 《鄉飲酒義》：「盥洗揚觶，所以致潔也。」鄭《注》：「揚，舉也，今《禮》皆作騰。」按此則從古文而於《注》中存今文之例。

又如：

> 《鄉飲酒義》：「賓主象天地也，介僎象陰陽也。」鄭《注》：「古文《禮》僎皆作遵。」

按此則從今文而於《注》中存古文之例。

又有不易《記》文，而於《注》中列舉異文，擇善而從之者。如：

> 《緇衣》：「《君奭》曰：昔在上帝，周田觀文王之德，其集大命於厥躬。」鄭《注》：「奭，召公名也，作《尚書》篇名也。古文『周田觀文王之德』爲『割申勸寧王之德』，今博士讀爲『厥亂勸寧王之德』。三者皆異，古文近似之。割之言蓋也，言文王有誠信之德，天蓋申勸之，集大命於其身，謂命之使王天下也。」孔《疏》：「三者，謂此《禮記》及《古文尚書》並今博士讀者。三者其文各異，而古文『周田』爲『割申』，其字近於義理，故云『古文似近之』。」

按此例即《記》文仍舊，而於《注》中列舉古今文之異文，又於三者中擇古文而從之。

以上是僅從鄭注《三禮》兼採今古文異文及他本異文來分析的。在經說方面，即對經文的解釋方面，鄭《注》更體現出博綜兼採、會通今古的特點。鄭注《三禮》，每引今文經、傳以釋古文經，引古文經、傳以釋今文經。我們只用略舉鄭注《周禮》所引用的書目，就可以說明這個問題。他除了引用《春秋左氏傳》、《毛詩》、《國語》（註三五）、《爾雅》等古學家書外，還引用了《春秋公羊傳》、《

春秋繁露》、《王制》、《司馬法》、《孟子》（註三六）等今學家著作。現舉一例以明之。《春官・大司樂》：「掌成均之法，以治建國之學政，而合國之子弟焉。」鄭《注》：「玄謂，董仲舒云：『成均，五帝之學。』『成均之法』者，其遺禮可法者。『國之子弟』，公卿大夫之子弟當學者，謂之國子。」賈《疏》：「玄謂『董仲舒云：成均，五帝之學』者，前漢董仲舒作《春秋繁露》，……彼云『成均，五帝學也』。……云『國之子弟，公卿大夫之子弟當學者，謂之國子』者，按《王制》云：『王大子、王子、公卿大夫元士之適子、國之俊選皆造焉。』此不言『王大子、王子與元士之子及俊選』者，引文不具。」

鄭注《周禮》，除雜糅今古文著作以釋經，還兼存三家之《注》。三家是指鄭司農（鄭衆）、杜子春、鄭少贛（鄭衆之父鄭興）三位古文學大師。鄭《注》於此三家，或從或違，或增成其義。（註三七）如《天官・鱉人》：「祭祀共蠯蠃蚳，以授醢人。」鄭《注》：「蠃，螔蝓。鄭司農云，蠯，蛤也。杜子春云，蠯、蜯也；蚳，蛾子，《國語》曰：『蟲舍蚳蝝。』」賈《疏》：「蠃，螔蝓者，一物兩名。司農云蠯，蛤也者；杜子春云蠯，蜯也者，蜯即蛤，亦一物。云蚳，蛾子者，謂蟻之子，取白者以爲醢。」按此例鄭《注》自釋「蠃」，而從鄭司農、杜子春說釋「蠯」，又從杜子春說釋「蚳」。又如《地官・里宰》：「以歲時合耦於耡，以治稼穡。」鄭《注》：「鄭司農云，耡讀爲藉；杜子春云，耡讀爲助，謂相佐助也。玄謂耡者，里宰治處也，若今街彈之室，於此合耦，使相佐助，因放而爲名。」賈《疏》：「先鄭云耦讀爲藉者，藉，借也，非相佐助之義，故後鄭不從之也。杜子春讀耡爲助，謂相佐助也，於義合，但文今不足，故後鄭增其義也。」按此例則破鄭司農之說，而從杜子春說；又以杜子春說於義不足，於是鄭玄增成其義。三家《注》早亡，《隋書・經籍志

》已不載，幸賴鄭《注》而得睹其說之概。

鄭玄不僅雜糅今古文著作以注《三禮》，且欲調和今古文的對立，消除其矛盾，以溝通其說。此蓋其所謂「思整百家之不齊」的一個重要方法吧。鄭玄的調和法，說來也很簡單，就是以《周禮》爲周制，凡不與《周禮》合者，便以殷制或夏制解之。我們舉兩個例子。

《禮記・王制》：「天子三公、九卿、二十七大夫、八十一元士。」鄭《注》：「此夏制也。《明堂位》曰『夏后氏之官百』，舉成數也。」孔《疏》：「此一經論夏天子設公卿大夫元士之數。……以《周禮》其官三百六十，此官百二十，故云夏制。以夏制不明，更引《明堂位》『夏后氏之官百』以證之。直云『百』，不云『百二十』，故云『舉成數也』。《王制》之文，鄭皆以爲殷法，此獨云夏制者，以《明堂》『殷官二百』（註三八），與此百二十數不相當，故不得云殷制也。記者故雜記而言之，或舉夏，或舉殷也。」按此例可見鄭玄欲調和今古文的矛盾，用心良苦矣！但仍難彌縫其說：本以《王制》爲殷制，此又突然冒出來一個夏制！故又引《明堂位》以自申之。孔穎達看出了這個矛盾，但按照《疏》不駁《注》的原則，曲爲之說，且把責任推到「記者」身上，這倒的確是個聰明辦法呢！

《周禮・地官・大司徒》：「凡建邦國，以土圭土其地而制其域。諸公之地，封疆方五百里……，諸侯之地，封疆方四百里……；諸伯之地，封疆方三百里……，諸子之地，封疆方二百里……；諸男之地，封疆方百里。」《王制》亦有五等之爵：「王者之制祿爵，公、侯、伯、子、男，凡五等。」這與《周禮》是一致的。但《王制》又說：「天子之田方千里，公侯方百里，伯七十里，子男五十里。」即天子以下，實際按三等以頒田祿，且其封國規模比之《周禮》也小得多了。這是怎麼回事呢？鄭玄《王制注》說：「此地（按指上述之三等封地）殷所因夏爵三等之制也。殷有鬼侯梅伯。《春秋》變周之文，從殷之質，合伯子男以爲一，則殷爵三等者，公侯伯也，異幾內謂之子。周武王初定天下，更立五等之爵，增以子男而猶因殷之地，以九州之界尙狹也。周公攝政，致太平，斥大九州之界，制禮，成武王之意，封王者之後爲公，及有功者之諸侯，大者地方五百里，其次侯四百里，其次伯三百里，其次子二百里，其次男百里。」原來爵分五等，是周初武王始定的制度。但武王初建國，所擁有的只是原來殷的地盤，太狹小，所以雖立五等之爵，封國猶不能多授土地，只能因襲殷的制度。殷制爵分三等，即公、侯、伯，按公百里、侯七十里、伯五十里以授田。殷的三等爵祿制是因襲了夏制，周武王又因襲殷制，也按三等授田，於是合五等之爵爲三等，即公侯爲一等，伯一等，子男一等，分別授以百里、七十里、五十里之封地。直到成王時期，周公攝政，大興武功，斥大九州之界，疆土大爲廣闊了，始能「成武王之意」，按公、侯、伯、子、男五等以封國，且封國的土地也大增，變成五百里、四百里、三百里、二百里、一百里了。鄭玄就是這樣，把《周禮》與《王制》的不同說法，互相溝通起來。今古文的對立，到了鄭玄手裡，就變成協調一致的東西了。

然而，鄭玄這種調和之說，純屬臆說。周的制度，孟子時已經搞不清楚（註三九），《周禮》和《王制》的作者們當然也不可能搞清楚，東漢末年的鄭玄，又怎能搞清楚呢？周制尙且搞不清楚，勿論夏、殷矣！其實，漢儒解經，多憑臆說。先秦的文獻到了他們手裡，爲迎合統治者的需要，大都重新作了整理和加工，而且爲了爭立學官，競相趨時附會，炮製新說。鄭玄自亦難免此積習。不過似鄭玄這樣敢於破除家法藩籬，熔兩漢經今古文學於一爐，重新鑄鍛而後出之，實在是一代的大手筆。正因爲如此，讀鄭《注》確能收到「舉一綱而萬目張，解一卷而衆篇明」的效果。因此，「經生皆從鄭氏，不必更求各家」了。（註四〇）

這裡還必須補充說明一點：鄭玄雖學兼今古，實以古學爲主。其以《周禮》爲周制，謂《王制》等不與同者爲殷制、夏制，即其明證。因此康有爲說，「僞經（按康氏以古文經爲劉歆僞作，故稱之爲「僞經」）傳於通學成於鄭玄」，且特作《僞經傳於通學成於鄭玄考》（註四一），其結論云：「鄭學既行，後世乃咸奉劉歆之僞經而孔子之學（按指今文經學）亡。故康成者，劉歆之功臣，孔門之罪人也。」康有爲之論，顯出門戶之見。今學之滅亡，實因其自身之腐敗，加以社會之戰亂，鄭玄何罪！（註四二）且幸賴鄭玄兼採今古，若細加分辨，猶可窺其學之一斑。這一點，就連清末今文學大師皮錫瑞也不得不承認。他說：「鄭君爲漢儒敗壞家法之學，而後世尤不可無。……鄭君雜糅今古，使顓門學盡亡；然顓門學既亡，又賴鄭《注》得略考見。今古之學若無鄭《注》，學者欲治漢學，更無從措手矣！此功過得失互見而不可概論者也。」（註四三）皮氏此論倒較平正，不似康有爲之偏激也。

三、《三禮注》的注經體例

《後漢書・鄭玄傳》中批評鄭玄的經《注》有曰：「玄質於辭訓，通人頗譏其繁。」既「質於辭訓」，何以「通人」還要「譏其繁」呢？黃侃曰：「若夫質於辭訓，通人頗譏其繁，然現《鄭志》答張逸云：『文義自解，故不言之，凡說不解者耳。衆篇皆然。』是知《注》文本簡。有時不得不繁，豈秦近君說《堯典》篇目二字至十餘萬言之比哉？」（註四四）按黃氏此論，實未中肯綮。這個問題，應從今古文兩家注經方法的特點談起。

一般說來，今文學家注經，重章句解說，盡量發揮其「微言大義」，其弊在支離破碎，日趨煩瑣，以至「浮辭繁長，多過其實」。（註四五）故楊終指責「章句之徒，破壞大體」。（註四六）古文家注經，重在訓詁，舉大義，而不爲章句。如《漢書・揚雄傳》謂《雄少而好學，不爲章句，訓詁通而已」；《後漢書・桓譚傳》謂譚「博學多通，遍習五經，皆詁訓大義，不爲章句」；《班固傳》謂固「所學無常師，不爲章句，舉大義而已」；《王充傳》謂充「好博覽而不守章句」；《盧植傳》謂植「能通古今學，好研精而不守章句」，等等。因此古學家視今學家每以「章句之徒」譏之，譏其繁也。（註四七）又古學多「通人」。康有爲曰：「觀傳古學諸人，揚雄則稱『無所不見』，杜林則稱『博洽多聞』，桓譚則稱『博學多通』，賈逵則『問事不休』，馬融則『才高博洽』，自餘班固、崔駰、張衡、蔡邕之倫，並以弘覽博達，高文贍學，上比遷、向者，並校書東觀，傳授古學。」（註四八）康氏所作《僞經傳授表下》且專設「通學」一欄，（註四九）遍列西漢後期以下諸古學名家。而今文學者，則多專一經，守其家法，罕能兼通，雖亦有精研六經如何休者（註五〇），可以「通人」許之，然亦鳳毛麟角而已。因此「通人」在東漢無異於「古文學家」之同義語。由此可知，譏鄭玄之「繁」的「通人」，實指古文學家言之。

古文學家何以要譏鄭玄之「繁」呢？這實在是出於古文家之偏見。因爲鄭玄在注經方法上，實際是兼採今、古兩家的特點，既重「訓詁名物」，亦重釋章句之義，從而別出新的經《注》體例（關於這一點，我們只要將《周禮注》中所存杜子春、鄭興、鄭衆三位古文家《注》，與鄭玄之《注》稍作比較，就可以清楚地看出來了）。因此儘管鄭玄「質於辭訓」，而從古文家立場看來，終難免「章句之徒」的嫌疑，故而譏之矣。實際上，這恰恰說明了這些所謂「通人」的拘陋。

下面，我們就來具體分析一下鄭玄《三禮注》的體例。

正字讀

阮元《周禮注疏校勘記・序》曰：「有杜子春之《周禮》，有二鄭之《周禮》，有後鄭之《周禮》。《周禮》出山巖屋壁間，劉歆始知爲周公之書而讀之。其徒杜子春乃能略識其字。建武以後，大中大夫鄭興，大司農鄭衆，皆以《周禮解詁》著，而大司農鄭康成乃集諸儒之成，爲《周禮注》。蓋經文古字不可讀，故四家之學皆主於正字。……有云『讀如』者，比擬其音也；有云『讀爲』者，就其音以易其字也；有云『當爲』者，定其字之誤也。三例既定，而大義乃可言矣。」舉例言之。《天官・大宰》：「以九兩繫邦國之民。……六曰主以利得民。」鄭《注》：「玄謂利讀如上思利民之利。」按此「讀如」之例也。《地官・均人》：「掌均地政。」鄭《注》：「政讀爲徵。」按此「讀爲」之例也。《天官・內饔》：「凡掌共羞，修刑、膴胖、骨鱐，以待共膳。」鄭《注》：「掌共，共當爲具。」按此「當爲」之例也。

又俞樾《禮記鄭讀考》云：「段玉裁作《周禮漢讀考》，於《注》中『讀爲』、『讀若』之義，辨之詳矣。然而鄭康成注《禮記》，亦有『讀爲』、『讀若』之例。」按《禮記注》中此例頗多，不繁舉矣。唯《儀禮》中正字讀之例不多見。（註五一）

訓名物

《周禮・天官・籩人》：「掌四籩之實。」鄭《注》：「籩，竹器如豆者，其容實皆四升。」《禮記・玉藻》：『王后褘衣，夫人揄狄。」鄭《注》：「褘讀如翬，揄讀如搖。翬、搖皆翟雉名也。刻繒而畫之，著於衣以爲飾，因以爲名也。後世作字異耳。」《儀禮・士昏禮》：「設洗於阼階東南。」鄭《注》：「洗，所以承盥洗之器棄水者。」按此皆訓名物之例也。

釋經文

古制茫昧，古文簡奧，往往非《注》而難明。鄭玄注經，釋而明之。當然，如上所說正字讀、訓名物，也都是爲解釋經文服務的。此處所謂釋經文，則主要指解釋整個文句或章節所包括的內容而言。如：《周禮・地官・媒氏》：「禁遷葬者與嫁殤者。」鄭《注》：「遷葬謂生時非夫婦，死既葬，遷之，使相從也。殤，十九以下未嫁而死者。生不以禮相接，死而合之，是亦亂人倫者也。」按《媒氏》此文，若無鄭《注》，其義實難索解。

鄭玄釋經文，採用了多種手段。今擇其要，列舉如下。

其一、引他經、他傳以釋此經。有明引之者，如：《周禮・天官・小宰》：「喪荒，受其含襚幣玉之事。」鄭《注》：「《春秋傳》曰：『口實曰含，衣服曰襚。』」有暗引之者，即引文不標出處，如：《儀禮・聘禮》：「及郊又展如初。」鄭《注》：「郊，遠郊也。周制天子畿內千里，遠郊百里，以此差之，遠郊上公五十里，侯伯三十里，子男十里也。近郊各半之。」賈《疏》：「云『周制天子畿內千里』者，《周禮・大司徒》云：『制其畿方千里。』據《周禮》而言。……云『遠郊百里』者，《司馬法》文。」亦有無明文可徵引，而約上下文之義，或約他經、傳文之義以爲《注》者，如：《周禮・地官・遂大夫》：「凡爲邑者，以四達戒其功事，而誅賞廢興之。」鄭《注》：「四達者，治民之事，大通者有四：夫家衆寡也，六畜車輦也，稼穡耕耨也，旗鼓兵革也。」賈《疏》：「鄭知『四達』是『夫家』已下者，此無正文，唯約上下文而知義爾。按《遂師》云：『夫家衆寡，六畜車輦。』此《遂大夫》亦云：『夫家衆寡，以教稼穡。』《酇長》云：『以旗鼓兵革，師而至。』又云：『趨其耕耨。』鄭據而言，故以四事當此四達。」按據賈《疏》可知，鄭《注》對「四達》的解釋，乃約《周禮・地官》之《遂師》、《遂大夫》、《酇長》諸文之義而爲之。

其二、以今況古，即引漢制、漢俗等以釋古制、古義。如：《禮記・王制》：「大國三卿皆命於天子。」鄭《注》：「命於天子者，天子選用之，如今詔書除吏矣。」按此以漢制況古制也。又如：《周禮・夏官・羅氏》：「蜡則作羅襦。」鄭《注》：「玄謂蜡，建亥之月，此時火伏蟄者畢羅，豺既祭獸，可以羅網圍取禽也。……今俗放火張羅，其遺教。」賈《疏》：「云『今俗放火張羅，其遺教』者，漢之俗間，在上放火，於下張羅承之以取禽獸，是周禮之遺教，則知周時亦上放火，下張羅也。」

還有以漢之俗字、俗語、方言等釋經字、經義者。如：《儀禮・特性饋食禮》：「佐食盛肵俎，俎釋三个。」鄭《注》：「个猶枚也。今俗言物數有云『若干个』者，此讀然。」

其三、據經義推斷以釋經。如：《儀禮・士冠禮》：「冠者見於兄弟，兄弟再拜，冠者答拜。見贊者，西面拜，亦如之。」鄭《注》：「見贊者西面拜，則見兄弟東面拜。」按此由拜贊者之方向，推斷出拜兄弟之方向。又如：《周禮・地官・鄉大夫》：「以歲時登其夫家之眾寡，辨其可任者。……以歲時入其書。」鄭《注》：「入其書者，言於大司徒。」賈《疏》：「知者，以其上云『受法於司徒』，故知『入其書者，言於大司徒』。」按《鄉大夫》開首有曰：「正月之吉，受教法於司徒，退而頒之於其鄉吏。」鄭即據以推斷：既受之於司徒，亦當入言於司徒（即向司徒報告）。

亦有據常識判斷以注經者。如：《周禮・天官・掌皮》：「掌秋斂皮，冬斂革，春獻之。」鄭《注》：「皮革逾歲乾，久乃可用。」按此即據常識以解皮革何以秋斂而春獻之也。

其四、經文不具，或文義不足，則鄭《注》足而明之。如：《儀禮・鄉射禮》：「主人以賓揖讓，說屨，乃升；大夫及眾賓皆說屨，升，坐，乃羞。」鄭《注》：「羞，進也。所進者狗胾醢也。燕設啖具所以案酒。」按經文只說「乃羞」，而不言「羞」者何物，鄭《注

》於是足而明之。又如：《禮記・王制》：「天子社稷皆大牢，諸侯社稷皆少牢，大夫士宗廟之祭有田則祭，無田則薦。」鄭《注》：「有田者既祭又薦新。祭以首時，薦以仲月。士薦牲用特豚，大夫以上用羔，所謂羔豚而祭，百官皆足。《詩》曰：『四之日其蚤，獻羔祭韭。』」按《王制》僅言「有田者」之祭禮，鄭《注》復足以薦新之禮。又如：《周禮・地官・胥》：「凡有罪者，撻戮而罰之。」鄭《注》：「罰之，使出布。」按此例無鄭《注》，則不明如何「罰之」也。

其五、概括篇章段落之大意，或點明經文之宗旨。如：《禮記・內則》：「膾，春用葱，……魴鱮烝，雛燒，雉，薌無蓼。」鄭《注》：「自『膾用葱』（按「膾」下脫「春」字）至此，言調和菜釀之所宜也。」按此概括一段之大意也。又如：《禮記・禮運》：「飲食男女，人之大欲存焉；死亡貧苦，人之大惡存焉。故欲、惡者，心之大端也。人藏其心，不可測度也。美惡皆在其心，不見其色也。欲一以窮之，捨禮何以哉！」鄭《注》：「言人情之難知，明禮之重。」按此點明一段之宗旨也。

其六、若無文獻可徵，則以己意解之。如：《儀禮・士虞禮》：「嘉薦，普淖。」鄭《注》：「普淖，黍稷也。普，大也。淖，和也。德能大和乃有黍稷，故以爲號云。」賈《疏》：「言『故以爲號云』者，鄭以意解之，無正文，故言『云』以疑之。」但也有既無文獻可徵，而己亦不明者，則存而不釋。如：《禮記・檀弓》：「國亡大縣邑，公卿大夫皆厭冠，哭於大廟三日，君不舉。」鄭《注》：「厭冠，今喪冠，其服未聞。」又如：《儀禮・士冠禮》：「賓降，主人降。賓辭，主人對。」鄭《注》：「辭、對之辭未聞。」未聞則存疑，愼之也。鄭注《禮記・樂記》嘗謂《南風》之歌，「其辭未聞也」。王肅《聖證論》引《尸子》及《孔子家語》以難鄭玄云：「昔者舜彈五弦之琴，其辭曰：『南風之薰兮，可以解吾民之慍兮；南風之時兮，可以阜吾民之財兮。』鄭云『其辭未聞』，失其義也。」馬昭申鄭云：「《家語》王肅所增加（按意爲王肅所僞造），非鄭所見。又《尸子》雜說，不可取證正經，故言未聞也。」（註五二）可見鄭玄注經，態度確實是較爲嚴謹的。

闡禮義

即闡發禮制的目的和意義。按照舊儒的說法，就是要探究「聖人」之「微旨」。黃侃說：「自《傳》、《記》之後，師儒能言禮意者多矣，要以鄭君爲最精。」（註五三）鄭玄注《三禮》，常於章句中闡發禮義，此本今文家習氣，然鄭《注》簡約，不似今文家之浮辭繁長。如：《儀禮・士昏禮》：「婿乘其車，先，俟於門外。」鄭《注》：「婿車在大門外，乘之先者，道之也。男率女，女從男，夫婦剛柔之義，自此始也。」又如：《周禮・天官・序官》「世婦」，鄭《注》：「不言數者，君子不苟於色，有婦德者充之，無則闕。」按《周禮》各篇之職官，皆於《序官》中詳言其員數。此「世婦」不言數，故鄭《注》發此論。再如：《禮記・檀弓》：「魯人有周豐也者，哀公執摯請見之。」鄭《注》：「下賢也。摯，禽摯也。諸侯而用禽摯，降尊就卑之義。」這裡我們必須指出的是，鄭玄通過對禮義的闡發，所表現出來的思想是複雜的，多方面的。既有如前所指出的要求「順民」、「任賢」等在當時歷史條件下有一定積極意義的思想，又包含有大量的封建糟粕。就其思想總體來說，沒有超出儒家思想的範疇，其核心乃是封建的等級觀念和倫理道德觀念。以上我們所舉的例子，也可以說明這一點。這正是鄭玄的《三禮注》在漫長的封建社會裡，一直爲封建統治階級所重視，並成爲中國封建禮學之骨幹的根本原因。

糾經文之誤、衍、脫、錯

俞樾曰：「自來經師往往墨守本經，不敢小有出入，惟鄭學宏通，故其注《三禮》，往往有駁正經之誤者。」（註五四）鄭注《三禮》非唯駁正經文之誤，且於衍文、脫文及文次之錯亂者，也一一加以訂正。例如：《周禮・天官・腊人》：「凡祭祀，共豆脯、薦脯。」鄭《注》：「脯非豆實，豆當爲羞，聲之誤也。」按此糾經誤之例也。又如：《儀禮・大射儀》：「公降，立於阼階之東南，南鄉。小臣師詔揖諸公卿大夫，諸公卿大夫西面，北上。揖大夫，大夫皆少進。」鄭《注》：「上言大夫，誤衍耳。」按此訂正衍文之例也。又如：《禮記・祭義》：「霜露既降，君子履之，必有淒愴之心。」鄭《注》：「霜露既降，《禮》說在秋，此無『秋』字，蓋脫爾。」按此訂正脫文之例也。又如：《禮記・玉藻》：「而素帶，終辟。大夫素帶，辟垂。士練帶，率下辟。居士錦帶，弟子縞帶，並紐約用組。」鄭《注》：「此自『而素帶』，亂脫在是耳。宜承『朱裏，終辟』。」按「朱裏，終辟』乃天子服。鄭以爲「而素帶，終辟」是記諸侯之服，宜放在記天子服之下，即移於下文「天子素帶朱裏，終辟」之下。此即訂正文次錯亂之例也。

關於鄭玄《三禮注》的體例，還可總結出數條，然其要者，蓋如上述。這裡需要說明兩點：第一、鄭玄注《三禮》，乃隨文釋注，因此上述體例的運用，亦因文施宜；第二、文中所舉諸例證，只是爲了說明鄭《注》的體例，而不涉及所舉例證本身的是非正謬。關於鄭《注》的是非正謬問題，下文將專門研討之。

四、關於《三禮注》的考辨

若詳考鄭玄《三禮注》，辨其是非正謬，恐非數百萬言之鉅著莫可當，且決非一人之力所能勝任。而且目前歷史科學研究之成果，也還遠不足以全部澄清鄭玄《三禮注》的是非，問題還相當多。例如，關於《三禮》的製作時代，各各皆有多種說法，未能最後確定，而《三禮》中所記載的各種制度，究竟哪些確屬周制，哪些是春秋、戰國諸侯國之制，哪些是後儒附會其間的秦漢之制，哪些是作者們的構擬，構擬的根據和背景又是什麼，等等，都有待深入探討。況且《三禮》中矛盾牴牾處甚多，許多問題千年聚訟不決，今文家是此非彼，古文家又是彼非此，至今，我們也還不能就他們爭論的全部問題，作最後的裁決。上述有關《三禮》的歷史懸案不解決，我們對於鄭玄《三禮注》的是非正謬，也就不可能作全面的正確的評價。但儘管問題很多，我們借助新史學研究的成果，對於鄭玄的《三禮注》，還是可以確定一些基本的看法。

首先我們應該肯定，鄭《注》對於我們今天研究《三禮》，研究先秦以至秦漢時期的典章文物制度，是有很大幫助的。鄭《注》和《三禮》一樣，都是十分寶貴的歷史文獻。如前我們在分析鄭玄的注經方法和體例時所看到的，鄭《注》在幫助我們弄明白《三禮》的內容方面，以及在訂正經文的錯謬方面，其功績是不可磨滅的。且鄭玄在解釋經文時，又補充了許多經文以外的材料，大大豐富了文獻的內容。這些材料在當時定有文獻或師說可據，而今已大多亡佚，賴鄭《注》而得存其若干，這也是鄭《注》的一大功勞。又因鄭玄博綜今古，兼採異說，若能細加條析，弄清其源流，對於我們今天研究漢代的學術史，將大有裨益。鄭玄對禮義的闡發，也爲我們研究漢代的政治思想史，留下了一份有價值的遺產。他如研究古代的文字學、音韻學、訓詁學等等，都不可捨鄭《注》（關於這一點，可參看陸宗達《訓詁簡論》，北京出版社，一九八〇年）。尤其是我們今天考釋地下發掘的先秦以至秦漢的文物，鄭玄的《三禮注》更是必須依靠的重要文獻。下面我們舉一個小例子。

長沙馬王堆一號漢墓中在棺內包裹屍體的衣衾裡，發現了兩種麻布，一種粗，一種細。這兩種麻布就當時條件說，究竟粗、粗到什麼程度，細、又細到什麼程度呢？請看下面一段文字：「根據《儀禮・喪服》鄭注『布八十縷爲升』的記載，這次發現的粗麻布幅面經線總數八一〇根，應爲十升；細麻布幅面總數一七三四——一八三六根（按幅寬五一釐米計），應爲二十一至二十三升。過去發現的戰國至漢代麻布實物，最精細的是一九五三年長沙四〇六號楚墓出土的，經密每釐米二八根（《長沙發掘報告》六四頁，科學出版社，一九五七年），約爲十七升。根據《儀禮・士冠禮》『爵弁服』鄭注，古代製作弁冕用最細密的三十升布，這次發現的細麻布算是相當細密的了。」（《長沙馬王堆一號漢墓》上集，第五二頁，文物出版社，一九七三年）由此可見，對於這次出土的麻布，若無鄭《注》，我們就不可能獲得這樣具體的認識。對於許多出土器物的名稱和用途，也須憑《三禮》和鄭《注》加以考辨。

但是，在我們今天看來，鄭玄《三禮注》的問題和錯謬也是相當多的。現就個人認識所及，略舉其大端。

其一、鄭注《三禮》的最大錯誤，就在於鄭玄篤信《周禮》爲周公所作（註五五），從而篤信《周禮》爲周制，而以他經如《禮記・王制》等不與《周禮》同者，爲殷制或夏制。實際上，這是黨於古文家立場之毫無根據的臆說。《周禮》之非周公所作，漢儒即有此論，而《周禮》所構設的政體之荒謬，古人也早就指出過。

歐陽修曰：「……《周禮》，其出最後，……漢武以爲瀆亂不驗之書，何休亦云六國陰謀之說，何也？然今考之，實有可疑者。夫內設公卿大夫士，下至府史胥徒，以相副貳；外分九服，建五等，差尊卑，以相統理；此《周禮》之大略也。而六官之屬略見於經者五萬餘人，而里閭縣都之長，軍師卒伍之徒不與焉。王畿千里之地，爲田幾井，容民幾家，王官王族之國邑幾數，民之貢賦幾何，而又容五萬人者於其間。其人耕而賦乎？如其不耕而賦，而何以給之？夫爲治者，故若是其煩乎？此其一可疑者也。秦既誹古，盡去古制。自漢以後，帝王稱號，官府制度，皆襲秦故，以至於今。雖有因有革，然大抵皆秦制也；未嘗有意於《周禮》者。豈其體大而難行乎？其果不可行乎？夫立法垂制，將以遺後也；使難行，而萬世莫能行，與不可行等爾。然反秦制之不若也？脫有行者，亦莫能興，或因以取亂，王莽、後周是也。則其不可用決矣。此又可疑也。」（《歐陽文忠公全集．居士集》卷四十八《問進士策三首》之一）又蘇軾論《周禮》及鄭《注》有曰：「《周禮》……其言五等之君，封國之大小，非聖人之制也，戰國所增之文也。何以言之？按鄭氏說，武王之時，周地狹小，故諸侯之封及百里而止。周公征伐不服，斥大中國，故大封諸侯，而諸公之地至五百里。不知武王之時，何國不服，而周公之所征伐者誰也。東征之役，見於《詩》、《書》，豈其廓地千里而史不載耶？此甚可疑也。周之初，諸侯八百；春秋之世，存者無數十。鄭子產有言：古者大國百里；今晉、楚千乘，若無侵小，何以至此？子產之博物，其言宜可信。先儒或以《周禮》爲戰國陰謀之書，亦有以也。」（《東坡續集》卷九《策．天子六軍之制篇》）上述議論，是確有見地的，其所揭示的《周禮》及鄭《注》的矛盾，頗能發人耳目。

實際上，《周禮》乃是戰國後期學者們所設計的一部統一天下的建國規劃。其中有周制之遺，也吸收得有戰國時一些諸侯國的制度，還有許多則出於作者們的構擬。（註五六）在初作者們的原意，也並非想冒充周制的，只是到了漢代古文學家手裡，爲了爭立學官和與今文學家論戰的需要，才把它神聖化了。今文家崇奉孔子，古文家便抬出周公來壓孔子，於是《周禮》便成了「周公致太平之跡」了。（註五七）其他二《禮》，即《儀禮》和《禮記》，就材料來源說，也有類似《周禮》的情況，即有周制的遺留，亦雜有六國的制度，甚至還有秦漢的制度附會其間，此外還有許多則是先秦至秦漢時期禮家的《禮》論。特別是作為今文學之大宗、並用以與《周禮》相抗衡的《王制》，實際是與《周禮》同樣性質的東西，也是一部建國規劃。所不同者，它是居於天下大一統時期的漢文帝親令博士們製作的。（註五八）其材料之來源，有取自《六經》的，有取自先秦諸子的，同時又明顯地打上了大漢帝國的烙印。（註五九）總之，《三禮》製作的時代和背景不同，材料之來源又非常複雜。唯其如此，也就必不免互相矛盾牴牾，因此我們在引用時就須十分審慎。而鄭玄卻沿襲古文家立場，認《周禮》為周制，且企圖在此基礎上調和《三禮》的矛盾，以構成其新的經說體系，於是一系列的錯誤，便由此產生了。郭沫若《周官質疑》曾據金文考《周禮》之職官十九事，一一揭出其矛盾和錯謬，其結論有曰：「上述十九項乃彝銘中言周代官制之卓著者，同於《周官》者雖亦稍稍有之，然其骨幹則大相違背。如是鐵證，斷難斥為嚮壁虛造。又所舉諸器之年代，大率起於周初，而逮於春秋中葉，其說之詳，具見《大系》，亦斷非前代異制或傳聞異辭等說所能規避。如是而尤可謂《周官》必為周公致太平之跡，直可謂之迂誕而已。」

鄭玄雖生於一千數百年前，實在也是這樣一個「迂誕」者。更有甚者，鄭玄因確認《周禮》為周制，反把他經中確為周制之遺跡者，指為殷制或夏制。例如：《禮記・曲禮》：「天子建天官，先六大，曰：大宰、大宗、大史、大祝、大士、大卜，典司六典。」据郭沫若《周官質疑》考證，《小盂鼎》銘文所載王臣有「三左、三右」，之所以名此者，乃因朝王時，三人由阼階（東階）升，立於王左；三人由賓階（西階）升，立於王右。郭氏以為這「三左、三右」，當即《曲禮》之「天官六大」。其文曰：「三左三右此器（按指《小盂鼎》）僅見，亦為舊文獻中所無。……此鼎乃康王末年之器。……『三左三右』者當即《曲禮》之天官六大，蓋三人在王左，三人在王右也。……三左即大史大祝大卜，三右即大宰大宗大士。」顧頡剛在他的《「周公制禮」的傳說和〈周官〉一書的出現》中就郭氏此番考證議論說：「這樣看來，那部叢雜無緒的《曲禮》倒保存了眞實的古史遺文，勝於《周禮》的表面上似乎很有系統而實際上是拼湊加僞造。」然而鄭玄卻在《曲禮注》中說：「此蓋殷時制也。周則大宰爲天官，大宗曰宗伯，宗伯爲春官，大史以下屬焉。大士以神仕者。」這簡直是顚倒是非了。所以顧頡剛斥之爲「閉著眼睛的胡言，攪亂了古代思想史的進程」。

實際上，漢代經師的通病，就在於不懂歷史，而且爲了迎合統治者的政治需要，可以任意地改變或編造古史系統（註六〇），即使「博學宏通」如鄭玄者，亦不例外。這正是鄭玄的《三禮注》之所以產生上述種種錯誤的根本原因。

其二、鄭《注》之謬，還在於用與陰陽五行思想緊密結合的宗教神學思想注經。這也是漢儒的通病。這種宗教神學思想，最集中地表現在緯書中。自西漢末哀、平年間，緯書大出，至東漢，由於統治者的提倡，以緯說經之風盛行。（註六一）鄭玄處此時代潮流中，自不能免此弊病。故《四庫提要》的作者於《周禮注疏》下批評鄭玄說：「好引緯書，是其一短。」這裡，我們僅舉他的「六天說」和「五精感生說」爲例。

我們首先須明白，在鄭玄的頭腦中，存有這樣一個天帝人神系統。即他認爲天上有一個至上帝，其名爲「天皇大帝耀魄寶」。至上帝之下，又有五天帝爲之佐，即東方蒼帝靈威仰，南方赤帝赤熛怒，中央黃帝含樞紐，西方白帝白招拒，北方黑帝汁光紀（至上帝加五天帝即所謂「六天」）。祭祀五天帝時，各以其精所感生的五人帝配食。這五人帝是：太昊（配蒼帝）、炎帝（配赤帝）、黃帝（配黃帝。按此項天帝與人帝稱號相同）、少昊（配白帝）、顓頊（配黑帝）。五人帝之下又有五官，五官死後爲神，亦各配食其帝，即句芒配太昊，祝融配炎帝，后土配黃帝，蓐收配少昊，玄冥配顓頊。顧頡剛曾將鄭玄的上述天帝人神系統列爲一圖：（註六二）

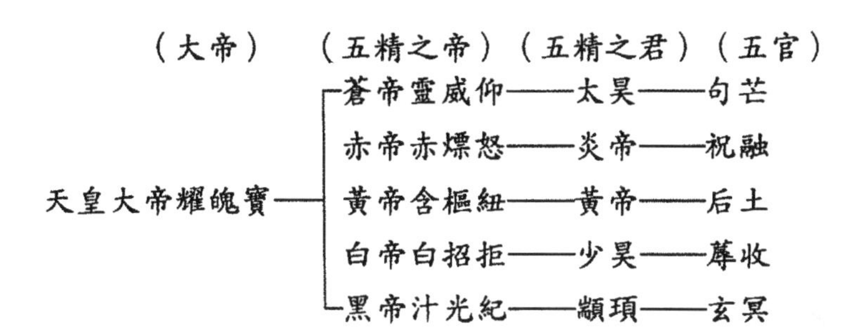

在此系統中，天皇大帝與五精之帝（五天帝）即出自緯書。如：《春秋合誠圖》：「天皇大帝，北辰星也，含元秉陽，舒精吐光，居紫宮中，制御四方，冠有五采。」《春秋佐助期》：「紫宮，天皇耀魄寶之所理也。」《河圖》：「東方青帝靈威仰，木帝也。南方赤帝赤熛怒，火帝也。中央黃帝含樞紐，土帝也。西方白帝白招拒，金帝也。北方黑帝汁光紀，水帝也。」而五人帝與五官之神則出自「禮記・月令」：「孟春之月，……其帝太皞，其神句芒。……孟夏之月，……其帝炎帝，其神祝融。……中央土，其帝黃帝，其神后土。……孟秋之月，……其帝少皞，其神蓐收。……孟冬之月，……其帝顓頊，其神玄冥。」（按四時之仲月、季月皆與此同。）鄭玄則把緯書之說與《月令》之說合而爲一，變成了一個上下相承的天帝人神系統。而用以聯絡這兩者的紐帶，就是緯書的感生說（所謂感生，即認爲五人帝分別是其母感五天帝之精，於是受孕而生，故五人帝實在是五天帝的兒子呢）。

鄭玄既在頭腦中構成了這樣一個天帝人神系統，於是便用之於他的經《注》中。例如：《月令》：「令民無不咸出其力，以共皇天上帝，……以爲民祈福。」鄭《注》：「皇天，北辰耀魄寶，冬至所祭於圜丘也。上帝，大微五帝。」《禮記·大傳》：「禮，不王不禘。王者禘其祖之所自出，以其祖配之。」鄭《注》：「凡大祭曰禘。自，由也。大祭其先祖所由生，謂郊祀天也。王者之先祖皆感大微五帝之精以生：蒼則靈威仰，赤則赤熛怒，黃則含樞紐，白則白招拒，黑則汁光紀。皆用正歲之正月郊祭之，蓋特尊焉。」（按據孔《疏》，鄭玄此《注》中之感生說，實據《河圖》、《元命包》、《春秋緯文耀鉤》、《易緯乾鑿度》等緯書以爲說。）《春官·大宗伯》：「以玉作六器以禮天地四方：……以玄璜禮北方。」鄭《注》：「此禮天以冬至，謂天皇大帝，在北極者也。禮地以夏至，謂神在昆侖者也；禮東方以立春，謂蒼精之帝，而太昊、句芒食焉；禮南方以立夏，謂赤精之帝，而炎帝、祝融食焉；禮西方以立秋，謂白精之帝，而少昊、蓐收食焉；禮北方以立冬，謂黑精之帝，而顓頊、玄冥食焉。」這樣的例子甚多，不一一列舉了。

這種所謂「六天說」和「五精感生說」，其荒謬可笑自不待言，我們所必須指出的是，這套荒謬的神學理論在周代是沒有的，而是陰陽五行學說盛行的漢代的產物（感生說雖源出較早，而使之陰陽五行化，則在漢代）。漢初始興「五天帝」說，即在秦的白、青、黃、赤四帝之外，又加上個黑帝。到漢武帝時，五帝之上又出來了一個「泰一」，爲至上帝，五帝則降爲「泰一」之佐，於是「六天」說始備。到西漢後期，王莽們才又給這「六天」編造了一套漂亮而又整齊的命名。這套東西到了鄭玄手裡，又來了一翻加工，把它和《月令》的五人帝、人神聯繫起來，搞成了一套更爲完整複雜的宗教神學系統（顧頡剛《五德終始說下的政治和歷史》及《王肅的五帝說及其對於鄭玄的感生說與六天說的掃除工作》對上述演變過程有詳密的論證）。可是鄭玄不僅用這套學說注經，而且把它說成是周代就有的制度。如：《禮記・禮器》：「故魯人將有事於上帝，必先有事於頖宮。」鄭《注》：「上帝，周所郊祀之帝，謂蒼帝靈威仰也。魯以周公之故，得郊祀上帝與周同。」如果我們依據此條鄭《注》來研究周代的思想史，以爲周初即有所謂「倉帝靈威仰」之說，那就要犯絕大的錯誤。這實際上只能視爲漢代的思想史料。同時我們也就可以知道，經文中有關「六天」之制的記載（如《周禮・春官》中所記載的），顯然是漢儒僞入的（參看顧頡剛《「周公制禮」的傳說和〈周官〉一書的出現》），也只能視爲漢代的思想史料。

鄭玄用緯注《禮》的例子很多。因爲「六天說」和「五精感生說」是鄭玄宗教神學思想的骨幹，且在其經《注》中廣爲運用，所以我們著重談了這個問題。但同時我們也必須指出，鄭玄用緯注《禮》，也不可一概斥爲荒謬，因爲緯書中還夾雜得有我國古代的自然科學方面的知識以及生產技術方面的經驗。如鄭玄注《周禮・地官・草人》採《孝經緯・援神契》說，以爲「黃白（按指土壤顏色）宜以種禾之屬」，就反映了我國古代的農業生產經驗。所以對鄭玄以緯注經，還應作具體分析。

其三、鄭玄注經，對典章名物的解釋，主要依據文獻或師說。如文獻或師說有誤，則鄭《注》亦難免發生錯誤。在文物考古事發展的今天，我們根據可靠的地下資料，來與鄭玄的《三禮注》相對照，就發現其中的錯誤的確是很多的。下面我們舉兩個例子。

《周禮・春官・司尊彝》所載「六尊」中，有犧尊（按原文作「獻尊」，據鄭司農說改）、象尊。究竟犧尊、象尊的形制如何？鄭《注》引鄭司農曰：「犧尊，飾以翡翠；象尊，以象鳳凰，或曰以象骨飾尊。」據《禮記・明堂位》「尊用犧、象」鄭《注》：「尊，酒器也。犧尊，以沙羽爲畫飾。（象尊，）象骨飾之。」又據孔《疏》引

《鄭志》鄭玄答張逸問曰：「犧讀如沙。沙，鳳凰也。……刻畫鳳凰之象於尊，其形婆娑。」則鄭玄說與鄭司農稍異。後儒對此亦聚訟紛紜。如孫詒讓《周禮正義・春官・司尊彝・疏》引王肅《禮器注》云：「爲犧牛及象之形，鑿背以爲尊，故謂之犧、象。」王肅且云：「大和中（按「大和」爲三國時魏明帝年號），魯郡於地中得齊大夫子尾送女器有犧尊，以犧牛爲尊。然則象尊，尊爲象形也。」阮諶《禮圖》則謂「犧尊，飾以牛；象尊，飾以象。於尊腹上畫爲牛、象之形」。上述諸說，究竟孰是孰非？古代無考古學，只在文獻上打圈圈，終莫得定論。王肅倒很聰明，能跳出文獻的圈圈，以魯郡地下出土之實物爲說。然後儒寧信紙上的東西，不信地下實物，王念孫竟至斥王肅爲「眞妄說耳」。（註六三）可是現在地下出土的大量實物，都證明了只有王肅的解釋才是正確的。如容庚、張維持《殷周青銅器通論》（科學出版社，一九五八年）所載之尊，凡以鳥獸名者，皆作鳥獸形。犧尊、象尊亦不例外。如圖一四一——一四三之象尊（殷時器）皆作象形；圖一五一之犧尊（春秋時器）作犧形；而圖一五二之犧尊（春秋晚期晉國器）則作牛形，這可能因爲犧爲牛屬之故，或有什麼宗教神學上的意義。又一九六三年陝西興平豆馬村出土的西漢《錯金銀雲紋犀（犧）尊》，亦作犧形（見《中國青銅器選》，文物出版社，一九七六年）。

再舉一例。觚、觶之制，也是個糾纏不清的問題。《儀禮・燕禮》：「主人洗，升，獻士於西階上。士長升，拜受觶。主人拜送觶。」鄭《注》：「獻士用觶，士賤也。今文觶作觚。」即獻士所用器，今古文說法不同。賈《疏》：「云『獻士用觶，士賤也』者，對上大夫已上獻用觚，……不從今文觚者，若從觚，與大夫已上何異？故不從。」可見觚觶相亂，由來久矣。又《周禮・考工記・梓人》：「爲飲器，勺一升，爵一升，觚三升，獻以爵而酬以觚，一獻而三酬，則一豆矣。」鄭《注》：「觚、豆字，聲之誤。觚當爲觶，豆當爲斗。」爲什麼呢？據賈《疏》，鄭玄用《韓詩》說，以爲一升曰爵，二升曰觚，三升曰觶。若按「獻以爵而酬以觚，一獻而三酬」計之，一獻（一爵）爲一升，三酬（三觚）爲六升，合之則七升，而一豆爲四升（註六四），不成制矣。若易觚爲觶，一觶三升，一獻三酬，則合十升，恰爲一斗。故鄭《注》以爲「觚當爲觶，豆當爲斗」。實際上，從今天地下發掘的實物看，觚與觶的大小容量皆無定制。據《殷周青銅器通論》圖二二九——二三三所載諸觚（殷時器），其通高分別爲22.3、21.2、25.6、18、44.6釐米不等。至於口徑之大小，腹部之粗細，亦不等。又陝西省西安斗門鎮西周穆王時之長甶墓出土的一件銅觚，高二六釐米、口徑一五釐米（見《五省出土重要文物展覽圖錄》，文物出版社，一九五八年）。觚的形制也不一，多爲圓形，四面有棱或無棱，亦間或有方形的。觶的情形又怎樣呢？據《殷周青銅器通論》圖二三四——二四一所載諸觶看，其大小高低亦皆不等。就高度言，最高的爲安陽出土的《光觶》（殷器），通高19.3釐米，最低的是相傳爲洛陽出土的《齊史疑觶》（西周前期器），僅11.3釐米。又《上海博物館藏青銅器》（上海人民美術出版社，一九六四年）有西周早期《父庚觶》一件，通高爲14.9釐米、口徑7.6釐米，重僅三四〇克。就形制而言，多爲橢圓，亦有不少圓形的。可惜以上諸器，皆未標注容量。但從以上實物的比較可見，觶一般小於觚，與《韓詩》說恰相反。可見，鄭玄僅依文獻材料注經，是不太可靠的。同時亦可見《禮》文中有關觚觶酬獻之制，實出禮家之構擬，古代實際生活中，並無此等嚴密的規定。

其四、鄭玄常以己意解經，因此《注》中頗多臆說。舉一個典型的例子。《禮記・明堂位》：「有虞氏官五十，夏后氏官百，殷二百，周三百。」鄭《注》：「周之六卿，其屬各六十，則周三百六十官也。此云三百者，記時《冬官》亡矣。《昏義》曰：『天子立六官，三公、九卿、二十七大夫、八十一元士，凡百二十。』蓋謂夏時也。以夏、周推前後之差，有虞氏官宜六十，夏后氏宜百二十，殷宜二百四十，不得如此記也。」按《明堂位》有關各代官數的說法，本來就是無稽之談。鄭玄非但不斥其荒謬，反以臆度，推演出一個歷代官數成倍遞增的公式，並按此公式，推算出自有虞氏至周各代的準確官數，且批評《明堂位》的數字不確切，「不當如此記」，這實在是荒謬復荒謬矣！因此俞樾抨之曰：「此乃鄭之臆說，不足據。」（註六五）

其五、鄭注《三禮》，常以今況古，使經義易明，這本是鄭《注》之一長，但他又常常犯以今代古、以今亂古的錯誤。例如，《周禮・天官・醢人》記醢人所掌豆實有所謂「三臡」，即麋臡、鹿臡、麇臡，鄭《注》曰：「三臡亦醢也。作醢及臡者，必先膊乾其肉，乃後莝之，雜以粱曲及鹽，漬以美酒，塗置瓶中，百日則成矣。」賈《疏》：「云『作醢及臡』已下者，鄭以當時之法解之。」原來鄭玄所記臡與醢的作法，乃漢時的作法。漢時的作法與古時是否一樣？有沒有變化？又臡與醢古時是否即一物？若依鄭《注》「臡亦醢」，且作法也完全一樣，則又何以異其名稱？對這些問題，鄭玄皆不置一辭，徑直以漢法釋之，其結果只能是以今代古、以今亂古了。

其六、鄭玄之經《注》，意思不明，或解釋不確切，甚至自相矛盾處，亦往往有之。《禮記・檀弓》：「狐死正丘首。」鄭《注》：「正丘首，正首丘也。」按這種解釋，等於沒有解釋，意思仍然不明。俞樾曰：「正之言當也。《廣韻》曰：『正，正當也。』『正丘』者，當丘也。狐之死也，首必當丘，於文應云『狐死首正丘』，其義方明；乃云『正丘首』者，古人屬文之曲也。鄭《注》不云『首正丘』，而云『正首丘』，似於正字之義未得矣。」（註六六）按俞說是也，其對鄭《注》的批評，亦中肯綮。

最後，我們必須指出，鄭注《三禮》的目的是很明確的。他要把他的社會政治思想，包括封建的等級觀念和倫理道德觀念，都體現在他的經《注》裡，特別是體現在對禮義的闡發中。對於鄭玄的注經思想，本文不打算作具體分析，但這裡所要指出的是，鄭玄經《注》中的另一類錯誤，正是導源於他的注經思想。如《儀禮・士冠禮》：「公侯之有冠禮也，夏之末造也。」鄭《注》：「造，作也。自夏初以上諸侯，雖父死子繼，年未滿五十者，亦服士服，行士禮，五十乃命也。至其衰末，上下相亂，篡殺所由生，故作公侯冠禮，以正君臣也。《坊記》曰：『君不與同姓同車，與異姓同車不同服，示民不嫌也。以此坊民，民猶得同姓以殺其君也。』」按此段鄭《注》完全是從維護封建等級制度的觀點出發，抓住兩句經文，便發揮一通。所謂「公侯冠禮，夏之末造」，本來就是無稽之談，鄭玄卻據此而附會出一篇公侯冠禮由來史。在西漢經師們手裡，歷史確實成了可以任人打扮的少女。

從今天看來，鄭玄《三禮注》的問題和錯謬是相當多的，而造成錯謬的原因也是複雜的、多方面的。但如能注意到上述諸方面的問題，將有助於我們正確地研究和利用鄭玄的《三禮注》。

【附註】

註 一　孫詒讓《周禮正義》卷一《周禮》大題《疏》曰：「此經《史記・封禪書》、《漢書・禮樂志》及《河間獻王傳》並稱《周官》，《藝文志》本於《七略》，則稱《周官經》，斯蓋西漢舊題。……其曰《周禮》者，荀悅《漢紀・成帝篇》云：『劉歆以《周官經》六篇爲《周禮》，王莽時歆奏以爲《禮經》，置博士。』《釋文敘錄》亦云：『王莽時劉歆爲國師，始建立《周官經》爲

《周禮》。』……蓋歆在漢奏《七略》時，猶仍《周官》故名，至王莽時奏立博士，始更其名爲《周禮》，殆無疑義。」又孔穎達《禮記正義序》有所謂「《周禮》見於經籍，其名異者見有七處」之說，文繁不錄。

註　二　《周禮》一書，古文學家以爲周公所作，今文學家以爲劉歆僞作，故《周禮》的疑、信問題，成爲今古文鬥爭的焦點。其實兩說皆非。據新史學家研究，《周禮》一書當產生於戰國時期。郭沫若《周官質疑》（見《金文叢考》），范文瀾《經學講演錄》（見《范文瀾歷史論文選集》），楊向奎《周禮內容的分析及其制作年代》（《山東大學學報》一九五四年四期），顧頡剛《「周公制禮」的傳說與〈周官〉一書的出現》（《文史》第六輯）等，皆持此說。

註　三　見《漢書・河間獻王傳》及賈公彥《序周禮廢興》所引馬融《周官傳敘》（原作《馬融傳》）。馬融之說謂：「秦自孝公已下，用商君之法，其政酷烈，與《周官》相反，故始皇禁挾書，特疾惡，欲絕滅之，搜求焚燒之獨悉，是以隱藏百年。孝武帝始除挾書之律，開獻書之路，既出于山巖屋壁，復入於秘府，五家之儒，莫得見焉。至孝成皇帝，達才通人劉向子歆校理秘書，始得列序，著於《錄略》。」按舊說或以馬融此說述《周官》隱顯源流最爲明析，然今人洪業先生頗不信其說，提出質疑。說詳其所著《禮記引得序》，見《洪業論學集》第二〇六——二〇七頁，中華書局，1981年3月。拙作姑仍舊說，以待詳考。

註　四　古人有所謂《冬官》亡佚，而以《考工記》補之之說。如馬融《周官傳敘》、陸德明《經典釋文敘錄》、《隋書・經籍志》、杜佑《通典・禮篇》、《御覽・學部》所引楊泉《物理論》，以及《禮記・禮器・疏》等等，皆持此說。然郭沫若以爲「凡此均謬悠之說」，以爲實際上「其書蓋未竣之業」。說詳《周官質疑》。

註 五 賈公彥《序周禮廢興》引馬融《周官傳敘》曰，劉歆之徒「有里人河南緱氏杜子春尚在，永平之初，年且九十，家於南山，能通其（按指《周禮》）讀，頗識其說，鄭衆、賈逵往受業焉」。又鄭興、鄭衆、賈逵、衛宏、盧植皆有《周官解詁》，馬融有《周官禮注》十二卷，皆見《後漢書》本傳。又康有爲《僞經傳授表上》（見《新學僞經考》第十二上）對傳授《周禮》各家著作條例甚晰，可參閱。

註 六 見《史記》、《漢書》之《儒林傳》及《漢書・藝文志》。又孔穎達《禮記正義序》還有所謂「《儀禮》之別亦有七處而有五名」之說，文繁不錄。

註 七 錢玄同以爲《儀禮》「蓋晚周爲荀子之學者所作。《儀禮》爲晚周之書，毛奇齡、顧楝高、袁枚、崔述、牟庭皆有此說。近見姚際桓之《儀禮通論》，亦謂《儀禮》爲春秋後人所作」。說詳《重論經今古文學問題》（附於康有爲《新學僞經考》一書之末）。

註 八 《漢書・儒林傳》謂后蒼「說《禮》數萬言，號曰《后氏曲臺記》」。《漢書・藝文志》有「《曲臺后倉》九篇」。

註 九 見《漢書・藝文志》及《後漢書・儒林傳》。

註一〇 見《後漢書・儒林傳》、《隋書・經籍志》。洪業《禮記引得序》謂《慶氏禮》「曾盛行於後漢」，又謂其「最盛於東京」（《洪業論學集》第一九八、一九九頁）。此論似過之矣。

註一一 鄭玄《六藝論》云：「《今禮》行於世者，戴德、戴聖之學也。」又云：「戴德傳《記》八十五篇，則《大戴禮》是也。戴聖傳《禮》（按「傳《禮》」亦當爲「傳《記》」，蓋誤）四十九篇，則此《禮記》是也。」（《禮記》大題《疏》引）又《釋文敘錄》及《隋書・經籍志》又有小戴刪大戴之說，學者多不信。

註一二　《釋文敘錄》引陳邵說：「後漢馬融、盧植考諸家同異，附戴聖篇章，去其繁重及所敘略而行於世，即今之《禮記》是也。鄭玄亦依盧、馬之本而注焉。」

註一三　皆見《洪業論學集》。

註一四　見《後漢書・儒林傳》。然《後漢書・馬融傳》謂馬融所注書中有《三禮》；《盧植傳》亦謂盧植作《三禮解詁》，此所謂《三禮》者，蓋范蔚宗自後記而名之歟？黃侃曰：「鄭氏以前未有兼注《三禮》者（以《周禮》、《儀禮》、小戴《禮記》爲《三禮》，亦自鄭始。《隋書・經籍志》『《三禮目錄》一卷，鄭玄撰』）。」（《禮學略說》，見《黃侃論學雜著》，上海古籍出版社，一九八〇年。）按黃侃謂「鄭氏以前未有兼注《三禮》者」，與史書記載不合，而謂《三禮》之名始自鄭玄，當是可信的。

註一五　據沈可培《鄭康成年譜》說。

註一六　《後漢書・鄭玄傳》。按本傳所載書目中無《周禮》，蓋遺之也。阮元《山左金石志》曰：「按《周官注》完善無缺，世所共學，而范書遺之。」

註一七　鄭玄的「順民」和「任賢」的思想，在他的經《注》中多所發揮。例如《周禮・地官・鄉大夫》「此謂使民興賢，出使長之；使民興能，入使治之」，鄭《注》：「言爲政以順民爲本也。《書》曰：『天聰明自我民聰明，天明威自我民明威。』《老子》曰：『聖人無常心，以百姓心爲心。』如是，則古今未有遺民而可爲治。」又《儀禮・鄉飲酒禮》「乃間歌《魚麗》，……歌《南山有臺》，笙《由儀》」，鄭《注》「《南山有臺》，言太平之治，以賢者爲本。」又《詩・南山有臺》鄭《箋》：「人君得賢，則其德廣大堅固，如南山之有基趾。」

註一八 《戒子書》，見《後漢書·鄭玄傳》。

註一九 《蛾術篇》卷五十八《鄭氏著述》。

註二〇 《禮記·月令》題《疏》。

註二一 鄭玄《六藝論》，《北堂書鈔》卷九十五引。

註二二 《禮記·中庸》「優優大哉！……至道不凝焉」鄭《注》。

註二三 《儀禮·士冠禮》「前期三日，筮賓，如求日之儀」鄭《注》。

註二四 王應麟《困學紀聞》卷八《經說》。

註二五、註四五 如《後漢書·章帝紀》載建初四年（七九年）十一月，章帝詔會白虎觀，其詔文有曰：「（光武）中元元年（五六年）詔書，《五經》章句煩多，欲議減省。」又《後漢書·桓郁傳》載顯宗「自制《五家要說章句》，令郁校定於宣明殿」。按所謂「要說」者，蓋五家章句之刪要也。又曰：「初，（桓）榮（按桓榮乃桓郁之父）受朱普學（《尚書》）章句四十萬言，浮辭繁長，多過其實。及榮入授顯宗，減爲二十三萬言。郁復刪省，定成十二萬言。」又《後漢書·張霸傳》「初，霸以樊鯈刪《嚴氏春秋》猶多繁辭，乃減定爲二十萬言，更名《張氏學》。」《後漢書·張奐傳》：「初，（《尚書》）《牟氏章句》浮辭繁多，有四十五萬餘言，奐減爲九萬言。」

註二六 《後漢書·鄭玄傳》。

註二七 《鄭志》鄭玄答張逸語，《詩·螽斯·正義》引。

註二八 《後漢書·鄭玄傳》載獻帝建安元年（一九六年）「大將軍袁紹總兵冀州，遣使要玄，大會賓客。玄最後至，乃延升上坐。身長八尺，飲酒一斛，秀眉明目，容儀溫偉。紹客多豪俊，並有才說，見玄儒者，未以通人許之，竟設異端，百家互起。玄依方辯對，咸出問表，皆得所未聞，莫不嗟服。」

註二九　關於《禮古經》的來源，《漢書・藝文志》說「出於魯淹中（蘇林曰：「里名也。」）及孔氏」。劉歆《移讓太常博士書》謂「魯恭王壞孔子宅，欲以為宮，而得古文於壞壁之中，《逸禮》有三十九（篇）」（見《漢書》本傳）。此蓋《漢志》所謂得諸《孔氏》者也。又《漢書・河間獻王傳》謂獻王從民間搜集所得先秦古文舊書有古文《禮》，此蓋《漢志》所謂「出於魯淹中」者（《隋書・經籍志》亦云：「古經出於淹中，而河間獻王好古愛學，收集餘燼，得而獻之，合五十六篇，並威儀之事。」）。孔穎達《禮記》大題《疏》引鄭玄《六藝論》云：「得孔子壁中古文《禮》凡五十六篇，其十七篇與高堂生所傳同，而字多異。其十七篇外則《逸禮》是也。」賈公彥《儀禮・士冠禮・疏》曰：「魯人高堂生為漢博士，傳《儀禮》十七篇，是今文也。至武帝之末，魯恭王壞孔子宅，得古《儀禮》五十六篇，其字皆以篆書，是為古文也。古文十七篇與高堂生所傳者同，而字多不同。其餘三十九篇絕無師說，秘在於館。」按《逸禮》在西漢末已成絕學，舊說以為至東漢而皆亡佚，洪業以為「《逸禮》未嘗盡亡於東漢，殆為『今學』者所分輯於所傳授之經記中耳」。說詳《禮記引得序》，《洪業論學集》頁二〇四、二〇五。

註三〇　洪業以為《後漢書・儒林傳》「此說蓋誤。鄭從張恭祖、馬融學，皆古文也，何嘗是小戴之學？」且謂鄭玄所據之本，乃劉向所校古文秘書之抄本，而偶用今文。此論可備一說。說詳《儀禮引得序》，《洪業論學集》頁五〇。

註三一　《儀禮・士冠禮》「布席於門中，闑西閾外，西面」賈《疏》。

註三二　又阮元《周禮注疏校勘記序》曰：「其云故書者，謂初獻於秘府所藏之本也。其民間傳寫不同者，則為今書。」與賈公彥說異。

註三三　李源澄《鄭注〈周禮〉易字舉例》一文（載一九四三年十二月《

圖書集刊》第五期），對鄭《注》存故書、今書之例考辨甚詳。

註三四 俞樾《禮記異文箋》序曰：「《儀禮》之有古今文也，胡氏承珙為作《儀禮古今文疏義》：《周禮》之有故書也，徐氏養原為作《周禮故書考辨》，別異同，有功經學。然鄭康成注《禮記》，亦間存異文，前人未有考究者，輒作此《箋》，以補其闕。」

註三五、註三六 據廖平《今古學考》之今古學書目表，《國語》屬古學家書；《司馬法》、《孟子》屬今學家書。

註三七 《天官・序官》「辨方正位」賈《疏》：「《周禮》之內，鄭康成所存《注》有三家，司農之外，又有杜子春、鄭大夫者鄭少贛。……鄭玄若在司農諸家上注者，是玄《注》可知悉，不言『玄謂』；在諸家下注者，即稱『玄謂』，以別諸家。又在諸家前注者，是諸家不釋者也；又在諸家下注者，或增成諸家義，……或有破諸家者。」

註三八 按《禮記・明堂位》曰：「有虞氏官五十，夏后氏官百，殷二百，周三百。」

註三九 《孟子・萬章下》：「北宮錡問曰：『周室班爵祿也，如之何？』孟子曰：『其詳不可得聞也。諸侯惡其害己也，而皆去其籍。』」

註四〇、註四三 皮錫瑞《經學歷史》五《經學中衰時代》。

註四一 《新學偽經考》第八。

註四二 陸德明《經典釋文敘錄》：「永嘉之亂，施氏、梁丘之《易》亡。孟、京、費之《易》，人無傳者。」《隋書・經籍志》：「梁丘、施氏、高氏亡於西晉；孟氏、京氏，有書無師。」按此論《易》學之亡也。又《敘錄》：「永嘉傷亂，眾家之《書》並滅亡。」《隋志》：「永嘉之亂，歐陽、大小夏侯《尚書》並亡。」按此論《尚書》學之亡也。又《敘錄》：「《齊詩》久亡；《魯詩》不過江東；《韓詩》雖在，人無傳之者。」按此論《詩》學之亡也。又《敘錄》：「二《傳》，近代無講者。」《隋志》：「《公羊》、《穀梁》浸微，今殆無師說。」按此論《春秋》學之亡也。由上可見，漢今文十四博士之學，歷魏至晉永嘉之亂（發生於晉懷帝永嘉五年，三一一年），已陸續滅亡殆盡矣。

註四四、註五三　《禮學略說》，見《黃侃論學雜著》。

註四六　《後漢書・楊終傳》。

註四七　錢玄同對於今古學家經《注》之特點作此種分別，頗不以爲然，曰：「近人或謂今文家言『微言大義』，古文家言『訓詁名物』，這是兩家最不同之點，此實大謬不然。」說詳《重論經今古文學問題》。然就兩家注經方法之主導傾向而言，愚以爲上述分別大體上是不錯的。

註四八　《僞經傳於通學成於鄭玄考》。

註四九　《新學僞經考》第十二下。

註五〇　《後漢書・儒林傳》：「休爲人質樸訥口，而雅有心思，精研六經，世儒無及者。」

註五一　《儀禮》全書之鄭《注》中，正字讀之例僅十九見，其中「讀如」之例六，「讀若」之例三，「讀爲」之例八，「讀曰」之例二。

註五二　見《禮記・樂記》之孔《疏》。

註五四、註六五　《鄭君駁正三禮考》，《皇清經解續編》卷一三五八。

註五五　賈公彥《序周禮廢興》引鄭玄《序》云：「又云，斯（按指《周禮》）道也，文武所以綱紀周國，君臨天下，周公定之，致隆平龍鳳之瑞。」賈公彥接著說：「……唯有鄭玄遍覽群經，知《周禮》者乃周公致大平之跡，故能答林碩之論難，使《周禮》義得條通。」又《周禮・天官・序官》「唯王建國」，鄭《注》：「

周公居攝而作六典之職，謂之《周禮》。營邑於土中，七年致政成王，以此《禮》授之，使居雒邑治天下。」

註五六、註五九　參看顧頡剛《「周公制禮」的傳說和〈周官〉一書的出現》。

註五七　《周禮》爲周公所作的說法，據文獻記載始於劉歆。賈公彥《序周禮廢興》引《馬融傳》曰，《周官》一書「唯歆獨識。其年尙幼，務在廣覽博觀，又多銳精於《春秋》，末年乃知其周公致太平之跡，跡具在斯」。

註五八　孔穎達《王制》題《疏》：「《王制》之作，蓋在秦、漢之際。知者，按下文云『有正聽之』，鄭云『漢有「正平」，承秦所置』。又有『古者以周尺』之言，『今以周尺』之語，則知是周亡之後也。秦昭王亡周，故鄭答臨碩云『孟子當赧王之際，《王制》之作，復在其後』。盧植云『漢孝文皇帝令博士諸生作此《王制》之書』。」又《史記・封禪書》：文帝「使博士諸生刺《六經》中作《王制》」。

註六〇　參看顧頡剛《五德終始說下的政治和歷史》、《秦漢的方士和儒生》。

註六一　《經學歷史》四《經學極盛時代》曰：「故光武以赤伏符受命，深信讖緯，五經之義，皆以讖決。賈逵以此興《左氏》，曹褒以此定漢禮。於是五經爲外學，七緯爲內學，遂成一代風氣。」

註六二　見顧頡剛《王肅的五帝說及其對於鄭玄的感生說與六天說的掃除工作》，發表於一九三五年《史學論叢》第二期。本文此段之分析，即採顧氏之說。

註六三　孫詒讓《周禮正義・春官・司尊彝・疏》引。

註六四　《周禮・天官・籩人》：「籩人掌四籩之實。」鄭《注》：「籩，竹器如豆者，其容實皆四升。」

註六六　《群經平議》十九，見《皇清經解續編》卷一三八〇。

——原載《文史》第二一輯（北京：中華書局，一九八三年十月），頁二一——四二。

從實驗上窺見漢石經之一斑

馬　衡

書籍之版本，莫先於漢之《熹平石經》。緣其時經籍皆輾轉傳寫，文字沿訛，弊端日出。甚至有私行金貨，定蘭臺漆書經字，以合其私文者。當時蔡邕等爲挽救此弊，奏求正定六經文字。經靈帝之特許，刻石立於太學門外，以爲經籍之定本。後儒晚學，咸取正焉。

此巨大之工作，起於熹平四年，訖於光和六年（《水經注》言光和六年，當有所據，疑是刻成之年載在碑文者），凡歷九年而始告成。北魏之初，馮熙、常伯夫相繼爲洛州刺史，廢毀分用，大致頽落（見《魏書·馮熙傳》）。神龜元年，崔光議修補而未果（見《魏書·崔光傳》）。東魏武定四年，自洛陽徙於鄴都，至河陽，值岸崩，遂沒於水。其得至鄴者不盈太半（見《隋書·經籍志》）。北齊天保元年尚存五十二枚（見《北齊書·文宣帝紀》）。周大象元年，由鄴城遷洛陽（見《周書·宣帝紀》）。隋開皇六年，又自洛陽遷入長安（見《隋書·劉焯傳》）。其後營造之司又用爲柱礎。唐貞觀初，魏徵始收聚之，十不存一（見《隋書·經籍志》）。《漢石經》之命運，至是遂告終矣。

訖於北宋，以洛陽爲西京，達官貴人之名園別墅，所在多有，文化猶不甚衰落。好事者往往得石經殘片。南渡以後，不聞更有發見。至於近年，又復絡繹出土。惟兩次之所發見，皆屬洛陽，且仍爲漢魏太學之故址。鄴都與長安，不聞有所發見。頗疑兩次遷徙雖屬事實，但僅就完碑徙之（文宣帝詔書所言之數，或完碑又有殘毀，故併魏碑計之得五十二枚），其殘毀之石固猶存洛陽。岸崩沒水之說，恐爲徙石者之詭語，不足信也。

宋時所出殘字，洪适著之《隸釋》，得千九百餘字。近十年間之所出，見於《漢熹平石經殘字集錄》者，有三千餘字，其實尚不止此。余所見與《集錄》殘石互有出入。今從斷剝亡闕之餘，就其可以考見原刻之眞相者略舉如左，或亦留心古籍者之所樂聞歟？

一　字體

《後漢書・儒林傳序》認熹平所立爲古文篆隸三體書法，《洛陽伽藍記》亦以《魏石經》之《尚書》《春秋》二部作篆、科斗、隸三種字者爲漢右中郎將蔡邕筆之遺蹟。訛謬相沿，貽誤後學，實非淺鮮。酈道元注《水經》，紀載較爲詳明，其言曰：「漢靈帝光和六年，刻石鏤碑，載五經立於太學講堂，悉在東側。今碑上悉銘刻蔡邕等名。魏正始中，又立古篆隸《三字石經》，樹之於堂西。」始以三字屬之於魏，而於《漢石經》不言字體，是明以一字屬之於漢矣。《隋書・經籍志》錄《一字石經》，有《易》、《書》、《詩》、《禮》、《春秋》、《公羊傳》、《論語》七經，與今所見漢刻悉同。可見一字者爲漢刻，三字者爲魏刻。所謂三字者：一曰古文；二曰小篆；三曰隸書（即當時通行之字體）。古文爲壁中本，其字多不可識，故以小篆及隸書釋之。漢時立於學官者爲今文經，決不能以古文立之太學。魏正始中所以復立古文經者，以當時古文學已盛行，故又以古文本之《尚書》《春秋》二經刻石也。酈道元所見非三字之碑有蔡邕等名，宋黃伯思、洪适等所錄之一字《公羊傳》有堂谿典、馬日磾等名，今所見之《後記》亦有堂谿典劉寬等名，皆與《後漢書》所記諸儒參與熹平立石之事實相符。是可證《後漢書》三體之說爲一時記載之誤也。

其所以致誤之由，則以漢魏石經皆立於太學，世人每習聞三體之奇，遂並一字者而忽之。以楊衒之身在北朝，親見是碑，尚有此誤，更何論於范曄。余謂耳食者必不如目驗者之親切。楊衒之酈道元皆似親履其地者，楊謂三字一字者並在堂前，酈謂漢碑在堂之東側，魏碑在堂西。是酈詳於楊矣。楊記三字一字之碑數經數，雖較酈爲詳，而於三字碑祇云蔡邕遺蹟，似據傳說之辭。酈則云漢碑立於光和六年，碑上悉銘刻蔡邕等名，不但見經碑，且曾尋繹碑文矣。是酈較楊更可信也。近人猶有信《後漢書》而斥《水經注》者，誠所謂以不狂爲狂矣。余謂解答此問題，祇須知《漢石經》不應有古文，則《後漢書》之誤不攻自破，毋煩他求也。

二　經數

昔之言《漢石經》者，有五、六、七經之不同。其言五經者，《後漢書‧靈帝紀》、《盧植傳》、《儒林傳序》、《宦者傳》及《後漢紀》、《水經注》、《洛陽記》是也。其言六經者，《蔡邕傳》、《儒林‧張馴傳》是也。其言七經者，《隋書‧經籍志》是也。其言諸經之目者，《西征記》（《太平御覽》五八九引）、《洛陽伽藍記》舉《周易》、《尚書》、《公羊傳》、《禮記》四部，《洛陽記》舉《尚書》、《周易》、《公羊傳》、《禮記》、《論語》五經，《隋書‧經籍志》舉《周易》一卷、《尚書》六卷、《魯詩》六卷、《儀禮》九卷、《春秋》一卷、《公羊傳》九卷、《論語》一卷。諸家所記，以《隋志》所記爲最詳確。其所謂若干卷者，即存秘府之「相承傳拓本」也。《西征記》等之所謂《禮記》者，即《儀禮》也。王靜安謂魏晉以前，亦以今之《禮》爲《禮記》也。

宋時出土之經，祇《尚書》、《魯詩》、《儀禮》、《公羊傳》、《論語》五經，今日之所見者，除前出五經外，又得《周易》及《

春秋經》，故知《漢石經》之經數，爲一《周易》，二《尚書》，三《魯詩》，四《儀禮》，五《春秋》，六《公羊傳》，七《論語》，其數及目皆與《隋志》合也。

三 經本

後漢立五經博士十四：《易》有施、孟、梁丘、京氏四家，《書》有歐陽、大小夏侯三家，《詩》有魯、齊、韓三家，《禮》有大小戴二家，《春秋》有嚴顏二家。諸家各以家法教授，故章句間有異同。石經之立，欲盡刻十四家之章句。其勢有所不能，故以一家爲主，而羅列諸家異同於各經之末。此《漢石經》之例也。今就其可以考見者臚舉如下：

《易》，京氏。 近出《周易》殘石，表刻《家人》迄《小過》二十六卦，凡二十八行；裡刻《繫辭下》《文言》《說卦》，凡二十一行。《蹇》卦「大蹇朋來」之朋作崩，《困》卦「于臲卼」作「于劊」，《說卦》「坎者水也」之坎作欿，與《釋文》所舉京本合（崩見《復》卦，欿見《坎》卦）。余前跋此石，定其本爲京氏（見《北大圖書部月刊》第一卷二期）。又《釋文・繫辭下・洗心》條曰：「京、荀、虞、董、張、蜀才作先，石經同。」既於四家之中獨舉京氏，而又言石經與之同，是於上舉諸證之外，又得一鐵證矣。

《書》，歐陽。 新出《書序》一石：第一行「民」字爲《秦誓》篇末「以不能保我子孫黎民」之民字，第二行「廣度」二字（今本作光宅）爲《堯典序》，第三行「遂與」二字爲《湯誓序》，第四行「堪飢」二字下附一點爲《西伯堪飢序》（今本作戡黎），第五行「以其子」三字爲《洪範序》，第六行「使召公」三字爲《召誥序》，第七行「周公作君」四字爲《君奭序》，第八行「甫刑」二字爲《甫刑序》（今本作《呂刑》），第九行「同異」二字或爲校記。錢玄同以《漢書‧藝文志》敘《今文尚書》之卷數，大小夏侯二家《經》及《章句》皆二十九卷，《解故》二十九篇；而歐陽則《經》三十二卷，《章句》三十一卷，卷數獨多。又據《隸釋》所錄《石經‧尚書‧盤庚》殘字中下二篇之間空一字，以爲《盤庚》確分三篇，則總數爲三十一篇。益以此《序》則得三十二篇。《書序》不作訓，故《章句》爲三十一卷，《經》爲三十二卷。據此以證《漢石經‧尚書》之爲歐陽本。又引陳壽祺之「今文有序」十七證中之第十三證（原文引《後漢書‧楊震傳》震曾孫彪引《盤庚序》事），以爲東漢習歐陽《尚書》者引《書序》，不但可證歐陽本有《序》，更可證有《序》之《漢石經尚書》之爲歐陽本。其說是也。

《詩》，魯。　洪适見《鄭風校記》中有齊韓字，斷爲敘二家之異同。今茲所出，《詩》爲最多，《校記》中往往有齊言、韓言等字，與《公羊傳》之顏氏言同，故斷爲《魯詩》。

《儀禮》，大戴。　最近洛陽出一《儀禮》殘石，有篇題，曰「鄉飲酒第十」。據賈公彥《疏》言大小戴篇次之異同：大戴本《鄉飲酒》居第十；而小戴則同於劉向《別錄》之次第，居第四，其第十爲《特牲饋食禮》。以篇第考之，可決其爲大戴也。

《春秋》，公羊。　東漢惟公羊《春秋》立於學官。宋時出土，有傳而無經。

《公羊》，嚴氏。　洪适所錄《公羊校記》一段有顏氏言及顏氏有無字。今茲所出，亦有顏氏字。是用嚴氏本之證也。

《論語》，魯。　《論語》有齊、魯、古三家：《魯論》廿篇，《齊論》廿二篇，《古論》廿一篇。洪适所錄《論語》篇末有「凡廿篇萬五千七百一□字」等字。是《魯論》之篇數也。近出《堯曰篇》殘石，「謂之有司」句下無《不知命》一章，與《釋文》所稱魯本合，是《魯論》之章句也。然《校記》中無齊、古字，而有盍、毛、包、周字。余昔跋《堯曰篇》殘字，考爲張禹之《張侯論》（見《國學季刊》一卷三號）。以包周（《釋文序錄》云：「禹以授成帝。後漢包咸、周氏並爲《章句》，列於學官。」盍、毛今不可考）所傳乃張侯本也。《張侯論》在昔疑亦有魯論之目。

以上各本，篇章之異同，亦有可得而言者：如《易》分上下經，而《彖》《象》不與《卦辭》《爻辭》相連；《十翼》中有《繫辭》、《文言》、《說卦》、《序卦》，知《易》之篇數，當爲上下經及《十翼》爲十二篇。《詩》之篇章與毛或異。篇之異者：《小雅》則《采芑》、《車攻》、《吉日》、《白駒》四篇相次，《彤弓》《賓之初筵》相次；《大雅》則《旱麓》、《靈臺》、《思齊》、《皇矣》四篇相次，《生民》、《既醉》、《鳧鷖》、《民勞》四篇相次，《桑柔》、《瞻卬》、《假樂》三篇相次，《韓奕》《公劉》二篇相次。章之異者：《邶風・式微》首次二章先後互倒；《秦風・黃鳥》次章爲三章；《小雅・楚茨》四章爲五章，《都人士》無首章。《儀禮・鄉飲酒》居第十，其篇第當如賈《疏》所列：《士冠》第一，《士　》第二，《士相見》第三，《士喪》第四，《既夕》第五，《士虞》第六，《特牲》第七，《少牢》第八，《有司徹》第九，《鄉飲酒》第十，《鄉射》第十一，《燕》第十二，《大射》第十三，《聘》第十四，《公食》第十五，《覲》第十六，《喪服》第十七。《春秋》閔公附莊公後，不提行，不書閔公字，當爲十一篇。《論語・堯曰篇》無《不知命》一章，凡廿篇。至諸經文字之異同則不勝枚舉，當別撰《校文》，非此篇所能詳也。

四　行款

《漢石經》碑無縱橫界格，每行字數，各經不同，甚有一經之碑，表裡不同者。今約計之：則《易》行七十三字；《書》約七十三字；《詩・小雅・采薇》以上七十二字，《角弓》以下七十字（碑之表裡疑由此分）；《禮》七十三字；《春秋》七十字；《公羊傳》七十三字，自宣公十二年以下七十一字；《論語》七十三字。

其每碑行數，以未見完碑，不能確知。但魏之立石經，宜全仿漢碑之式。《水經注》言石長八尺，廣四尺。魏碑之廣當漢尺（即劉歆銅斛尺當〇・二三一米）四尺二寸，與酈說相符。今以《漢石經》殘字擬之，每一尺四五分可容字十行，則每碑當可容四十行或三十九行也（魏碑容三十四行，漢碑無界格，字又較密，行數必較魏碑爲多）。

書碑之式，各經不同，今所知者：《易》上下經卦文銜接，不空格，每卦之首，畫一卦象；《十翼》分章處空一格，加點識之；每篇題各佔一行。書篇題佔一行；《校記》分篇處空格加點。《詩》十五《國風》、二《雅》、三《頌》篇題各佔一行；每章末旁註其一、其二等字，佔一格，雖篇僅一章者亦注其一字；篇末章句下空格加點；每什後題之上亦空格加點，接書於章句之下；經末總計其字數；《校記》分篇處空格加點。《禮》篇題各佔一行，曰「某某第幾」；分章處加點不空格。《春秋》每公篇題各佔一行；分年處空格加點。《公羊傳》分年處空格加點，而冠以某年字；每年分事處加點而不空格。《論語》篇題各佔一行；分章處空格加點；每篇計其章數；經末計其篇數及總字數；《校記》分篇處空格加點。

若依此寫定，則除《尚書》外，其餘諸經，皆可得其大要矣。

五　石數

其石數則各家所記不同：《西征記》曰：「太學堂前石碑四十枚，亦表裡隸書。」《洛陽記》曰：「碑凡四十六枚。」《洛陽伽藍記》曰：「復有石碑四十八枚，亦表裡隸書。」王靜安著《魏石經考》

，先考漢之石經，以七經之字數排比之，從《洛陽記》之說，決爲四十六碑。余以爲《西征記》之四十，其下當有脫字，而八與六字形極相似，尤易致誤。惟《洛陽記》於總數之外，並記其方位及存毀之數曰：「西行《尚書》、《周易》、《公羊傳》，十六碑存，十二碑毀；南行《禮記》，十五碑悉崩壞；東行《論語》，三碑（《後漢書・蔡邕傳注》引作二，顧炎武《石經考》據總數改作三），二碑毀。」確與四十六枚之總數符合。是《洛陽記》所載較爲可信也。

其石之排列，每經當自爲起訖。今所見殘石之兩面有字者，表裡必同爲一經。《後漢書・儒林傳序》引楊龍驤《洛陽記》載朱超石《與兄書》云：「石經碑高一丈許，廣四尺，駢羅相接。」其所謂駢羅相接者，當指每經自爲起訖言。如《論語》三碑，書之者當起第一，訖第三，復轉至碑陰，起第三，訖第一。其式當如堵牆，非如唐清兩朝石經之式也。一九二三年冬，當《魏石經》出土後一年，余親至其地，調查眞相。見《魏石經》碑趺之呈露土中者，正駢羅相接，南北行，意其地爲講堂之西。時《漢石經》雖有發見，尙屬少數之小片，意必殘毀後雜於堂西魏石中者。近年漢石始大出，意其地當爲堂之東側，或亦有駢羅相接之碑趺，可供吾人考證也。

又經碑之外，尙有一碑，北京大學研究所國學門及北平圖書館各藏一殘石，亦表裡隸書，一面字較大，而又一面則較小（以下稱大字者爲「後記甲」，小字者爲「後記乙」）。字句雖斷續不完，確爲敘述刊立石經之事。其中兩見某年六月字，疑酈道元所謂光和六年者，即據此碑所紀之年月而言。《洛陽記》四十六枚之數，恐不數此碑也。

六　人名

據《後漢書・蔡邕傳》言奏求正定文字者，有蔡邕、堂谿典、楊賜、馬日磾、張馴、韓說、單颺等，而《靈帝紀》祗言召諸儒正五經文字。《邕傳》言邕自書丹，而《洛陽伽藍記》、《隋書經籍志》遂皆歸功於蔡邕。以如此巨大之事業，必非少數人所可從事者，邕雖擅書，亦不能以一人之力，書二十餘萬字。況光和元年，邕即以陳災變事獲罪徙朔方，明年，亡命江海，居吳會者積十二年。邕之參與此事，才三四年耳。余觀所出之七經字體，雖面貌相似，而工拙攸分。或人書一經，或一經又分數人，皆未可定。要之校理及書碑之役，必成於眾人之手，可斷言也。今據可以考見之人列舉如下。

校理人名表

姓名	字	籍	職官	出處
蔡邕	伯喈	陳留圉	議郎	後漢書本傳
堂谿典	伯幷	潁川鄢陵	五官中郎將	公羊碑　後記甲碑　蔡邕傳
楊賜	伯獻	弘農華陰	光祿大夫	蔡邕傳
馬日磾	翁叔	扶風茂陵	諫議大夫	儀禮碑　蔡邕傳
張馴	子儁	濟陰定陶	議郎	本傳　蔡邕傳
韓說	叔儒	會稽山陰	議郎	蔡邕傳　盧植傳
單颺	武宣	山陽湖陸	太史令	蔡邕傳
盧植	子幹	涿　涿	議郎	本傳
楊彪	文光	弘農華陰	議郎	盧植傳
李巡		汝南汝陽	宦者	後記甲碑　呂强傳
劉寬	文饒	弘農華陰	光祿勳	後記甲碑
趙䧞			諫議大夫	公羊碑

劉　弘	子高	南陽安衆	議郎	公羊碑
張　彣			郎中	公羊碑
蘇　陵			郎中	公羊碑
傅　楨			郎中	公羊碑
左　立			博士	論語碑
孫　表			郎中	論語碑
張　玹				後記甲碑
周　達			司空兼集曹掾	後記甲碑
尹　弘			司空屬	後記甲碑
孫　進			郎中	後記乙碑
傅　瓕			舍人	後記乙碑
陳　懿				後記乙碑

附刻工

陳　興			工	論語碑

以上二十五人中，惟陳興爲石工，此外皆爲校理或書碑之人矣。然博士十四人，惟《論語》尚存其名（《論語》不在五經博士之列，而爲專經者所兼習），餘皆不可知。

此稿成於一九三一年二月，爲北京大學研究所國學門月講之稿。時新自洛陽歸來，得見《儀禮‧鄉飲酒》殘石拓本，故定《儀禮》爲

大戴本，而《尙書》之本尙付闕如也。嗣後又得見《尙書・序》殘石拓本，於是七經之本皆可確定，因增訂潤色而成此篇。著者附記

——原載《凡將齋金石叢稿》（臺北：明文書局，一九八一年九月），頁一九九——二一〇。

魏石經概述

馬衡

魏立石經之事，雖不見於《魏志》，而《晉書·衛恆傳》及《魏書·江式傳》，皆有其紀載。《恆傳》云：「魏初傳古文者，出於邯鄲淳。恆祖敬侯（覬）寫淳《尚書》，後以示淳而淳不別。至正始中，立《三字石經》，轉失淳法。」《式傳》云載式上表曰：「陳留邯鄲淳以《書》教諸皇子，又建《三字石經》於漢碑之西。」是魏《三字石經》爲齊王芳正始中所立，信而有徵。以其每字具有古文、篆書、隸書三體，世謂之《三體石經》，又謂之《正始石經》。

《漢石經》之立，下距正始，不過六十餘年，中經董卓之亂，雖略有殘損，魏初已皆修補，且正始所立之二經，漢石經已皆有之，何須再立？此關於今文學與古文學問題，前於《漢石經概述》中已略及之。「自後漢以來，民間古文學漸盛，至與官學抗衡。逮魏初復立太學，暨於正始，古文諸經蓋已盡立於學官，此事史傳雖無明文，然可得而微證」（王國維說）。太學所有之《漢石經》皆今文，故刊古文經以補之。

其所補之經，爲《尚書》《春秋》二部，亦表裏刻。表爲《尚書》，裏爲《春秋》，與《漢石經》之諸經自爲表裏者，微有不同。據《漢書·藝文志》及《說文·敘》言，書與春秋皆有孔壁本，是即漢魏間傳據之古文。以此二經立諸太學，以應古文學家之要求，實當時必要之舉。其所以用三體者，以古文難識，列篆隸二體於其下，以爲釋文，所謂「以今文讀之」是也。

舊說，魏初傳古文者，出於邯鄲淳，有謂石經即淳書者，胡三省已闢其謬。是猶《漢石經》之書丹，世歸美於蔡邕，同出一轍。其實二經未必爲同一人所書，即每字三體，亦未必出自一手，此可由現存字中體驗而知者也。

《漢石經》在宋時曾在洛陽出土，而《魏石經》則不聞有所發見。其惟一流傳者，則爲洛陽蘇望摹刻故相王文康家之本，三體合計凡八百十九字。其後胡宗愈刻諸成都西樓者，蓋自蘇氏本出。今諸本悉已亡佚，僅存其字於《隸續》中，謂之《左傳遺字》。清臧氏琳著《經義雜記》，始從其中分出《尙書》殘字；孫氏星衍著《魏三體石經殘字考》，復以其中春秋殘字分繫諸公；其後王氏國維著《魏石經考》，又詳加分析，辨爲《尙書・大誥》、《呂刑》、《文侯之命》六段，《春秋》桓公、莊公、宣公、襄公七段，《春秋左氏》桓公《傳》一段。於是九百年來久失其次之石經遺字，始能循圖復按，各通其讀，誠一快事。

一八九五年（清光緒二十一年），洛陽故城龍虎灘出一殘石，存字一百有九（三體合計），爲《周書・君奭篇》殘字，是爲《魏石經》之第一次發見。一九二二年冬，洛陽朱圪壋村又發現大碑半截，其碑陽爲《周書・無逸》、《君奭》三十四行，碑陰爲《春秋》僖公文公三十二行；同出者尙有一小石，一面爲《周書・多士》，一面爲《春秋》文公，存字二百三十。其先出之《君奭》殘字，正與大碑銜接。其後又歷十餘年，《君奭》之最下截，即大碑之左下角出土，上有「第廿一」三字，碑陰則爲「第八」二字。字大二寸餘，刻工草率，蓋刻工記碑次第之符號，故其所在地，適當碑之最下層，陷入碑趺處。蓋每行有二十格，每格直書三體，距末格下約三寸處，畫一平衡横線，當係碑趺之高度。此線以下陷入碑趺，即有文字，亦不可得見。

《魏石經》之碑數，戴延之《西征記》以爲三十五碑，《洛陽伽藍記》以爲二十五碑，自來記載亦無確數。此記數之石出土，初以爲碑之都數必爲二十八，而考其實際，不無疑竇。《尚書・君奭》以下共有二百二十八行，以每碑三十四行計，七碑固足以容之。而《春秋》自僖公二十八年以上，並隱至僖五公篇題在內，共得二百五十四行，假定容以七碑，則必二碑爲三十七行，五碑爲三十六行，行款未免太密。且第六、第七兩碑皆有殘石存在，第七碑分明爲三十二行，與第八碑相同，則所餘之二百二十二行，勢必平均以三十七行容納於六碑之中。但第六碑末行之後尚空一行，如爲三十七行，則末行之後不可能留一行之餘地。凡此疑竇，實爲記數石與二殘石之矛盾。過信記數石，則《春秋》最前五碑與以後各碑行款不能相應。若益一碑，則記數石即須推翻。此不能解決之問題，祇可留待將來解決矣。

《隸續》所錄洛陽蘇望摹刻之《石經遺字》，稱之曰《左傳遺字》。其中除《尚書》《春秋》二經外，確有左氏桓七年《傳》九字、桓十七年《傳》二十六字。因此，王國維著《魏石經考》，疑當時所刊《左傳》，實未得十之二三。此說殊嫌牽强。碑石之斷有直裂，有横裂，大抵無定型，故所存之字亦參差錯落分占數行。此桓七年《傳》所存之字，爲「君子曰善」四字，合各體計之則爲九字；其十七年《傳》爲「疆事也於是齊人疆來公曰」十一字，合各體計之則爲二十六字。兩段文字皆是一行直下，亦無前後行之字闌入其間，石之斷成一窄行，決無是理，故知其非正式經文也。蓋《魏石經》不同於《漢石經》者有一特點，即除兩面經文外，往往有刻工試刻之字。意當時刻工對通行之隸書已有把握，而古文、小篆二體，非所素習，不能不以他石先行試刻。此事可以數事證之：㈠試刻之文多爲古、篆二體，或古文一體，罕見三體完具者；㈡試刻之文不必爲《書》與《春秋》，如「蝨六」一石，蝨字見《漢簡》虫部，注云蟹，在則切，古《禮記》」，又有一石有《論語》篇首文，一石有《急就篇》首文，不得目爲《禮記》、《論語》、《急就篇》皆立於太學也；㈢此類試刻之單詞隻句，大都不按每行六十字排列，隨宜書寫，如《高宗肜日》之「宗雊惟」爲每行五字，《多方》之「之克開于民之」爲參差不等之行款；㈣刻於他石者如《禹貢》篇首之三行，石作半月形，必非經碑，其刻於經碑之隱蔽處者，如《君奭》僖公碑之下截陷入碑趺者，除刻記數之字外，尙有不成文之殘字是也。此《左氏傳》兩段，三體具備，雜於二經之間，毫無不同之處，故極易誤認爲正式經文。所幸者，其排列方法不同於正經，即不按每行六十字排列，猶可推知其爲試刻之字，不過較《禹貢》等石更爲整齊耳。

正式經碑每行二十字，每字三體則爲六十字。每三體直書於長方形界格之內，是爲三體直下式。又有書古文於上，而並列篆、隸二體於其下，如品字形，每行三十七格，三體得百十一字，是爲品字式。品字式經文祇有《堯典》、《咎繇謩》二篇，其餘尙無發見。或僅刻二碑爲止，亦未可知。品字式古文與直下式古文時有異同之處，如帝字古文，品字式作[illegible]，直下式作[illegible]；其字古文，品字式作[illegible]，直下式作[illegible]；予字古文，品字式作[illegible]，同於篆文，直下式作[illegible]；水字偏旁，品字式作[illegible]，直下式作[illegible]。可見所據之古文傳寫本各有不同，因而有此岐異也。

此外尙有一事，不同於《漢石經》者，魏石於《春秋》一面，往往有補綴痕，因高八尺廣四尺之碑材，難免不有小病，於是鑿去其有病之處，而以小石補綴之，所補之石約占四字地位，亦無甚大者；半截大碑《春秋》僖三十二年及文二年文中即各有一處，可證也。《漢石經碑》尙未發見，或熹平選石較正始爲嚴歟？

——原載《凡將齋金石叢稿》（臺北：明文書局，一九八一年九月），頁二二〇——二二四。

魏晉南北朝時期的經學

牟鍾鑒

一、漢末經學

兩漢經學至東漢初中期達到鼎盛。《白虎通》使經學法典化；立五經博士，各以家法教授，凡十四博士；學經生員日益增多，順帝本初中，游學增至三萬餘生。但在官學繁榮的景象下潛伏著衰敗的危機。一者明經取士，經學成爲博取利祿的工具，「章句漸疏，而多以浮華相尙，儒者之風蓋衰矣（《後漢書・儒林傳》）。二者特重師法家法，一經有數家，一家有數說，學者嚴守門戶，經學支離破碎，難以從理論上貫通。於是漸有私學出現，經學大師力通數經並撰述諸經異同。如何休精研六經，賈逵集《古文尙書同異》，許愼撰《五經異義》，時稱「五經無雙」，蔡玄學通五經，馬融著《三傳異同》。馬融雖爲古文經學大師，已不復死守博士學舊式而有所突破。

漢末官方經學受到重大破壞，其因有三。一者「自桓靈之間，君道秕僻，朝綱日陵，國隙屢啓」（《後漢書・儒林傳》），外戚干政，宦官專權，佞臣擅令，經學所維護的綱常名教，被腐朽的統治集團自身所踐踏，名教的聲譽，一落千丈。二者桓靈之朝，兩次黨錮之禍，太學首當其衝，所誅黨人多是太學生，高士名儒多坐流廢，不少人退居鄉里授徒爲業。如鄭玄即曾爲黨錮所牽在家講學。於是官學廢而私學大盛。三者黃巾起事，群雄角逐而帝國崩潰。漢魏之際四五十年間，連遭動亂，戰爭頻仍，國家各級教育機構蕩然無存，典策圖籍毀於兵災。兵馬倥傯，重武輕文，用人準以幹才，風俗趨向勢利，經學被視爲無用，教育幾無人顧及。故魏國杜恕上疏說：「今之學者，師商韓而上法術，竟以儒家爲迂闊，不周世用」（《三國志・杜恕傳》）。正始中魏廷公卿以下四百餘人，能操筆爲文者不足十人（見《三國志・王肅傳注》）。至此，漢代官方經學徹底沈淪了。

然而經學私家講授，非但沒有衰亡，反而有所發展，最有成就者當推鄭玄。鄭玄曾師事第五元、張恭祖和馬融，兼採今古文經學，參合融通，遍注諸經，蔚成大家。《後漢書・鄭玄傳》說：

> 凡玄所注《周易》、《尚書》、《毛詩》、《儀禮》、《禮記》、《論語》、《孝經》、《尚書大傳》、《中候》、《乾象曆》，又著《七政論》、《魯禮禘祫義》、《六藝論》、《毛詩譜》、《駁許慎五經異義》、《答臨孝存周禮難》，凡百餘萬言。

黨禁解後，四方之士負糧來從鄭玄學經，世稱伊洛以東，淮漢以北，康成一人而已，實則非唯齊魯間宗之，其影響幾遍全國，如吳地程秉，蜀地姜維，皆宗鄭學。鄭學如此昌盛，有幾個原因。一因他知識淵博，精於訓詁，集漢代經學之大成，形成較爲系統完備的群經注本。二因他能打破家法局限，統一今文古文，而當時學者正苦於經學異說繁多，莫知所向，鄭玄爲學界提供了較爲標準的經注，使人們有所依循，如范曄所說：「鄭玄括囊大典，網羅眾家，刪裁繁誣，刊改漏失，自是學者略知所歸（《後漢書・鄭玄傳・論》）。三因弟子眾多，一傳再傳，播揚廣遠。皮錫瑞在《經學歷史》中說：

> 於是鄭《易注》行而施、孟、梁邱、京之《易》不行矣；鄭《書注》行而歐陽、大小夏侯之《書》不行矣；鄭《詩箋》行而魯、齊、韓之《詩》不行矣；鄭《禮注》行而大小戴之《禮》不行矣；鄭《論語注》行，而齊、魯《論語》不行矣。

鄭學能掃除家法，將紛繁的專門之學綜合爲大宗，乃是學術上的一種進步，反映了文化走向融合的基本趨勢。

與綜合派鄭學同時存在的還有荀爽、虞翻的《易》學。荀宗費氏《易》，虞主孟氏《易》，皆由家傳。《三國志·虞翻傳》注引《翻別傳》稱，虞翻奏表中說：「至孝靈之際，潁川荀諝（即荀爽）號爲知《易》，臣得其注，有愈俗儒」，又譏其短，復論鄭玄、宋忠注《易》，謂「忠小差玄，而皆未得其門，難以示世」，又奏鄭玄注五經，違義甚多，不可不正。虞翻之學不同鄭學，其《易》學實集漢代象數學之大成，以納甲卦氣之說解《易》，即將八卦與十干、五行、五方相配合，說明一月之中陰陽二氣的消長，又以六十四卦配十二月，說明一年之中氣候的變化。虞學流行江左，對中原影響不大。

鄭學雖然暫時成功地綜合整理了漢末經學（相對地），却不能挽回整個漢代經學的頹勢。一個重要原因是鄭玄經學屬於訓詁經學，缺乏哲學高度的整體思考。訓詁雖然可以闡明經義，但不能爲已經變化了的時代提供新的思想體系。而原有的天人感應、讖緯之學，已難維繫人心。鄭玄是位大學問家，却不是大思想家。有進取精神的思想家和學者不滿意鄭學一統的既有局面，力圖有所開創。

荊州學派的出現是漢末經學蛻變的重要一環。王肅與王弼的經學都與它有關。近人湯用彤先生《王弼之周易論語新義》一文（載《湯用彤學術論文集》）對荊州學派有許多重要分析。正當漢末中原戰亂不息之時，劉表治下的荊州地區取得相對安定的局面，「關西、兗、豫學士歸者蓋有千數，表安慰賑贍，皆得資全。遂起立學校，博求儒術，綦毋闓、宋忠等，撰立《五經章句》，謂之後定」（《後漢書·劉表傳》）。荊州學派的學術活動以經學爲主而不拘守漢學舊注。據《全三國文·劉鎮南碑》稱，表改定五經章句，「刪劃浮辭，芟除煩重」。所謂「後定」，係破除傳統經注而立新意，輕枝節而重義理。

荊州學派中心人物是宋忠、綦毋闓、司馬徽三人。宋忠（又稱宋衷），號仲子，爲荊州五業從事，乃劉表手下文教首席，精於《易》、《太玄》、《世本》，爲之作注，因以名聞遠近。宋忠著作已佚，從李鼎祚《周易集解》所引宋注看，宋忠注《易》不離陰陽象數，又比附於史事人倫，但簡約明晰，不似虞翻瑣細艱澀。如注「巽爲木」，云：「陽動陰靜，二陽動於上，一陰安靜於下，有似於木也」；注「坎爲水」，云：「坎陽在中，內光明有似於水」；注「遁之時義大矣哉」，云：「太公遁殷，四皓遁秦之時也」；注「地道無成，而代有終也」，云：「臣子雖有才美，含藏以從其上，不敢有所成名也。地得終天功，臣得終君事，婦得終夫業，故曰：而代有終也」。漢末《易》學與《太玄》學均受學界重視，鄭玄、荀爽、宋忠、王肅、虞翻、姚信、董遇、李譔均治《周易》，宋忠、陸績、虞翻、李譔均治《太玄》。《周易》是儒經中的主要哲學著作，虞翻所謂「經之大者，莫過於《易》」（《三國志・虞翻傳》注引《翻別傳》）；揚雄《太玄》乃是儒道結合的仿《易》作品，都以闡明天道與人道的內在聯繫爲主旨。漢末學者面臨著重新探索天道性命的任務，故熱心研究《周易》、《太玄》，借以接通儒道，建構性理之學。最能代表這一潮流的便是以宋忠爲首的荊州學派。宋忠的《易》學與《太玄》學在當時都有較爲廣泛的影響。

從魏地講，王肅「年十八，從宋忠讀《太玄》，而更爲之解」（《三國志・王肅傳》），則王學的來源之一便是宋學，其異於鄭玄便不足怪。王粲與族兄王凱避亂至荊州，依於劉表，觀其《荊州文學記官志》（《藝文類聚》卷三十八），對荊學諳熟而讚賞。王弼乃王粲之繼孫，則王弼的家學淵源可上溯於荊學。從蜀地講，尹默「遠遊荊州，從司馬德操、宋仲子等受古學」（《三國志・尹默傳》）。李譔「與同縣尹默俱游荊州，從司馬徽、宋忠等學，譔具傳其業」，「著古文《易》、《尚書》、《毛詩》、《三禮》、《左氏傳》、《太玄》指歸，皆依準賈、馬，異於鄭玄。與王氏（肅）殊隔，初不見其所述，而意歸多同」（《三國志・李譔傳》）。從吳地看，陸績「注《易》作《玄》，皆傳於世」（《三國志・陸績傳》），陸曾於張昭處得見宋忠《太玄解詁》，則其《太玄注》必與宋忠有關聯。虞翻雖不滿意於宋忠《易》注，又著《釋宋》以理其滯，然他熟讀宋忠書，以知荆學在江東有所流傳。荆州學派是鄭學之後異軍突起的一支力量，從中孕育著魏晉經學的萌芽。

二、魏晉時期的經學

鄭玄結束了今古文相爭的時代。荆州學派的出現，開始打破鄭學一統天下。王肅正面向鄭學的權威發起攻擊，於是經學進入王、鄭對抗的時期。《三國志・王肅傳》稱：

> 初，肅善賈、馬之學，而不好鄭氏，採會同異，爲《尚書》、《詩》、《論語》、《三禮》、《左氏》解，及撰定父朗所作《易傳》，皆列於學官。其所論駁朝廷典制、郊祀、宗廟、喪紀、輕重，凡百餘篇。時樂安孫叔然，受學鄭玄之門，人稱東州大儒，徵爲秘書監，不就。肅集《聖證論》以譏短玄，叔然駁而釋之，及作《周易》、《春秋例》、《毛詩》、《禮記》、《春秋三傳》、《國語》、《爾雅》諸注，又注《書》十餘篇。

王肅在《孔子家語序》中稱：「鄭氏學行五十載矣。自肅成童，始志於學，而學鄭氏學矣。然尋文責實，考其上下義理，不安違錯者多，是以奪而易之。」綜上所引，王肅之學，其來源一爲家學，即王朗的《易》學；二爲宋忠《太玄》之學；三爲賈、馬之學。又初學鄭氏而後又與之對立。王肅在魏朝居高位，其女適司馬昭，生司馬炎（後爲晉武帝）。憑借司馬氏的權勢，王肅諸經注及王朗《易傳》在魏與西晉初皆列於官學，一時取代了鄭學。王肅學問淵博，不囿舊說，遍考諸經而後能自成一家之學，不能看作單靠政治力量以推行學術。其經注主要駁鄭，對賈、馬亦有所超越，所論常有合理依據，確能彌補鄭學疏漏，不可一概視爲故意黜鄭之作，故其在東晉南北朝能繼續發生影響。如《毛詩・大雅・生民之什》：「履帝武敏，歆，攸介攸止，載震載夙，載生載育，時維后稷。」鄭《箋》取感生說，云：「帝，上帝也。敏，拇也。介，左右也。夙之言肅也。祀郊禖之時，時則有大神之跡，姜嫄履之，足不能滿，履其拇指之處，心體歆歆然，其左右所止住，如有人道感己者也。於是遂有身，而肅戒不復御，後則生子而養，長名之曰棄。」王肅《毛詩奏事》駁之曰：「稷契之興，自以積德累功於民事，不以大跡與燕卵也。且不夫而育，乃載籍之所以爲妖，宗周之所（註一）〔以〕喪滅」，以爲棄乃遺腹子，姜嫄避嫌而棄之（以上見孔穎達《禮記正義》）。王肅廢鄭玄荒誕之說，作出了符合常識的解釋，見解比鄭玄高明。王肅在《尚書注》中，對《禹貢》「五百里荒服，三百里蠻，二百里流」有自己的理解，表示：「賈馬既失其實，鄭玄尤不然矣」（孔穎達《詩經正義》），可知王肅於賈、馬亦不皆信。王肅對鄭玄經學的批評，集中表現於《聖證論》（馬國翰《玉函山房輯佚書》有輯本），如關於《尚書》「禋於六宗」，鄭玄認爲禋即祭天，六宗皆是天神：星、辰、司中、司命、風師、雨師；王肅據《孔子家語》謂六宗指四時、寒暑、日、月、水、旱。關於《詩・長發》「大禘」，鄭《箋》云：「郊祭天也」，王肅曰：「大禘爲殷祭，謂禘於宗廟，非祭天也」。關於《王制》「天子七廟，三昭三穆，與大祖之廟而七」，鄭玄認爲此乃周制，殷六廟，夏五廟；王肅認爲天子皆七廟，諸侯五廟，大夫三廟。關於圜丘與郊祭的關係，鄭玄以爲祭有兩禘，祭昊天於圜丘爲其一，祭上帝與南郊爲其二，兩者不同；王肅說禘乃祭祖，圜丘與郊同爲祭天，其實一也。凡此種種駁議，有的鄭王兩說可以並存，有的明顯是鄭非王是。張融評論說：「玄注泉源廣博，兩漢四百餘年未有偉於玄者。然二郊之祭，殊天之祀，此玄誤也。其如皇天祖所自出之帝，亦玄慮之失也。」此評較爲公允。也有鄭是而王非者，如關於《檀弓》「孔子少孤，不知其父之墓」，鄭《注》曰：「孔子之父郰叔紇與顏氏之女徵在，野合而生孔子，徵在恥焉，不告」，此說較樸實；王肅則曰：「聖人而不知其父死之與生，生不求養，死不奉祭，斯不然矣」，表現出對聖人的盲目崇拜心理。

王肅是否僞造《孔子家語》、《孔叢子》等書，前賢雖多有考辨，似仍不能定論。（註二）至於東晉梅賾所獻《古文尚書孔安國傳》，清人亦疑爲王肅僞造，然據孔穎達《尚書正義》引《晉書・皇甫謐傳》，此書本出於鄭沖，鄭與王肅同時，則王肅僞造可能性極小。（註三）

王學與鄭學之爭相當激烈。《聖證論》一出，即有鄭玄門人孫叔然出來駁斥。又有鄭玄之徒王基，據持玄義，常與王肅抗衡（《三國志・王基傳》）。至西晉初，郊廟之禮用王說不用鄭義，孔晁、孫毓等申王駁鄭，孫炎、馬昭等主鄭攻王。對於這些辯論，可視爲經學內部門戶之爭，其是非曲直不易遽斷。值得我們注意的是，在魏晉禪代之際，鄭學王學之爭具有鮮明的政治色彩，成爲曹氏集團與司馬氏集團之間爭權的思想工具。王肅是司馬氏集團的經學大師，又是朝廷典章禮制的重要顧問。據《王子正論》（見《玉函山房輯佚書》）載，魏廷遇有禮儀方面疑難之事，皇帝與尚書常向王肅求詢，並依準其議。如魏尚書奏事，漢獻帝嫡孫劉康處三年喪中，朝廷策命康襲爵，康著素服拜受，王肅以爲康受天子之命應著吉服，使者出，則反喪服，既合於禮，又合人情，詔從之。此類事甚多。曹爽被誅，大權落於司馬氏，曹氏宗室實不甘心。曹髦爲帝時，與司馬氏作了最後一次較量。曹髦有文才，通經學，以夏少康爲榜樣，懷中興曹家之志。他主鄭學而非王學，借以抑制司馬氏。曾親臨太學問難博士經義。《尙書》「稽古同天」一句，鄭注：「堯同於天」，王注：「堯順考古道而行之」。博士庾峻以爲賈逵、馬融、王肅爲長，曹髦以爲鄭注符合孔子本意。曹髦又不同意王肅「堯意不能明鯀，是以試用」之義，以爲聖哲不當如此（《三國志・魏書・三少帝紀》）。曹髦欲顯示自己學問博洽和對司馬氏經師的蔑視。曹髦敗亡後，王學更受重視。

王學興盛於西晉。至東晉元帝時，所置經學博士，除《周易》爲王學外，大多數爲鄭學。荀崧上疏請增置鄭《易》、鄭《儀禮》等博士，而不及王肅。此後鄭學基本上壓倒王學。考其原因在於，王鄭之爭是訓詁經學內部之爭，兩者治經的根本方法是相同的，兩者之異只在具體知識上。王肅注經並沒有提出一個適合時代發展需要的嶄新哲學體系，用以代替鄭玄的經學，他所做的，最多是對鄭玄經注的修正和補充。這就是王學不能最終戰勝鄭學並且不能爲經學開闢新時期的主要緣由。王肅的功績，除了增加若干經學知識之外，主要在於動搖了鄭玄在人們心中的至上權威，使人們對舊的章句之學發生懷疑，從而爲玄學經學的順利成長創造了獨立思考、自由競爭的思想環境。

玄學經學可以何晏、王弼爲代表。何晏《論語集解》，王弼《周易注》是玄學經學建立的標幟。玄學於正始年間興起，它究天人之際，通性命之理，研求體用、本末、有無的關係，所以是一種哲學思潮；它以《老》、《莊》、《易》爲主要思想資料，崇尙自然無爲，所以是兼融儒道的新道家思潮；它發揮道家破事象尋玄理的傳統，提出寄言出意的方法論，重在義理，不拘守章句，所以表現爲義理經學。玄學經學是玄學的一部分，是玄學家關於儒家經典的注說，其特徵是用老莊思想解釋儒經，並且只把儒經作爲一種憑藉，重點不在疏通經義，而在發揮注釋者自身的見解。這樣，它就與鄭王的訓詁經學有了根本性的差別，使經學發生劃時代的變化。

何晏《論語集解》是他與鄭沖、孫邕、曹羲、荀顗等雜採衆說而成，並申以己意，內中多有名理之談，但不突出。最宜於發揮玄理的是《易》學。王弼注《易》，所據雖是費氏《易》，卻能一掃漢代象數之學，援《老》入《易》注，專以闡述形器之上的本體之理爲務，簡約明快，前後一貫。何王之學，簡易而不膚淺，深刻而不晦澀，力圖從性理上著手，挽救名教的危機，故能取代漢代經學，成爲魏晉經學的代表作。王弼以《傳》證《經》，以簡馭繁，棄枝求本，給人以一種整體性強、蘊含豐富的《易》學世界觀。何王的經解，持久不衰，其內在的生命力旺盛是主要因素。

兩晉經學新舊參半。西晉重王肅，東晉重鄭玄，皆屬漢代訓詁經學傳統。何晏王弼的玄學經學亦流播其間。永嘉之亂，《易》亡梁邱、施、高，《書》亡歐陽、小大夏侯，《齊詩》在魏已亡，《魯詩》不過江東，《韓詩》無傳者，孟、京、費《易》無傳人，《公羊》《穀梁》浸微，漢代今文經學趨於湮滅（註四）。兩晉在創建新注上亦甚爲可觀。西晉杜預著《春秋左傳集解》、《春秋釋例》，崇尚《左傳》而貶《公羊》、《穀梁》，自立體例，不同前人。杜預治《春秋左氏傳》有以下特點。第一，將《春秋》與《左傳》按年相配，合而釋之，視經爲史，並常以《左傳》糾正《春秋》之誤。第二，以《春秋》義例爲周公之遺制，孔子加以發揮，用來匡正時弊，而有《左傳》變例，這樣周公地位就在孔子之上。第三，不一味袒護君權，常爲臣下辯解。如《傳》「祝聃射王中肩」，杜氏云：「鄭志在苟免，王討之非也。」又如《傳》「凡弒君稱君，君無道也」，杜氏云：「稱君唯書君名，而稱國以弒，言衆所共絕也。」第四，杜氏自稱有《左傳》癖，在《春秋經傳集解》上嘔心瀝血，功夫極深。又參考衆譜，第而爲《釋例》，並與汲冢《竹書紀年》相印證，完成《左傳》最精密完全的集解，深受孔穎達的讚許。近人蔣伯潛在《十三經概論》中說：「有《注》（杜注）而後《左傳》之義明，有《疏》（孔疏）而後杜氏之《注》明。」唐以後《左傳》其他注家隱沒，而杜注獨行於世。杜預《左氏》學不屬於玄學經學，是在繼承古文經學傳統基礎上有所開創。杜氏有清醒的理性主義傾向，而少漢儒神秘主義色彩，其大方向與魏晉思潮合拍，故其解說常有新義。

東晉偏安江左，經學如同其他士族文化，也得到較大發展。韓康伯注《繫辭》，用玄學解《易》，南齊以後人們將韓注與王弼注合爲一書。《四庫提要》說：

> 平心而論，闡明義理，使《易》不雜於術數者，弼與康伯深爲有功。祖尚虛無，使《易》竟入於老莊者，弼與康伯亦不能無過。瑕瑜不掩，是其定評。

《四庫提要》作者站在儒家立場，故斥責以老莊解《易》爲過，是偏見而非定評，但指出王韓《易》學擺脫了象數而重義理，則是實論。韓注《繫辭》尚自然而貴無，全用何晏王弼玄義。如《繫辭》「易知則有親，易從則有功」，韓注：「順萬物之情故曰有親，通天下之志故曰有功」。又《繫辭》「一陰一陽之謂道」，韓注：「道者何？無之稱也，無不通也，無不由也，況之曰道，寂然無體不可爲象，必有之用極而無之功顯」，此即玄學的以無爲本。又《繫辭》「鼓萬物而不與聖人同憂」，韓注：「萬物由之以化，故曰鼓萬物也。聖人雖體道以爲用，未能至無以爲體，故順通天下則有經營之跡也。」此即王弼「聖人體無」故不申無而爲有之義。他如引王弼以注「大衍之數」，以「無」釋「太極」等，皆不離玄學本旨。可以說韓康伯的《易》學是對王弼《易》學的直接繼承和補充。

在玄學以外的東晉經學大家范寧，以《春秋穀梁傳集解》一書聞名於世。范寧是范汪之子，儒家的忠實信徒，任官時致力於興學敦教，闡揚綱常名教。他激烈批評玄學，指責何晏王弼之罪過於桀紂，說：「王何蔑棄典文，不遵禮度，游辭浮說，波蕩後生」，「遂令仁義幽淪，儒雅蒙塵，禮壞樂崩，中原傾覆。」（《晉書・范寧傳》）他集解《穀梁》正是爲了扶植名教，對抗玄風。《穀梁》歷來無善注，范寧寫出了較好的注本，從而擴大了《穀梁》的影響。范寧在《春秋穀梁傳序》中說，孔子爲了匡時弊、復王道，「因魯史而脩《春秋》」，《春秋》乃「不易之宏軌，百王之通典」，成天下之事業，定天下之邪正，莫善於《春秋》。」他認爲「《春秋》之傳有三，而爲經之旨一」，《三傳》皆有不足，不可强通。他的原則是「凡《傳》以通《經》爲主，《經》以必當爲理」，要「棄其所滯，擇善而從」。他評論《三傳》：「《左氏》豔而富，其失也巫；《穀梁》清而婉，其失也短；《公羊》辯而裁，其失也俗」。他不固守一家門戶，而欲「據理以通經」。他集解《穀梁》的特點如下。第一，採集範圍相當廣泛，兼用《三傳》，對鄭玄、何休、服虔、許慎、江熙、杜預、徐邈等，皆有所引證。第二，偏重古文經學和鄭學。多引何休義，又常常引鄭玄加以駁釋，這是一種很獨特的方法。如《穀梁》莊公十八年「春，王三月，日有食之。不言日，不言朔，夜食也。何以知其夜食也？曰：王者朝日。」范寧引何休義：「《春秋》不言月食日者，以其無形故闕疑，其夜食何緣書乎？」接著又引鄭玄，「鄭君釋之曰：『一日一夜，合爲一日，今朔日日始出，其食虧傷之處未復，故知此自以夜食，夜食則亦屬前月之晦，故穀梁子不以爲疑。』」用鄭玄否定了何休。類似情況有若干處。第三，特重晉代杜預《左氏解》。開卷注「隱公元年春王正月」，即引杜氏以釋之；卷末又引杜氏以注「西狩獲麟」，書中凡引杜預義從不駁斥。第四，常有責君之言。如《穀梁》桓公十四年，「春，正月，公會鄭伯於曹，無冰。」范寧云：

「皆君不明去就，政治紀綏之所置。」《穀梁》文公十八年，「莒弒其君庶其」，范寧云：《傳例》曰：稱國以弒其君，君惡甚矣。」其義例同於杜預《左氏》。第五，以《傳》文糾補《經》文的失誤。如《穀梁》成公元年，「齊人有知之者曰：『齊之患，必自此始矣』」，范寧注曰：「穀梁子作《傳》，皆釋《經》以言義，未有無其文而横發《傳》者。寧疑《經》冬十月下云『季孫行父如齊』，脫此六字。」第六，直評《穀梁》失錯，不加曲護。如《穀梁》昭公十一年，「夏，四月，丁巳，楚子虔誘蔡侯般，殺之於申。何爲名之也？夷狄之君，誘中國之君而殺之，故謹而名之也。」范寧注曰：「蔡侯般，弒父之賊，此人倫之所不容，王誅之所必加。禮，凡在官者，殺無赦，豈得惡楚子殺般乎？若謂夷狄之君不得行禮於中國者，理既不通，事又不然」，「凡罰當其理，雖夷必申；苟違斯道，雖華必仰。」范寧用宗法禮制爲標準區別華夷，不同意《穀梁》以民族地域爲標準揚華抑夷，其見識勝過《穀梁》。又《穀梁》哀公二年「晉趙鞅帥師，納衛世子蒯聵於戚。」對於《傳》文的說明，范寧表示「寧不達此義」，「《傳》似失矣。」范寧又注《論語》，時有新意，如說「宰予晝寢」，云：「夫宰予者，升堂四科之流也，豈不免乎晝寢之咎，以貽朽糞之譏乎？時無師徒共明勸誘之教，故托夫弊跡以爲發起也」（見《玉函山房輯佚書》）。馬國翰謂其「不苟隨俗，能發前人所未發。」

干寶《易》學自成一家。馬國翰評曰：「史稱寶好陰陽術數，留心京房、夏侯勝之傳，故其注《易》盡用京氏占候之法以爲象，而援文武周公遭遇之期運，一一比附，後人譏其小物詳而大道隱」（《玉函山房輯佚書・周易干氏注序》）。實則干寶《易》學與宋忠極似，又折衷於術數與玄義之間，不是漢《易》的簡單翻版。《易乾卦》「初九潛龍勿用」，干注：「位始故稱初，陽重故稱九，陽在初九，十一月之時」，「陽處三泉之下，聖德在愚俗之中，此文王在羑里之爻也。」「乾卦九五，飛龍在天，利見大人」，干注：「陽在九五，三月之時」，「五在天位，故曰飛龍，此武王克紂，正位之爻也。」餘多類此。以卦象比附周史，是宋忠《易》注的特色。而干寶注《易傳》又引用老莊思想。如《序卦》「有天地然後萬物生焉」，干注：「物有先天地而生者矣，今止取始於天地，天地之先，聖人弗之論也，故其所法象必自天地而還。《老子》曰：『有物混成，先天地生，吾不知其名，强字之曰道』，《上繫》曰：『法象莫大乎天地』，《莊子》曰：『六合之外，聖人存而不論』。（以上《玉函山房輯佚書·周易干氏注》）干寶注《易》兼顧象數玄義與從歷史的人事上立論，對於宋代程朱與蘇氏《易》學都有影響。

魏晉時代的經學，學派並起，是經學史上變動劇烈的時期。各派都能破兩漢今古文壁壘與師法家法界域，在觀點和方法上揉合儒道而力求有所創新，義理之學、訓詁之學、禮制之學並行不悖。經學在外部要與佛道抗衡，在內部又學派雜多，自身不能形成統一的局面，這是政治下不統一和文化上多樣化所造成的結果。這固然使經學喪失了兩漢時代那樣的絕對優勢，卻由於打破漢代經學固陋、僵化的弊病而豐富了經學的內容，進一步煥發了經學的生機，爲後來經學的更大發展準備了條件。魏晉時期的經學在整個中國經學史上占有重要位置。唐孔穎達作《五經正義》，所用魏晉人經注有三，漢人經注有二。世傳《十三經》，除《孝經》注是唐玄宗所作外，漢注與魏晉注各居其半。漢注有：鄭玄箋《毛詩》，注《周禮》、《儀禮》、《禮記》；何休注《公羊傳》；趙岐注《孟子》。魏晉注有：王弼、韓康伯注《周易》，何晏集解《論語》，杜預集解《左傳》，范寧集解《穀梁》，郭璞注《爾雅》。此外，僞《古文尚書孔安國傳》係魏晉作品。魏晉時期的經學有較高的學術價值，所以能夠長久流傳，這是封建宗法社會歷史按照穩定性的要求對經注作出的抉擇。

三、南朝經學

東晉以後，中國形成南北對峙的政治局面，南方經歷宋、齊、梁、陳四朝，北方由十六國遞變爲北魏（最後分裂爲東魏西魏）、北齊、北周。南北政治分立，文化上有明顯差異，經學的崇尚與風格南北亦有很大的不同，皮錫瑞稱之爲「經學分立時代」。《北史‧儒林傳》說：

> 大抵南北所爲章句，好尚互有不同。江左，《周易》則王輔嗣，《尚書》則孔安國，《左傳》則杜元凱。河洛，《左傳》則服子愼，《尚書》、《周易》則鄭康成。《詩》則並主於毛公，《禮》則同遵於鄭氏。南人約簡，得其英華；北學深蕪，窮其枝葉。

換言之，南朝經學重魏晉傳統，北朝經學重漢末傳統。所謂「分立」只是相對而言，南北在《詩》、《禮》上流行同樣的注本，南朝亦重鄭玄，北朝亦有王肅之學，河南及青、齊之間儒生多講王弼《易》注，齊地多習杜預《左氏》，南北儒者的交往未曾斷絕，所以不宜將南北經學的差別絕對化。

南朝《宋書》、《齊書》無《儒林傳》。宋、齊兩代享運較短，第一代皇帝身後，政治穩定即被內亂破壞，官方經學事業難以充分發展，雖有精於五經的學者，不能造成經學的強大聲勢。

宋元嘉年間立四學：儒、玄、史、文，雷次宗、朱膺之、庾蔚之主持儒學，開館授徒。宋代最重視《禮》學。雷次宗明《三禮》，曾爲皇太子、諸王講《喪服經》，其禮學造詣與鄭玄齊名。何承天將先前《禮論》八百卷刪減并合爲三百卷，傳於世。觀《宋書‧禮志》，朝廷禮制多用鄭注，何承天《禮論》亦用鄭玄而斥王肅，在「六宗」

的理解上何承天認爲「張融許從鄭君，與義爲允」（《玉函山房輯佚書・何承天禮論》）。然而宋代士人亦欽慕魏晉玄風。顏延之爲國子學祭酒，重視魏晉玄學，著《庭誥》論《易》學：

> 《易》首體備，能事之淵，馬陸（馬融、陸績）得其象數，而失其成理；荀王（荀爽、王弼）舉其正宗，而略其象數。四家之見，雖各爲所志，總而論之，性情出乎徹明，氣數生於形分。然則荀王得之於心，馬陸取之於物，其善惡迄可知矣。夫數象窮則大極著，人心極則神功彰，若荀王之言《易》，可謂極人心之數者也。（《玉函山房輯佚書・小學類》）

顏氏將荀、王並提似不妥，但他分別漢《易》與玄《易》的議論卻很精妙，說明王弼《易》學在宋代確有影響。

齊代經學兼重漢代經學與魏晉經學，「時國學置鄭、王《易》，杜、服《春秋》，何氏《公羊》，麋氏《穀梁》，鄭玄《孝經》」（《南齊書・陸澄傳》）。陸澄與王儉書信論經學優劣，謂漢《易》以象數爲宗，王弼所悟雖多，不能頓廢前儒。元嘉建學之始，玄、弼兩立，顏延之爲祭酒，黜鄭置王，意在貴玄。今「眾經皆儒，惟《易》獨玄，玄不可棄，儒不可缺。謂宜並存，所以合無體之義。」又謂「案杜預注《傳》，王弼注《易》，俱是晚出，竝貴後生。杜之異古，未如王之奪實，祖述前儒，特舉其違。又《釋例》之作，所弘惟深。」又論《穀梁》與《公羊》，肯定麋信、何休而貶抑范寧。對世傳鄭注《孝經》的可靠性提出懷疑。王儉答書中贊同陸澄觀點，唯有《孝經》鄭注，「前代不嫌，意謂可安，仍舊立置。」（以上引文見《南齊書・陸澄傳》）。於此可知齊代經學雖謂玄儒并立，除《易》、《左傳》外，漢學占據多數經注，玄學經學反成劣勢。齊代《禮》學亦較發達，官學有王儉，私學有劉瓛，堪稱大家。《南齊書・王儉傳》稱：「儉長《禮》學，諳究朝儀，每博議，證引先儒，罕有其例。八坐丞郎，無能異者。」王儉領國子祭酒，於宅中開學士館，又爲尚書令，深得齊高帝賞識。著《古今喪服集記》、《禮義答問》等，對於朝廷禮儀事，多有議定。如齊高帝建元四年（四八二年）山陵昭皇后遷祔葬事，王儉依范寧義定之。《南齊書・禮志序》說：「永明二年（四八四年），太子步兵校尉伏曼容表定禮樂。於是詔尚書令王儉制定新禮，立治禮樂學士及職局，置舊學四人，新學六人」，「因集前代，撰治五禮，吉、凶、賓、軍、嘉也。」齊廷修定禮樂，多依鄭玄，偶采王肅。劉瓛是一代大儒，劉繪、范縝、司馬筠、賀瑒等皆出其門下。《南齊書・劉瓛傳》說他拒絕做官，「儒學冠於當時」，「所著文集，皆是《禮》義，行於世。」

南朝經學以梁代最盛。梁武帝會同儒釋道三教，尤重儒術。天監四年（五〇五年）下詔置五經博士各一人，以明山賓、沈峻、嚴植之、賀瑒、陸璉爲博士，各主一館，每館有數百生，射策明通者即除爲吏，「十數年間，懷經負笈者雲會京師」，又遣學生往何胤處受業。分遣博士祭酒，到州郡立學。天監七年（五〇八年）又詔皇室貴胄就學儒業，武帝親自祭奠儒聖並爲講經，一時經學大興（以上見《梁書・儒林傳》）。梁代明經學者甚多，除已述者外，尚有伏曼容、何佟之、范縝、司馬筠、崔靈恩、太史叔明、皇侃等人。

梁代經學有以下幾點值得重視。第一，對以往經學各派進行綜合採納的傾向得到進一步發展，鄭玄、王肅、王弼的經學以及晉代新經學，都受重視，又都有所棄取，學風較爲開放自由。比較而言，玄學的影響大一些。如梁武帝在禮樂上用鄭又糾鄭，嚴植之能玄言，太史叔明兼通老莊與經學，崔靈恩初習服虔《左氏》，又改說杜預義，卻又常申服難杜，助教虞僧誕作《申杜難服》以答之。《南史・儒林・王元規傳》說：「自梁代諸儒相傳爲《左氏》學者，皆以賈逵、服虔之義難駁杜預，凡一百八十條。元規引證通析，無復疑滯。」朱異對北朝李業興說：「北間郊，丘異所，是用鄭義，我此中用王義」（魏書・儒林・李業興傳》）。皇侃《論語義疏》引凡三十餘家，包括梁以前各派經注，其中玄學經注較多。伏曼容集解《周易》蠱卦，謂「蠱，惑也，萬事從惑而起」（《玉函山房輯佚書・周易伏氏解》），則又滲入了佛教觀點。第二，更加重視經學在宗法禮制方面的應用，即《禮》學。南朝門閥士族極講究宗法血統、遠近親疏，這關係到人們的社會地位、出路，關係到爵位與財產的承襲。這種宗法等級關係必須由嚴格、細瑣的禮儀來維持，《三禮》之學恰能滿足這種社會需要，故而發達興旺。南朝皆重《禮》學，梁代尤甚。馬宗霍先生在《中國經學史》中概述南朝《禮》學時說：

> 經學之最可稱者，要推《三禮》。故《南史・儒林傳》何佟之、司馬筠、崔靈恩、孔僉、沈峻、皇侃、沈洙、戚袞、鄭灼之徒，或曰「少好《三禮》」，或曰「尤明《三禮》」，或曰「尤長《三禮》」，或曰「通《三禮》」，或曰「善《三禮》」，或曰「受《三禮》」。而晉陵張崖、吳郡陸詡、吳興沈德威、會稽賀德基，亦俱以《禮》學自命。《三禮》之中，又有特精者。如沈峻之於《周官》，見舉於陸倕；賀德基之於《禮記》，見美於時論。《儀禮》則專家尤眾。鮑泉於《儀禮》號最明。分類撰著者，有明山賓《吉禮儀注》、《禮儀》、《孝經、喪禮服儀》，司馬褧《嘉禮儀注》，嚴植之《凶禮儀注》，賀瑒《賓禮儀注》，而沈不害則總著《五禮儀》。

第三，在治經的方式方法上，講疏或義疏的體裁最爲流行。它的興起，起緣於講經之風，效佛教升座說法的方式，講論經義，然後形諸文字，便是講疏。如梁武有《周易、中庸講疏》，褚仲都撰《周易講疏》，費甝著《尙書義疏》，何佟之有《喪服經傳義疏》，皇侃撰《禮記、論語義疏》等。此類經著的數量，相當可觀，可惜多數已失傳。從少數流存遺文看，講疏或義疏不同於漢代的傳注或一般的集解，不重視對經文名物的歷史詮釋，而在於疏通經文大意；又不同於玄學經學的寄言出意，不離開經義自我縱情發揮。或守一家之注，或旁徵博引諸家之說，然後加以選擇、融會，用來闡明經文的旨意。所以它是介於義理與訓詁之間的一種經學著作形式。

現以梁武帝和皇侃的經學爲例，來說明梁代經學的一般特徵。梁武是一位大經學家，一生撰著經義凡二百餘卷。又根據《五經》，制禮作樂。「天監初，則何佟之、賀瑒、嚴植之、明山賓等覆述制旨，並撰吉凶軍賓嘉五禮，凡一千餘卷，高祖稱制斷疑。」（《梁書・武帝下》）《隋書・禮儀志一》載梁武《明堂制》，糾正《大戴禮》與鄭玄，認爲明堂本爲祭五帝神，而聽朔處應在五帝堂之外。《梁書・儒林・司馬筠傳》，天監七年朝議皇子慈母喪服，司馬筠引鄭玄義，以爲宋從小功之制不合於《禮》，皇子應不服。梁武不以爲然，辨析「慈母」有三義：「一則妾子之無母，使妾之無子者養之，命爲母子，服以三年」；「二則嫡妻之子無母，使妾養之」，「服以小功」；「其三則子非無母，正是擇賤者視之，義同師保，而不無慈愛，故亦有慈母之名」，「則此慈母亦無服矣。」指出「鄭玄不辨三慈，混爲訓釋」，「宋代此科，不乖《禮》意」，於是依此定議，以爲永制。皇帝親自主持，召集大臣討論皇子喪服問題。它不止是關於喪制儀式的規定，它關係到正嫡庶、別親疏的一整套封建秩序，如吳承仕先生所指出的：「《喪服》中諸條理，是宗法封建社會中一種表現人倫分際的尺度」（《吳承仕文錄》），喪服典制實同法律一樣重要。梁武又親定郊、禋、宗廟之樂，作《鍾律緯》調正呂律尺度。他又作《孝經義疏》。據《梁書・武帝紀》，中大通四年（五三二年）三月，侍中領國子博士蕭子顯上表，置《制旨孝經》助教一人，生十人，專通高祖所釋《孝經義》，是則梁武《孝經義疏》列爲國學。據馬國翰輯佚書，梁武對《孝經》宗旨，頗多疏證。如關於天子以愛敬爲孝，庶人以躬耕爲孝，兩者是否相通的問題，梁武認爲「庶人雖在躬耕，豈不愛敬？」五等（天子、諸侯、大夫、士、庶人）之孝是相通的，只是庶人名分在「保守田農」，而無守任之職責罷了。梁武的經學思想兼有儒佛道諸因素，如《孝思賦》（載《全梁文》）有濃厚佛教思想，又如與北朝李業興問答時，並論儒玄，又問太極是有無（見《魏書·李業興傳》），則有玄學意味，這是三教合流思潮在他身上的體現。

皇侃是賀瑒的學生，對《三禮》、《孝經》、《論語》很有研究，曾爲梁國子助教，入壽光殿講《禮記義》，受到梁武帝稱讚。其《孝經義疏》已佚，考其遺文，與梁武帝觀點基本一致，以「孝爲百行之本」，「孝之爲教，使可常而法之」，又以爲從天子到庶人，「尊卑既異，恐嫌爲孝之理有別，故以一。子曰：『通冠五章，明尊卑貴賤有殊，而奉親之道無二』」（《玉函山房輯佚書》）。其《禮記義疏》亦佚，孔穎達《正義》多所引證。孔氏評論云：「皇氏雖章句詳正，微稍繁廣；又既遵鄭氏，乃時乖鄭義。此是木落不歸其本，狐死不首其丘。」（《禮記正義序》）其實這恰恰是梁代經學也是南朝經學的特點。

皇侃的《論語義疏》，是在何晏《論語集解》基礎上，廣採博引而後形成的。此書亡於南宋，清乾隆年間復從日本傳回中國，是南朝諸多經疏中，保存至今的最完整的一部書，現據《知不足齋叢書》本，予以簡要評析。

首先，該疏博極群言，搜集了一大批重要學者的注疏，反映了當時經學求同存異的風氣。所引資料，有江熙所集十三家注，即晉代衛瓘、繆播、欒肇、郭象、蔡謨、袁宏、江淳、蔡系、李充、孫綽、周瓌、范寧、王珉。其餘有揚雄、馬融、鄭玄、苞咸、王肅、孔安國、繆協、何晏、王弼、王朗、季彪、顧歡、沈居士、張憑、殷仲堪等，約三十餘家。按比重以魏晉學者居多，特別是王弼、郭象、范寧、李充、孫綽、顧歡等人經注，最受重視。

其次，與何晏《論語集解》比較，該疏的玄學傾向更加突出，並雜以佛學。皇侃在《論語義疏敘》中說：「聖人雖異人者神明，而同人者五情」，這正是王弼的看法。《學而》篇「行有餘力則以學文」，有人問：「四教」中「文」在前，則「文」或先或後，何也？皇侃答曰：「《論語》之體，悉是應機適會，教體多方，隨須而與，不可一例責也」，此即是玄學所謂道無常體、應感而顯的思想。《爲政篇＞「子曰：爲政以德」，皇侃引郭象「萬物皆得性謂之德」以釋之。《公冶長篇》「子貢曰：夫子之文章可得而聞也，夫子之言性與天道，不可得而聞也已矣。」皇侃云：「文章者六籍也，六籍是聖人之筌蹄，亦無關於魚兔矣」，與玄學「言意之辨」相吻合。《先進篇》「屢空」，皇侃提出兩種解釋，其第二種是：「空猶虛也，言聖人體寂而心恆虛無累，故幾動即見；而賢人不能體無，故不見幾，但庶幾慕聖，而心或時而虛，故曰『屢空』」，這裡完全離開了《論語》原義而作純粹玄理的發揮。《先進》篇「季路問事鬼神」，皇侃云：「外教無三世之義，見乎此句也。周孔之教唯說現在，不明過去未來」，皇氏非但不批評佛教，反以佛教口吻貶周孔爲識見不廣的「外教」，足見受佛教影響。皇侃在《論語義疏敘》中申明「侃今之講，先通《何集》，若《江集》（即江熙所集十三家注）中諸人有可採者，亦附而申之；其又別有通儒解釋於《何集》無好者，亦引取爲說，以示廣聞也。」他對何晏的補充，在資料範圍上更加廣泛，在義理深度上更近於王弼、郭象之學。

第三，常用問答體揭示歧義，不回避疑難聚訟的問題，而能在集眾說之後斷以己意，自樹新說。如《學而篇》「三年無改於父之道，可謂孝矣」，皇侃釋以二義：「一則哀毀之深，豈復識政之是非？故君薨，世子聽冢宰三年也；二則三年之內，哀慕心，事亡如存，則所不忍改也。」人問：若父政惡可不改乎？皇侃回答說「本不論父政之善惡，自論孝子之心耳。」此可自成一說。《里仁篇》「子曰：事父母幾諫。見志不從，又敬而不違，勞而不怨」。皇侃指出，以往經記說法不一，有難解處。《檀弓》云：「事親有隱無犯，事君有犯無隱」，但《孝經》、《曲禮》、《內則》皆云君親有過，並宜微諫；有大過則極於犯顏。皇侃的解釋是：「《檀弓》所言，欲顯眞假本異，故其旨不同耳。」「父子天性，義主恭從，所以言無犯是其本也。而君臣假合，義主匡弼，故云有犯亦其本也。」有人引《春秋》，皇侃卻說：「《春秋》之書，非復常準，苟取權宜，不得格於正理也。」《述而篇》「述而不作」，皇侃對此有新的說明：「制作禮樂必使天下行之。若有德無位，既非天下之主，而天下不畏，則禮樂不行；若有位無德，雖爲天下之主，而天下不服，則禮樂不行。故必須並兼者也。孔子是有德無位，故述而不作也。」在這些地方，表現出皇侃能衝破舊說，成一家之言。皇侃《論語義疏敘》中有關於《論語》早期結集的重要資料，其《義疏》中又保存了許多魏晉之際已佚亡的諸家注說，加上他自己的創見，使這部書有較高的歷史價值，事實上它也已成爲《論語》學發展史上劃時代的代表著作，如《四庫提要》指出的：「今觀其書（指宋邢昺《論語正義》），大抵翦皇氏之枝蔓，而稍傳以義理，漢學宋學茲其轉關，是《疏》出而皇《疏》微，迨伊洛之說出，而是《疏》又微。」

陳代經學可視爲梁代經學的餘緒，經學大儒周弘正、張譏、沈文阿、戚袞、沈不害、王元規等，都經歷梁陳兩代。陳代亦重《禮》學，經師參與朝儀的改定。如沈文阿議定陳高祖靈座俠御衣服之制，又議定世祖即位謁廟之禮（《陳書・儒林・沈文阿傳》）。沈洙、戚袞、賀德基皆是《禮》學專家。陳代經師又多喜老莊，能玄言。周弘正幼「通《老子》、《周易》」（《陳書・周弘正傳》），全緩「治《周易》、《老》、《莊》，時人言玄者咸推之」，張譏「篤好玄言」，顧越「善談名理」（以上見《陳書・儒林傳》）。周弘正論《易》曰：「《易》稱立象以盡意，繫辭以盡言，然後知聖人之情，幾可見矣。自非含微體極，盡化窮神，豈能通志成務，探賾致遠」（《陳書・周弘正傳》）。據此而知周氏《易》學宗王弼。如馬國翰所說：「大抵衍輔嗣之旨，亦或用鄭說，而於《序卦》分六門以主攝之，頗見新意。」（《玉函山房輯佚書・周易周氏義疏序》）《顏氏家訓・勉學篇》說：「梁世《老》、《莊》、《周易》總謂三玄，武皇、簡文躬自講論；周弘正奉贊大猷，化行郡邑」，則周弘正是南朝「三玄」之學的代表人物之一。張譏是周弘正的學生，其解《易》大致與周同，多用王弼義，如釋「潛龍勿用」云：「王注云識物之動，謂龍之動也，則其所以然之理皆可知者，謂識龍之所以潛、所以見，然此之理皆可知也」，又云：「輔嗣以『通』解『舍』，『舍』是通義也」（《周易正義》引）。陳後主宴群僚，執新造玉柄麈尾說：「當今雖復多士如林，至於堪捉此者，獨張譏耳。」即手授譏。（《陳書・張譏傳》）張譏之學以其能貫通儒釋道而為三家學者共同習傳。

總括南朝經學，可稱為開放型經學，不拘守一家、一教。玄學在南朝經學中的影響無疑是巨大的，但它不可能包容整個經學，經學必然具有多樣性，這種情況與經學本身的層次性和宗法社會對經學的全面需要有關。傳世的十三經，從性質上大體可分為六大類：一類是文字訓詁學，《爾雅》即是；一類是典章制度學，如《三禮》；一類是政治歷史學，如《春秋》和《三傳》、《尚書》；一類是政治文學，如《詩經》；一類是政治倫理學，如《論語》、《孟子》、《孝經》；一類是哲學，如《周易》。十三經中，《三傳》、《三禮》與《論

》、《孟》中有哲學，但它們本身還不是純粹哲學著作。這六類經籍分別從不同角度滿足封建宗法社會實際生活的需要。資治於歷史，多取《春秋》、《三傳》、《尙書》，朝典儀制多取《三禮》，道德教化多取《論》、《孟》、《孝》，哲學思想多取《周易》。從治經方式上又可以將經學分成訓詁、義理、實用三個方面。第一個方面用來滿足人們獲取儒家積累下來的文化知識的需要，保證不同時代的人們對儒經基本思想有正確的理解。第二個方面用來滿足人們精神上對天道性命的關切，保證社會得到一種能統帥全部意識形態的正統信念。第三個方面用來指導社會生活中的行爲規範和建設典章制度。這三種治經方式又不能不受經籍類別的限制，如對《爾雅》、《詩經》、《周官》、《儀禮》、《左傳》的詮釋，就只能以訓詁爲主，注家很難從中發揮出系統的哲學思想；《周易》和《禮記》中的《大學》、《中庸》本身就是哲學著作，既可以作文字訓詁，也最容易爲理論水平高的注家所憑借，從中引申出整套創造性的理論體系。於是玄學經學主要依靠注《周易》來闡發玄義；經學用來指導社會生活，自然要依循《三禮》。南朝社會是一個發達的封建宗法社會，對政治性、倫理性、學術性、哲學性的經注都有強烈需要，所以訓詁之學、義理之學和實用之學都很發達。只是由於三教並立，思潮流派多，尙不能產生出一種足以統領全部文化的儒家哲學體系，所以南朝經學在層次上是完整的，在思想傾向上彼此卻不能有機統一起來。

四、北朝經學

北朝文化上承十六國，故論北朝經學應追溯到西晉及北方諸國。陳寅恪《隋唐制度淵源略論稿》指出：

> 西晉永嘉之亂，中原魏晉以降之文化轉移保存於涼州一隅，至北魏取涼州，而河西文化遂輸入於魏，其後北魏孝文、宣武兩

代所制定之典章制度遂深受其影響。

陳氏又分析河西文化之所以能保存儒學傳統的原因，一者魏晉官學廢，學術中心移於家族，經學作爲家學，易於在世亂中保持延續；二者中原戰亂時，獨西北邊陲保有相對和平穩定局面，避亂儒者紛至沓來，對發展河西儒家文化起了重要作用，爾後河西文化又回流至中原地帶。

西晉永寧中，張軌爲涼州刺史，後中原大亂，元帝徙居江左，軌自立於河西，是爲前涼。其地後爲呂氏、姚氏所據，後又分爲三：武昭王李暠爲西涼，建都敦煌；禿發烏孤爲南涼，建號樂都；沮渠蒙遜爲北涼，建號張掖。張軌、李暠本是漢族世家，故獎掖儒術，呂氏、禿發氏、沮渠氏雖非漢族，然而欣賞漢族文化，重用士人，故儒學亦能得到褒揚。《魏書・劉昞傳》稱，劉昞敦煌人，隱居酒泉，弟子受業者五百餘人，李暠用爲儒林祭酒，蒙遜亦予禮敬。《魏書・江式傳》稱，江式，陳留濟陽人，善蟲篆訓詁，永嘉之亂，棄官西投張軌，子孫居涼土，世傳家業。《宋書・杜驥傳》稱，杜驥高祖爲杜預，曾祖避地河西，世傳史學家業。《魏書・常爽傳》稱，常爽，河內溫人，祖父因世亂避居涼州，爽後歸北魏，在京師置館教授門徒七百餘人，「京師學業翕然復興」，崔浩、高允等皆稱獎之。又據崔浩《周易注》佚文：「國家平河右，敦煌張湛、金城宗欽、武威段承根三人，皆儒者，並有俊才，見稱於西州」（《魏書・張湛傳》引），後皆歸北魏。至於關隴之地，既承受長安文化，又西接河西文化，故亦能保存漢魏學術，不使滅絕。

匈奴、鮮卑、羌、氐、羯等北方少數民族，以軍事力量入主中原以後，面臨著改變以往游牧民族習俗、建立新的政治、思想統治方式，以適應高度發達的漢族封建社會和儒家文化傳統。一方面這些少數民族早已在不同程度上受到漢文化的影響，對儒學有欣慕之心；另一方面在東晉大批士族文人南渡，同時，中原及北方仍有許多世家大族留下來。這樣，各少數民族政權有必要，有願望、也有條件大量任用漢族中有才學的士人參政，以建立較先進的封建制度。建立封建制度則離不開經學。於是，北方在政治和文化上，都形成少數民族貴族與漢族士族合作共事的格局，從而加速了民族之間的融合和少數民族漢化的過程。與南方士族相比，北方少數民族貴族欲成爲中國傳統文化的正式繼承人，反而比南方貴族更熱心於儒學的教育和儒典的研究。這是一種進步，也符合歷史規律，軍事上强大而文化上落後的民族可以戰勝先進民族，但在文化上，總是高級文化改變和消融低級文化。據《晉書・載記》，劉曜立太學於長樂宮東，立小學於未央宮西，選青少年一千五百人，由明經篤學的儒者加以教育（漢）。石勒立太學和小學，選將佐豪右弟子入學，以裴憲、傅暢、杜嘏領經學祭酒，並親臨學校考諸生經義。石虎又復置五經博士和國子博士助教（後趙）。慕容廆以劉讚爲東庠祭酒，命世子皝拜師受業，皝即位後，立東庠於舊宮，學徒至千餘人（前燕）。苻堅仿效漢制，立明堂，郊祀苻洪以配天，宗祀苻健以配上帝，親耕藉田，並廣修學官，遣公卿以下子孫受業，親臨太學考查，問難五經，博士多不能對（前秦）。姚萇置百官，自謂以火德承苻氏木行，服色如漢承周故事。姚興時，姜龕、淳于岐、郭高皆耆儒碩德，經明行修，各門徒數百，教授長安，諸生自遠而至者萬數千人。興爲之獎勵，儒風遂盛（後秦）。教授經學的都是漢族學者，接受經學的主要是少數民族貴族子弟，這是一種自上而下的儒家文化洗禮。

北魏經學傳授及其封建典章的建立，得力於四者：一者爲河西文化，已如前述；二者爲北方世家大族，如清河崔浩、范陽盧玄、勃海高允，他們都是北魏前期才學兼優的重臣；三者爲南朝北徙的學者，如崔光、劉芳、王肅等，其中王肅的作用尤爲顯著。據《北史・王肅傳》稱，「孝文雖釐革制度，變更風俗，其間樸略，未能淳也。肅明練故事，虛心受委，朝儀國典，咸自肅出。」四者拓跋氏貴族提倡儒學不遺餘力，而且爲時持久，始終不懈，遂見成效。據《魏書・儒林傳》稱，「太祖初定中原，雖日不暇給，始建都邑，便以經術爲先，立太學，置五經博士生員千有餘人。天興二年（三九九年）春，增國子太學生員至三千人」，「太和中，改中書學爲國子學，建明堂辟雍，尊三老五更，又開皇子之學。及遷都洛邑，詔立國子太學、四門小學」，孝文尤好儒典，「劉芳、李彪諸人以經書進」，「世宗時，復詔營國學，樹小學於四門」，「時天下承平，學業大盛。故燕齊趙魏之間，橫經著錄，不可勝數。大者千餘人，小者猶數百。」孝文帝執政時期經學最盛，拓跋氏在文化上的漢化也最迅速。孝文不僅倡導經學，而且認眞實行儒家典制，他認爲「六職備於周經，九列炳於漢晉，務必有恆，人守其職」，「遠依往籍，近採時宜，作《職員令》二十一卷」。又在鄉里恢復鄉飲禮，「導以德義」，使「父慈、子孝、兄友、弟順、夫和、妻柔」（《魏書・高祖紀下》）。對貴戚皇親違犯典制者，糾察甚嚴，如任城王澄弟嵩，有違喪禮，詔書責其不能「克己復禮」，令免官職（《魏書・任城王傳》）。

北魏及北方掌權的少數民族貴族的當務之急是加速封建化過程，儘快熟悉儒典，按照綱常名教的模式建立國家制度和培養貴族子弟。北朝經學傳授的重點在於訓詁典章制度方面。河西文化、關隴文化直接承接了漢代經學，特別是鄭玄之學，南方荆州學派那樣的學風在北方影響不大。於是形成北朝不同於南朝經學的風格。《魏書・儒林傳》說：

> 玄《易》、《書》、《詩》、《禮》、《論語》、《孝經》、虔《左氏春秋》，休《公羊傳》，大行於河北。王肅《易》亦間行焉。晉世杜預注《左氏》，預玄孫坦、坦弟驥於劉義隆世

並為青州刺史，傳其家業，故齊地多習之。自梁越以下傳受講說者甚眾。

可知北魏盛行漢學，主要是鄭學，也有晉代經學參其間。

北魏經師眾多，著名者有常爽、劉獻之、張吾貴、劉蘭、徐遵明、盧景裕、李業興等人。常爽與崔浩同時，著《六經略注》，《魏書》本傳錄其《序》文，文中對六經性質作用的論述，採自《禮記·經解》與《漢書·藝文志》，足證漢學的影響。劉獻之輕鄙名法之言與屈原《離騷》，以為學問重在修身，立身行事「要以德行為首」，學者要「能入孝出悌，忠信仁讓」，否則，「博聞多識，不過為土龍乞雨，眩惑將來，其於立身之道有何益乎？」強調學識與德行的結合，這正是儒家的一貫傳統。劉氏注《三禮》、《三傳》、《毛詩》，行於世（以上見《魏書·儒林·劉獻之傳》）。張吾貴通《禮》、《易》，而於《左氏》「兼讀杜、服，隱括兩家，異同悉舉」（《魏書·儒林·張吾貴傳》），「其所解說，不本先儒之旨」（《魏書·儒林·劉蘭傳》）。張氏厚今輕古，有魏晉學者風度，雖門徒眾多，而業不久傳。劉蘭與張吾貴不同，「推《經》、《傳》之由，本注者之意，參以緯候及先儒舊事」，「蘭又明陰陽，博物多識」，學徒前後數千。劉蘭經學繼承的是漢代古文經學傳統，後因「排毀《公羊》，又非董仲舒」而見譏於世（以上《魏書·儒林·劉蘭傳》）。徐遵明是北方大儒，師承多門，在諸經師中影響最大。他遍通《孝經》、《論語》、《毛詩》、《尚書》、《三禮》、《春秋》，雖曾說過眞師在自己心中，但觀其講學方法，「先持經執疏，然後敷講」，則仍是章句之學，「遵明見鄭玄《論語序》云『書以八寸策』，誤作『八十宗』，因曲為之說」，成千古笑談（以上《北史·儒林·徐遵明傳》）。徐氏主要貢獻是傳經，培養了一批熟悉訓詁之學的學生，後來北方諸經之傳，多自徐遵明開之。盧景裕兩度為國子博士，注《周易》、

《尚書》、《孝經》、《論語》、《禮記》，「所注《易》大行於世。又好釋氏，通其大義」（《魏書‧儒林‧盧景裕傳》）。李鼎祚《周易集解》對盧氏《易》注有所引用，盧氏以陰陽釋卦辭，附會以人事。如《周易‧坤》「先迷後得主利」，盧氏注云：「坤，臣道也，妻道也。後而不先，先則迷失道矣，故曰先迷。陰以陽爲主，當後而順之則利，故曰後得主利。」盧氏《易》學受之於徐遵明，故於此亦可見徐學之一斑。李業興受學於徐遵明，博聞多識，曾與李諧、盧元明出使南朝蕭梁，李與朱異問答中說明北方郊、丘異所，專用鄭玄義，又以緯書《孝經援神契》爲據，主張明堂應上圓下方。梁武帝問：「聞卿善於經義，儒、玄之中何所通達？」業興曰：「少爲書生，止讀五典，至於深義，不辨通釋。」梁武又問：《易》曰太極，是有無？業興對曰：「所傳太極是有，素不玄學，何敢輒酬。」（以上《魏書‧儒林‧李業興傳》）梁武與李業興的問答反映出南北經學之異；南方儒玄兼崇，通達開放，北方謹守鄭學與訓詁章句，故李氏不善玄言。

北方經學中亦有非鄭玄而尚王肅，或者折衷於二家，或者兼綜漢晉、或者獨出心裁的情況。《魏書‧高允傳》說，高允見崔浩所注《詩》、《論語》、《尚書》、《易》，上疏云：「馬、鄭、王、賈雖注述《六經》，並多疏謬，不如浩之精微。」可知崔浩注經有其創新處。據《魏書‧禮志一》，孝文帝令群臣議禘祭之義，並下詔說：「王（肅）以禘祫爲一祭，王義爲長。鄭以圓丘爲禘，與宗廟大祭同名，義亦爲當。今互取鄭王二義。」《魏書‧李謐傳》引李謐《明堂制度論》，指責鄭玄的明堂論是「攻於異端，言非而博，疑誤後學」。《魏書‧賈思伯傳》謂「國子博士遼西衛冀隆爲服氏之學，上書難《杜氏春秋》六十三事。思同（思伯弟）復駁冀隆乖錯者十一條。互相是非，積成十卷。」《魏書‧房法壽傳》載房景先《五經疑問》佚文，對五經提出一系列疑難，甚有膽識。這些都說明北魏經學內部並非完全死守鄭玄章句，也有大膽的思考。但其主流是注重事象的考辨，而不習慣玄談。李謐的話很有代表性，他說：「余謂論事辨物，當取證於經典之眞文；援證定疑，必有驗於周孔之遺訓，然後可以稱準的矣。」用之於明堂制的考證，他的方法是：「乃借之以《禮傳》，考之以訓注，博採先賢之言，廣搜通儒之說，量其當否，參其同異北魏，棄其所短，收其所長，推義察圖，以折厥衷。」這是北人治經的典型態度和方法，經師彼此觀點可以有異，但方法還是相同的，它與南朝玄學經學的超言絕象、得意明體的態度和方法形成鮮明的對立。

北齊經學是北魏經學的繼續。齊高祖待盧景裕和李同軌以殊禮，置賓館以授經。後又徵張雕、李鉉、刁柔、石曜等名儒，爲皇室諸子教授經學。諸郡並立學，置博士助教授經。魏齊兩代的經學狀況與師承脈絡，《北齊書・儒林傳》述之甚詳。大致情況是：經學諸生多出自魏末大儒徐遵明門下。徐氏講鄭玄《周易》注，傳盧景裕，盧傳權會，權傳郭茂，其後言《易》者多出郭茂之門。青齊間多講王弼《周易注》。徐氏又通《尙書》，下傳李周仁、張文敬、李鉉、權會等，皆鄭玄注。《三禮》並出徐遵明之門，下傳李鉉等人，李鉉傳刁柔、張買奴、劉晝、熊安生等，安生又傳孫靈暉、郭仲堅、丁恃德，其後通《禮經》者多是安生門人。《毛詩》學者多出於劉獻之，獻之傳李周仁，周仁傳董令度、程歸則，歸則傳劉敬和、張思伯、劉軌思。《春秋》服注行於河北，亦出徐遵明之門，姚文安、秦道靜兼講杜預注。河外儒生重杜氏，輕《公羊》、《穀梁》。《論語》、《孝經》皆爲諸生通習。權會、李鉉、刁柔、熊安生、劉軌思、馬敬德之徒多自出義疏。總之，徐遵明所傳鄭玄經學在北齊經學中占壓倒優勢。

周文雅重經術，《周書・儒林傳》稱其「求闕文於三古，得至理於千載；黜魏晉之制度，復姬旦之茂典。盧景宣學通群藝，修五禮之缺；長孫紹遠才稱洽聞，正六樂之壞。」所說的「復」、「修」、「正」，都是指重建漢代經學確立的綱常名教、禮樂制度。周武帝更重經學，他執政時的經學是北朝經學繼北魏孝文之後又一發展高峰。他在儒釋道三教中確定以儒教爲先，曾集群臣親講《禮記》。有兩件事足以說明周武對經學的敬尚，即《周書・儒林傳》說的「征沈重於南荆」，「待熊生以殊禮」。沈重爲南梁儒家學者，明《詩》、《禮》、及《左氏春秋》。梁武時曾爲《五經》博士，後事梁元帝及梁主蕭詧。周武帝特派柳裘至梁徵之，信中說「常思復禮殷周之年，遷化唐虞之世」，「知卿學冠儒宗，行標士則」，致意勤殷，邀其北上。保定（五六一——五六五年）末，沈重至北周京師，「詔令討論《五經》，並校定鍾律。天和（五六六——五七二年）中，復於紫極殿講三教義。朝士、儒生、桑門、道士至者二千餘人。」（《周書・儒林・沈重傳》）。後還梁，隋初卒世。沈重著作多關《禮》學，從其《禮記義疏》佚文中可知他頗能領略儒家學說的基本精神，如疏講「大臣不親，百姓不寧，則忠敬不足，而富貴已過也」一句，說：「謂大臣離二，不與上相親，政教煩奇，故百姓不寧。若其如此，臣不忠於君，君不敬於臣，是忠敬不足所以致然也，君與臣富貴已過極也」（《玉函山房輯佚書》）。强調君臣相互負有責任，批評「政教煩奇」累害百姓，符合儒家調節社會政治關係的原則。

熊安生曾師事徐遵明，專以《三禮》教授，曾爲北齊公卿釋講《周禮》疑義。周武平齊入鄴，親臨其家，引與同坐，賞賜甚多，「至京，敕令於大乘佛寺參議五禮。宣政元年（五七八年），拜露門學博士、下大夫」（《周書・儒林・熊安生傳》）。其弟子後來有名者有馬榮伯、張黑奴、竇士榮、孔籠、劉焯、劉炫等，皆活躍於隋初，其中劉焯、劉炫對隋初經學的發展起過重要作用。據《周書・儒林傳》，熊安生有《周禮義疏》二十卷、《禮記義疏》四十卷，《孝經義疏

》一卷，今皆佚。馬國翰輯《禮記熊氏義疏》四卷，從中可窺知其治經不拘一格。一者用《老子》疏通《禮記》，如疏講「道德仁義，非禮不成」一句，云：「此是老子失道而後德，失德而後仁，失仁而後義」；疏講「太上貴德，其次務施報」，有云：「《道德經》云『上德不德』，其德稍劣於常道，則三皇之世，法大易之道行之也。」二者除常據鄭玄義外，又廣引群書，如《春秋》、《穀梁》、《尚書》、《大戴禮》、《周易》等，然後疏通經文大意，申明己說，其注經方式類似於皇侃《論語義疏》和《禮記義疏》。孔穎達在《禮記正義序》中說，唐初《禮記義疏》唯存皇侃、熊安生二家，又批評說：「熊則違背本經，多引外義，猶之楚而北行，馬雖疾而去逾遠矣。又欲釋經文。唯聚難義，猶治絲而棼之，手雖繁而絲益亂也。」雖然如此，孔氏作《正義》據皇侃疏以爲本的同時，「其有不備，以熊氏補焉。」熊安生《禮》疏已明顯具有綜合南北經學的傾向，並對唐初經學發生了實際的影響。

【附註】

註　一　疑脫「以」字。

註　二　《孔子家語序》，謂《家語》由學生孔猛處得來，猛爲孔子二十二世孫，或者此書爲猛先人所編。若乃自造謬說誣人，則世人易於按查，孔猛亦不會緘默其口，豈非授人以柄而欲自傷乎？且考古新資料有利於論證今本《家語》早於王肅（見李學勤《古文字學初階》）。

註　三　見馬宗霍《中國經學史》。

註　四　參看皮錫瑞《經學歷史》。

——原載《中國哲學發展史（魏晉南北朝）》（北京：人民出版社，一九八八年四月），頁六一九——六五二。

六朝儒經注疏中之佛學影響

張恆壽

佛法雖遠自漢末，已來東土，顧其時所譯經典，多爲小乘。且兩文化初相接觸，影響所及，類在表相，故漢人視佛，幾與方士諸道無別。漢魏之際，除少數佛徒，如牟子、朱士行外，一般儒生所學，殊與佛學無涉。自晉支遁、道安，盛倡佛法，姚秦鳩摩羅什東渡後，大乘經典，迻譯日多。時南朝名士，玄風盛熾。於是交互刺激，而佛教思想，遂益蓬勃。其後，佛典疏論日出，流風所煽，遂播及於儒書。由今考《隋、唐志》中，六朝人所爲之諸經義疏，無論由質、量何方而論，俱無遜於漢唐。然其時之中心思想，固在佛而不在儒，故一時注經家，皆學兼內外，旁通三玄。即有篤守儒家樊籬之士，對此一大潮流，亦莫能漫然不顧。故在儒經義疏中，往往流露佛教思想之痕跡焉。

十三經，或爲古史，或述典制，或明義理。其中最易與佛說相比附者，爲《論語》、《周易》、《禮記》三書。惟六朝人所作此三經注疏，存於今者甚少。除皇侃《論語義疏》一書較通行外，餘各散見於李鼎祚《周易集解》，孔穎達《周易正義》、《禮記正義》諸書中。而其間與佛理比附最多者，亦多被刊落，無由考尋。

孔穎達《周易正義序》云：

> 江南義疏，十有餘家，皆辭尚虛玄，義多浮誕。原夫義理難窮，雖復玄之又玄，至於垂範作則，便是有而教有。若論住內住外之空，就能就所之說，斯乃義涉於釋氏，非爲教於孔門也。

既背其本，又違於注。」

觀孔所謂「住內住外」，「就能就所」，悉是佛典術語，而今存注中，已無可考。

孔穎達《禮記正義・自序》云：

> 爰從晉宋，逮于周隋，其傳禮業者，江左尤盛。其爲義疏者，南人有賀循、賀瑒、庾蔚、崔靈恩、沈重宣、皇甫侃等；北人有徐道明、李業興、李寶鼎、侯聰、熊安等。其見於世者，惟皇、熊二家而已。熊氏違背本經，多引外義，猶之楚而北行，馬雖疾而去愈遠矣。又欲釋經文，惟聚難義，猶治絲而棼之，手雖繁而絲益亂也。皇氏雖章句詳正，微稍繁廣，又既遵鄭氏，乃時乖鄭義，此是木落不歸其本，狐死不首其丘。此皆二家之弊，未爲得也。然以熊比皇，皇氏勝矣。

熊氏違背本經，多引外義。其所謂「外」，或當兼指佛老而言，而主要意義，必指佛說。其所謂惟聚難義，或亦以外書解經之一，惟孔氏既知熊書之謬，比之於「之楚北行」，則今孔書中所存熊說數條，當非「外義」、「難義」之顯然者矣。

由上所述，知六朝義疏之可考見者，其中佛學影響已不甚明顯。惟皇侃《論語義疏》一書，頗仿佛典疏論體制，確爲當時義疏形式之一。茲將此書與它書所引舊說與佛法有關係者，略考其大要如下，期爲治此期學術史者之一助焉。

㈠《周易正義序》引崔覲、劉貞簡（瓛）義云：

> 易者，謂生生之德，有易簡之義。不易者，言天地定位，不可相易；變易者，謂生生之道，變而相續，皆以緯稱，不煩不擾，淡泊不失，此明是易簡之義，無爲之道。

考鄭玄用《易緯乾鑿度》義以解易云：「一名而含三義：易簡，一也；變易，二也；不易，三也。」劉瓛所解，仍本鄭義。然解變易一義，謂變而相續。相續一詞，似非中土所固有。古有賡續，連續諸詞，其意茲限於常識上之繼續連接，無哲學上之特殊意義。佛法輸入，始以相續一詞，譯梵語之Santat，此明宇宙之非常非斷，最富勝義。中國佛典中，何書用此詞最古，未暇深考。惟六朝較通行之經論，如羅什所譯諸書，已多援用此詞。即如

《中論・觀因緣品》第一（《大正大藏》卷三七，頁二）云：「若一，則無緣；若異，則無相續。……世間眼見萬物不斷，如從穀有芽，是故不斷，若斷，不應相續。」

什師《中論》，爲三論要典。六朝般若宗盛行，此義當爲一般所熟聞，不待後來法相宗以相續講萬法，而其義之重要，已可概見。（劉宋時求那拔陀羅譯《相續解脫地波羅蜜了義經》，未知書中對相續一詞解釋如何。）

劉氏以變而相續，解《易》之變易不易二義，最爲精確。不易即非斷，變易即非常。康成初義，變易與不易分立，似無非斷非常之深義。崔、劉二義合之，即用佛書相續一詞爲說，遂有深解。此與《周易》中所表現之宇宙哲學，固不相違背，然要非受佛學影響，其意義不如是深遠。

㈡《周易正義》卷九，《周易序卦》第十疏下云：

周氏（周氏，謂梁周宏正，著《周易義疏》），就序卦以六門往攝：

第一　天道門，　第二　人事門，
第三　相因門，　第四　相反門，
第五　相須門，　第六　相病門。

考兩漢注經，重在訓詁章句，絕少就經中義理，別立條貫者。至佛經之注疏科制，注者常取經中事理，別爲分類，自成體系。孔氏《正義》所述之周氏以六門主攝，明是佛經注疏方法。所謂某門某門者

，尤非中土所有。《出三藏記集》卷二《新集經論錄》載漢安世高譯《大小十二門經》各一卷，其書今已不存於大藏。《記集》卷六載道安法師《十二門經序》云：

> 十二門者，要定之目號，六雙之關經。定有三焉：樣也，等也，空也。四禪、四等、四空，爲十二門。

由此知佛書中以「門」爲分類之法，輸入中土甚早。顧所謂門者，誠如道安所解，乃目號關經之義。然其所以區分目號之標準，似亦有演進之跡。大抵最初分類，多標具體名詞，如四禪、四等、四空等是。至後分析漸微，則分類不限於具體名詞，門亦不必目目之義。即如鳩摩羅什所譯龍樹《十二門論》乃較精微之分門法也。

什譯《十二門論》品目如下：（《大正大藏》卷三十五，頁一五九）

觀因緣門第一	觀有無門第二
觀緣門第三	觀相門第四
觀有相無相門第五	觀一果門第六
觀有無門第七	觀性門第八
觀因果門第九	觀作門第十
觀三時門第十一	觀生門第十二

僧叡敘云：「十二門者，總枝之大數也；門者，開通無滯之稱也。」僧叡「開通無滯」之解，是否爲望文生義，未敢深論；惟此種分門，較世高所譯《十二門》之四禪、四定等之分類，確較深細。前者如數家珍，羅列諸名，即成門類；後者則就其事理，自立體系，非有理解者不能爲也。今周宏正述序卦以六門主攝，蓋不止如世高十二門之單純，而實有自立體系之規模。如首二門，曰天道，曰人事，較近於普通分類；後四門，曰相因、相反、相須、相病，則實爲佛書之典型。惜未知其對序卦之詳細解說爲如何耳。

史稱宏正「特善玄言，兼明釋典，雖碩學名僧，莫不請質疑滯。」（《陳書・本傳》）。顏之推亦云：「梁世《老》、《莊》、《周易》總謂三玄。武、宣、簡文，躬自講誦。周宏正奉贊大猷，化行都邑，學徒千餘，實爲盛美。」（《顏氏家訓》）梁元帝《金樓子》亦云：「於士大夫重汝南周宏正。」由此知梁朝宏獎佛法之際，宏正能得君主推崇，其佛理之精，必冠時賢，故疏解儒經，往往用佛家分析之法。厥後佛教各派，每陳義理，必以諸門科攝。至華嚴宗一派，分門尤爲繁詳。足徵此類分析，乃時人發揮經義之法門也。

㈢李鼎祚《周易集解》卷五，「蠱，元亨」下，引梁伏曼容《周易解》云：

> 蠱，惑亂也。萬事從惑而起，故以蠱爲事也。案《尚書・大傳》云：「乃命五史，以書五帝之蠱事，然爲訓者，正以太古之時，無爲無事也。」今言蠱者，是卦之惑亂也。時既漸澆，物情惑亂，故事業因之而起惑矣。故《左傳》云：「女惑男，風落山，謂之蠱」，是其義也。

日人本田成之云：（《支那學》二卷三號，中譯本《中國經學史》頁二一二）「萬事從惑而起，多由佛教緣起而來。」按《易》舊注，解蠱者多未就此義立論，萬事起源，皆歸之惑。受無明緣起說影響，當無可疑。惟觀伏氏下文所述，仍就社會演進立言，其所謂由無爲無事，至物情惑亂，與無明緣起說相去頗遠，則首句萬事由惑而起之說，當是在佛教雰圍中，一種無意的影響也。

㈣孔穎達：《禮記正義》卷五十二，《中庸》：「天命之謂性」句下，引梁賀瑒說云：（賀瑒著《禮記新義疏》，皇侃師之。）

> 性之與情，猶波之與水。靜時是水，動則是波；靜時是性，動則是情。案《左傳》云：天有六氣，降而生五行。至於含生之類，皆感五行生矣。惟人獨秉秀氣，故禮運云，人者五行之秀

> 氣，被色而生，既有五常仁義禮智信，因五常而有六情，則性之與情，似金與鐶印。鐶印之用非金，亦因金而有鐶印。情之所用非性，亦因性而有情。則性者靜，情者動。故《禮記》云：人生而靜，天之性也；感於物而動，性之欲也。故《詩序》曰：情動於中是也。但感五行在人爲五常，得其清氣備者，則爲聖人；得其濁氣簡者，則爲愚人。降聖以下，愚人以上，所稟或多或少，不可言一，故分爲九等。孔子云：惟上智與下愚不移，二者之外，逐物移矣。故《論語》云：性相近也，習相遠也，亦據中人七等也。

考性情二字，在儒家哲學中異常重要。然古今涵義，廣狹迥不相同。孔孟所論，及漢儒所釋，只就心理方面立論，初無形上學之意義。自宋儒崛起，此詞始成儒家形上哲學之中心，而其過渡關鍵，乃在六朝。上述賀瑒之論，即其一端。

茲先列漢儒性情二字之解釋，以與賀說比較。《禮記・中庸・鄭注》云：

> 天命，謂天所命生人者也，是謂性命。木神則仁，金神則義，水神則禮，火神則信，土神則知。

《春秋繁露・深察名號篇》云：

> 性比於禾，善比於米。米出禾中，而禾未可全謂米也；善出性中，而性未可全謂善也。

《白虎通・情性篇》云：

> 性者，陽之施；情者，陰之化。人稟陽氣而生，故內懷五性、六情。情者，靜也；性者，生也。此人所稟六氣生者也。故《鉤命決》曰：情生於陰欲，以時念也；性生於陽，以理也。陽氣者仁，陰氣者貪，故情有利欲，性有仁也。

大抵漢儒言性，不出陰陽五行之分配，初無精義。董仲舒米禾之喻，似較細微，然若繩以水波之喻，則覺取譬米禾，沾滯形相。顧漢儒言性情，本就人性立論，非關宇宙本體，故不嫌取喻之質直也。至佛書言性，則涵義較廣。蓋佛法本義，在明宇宙本體現象間不一不二之關係，雖唯識破相，三論顯空，方便不同。要皆欲明色空不異即幻即眞之道。故佛經每以水、金喻宇宙本體，波、器喻宇宙現象。而印土之指本體者，中土無以名之，遂取儒書及老莊書中之「性」字以當之。清阮元曾著《塔性說》、（《揅經室續集》）及《性命古訓》一書，抨擊李習之及有宋諸儒，謂不當以儒家之性，與莊子繕性之性相混；更不當以儒書之性，與佛典之性相混。其抨擊宋學，雖不完全確當，然其論「性」字含義演變之由來，確有見地。顧若推其原始，則六朝人說，似已爲李翺學說之濫觴。此節所引賀瑒解性情二字之比喻，殆皆由佛書而來也。

僧肇《寶藏論》（此書恐非肇所著，當爲六朝人所依托）《離微體淨品》第二云：

> 夫以無相爲相者，即相而無相也。故經云，色即是空，非色滅空；譬如水流，風擊成泡，即泡是水，非泡滅水。夫以無相爲相者，即無相而相也。經云：空即是色，色無盡也。譬如壞泡爲水，水即泡也，非水離泡。(《大正大藏》卷四五，頁一四七)

《寶藏論・本際虛玄品》三云：

> 譬如有人於大沼邊，自作模樣，方圓大小，自稱願彼金汁，流入我模，以成形像。然則熔金任成形像，其眞實融金，非像非非像而現於像。譬如有人於金器藏中，常觀於金體，不睹眾相，雖睹眾相，亦是一金。……

佛書中（如上引《寶藏論》）水、金之喻，所在多有。此與告子性猶湍水之喻，義迥不同。告子欲明人性之無分善惡，重在水之無分東西。佛書欲明宇宙體相之無間，重在水波之非一非異。觀上述《寶藏》之喻，即知賀瑒所說，明取自佛典，而非自告子湍水之喻，引申而得。至金子設喻，尤以印土爲多。即如唐法藏著《金師子論》，專以金師設喻，闡發佛理，尤證以金質喻體，金器喻相，爲佛書通義。唐波羅頗密多羅譯《般若燈論釋》有云：

> 復此中又遮裸形部義，說不共起，此義云何？彼謂金與非金人功火等，自他力故。鐶釧等起，彼如是說，爲遮彼故，說不共起。

此以金與環釧比論，尤與賀喻相近。此經遠在梁後，自非賀說所本。此經六朝有無它譯，或何經先用鐶釧爲喻，抑賀瑒偶以鐶釧爲喻，正與此合，俱未暇深考。其可言者，宇宙體相之殊，本非中土所重，（中國哲學中，體用之觀念，與體相相似而不同。前者爲動的，後者近於靜的。）宇宙性相之性，尤與性情之性殊義。既未能想像非像非非像而現於像之境，自無得水波金器之比；既未建立唯心之宇宙，故眞如與人性非一。（于闐造或中國造之《大乘起信論》，立心眞如、心生靈二門，與中國後來性情之論，影響殊大。然彼建立近於唯心論之玄學，故心眞如者，即是本體，並非心理之性。中國無此玄學，遂以人之性情，比宇宙之體相，而二性常相混淆，故有清阮元諸人之議。竊意自賀瑒之喻，迄於李翺宋儒，其間因混淆兩性字，使其哲學不易明晰者殊多，此當爲今後研討中古哲學之重要課題。）《中庸》所述，「天命之謂性」，蓋就人性立論，至多可謂中庸與儒家性說以形上之根據。即所謂天者是，本非謂性與本體爲一也。今賀瑒之疏，以水波金印爲喻，顯取性相之喻，作性情之喻，已開以人性之性爲宇宙本性之濫觴。雖瑒所說，除比喻而外，仍以心理上之性情爲解，然此後性字含義之演變，與賀氏之取喻，不無有相當關係。厥後如湛然、李翺以及宋儒所述性字，俱不僅爲心理名詞，而兼有形上之意義矣。如程子云：「人生而靜以上不容說，才說性時，便已不是性」。張子云：「天性在人，猶水性在冰，凝釋雖異，爲物一也」（《正蒙》中又以冰凝於水，喻氣之聚散於太虛。）朱子亦云：「心如水，性是水之靜，情是水之流，欲則水之波瀾」。（《語錄》）其持論精粗，與形上假定，雖不與湛然、李翺等相同，要皆受佛學之刺激、影響，當無可疑。惟賀瑒只取佛書之比喻，尙未能使佛說與中土名詞，融合無間。其所引《左傳》、《樂記》之說，亦只比附解釋，而首尾歧異，與宋儒性說之深淺迥殊，此正兩學說初期接觸時，應有之現象也。

㈤皇侃《論語義疏》卷九，《陽貨》第十七：「子曰：『性相近也，習相遠也』」下引王弼說云：

> 不性其情，焉能久行其正，此是情之正也。若心好流蕩失眞，此是情之邪也。若以情近性，故云性其情。情近性者，何妨是有欲，若逐欲遷，故云遠也；若欲而不遷，故曰近。……譬如近火者熱而即火非熱，雖即火非熱，而能使之熱。能使之熱者何？氣也，熱也；能使之正者何，儀也，靜也。又知其有濃薄者，孔子曰：「性相近也」。若全同也，相近之辭不生；若全異也，相近之辭亦不得立。今云近者，有同有異。取其共是無善無惡則同也，有濃有薄則異也。雖異而未相遠，故曰近也。（馬國翰《玉函山房輯佚書》脱「則同也」三字。）

皇侃疏云：

> 性無善惡，而有濃薄，情是有欲之心，而有邪正；性既是全生，而有未涉乎用。非惟不可名爲惡，亦不可目爲善，故性無善惡也。

尋《論語》原義，本謂人性彼此相近，習而漸遠，義明辭確。自漢以來，未生別解。今皇引王弼說，謂相近，是使情近於性，乃莊老繕性復性之變義，決非孔子本義，當無可疑。又下文「近火者熱而即火非熟」及「若全異也，相近之辭不生；若全同也，相近之辭不立」諸語，依據邏輯，剖析名理，明是道安、羅什後經疏語調，與弼《易、老子注》殊不相類。王弼當魏、晉之交，固為首開清談玄學之人，但其時玄學，只在莊老。佛書雖入中國，多為坐禪，小乘之類。大乘教義，尚未普行。即有一二零編經典，弼亦未必能受其影響。觀弼所為《周易注》、《老子注》，雖玄理橫溢，迴出經生樊籬，然其文辭義理，仍是魏晉老莊風趣，固無佛教之顯著痕跡。又考皇侃以前，江熙集十三家《論語集解》，弼注不與其列。以弼之才名，竟不見採納，則皇侃疏所引弼注，確為後出可疑。顏之推云：「《易》有蜀才注，江南學士，遂不知是何人。王儉《四部目錄》不言姓名，題云王弼後人。」知王弼為後人推崇甚力，故不知姓名，則托之王弼後人。以彼類此，竊疑此注或為齊、梁間人托之王弼，或亦不知姓名者所為，皇侃遂歸之王弼耳。至《隋唐志》及《釋文》所列王弼《論語釋疑》一書，是否皇侃所引，俱不可知。其可知者，惟當魏末王弼時佛教在儒經注疏之影響，當不能如斯顯著也。

㈥皇侃《論語義疏》卷六：「子畏於匡，顏淵後」節下引庾翼解云：

> 顏子未能盡窮理之妙，妙有不盡，則不可以涉險津；理有未窮，則不可以冒屯路。故賢不遭聖，運否則必隱；聖不值賢，微言不顯。是以夫子畏匡而發問，顏子體其制而仰酬，稱入室為指南，啓門徒以出處，豈非聖賢之誠言，互相與為起予者也。（《玉函山房輯佚書》末句脫「與」字。）

日人本田成之謂「此恐從《維摩經》思想而來。蓋當時以孔、顏為超人，其一舉一動，皆視由方便而來。」（《支那學》二卷三號中譯本，頁二〇三）

按此節文辭風格，言外意味，與佛書有關，當無疑義。惟本田未詳說其相似之實，不知其本意云何。考此節所陳，有二義可述：一爲險路與窮理盡妙之關係；一爲師徒相與起予之方便。《維摩詰經》述佛衆弟子因問疾維摩，而辨難啓發。庾氏（後段）所述，或當受此暗示。因佛徒欲與老子化胡說對抗，倡佛遣三弟子震旦敎化之說。（詳見下第十節）而儒書中可與佛氏高徒相比者，亦惟顏子爲最。故因畏匡之問答，隱爲比附，此雖受佛書影響，猶與中國舊義相去不遠。惟所云：「妙有不盡則不可以涉險津，理有未窮則不可以冒屯路」，意謂窮理盡妙，則可以涉險冒屯，不遇危害。此種神怪奇義，實非中土所本有。險津屯路，雖可以爲設喻之辭，但此注用以釋「子畏於匡，顏淵後」，則明是質直險路本義，而非設喻。既非比況，則窮理與險路間，焉有可以聯繫之道。竊疑此與《僧傳》中記聖僧神跡之說，不無關係。

《出三藏記集》卷十三（《高僧傳》卷一同）《安世高傳》云：

> 世高窮理盡性，自識宿緣，多有神跡，世莫能量。……乃與同學辭決云：「我當廣州畢宿世之對，卿明經精進，不在吾後，而性多恚怒，命過當受惡形，我若得道，必當相度。」既而遂適廣州，值寇賊大亂，行路逢一少年，唾手拔刀曰：「眞得汝矣。」世高笑曰：「我宿命負卿，故遂來相償；卿之忿怒，故是前世時意也。」遂申頸受刃，容無俱色，賊遂殺之，觀者塞路（《高僧傳》作塡陌）。莫不駭其奇異。既而神遂爲安息王太子，即名世高時身也。……高後復到廣州，尋其前世害己少年，時少年尚在，高經至其家，談昔日償對之事，並敘宿緣，歡喜相問云：「吾猶有餘報，今當往會稽畢對。」廣州客悟高非凡，豁然意解，追悔前愆，厚相資供，隨高東游，正值市中有亂，相打者誤著高頭，應時隕卻。廣州客頻驗二報，遂精勤佛法，具說事緣，遠近聞知，莫不悲痛，明三世有徵也。

《傳》稱世高窮理盡性，又述行路逢一少年，從容遇害，意謂窮理盡性，則可涉險冒屯，遇害不懼。其所謂窮理盡性，隱含「神識復生三世有徵」之論於背後，若在中土，則初無此種假定。孔子謂天生德於予，桓魋其如予何，不過聽天任命之信仰，與世高自識窮緣之神秘信仰，迥乎不同，而庾解以窮理盡妙，與「涉險冒屯」相聯，其受佛教傳說影響，當無可疑。

（附）《出三藏記》卷九，劉虬《無量義經序》有云：

忽有武當山比丘慧表……南北游行，不避夷險。

又云：

《譬喻》亦云：大難既夷，乃無有三；險路既息，其化即亡。

知險路一辭，爲佛典所習用。惟世高廣州對宿緣之故事，是否由《譬喻》經中所述道理，敷衍造設，不甚知悉。又庾翼本傳述翼經略中原，爲晉代不可多得之大臣，未言及其好釋典之事。不知皇引此節，是否即庾翼之《論語解》，抑庾翼當時不過差人著作，如今之附庸風雅者然，俱俟高明指正也。

(七)皇侃《論語義疏》卷六《先進》十一：「子曰：『回也，其庶乎屢空』」下引顧歡說云：（《論語・顧氏注》、《隋、唐志》、《釋文》俱未載。）

夫無欲於無欲者，聖人之常也；有欲於無欲者，賢人之分也。二欲同無，故全空以目聖；一有一無，每虛以稱賢。賢人自有觀之，則無欲以有欲；有無觀之，則有欲於無欲。虛而未盡，非屢如何？

(八)皇侃同節下引梁太史叔明說云：（叔明著《論語太史集解》。《七錄》作十卷，《隋、唐志》作十卷，亡。）

顏子上賢，體具而微則精也，故無進退之事，就義上以立屢名。按其遺仁義，忘禮樂，隳肢體，黜聰明，坐忘大通，此忘有之義也。忘有頓盡，非空如何？若以聖人驗之，聖人忘忘，大賢不能忘忘，心復為未盡。一未一空，故屢名生焉。

《論語》「庶乎屢空」句，漢人釋空為空匱，本無玄義，皇侃疏引王弼說，仍用其義。何晏雖並列兩說，而空匱之義居前。且空之別解，亦不似上述顧歡諸人之玄妙。何宴解云：

一曰：屢，每也，空，虛中也。以聖人之善道，教數子之庶幾，然猶不至於知道者，各內有此害也。其於庶幾每能虛中，惟回懷道深遠，不虛心不能知道。

何晏引或人虛中之解，雖與空匱義殊，而與有若無，實若虛之義近，謂為《論語》確解，固未必然，要與孔、孟古義，不甚懸殊。（陶淵明詩：「屢空常晏如」，知晉時陶公猶遵舊解，不信此輩玄談也。）至顧氏、太史氏之說，則望而知為雜糅道佛以解經者。

《維摩詰所說經》卷四《問疾品》云：

云何平等，謂我等涅槃等；所以者何？我及涅槃，此二皆空。以何為空，但以名字故空，如此二法，無決定性，得是平等，無有餘病，唯有空病，空病亦病。

羅什注曰：「上明無我無法，而未遣空，則空為累，累則是病，故明空病亦病也。」

僧肇注曰：「群生封累，深厚不可頓捨，故階級漸遣，以至無遣也。止以三法除我，以空除法，今以畢空，空於空者，乃無患之極耳。」《出三藏記》卷八支遁《大小品對比要抄序》云：「希無以忘無，故非無之所無，寄有以忘存，故非存之所存；莫若無其所以無，忘其所以存。……忘無故妙存，妙存故盡無，盡無則忘玄，忘玄則無心。」

維摩、什、肇所說「無遣」、「空空」之論，支道林所持「希無忘存」之說，當為顧氏、太史氏說之所本。蓋無欲忘忘，本非儒家所持。

晉代老、莊風煽，乃以老子「損之又損，以至於無」及莊子「坐忘」、「心齋」之說，雜解儒經。莊子所說，適托於孔門顏子，於是以「屢空」之說，與坐忘集虛之義相附。然老子只言「損」、「無」，莊周亦僅贊「坐忘」（《淮南子・原道》言：「予能有無，而未能無無也；及其爲無無，至妙何從至此哉」當由《莊子・知北游》篇推演而成。）其意重在損忘，於無無忘忘之道，固未特加推闡。自佛法遣空之說入，始於此義辨析詳盡。顧歡所云：「全空目聖」，叔明所云：「忘有頓盡」，云空云頓，正非受佛經影響者不能言，不只老、莊舊說也。蓋佛學盛行，本以老、莊爲橋樑。在佛經則以格義講內典，儒生則揉道釋以釋六經。自道安、羅什後，佛徒中始立嚴正之門戶，而一般儒生及少數沙門，猶自倡調和之論。（右述什、肇之注，以佛義釋經，尚無顯然比附之意。道林之說，則不能無老莊論調。蓋道林早於安什，其時尚不得不假老莊以講佛法）史稱顧歡主孔佛一睽，叔明好老莊，尤精三玄。歡著《夷夏論》以夷夏觀點排佛，但並不斥佛理，以是更促其一睽之說。（顧事跡見《南齊書》五十四《高逸傳》，叔明見《南史・齊書・沈毅傳》）其採佛理以釋儒書，正一般調和論者之常態也。

㈨皇《疏》卷五《子罕》第九「子謂顏淵曰：「吾見其進也，未見其止也」節下引殷仲堪《論語殷氏解》云：

> 夫賢之所假，一悟而盡，豈有彌進勖實乎，蓋其軌物之行，日見於跡，夫子從而咨嗟以盛德之業也。

殷仲堪所云「一悟而盡」與道生「頓悟成佛」，謝靈運辨宗之論，必有關係，當無可疑。惟殷在道生、靈運之前，其間關係何若，非能率爾斷定。

考殷於晉太元十七年（三九二年）督軍益寧，隆安二年，與王恭、桓玄反；三年（三九九年），玄攻江陵，殷被殺。《高僧傳》稱道生卒於宋元嘉十一年（四三四年），《傳》未明載道生生平，假其與僧肇年相若，則肇卒於晉義熙十年（四一四年）。春秋三十有一，是其生時當在太元九年（三八四年）左右，此正道安卒於長安，羅什入中國之際，當與仲堪年代相接。惟《傳》稱生後與慧睿、慧嚴同游長安，從什公受業……生既潛思日久，微悟言外，……於是校閱眞俗，研思因果，乃立「善不受極」、「頓悟成佛」義，是生頓悟之說，成於長安從什以後。而什入長安在姚興元始之年（四〇一年）。是時仲堪已被殺，其無由聞道生之說明矣。如是，則其間關係，可能有三：一者，殷先倡此說，道生受其影響，遂成頓悟之論；二者，頓悟本非印度獨有，乃混合道佛思想所產，道生、仲堪同生於此種混合時潮之孕育中，遂不期而同發相似之議論；三者，道生首倡此說，既風行一時，於是儒生取以解經，托於仲堪，以明孔亦主悟，或竟爲生謝同派所爲，以爲生說張目。

按道生立說，及謝靈運與諸道人辯論，每涉孔佛頓漸異同，俱未引及殷說。仲堪名重一時，似不應爲世忽視如此。道生、靈運，亦非剿說者比，故第一可能，較難安立。頓悟之說，雖本非孔孟所有，而在晉、宋之際，則似已共認孔氏本有此義。如《辨宗論》所載：「孔氏之論聖道既妙，雖顏殆庶，體無鑒周，理歸一極，華人易於鑒理，難於受教，故閉其累學而開其一極，」又勖問「神道之域，雖顏也，孔子所不誨；」《答琳公難》云：「孔雖日語上，而云聖無階級」，明當時學者，共認孔主頓教，已默然無爭，則殷在同時，亦倡此說，不爲奇異。如是，則第二可能，亦勉可成立。顧孔主明辨，愼思、格物、致知，既不主悟，何論頓漸。晉、宋雖以「屢空」與「虛中」比附，而尙無運用「一悟而盡」之語以說經者。佛法本求玄妙，但當道生首倡是說時，尙引起群僧嘩議，倘殷以此說先解儒經，何以了無反響。且依《辨宗》所云，理歸一極者，大抵多就「庶乎屢空」，「中人以上可以語上也」諸語推演而得。殷氏首出此解，亦應就此諸義，積極立說，乃獨於「吾思其進也，未見其退止也」句下云一悟之論，明是此說已流行後，知其與「吾見其進」之義相違，遂爲之彌縫補充，以求一貫。故疑第三可能，或近事實。惟皇疏引殷說，本非全卷，不知其於「願乎屢空」諸句下，有否相同於顧歡及叔明之解說，仲堪《論語解》之全貌，亦不可知，故僅存大較如此，詳論以俟異日。

㈩皇侃《論語義疏》卷六，《先進》十一：顏淵死。子曰：「噫！天喪予」下疏云：

然則顏、孔自然之對物，一氣之別形，玄妙所以藏寄，道旨所由贊明。故顏淵死則孔子體缺，故曰：「天喪予！」噫，諒率實之情，非過痛之辭。將求聖賢之域，宜自此覺之也。

佛徒因與老子化胡說對抗，遂倡佛遣三弟子震旦教化之說。三弟子者，老、孔、顏也。

《清淨法行經》云：「佛遣三弟子震旦。儒童菩薩，被稱孔丘；光淨菩薩，被稱顏淵；摩訶迦葉，被稱老子。」（《廣弘明集》八，此周解釋道安《二教論》引）

儒家雖未承認此說，但亦隱以孔子與釋迦比，以顏與佛大弟子阿難等比，故皇《疏》每有玄妙之論，無不與顏子有關。如前述庾翼、殷仲堪、顧歡、太史叔明之說，皆自顏子而發。顧其論顏、孔，雖陰採佛說，尚未趨於神異，而皇侃此節謂顏、孔爲自然之對物，一氣之別形，顏淵死則孔子體缺，則徑用法身變化，神識常存之說解釋儒書殊嫌怪誕。實則中土雖有萬物備於我之說，然只玄想宇宙一體，不可分割，極其神秘，不出泛神窠臼。若皇氏所說，則明謂孔、顏二人，一氣別形，此是印土轉生輪迴之說，非老、莊宇宙一體之論也。

上述諸事，大抵以「經中數事，配擬外書」，與支愍度之格義內容相反而方法相同，亦儒書中之格義。其它《皇疏》中無形流露佛教之一般影響者，亦有數條可逑：

(十一)皇《疏》卷九《微子》十八「我則異于是，無可無不可」下引晉江熙《集解》云：

夫跡有相明，教有相資；若數子者，事既不同，而我亦有以異矣。然聖賢致訓。相為內外，彼協契於往載，我拯救於此世；不以我異而抑物，不以彼異而通滯，此吾所謂無可無不可者耳，豈以此自己之所以異哉。我跡之異，蓋著於當時，彼數子者，亦不宜各滯於所執矣。故舉其往行，而存其會通，將以導乎方類所挹抑乎。

江所云：「聖賢為訓，相為內外，彼協契於往載，我拯救於此世，不以我異而抑物，不以彼異而通滯」者，其中內、外、彼、我，明是儒家術語，江氏隨手拈來，解說《論語》，似無深意，蓋是佛說通行以後，一部分儒家之態度。時代思潮如此，不容其守漢人訓詁章句之門戶也。

(十二)皇《疏》卷四《逑而》第七「子釣而不綱」下注云：

孫綽曰：「殺理不可頓去，故禁網而存宿」。皇曰：「周、孔之教，不得無殺，是欲因殺止殺，故同物有殺也。」

(十三)皇《疏》卷六《先進》十一：「季路問事鬼神」下疏云：

外教無三世之義，見乎此句也。周、孔之教，唯說現在，不明過去未來，而子路此問事鬼神，正言鬼神在幽冥之中。

(十四)皇《疏》卷七《憲問》十四：「原讓夷俟」下疏云：

孔子方內聖人，恆以禮教為事。

南朝思想，以佛為宗，故凡與佛教相背者，必為之解說，以求調和。孫綽云：「殺理不可頓去」，皇侃謂「欲因殺止殺」，皆欲使孔之鉤弋，與佛之戒殺相調和。原讓方外聖人，本晉人為老莊清談者言，此云孔子方內聖人，蓋亦隱有尊視方外高人之意。至云外教無三世之義，直以外教稱儒，知其時佛法普及，學者必如是立說，乃能爲時人所重。猶今人言及古代學者與科學相違之說，必以時代所限爲之解說，此佛學影響於經疏者之又一類也。

㈤皇《疏》卷一《爲政》第二，何晏《集解》「異教不同歸者也」下疏云：

諸子百家，俱是虛妄。

㈥皇《疏》卷六《先進》十一：「子曰：由也升堂矣」下疏云：

若推而廣之，亦謂聖人妙處爲室，粗處爲堂，故子路得堂，顏子入室。

㈦皇《疏》卷八《衛靈公》十五：「子曰：吾之於人也，誰毀誰譽？」下疏云：

我之與世，平等如一，無有憎愛毀譽之心，故云誰毀誰譽也。

前引四條（十一、十二、十三、十四）爲疏中所示受佛義之影響；此引三條（十五、十六、十七）表示受佛家術語之影響。如云妙處粗處；云平等如一。以佛教術語，解儒家經典，意在援引，非求生解，故與上列十端，義稍不同。佛學之影響義疏者，此又一矣。

總上所述，知六朝人疏解儒經，不嫌比附佛說，且以能融合孔、佛相尊尙。蓋自老莊思想流行後，即置自然於名教之上，故時人每有論述世教之言，必先推崇自然，與老莊調和，然後立說。洎佛教盛行，又雜述老莊無爲之義，與性空之說相融合，流風所播，遂又取儒經中之言性與天道者，以佛理說之。蓋時人之中心思想，不在政教禮樂，而在忘空遺有，故必欲使中國之聖人，於此根本問題，有所接觸也。吾人由上述十七條中，約可窺見《易》、《禮》、《論語》三《義疏》中受佛教影響之梗概。約略言之，可別爲後五類：

第一類爲佛典名詞之引用。如末述十五、十六、十七諸條，及第一條崔、劉以相續解《易》者是也。

第二類爲佛典論證語句之模仿。如第五條皇《疏》「性相近」句下，「近火者熱」及「若全同也，相近之辭不生」諸語是也。

第三類爲佛經疏解方法之採用。如第二條周宏正以六門主攝《周易・序卦》者是也。

第四類爲佛教教義傳說與儒書之牽合。如第六條引庾翼以窮理盡性則可以涉險冒屯，解子畏於匡；第十條皇侃以孔、顏爲一氣之別形者是也。

第五類爲佛教學理與儒家學說之雜揉。如第四條賀瑒以金、水、波、器喻性情；第七、八兩條，顧、歡、太史叔明以空空忘忘解顏子之屢空；第九條殷仲堪以「一悟而進」解「吾見其進也」者是也。

第一類只爲名詞術語之引用，影響所及，尙在表相。二、三兩類，影響已在方法，倘用之精當，可助思想之發展。第四類以印土思想，比附孔說，在當時相信「神不滅」之雰圍中，諒能得多人之贊仰，但在具有悠久文化傳統中，苟「三世果報」之說，與其根本態度，不能相容，則此種牽合，必隨時代而泯滅。恐中唐以後，相信此類學說爲儒家本義者，蓋甚鮮也。惟第五類採取兩說，比附形似，與中國學術思想之發展，所關甚巨。蓋相異之悠久文化，既相接觸，必經抗拒，雜揉、抉擇而融合之種種階段。且外來文化中，苟有可以搖動吾文化之根本，誘引吾民人之仰慕者，更非經此種種過程，擷其英華，棄其枝葉，不能至於平衡。此第五類之解釋，正所以表示此附會，雜揉，種種努力。雖其援儒入佛，在思想及生活史上，產生甚多之惡果，然追尋新儒家產生之起源，此種牽合，固亦必經之嘗試。如上第五條引皇侃疏「性相近」句云：「性無善惡而有濃薄，情是有欲之心而有邪正。性既是全生，而有未涉乎用，非謂不可名爲惡，亦不可目爲善。故性無善惡者也」，正爲橫渠別立氣質之性，及陽明「無善無惡心之體」諸說之濫觴。新儒家之學說，誠較六朝之調和論者，爲能發現儒佛之異同，爲能建立系統一貫之主張，更能有意識地建立中國之形上學。然此種以本國文化之立場，受外來文化之影響，而欲採取其精髓之精神，固與一部分南北朝人爲同一路向。清人見宋學中含有佛老影響，不明其根本之同異，徑欲以近於二氏斥之，誠爲謬誤；近儒，如太炎先生，又尊崇佛法，等宋儒於皇侃之流，亦爲失論。惟由皇侃諸人書中，推尋儒、佛雜揉及以後演進之痕跡，庶可見思想發展之路徑，亦無損於宋儒之創新。因略考三書之影響，簡論如上，惜今存資料較少，不能窺見當時附會之全貌，平日對佛典所知甚少，不能推尋比附之原句，故致論證疏陋，甚無當耳。

又考《隋唐志》中，所列六朝人之義疏，除《周易》、《禮記》、《論語》三經最多外，《孝經》疏解，亦較它書爲多。此種傾向，似皆與佛教盛行，不無關係。蓋《周易》本「三玄」之一，《論語》爲孔子微言所寄，《禮記》則其中《中庸》、《樂記》諸篇與《周易》、《論語》相類，此類疏之數量增多，其爲受佛學影響之故，似無可疑。（《隋志》列戴顒《中庸傳》二卷，梁武帝《中庸講疏》一卷。）惟《孝經》、《禮記》等篇，重在典制，當由南人重視門閥禮教之故，自與佛理無涉，然與佛教教律之推重，似有相當關係。蓋佛學律宗諸派，注重持律，其在中土，惟《三禮》、《孝經》足以當之。故六朝沙門及信佛之儒生，如雷次宗、宗炳、慧遠（見《經典釋文‧毛詩序下》）、慧琳（注《孝經大義》，見《廣弘明集‧辨證論》）之徒，多講喪服《孝經》，此固有門第階級之社會因素，而佛律之盛，亦或一因素。朱彝尊《經義考》載晉元帝《孝經傳‧序》曰：

> 原始要終，莫踰《孝經》，能使甘泉自湧，鄰火不焚，黃金天降，神女感動，……

此文有以《孝經》之神跡，比於持咒誦經之意。又唐明皇《孝經注孫奭序》曰：

> 有唐之初，雖備存秘序，而簡編多有殘缺。傳行者惟孔安國、鄭康成之注，並有梁博士皇侃《義疏》播於國序，然辭多紕繆，理昧精研……榮華其言，妄生穿鑿。

此所謂「辭多紕繆，妄生穿鑿」者，當亦與其《論語・禮記義疏》相等，乃多引外義比附儒說之類。惜書缺有間，無由考尋，惟此類比附，義殊鄙淺，僅能與上述第四類相似，當與後來之思想學術，所關較少，故未加詳考也。

一九三六年六月二十二日

此文作於一九三六年夏，下列數點，應須補充：

一、當時只知王弼《論語注》之可疑，後見陳寅恪師及王維城先生，均疑此注自「近火者熱」句以下，恐係皇侃語，非王弼注語，乃知向誤於馬國翰之輯佚，時雖曾以馬書與原書對勘，竟未發現此點，亦讀書粗疏之證。惟「近火者熱」句以前之句調，仍多佛典風格，且江熙輯十三家《論語》注，弼注不與其列，仍爲疑點，故未及全部改正。

二、時未見湯錫予先生《漢魏兩晉南北朝佛教史》講義，不知有小頓悟、大頓悟之分，更未注意劉虬《無量義經序》言「安公道林之言，合於頓義」，故甚疑皇引殷仲堪之《論語解》當爲依托。見湯先生書後，知向日所疑根據，殊爲薄弱。惟道生以前，頓悟之義，究不明顯，殷仲堪是否能從支道林書中，發掘「一悟」之義，此點仍爲可疑。

三、當時只注重六朝人已佚之注疏，故未對韓康伯《易注》特加考證。又聞日本存有周宏正之《講周易疏論家義記》一書，亦未寓目，足證此文疏陋甚多。近日興趣轉移，不耐考察，姑志於此，以俟後考。

一九四六年十一月二十八日

——原載《中國社會與思想文化》（北京：人民出版社，一九八九年八月），頁三八九——四一〇。

王弼之《周易》《論語》新義

湯用彤

陳壽《魏志》無王弼傳，僅於《鍾會傳》尾附敘數語，實太簡陋。然其稱弼「好論儒道」，「注《易》及《老子》」孔老並列，未言偏重，則似亦微窺輔嗣思想學問之趨向。蓋世人多以玄學爲老莊之附庸，而忘其亦係佛學之蛻變。多知王弼好老，發揮道家之學，而少悉其固未嘗非聖離經。其生平爲學，可謂純宗老氏，實則亦極重儒教。其解《老》雖精，然苦心創見，實不如注《易》之絕倫也。

漢魏之際，中華學術大變。然經術之變爲玄談，非若風雨之驟至，乃漸靡使之然。經術之變，上接今古文學之爭。魏晉經學之偉績，首推王弼之「易」，杜預之「左傳」，均源出古學。今學本漢代經師之正宗，有古學乃見歧異。歧異既生，思想乃不囿於一方，而自由解釋之風始可興起。夫左丘明本「不傳春秋」，而杜預割裂舊文以釋經，以非經而言爲經。與王肅之造僞書作聖證，其爲非聖無法實有相同。然尊左氏爲經本導源劉歆，亦非後世所突創也。至若《易》本卜筮之書，自當言象。王弼黜爻象，而專附會義理，似爲突創。然王氏本祖費氏「易」，世稱同於古文。傳至馬融，荀悅言其「始生異說」。古文《易》本不同今文《易》。馬氏治《易》又更異於先儒。則《易》本早有變化。而王氏之創新，亦不過繼東漢以來自由精神之漸展耳。

漢代儒生多宗陰陽，魏晉經學乃雜玄談。於孔門之性與天道，或釋以陰陽，或合以玄理，同是駁雜不純，未見其間有可軒輊也。夫性與天道爲形上之學，儒經特明之者，自爲《周易》。王弼之《易注》出，而儒家之形上學之新義乃成。新義之生，源於漢代經學之早生歧異。遠有今古學之爭，而近則有荆州章句之「後定」。王弼之學與荆州蓋有密切之關係。漢末，中原大亂，荆州獨全。劉表爲牧，人民豐樂。表原爲八顧之一（或稱八交，八友，八俊），好名愛士，天下俊傑，羣往歸依。「開立學宮，博求儒士。使綦毋闓、宋忠等撰立《五經章句》，謂之「後定」（《魏志》六注引《英雄記》），王粲即於其時在荆州。其《荆州文學記官志》（《藝文類聚》三八）謂劉表「乃命五業從事宋衷所作文學延朋徒焉」。「五載之間，道化大行。耆德故老綦毋闓等，負書荷器自遠而至三百餘人」。《蜀志·李譔傳》「譔父仁與尹默俱游荆州，從司馬徽宋衷等學。譔具傳其業」。「著古文《易》，《尚書》，《毛詩》，《三禮》，《左氏解》，《太玄指歸》。皆依準賈馬，異於鄭玄。與王氏（肅）殊隔，初不見其所述，而意歸多同」。《魏志》王肅「從宋衷讀《太玄》，而更爲之解」。則子雍之學本有得於宋仲子。子雍善賈馬之學，而不好鄭玄，仲子之道固然也。譔、肅之學並由宋氏，故意歸多同。而其時「伊洛以東，淮漢以北，鄭氏一人而已，莫不宗焉。宋衷之學，異於鄭君，王肅之術，攻訐康成。王粲亦疑難鄭之《尚書》。則荆州之士踔跐不羈。守故之習薄，創新之意厚。劉表「後定」，抹殺舊作。宋王之學，亦特立異。而王弼之「易」，不遵前人，自係當時之風尙如此也。

荆州學風，喜張異議，要無可疑。其學之內容若何，則以難言。然據《劉鎭南碑》（《全三國文》五六）稱表改定《五經章句》，「刪剗浮辭，芟除煩重」，其精神實反今學末流之浮華，破碎之章句。又按《南齊書》所載王僧虔《誡子書》有曰，「荆州八帙」，「言家口實」。又曰，「八帙所載，共有幾家」。據此不獨可見荆州經學家數不少，卷帙頗多，而其內容必與玄理大有契合。故即時至南齊，清談者猶視爲必讀之書也。荆州儒生之最有影響者，當推宋衷。仲子不惟治古文，且其專長似在《太玄》。王肅從讀《太玄》，李譔學源宋氏，作《太玄指歸》。江東虞翻讀宋氏書，乃著《名揚》、《釋宋》（見《吳志》本傳注）。而陸績《述玄》文中稱，荆州劉表遣梁國成奇脩好江東。奇將《玄經》自隨。陸幅寫一通，精讀之。後奇復來，宋仲子以其《太玄解詁》付奇，奇與張昭。陸氏因此得見仲子之書。可見荆州之學甚盛。而仲子爲海內所宗仰，其《太玄》並特爲天下所重。夫《太玄》爲《易》之輔翼，仲子之「易」，言亦有名於世。虞翻曾見鄭玄、宋衷之「易」，而謂衷小差玄，在其同時，易學實極盛，馬融、鄭玄、荀爽、王肅、虞翻、姚信、董遇、李譔，均治《周易》。虞翻言「經之大者，莫過於《易》。自漢初以來，海內英才解之率少。至桓靈之際，穎川荀諝（爽）號爲知《易》」（本傳注）。可見漢末，孔門惟道學，大爲學士所探索。因此而《周易》見重，並及《太玄》。亦當時學風之表現。而王弼之「易」，則繼承荆州之風，而自有樹立者也。

王弼未必曾居荆州。然其家世與荆州頗有關係。山陽劉表受學於同郡王暢。漢末暢孫粲與族兄凱避地至荆州依劉表。表以女妻凱。粲之二子與宋衷均死於魏諷之難（魏諷之難，實因清談家反曹氏而起）。魏文帝因粲子二人被誅，以凱之子業嗣粲。而王弼者乃業之子，宏之弟，亦即粲之孫也（《魏志・鍾會傳注》）。宏字正宗。張湛《列子注序》，謂正宗與弼均好文籍。《列子》有六卷，原爲王弼女婿所藏。按《列子》固非先秦原書，然必就舊文補綴成篇。王氏蓋自正宗，即好玄言。而其祖父兩輩與荆州有關係。粲、凱以及粲之子與業必均熟聞宋仲子之道，「後定」之論。則王弼之家學，上溯荆州，出於宋氏。夫宋氏重性與天道，輔嗣好玄理，其中演變應有相當之連繫也。又按王肅從宋衷讀《太玄》，而更爲之解。張惠言說，王弼注《易

》，祖述肅說，特去其比附爻象者。此推論若確，則由首稱仲子，再傳子雍，終有輔嗣，可謂一脈相傳者也。（蒙文通《經學抉原》頁三八）

大凡世界聖教演進，如至於繁瑣失眞，則常生復古之要求。耶穌新教，倡言反求《聖經》（return to the Bible）。佛教經量部稱以慶喜（阿難）爲師。均斥後世經師失教祖之原旨，而重尋求其最初之根據也。夫不囿於成說，自由之解釋乃可以興。思想之自由，則難拘守經師，而進入啓明時代矣。漢初經學，繁於傳記，略於訓說。其後罷傳記博士，而章句蔚起。其末流之弊，班固謂「一經說百餘萬言。說五字之文，至於二三萬言」。故有識者嘗思救其偏失，於是乃重明文證據。劉歆斥博士爲信口說而背傳記。許愼詬俗儒鄙夫爲怪舊藝而善野言。古文之學遂乘之而起。（《經學抉原》頁二六、二七）其後乃必有返尋古遠傳記之運動。杜元凱分《春秋》之年使與《左氏傳》相附，即此項運動之結果。而《周易》新義之興起，亦得力於輕視章句，反求諸傳。荊州「後定」蓋已開輕視章句之路，而王弼新《易》之一特點，則在以傳證經。蓋皆自由精神之表現也。

世傳王弼用費氏「易」。《漢書・儒林傳》，費直治《易》，亡章句（張惠言云後世所傳費氏《易注》僞托不足信）徒以《彖》《象》《繫辭》十篇文言解說上下經。是以費氏「易」與古文同，而其學本以傳解經，亦與今文家重訓詁章句者大異其趣。王弼用費氏「易」云者非但因其所用《易》文同於古文，而實亦因其沿襲其以經解之成規也。

然細按新易學反求諸傳之運動，其步驟可分爲二「㈠則於注文解說引傳證經，經傳連合，併爲一談。此費氏學之特色。魏高貴鄉公謂鄭康成《易注》以《彖》《象》與經文相連，乃謂鄭氏於《易注》中，以經傳合併解說也。史稱康成並傳費氏「易」，故其注《易》實用費氏之法。㈡則不但注解時經傳合說，而且割裂傳文，附入經文。其法即杜元凱用之於《春秋左氏經傳集解》者。此二步驟，前者以傳證經，後者以傳附經（實亦即以經附傳）。然前者尚只用於注解，後者乃進而改竄經文。二者深淺有別，而其主張反求古傳，輕視後師章句，則相同。《易》學至此，漢人舊說乃見衰頹，魏晉新學，乃可見興起也。

改竄《周易》以經附傳，實頗出於王弼之手。《玉海》朱震曰「「王弼以文言附乾坤二卦。」則《文言傳》之附入經文，始於輔嗣。又《正義》云：「弼意象本釋經，宜相近附，故分爻之象辭，各附當爻下。」則《小象傳》之附入經文，亦始於輔嗣。又按《魏志・高貴鄉公紀』》，帝問易博士淳于俊曰：「孔子作彖象，鄭玄作注，今彖象不與經文相連，而注連之何也？」夫古注單行，康成注《易》，合彖象於經，爲之解說。然其於《周易》本文，據高貴鄉公之言，實經傳未嘗混合。是則以彖象附入經文，似非如世人所言出於康成。而讀王弼《易略例》，首章即爲《明彖》。其以彖說經之旨，昭然如見。或者以彖象連入經文亦即出於輔嗣。而此久以流行之今本《周易》，以經傳相互，或即出王弼一人之手也。

今本《周易》因王弼所制定與否，茲姑不詳辨。然其注《易》時用傳經之精神，實甚顯著。此則其明證有四：㈠王「易」相傳出於費氏，費氏之章句，而主以傳解經。㈡王氏多於小象下無注，而以小象之義，入爻辭中，是爲以傳解經之實例。㈢《孔疏》云：「輔嗣加乾傳泰傳字，離爲六篇。」蓋今本《周易》分六卷，每卷首題《周易》上經（或下經）某傳（乾傳泰傳噬嗑傳咸傳訣傳手傳）云云。於六卷之首，均明言某傳，極見其以經附傳，用傳解經之意。㈣《經典釋文敘錄》略云：「王注上下經六卷，繫辭以下不注。相承以韓康伯注續之。」是王注只及上下經。繫辭以下以韓注續，乃「相承」已久之事。（《南史・顧歡傳》云「顧注王弼周易二繫」。此當係謂其續注王書也。）但輔嗣注《易》，祖述繫傳（讀《略例》可見。而繫反無注者，必王作書原旨，只在以傳解經。經注已完，繫辭以下，自無續注之必要矣。

弼注《易》，擯落爻象，恆爲後世所重視。然其以傳證經，常費匠心。古人論弼「易」者，如孫盛稱其附會之辨（附會字義，參看《文心雕龍・附會篇》，不定爲貶辭）。朱子亦嘗稱其巧。當均指出。夫弼固好老，然其於儒經，用力甚勤。其言有曰，《易》之「微言精粹，熟習然後存義」（《論語・述而・皇疏》引）。弼之於《易》亦擬熟習而解其義歟？儒家經典，《周易》而外弼曾爲《論語》作《釋疑》。《隋、唐志》及《釋文敘錄》均著錄（二卷或三卷）。按正始玄宗王何均研《論語》，俱重聖人之學行，而其著作之旨不同，平叔等作《集解》，蓋以晚近訓解不少（《集解敘》）今須擇善而從也。輔嗣作《釋疑》，則因其中有難關滯義，須爲之解答也。疑難者，或文義相違（如問同而答異），或言行費解（如子見南子，佛肸召子欲往），王充《論衡・問孔篇》譏之詳矣。王弼於此，皆有解釋，亦可謂聖門之功臣歟？尤有進者，王弼之所以好論儒道，蓋主孔子之性與天道，本爲玄虛之學。夫孔聖言行見之《論語》，而《論語》所載，多關人事，與《老》、《易》之談天道者，似不相侔。則欲發明聖道，與五千言相通與不相伐者，非對《論語》下新解不可。然則《論語釋疑》之作，其重要又不專解滯釋難，而更在其附會大義使與玄理契合。此下所論，略述王弼之易理，而以其釋《論語》而新義處附焉。

世之非毀弼「易」者，一非其援老氏入《易》。然漢代自嚴遵以來，兼治《老》、《易》之人固多矣。即若虞仲翔之「易」，世固謂爲漢易矣。然於乾象引自勝者强，坤象引勝人者有力，屯卦辭引善建者不拔，下繫引自知者明。以《老》、《莊》入《易》，不論其是否可為詬病，然在漢魏之時，此風已長，王弼用之，並非全為創舉也。又世之非毀弼「易」者，亦因其師心自用，不守家法。然弼之注《易》，採取舊說頗不見少。張惠言謂弼祖述王肅，特去其比附爻象者。實則弼注除黜象數外，文義亦嘗援用舊說。如《觀》卦卦辭注即用馬融之文，《泰》之初九全引虞氏《易》，《革》卦已曰乃孚乃用宋衷之注，《頤》之六二全用王肅之書。凡此均足證輔嗣治《易》，多讀世儒作品，於作注時，並有所取材也。

王弼之偉業，固不在因緣時會，受前賢影響。而在其穎悟絕倫，於形上學深有體會。今日取王書比較嚴遵以至阮籍之「老子」，馬融、虞翻之「周易」，王氏之注，不但自成名家，抑且於性道之學有自然拔出之建設。因其深有所會，故於儒道經典之解釋，於前人著述之取捨，均隨意所適。以合意為歸，而不拘拘於文字。雖用老氏之義，而係因其合於一己之卓見。雖用先儒書卷之文，而只因其可證成一己之玄義。其思想之自由不羈，蓋因其孤懷獨往，自有建樹而然也。

《魏志》云，王弼好論儒道，實即因其以二家性道之學，同主玄虛，故可併為一談。《論語》「志於道」，王弼《釋疑》道：「道者，無之稱也，無不由也，況之曰道，寂然無體，不可為象。」夫漢代之天道指禍福吉凶，謂一切事象，必有所由，順之則祥，逆之則殃。此與王弼主「一物之動必有其所以然之理」，其原理固相通。然漢代言天文災異者，以人政上應天道，如客星犯軒轅大星，則主皇后失勢；貌之不恭（謂君臣不敬），則有雞禍。其立言全囿於形器之域。漢人所謂天，所謂道，蓋為有體之元氣，故其天道未能出乎象外。至若王弼，則識道之無體超象，故能超具體之事象，而進於抽象之理則。夫著眼在形下之器，則以形象相比擬而一事一象。事至繁，而象亦眾。夫眾不能治眾，治眾者必由至寡之宗。器不能釋器，釋器者必因超象之道。王弼以為物雖繁，如能統之有宗，會之有元，則繁而不亂，衆而不惑。學而失其宗統，則限於形象，落於言筌。據此說《易》，則必以乾比馬，以坤爲牛，其立意與軒轅配中宮，不肅應雞禍，固無異也。不知

> 義苟在健，何必馬乎？類若在順，何必牛乎？爻苟合順，何必坤乃爲牛？義苟應健，何必乾乃爲馬？（《略例・明象》）

夫義類者抽象之簡理。馬牛者體之繁象。即體之象生於抽象之義（參看《乾・文言》上九注）。知其義類，何必拘執於馬牛。依此原則，而掃除漢人囿於形器之積習，然後玄遠虛勝之談，乃有根據也。

王弼用忘象得意之原則，以建立玄學。而其發現此原則，實因其於體用之理，深有所會。王氏之所謂本體，蓋爲至健之秩序。萬象所通所由，而本體則無體而超象。萬有事物由眞實無妄之本體以始以成，形象有分，而體爲無分至完之大全。事物錯動，而體爲用形制動之宗主。本體超越形象，而孕育萬物。萬物殊變，俱循至道，而各有其分位。萬有之分位固因於本體之大用。然則眞識形象之分位者，固亦深知天道之幽賾者也。夫《易》之爲書，小之明人事之吉凶，大之則闡天道之變化。聖人觀象設卦，無非表示物變之分位。依分位則能辨其吉凶之由，明其變化之理。故王弼論《易》，最重時位。變化雖繁，然如明其時位，則於萬有可各見其情，而變斯盡矣。萬有依其在大道中之地位，而以始以成。由其本身言，則謂爲其性分（或德）。由始成言之，則謂爲其所以然之理。故王氏《乾卦・文言注》有曰：「夫識物之動，則其所以然之理，皆可知也。」所謂物之動者，即天道之變化。所以然之理即謂萬變在大全中之時位。明其時位，則上可悉其變化之所由，下可推人事之吉凶。夫萬有咸得一以成，中道以生。故萬有紛繁，運化萬變，必有系統。宗極至健，故萬變而不離。統制有序，故紛繁而不亂。王氏《易略例》，首章《明象》，蓋示萬變之必有宗主，萬物之必由乎道也。而品制萬變，因時而易（王注之時略

如時勢）。於是《易》乃設卦以存時義，又於卦分爻以應時之變。故王氏《略例》乃有《明爻通變》，及《明卦適變通爻》之二章。王弼之《易》，反象數，主時位，蓋皆本於其本體之學也。

王弼注《易》，旨在發揮其一己於性道之學之眞知灼見。故往往改棄舊義，另立新說。而其遺舊創新處，正爲其眞知所在，極可注意。乾爲天，坤爲地，爲漢儒所奉之古義。然所謂天者，清明無形（鄭玄）。地者有九等之差（宋衷）。即所謂上下覆載形氣之物，而非王輔嗣所明之象外之本體也。故其《乾卦注》曰：

天也者，形之名也。健也者，用形者也。

《坤卦注》曰：

地也者，形之名也。坤也者，用地者也。

夫《易》之首卦不曰天地，而曰乾坤，則乾坤非即天地，而指能用天地之本體之德也明矣。本體至健，能孕萬形。本體至順，能循理則。本體寂靜而統萬變，其德則曰乾。本體貞一，而順自然（《坤》六二注），其德則曰坤。本體爲至健之秩序，雷動風行，運化無方，俱爲大用必然之流行。所謂盈虛消息爲人力之所難挽。故大易所示時有否泰，爻有變動，君子熟於天地盈虛消息之理，則可以適時應變矣。

復卦問以爲一陽始生，主六日七分，當建子之月，爲人君失國而還返之象（鄭玄、虞翻、荀爽）。至王弼始輕歷數之說，而闡明其性道之學。夫萬形咸以無爲體，由道而得其性。然則苟欲全其性，必當不失其本。如欲不失其本，必當以無爲用。以無用者，即本體之全體大用。欲眞欲全性葆眞者，必當與道合一，體用具備。故《復卦注》曰：「復者，反本之謂也。天地以本爲必者也。」天地之心，即本體之大用。反本即反於無，而以無爲用，又曰以無爲心。若有物安於形器之域，而昧於本源，則分別彼我，爭端以起。故王氏又曰：「若其以有爲心，則異類未獲俱存矣。」

王弼之所謂本體，爲至健之秩序。萬物生成爲本體之用，而咸有其必然之分位。秩序者就全體以稱。分位者就一物立言。全體之秩序，即所謂道。故道也者無之稱也。無不通也，無不由也。一物之分位，根據其所由之理，而各得其性。故曰：「物皆不敢妄，然後萬物乃得各全其性。」（《無妄卦注》）夫道眞實無妄，故物均不敢妄，而有其所恆有之性，所恆具之德。恆者常也。物皆有其所恆，言其各反常道也。爲顯此義，王弼解《無妄》與《恆》二卦，乃大異於前修。馬、鄭、王肅訓無妄爲無所希望。（虞氏云，京房及俗儒以爲大旱之卦，訓無望當因此。）《九家易》曰，無有災妄，虞氏謂爲無亡。而王弼解爲物不可以妄。其言有曰，天之教命，何可犯乎，何可妄乎。夫不違犯天之教命（即道之秩序），則物有其所恆之德性。鄭、虞舊義於《恆卦》僅訓爲久。王氏乃進而言所久所恆。其言曰「各得所恆，修其常道，……故利有攸往」。「道得所久，則常通無咎，而利貞也」、「得其所久，則不已也」。「言各得其所恆，故皆能長久」。「天地萬物之情見於所恆也」。此蓋有悟於老子之所謂常。常者依全體言，即指道；依事物言，則謂其由乎道而有其本然之分位。如物全其分，得其所恆。全其分者，即不失其本，所謂「修其常道」者也。如失所其恆，則是昧其本源，離其宗極，是即王弼所指《旅卦》之時也。旅舊或訓軍旅，此王肅說。張軌釋齊斧（資斧）爲黃鉞斧（參看《巽》上九荀注），當亦承子雍之說。或訓客旅。然所謂客者，舉聘客爲例（鄭玄），亦非王弼所用之義。弼之言曰「旅者大散，物皆失其所居之時也」。然則旅之時，在人事爲民失其主，在天道則爲物昧其本，物昧其本，則喪其眞，失其所恆，必不可久矣。

《易》之戒慎本可合於老氏卑弱之義。王弼注《易》，於此乃反復致意。於《易》之始則有曰：

居上不驕，在下不憂，因時而惕，不失其幾，雖危而勞，可以無咎。（《乾卦注》）

於《易》之終亦有曰：

夫以柔順文明之質，居於尊位，付與能而不自役，使武以文，御剛以柔，斯誠君子之光也。（《未濟注》）

蓋能戒愼恐懼，則能識謙損之德。謙尊而光，履尊以損。舊義巽爲命令。王主巽順，曰巽悌乃能命行，又曰巽順則可以升（《升卦注》）。舊義大壯爲傷。王主壯盛（王肅義），曰壯，違禮則凶，凶則失壯。又曰行不違謙，不失其壯。夫老氏卑弱之術，漢初原爲刑名所利用，然固亦爲愼密懼禍之表現。西漢以來，蜀莊之沉冥，揚雄之守玄，馮衍之顯志，劉邵之釋爭，其持隱退之道者，蓋均出於戒愼之意。鍾會生母，「特好《易》、《老子》，每讀《易》孔子說鳴鶴在陰，勞謙君子，借用白茅，不出戶庭之義，每使會反復讀之」（《魏志》二十八注）。是亦合儒家之戒愼，與道家之卑弱爲行己至要。輔嗣注《易》，蓋亦如是也。

王弼會合儒道最著之處爲聖人觀念。此事可分四事說之。㈠主儒家之聖人，㈡聖人神明知幾，㈢聖人治世，㈣用行舍藏。

㈠王弼學貴虛無，然其所推尊之理想人格爲孔子，而非老子。周顏倫曾言，「王何舊說皆云老子不及聖」（《弘明集・周顒重答張長史書》）。此蓋漢代以來相承之定論。輔嗣、平叔未能有異言。王氏《論語釋疑》、《周易注》，固常以孔子爲聖人（如解《論語・子溫而厲章》，《易・乾卦・文言注》仲尼旅人）。至若何劭《弼傳》引答裴徽之語，則尤見其融會儒道之用心。當時弼以好老氏虛無之旨見稱。弱冠詣裴徽，

徽一見而異之。問弼曰：「夫無誠萬物之所資也。然聖人莫肯致言，而老子申之無已者何？」

> 弼曰：「聖人體無，無又不可以訓，故不說也。老氏是有者也，故恆言無（據《世說》疑其之誤）所不足。」

聖人體無，老子是有，顯於其人格上所有軒輊。而聖人所說在於訓俗，老書所談，乃萬物所資。則陽尊儒聖，而實陰崇道術也。

㈡《書經》睿作聖，聖人之德，原重明哲。輔嗣《略例》云：「明夷務暗，豐尙光大。」二卦並舉，蓋以顯聖德之異常。於豐則言其闡弘微細，通夫隱滯。於明夷則稱其示人於樸，能「晦其明」。明尋幽微，知人善任，王者以治天下。大智若愚，不用察察爲明，以導百姓於爭競。此則一方主儒聖之明哲，一方又重老學之棄智矣。

聖明知人，天下以臻治平，亦名家所常言。聖人藏明，養正以蒙，乃道家之要義。二者余均別有文論之，茲不再贅。然詳研王氏所講明尋幽微者，固不限於知人。而聖智之所以異常者，不只在其有似蒙昧，夫聖人則天之德，神與道會。天道變化，聖人神而明之，與之契合。所謂《易》之知幾是也。幾者謂變化之至也。至者指恰當至之時，不在事後，亦不在事先也。

聖人神之當機，不識於事之後，故無悔尤。《論語・佛肸召章》，仲由引夫子曰「親於其身，爲不善者，君子不入也」。王氏《釋疑》曰：

> 君子（原作孔子茲照《論語》本改）機發後應，事形乃視，擇地以處身，資教以全度者也，故不入亂人之邦。事形乃視，是不能當機契合。不能契機，自不能免於悔尤。《易》稱顏子庶幾，有過則改。庶幾者，殆將儕於聖明契道而稍後者也。顏子亞聖，固可稱爲君子，而實不及於聖人（君子與聖人有異，見《論語・述而・聖人不得見章》，王弼曾釋之）。聖人則窮極研幾，可以無過（《論語・加我數年章》王注）。

蓋聖智之體，與道合其變，於物極其情，直自然之流行，夫何悔尤之可有。《佛肸召章》，《釋疑》於論君子之後，繼而稱譽聖人。其言曰：

聖人通遠虛微，應變神化，濁亂不能污其潔，凶惡不能害其性（下略）。

又「未可與權」句，《釋疑》曰：

權者道之變，變無常體，神而明之，存乎其人不可豫設，尤至難者也。

聖人通變，隨其所適，此所謂以道合其變也。知天道之權變者，即明於事物之情僞。《論語・里仁》「夫子之道忠恕而已矣」句下，王氏曰：

忠者情之盡也。恕者反情以同物者也。未有反諸其身而不得物之情，未有能全其恕，而不盡理之極也。能盡理極，契神故能即物。此所以聖人知幾，於物則極其情也。

能知幾者，亦非預識於前也。不但權變無常，不可豫設（此王氏文，見上引），而且聖人神與道會，應若自然。如形影聲響，同時而有，不爲不造。夫漢人之預言吉凶災異者，固非聖人之徒也。老子云「前識者道之華」，王注於此，似斥常人所謂預言。文曰：

前識者，前人而識也。即下德之論也。竭其聰明，以爲前識，……雖得其情，奸巧彌密。

聖人之知，純無造作，前人而識，則毀自然而自矜其智矣。蓋大皆背於老氏之道，而非儒聖之所謂知幾矣。（據現存本嚴遵《老子指歸》，王氏此解疑出於君平。蓋此本中前識下嚴注曰：「預設然也。」其《指歸》有曰：「先識來事以明得失。」）

㈢聖人法道，德合自然。其治世之方，殆亦可推知矣。道大無名，故君人之德，以中和爲美。《釋疑》曰：

故至和之調，五味不形，大成之樂，五聲不分。中和質備，五材無名也。

中和質備，則可役偏至之材，而天下以治。自然無造，故不察察而治。《老子注》云：

夫以察物，物亦競以其明應之。以不信察物，物亦競以不信應之。……若乃多其法網，煩其刑罰，塞其徑路，攻其幽宅，則萬物失其自然，百姓喪其手足。（四十九章注）

故聖人之於天下，歙歙焉心無所主。夫心無所主者，若天之至公；察察爲政，則未免於私也。《釋疑》稱堯之德曰：

大愛無私，惠將安在？至美無偏，名將何生？故則天成化，道同自然。不私其子，而君其臣，凶者自罰，善者自功（下略）。

聖王以無名不偏之德，行至公自然之治，無毫末之私，不自有其身，百姓日用而不知，故自成大功，自致太平也。

王弼談治，以因爲主。「因而不爲」，《老子注》中之所數言。然其所謂因者，非謂因襲前王，而在順乎自然也。《周易・鼎卦注》云：

去故取新，聖賢之不可失也。

其所謂因者，因自然之理，以全民之性（亦即民自全其性）。理有大常，道有大致。修其常，順其理，則得治之方，致治之方。雖順道家之自然，但不必即毀儒家之名教。名教有禮法之防。然王氏注《訟卦》，引孔子無訟之言，而申明之曰：

無訟在於謀始，謀始在於作制。……物有其分，職不相濫，爭何由興。

《師卦注》云：

爲師之始，齊師者也。齊眾以律，失眾則散。

是王氏固未嘗毀棄分位法制也。《論語》「林放問禮之本，子曰大哉問」王氏《釋疑》曰：

> 時人棄本崇末，故大其能尋禮本意也。

考王氏所謂禮之本意，具詳於《老子》三十八章注中，謂仁義禮敬均須統以自然無爲。然則禮者，如能出乎自然無私，旨在以觀感化人，則王道至大者也。《觀卦注》曰：

> 統說觀之無道，不以刑制使物，而以觀感化物者也。神則無形者也。不見天之使四時，而四時不忒，不見聖人使百姓，而百姓自服也。

治用觀感，實因民之性，以期其自化。積極方面，則任民之自然發展。消極方面，則「除其所以迷，去其所以惑」（所以二字甚重要。見《老子》二九章注）。故政治之用，既有利導，亦有檢制。《論語》「興於詩，立於禮，成於樂」，王氏《釋疑》曰：

> 言有爲政之次序也。夫喜懼哀樂，民之自然，感應而功，則發乎聲歌。所以陳詩采謠，以知民志風。既見其風，則損益基焉。故因俗立制，以達其禮也。矯俗檢刑，民心未化，故必感以聲樂，以和其神也。

然則王弼論政，雖奉自然，實未廢儒教之禮樂也。引伸上文之意，則陳詩以觀民風。風俗有良窳，良者任其增勝，窳者必見所以然而爲之檢制。然後感以樂，以和其神。然則自然之治，固非徒以放縱爲事也。

㈣中國社會以士大夫爲骨幹。士大夫以用世爲主要出路。下焉者欲以勢力富貴，驕其鄉里。上焉者懷璧待價，存願救世。然得志者入青雲，失意者死窮巷。況且庸庸者顯赫，高才者沈淪，遇合之難，志士所悲。漢末以來，奇才云興，而政途坎坷，名士少有全者，得行其道，未必善終。老於溝壑，反爲福果。故於天道之興廢，士人之出處，尤爲魏晉人士所留意。孔子曰知天命。《易》曰天地盈虛，與時消息。依儒家之義，時勢之隆污，乃歸之於大運之否泰。若更加以道家之說，則天命之興廢，乃自然之推移。因是「用之則行，舍之則藏」不但合於儒家之明哲保身，亦實即道家之順乎自然，夫聖人本德足君人，而每不逢時在位。王氏釋「子見南子」以爲「猶文王之拘於羑里，蓋天命之窮會也」。並曰：

> 否泰有命，我之所屈不用於世者，乃天命厭之，非人事所免也。

天道自然，興廢有期（參看五十知天命句，王氏《釋疑》），非人事所能改易。聖人於此，亦順而安之云耳。

夫盈虛消息之義，清談人士之所服膺。輔嗣爲玄宗之始，於此曾三致意。然其《易注》，於《繫遁》乃曰「遁之爲義宜遠小人」。於《肥遁》則曰「超然絕志，心無疑顧」。於《觀》之上九「聖人不在其位」則云「高尚其志，爲天下所觀」。於《泰》之九三「時將大變」則曰「居不失其正，故能無咎」。於《乾》之初九「潛龍勿用」則云「不爲世俗所移易」。輔嗣於君子不遇之時，而特重其行義不屈。比於山濤之告嵇紹，不亦勝之遠乎。蓋玄風之始，雖崇自然，而猶嚴名教之大防。魏諷死難，漢室隨亡。何晏被誅，曹祀將屋。清談者，原篤於君父之大節，不願如嵇紹之靦顏事仇也。王弼雖深知否泰有命，而未嘗不勸人歸於正。然則其形上學，雖屬道家，而其於立身行事，實仍賞儒家之風骨也。

——原載《圖書季刊》新四卷一、二期合刊（一九四三年六月），頁二八——四〇。

王弼改定《周易》體制考

張善文

在中國《易》學史上，三國魏王弼（二二六——二四九年）《周易》學說的出現，是改變一代學風、影響至為深遠的一件大事。這位僅度過二十四個春秋的青年《易》家，置數百年《易》學流俗於不顧，獨樹新幟，奮起矯正兩漢以降「象數學」弊端，廓而清之。他的《周易》學說，主於「得意忘象」、「得象忘言」，倡揚「卦以存時」、「案爻明體」、「承乘比應」等例，開魏晉《易》學新風。後世《周易》「義理學」之興，實於王氏發其端。儘管王弼據《老》、《莊》玄理解《易》，或為後來崇尚漢學的《易》家所詬病；但自唐初修撰《五經正義》，《周易》定用王弼注，遂使王《易》在唐代幾定於一尊，歷宋、元、明、清，研探其學者代不乏人，迄今未衰。

王弼《易》學的根本影響，固在於廢漢學、闡義理，但他對《周易》體制的改易更定，實亦是關涉到《周易》經傳參合本以規範程式流傳一千多年的重要問題。而王弼之改定《周易》體制，又是在沿承西漢費直、東漢鄭玄的基礎上完成的。本文擬就這一問題，略作考辨。

一

《周易》古經原只是六十四卦符號及卦辭、爻辭。戰國以後出現的《易傳》，漢人稱《十翼》，共有《文言傳》、《彖傳》上下、《象傳》上下、《繫辭傳》上下、《說卦傳》、《序卦傳》、《雜卦傳》，凡七種十篇。舊稱伏羲畫八卦，文王重為六十四卦並作卦爻辭，孔子作《易傳》，故班固《漢書・藝文志》謂「《易》道深矣，人更三聖，世歷三古」。然《周易》古經及《易傳》七種，原皆單行。自漢代《易》學振興，學者遂將經傳參合並行，此後《易》家所言《周易》者，通常兼及經、傳。至於流傳至今的經傳參合本《周易》，其編定過程，則是濫觴於西漢費直，修訂於東漢鄭玄，完成於王弼。

據《漢書・藝文志》著錄：「《易經》十二篇，施、孟、梁丘三家。」顏師古注：「上下經及《十翼》，故十二篇。」王應麟《漢志考證》引孔穎達云：「《十翼》，謂《上彖》、《下彖》、《上象》、《下象》、《上繫》、《下繫》、《文言》、《說卦》、《序卦》、《雜卦》。」由此可知，西漢施、孟、梁丘三家《易》學，兼及六十四卦和《十翼》；其治《易》之內容，既包經傳，實爲《周易》的經傳合編本立下重要基礎。

漢初，《易》立於學官者，唯施讎、孟喜、梁丘賀、京房諸家「今文」《易》。費直之學以「古文」爲主，故未立學官。《漢書・儒林傳》稱其：「長於卦筮，亡章句，徒以《彖》、《象》、《繫辭》十篇文言解說上下經。」（按，宋吳仁傑《集古易自序》云「《漢書》本誤以『之言』爲字『文言』」，似可從。）《藝文志》又云：「劉向以中《古文易經》（顏師古注：中者，天子之書也；言中，以別於外耳。）校施、孟、梁丘經，或脫去『無咎』、『悔亡』。唯費氏經與古文同。」陸德明《經典釋文・序錄》亦曰：「費直傳《易》，受琅邪王璜，爲費氏學，本以古文號《古文易》，無章句，徒以《彖》、《象》、《繫辭》、《文言》解說上下經。漢成帝時，劉向典校書，考《易》說，以爲諸《易》家說皆祖田何、楊叔光、丁將軍，大義略同，唯京氏爲異。向又以中《古文易經》校施、孟、梁丘三家之《易經》，或脫去『無咎』、『悔亡』，唯費氏經與古文同。范曄《後漢書》云：京兆陳元、扶風馬融、河南鄭眾、北海鄭玄、穎川荀爽並傳費氏《易》。」顯然，費《易》雖未立學官，其在民間流傳至廣。費直治《易》的主要特色有二：一是，以「古文」《易》爲本；二是，無章句，唯以《十翼》解說經意。「古文」《易》傳自先秦，蓋於《十翼》文字獨詳，故費氏專主其說，援以解經。惟其恃《十翼》解經，則經、傳參合之《周易》由是濫觴。故北宋王堯臣等撰《崇文總目》云：「凡以《彖》、《象》、《文言》雜入卦中者，自費氏始。」晁公武《郡齋讀書志》亦指出：

> 凡以《彖》、《象》、《文言》等參入卦中，皆祖費氏。東京荀、劉、馬、鄭皆傳其學。王弼最後出，或用鄭說，則弼亦本費氏也。

所謂「自費氏始」、「皆祖費氏」，乃逆推援傳連經之根源。至若費直所用之《周易》本，如何將《十翼》參入經中，則因費《易》亡佚已久，未可詳考。但有一點是不可置疑的：即費直以《十翼》解說經旨，傳授其學，門徒、後學必據以述作「章句」，所成「章句」中的《周易》本文體例或未能一致，故當時流傳之經傳參合本《周易》亦必有多種。《經典釋文・序錄》論及費氏《易》時，曾引《七錄》云：「《費易章句》四卷，殘缺。」《隋書・經籍志》著錄：「梁又有漢單父長費直注《周易》四卷，亡。」《舊唐書・經籍志》：「《費氏周易林》二卷，費直撰。」《新唐書・藝文志》：「《費氏周易逆刺占災異》十二卷，費直，又《周易林》二卷。」上引資料所及，既有費氏《易》「章句」之屬，又有占驗之學。視《漢書》謂費直「亡章句」，可知諸書當爲費氏門弟子或後學所撰。吳承仕先生《經典釋文序錄疏證》謂：「疑後世爲費氏學者附益之。」然後學既承費《易》學說撰爲「章句」，人各爲例，《周易》經傳次第亦紛然莫能一致；至東漢鄭玄之學興，遂更爲董理，使費《易》大昌於世。

二

鄭玄（一二七——二〇〇年）初從第五元先治京氏《易》（今文學）；後從馬融問業，馬融傳費氏《易》（古文學）。故鄭玄《易》學雖參以京氏，實以費氏爲主。鄭玄承沿費直所傳《易》學，一方面創立其「爻辰」說等條例，另一方面則對費氏經傳參合本《周易》體制頗作修訂，使援傳連經的規式初成範本。《三國志・魏志・高貴鄉公傳》記載曹髦與《易》博士淳于俊的一節對話云：

> 帝又問曰：「孔子作《彖》、《象》，鄭玄作注，雖聖賢不同，其所釋經義一也。今《彖》、《象》不與經文相連，而注連之，何也？」俊對曰：「鄭玄合《彖》、《象》於經者，欲使學者尋省易了也。」帝曰：「若鄭玄合之，於學誠便，則孔子曷爲不合以了學者乎？」俊對曰：「孔子恐其與文王相亂，是以不合，此聖人以不合爲謙。」帝曰：「若聖人以不合爲謙，則鄭玄何獨不謙邪？」俊對曰：「古義弘深，聖問奧遠，非臣所能詳盡。」

這裡淳于俊言之最明者，乃鄭玄合《彖傳》、《象傳》於經這一情實，亦即鄭玄對費氏本《周易》經傳次第重爲修訂之事。

然鄭玄修訂本，《彖傳》、《象傳》如何參入經中？經傳篇次怎樣更定呢？呂祖謙《古易音訓》曰：「鄭康成合《彖》、《象》於經，故加『彖曰』、『象曰』以別之，諸卦皆然。」朱震《漢上易傳叢說》亦云：「自康成而後，其本加『彖曰』、『象曰』。」又晁說之《題古周易後》指出：鄭康成學費氏《易》，其「初變亂古制時，猶若今《乾》卦，《彖》、《象》繫卦之末」，「卒大亂於王弼」（《景迂生集》卷十八）。今本《周易》中《乾》卦的經傳次序，爲先列卦爻辭，次《彖傳》，次《象傳》，與其餘六十三卦不同（說詳下文）。則鄭玄所修訂《周易》體例，只將《彖傳》、《象傳》分割為六十四組，各附於所釋之卦的卦爻辭之後；又於諸卦《彖傳》、《象傳》文字前增「彖曰」、「象曰」以與卦爻辭相區別。

至於鄭玄將經傳參合之後的《周易》全書篇次，孔穎達《周易正義》於《說卦傳》疏曰：

> 先儒以孔子《十翼》之次，《乾坤文言》在二《繫》之後、《說卦》之前，以《彖》、《象》附上下二經為六卷，則《上繫》第七、《下繫》第八、《文言》第九、《說卦》第十。

孔氏所言「先儒」，這裡即指鄭玄（惠棟《易漢學》已言及，茲不贅考）。又，《序卦》、《雜卦》當依次為第十一、第十二，因孔氏此處未疏及，故未言。據此，則鄭玄修訂《周易》經傳之整體次序為：將《彖傳》、《象傳》割裂分附六十四卦的卦爻辭末，成經傳六篇，又依次承以《繫辭上傳》、《繫辭下傳》、《文言傳》、《說卦傳》、《序卦傳》、《雜卦傳》各一篇，合為十二篇。

約言之，鄭玄就費直學派所傳《周易》經傳本重加釐訂，其所為者大體三事：一曰，分《彖傳》、《象傳》為六十四組，附各卦經文之末；二曰，於諸卦《彖傳》、《象傳》前增題「彖曰」、「象曰」字樣，以別於經文；三曰，定《周易》經傳篇次為十二。鄭玄《周易》之本，當時必有較大影響（視前引淳于俊語可知）。至王弼出，又經一度改訂，遂成流傳至今的《周易》經傳參合本。

三

王弼繼起於鄭玄之後，亦傳費氏《易》學。《經典釋文・序錄》云：「永嘉之亂，施氏、梁丘之《易》亡，孟、京、費之《易》人無傳者，唯鄭康成、王輔嗣所注行於世，而王氏為世所重。」此說似不以王《易》為費氏學。然《序錄》於前文則據范曄《後漢書》，謂陳元、鄭眾、鄭玄、荀爽「並傳費氏《易》」。故吳檢齋先生以為這兩處行文「自相違伐，似為疏舛」（《經典釋文序錄疏證》）。細斟陸氏語意，謂「唯鄭康成、王輔嗣所注行於世」，或直承上文「費之《易》人無傳者」一句而發，似亦可理解為獨此二人傳費學之脈。惟其造語含糊隱晦，有欠詳明。此問題《隋書・經籍志》所述甚為明瞭：

> 後漢，陳元、鄭眾皆傳費氏之學，馬融又為其《傳》以授鄭玄，玄作《易注》，荀爽又作《易傳》。魏代，王肅、王弼並為之《注》，自是費氏大興。

這裡將費直、鄭玄、王弼《易》學一脈相傳，以至王弼作注、費《易》「大興」的線索清理得十分顯明。

王弼既傳費、鄭《易》學，則對鄭玄所修訂之經傳參合本《周易》的體例不能不深為關注。於是，他又經過一翻考索改定，終使其書形成定本。他所改定的主要內容，體現於三方面：

其一，前文已敘，鄭玄將《十翼》中的《彖傳》、《象傳》分割為六十四組，各附諸卦的卦爻辭後，如今本《乾》卦之例。王弼則更將《彖傳》、《象傳》條文再行離析，一一提前，分附於所釋之卦辭、爻辭下；而《象傳》又有釋卦辭之《大象傳》（每卦一則）與釋爻辭之《小象傳》（每卦六則）之分，其例如今本《坤》卦以下六十三卦的體式。故晁說之指出，分裂《彖》、《象》附經，「卒大亂於王弼」（見前文引）。而今本《周易》唯留《乾》卦仍依鄭玄舊本之例，蓋欲使讀者明其古式。吳仁傑《集古易自序》云：「今王弼《易》，《乾》卦自《文言》以前則故鄭氏本也。」胡一桂《周易啓蒙翼傳》引朱熹曰：「王弼注本之《乾》卦，蓋存鄭氏所分之例也；《坤》以下六十三卦，又弼之所自分也。」王弼既如此分裂《彖傳》、《象傳》，則其文本中所題「彖曰」、「象曰」亦與鄭玄本有異。據前述，鄭玄僅於每卦所附《彖》、《象》文前各題一「彖曰」、「象曰」

；而王弼本《坤》卦以下，每卦體例則爲：卦辭後附該卦《彖傳》題「彖曰」，次附《大象傳》題「象曰」，又次初爻爻辭後附該爻《小象傳》再題「象曰」，依次二、三、四、五，上爻爻辭後各附《小象辭》均題「象曰」。這樣，王弼本於《坤》以下六十三卦之《象傳》，因分割加細，故所增題「象曰」較鄭本每卦各多六處（《坤》卦又多「用六」辭「象曰」一處）。王弼之所以如此分裂《傳》文，孔穎達《周易正義》於《坤》六二《象傳》說之曰：「夫子所作《象辭》（按，即《象傳》），原在六爻經辭之後（按，當指鄭本之例），以自卑退，不敢亂先聖正經之辭。及至輔嗣之意，以爲《象》者本釋經文，宜相附近，其義易了，故分爻之《象辭》各附其當爻下言之。猶如元凱注《左傳》，分經之年與《傳》相附。」此爲王弼對《彖傳》、《象傳》附經體例之改定。

其二，《十翼》中有《文言傳》一篇，專爲闡說《乾》、《坤》兩卦的象徵意旨，餘六十二卦則無。朱熹《周易本義》指出：「此篇申《彖傳》、《象傳》之意，以盡《乾》、《坤》二卦之蘊，而餘卦之說，因可以例推云。」鄭玄經傳參合本尙未將《文言傳》分割，仍以完整的一篇列於《繫辭下傳》之後（見前文引孔穎達語）。按鄭氏《易注》自隋以後漸佚，至北宋僅存一卷，《崇文總目》謂：存者爲《文言》、《說卦》、《序卦》、《雜卦》四篇。王應麟《玉海》亦曰：「鄭氏所注存第九，總《文言》、《說卦》、《序卦》、《雜卦》四篇。學者不能知其次，乃謂之《鄭氏文言》。」據此，亦可證鄭玄本尙以《文言》自爲一傳。本世紀二十年代出土的東漢《熹平石經》中之《周易》殘石，有《文言傳》、《說卦傳》二百多字（見馬衡《漢熹平石經周易殘字跋》、錢玄同《讀漢石經周易殘字而論及今文易的篇數問題》，並載《北京大學圖書部月刊》第一卷第二期，一九二九年十二月二十日出版），兩篇文字相連排列，可知鄭玄所傳《周易》經傳本在熹平間仍屬權威版本，乃爲朝廷刻石流傳。至王弼則將《文言傳》割而爲二，分別依附於《乾》、《坤》兩卦之卦爻辭、《彖傳》、《象傳》之後，並各加「文言曰」以標明之。朱震《漢上易傳叢說》謂：「自王弼而後，加『文言曰』。」如此改動，遂使鄭玄本列爲第九之《文言》篇位空缺，而王弼本提鄭本第十篇之《說卦傳》爲第九，鄭本第十一、十二之《序卦傳》、《雜卦傳》亦依次改爲第十、第十一。故孔穎達《周易正義》於《說卦傳》又曰：「輔嗣以《文言》分附《乾》、《坤》二卦，故《說卦》爲第九。」這樣，鄭玄舊本十二篇之次，王弼本改作十一篇；孔穎達依王注作《正義》，其篇次一仍其舊，作十一篇。至於經傳卷數，《釋文序錄》謂鄭玄本「十卷」，注稱「《錄》一卷」，則正文只九卷（《隋書・經籍志》作「九卷」），蓋上下經六篇爲六卷，《繫辭傳》上下篇爲兩卷，《文言傳》、《說卦傳》、《序卦傳》、《雜卦傳》四篇合爲一卷（上引《崇文總目》錄鄭《易》殘卷即以此四篇爲一卷），故總數九卷。然《釋文・序錄》又引《七錄》云鄭本「十二卷」，當以鄭氏十二篇之次爲十二卷。王弼注本，《隋書・經籍志》著錄「十卷」，其中王注六十卦上下經六卷，韓康伯注《繫辭傳》以下三卷（按，《繫辭》以下王不注，《南齊書・陸澄傳》載澄與王儉書謂「弼於經中已舉《繫辭》，故不復別注」，後世相承以韓伯注續之），又王弼撰《周易略例》一卷，則正文亦止九卷。唐陸德明作《周易音義》（《經典釋文》第一種）、孔穎達作《周易正義》，即據王本九卷之例。故就卷數言，王《易》大體承鄭《易》之舊計卷；但王以《文言傳》納入上經《乾》、《坤》所屬卷中，故王之經傳篇數與鄭有異（後世傳刻之《周易正義》或作十卷、十三卷、十四卷乃至十八卷，殆刻家因經傳內容多寡重爲分合，而諸篇次第先後均依王弼所定）。此爲王弼對《文言傳》篇次體例之改定。

其三，今本王弼《周易注》於六十四卦上下經分六卷，每卷題「乾傳第一」、「泰傳第二」、「噬嗑傳第三」、「咸傳第四」、「夬傳第五」、「豐傳第六」，各以卷首第一卦爲名，與《詩經毛氏傳》各卷取第一首詩爲名同例。呂祖謙《古易音訓》謂此目係王弼增標，云：「今王弼注本卷首題曰『周易上經乾傳』，餘卷亦有『泰傳』、『噬嗑傳』、『咸傳』、『夬傳』、『豐傳』之名；蓋弼所用鄭氏本，鄭氏既合《彖傳》、《象傳》於經，故合題之耳。」王應麟《玉海》曰：「康成注本無『乾傳』、『泰傳』字，輔嗣加之，以卷首之卦題曰『傳』，離爲六篇。」《四庫全書提要》謂：「蓋因《毛氏詩傳》之體例。」（《周易注》提要）檢《經典釋文》作「需傳第二」、「隨傳第三」，此兩處與今本《周易注》不同。證以唐《開成石經》中《周易》上下經卷名，一一與《釋文》相合。則王弼所定六卷之次及卷名似當以《釋文》爲準。故《四庫提要》認爲：今本《周易注》上下經六卷之次「當由後人以篇頁不均爲之移并；以非宏旨之所繫，今亦不復追改焉。」（同前）鄭玄《易注》久佚，其上下經如何分卷已不可考，但王弼因鄭本之舊計卷，重爲釐訂，並增以「乾傳第一」等卷名，以清各卷眉目，則是可信的情實。此爲王弼對鄭本《周易》的釐訂並標立卷名。

王弼通過上述三方面對西漢費直、東漢鄭玄所傳《周易》經傳體例的改定，使分傳附經更臻細密，終使其本成爲《周易》經傳參合的定本流傳至今。

四

宋代不少學者，對費直、鄭玄、王弼以來《周易》經傳參合本的形成頗爲不滿，指摘爲「變亂古制」。故兩宋之間，竭力否定王弼傳本，試圖復古《易》之舊者大有人在。如王洙、邵雍、呂大防、晁說之、吳仁傑、呂祖謙等人均有「古《周易》」考訂本，而大防《周易古經》、說之《錄古周易》、祖謙《古易》三種影響較大。故胡一桂云：「古《易》之亂，肇自費直，繼以鄭玄，而成於王弼；古《易》之復，始自元豐汲郡呂微仲（大防），嵩山晁以道（說之）繼之，最後東萊先生（祖謙）又爲之更定，實與微仲本暗合。」（朱彝尊《經義考》引）

南宋朱熹撰《周易本義》指出：《周易》經傳「凡十二篇，中間頗爲諸儒所亂。近世晁氏始正其失，而未能盡合古文。呂氏又更定，著爲《經》二卷，《傳》十卷，乃復孔氏之舊云。」故朱子《本義》篇次，依呂祖謙所定，爲「上經第一」、「下經第二」、「《彖上傳》第一」、「《彖下傳》第二」、「《象上傳》第三」、「象下傳第四」、「《繫辭上傳》第五」、「《繫辭下傳》第六」、「《文言傳》第七」、「《說卦傳》第八」、「《序卦傳》第九」、「《雜卦傳》第十」，凡經傳十二篇。

然而，朱熹精心撰定的《本義》十二篇次第，刊行不久又被割亂而復成王弼既定之經傳參合本（《四庫全書提要》考《本義》自南宋董楷即被割亂），而明、清以來最爲通行之《周易本義》的體例已大違朱氏初撰時的宗旨。可見，王弼改定的《周易》經傳本，雖非古《易》本來篇次，但由於甚便研習，且未嘗更變經傳本文，故頗爲多數學者所接受。因此，以王弼《周易》傳本盛行一千七百餘年而不衰的事實言之，王氏其人在《易》學領域對後世的重大影響，除了他「自標新學」的理論體系外，他對費直、鄭玄沿傳之《周易》經傳參合本體制的重新改定，也是值得估量的一大要素。

——原載《福建師範大學學報》一九八九年二期，頁一九——二三轉頁三〇。

杜預與《春秋經傳集解》

葉政欣

一、前　言

《春秋》經出於孔子的創作，歷來學者沒有異辭。孔子作《春秋》的用意，《孟子《和《史記》二書有扼要的述說。《孟子・滕文公下篇》說：

> 世衰道微，邪說暴行有作，臣弒其父者有之。孔子懼，作《春秋》。

司馬遷《史記・自序》也說：

> 周道衰廢，孔子爲魯司寇，諸侯害之，大夫壅之。孔子知言之不用，道之不行也，是非二百四十二年之中，以爲天下儀表，貶天子，退諸侯，討大夫，以達王事而已矣。……夫春秋上明三王之道，下辨人事之紀，別嫌疑，明是非，定猶豫，善善惡惡，賢賢賤不肖，存亡國，繼絕世，補敝起廢，王道之大者也。

蓋周室東遷以後，王道衰替，綱紀墮廢，孔子生逢其時，本有起而重振綱紀的抱負，但環境不允許他有所作爲，不得已採取春秋二百四十二年的史實，筆削之，損益之，「上明三王之道，下辨人事之紀」，藉以達到恢復周道的目的；可謂用心良苦，胸懷遠大。孟子說：「孔子成《春秋》，而亂臣賊子懼」，足見他這一「補敝起廢」的工作，曾經發生了效果。

至於孔子作《春秋》，所根據的史料，和傳授《春秋》的情形，以及左丘明爲《春秋》作傳的由來，《史記》和《漢書》也有明確的記載。《史記・十二諸侯年表》說：

> 孔子西觀周室，論史記舊聞，興於魯而次春秋。七十子之徒，口授其傳指，爲有所刺譏褒諱挹損之文辭，不可以書見也。魯君子左丘明懼弟子人人異端，各安其意，失其眞，故因孔子史記具論其語，成《左氏春秋》。

《漢書・藝文志》也說：

> 仲尼以魯史官有法，故與左丘明觀其史記。……有所褒諱貶損，不可書見，口授弟子，弟子退而異言。丘明恐弟子各安其意而失其眞，故論本事而作傳，明夫子不以空言說經也。

根據這兩段記載，則孔子據史記舊聞而制義法，左丘明輯舊史而論本事，以爲春秋作傳的事實，可以確定。（後世學者雖有異說，惟司馬遷家世爲通學，班氏書也有有所本，二家之說似不可廢。）

《春秋》經自孔子以後，爲儒家傳授的重要經典之一，可以考見孔子的學術思想及制作要義。《左傳》詳載春秋二百四十二年間的史實，可以明孔子筆削大義，而文辭之精妙，尤可冠冕群書，故無論爲經學，爲史學，爲文學，《左傳》均有其崇高的地位。

晉儒杜預潛心《春秋》及左氏之學，垂數十年，著有《春秋經傳集解》，「專修丘明之傳，以釋孔子之經」，備成一家之學，號稱左氏功臣。自《集解》行世以後，漢儒的著作便隱微不傳，《集解》成爲碩果僅存的《春秋左傳》古注。後世研讀《春秋》和《左傳》的人，必以杜氏《集解》爲津梁，其重要性實足以與經傳並行而不朽了。

二、家世及生平事功

杜預，字元凱，是晉朝京兆杜陵（今陝西長安縣東南）的人；生於魏文帝黃初三年（西元二二二年），卒於晉武帝太康五年（西元二八四年），享年六十三歲。

他可以說是生在一個仕宦的世家。他的十一世祖杜延年，做過漢朝的御史大夫。祖父名畿，仕魏朝，官至尙書僕射。父親名恕，也擔任過魏朝的幽州刺史。杜預自幼聰穎好學，博極群書，因此學問根柢極爲深厚。同時，他的見識超卓，才兼文武，具有多方面的才幹，是一位不可多得的高才。故《晉書》本傳說他「博學多通，明於興廢之道」。他又富進取心，認爲「立德」一項或不敢企求，但「立功」和「立言」是可以靠努力而達到的。可見其志趣所在。這些都是後來他成就大事業和大學問的重要因素。

元凱早在魏朝做官，不甚得志，也不見知名。到魏高貴鄉公正元二年（西元二五五年），得司馬氏提攜，改調尙書郎，並承襲祖先爵位，爲豐樂亭侯。這時元凱三十三歲，在任凡四年，又轉參相府軍事。這是元凱表現他軍事才能之始。

景元四年（西元二六三年），鍾會、鄧艾率兵伐蜀，元凱任鎭西長史，也在軍中。後來，鍾會謀反，僚佐大都遇害，只有元凱應變得當，才保全性命。不久，受命與賈充等人共同制定律令，由元凱加以注解，頒行天下。

司馬炎篡位自立，元凱繼續仕晉，曾任河南尹，頗有政績；旋去職。這時，胡人入寇隴右，元凱出任安西軍司、秦州刺史，受安西將軍石鑒節制；因與石鑒意見不合，去職。後以事實證明元凱所陳策略極爲正確，他的軍事才能就逐漸爲其他朝臣所賞識。這時，匈奴帥劉猛在幷州、河東一帶叛亂，元凱便受詔參預軍事。不久又受命爲度支尙書，主持國家財政大計。

元凱在度支尙書任內，建樹頗多，諸如奏請建立藉田，興常平倉，定穀價，較鹽運，制課調等等，凡五十餘項，都得朝廷採納而興辦起來；使得國內財政安定，人民普受其利，邊患因得解除，這些不能不歸功於元凱的妥善策劃。可惜却因糾彈石鑒論功不實一案去職，數年後才得復職。

這段期間，杜預在朝前後凡七年，除策劃財政措施外，於朝政也多所獻替，比較重要的有下列幾件事：

晉武帝元配楊皇后的梓宮將遷葬峻陽陵，依舊制，既葬後，皇帝和群臣即吉，博士議以為皇太子也宜同時釋服。元凱不以為然，他認為，古制：母后既葬，皇太子應行諒闇終制，不宜葬畢即除喪服。結果元凱之議為朝廷採納，以後便成為典例。這是他對典制的貢獻。

晉武帝即位之初，採用劉智所訂的秦始曆，行了十餘年，發現差舛不應晷度；當時，適有善曆者李修、夏顯兩人，完成一種新曆，稱為乾度曆，元凱亦通曆法，經他審訂之後，奏上，也被朝廷採用。

元凱又看到黃河孟津渡，因水勢湍急，往來南北兩岸，常有覆舟危險，於是想在河面上建造一排船，一一連接起來，做為一座浮橋，對於南北交通裨益必大。他選定富平津為建河橋地點，並向武帝提出建議。當時許多朝臣反對，但武帝接受他的建議，經他一番苦心籌劃，終於完成。當橋成之日，武帝還親率百僚，前往主持盛典，並加慰勉。以當時技術說，這是件非常艱鉅的工程，他終能運用巧思，把艱鉅工程完成。

咸寧四年秋天，各地大雨，積水無法宣洩，以致春耕困難，尤以潁川、襄城等地最嚴重。又加上蝗蟲侵襲，使五稼收成大受影響，朝廷頗為憂慮。元凱於是上疏條陳農要，提出解決辦法，頗多卓見。

因他對朝政貢獻甚多，成績卓著，所以贏得了朝野一致的讚美，大家給他一項美稱，叫做「杜武庫」，說他胸懷韜略，無所不有。可見當時朝野對他的倚重和崇拜了。

元凱生平最著名的一項功業，就是平吳的壯舉。自鍾會、鄧艾伐蜀成功後，魏、蜀、吳三國鼎立之局，便一舉而為魏、吳南北對峙之勢。不久，司馬氏篡魏自立，晉、吳對峙。這時，晉朝正當開國鼎盛之際，地大物博，賢良衆多，國富兵強，正是大有作爲的時候。反觀東吳，雖歷數十年經營，國基穩固，但孫皓在位，荒淫驕虐，不修德政，上下離心，却給晉國一個大好機會。

晉武帝在開國之初，就有伐吳之計，但朝臣大都反對，只有羊祜、張華、杜預等人表示贊同。不過因爲羊祜等人是當時最有遠見和最了解雙方實力的人物，所以反對的人雖屬多數，武帝還是沒有動搖伐吳的決心，而積極部署，爲伐吳奠定基礎。不久，羊祜得病，乃薦元凱自代。到羊祜病卒，武帝便正式任命元凱爲鎮南大將軍，都督荆州諸軍事，接替羊氏的職務。

元凱到任以後，便繕治甲兵，提高軍威士氣，簡選精銳士卒，突襲吳西陵都督張政的營壘，把吳軍打敗，並俘獲部分吳兵。張政未將失敗詳情向朝廷報告，元凱便用離間計，把所獲吳兵遣送吳主孫皓，孫皓果然把張政召回，改派武昌監劉憲接替他。元凱既用反間使吳人陣前換將，又經周密部署後，便上表請示伐吳之期。這時，武帝尚無立即伐吳之意，便報以「待明年方欲大舉」。元凱再度上表分析當前敵我形勢，認爲時機成熟，大有成功把握，且時機稍縱即逝，坐失良機，着實可惜。又說：

> 自秋以來，討賊之形頗露，若今中止，孫皓怖而生計，或徙都武昌，更完修江南諸城，遠其居人，城不可攻，野無所掠，積大船於夏口，則明年之計，或無所及。

經元凱一再上表陳述形勢利害，中書令張華又表示贊成，武帝才准出兵大舉伐吳。於是杜元凱便在太康元年正月，正式出兵。晉軍所到之處，連克城邑，吳軍都督孫歆也成了俘虜。進圍江陵城，吳督將伍延所部也被晉軍擊破。長江中上游等地，悉爲晉軍佔領，沅、湘以南至于交州、廣州，都望風歸降。晉軍又進圍建業，孫皓請降，前後不到一年，便把吳國平定。元凱因功進爵增封，算是達到了他生平功業的最高峯，這時元凱已五十九歲了。

綜觀元凱生平，出將入相，利國澤民，其功業足以彪炳千秋，永垂青史。他所以能有這麼大的成就，實由於好學不倦，熟諳典制掌故，故能胸懷韜略，識見超卓，蔚爲國用，成就了偉大的事功。

三、治學和著述

元凱生平成就，可別爲兩方面：一爲事功方面，已如上節所述；另一爲學問方面，則是本節所要敍述的。而這兩方面的成就，可說互爲因果，相得益彰。

元凱年輕的時候，已博覽經史和百家之書；後來仕宦任職，公餘治學甚勤，而於《春秋》和《左傳》二書用力尤多。嘗謂爲學當以致用爲第一要務，所以對經世濟民有關的學問，特別重視。其生平著述也以有益世用及教化者爲依歸，比較重要的著述有《春秋左氏經傳集解》、《春秋釋例》及《女記讚》等書，可說都是具有這種作用的。從他的著作看來，他治學範圍並不算廣，著作量也不算多，這和漢儒馬融、鄭玄等的遍注群經，就範圍和量來說，都有所不同。這固然和他的治學貴專精和不輕言著述的作風有關，但他對於《左傳》的偏好以及歷膺要職，在官的時間居多，從容著書的時間較少等因素，也不無關係。

他對《左傳》的偏好，從《晉書》本傳中可以看出來：

> 時，王濟解相馬，又甚愛之，而和嶠頗聚斂。預常稱：「濟有馬癖，嶠有錢癖。」武帝聞之，謂預曰：「卿有何癖？」對曰：『臣有左傳癖？』

他愛好《左傳》，到了成「癖」，其程度之深，可以想見。因爲他深愛《左傳》，所以對《左傳》的研究用力最勤，收穫也最多。

他的著述，以《春秋經傳集解》（或稱《春秋左氏經傳集解》）和《春秋釋例》二書最爲重要。《晉書》本傳在敘述他平吳的經過之後，接着說：

> 既立功之後，從容無事，乃耽思經籍，爲《春秋左氏經傳集解》。又參考眾家譜第，謂之《釋例》。又作《盟會圖》，《春秋長曆》，備成一家之學，比老乃成。

從這段記載，我們可以看出他生平關於《春秋》、《左傳》的著作，計有《春秋經傳集解》、《春秋釋例》、《盟會圖》和《春秋長曆》四種。但《盟會圖》和《春秋長曆》二種，後來均併入《春秋釋例》一書傳世。因此他關於這一方面的著作，實際上只有兩種。

《春秋經傳集解》一書，《隋書・經籍志》及《唐書・藝文志》均有著錄，且均作三十卷。唐孔穎達作《春秋左傳正義》時，就選定此書作爲《春秋左傳》古注的標準，並根據它作疏解。它是現存最古的一部《春秋左傳》注，也是被後人保存下來惟一完整的一部《春秋左傳》古注，其重要性，自不待言。

《春秋釋例》一書，以闡明《春秋》及《左傳》義例爲主，並附以《盟會圖》和《春秋長曆》。《隋志》、《唐志》著錄均作十五卷。到了元朝，吳萊作後序時稱爲四十卷，卷數較前增多，這大概是因爲元朝時所行的本子把原有卷次另作分析之故。到了明朝，此書已殘缺不全，只在《永樂大典》中，還保存了三十篇，其中六篇有釋例而無經傳，其餘諸篇也大都有脫文。清初修纂《四庫全書》時，才經過一番整理，採孔穎達《正義》和其他引用《春秋釋例》的文字，加以補充，校訂訛誤，重新釐訂爲四十六篇，仍舊分十五卷。經過這番整理之後，雖仍非全璧，但其內容大概，已不難窺見。

這兩部書，以《集解》爲主，《釋例》爲輔，兩相配合，而杜氏一家的《左傳》學，便包含其中；《晉書》說它「備成一家之學」，誠非虛譽。

至於這兩書完成的時間，也可從《晉書》本傳那段記載看出大概。元凱平吳是在他五十九歲時完成的，他死時是六十三歲；從平吳到死去，這四年時間，應即本傳所謂「既立功之後，從容無事」的時間，既有較充裕的時間從事著述，成績必有可觀。那麼，這兩部書到他晚年方才完成寫定，殆無可疑。

又據杜氏《春秋釋例・土地名篇》稱：「孫氏僭號于吳，故江表所記特略。」且篇中所列地名，多兩漢、三國的郡縣名稱，與晉時不盡相合，可知他的著作雖到晚年方才寫定，但其屬稿則應當在平吳之前了。

他又著有《女記讚》一書，按此書今不傳。《隋書・經籍志・雜傳類》有杜預《女記》十卷，《新唐書・藝文志》作《列女記》；《隋》、《唐》二志所錄，應即此書。《史通・外篇》也說：

> 杜元凱撰《列女記》，博採經籍前史，顯錄古老名言，而事有可疑，猶闕而不載，斯豈非理存雅正，心嫉邪僻者乎？

這是對杜氏此書的讚譽。另外《集聖賢群輔錄》引用汝南太守李俍妻一事時說：「見杜元凱《女戒》」，所謂《女戒》，也應當是這部《女記讚》。《太平御覽》當中，也引用書中所載的四件事，可惜原書今已不傳。

此外，他早年曾與賈充等人共同修訂律令二十一卷，書成以後，元凱並加注解，由朝廷頒行天下。原書已佚，我們已無法知道它的詳細內容，不過我們可以從他進呈該書的一篇奏表，看出一些痕跡，以及他對法律的基本見解：

> 法者，蓋繩墨之斷，例非窮理盡性之書也，故文約而例直，聽省而禁簡。例直易見，禁簡難犯；易見則人知所避，難犯則幾於刑厝。刑之本在於簡直，故必審名分，審名分者必忍小理。

古之刑書，銘之鐘鼎，鑄之金石，所以遠塞異端，使無淫巧也。今所注皆網羅法意，格之以名分，使用之者執名例以審趨捨，伸繩墨之直，去析薪之理也。

這些見解，至今仍不失其正確性，我們誦讀之餘，不能不佩服他的卓見。

四、集解一書的價值及特點

杜元凱以左氏學名家，《春秋經傳集解》一書是他的代表作。

自從漢初北平侯張蒼把《左傳》呈獻朝廷以後，雖一時尚未立於學官，但學界對這部書已甚重視，學者私下研究的，非常普遍，故名家輩出。前漢比較著名的學者有張蒼、賈誼、尹咸、劉歆等人；後漢有鄭眾、賈逵、服虔、許惠卿、穎容等人。他們有的爲《左傳》作訓解，有的研究《左傳》的條例，各人均有著作傳世。到了杜元凱研究《左傳》，著《春秋經傳集解》，他便參考以前各家的著作，把他們的長處，一一採取。因此，在他的《集解》中，保存了許多漢儒舊說，所以他是有所本的。

但他對漢儒舊說，也有很多不滿意的地方。《集解・自序》說：

古今言《左氏春秋》者多矣，今其餘文可見者十數家，大體轉相祖述。進不成爲錯綜經文，以盡其變；退不守丘明之傳，於丘明之傳有所不通，皆沒而不說，而更膚引《公羊》、《穀梁》，適足自亂。

他對前此各家的某些說法既不滿意，當然不會再去蹈襲他們的短處。他的集解，有許多不同於前儒的說法，都是他個人精思玩索的心得，頗多具有價值的創見。所以他的書又是一個進步。

元凱既能保存漢儒長處，避免短處，又能推陳出新，有創見，他的書當然是較完備而理想的。單憑這些優點，《集解》已足夠超越其他各家的注解，而成爲一部重要的《左傳》注了。

本來，各家的《左傳》注，同時流傳於世，但到後來，有些因不爲後人所重，也就慢慢衰微，至於亡佚；只有杜元凱《集解》，巍然獨存。這碩果僅存的古注，便成了讀解《左傳》的重要憑藉了。

杜氏《集解》的特點有二：第一、杜氏始創經傳分年相附的體例。原來漢儒關於《春秋》經及《左傳》的著述，大抵把經和傳分開，所以經傳卷數多不相同。至劉歆雖已開始引傳文解經，轉相發明，但因劉歆的書已亡佚，是否仍採經傳分行的辦法，無法確定。不過我們從杜氏《春秋釋例》所引劉氏說經大義，可以判斷劉氏的解說，當仍因襲經傳分行之舊。西漢末年以降，才有兼釋左氏經傳的，但亦仍有專說傳不說經的。如賈逵的注便兼釋左氏經傳，服虔的注則只釋傳不錄經。

到了元凱才把經和傳合而爲一，分年相附。《集解．自序》說：

> 預今所以爲異，專修丘明之傳以釋經，經之條貫，必出於傳，傳之義例總歸諸凡。……分經之年與傳之年相附，比其義類，各隨而解之。

他把經傳相附的用意，是爲了矯正前儒之失。他把經和傳的關係拉近，所謂「專修丘明之傳以釋經，經之條貫必出於傳。」這是他獨到的地方。

第二、杜氏認爲左氏言「凡」者五十條，都是周公垂法，史書舊章。又有仲尼變例和新例之別，也是發前儒所未發。《集解．自序》說：

> 春秋者，魯史記之名也。《周禮》有史官掌邦國四方之事，達四方之志。諸侯亦各有國史，大事書之於策，小事簡牘而已。《孟子》曰：楚檮杌，晉乘，魯《春秋》，其實一也。韓宣子適魯，見《易象》與《魯春秋》，曰：周禮盡在魯矣！韓子所

> 見，蓋周之舊典禮經也。
>
> 周德既衰，官失其守，上之人不能使春秋昭明赴告策書，諸所記注，多違舊章。仲尼據魯史策書成之。考其眞僞而制其典禮。上以遵周公之遺制，下以明將來之法。左丘明受經於仲尼，以爲經者不刊之書也；故傳或先經以始事，或後經以終義，或依經以辯理，或錯經以合異。隨意而發，其發凡以言例，皆經國之常制，周公之垂法，史書之舊章，仲尼從而修之，以成一經之通體。
>
> 其微顯闡幽，裁成義類者，皆據舊例而發義，指行事以正褒貶。諸稱書、不書、故書、不言、不稱、書曰之類，皆所以起新舊，發大義，謂之變例。
>
> 然亦有史所不書，即以爲義者，此蓋春秋新意，故傳不言凡，曲而暢之也。其經無義例因行事而言，則傳直言其歸趨而已，非例也。

從這段話可以看出杜氏見解的平正通達，確有超過前儒的地方。孔穎達引申杜氏之意說：

> 先儒之說《春秋》者多矣，皆云丘明以意作傳說春秋之經，凡與不凡，無新舊之例。杜所以知發凡言例是周公垂法，史書舊章者，以諸所發皆是國之大典，非獨經文之例。隱七年始發凡例，特云謂之禮經。十一年又云，不書於策。建此二句於諸例之端，明書於策者，皆是經國之常制，非仲尼始造策自制此禮也。

據此可知杜氏這些說法，都是他詳玩傳文而獨創的心得，並非有所承於先儒的了。

五、集解流傳及清儒補充

杜氏《集解》寫定以後，因賈逵、服虔之書仍盛行，所以杜氏的書，一時未能受到學界重視。《晉書》本傳稱：

當時論者謂預文義質直，世人未之重，唯祕書監摯虞賞之。

激賞他的只有祕書監摯虞，可見知音不多。雖如此，在他死後，他的書就慢慢傳開，不久，便和服虔的《左傳注》同時被立於國學，左氏它成了服、杜兩家並行的局面。後學的人，有的傳服虔之學，有的傳杜氏之學，彼此壁壘分明，並有互相攻擊的情形。

晉室南渡以後，長江以北的地方，成了胡人的天下，服虔一派的《左傳》學便在北方盛行起來。南朝則盛行杜預一家之學，歷經宋、齊、梁、陳，一直不衰。等到隋朝統一天下，服虔一派才逐漸衰微，而杜氏一派則仍盛行。唐初孔穎達受詔編撰《五經正義》，《春秋》一經專採《左氏傳》，而古注則以杜氏的《集解》爲準。因爲孔氏的《五經正義》是國定的五經標準本，科舉場中，五經就完全以這個本子爲標準。所以自從孔氏的《五經正義》頒行，不但《春秋》經爲《左氏傳》所專，而且《左氏傳》的注，也爲杜氏一家所專。從此以後，杜氏的《集解》定於一尊，而其他左氏學的大師如賈逵、服虔等人的解說，便湮沒無聞了。

唐中葉以後，經學漸變，啖助、趙匡、陸淳三人，號稱《春秋》大師，他們研究《春秋》，但不專主《左氏》、《公羊》、《穀梁》三傳，遂開後人捨棄三傳，獨究遺經之風。至宋，孫復、劉敞諸儒繼之，此風更盛。於是過去專守注疏的風氣，便一變而爲以思考大義爲重，把注疏放在次要的地位。考其所以轉變的原因，實由於這時《公羊》、《穀梁》二傳已絕傳，而《左傳》獨盛，杜預《集解》專行已久，孔穎達《正義》又復專主杜氏《集解》立論，高才穎異之士，不屑章句之業的學者，或則厭杜氏的拘於舊典禮經，不能明《春秋筆削微言大義》，於是冥思幽討，復採取《公羊》、《穀梁》二傳解經之義，和《左氏》所載之事，折衷於個人見解，以為如此或可以與孔子的原意相合，經學之風便因此而轉變。

在這種風氣影響下，疏陋的人，固往往有流於臆測鑿空的，但高明的學者則不乏卓識偉論，超越前賢的地方。其間如宋朝的陳傅良、呂祖謙、魏了翁、程公說、林堯叟，以及元末明初的黃澤、趙汸諸家，都是治《左氏》學頗有成就的學者。他們大抵均祖述杜氏之學，但又不為杜氏之學所囿，故能卓然自立，有其獨到的成就。因此，杜氏《集解》到了宋、元、明三代，雖仍不失其重要地位，但顯然已不如隋、唐時代之受人尊崇了。

明代漸有一種補充杜氏《集解》的風氣。明初趙汸著《春秋左傳補注》，是此中的佼佼者，他著《補注》的旨趣，可從他的《自序》中看出。《自序》說：

> 黃先生（澤）論《春秋》學，以左丘明、杜元凱為主，所謂魯史遺法，既於《左氏》傳注中得之，而筆削微旨，殊未能潛窺其罅隙。《公》、《穀》所發書、不書之義，陳止齋因之以考《左傳》，故其筆削義例，獨有根據。所可惜者，偏於《公》、《穀》，與杜元凱正是合得一邊。乃以陳合杜，舉經正史，以章指附入《左傳集解》中。

趙氏本其師黃澤之學，治《春秋》以左氏、杜預為主，以《公》、《穀》、啖、趙及陳傅良為輔，成就甚大。他的《春秋左傳補注》一書，尤能開清代學者補杜的風氣，有功杜氏之學亦多。

清代為杜氏《集解》做補注的學者漸多，最早的一人是顧炎武。顧氏著《左傳杜解補正》三卷，博考古籍，推求文義，在訓詁名物方面，補充杜氏的不足，訂正《集解》的訛誤，頗具價值。

稍後有惠棟著《春秋左傳補注》六卷，補杜氏之失，亦稱精審。惠棟在《序言》中說：

> 棟曾王父樸菴先生，幼通《左氏春秋》，至耄不衰，常因杜氏之未備者，作《補注》一卷，傳序相授，于今四世矣。竊謂《春秋》三傳，《左氏》先著竹帛，名爲古學，故載古文爲多。晉、宋以來，鄭、賈之學漸微，而服、杜盛行。及孔穎達奉敕爲《春秋正義》，又專爲杜氏一家之學。值五代之亂，服氏遂亡。
>
> 嘗見鄭康成之《周禮》，韋宏嗣之《國語》，純采先儒之說，末乃下以己意，令讀者可以考得失而審異同。自杜元凱爲《春秋集解》，雖根本前修而不著其說，又其持論間與諸儒相違，于是樂遜序義，劉炫規過之書出焉。
>
> 棟少習是書，長聞庭訓，每謂杜氏解經，頗多違誤，因剌取經傳，附以先世遺聞，廣爲《補注》六卷；用以博異說，祛俗議。宗韋、鄭之遺，前修不揜；效樂、劉之意，有失必規。其中于古今文之同異者尤悉焉。」

從這段話可以看出他做《補注》的由來和用意。其書能廣搜古訓，援引秦漢子書以補杜氏，尤其對古今文的異同考究甚詳，可說是特色。

此外，又有馬宗璉著《春秋左傳補注》三卷，洪亮吉著《春秋左傳詁》三十卷，沈欽韓著《春秋左傳補注》十二卷，又《左傳地名補注》十二卷，皆屬佳作。馬書援引古籍，博采漢魏諸儒說經故訓，在顧氏、惠氏以外，補正杜氏的遺漏和缺失，亦多卓見。

洪氏自述他著《春秋左傳詁》的經過和體例說：

> 於是冥心搜錄，以他經證此經，以別傳校此傳，寒暑十輟者又十年。分經爲四卷，傳爲十六卷，遵《漢・藝文志》例也。
>
> 訓詁則以賈、許、鄭、服爲主，以三家固專門，許則親問業於賈者也。擬及通俗文者，服子愼之所注與李虔所序者截然，而兩徐堅《初學記》等所引可證也。

地理則以班固、應劭、京相璠、司馬彪等為主輔，而晉以前輿地圖經可信者，亦酌取焉。

又舊經多古字古音，半亡於杜氏，而俗字之無從鈎校者，又半出此書。因一一依本經與二傳，暨漢唐《石經》，陸氏《釋文》與先儒之說，信而可徵者，逐件校正，疑者闕之。大旨則以前古之人正中古之失，雖旁證曲引，惟求中古人之旨，而己無預焉者也。

可見洪氏於此書之作，用力甚勤，而內容則以訓詁、地理、人名為主，皆有所本，而簡潔不蕪，亦足以補杜氏之失。

沈氏書，把解釋訓詁、名物、典制的部分，稱為《春秋左傳補注》，共十二卷。又把解釋地名的部分，別出為《地名補注》，也是十二卷。二書總共二十四卷，大抵都能根據先儒的經訓，考究《春秋》經傳的意義，補充杜氏說的缺失，見解亦頗精到，考訂亦稱翔實。沈氏出書最晚，而卷數最多，其功力的深厚，可以想見。潘氏錫爵在跋文中說：「此注訓解名物，剖析字句，尤有詳贍於諸家者。」可見其價值亦不在前此諸家之下。

綜上所述，自趙汸、顧炎武、惠棟，以至馬宗璉、洪亮吉、沈欽韓諸家的補注，都能針對杜氏的疏略，援引漢魏以來學者的詁訓，以及名物典制，或補充杜氏所未備，或訂正杜氏的缺失，都有他們獨到的地方，可以說是杜氏的諍友，左氏的功臣。

杜氏的《春秋經傳集解》，雖是一部劃時代的著作，但因所注的《春秋經》和《左氏傳》，包含春秋二百四十二年的史實和孔子的筆削大義，內容極為豐富，範圍極其廣濶，所牽涉的問題也非常多，要想把這許多問題的每一個細節都作妥當的解釋，是非常困難的事；因此難免有錯誤的地方，只要把這些錯誤改正過來，依舊是一部極具價值的著作。所謂「小疵不掩大醇」，正可以拿來形容杜氏的書。

經過清儒的補益，《春秋》和《左傳》的注解，已較前更爲完善。我們研讀《春秋》和《左傳》的時候，可以參考杜氏和孔氏的解說，而輔以諸家的補注，則《春秋》經傳的義例和二百四十二年的史實，可以瞭然在目了。

——原載《國語日報・書和人》第一一〇期，一九六九年五月十七日。

東晉出現偽《古文尚書》

劉起釪

永嘉（西元307—312）之亂，西晉傾覆，文化遭受一次大的破壞，《經典釋文・敘錄》云：「永嘉傷亂，衆家之書並亡。」是當時統治者手中的文獻盡被毀壞，但民間的書當然是毀滅不盡的，仍然會零星分散保存在民間知識分子手中。

至晉元帝跑到南方重新建立起東晉王朝，仍然需要乞靈於儒家思想來作爲精神維繫，所以又廣徵經籍，並仍設立博士以傳儒學。

在經籍方面關於《尙書》的，有所謂豫章內史梅賾所獻孔安國《傳》（即注解）的《古文尙書》出現；在立學方面，晉元帝初設博士五人，後增爲九人，再增爲十一人，最後爲十六人。而《尙書》在其中占了二席。現分爲下列二項來談：㈠梅賾獻所謂「孔氏傳」《古文尙書》；㈡東晉建置學官及《孔氏傳》有關情況。

一、梅賾獻所謂「孔氏傳」《古文尚書》

當時流傳有一種《晉書》的材料，見孔穎達《尙書正義・虞書》下云：

> 《晉書・皇甫謐傳》云：「姑子外弟梁柳邊得《古文尚書》，故作《帝王世紀》往往載《孔氏傳》五十八篇之《書》。」《晉書》又云：「晉太保公鄭沖以古文授扶風蘇愉，愉字休預；預授天水梁柳，字洪季，即謐之外弟也；季授城陽臧曹，字彥始；始授郡守子汝南梅賾，字仲眞，又爲豫章內史，遂於前晉

奏上其書，而施行焉。」時已亡失《舜典》一篇，晉末范寧爲解時已不得焉，至齊蕭鸞建武四年，姚方興於大航頭得而獻之。

又孔穎達《尚書正義・序》亦云：

晉世皇甫謐獨得其書，載於《帝紀》，其後傳授乃可詳焉。

但古文經雖然早出，晚始得施行，其辭富而備，其義弘而雅。上項資料敘述了一個《古文尚書》傳授系統，從這系統產生出兩個結果：一是傳至梁柳時，轉給他的表兄皇甫謐，拿去採用了許多內容寫入所著《帝王世紀》中；一是傳至豫章內史梅賾，於前晉時奏上其書，因其內容富備弘雅，獲得施行。

這一記載，有下列幾個問題：(1)載此事的《晉書》問題，(2)皇甫謐是否採用《孔氏尙書》的問題，(3)豫章內史梅賾問題，(4)這一傳授系統本身的問題，(5)這部《尙書》古文經的篇目構成問題。現依次分別探述如下：

(1)載此事的《晉書》問題

關於所引《晉書・皇甫謐傳》一段，今《二十四史》中的《晉書》謐傳並無此文。過去或以爲引臧榮緒《晉書》，或以爲引王隱《晉書》，皆出推想。按唐修《晉書》（即今《二十四史》之本）以前，自晉至宋撰《晉書》者達二十三家，傳至唐初可考者尙有十九家（見金毓黻先生《中國史學史》），劉知幾《史通》則說有前後晉史十八家。孔穎達撰《正義》時，十餘家《晉書》大抵都在，不知其究引其中哪一家，但總之當是其中的一家。

(2)皇甫謐是否採用《孔氏尚書》的問題

該《晉書・謐傳》說皇甫謐採用了《孔傳》古文五十八篇入其所撰《帝王世紀》中一事，實不足據，孔穎達用了此誤說。《後漢書・逸民傳》中《野王二老傳》「即桀於鳴條」句下李賢注云：

> 《帝王世紀》曰：「按《孟子》：『桀（舜）卒於鳴條』。乃在東夷之地。」或言：「陳留平丘，今有鳴條亭也。」唯孔安國注《尚書》云：「鳴條，在安邑西。」考三說之驗，孔爲近之。

一般即以此爲皇甫謐引孔安國《傳》之證（見馬雍《尙書史話》引）。近人輯的《帝王世紀》，遂全收此注爲《世紀》文。其實這裡是李賢並引了《帝王世紀》、或言、孔安國《注》三項資料，然後自己下以論斷，顯然並不是皇甫謐引了孔安國語，謐只引了《孟子》中「舜卒於鳴條」一句（傳刻訛舜爲桀，《御覽》引此句即不誤），然後據以言鳴條屬東夷之地，所釋與桀無關，只釋鳴條所在。李賢則引鳴條所在的三說以注《漢書》，文義顯然。把此段全文都看做《世紀》之文是錯誤的。

又惠棟《古文尙書考》於《五子之歌》篇的其三曰「惟彼陶唐，有此冀方」句下云：

> 皇甫謐《帝王世紀》曰：「案經傳曰夏與堯舜同在河北冀州之域，不在河南也。故《五子之歌》曰：『惟彼陶唐，有此冀方，今失厥道，亂其紀綱，乃底滅亡。』言禹至太康，與唐虞不易都城也。」案《晉書》謂謐之外弟天水梁柳傳古文，謐嘗見之，故《五子之歌》、《湯誥》諸篇間載《帝王世紀》中。

又丁晏《尙書餘論》云：

> 《湯誓・序・正義》引皇甫謐云：「《伊訓》云：『造攻自鳴條，朕哉自亳』。《湯誥》曰：『王歸自克夏』。」《泰誓・正義》曰：「皇甫謐作《帝王世紀》，『紂剖比干妻以視其胎』，即引此爲刳剔孕婦也。」《世紀》又引《五子之歌》曰：「惟彼陶唐，有此冀方，自禹至太康不易都城。」《太平御覽・皇王部》引《世紀》：「太甲一名祖甲」。並依《孔傳》之

文。謐引僞古文如此，則《晉書》謂謐傳古文者信也。

兩人列舉皇甫謐《帝王世紀》引了僞孔下列五篇：⑴《五子之歌》，⑵《湯浩》，⑶《伊訓》，⑷《泰誓》，⑸《無逸》之太甲。今依次論之如次：

⑴《史記·夏本紀》「太康失國兄弟五人」句下《索隱》：「皇甫謐云：『號五觀也』。」正與《墨子》所引先秦時篇名同，而不稱《五子之歌》，與僞孔不同。可知謐引《墨子》而非引僞孔。又僞孔注僞《五子之歌》此句爲：「陶唐帝堯氏都冀州，統天下四方。」與二人所引皇甫謐語亦不同。故不能牽强謂謐引僞孔。

⑵《御覽》卷八十三載皇甫謐所引湯的誥誓之詞，是《國語》、《論語》、《墨子》、《荀子》等所引湯的旱禱誓詞，而非僞孔《湯誥》（後爲僞《湯誥》襲用）。至所引「王歸自克夏」句，陳夢家《尙書通論》指出是謐引述《典寶》、《湯誥》的《書序》，而非引僞孔 《湯誥》。

⑶《伊訓》句，陳夢家亦指出係據《孟子·萬章篇》。其言有據，可從。

⑷「紂剖比干妻以視其胎」語，孔穎達誤以爲謐引《泰誓》，其實自周以來傳紂暴虐事甚多，而僞《泰誓》亦無剖比干妻以觀其胎之語。陳夢家以爲似是《殷本紀》「剖比干觀其心」的引伸。完全有此可能。

⑸《無逸》中之祖甲爲太甲問題。今所見《無逸》以中宗、高宗、祖甲爲序，《史記·魯世家》所載與之不同。但漢石經《無逸》順序與此不同，而是太宗、中宗、高宗。段玉裁《古文尙書撰異》指出《漢書·韋玄成傳》中王舜、劉歆以爲：「於殷太甲曰太宗，大戊曰中宗，武丁曰高宗，周公《毋逸》之戒。」這三宗次序與漢石經今文同。段以爲《史記》是淺人用《古文尙書》改之。馬、鄭注古文本云

：「祖甲，武丁子帝甲也。」（《魯世家・集解》引）。而王肅與鄭玄立異，故依劉歆說，釋祖甲爲太甲（《無逸・正義》引）。這本是《古文尙書》說中鄭、王兩家早已有的不同說法，且其說淵源於劉歆，初非僞《孔傳》始有。皇甫謐即據《古文尙書》說中劉歆、王肅一系之說。（陳夢家亦持用王肅說的看法），而非據僞孔說。

由上辨析可知，皇甫謐所引此諸材料，皆與僞孔無關，惠棟、丁晏之說都是不正確的。

按：皇甫謐處於魏、晉之交，當時並沒有所謂《孔傳》，他自然不可能見到所謂《孔傳》。這點朱彝尊《經義考》說得最有力。該書在孔氏安國《尙書傳》一書下說：

> 《正義》又引《晉書》，皇甫謐從姑子外弟梁柳得《古文尚書》，故作《帝王世紀》往往載《孔傳》五十八篇之書。夫士安既得五十八篇之書而篤信之，宜於《帝王世紀》均用其說。乃《孔傳》謂堯年十六即位，七十載求禪，試舜三載，自正月上日至堯崩，二十八載堯死，壽一百一十七歲；而《世紀》則云堯年百一十八歲。《孔傳》謂舜三十始見試用，歷試二年，攝位二十八年，即位五十年，升道南方巡守，死於蒼梧之野而葬焉，壽一百二十歲；而《世紀》則云舜年八十一即眞，八十三而荐禹，九十五而使禹攝政，攝五年有苗氏叛，南征崩於鳴條，年百歲。《孔傳》釋「文命」謂外布文德教命，而《世紀》則云足文履己，故云「文命字高密。」《孔傳》釋「伯禹」，謂禹代鯀爲崇伯；而《世紀》則云堯封爲夏伯，故謂之伯禹。《孔傳》釋《呂刑》「呂侯」爲天子司寇，而《世紀》則云呂侯爲相。所述與《孔傳》多不同，竊疑士安亦未必眞見孔氏古文也。

其後程廷祚《晚書訂疑》沿用朱氏堯年、舜年、文命、伯禹諸條，並補充「《孔傳》謂成湯沒而太甲立，而《世紀》云湯崩之後有外丙仲壬」一條，因而也論定皇甫謐無見晚書之理。這些論斷都是對的。

此外，今所見《晉書・皇甫謐傳》中，只載其從姑子梁柳赴官時餞送之事，如果眞從他受《古文尙書》，則決不會丟掉這樣有意義的關於學術的大事不記，卻記生活瑣事。因爲《晉書・謐傳》全篇都記謐治學活動，這樣有關治學的重要事情如果眞有的話，是不容不記的。

由此種種，確證皇甫謐未曾見過《古文尙書》，從而可知在皇甫謐之世還沒有過《古文尙書》出現，順理成章的結論是：皇甫謐並未採用過僞孔《古文尙書》資料入他的《帝王世紀》一書中。

⑶豫章內史梅賾的問題

梅賾獻古文之事，除《堯典・正義》記載外，還見於《經典釋文》（見下文⑸），其事應該是有據的。但亡友馬雍相信程廷祚以爲梅未獻古文之說，在其《尙書史話》中說：「東晉時只有豫章太守而沒有豫章內史這個官職；東晉時做過豫章太守的是梅賾的弟弟梅陶而不是梅賾本人；梅陶做豫章太守是在成帝時候而不是元帝時候。由此可見，傳說中的重要人物的事跡便大成問題。」他看問題仔細，提出這一點是很可貴的。但這只能說對一個人的官職說得稍有出入，不能因有此出入即疑及這個人本身。

按《晉書・職官志》載：「郡皆置太守。」「諸王國以內史掌太守之任。」可知內史、太守職位同，是有可能被混稱的。何況古時常有把官職稱其相同官名的習慣，晉時即在習慣上稱太守爲內史。例如會稽亦是郡而非國，但其太守亦常稱內史，如《晉書・孔愉傳》載「出爲鎭軍將軍、會稽內史。」又孔愉之孫靜「再爲會稽內史」。又《宋書・武帝紀》亦載劉牢之爲會稽內史。此例實多見，所以稱梅賾爲豫章內史是可以的。

《世說新語．方正篇》：「梅賾嘗有惠於陶公（陶侃），後爲豫章太守。有事，王丞相收之。侃曰：『天子富於春秋，萬機自諸侯出，王公既得祿，陶公何爲不可放』？乃遣人於江口奪之。頤見陶公拜，陶公止之。頤曰：『梅仲眞膝明日豈可復屈耶』？」劉孝標注云：「《晉諸公贊》曰：頤字仲眞，汝南西平人，少好學隱退，而求實進止。《永嘉流人名》曰：頤領軍司馬。頤弟陶字叔眞。」這樣明確記載，梅賾仲眞曾由軍司馬仕至豫章太守，而豫章在西晉時曾爲王國，則把梅賾太守之職稱爲內史，在情理上是說得過去的。

至於曾有惠於陶侃的人，據《陶侃傳》所載確是梅陶。即當王敦忌陶侃之功準備殺侃時，任王敦諮議的梅陶勸說王敦不要殺侃，因而陶侃得免。後來侃勛位日隆，表荐梅陶，但未載明授以何職。到侃死時，則梅陶任至尚書。見於嚴可均輯《全晉文》載陶小傳說：「梅陶，元帝初爲王敦諮議將軍，後除章郡太守，成帝初爲尙書。」而《初學記．職官部》「御史中丞」條引《梅陶自序》，則曾任中丞之職。是梅陶任「章郡」太守在元帝時，不在成帝時。那麼元帝時獻上《古文尙書》的，由章郡（似即豫章郡脫豫字）太守梅陶訛爲豫章內史梅賾，不是沒有可能。但《世說新語》明載梅賾爲豫章太守，而且所稱自己的字明明是仲眞，似不應是誤文。而陶侃受了梅陶救命之惠，當梅陶親兄梅賾有殺身之禍時，他出來相救，也是合於情理的（《侃傳》中載明陶侃特別重視報答對他有恩惠的人）。所以這個獻《古文尙書》的人，應該就是過去一直相傳的官於豫章的梅賾。

「梅賾」，《經典釋文．序錄》作「枚頤」，《釋文》正文作「梅賾」。段玉裁《說文解字注》「臣部」臣字注云：「古名『頤』，字『眞』。晉枚頤字仲眞，李頤字景眞。『枚頤』或作『梅賾』，誤也。」（朱駿聲《說文通訓定聲》從段說）。按西漢有辭賦家枚乘、枚皐，知確有枚姓，但此人在《晉書》中已作梅姓。其名如段說當作頤，然其弟梅陶字叔眞，「陶」、「眞」未必相應，則段所云只可備一說。文獻中已習稱梅賾，固不必强攻。但「頤」字比「賾」較常見，故稱梅頤者亦常有之。因此我們將隨資料引用，不强求一律。

⑷僞古文傳授系統的問題——托始於鄭冲教授

上引《晉書》所說的《古文尚書》傳授系統，實際是編造的一個托始於鄭冲的僞《古文尚書》傳授系統。正像東漢時編造的一個托始於孔安國的漢《古文尚書》傳授系統一樣。鄭冲於魏時爲帝師，講授《古文尚書》（非僞《古文尚書》），官至太保。到晉時爲太傅，勳望名位甚高，利用他原來的傳授《古文尚書》的大師的地位，偷梁換柱地說成是傳授這本《孔安國傳》的《古文尚書》，就足以慫動人們的視聽，相信這部「古文」經眞是有來頭的。

其實我們只要看，鄭冲和鄭小同授魏帝經及魏帝到太學和博士們論難《尚書》時，所反復爭辨的只是鄭玄、王肅兩家的異同，根本不涉及《孔安國傳》，假使當時眞有這「孔氏古文」而且由帝師鄭冲傳授，當然會在這場辯論中拿出來折服鄭王二家。然而卻提都不提到一下，就可知當時根本沒有這麼一家「孔氏之學」。在這裡我們也可引朱彝尊《經義考》一段話，來幫助說明鄭冲並沒有見到過所謂「孔安國傳」的《古文尚書》。朱氏在上面那段論證皇甫謐未見孔氏古文的話後接著說：

> 《正義》又云：《古文尚書》鄭冲所授。冲在高貴鄉公時業拜司空。高貴鄉公講《尚書》，冲執經親授，與鄭小同俱被賜。使得孔氏增多之《書》，何難經進。其後官至太傅，祿比郡公，幾杖安車，備極榮遇。其與孔邕、曹羲、荀顗、何晏共集《論語訓注》則奏之於朝，何獨《孔書》止以授蘇愉，秘而不進？又《論語解》雖列何晏之名，冲實主之。若《孔書》既得，則「或謂孔子章」引書，即應證以《君陳》之句，不當復用包

咸之說謂「孝乎惟孝，美大孝之辭」矣。竊疑冲亦未必眞見孔氏古文也。

其後程廷祚《晚書訂疑》在襲用了朱氏此段要義後，也接著說：「《論語集解》中所載孔注與增多之《書》頗相刺謬，亦恬然而不怪，何也？」因而也論定「冲與謐俱無見晚書之理」。所有這些，都尤足證明鄭冲與僞《古文尙書》無關，說他授傳，完全是後來梅賾等獻此書時攀上的。（至於清以後有人提僞《孔傳》出於鄭冲僞造之論，更是無根據的臆說。）

鄭冲如此，排在鄭冲以下的各個傳授者也都一樣，不足深論了。就使眞有傳授，則鄭冲本爲原來的《古文尙書》家，也只能傳授漢末馬、鄭以來的《古文尙書》，根本與僞古文無涉，所以上文說是後來攀附鄭冲傳授所謂孔傳古文的。在孔穎達所錄傳授系統後面的一句說：「遂於前晉奏上其書」。這只是跟著上面的僞造系統一氣講下來的。僞書的出現根本不在前晉，「前晉」之「前」是「東」之訛，由孔穎達《舜典・正義》篇首所說「昔東晉之初豫章內史梅賾上《孔氏傳》」一語即足證之。

⑸僞《古文尙書》的篇目構成問題

對梅賾獻《古文尙書》之事及這部書的內容構成說得較實在的，是陳時陸德明《經典釋文・敘錄》如下的話：

江左中興，元帝時豫章內史枚賾奏上孔傳《古文尚書》，亡《舜典》一篇，購不能得，乃取王肅注《堯典》從「愼徽五典」以下，分爲《舜典》篇以續之。學徒極盛。後范寧變爲今文、集注，俗間或取《舜典》篇以續孔氏。齊明帝建武中，姚方興採馬、王之注，造孔傳《舜典》一篇，云於大航（航）頭買得，上之。梁武時爲博士，議曰：「孔《序》稱伏生誤合五篇，皆文相承接，所以致誤。《舜典》首有『曰若稽古』，伏生雖昏髦，何容合之？」遂不行用。……近惟崇古文，馬、鄭、王注遂廢。今以孔氏爲正，其《舜典》一篇，仍用王肅本。

又《舜典・釋文》亦釋此篇云：

王氏注。相承云梅頤上「孔氏傳」《古文尚書》，亡《舜典》一篇，時以王肅注頗類孔氏，故取王注從「謹（愼）徽五典」以下爲《舜典》以續《孔傳》。徐仙民亦音此本，今依舊音之。

陸德明這兩段話明確了幾點：⑴僞古文奏上的時間是東晉之初的元帝時，⑵獻書的人是梅賾，⑶書中缺了一篇《舜典》，就用王肅本《堯典》後半冒充，然後姚方興又假造了這篇的《孔傳》，但徐邈、陸德明音注的這篇仍是王肅本，⑷范寧改寫爲東晉時今文，亦稱今字，即楷書，又作了《集注》，⑸姚方興僞造的《舜典》、《孔注》被博士所駁，未獲行用（此處「梁武時爲博士議曰」是「梁武時，博士議曰」之誤，見下文）。

關於⑴⑵兩點，基本在上面已說過了，可以相信事實確是如此，因此在這裡不準備重複多說，只在後面談東晉立於學官設置博士及《尙書》有關情況時，補充一些僞古文確出現東晉的理由。

關於⑷點，范寧改寫爲今字及集注事，將在下面談過《舜典》亡缺情況後補充說范注時談。

關於⑶及⑸亡缺《舜典》一篇的情況，除前引孔穎達《虞書・正義》簡單提到外，此處《釋文》提出了它的基本情況。孔穎達《舜典・正義》也在篇首「曰若稽古帝舜」至「乃命以位」六句二十八字下疏釋說：

昔東晉之初，豫章內史梅賾上《孔氏傳》，猶缺《舜典》。自此「乃命以位」以上二十八字，世不傳。多用王、范之注（按此「范」當指范寧《孔氏尚書集注》。但范當東晉末，此是連敘以後之事）補之，而皆以「愼徽」以下爲《舜典》之初。至齊蕭鸞建武四年，吳興姚方興於大航頭得《孔氏傳》古文《舜典》，亦類太康中書。乃表上之，事未施，方興以罪致戮。至隋開皇初購求遺典，始得之。

又於「曰若稽古帝舜曰重華協於帝」下疏釋說：

此十二字是姚方興所上，《孔氏傳》本無。阮孝緒《七錄》亦云然。方興本或此下更有「濬哲文明溫恭允塞玄德升聞乃命以位」。此二十八字異，聊出之，於王注無施也。

這說明了梅賾獻上之本缺的《舜典》，在用《堯典》「愼徽」以下抵充《舜典》經文後，又用這篇的王肅注抵充它的《孔氏傳》。而且依陸德明自己所說，在他之前徐邈所作音和他自己作的音，都是音注這一王肅本《舜典》。到蕭齊時，姚方興獻上《舜典》的《孔氏傳》（據上引《釋文》，知道是他採用馬、王注編造的），在經文篇首「愼徽」以前多了十二字。蕭梁阮孝緒編《七錄》時，所錄此書也只多這十二字。但後來的本子又多出了十六字，文獻中沒有說明什麼人所加。繼續記這事的還有《隋書・經籍志》和劉知幾《史通》。《隋志》在敘梅賾獻書後接著說：

時又缺《舜典》一篇，齊建武中吳姚興方於大桁市得其書奏上，比馬、鄭所注多二十八字，於是始列國學。

這是全襲以上所說（惟姚方興訛作姚興方），而將二十八字都歸之姚方興本，同時指出《舜典》這篇在齊時補列入學官。《史通・古今正史篇》則說：

晉元帝時，豫章內史梅賾始以《孔傳》奏上，而缺《舜典》一篇，乃取肅之《堯典》，從「愼徽」以下分爲《舜典》以續之。自是歐陽、大小夏侯家等學、馬融、鄭玄、王肅諸注廢，而古文《孔傳》獨行，列於學官，永爲世範。齊建武中，吳興人姚方興採馬、王之義以造孔傳《舜典》，云于大航購得，詣闕以獻。舉朝集議，咸以爲非（原注：梁武帝時，博士議曰：「孔敘稱伏生誤合五篇，蓋文句相連，所以成合。《舜典》必有『曰若稽古』，伏生雖云昏髦，何容□□，」由是遂不見用也）。及江陵板蕩，其文入北，中原學者得而異之，隋學士劉炫遂取此一篇列諸本第。故今人所習《尚書・舜典》，原出於姚氏者焉。

這裡除敘述了上引諸文獻所載情況外，並指明《孔傳》獨行，今古文都廢。又梁武帝時，博士議姚本《舜典》不合，並不是梁武帝爲博士時議《舜典》（據《梁書・武帝紀》，梁武帝蕭衍未嘗任博士，《釋文》謂其爲博士時議《舜典》，自誤）。又姚方興所獻《舜典》在南朝未被接受，傳到北方大受歡迎，隋時劉炫把這篇依篇目次第列入《尚書》中。結合前引孔穎達《正義》所說，劉炫本在隋開皇時爲王朝所購，遂相承傳習下來。

至於這二十八字的由來，後來學者做了些探索，明鄭曉《尚書考》云：「《舜典》『曰若稽古帝舜』二十八字，蓋隋開皇時人僞爲之，假設姚方興以伸其歲月爾。『曰若』句襲諸篇首，『重華』句襲諸《史記》，『濬哲』掠《詩・長發》，『文明』掠《乾・文言》，『溫恭』掠《頌・那》，「允塞」掠《雅・常武》，『玄德』掠《淮南子・鴻烈》，『乃試以位』掠《史・伯夷傳》，正見其蒐窮之蹤。」他把這二十八字全歸之隋代，頗不確，前面的十二字梁時阮孝緒《七錄》已見之，非至隋時始有。但他把這些文句的來源找出來，則是好的。清臧琳《經義雜記》、王鳴盛《尚書後案》等都論定『濬哲文明』以下十六字才是劉炫所增入，當較近是。

至關於此篇之《傳》，前已引述初用王肅之注，既而有范寧之注，後來又有姚方興採馬、王之說編成新注。王與姚的注上文已說過，這裡補充一下范注。

《經典釋文・敘錄》在敘枚賾奏上孔氏《古文尚書》亡《舜典》篇取《堯典》後半爲《舜典》之後說：「後范寧變爲今文、集注，俗間或取《舜典》篇以續孔氏。」這裡所說范寧改寫爲「今文」應作「今字」，即楷書。梅賾所獻的爲《古文尚書》爲表現自己是眞古董，便用了一種叫做「隸古定」的字體，全是些奇奇怪怪不好認的字體，起釪所撰《尚書的隸古定本古寫本》一文對此作了較詳的說明（見本節下文）。由於它不便認讀，自然有需要改寫成通行文字，便由范寧改寫爲東晉已通行的楷書。《隋書・經籍志》有「《今字尚書》十四卷」，即范改寫之本。《隋志》又有：「《古文尚書・舜典》一卷，晉豫章太守范寧注。梁有《尚書》十卷，范寧注，亡。」這是說東晉之末的范寧把隸古定本僞《古文尚書》用楷書改寫，又做了注。到梁時還流傳有范注《尚書》十卷，到唐初已亡，唯傳有其所注《舜典》一卷。但《釋文》說明俗間把他注的這一《舜典》補入僞《孔氏傳》全書中。這顯然是指將范注並入《孔傳》全書中，同時也用了其注本的經文。所以《舜典・正義》說，在姚方興本出現以前，沒有增二十八字的直從「愼徽五典」開始的《舜典》，多用王、范之注。

這些就是梅賾獻上有《孔安國傳》的《古文尚書》及缺《舜典》一篇，其經、傳遞經增補的有關情況。

這部《古文尚書》全書共五十八篇，每篇有所謂孔安國所做的注（上文已說明只有《舜典》注非孔注），標爲「孔氏傳」。漢代所傳下的百篇《書序》過去都匯爲二卷或一卷，附在全書之末，此則把它按時間先後分插在篇之首或尾，而在全書前面有一篇以孔安國口氣寫的《尚書序》。過去治經者習慣上把這篇《尚書序》稱《書大序》，以與百篇之序習稱《書序》者相區別。《大序》中說：

> 先君孔子，生於周末，……討論文典，斷自唐虞以下迄於周…

…典謨訓誥誓命之文，凡百篇。……至魯共王好治宮室，壞孔子舊宅，以廣其居，於壁中得先人所藏古文虞夏商周之書，……王又升孔子堂，聞金石絲竹之音，乃不壞宅，悉以書還孔氏。……以所聞伏生之書，考論文義，定其可知者，爲隸古定，更以竹簡寫之。增多伏生二十五篇，伏生又以《舜典》合於《堯典》，《益稷》合於《臯陶謨》，《盤庚》三篇合爲一，《康王之誥》合於《顧命》。復出此篇，並序，爲五十九篇，爲四十六卷。……悉上送官，……承詔爲五十九篇作《傳》。……《書序》，序所以爲作者之意，昭然義見，宜相附近，故引之各冠其篇首，定五十八篇。既畢，會國有巫蠱事，經籍道息，用不復以聞。

這裡襲用漢代緯書的，有孔子刪書爲一百篇之說；襲用劉歆《移太常博士書》和《漢書．藝文志》的，有魯共王壞孔壁得古文，聞金石絲竹之音乃止不壞宅，書仍歸孔氏，孔氏悉上送官，遭巫事不用諸說；襲用劉向、桓譚、鄭玄的，有卷數四十六，篇數五十八之說。其與漢代資料不同而出於新創的，有：㈠孔安國承詔作傳，㈡始用隸古定書寫，㈢比伏生多的古文是二十五篇，不是逸十六篇。這些篇與承用今文遺篇經過分合增析，共爲五十八篇，再加《書序》共五十九篇。但爲了與劉向等所說古文五十八篇相合，特將《書序》一篇撤去，將各篇序文依其前後分散插入五十八篇的篇首、篇尾。

所襲用漢人之說，除四十六卷五十八篇之數故意使之符合外，其餘諸說都是誤傳，不合事實。至於所提出與漢代不同的三項新說，則完全是僞造，可簡析之如次：

關於㈠孔安國承詔作《傳》事，所有漢代文獻都沒有這樣的記載，那怕是可以作爲線索推論而得此事的任何近似資料都沒有，因此這完全是此《大序》作者編造的僞說。孔安國只傳習《今文尚書》，並對照今文讀出古文逸十六篇的字句，頂多以今文改寫了這十幾篇古文，根本沒有作過《古文尙書》的《傳》。

關於㈡僞古文本開始用了所謂隸古定字體書寫經文，《經典釋文》釋云：「謂以隸書寫古文。」從東晉初年僞古文出現之日起，直到唐玄宗天寶初年命衞包用楷書加以改寫（因范寧改寫本至唐初已失傳）以前，所流傳通用的《尙書》，就只是這種隸古定書寫之本。它在流傳中又發展成兩種不同本子，㈠奇字尙不太多之本，是從晉到宋、齊傳下來的，陸德明稱它爲「宋齊舊本」，原有徐邈、李軌的音釋，陸氏重新給它作《音義》。㈡奇字很多之本，不詳其起於何時，但比前一種時間要晚，到隋唐之際已廣泛流傳，陸德明斥爲「穿鑿之徒」所爲，段玉裁稱它爲「僞中之僞」本。當時誤認「宋齊舊本」是《尙書》眞本，從晉到唐天寶前一直使用著。這是僞古文作者爲了表示它不同於後代一般文字，而是眞正用隸古定這種古董寫成的原本《尙書》，有意炫奇寫成的。（詳拙撰《〈尙書〉的隸古定本古寫本》，載北師大史學研究所編《史學史資料》1980年 3 期）。因此它所襲用的今文諸篇的文字，就被它用隸古定字體改錯了不少，不論字和句，都和漢今文有不少差別。

關於㈢多二十五篇的問題。既然這個本子說是漢孔安國所傳的孔壁本古文，就應該有逸十六篇；可是它沒有，卻僞造了二十五篇，這是明顯的不符合，可是當時誰也不發覺這點。這二十五篇僞古文是：

〔虞書〕：

1.《大禹謨》（編爲《虞書》三），

〔夏書〕：

2.《五子之歌》，3.《胤征》（編爲《夏書》三、四），

〔商書〕：

4.《仲虺之誥》，5.《湯誥》，6.《伊訓》，7.—9.，《太甲

》三篇，10.《咸有一德》，11.—13.《說命》三篇（編爲《商書》二、三、四、五—七、八、十二—十四），

〔周書〕：

14.—16.《泰誓》三篇，17.《武成》，18.《旅獒》，19.《微子之命》，20.《蔡仲之命》，21.《周官》，22.《君陳》，23.《畢命》，24.《君牙》，25.《冏命》（編爲《周書》一—三、五、七、十、十九、廿二、廿三、廿六、廿七、廿八）

計共十九題，分爲二十五篇。其中只有《大禹謨》、《五子之歌》、《胤征》、《湯誥》、《伊訓》、《咸有一德》、《武成》、《旅獒》、《冏命》九個篇題在逸十六篇中（另有從今文《堯典》中分出的《舜典》、《皋陶謨》分出的《益稷》二題也在逸十六篇中，不屬僞二十五篇）；而缺了十六篇中的《汩作》、《九共》、《典寶》、《肆命》、《原命》五題，多出了《仲虺之誥》、《太甲》、《說命》、《微子之命》、《周官》、《君陳》、《畢命》、《君牙》八題十二篇。顯然作僞者根本不知道原有十六篇篇題，否則他正應該襲用。而其相同者，只是從《書序》百篇裡選題時與之偶合。

所有十九篇中，《泰誓》一題襲原有今文中《太誓》篇題，但由馬融的揭發知漢《太誓》爲僞篇，便重新搜集先秦資料第二次僞造《泰誓》三篇。其餘十八個篇題顯係全部從《書序》百篇中採取，再從當時所傳先秦歷史文獻中搜集一些文句，以剿襲方式拼湊成二十二篇。再把漢今文二十八篇分成三十三篇（分《堯典》下半爲《舜典》、《皋陶謨》下半爲《益稷》、《顧命》下半爲《康王之誥》、《盤庚》分爲三篇）。用這些分篇手法湊成劉向、桓譚、鄭玄等所說的《古文尚書》五十八篇之數，以示本書爲漢代所傳出自孔壁的古文眞本。

以上這些，就是所謂孔安國《古文尚書》篇目構成的情況。

二、東晉建立學官及立《孔氏傳》有關情況

僞《孔氏傳》古文在東晉之初出現後，即被東晉王朝立於學官，也是到這時才立於學官。過去對它立學官時期有誤認爲在西晉者，並以爲它出於魏時王肅，這些說法都是錯誤的。現就此問題作如下闡述。

⑴東晉建立學官簡況

東晉王朝在南方倉促復建，晉元帝在建號的當年，亦即正式即帝位的前一年，便開始建置學官，以後遞經增置，有關資料大抵見於《晉書》及有關晉史的文籍中。主要有下列一些：

> 《晉書・元帝紀》建武元年十一月：「置史官，立太學。」大興二年六月：「置博士，員五人。」

當時助晉元帝進行禮制興建、設學官、置博士等措施最有關者爲南方望族賀循及荀崧、車胤等人。他們都有關於建立學官的建議，載在《晉書》及《通典》等史籍中，現分別舉其要者：

> 《通典》卷五十三「禮・大學」載：東晉元帝時，太常賀循上言：「尚書被《符》：經置博士一人（按，五經則博士五人，合於《晉書》所紀大興二年所置博士數）。又多故歷紀，儒道荒廢，學者能兼明經義者少。且《春秋》三《傳》俱出聖人，而義歸不同。……今學義甚頹，不可令一人總之。今宜《周禮》、《儀禮》二經置博士二人，《春秋》三《傳》置博士三人，其餘則置一人，合八人。」
>
> 又太常車胤（清刻本避諱作允）上言：「按二漢舊事，博士之職唯舉明經之士遷轉，……魏及中朝多以侍中、常侍儒學最優者領之。……今博士八人，愚謂宜依魏氏故事，擇朝臣一人經學最優者不繫位之高下，常以領之。」

又：大興（西元318—321）初，欲修立學校，唯《周易》王氏，《尙書》鄭氏、古文孔氏、《毛詩》、《周官》、《禮記》、《論語》、《孝經》鄭氏，《春秋·左傳》杜氏、服氏各置博士一人，其《儀禮》、《公羊》、《穀梁》及鄭《易》皆省不立博士。（按《通典》此條實據荀崧疏，見下引《晉書》資料）。

又：孝武帝太初（按：初字衍）元（西元376）初，於中堂立行太學，於時無復國子生。……自穆帝至孝武帝，並以中堂爲太學。太元九年（西元三八四），尙書謝石淸興復國學，……竟不施行。

《晉書·荀崧傳》：元帝踐阼，征拜尙書僕射，……轉太常。時方修學校，簡省博士，置《周易》王氏，《尙書》鄭氏，《古文尙書》孔氏，《毛詩》鄭氏，《周官》、《禮記》鄭氏，《春秋左傳》杜氏、伏氏，《論語》、《孝經》鄭氏博士各一人，凡九人。其《儀禮》、《公羊》、《穀梁》皆省不置。崧以爲不可，乃上疏曰：「自喪亂以來，儒學尤寡，今處學則缺朝廷之秀，仕朝則廢儒學之俊，昔咸寧、太康、永嘉之中，侍中、常侍黃門通洽古今、行爲世表者領國子博士，一則應對殿堂、奉酬顧問，二則參訓國子以弘儒訓，三則祠、儀二曹及太常之職以得質疑。今皇朝中興，美隆往初，宜憲章令軌，祖述前典。世祖武皇帝應運登禪（按：自此句起述西晉設立博士十九人情況，已見前引，此略）。陛下聖哲龍飛，恢崇道教，……江、揚二州，先漸聲教，學士遺文，於今爲盛。然方疇昔，猶千之一。……伏聞節省之制，皆三分置二。博士舊置十九人，今五經合九人，準古計今，猶未能半。……今九人以外，猶宜增四。……宜爲鄭《易》置博士一人，鄭《儀禮》博士一人，《春秋・公羊》博士一人，《穀梁》博士一人。……三《傳》並行於先代，通才未能孤廢，……於理不可得共博士，宜各置一人。」……元帝詔曰：「……可共博議者詳之。」議者多請從崧所奏。詔曰：「《穀梁》膚淺不足置博士，餘如奏。」會王敦之難，不行。

《晉書・職官志》：晉初承魏制置博士十九人，……及江左初減爲九人。元帝末增《儀禮》、《春秋公羊》博士各一人，合爲十一人。後又增爲十六人，不復分掌五經，而謂之太學博士也。孝武太元十年省國子助教員爲十人。

《宋書・百官志》承上文敘魏及西晉博士皆十九人之後接著說：「江左初減爲九人，皆不知掌何經。」

《經典釋文・敘錄》：永嘉喪亂，眾家之《書》並亡，而古文《孔傳》始興，置博士，鄭氏亦置博士一人。

由以上材料，可知東晉最初置五經博士五人，賀循建議增加三人爲八人，東晉王朝卻增設爲九人，荀崧建議再增加四人，晉元帝批准加三人，但因亂延擱後只增加了二人，最後才增至十六人。沈約撰《宋書》只就東晉原設九人爲說。這些都是太學博士。（當時另設的國子學只有祭酒、博士各一，主要由助教來教貴冑子弟，據《通典》卷五十三引載齊領國子助教曹思文上表云：「今之國學即古之太學。太學之與國學（並立），斯是晉代殊其士庶，異其貴賤耳。」）

這就是東晉包括《尚書》在內的博士設置簡況。

⑵僞《孔傳》此時始立學官——闢王肅撰僞《孔傳》至西晉已立學官說之非

在上述所設諸博士中，諸經的王肅注都廢棄了，《尚書》立了原有的鄭氏學和新獻的「孔氏學」兩博士。孔氏學就是僞《孔安國傳》，可知梅氏獻上僞《孔傳》後，東晉王朝即把它立了博士。很清楚，

「孔氏學」是到東晉梅賾獻上後才開始立於學官，在其前根本沒有其書，自根本不可能立爲博士。

在這裡要指出清人所謂西晉已立孔氏《古文尚書》之說的錯誤。而此說之誤，是由所謂王肅僞造孔氏《古文尚書》之說而來。始疑僞古文爲王肅所撰的，是惠棟《古文尚書考》。他在該書《五子之歌》篇中說：「王肅注《家語》亦以『今失厥道』當夏太康時。又《左傳正義》曰：『按王肅注《尚書》，其言多是《孔傳》，疑王肅見古文，匿之而不言。』《經典・敘錄》曰：『肅注今文，而解大與古文相類，或肅私見《孔傳》而匿之。』據此二說，故棟嘗疑後出古文肅所撰也。」所根據的證據如此薄弱，只是誤認《孔氏傳》爲漢代孔安國原作的陸德明、孔穎達等人看到肅注偶與《孔傳》有相同處，便懷疑肅見過《孔傳》，這本是無知之談，而且也只是提出了游移不定的疑意，且只疑他可能見過《孔傳》而沒有疑其它，怎麼便能作爲肅作《孔傳》的兩個證據呢？所以惠氏也顯然自知其無力，因而在其《古文尚書考》的「前言」中已改說：「今世所謂古文者，乃梅頤之書，非壁中之文也。頤採摭傳、記，作爲古文以紿後世，後世儒者靡然信從，於是東晉之古文出，而西晉之古文亡矣。」這是他明白放棄了王肅僞造之說，確切指爲梅頤所僞撰。

接著，服膺惠氏的王鳴盛的《尚書後案》在《辨孔穎達疏》中說：「僞書非王肅作，即皇甫謐作，大約不外二人手。」而戴震《經考・附錄》則屬之王肅。同樣，劉端臨也明確地說：「蓋王肅所托。」此語見李惇所引。而李淳《群經識小》云：「是書絕非漢以前人所作，非子雍之明敏博洽亦不能作。……子雍曠代之才，……以康成壓其前，專欲爲異說以勝之，作《聖證論》未已也，又出《孔子家語》未已也，又爲《孔傳》。是書雖成而未遽出，又數十年乃出於梅賾，其所爭者在後世之名，固不必及其身而出之也。」竟然說是王肅爲了死後和鄭玄爭名而作。最後是丁晏《尙書餘論》總承諸說詳爲論證，凡爲十九題二十餘論，羅列各種材料以附會肅撰《孔傳》。其中有一題爲「《古文尙書》西晉已立博士非東晉梅氏僞作」。其主要論點如下：

> 今《晉書・荀崧傳》，元帝踐阼，置《古文尚書》孔氏傳博士一人。崧上疏曰（按：此處自「世祖武皇帝」錄至「置博士十九人」，見上文西晉一節引，此略）。孔即孔安國《古文尚書》，當西晉武帝之初已立博士。唐孔氏《虞書・正義》引《晉書》云「前晉奏上其書」，……今《晉書》無此文。……潛丘謂「前字疑訛」，非也。今《晉書・禮志》杜預議行《尚書傳》：「諒，信也。闇，默也。」議在武帝泰始十年，下至東晉元帝先四十有四年，是西晉初年《孔傳》已行於時矣。

按，荀崧上疏言西晉博士十九人，已見上文談西晉行王肅《古文尙書》一節所引，此十九博士爲賈、馬、鄭、杜、服、孔、王、何、顏、尹諸家之學。上文已指出，《尙書》之學立了賈、馬、鄭、王四家，並無孔學。因西晉孔氏僞古文尙未出，本無由立之。其中所列「孔氏」，依順序在《左氏》學杜服之後，原甚顯然，自與《尙書》無關。這實際是相傳有過的僞孔安國《論語・注》。據魏時何晏《論語集解・序》說：「《古論》唯博士孔安國爲之訓解。」此外王肅《孔子家語・序》也說：「子國（孔安國字）乃考論古今文字，撰衆師之義，爲《古文論語訓》十一篇。」按前文已闡明漢代所傳《孔子家語》早非原貌，曾經王肅增竄僞撰，而王肅之後流傳至今的《家語》又經元人竄改，已非王肅時之本。說明這麼一部僞書的材料，是被「層累地」改易的，它的內容多出杜撰，而非史實，本不足據。《家語》有「王肅古文《論語訓》」之語，只能說明魏時已有孔安國撰《論語訓》這一僞說出現。前面已說過，孔安國沒有撰寫過任何傳注之類的東西，這是魏晉僞造風氣下出現的托名孔安國所撰的僞書，遂流傳在社會上，因而鄭冲、何晏撰《論語集解》時搜集了這部書的一些內容，此外他們還搜集了魏時出現的其它很多書內容，所以稱爲「集解」。急不暇擇的晉王朝也就把它立於學官（漢代立學官的十四博士中無《論語》、《孝經》，晉代「以孝治天下」，匆匆把這二經立了），根本沒有所謂王肅僞撰孔安國《尚書傳》的事。清末今文家（如康有爲、皮錫瑞等）沿惠、王、戴、李等之說極力宣揚這一王肅僞造說，旨在打擊古文學，王先謙也相信此說，只是由於他的爲學無定見。

至於所謂杜預議禮引「諒陰」的解釋，則是據馬融注，見孫星衍所輯《古文尚書馬鄭注》所載馬融曰：「亮，信也。陰，默也。」可知與僞《孔傳》無關，也不能作爲西晉已出現僞孔之證。

總之，王肅沒有撰寫過而且根本沒有見到過僞《孔氏傳》，理由是很明顯的。從起碼的情理和邏輯來看，王肅在魏時自己撰的《古文尚書注》立於學官，仗自己的貴戚地位，其學成爲當時「顯學」，誰也要敬重它、傳習它，可以說如「日月經天」，大家都要遵讀的。王肅自己當然是躊躇滿志，高興自己的古文學擊敗了鄭氏學，將會子孫萬世之業似地佔據著官學地位的。怎麼會自己預料到自己的《古文尚書》學將來會消失，特預先另外編撰一部「孔安國傳」《古文尚書》放在一邊準備著，等待著自己的書消失後，會有人獻出自己編造的這部孔氏《古文尚書》來取代王氏《古文尚書》呢！眞會荒謬得像李惇所說的「其所爭在後世之名固不必及其身而出之」嗎？那他僞冒孔安國名義，只是替孔安國爭後世之名，而不是替王肅爭後世之名了，如果不是清代這幾個人的代爲替它爭名，這兩千年來他那曾在這書上爭得半點兒名呢！因此這一說法的不通情理是顯而易見的，他們提出這樣的看法，甚至可說是「匪夷所思」的！

再從具體情況來看，朱彝尊、程廷祚等就提出了王肅沒有見過僞

《孔氏傳》的證據。朱氏《經義考》在孔氏安國《尚書傳》下說：

> 《正義》謂王肅注《書》，始似竊見《孔傳》，故注「亂其紀綱」爲夏太康時，然考陸氏《尚書釋文》所引王注不一，並無及於增多篇內（按指僞二十五篇）只字，則子邕亦未見孔氏古文也。

程氏《晚書訂疑》在「安國注《論語》之證」下說：

> 案何晏《論語集解》有孔安國注，於《堯曰章》末則曰：「此二帝三王所以治也，故傳以示後世。」而不曰此壁中《禹謨》、《湯誥》、《太誓》、《武成》之文孔子雜引之也。於「予小子履敢用玄牡敢昭告於皇皇后帝」則曰：「《墨子》引《湯誓》其辭若此。」而不曰此壁中《湯誥》之文而孔子引之也。以此二端考之，是安國不知有二十五篇之書。

程在這裡舉此二證明孔安國沒有見過僞《孔傳》，實際是證明造僞者編造孔安國《論語·注》時，還沒有人編造出孔安國《尙書傳》。這是非常有力的證據。持王肅僞撰孔安國《論語注》這一看法的人，在此證據前面也必須承認這位所謂注《論語》的王肅根本沒有見過孔安國《古文尙書注》。

清末陳澧《東塾讀書記》舉《禹貢》「三百里蠻」及《洪範》「農用八政」二句，都是其《孔傳》與鄭說同而與王肅說異，以證《孔傳》非王肅作，亦是有見之言。

更全面地驗證了王肅之說與《孔傳》有差異的是近代章太炎門人吳承仕撰的《尙書傳王孔異同考》（載中國大學《國學叢編》第一、二期）。該文備舉證據以駁丁晏所宣揚的僞孔出於王肅之說，並搜集《釋文》與《尙書正義》所引王肅《尙書注》與僞孔逐一作了比較，指出其相異者有一二五則，而相同的只一〇八則，是相異者多於相同者，即相同者也只是文字訓義事物名實在當時的一般共同認識，使二者偶合。而且不僅文句有這麼多不同，即分篇也有不同（如王本《舜典》含在《堯典》中，孔本則分出），分書也有不同（王本同馬鄭分《虞夏書》、《商書》、《周書》三科，孔本則分虞、夏、商、周四《書》）。這是非常有力的論證，可肯定王肅注與僞《孔傳》是判然不同的兩部書。

最後陳夢家《尙書通論》在列舉了王注與僞《孔傳》分書不同材料一則、分篇不同材料三則及文字互不相同的材料十則之後說：「由上所舉六事，可證王注本《尙書》的分書、分篇、書序、文字都有與孔傳本不同者，那麼王肅僞造《孔傳尙書》是一定不能成立了。況王注《尙書》，隋與唐初尙存，隋唐二書《經籍志》皆著錄，王孔並行，如何能混爲一書？又《後漢書・祭祀志》中，劉昭補注引晉武帝初幽州秀才張髦上書，引「肆類於上帝」至「格於藝祖」一段見於《孔傳》本《舜典》而張氏直引《堯典》，可證西晉之初，《孔傳》本尙未出世而王肅已死。」這比吳承仕又補充了些有力論證。

所有以上這許多資料，都足證王肅沒有撰僞《孔傳》，僞《孔傳》根本不出於魏及西晉時。人或有舉《續漢書・郊祀志》劉昭注引晉初司馬彪釋「六宗」說同僞孔及郭璞注《爾雅》曾引僞孔以證西晉時已有《孔傳》（如劉師培即持此說）。章炳麟致吳承仕函已指出：「晉初議『六宗』，是必（冲）沖引安國以定禮（按系當時出現的種種經說的一種，非眞安國之文），司馬彪就文爲辨，非彪曾見僞《孔傳》。」這是對的。魏晉時議禮的人很多，六宗爲寒暑日月水旱之說實早有人倡之，司馬彪在論辯時舉了此說，不能就說他沿用《孔傳》。至於郭璞則至東晉初尙健在，程廷祚《晚書訂疑》並引郭注中多引江東名物，證其書成於東晉渡江之後。由此可知郭在東晉初可看到當時的熱門貨僞古文（程氏《訂疑》還以爲如郭之高才博學，晚書以竄入郭注中爲重。說亦可取）。自不能把郭引用《孔傳》看做僞孔在西晉時已出現之證。

據說近代陳漢章有《西晉有書孔傳說證》，未見其文，不詳所論。然由上文所論證，知陳說必不確。

由以上種種，足以確認僞孔本《古文尙書》出於東晉初年，並在晉元帝大興年間（318—321年）開始立於學官。

(3)闢出見兩次僞孔本說之非

上一事既明，就可以連帶澄清所謂出現兩次僞《孔傳》之說。此說肇其端者是程廷祚《晚書訂疑》，他以爲東晉未出現僞古文，因而懷疑梅賾獻僞古文之事。以爲倘有其事，則其所獻亦非今所見僞《孔傳》，而是另一部二十九篇之僞《孔傳》。就是說，程氏以爲梅賾所獻爲一第一次僞孔本，今流傳者爲宋元嘉間（424—453）間始出之第二次僞孔本。其說出於懸擬推論者甚多，例如東晉時的徐邈曾爲僞古文撰《古文尙書音》，這是僞孔本在東晉已存在的鐵證。程氏無計，只好在其書中毫無根據地說徐邈撰的音「其假托不待言矣」。這樣武斷持論，自難置信。到劉師培撰《尙書源流考》，始據司馬彪論「六宗」以證魏晉之際已有僞《孔傳》；又據何晏《論語集解》引僞孔與今所見僞孔不符及李顒注漢代《太誓》而非僞古《泰誓》這兩者，以證出現兩次僞孔，一在魏初，一在東晉初之梅氏本。則他所說的是，梅氏所獻者爲第二次僞孔本。陳夢家及亡友馬雍均相信此說。但前面所引許多資料已確知魏至西晉未出現《孔傳》，則此說不攻自破。陳、馬二位雷同於此，自是智者千慮的一失。而孔氏《論語注》原是另一部僞書，自與《尙書》僞《孔傳》不符；東晉李顒所注《尙書》引及鄭氏之古文，因而有漢《太誓》。總之，魏及西晉時人們所用古文皆鄭、王二氏之學，不能附會爲當時已出現僞《孔傳》。僞《孔傳》的出現，自在東晉初年。

——原載《尚書學史》（北京：中華書局，一九八九年六月），頁一七一——一九五。

范寧及其《穀梁集解》

王熙元

一、前　言

《穀梁傳》在群經當中，是一門比較冷門的學問，過去研究它的人不多；即使與《春秋》三傳中的《公羊》、《左氏》相比，也遠不如它們那樣受人重視。西漢時，雖一度立於學官，且宣帝甘露年間的石渠閣論議，在群儒辯說中，《穀梁》曾勝過《公羊》，但卻始終比不上《公羊》那麼盛行。這一方面是由於當時帝王如景帝、武帝多愛好《公羊》學，因而《公羊》學家如胡母生、董仲舒都成爲景帝時的博士，又丞相公孫弘也因講《公羊》之學而封侯；一方面因爲《公羊》學者董仲舒是一位「通五經、能持論、善屬文」的全才，與「吶於口」的《穀梁》家瑕丘江公議論，自然會使《穀梁》一派黯然失色。因此，在西漢二百多年的歷史中，《穀梁》學只在宣帝、元帝間盛行了約三十年光景，出現了瑕丘江公、尹更始、劉向等少數《穀梁》家而已，實不足與《公羊》學相抗衡。

平帝時，《左氏》又立於學官。到東漢初年，鄭興創通《左氏》大義，一時民間傳習的風氣日盛一日，如鄭衆、賈逵、服虔、潁容等專家，都很受當時學界的推重。在《左氏》學大行的環境下，《穀梁》遂一蹶不振。

降及魏晉，由於漢末以來的亂世擾攘，《老》、《莊》、佛學等玄理，一時極受歡迎，儒家思想則日益衰微，《穀梁》之學自然也更形陵替了。但當時竟有一陣注釋《穀梁》的風氣，可考的有魏麋信、晉孔衍、江熙、徐乾、徐邈、鄭嗣、范寧等十餘家注，但多數並無可觀，如今僅保存了《十三經注疏》中的范寧注一家而已，其餘都已亡佚。這說明范氏集解優於他家，故爲唐代義疏家所採用，而得以流傳後世，也可說是范氏的幸運了。

《春秋》三傳當中，大體說來，《左氏》傳述的是史事，而《公》、《穀》傳述的是經旨，所以，要想探究《春秋》的微言大義，自然應當以《公羊》、《穀梁》爲主，而以《左氏》爲輔。三傳比較起來，《左傳》記事詳贍，富於史學價值；而《公羊》則有所謂三科九旨，自成一套政治哲學；這兩方面，《穀梁》似乎遜色得多。但《公羊》是齊學，而《穀梁》是魯學；《公羊》有許多所謂非常異義可怪之論，而《穀梁》卻平正純謹；孔子學說的特點，就在於平正純謹，所以《穀梁》的作風是最接近孔子的。漢儒鄭康成曾說：「《穀梁》善於經。」這話很有道理。近世章太炎先生說：「《穀梁》下筆矜慎，於事實不甚明了者，常出以懷疑之詞，不敢武斷。荀卿與申公皆傳《穀梁》，大氐《穀梁》魯學，有儒者之風。」俞曲園先生也說：「蓋其體例甚精，而義理甚正，無非常異議可怪之論。」如此說來，一向被稱爲孤經絕學的《穀梁傳》，就很有研究的價值了。然漢魏先儒的《穀梁》說，如今已蕩然無存，幸而范注旁徵博取，保存了許多古義，所以范寧的《穀梁集解》，就成了研究《穀梁》之學必經的階梯。

二、范寧的生平與家世

甲、范寧的生平

范寧，字武子，因仰慕春秋時衛國大夫寧武子的爲人，故以寧爲名，以武子爲字，東晉南陽順陽（今河南淅川縣東）人。成帝咸康五年己亥（西元三三九年）生。

據《晉書・本傳》的記載，他少年時就篤志於學問，博覽群書。當時正遇上儒家學說日益衰替，而玄學則日益興盛，在這種學術風氣影響之下，學者們大多蔑視經典，毀棄禮文，常以游辭浮說，空談誤國。而范寧獨尊崇儒學，貶抑俗尚，不但不被當時的風氣所誘惑，而且卓然有所樹立，曾著論非議王弼、何晏，以爲二人的罪過，深於桀、紂，全文振振有辭，充滿了憤世憂道的心情，和維護傳統文化的道德勇氣。所以大史學家全謝山稱讚他說：「六朝清言成俗，寧獨能罪王、何以救世道，眞儒也！」

孝武帝時，他做餘杭縣的縣令，在任興辦學校，培養生徒，崇尙儒學，敦厚教化，一時風氣大行，很受當時讀書人崇敬。後來遷任臨淮太守，封爲陽遂鄉侯，又拜受中書郎，在職貢獻很多，政績斐然，所以深受孝武帝的親信與愛重，凡朝廷疑議，莫不諮訪。後出任豫章太守，在郡中又大設庠序，教授當地人士，並改革舊制，不拘成法。當時陳留人范宣，正隱居豫章，他是一位博極群書，精通三禮，深受遠近宗仰的大儒，與范寧並稱「二范」。

范氏不但勇於衞護道統文化，奉行儒教及仁政，且正直敢言，不畏權勢。對朝廷士大夫的諂媚作風，能直言無諱的指斥，他的外甥王國寶，在朝廷中頗爲得勢，常阿諛會稽王道子，而范氏則向武帝諫議罷黜他，但仍敵不過王國寶諸人的譖毀，因而出任遠官。

禪宗高僧慧遠法師年輕時，曾想跟隨范氏學儒家的經典，因石虎作亂、道路不通而未能成功。後來慧遠在廬山東林寺，會集緇流慧永、慧持、道生及名儒劉遺民、雷次宗、周續之等一百多人、結爲白蓮社，同修淨業，曾招請范寧入社，而范氏未曾前往。當時范寧正免官隱居於丹陽，仍舊勤於研究經學，終年不輟。到安帝龍安五年辛丑（西元四〇一年）逝世，享年六十三歲。

范寧平生的著述，流傳下來的只有一部《穀梁集解》，其他如《答薄叔玄問穀梁義》、《穀梁傳例》二書，原作久已亡佚，今有王謨、馬國翰、黃奭等輯本。又著《穀梁音》、《古文尚書注》、《論語注》、《禮雜問》、《禮論答問》等；並有《集》十六卷、《啓事》六卷，都沒有傳下來。在士風浮靡、競尚清言的魏晉時代，而范氏竟篤志墳典，深於著述，眞可說是不同凡響的一代經師了。

乙、范寧的家世

范寧的家世，可以說是一個經史世家。他的曾祖父范晷，晉武帝時，做過馮翊太守、雍州刺史等官，很具政績，《晉史》有傳。祖父范稚，做過大將軍屬官，逝世很早。父親范汪，博學多通，曾爲庾亮的佐吏，又爲桓溫的安西長史，後自請還京。又先後出任東陽太守、安北將軍，徐、兗二州刺史。桓溫北伐，因不能如期率軍到達，而免爲庶人。於是隱居吳郡，從事講學。死後謚爲穆，追贈散騎常侍，事蹟具見《晉書・良吏傳》。

兄長范康，早歲謝世。妹范蓋，嫁與王坦之。從弟范邵、長子范泰、次子范雍、幼子范凱，都通曉《穀梁》，《穀梁集解》中曾引用他們的論說。其中尤以長子范泰最著名，曾做過劉宋時的太學博士、護軍將軍，領國子祭酒。博覽群書，好作文章，獎掖後生，不遺餘力，撰有《古今善言》及《文集》傳於世。死後謚爲宣侯，追贈車騎將軍，《宋書》及《南史》都有他的傳記。

孫子范曄，字蔚宗，是范泰的第四個兒子。曾出任劉宋的尚書吏部郎、宣城太守，一直做到太子左衛將軍，也是一位博涉經史、善寫文章的學者，著有《後漢書》行世。宋文帝元嘉二十二年（西元四四五年），因謀反罪嫌而被殺，清儒王鳴盛在《十七史商榷》中，曾申述蔚宗未曾謀反；陳蘭甫也嘆爲千古奇冤，著《申范》一卷，見《東塾集》卷末。

晉、宋之間，從范寧的曾祖范晷到孫子范曄，除了他祖父范稚早歲逝世之外，五代都在當時有顯耀的成就。尤其難得的，是范寧父子祖孫都致力經學，所以宋陳振孫《直齋書錄解題》讚歎說：「寧父子祖孫，同訓釋經傳，行於後世，可謂盛矣！」

三、《穀梁集解》的體例及內容

甲、《穀梁集解》成書的經過

當晉穆帝升平末年，范寧的父親范汪隱居吳郡以後，乃帥同一批門生舊屬，及范寧的兄弟子姪輩，講論六經三傳，以為《左氏》既有服虔、杜預的注釋，《公羊》則有何休、嚴彭祖的訓解，《穀梁》雖有將近十家的注，但「皆膚淺末學，不經師匠，辭理典據，既無可觀，又引《左氏》、《公羊》，以解此傳，文過違反，斯害也已！於是乃商略名例，敷陳疑滯，博示諸儒同異之說……乃與二三學士，及諸子弟，各記所識，並言其意。」（語見范寧《穀梁集解序》）可見范寧撰著《穀梁集解》的動機，是因當時的許多《穀梁》注釋很不理想，而且又雜引《左氏》、《公羊》二傳來解說《穀梁》，不免違反經傳的旨意。在撰著之前，曾與眾人商討名例，解決疑問，比較同異，以定取捨，所以這部書可以說是一部集體完成的著述，而由范寧總其成。其中除范寧自己的見解外，採取了很多漢、魏及當時儒者的言論，都一一列舉姓名，故稱《春秋穀梁傳集解》。

這部《集解》完成的時間，據范氏在自序中所說，是在他父親范汪沒世之後。近人劉汝霖著《東晉南北朝學術編年》，以為范汪死於哀帝興寧三年（西元三六五年）；清錢大昕《跋范氏穀梁集解》則說：「汪屏居吳郡，從容講肆，其卒當在簡文之世；寧撰次集解，宜在豫章免郡之後。」這樣說來，則完成的年歲要晚到孝武帝（即位當西元三七三年）以後了。

乙、《穀梁集解》在體例上的特徵

范寧這部《穀梁集解》，在體例上至少有三個特徵是值得一述的，一是徵引漢、魏諸儒及同時各家的論說，頗爲詳盡；二是極尊重漢儒鄭康成，而以鄭氏家法解說《穀梁》；三是先儒釋經的通例，一向是注不破傳，而范氏注解《穀梁》，對傳義常有駁難或懷疑。茲分別析論如次：

凡注家注釋經傳，最可貴的是能會通經傳的義旨，對群經的義理及先儒的經說，都能旁徵博取，立說方能有本有原，如此不但可使義理更加顯明，而且也更能取得文字上的徵驗。范氏的《穀梁集解》，所徵引依據的資料，其來源約可分爲三類：

第一類是博取群書的資料以注釋《穀梁》。范氏採取群書資料的方式有兩種：一是明說出處，二是不明說出處。就明說出處的書來說，計採取了《周易》、《尙書》、《毛詩》、《周禮》、《禮記》、京房《易傳》、《五行傳》、《爾雅》、《周書》等九種。至於不明說出處的書，則有《儀禮》、《論語》、《孝經》、《孟子》、《詩序》、鄭玄《周禮注》、《說文》、《廣雅》、《禮緯・含文嘉》、《春秋緯・考異郵》、《國語》、《世本》、《史記》、《荀子》、《司馬法》等凡十七種。其中包括經書、經說、經注、小學書、緯書、史書及子書，包羅極廣，採取的資料可說很豐富了。

第二類是旁徵漢、魏及當時儒者的意見以解說《穀梁》。范氏徵引漢、魏諸家，如董仲舒、尹更始、劉向、許愼、鄭玄、何休、譙周等，都是一代碩儒；至於同時學者，則有鄭嗣、徐乾、江熙、徐邈等，都是《穀梁》名家，大約就是范氏自序所稱他父親范汪的「門生故吏」；又范氏的從弟范邵、長子范泰、次子范雍，幼子范凱的《穀梁》說，也採錄了很多，他們也就是自序所謂「兄弟子姪」了。古今諸儒，凡徵引十五家，都直稱姓名，只有鄭玄不稱名，而稱「鄭君」，這是由於范氏篤信鄭學，常以鄭氏家法來解說《穀梁》，所以獨自尊重他；對於自己的從弟及三個兒子，則只稱名而省略了姓，這是表示親切的意思。

第三類是兼採《公羊》、《左氏》家的說法以疏通《穀梁》。范氏雖曾批評同時諸家的《穀梁》注，雜引《公羊》、《左氏》以解《穀梁》，說是「文遇違反，斯害也已！」但他自己作《穀梁集解》，仍不免兼採二傳，而不主一家。這種作風，與何邵公解詁《公羊》、杜元凱詮釋《左氏》不同，清儒皮錫瑞《經學通論》說：「何休《解詁》，專主《公羊》；杜預《集解》，獨宗《左氏》；雖義有拘窒，必曲為解說，蓋專門之學如是。」通觀范氏《集解》，有採自《公羊傳》的，有採自何休《公羊》注的，都是《公羊》家說；有採自《左傳》的，有採自杜預《左傳注》、《左傳集解序》、或《春秋釋例》的，都是《左氏》家說；計採用《公羊》家說六十六條，《左氏》家說三十五條，大多沒有注明出處。其中雖有為二家義理所長，而可用於《穀梁》的，但三傳畢竟各異門戶，經義常不相合，若採取不當，則不免自生矛盾，故清人張海丞著《穀梁注引二傳彙證》一書，根據《穀梁》義理，以辯證范氏的是非，可惜這書未見刻本。清末廖平對范氏《集解》這種「往往不守舊訓，依附何休、杜預」的作風，斥為「非專門之學」，因而謹守魯學家法，追本西漢先師，以闡明古義，著《穀梁古義疏》（後重加修訂為《重訂穀梁春秋經傳古義疏》）民國以後，柯劭忞也因不滿范氏「多襲何、杜之說」，而以《公羊疏》引宋均《春秋注》所謂「九旨」（即時、月、日；天王、天子、王；譏、貶、絕）為綱領，再取傳文，旁參互證，而另著《春秋穀梁傳注》。

范氏這種不守專門、而兼採《公》、《左》二傳的作風，就是師承鄭康成「兼綜諸家，混合今古」的治學方法。《集解》中明引鄭君的說法共有三十四條，其中獨引鄭說的有七條；當時許慎著有《五經異義》，康成曾有所駁，《集解》合引鄭說及許氏《異義》的有一條；又何休爲了伸張《公羊》的義理，而作《公羊墨守》，又有《左氏膏肓》、《穀梁癈疾》，以詰難二傳，康成則作《發墨守》、《鍼膏肓》、《起癈疾》，以爲反駁，《集解》中合引何休《穀梁癈疾》及鄭君《起癈疾》文共二十六條。由此可見：范氏注釋《穀梁》，不但在作風上師承鄭君而已，所依據的資料，也徵引了不少鄭君的意見，所以他的孫子、名史家范蔚宗在《後漢書・鄭玄傳論》中說：「王父豫章君，每考先儒經訓，而長於玄，常以爲仲尼之門，不能過也，及傳授生徒，並專以鄭氏家法云。」

前代儒者注釋經傳，以不攻破傳義爲通例，而范氏《集解》，則對《穀梁》傳義常有駁難或懷疑，因頗能以是非爲準，而不曲從傳說，故前人多加稱道，如王應麟《困學紀聞》說：「《文中子》謂：『范寧有志於《春秋》，徵聖經而詰衆傳。』蓋杜預屈經以申傳，何休引緯以汨經，唯寧之學最善。」又顧炎武《日知錄》也說：「宋人黃震言：『杜預注《左氏》，獨主《左氏》；何休注《公羊》，獨主《公羊》；惟范寧不私於《穀梁》，而公言三家之失。』」但過去的學者們，或認爲這樣不守專門的作風，不是注家注釋經傳的正體，所以也有人譏評，如清時《穀梁》家柳興恩《穀梁大義述》說：「孔穎達《毛詩疏》云：『譬如火出於山，反焚其山；蠹生於木，反蝕其木。』其范氏之謂乎？」《集解》中對傳義有所駁難或懷疑的共有十七處，范氏所憑藉的根據，有的是依他自己的意見，有的是據傳文的或說，有的是引他書的說法，有的是取別家的見解，但大多並非傳義有誤，而是范氏的的誤失，清以來學者如齊召南、柳興恩、鍾文烝、王闓運、廖平、柯劭忞等，多有批駁辨正。其中如王闓運曾大力抨擊范注說：「入室操戈，昔人所傷，說傳疑傳，後生何述？徒令蔑師法、侮聖言，因緣抵隙，六經皆譌，自趙宋及前明，流禍烈矣！」因而採取范注駁傳、疑傳及傳義可以申明的地方，著《穀梁申義》一書，或糾正范氏的誤失，或推尋傳義的本原，見地都很精審。尤其廖平抨擊得更爲激烈，他說：「所云《春秋》三傳置高閣者，蓋作俑於《集解》矣！」又說范氏「絕古人授受之門，倡後學狂悖之習，王、何之罪，豈相軒輊乎？」更說他「恣睢暴厲，借讎人之刃，而自戕其同室。」因而也摘取范注攻傳、悖理的地方，予以解說糾正，著《集解糾繆》及《釋范》二書。大約范氏的見解，確有可議論、商榷的餘地，但廖氏所加的攻擊，則不免過甚其辭。

丙、《穀梁集解》在內容上的得失

范氏《穀梁集解》在取材方面，除了博取群書、旁徵諸儒及兼採《公羊》、《左氏》二家之外，其餘就是他自注的部份，從這一部份，可以看出他注釋《穀梁》的得失來，茲分析說明如次：

范氏自注而有所得的，可以從兩方面觀察：一是對《穀梁經傳》的訓詁，二是對《穀梁》義例的發明。訓詁可以說是注釋經義的基本工夫，清儒錢大昕曾說：「有文字而後有訓詁，有訓詁而後有義理。訓詁者，義理之所由出，非別有義理出乎訓詁之外者也。」江藩也說：「說經之道，以訓詁爲第一要事；訓詁通，斯經義自無不通矣！」范寧生當士人以清談玄理爲高的晉世，而他卻不爲當時的俗尚所陷溺，能發奮自振，致力於經籍的闡釋，在他的《穀梁集解》中，對訓詁方面，雖不如漢儒那麼精密，但也很有可觀。過去我研究《穀梁》范注，著有《穀梁范注發微》，曾詳盡分析出范注訓詁的條例，共達四十種之多。這四十條例又可分隸三部份：一爲對字義的訓詁，二爲對詞句的解釋，三爲對事理的說明，以分別探求范氏訓詁字義的本原，解釋詞句的方法與說明事理的凡例。

單就對字義的訓詁來說，他使用了十種不同的方法，或用本義，或用引申義，或用假借義，也有用假借字溝通的，或有仿效漢人用「猶」或「之言」以疏通字義的。至於用字不同、而取義各有專屬的，則望文以爲訓解；一字不容易注明的，則增字以爲訓解。此外，或文同而義異，或文異而義同，或文義並同，而多次出現，不以爲煩。

若就對詞句的解釋來說，或訓解名物、詞義，或疏釋文句。對名物、詞義的訓解，約有三例：凡注文前訓意有未盡，則以後訓足成，鄭康成箋詩多如此；傳詞若與平常訓解不同，則顯明它專屬的意義；若文詞繁多，不必一一作注，則專取某詞，複舉然後詮釋。至於文句意義的疏釋，則條例更多，有注文兼寓訓詞的，有順衍文勢的，有次序參互的，有增足文意的，有綜約旨趣的，有申成含義的，有先零後整的，也有先整後零的，共有八種。

《穀梁》解經，往往針對史事，以闡明微義，故范氏注釋《穀梁》，多有說明事理的，這也是他訓詁的方式。就這方面來看，析得的條例更多，共達十九種。或表白問句的意旨；或著明所解的意義；或詳列細目，以爲徵實；或者省注文，以免繁複；或解釋譬喻；或辨別序次；文義類同，則加比較；事理有異，則予分析；或顯示實情；或撮舉事類；或假設譬況；或發明隱義；或推求緣故；或探索根據；以上這十四種條例，都是純粹說明經傳事理的。另有列舉經傳異文、異義，或說明傳文體例的，如兼備兩解、互辭互文、歸納凡例、因承闕疑四例就是，雖然不是「事理」，可稱之爲「文理」，也附屬這一類。又范氏態度審慎，對義旨不明的部份，常自稱「寧所未詳」或「寧所未聞」，也是一種特例，附於最末。

從前孟子談到《春秋》，曾說：「其事則齊桓、晉文，其文則史。」繼而引孔子的話說：「其義則丘竊取之矣！」而《史記・自序》也引孔子說：「春秋以道義。」可見孔子修《春秋》，在於筆削舊史的文辭，而從中有所取義。所以《春秋》的眞價值，不在所記的「事」，也不在記事的「文」，而在孔子所寄託的「義」。

《禮記・經解篇》引孔子說：「屬辭比事，《春秋》教也。」因《春秋》文辭簡約，而含義繁富，後人根據所記載的史事及文辭的異同，而歸納出《春秋》書法的異同，這就是研究《春秋》的人所謂「例」。凡史事相同，而文辭也相同的，就是「正例」；若史事相同，而文辭不同，則是所謂「變例」；《春秋》大義，就在變例中顯現。

漢代研究三傳的學者，多從條例以探求《春秋》大義。雖然董仲舒的《春秋繁露》，有「春秋無達例」的話，且後世學者，如漢王充、唐啖助、趙匡、宋劉敞、朱熹等，都曾紛紛指摘，不相信三傳義例。但所謂「義例」，只是研究《春秋》的一種方法、一種途徑而已，除《左傳》重在記事，不應當橫生義例外，《公》、《穀》全在解經，且二家師說相承，或許有所根據。只是不可求之過深，若但憑私臆，以牽引附會，則自然不免於支離穿鑿的過失了。

范寧作《穀梁集解》，對《穀梁》義例的發明，所採取的方法不一，或引用傳例解釋，或根據傳例說明，或解說傳例的意義，或闡明傳例的原故，或推求變例，或歸納通例。據我分析范氏注文，共得例目二十三條，區別為三類：一依特殊的書法而分，一依義類而分，一依事類而分。

范注發明《穀梁》特殊的書注例有四種：如歲首所書「春王正月」，有書王的，也有不書王的；有書正月的，也有不書正月的；《穀梁》以為都有不同的義例，這是「春王正月例」。又《春秋》十二公即位，或書即位，或不書即位；或繼正即位，或繼故即位；都各有義，這是「公即位例」。又紀事所繫的時月日，往往不完備，《穀梁》多以為有義，這是「時月日例」。又紀人或稱名，或稱字，稱謂不一，則含義不同，這是「名字稱謂例」。

若依義類而分，《穀梁》有《穀梁》的特義。《春秋》有因事的端始，以見出某種含義、而爲天下儆戒的，《穀梁》遂有「謹始」一例。又孔子的先祖是宋國人，故《春秋》紀宋國事每有特筆，《穀梁》認爲是孔子把宋國當做故國，因有「故宋」一例。又《春秋》紀事以魯國爲中心，故以魯國爲內，以諸侯爲外；若以諸侯爲內，則以夷狄爲外；這就是《公羊》所謂：「內其國而外諸夏，內諸夏而外夷狄。」《穀梁》解經，頗能辨明內外的區別，或詳內而略外，或尊內而疏外，或外事而以內事書，或內事而以外事書，因有「內外」一例。又事有本末，理有輕重，必須權衡之後，方知本末、輕重所在。《穀梁》條例，或因《春秋》書法不同，而見出輕重的差別；或因特別著重某事，而有特殊的書法。范氏注《穀梁》，或就傳義而說明所重，或比較輕重的差異，或以大小來說，因有「輕重」一例。又《春秋》所紀小國、夷狄爵號，前後常不一致，《穀梁》常以進黜來解說，或由不同的爵號以見出進黜的意義，或由不同的書法以見出進黜的意義；或以爲周王進黜，或以爲《春秋》進黜；因有「進黜」一例。又先儒多以《春秋》寓有褒善忠良、貶惡亂賊的微意，這就是所謂「天子之事」；更有美頌功德、譏刺過失的微意，正如《詩》的美刺一般；若有所避忌，則隱而不言，這也是微旨所在的地方，《穀梁》以爲：《春秋》有三種隱諱，就是「爲尊者諱恥，爲賢者諱過，爲親者諱疾。」因而又有「褒」、「貶」、「譏」、「諱」諸例。以上經范注發明的《穀梁》特義，計有九種例。

除上文所概述的異常書法與特殊立義之外，還可依事的類別來分。大略說來，有屬內外通例的，如朝聘會盟之類，崩薨卒葬之類，侵伐圍戰之類，奔逃執歸之類，弒君殺大夫之類，其餘瑣碎事項，可依性質附隸於以上諸類之中。有專屬內事例的，如致公之類，婚姻之類，郊禘之類，蒐狩之類。最後還有災異一類，依《春秋》通例，外災不志，但也有變例而書的，故附於末。

以上是范氏《集解》在內容方面條理畢具、足以闡發《穀梁》精義而卓有貢獻的地方，但無可諱言的，范注也有不少誤失，所以他這部《集解》，可說是得失互見的，比較起來，當然是得多而失少。以下再剖析《集解》的疏失：

古書多口耳相傳，後世才錄成文字，經過輾轉變易，若偶一不慎，就容易發生舛誤，或因文字形體相似而訛誤，或因讀音相近而謬誤，或簡策前後錯亂，或有衍文脫文之類，注家解釋經傳，若抱殘守缺，不從事校勘考訂的工夫，而勉強求通，則不免與經傳原義相悖。《穀梁經傳》，每有誤字，也有衍文、錯簡，而范寧作注，往往不辨，這是他關於校勘方面的疏失。

漢人注釋經傳，專精於訓詁，魏晉以來，學者不再遵守這些師法，所以像王弼的《周易注》、何晏的《論語集解》、杜預的《左傳集解》、郭璞的《爾雅注》等，都不明聲音、訓詁之道。范寧注釋《穀梁》，雖然宗尚鄭君家法，在訓詁方面還算略具條理，但究竟不是他專門的造詣，所以常有謬誤。如訓解字義，或不識古字，而用今字解釋；或不明文字假借的運用；或疏於分辨音讀；或斷句有誤；或解釋名義有舛錯；諸如此類，可說是他訓詁方面的疏失。

凡注家注釋經傳，為了求立說有根據，義理圓通而該洽，需要旁徵博取，兼採眾家，但必須嚴於去取，精於別擇，方足以鉤稽隱微，發明義理，若採取不當，則乖違舛誤，在所難免。范寧作《穀梁集解》，無論徵引群書的文字，或採取諸儒與《公》、《左》二家的說法，也有因欠謹慎而造成疏失的，或明引他說，並加以衍釋，因而發生差錯；或暗用他說，而有拘泥難通的過失；或隱據他說，而實不妥當；或《穀梁》有所徵引，而范氏解釋有誤；這又是他徵引方面的疏失。

《穀梁》義例，有足以通貫全經的，就是所謂「通例」；有因時制宜，或因人制宜，而文辭有變異的，則是所謂「變例」。這兩者本身自具條理，注家若未能融會貫串，則不免導致誤解。范氏《集解》中，偶然有事不相類，而誤爲引據的；也有前文詳盡，後說簡略，而誤加歸納的；也有未能通達義理，而申釋有誤的；更有獨憑己意，說解傳例，而與經傳違異的；這些又是他義例方面的疏失。

《春秋》所記載的，是二百四十二年的史事，《穀梁》所解說的，是孔子修經的義理，假如不明白史事的本末，或古代的制度，則義理自然不容易彰顯。因傳文有詳有略，精義每每寓於一、二字，若不審慎辨析，往往差之毫釐，則謬以千里。范氏《集解》，或在注文中兼寓傳義，而實有失誤；或在傳文外另加詮釋，而不合事理。又傳文有以數句見出某一義理的，若非貫串上下，通曉本末，則不免顧此失彼，或捨本逐末，范注中或綜約傳義，或衍釋傳義，或推原事理，而各有謬誤，這是他事理方面的疏失。

以上這五方面的疏失，在拙著《穀梁范注發微》中，都分別有所辨正。

——原載《國文學報》第三期（一九七四年六月），頁一——九。

《周易》與《文心雕龍》理論構架

夏志厚

《周易》與《文心雕龍》理論構架的關係，劉勰自己早有點明，這就是《序志篇》裡所謂「位理定名，彰乎大易之數，其爲文用，四十九篇而已」一語。《易・繫辭・上》曰：「大衍之數五十，其用四十有九」。劉勰所謂的「大易之數」，就是《易傳》裡提到的「大衍之數」，這一點，現在並無人持異議。問題在於，對劉勰這句話的理解，人們往往也就停止在這五十篇與四十九篇的關係上，而忽略了「位理定名」這幾個字。其實，這裡的「位理定名」一語，並不僅取全書成五十篇格局之意，也不僅指書中四十九篇與一篇《序志》的關係（亦有學者認爲此一篇是指《原道篇》），而是包含更爲豐富的內涵。《易・繫辭・上》有言：「易簡而天下之理得矣，天下之理得，而成位乎其中矣」。劉勰「位理定名」一語，明顯地是從這裡化用而來，而所謂「位理定名，彰乎大易之數」的做法，也顯然是受了此種易容天下之理的觀念的極深影響。縱觀《文心雕龍》全書，劉勰對先秦古人根據《周易》象數來制約、規範自己的行爲有過多處論述。《原道篇》裡就曾說過，「爰自風姓，暨於孔氏，玄聖創典，素王述訓：莫不原道心以敷章，研神理而設教，取象乎河洛，問數乎蓍龜，觀天文以極變，察人文以成化，然後能經緯區宇，彌綸彝憲，發揮事業，彪炳辭義」，認爲聖賢著述都是取象河洛，問數蓍龜之後，再經緯區宇，作出相應安排的。這些雖然是劉勰對古人著述的方法論所作的說明，卻也在一定程度上說明了他自己的方法。劉勰所生活的時代，《

周易》具有位列五經的顯赫地位，漢代置五經博士的傳統，在齊梁時代又再次勃興，《易》學研究自然也相當興盛。況且其時去漢未遠，漢代《易》學研究看重象數的做法影響甚廣。雖說漢末魏興之際，王弼撰寫《易注》已經使《易》學研究呈露以義理去取代象數之勢，但即便是在王弼自己的撰述中，也多有就象數而闡義理的情況。劉勰受時流左右，當然也概莫能外。從《文心雕龍》全書來看，劉勰雖不一定精通義理，卻至少是對《易傳》相當熟悉，許多詞句都可看出從中化用而來的痕跡。各篇的字裡行間，屢見「《繫》稱」、「《繫辭》稱」的字樣，尤可發現他受到《易傳》的深深影響。「位理定名，彰乎大易之數」一語，亦決非一時興來地取其數字的巧合，而是顯露了劉勰的匠心所在，他試圖以聖賢經典的方式來編排自己的理論構架，用《周易》象數的範模來熔鑄自己的思維成果。可以這麼說，《文心》全書雖然討論的是爲文的用心及其技巧，卻有一個本來與之並不相關的外來的框架。本文想就這一點提出一些看法。

一

《易・繫辭・上》曰：「大衍之數五十，其用四十有九。分而爲二以象兩，挂一以象三⋯⋯。天數五，地數五，五位相得各有合。天數二十有五，地數三十，凡天地之數五十有五，此所以成變化而行鬼神也」。又曰：「天一，地二，天三，地四，天五，地六，天七，地八，天九，地十」。這裡的「天」指天數，「地」指地數。天數與地數，說穿了就是奇數與偶數之謂。天數爲一、三、五、七、九，其和爲廿五，地數爲二、四、六、八、十，其和爲三十。因此，天數與地數的總和就應爲五十五。今人曾有專家認爲，所謂「大衍之數」就是此「成變化而行鬼神」的天地之數，它可以無窮演化而成各種卦相，所以「大衍之數」應該是五十五，現在流行的《易傳》中這句話的原文少了兩個字，結果「大衍之數」便因錯訛而成了五十。不管這種看法是否有道理，劉勰在《文心雕龍》中所取的「大衍之數」卻決不是五十五。（據信也是劉勰所撰的另一部著作《劉子集》，倒是取了五十五篇的格局，恰合天數地數之和。但該書是否爲劉勰所撰，目前尙有爭議。即使確爲劉勰所撰，從文中內容來看，也決不是和《文心雕龍》同一時期的著作）。在當時，劉勰是依據《易傳》的現有文字，取「大衍之數」爲五十的。這樣一來，只有重複取兩個天數之和（即兩個廿五），才能構成五十這個整數，形成「分而爲二以象兩」的格局。縱觀《文心雕龍》上、下篇的安排，劉勰正是按此揣想來「位理定名」的。劉勰捨地數而取天數，不僅受到「大衍之數五十」的具體制約，同他「觀天文以極變，察人文以成化」，然後「經緯區宇」的想法亦正相一致。《文心雕龍》一書裡屢有「《易》唯談天，入神致用」（《宗經》）、「龍圖獻禮，龜書呈貌，天文斯觀，民胥以效」的說法，也都說明劉勰捨地數而取天數的做法不是偶然的。

如果我們就此進一步加以分析，還會發現天數一、三、五、七、九與劉勰對上、下篇的篇目安排有著微妙的對應關係，這種對應關係對我們理解《文心雕龍》全書的理論構架有著重要的作用。爲著論述的方便起見，我先從下篇談起。

我曾經就《文心雕龍》下篇的內在邏輯關係對其結構過一個介剖（見《文心雕龍下篇結構新析》，載《華東師範大學學報》1988年第6期），只需稍事歸納，就不難發現其結構與天數有著某種對應關係。從《神思》到《鎔裁》七篇，大體上是講創作原則，構思、結構之類，它對應於天數七。其中《神思》一篇列前，《體性》、《風骨》、《通變》三篇論創作原則，同《養氣》篇呼應，《定勢》、《情采》、《鎔裁》論構思結構，同《附會》篇呼應；從《聲律》到《指瑕》九篇是論具體的手段技巧，同《總術篇》呼應而對應於天數九。九篇之中，又可順序而爲三小組，《聲律》、《章句》、《麗辭》一組，《比興》、《夸飾》、《事類》一組，《練字》、《隱秀》、《指瑕》一組；接下來，《養氣》、《附會》、《總術》三篇，是創作論總結，對應於天數三；《時序》至《程器》五篇，則轉入了批評論，對應於天數五；最後一篇《序志》，對應於天數一。（其內在邏輯關係請參見原文，這裡不再贅述。）詳見下表：

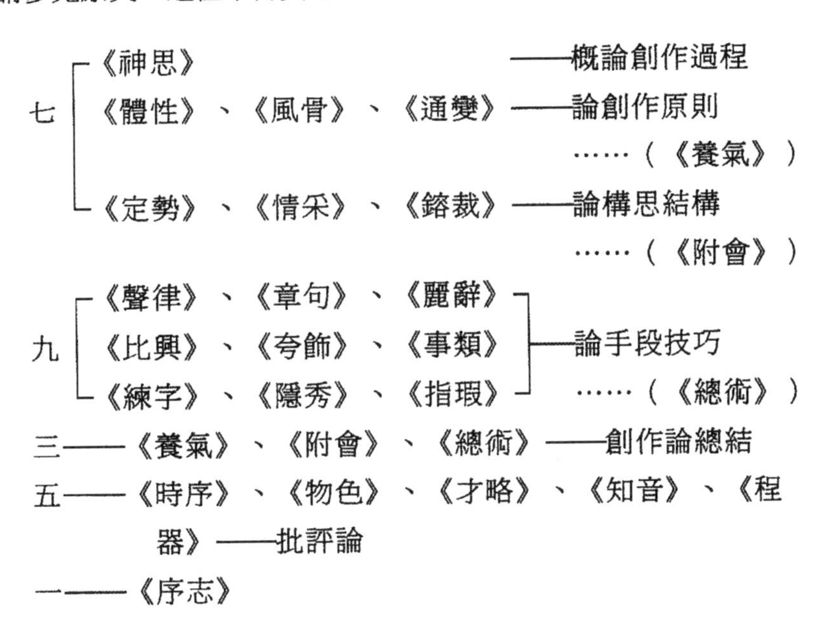

不難發現，此種七、九、三、五、一的排列並不遵循自然奇數一、三、五、七、九的順序，但卻都與某一天數暗合。無獨有偶，只要稍事歸納，同樣可以發現劉勰對上篇篇目的布局安排也有暗合天數的現象，只是其數字的編排順序爲五、一、三、九、七，除頭兩個數字外，後面的排列則正好同下篇顚倒過來。詳見下表：

五——《原道》、《徵聖》、《宗經》、《正緯》、《辨

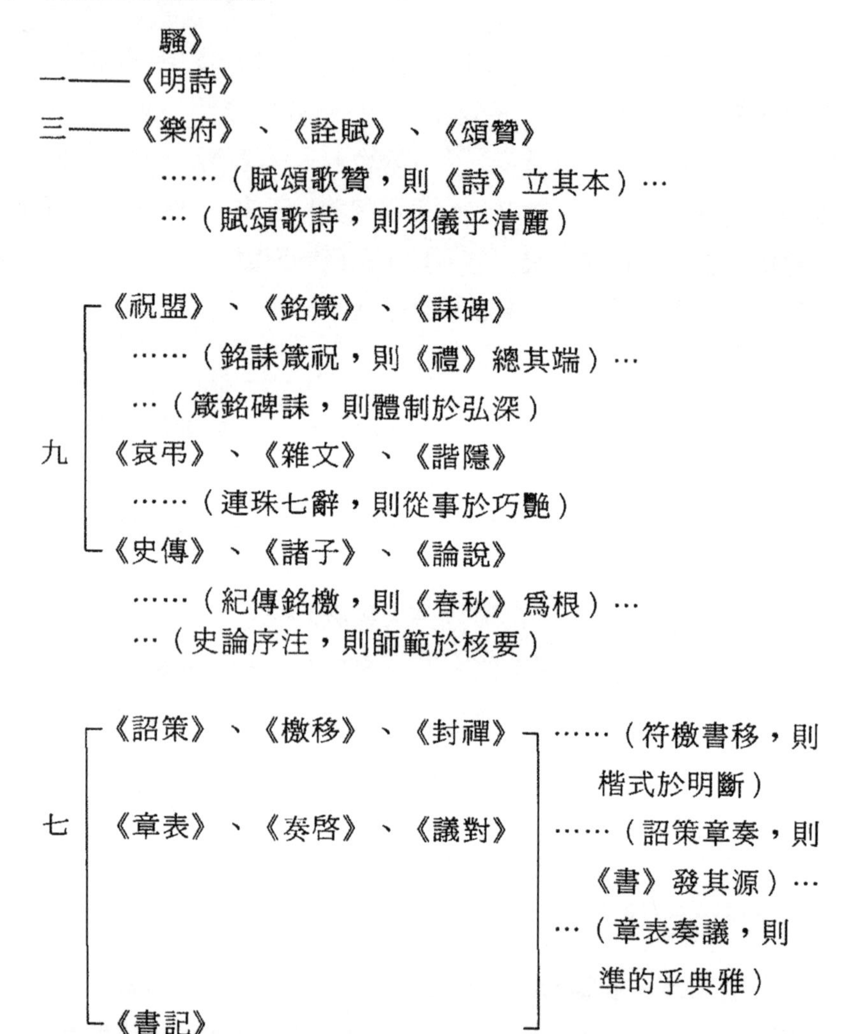

《周易本義》有云：洛書「蓋取龜象，故其數戴九履一，左三右七，二四爲肩，六八爲足，五居中央」。《周易本義》的這種排列在古算法中通稱「九宮」，其中天數九、一、三、七分布於上、下、左、右四方，天數五則位居中央。宋人究竟根據什麼認爲洛書圖例應以九宮爲準，我們今天已經很難再行考證，但它暗合洛書「洪範九疇」之謂，卻確實爲我們理解《文心雕龍》中的天數排列方式提供了重要線索。可以發現，劉勰對上篇篇目的排列，恰好是從位居中央的天數五開始，然後按順時針方向沿一（下）、三（左）、九（上）、七（右）的順序轉了一圈。下篇則從七開始逆行倒回，由九到三之後，略過了一而直接回歸於五，但又於篇尾掛了一篇殿後，恰好應了「大衍之數五十，其用四十有九，分而爲二以象兩，掛一以象三」的格局。儘管這種做法可能並不完全符合《易傳・繫辭》的本意，但它畢竟表明了劉勰對大衍之數的一種理解和猜測，看去凌亂無序的排列，其實是極爲有序，且另有一番苦心在內的。

學家不難發現，我現在所說的這種排列方式，與人們對《文心雕龍》上篇的傳統理解頗多矛盾之處。其中最爲主要的，一是按現在的順序，《明詩》一篇單獨掛在總論之後，這該作何解釋。這不光光是一篇《明詩》的歸屬問題，也牽涉到對總論的整體理解；二是按現在的排列方式，勢必打破文體論各篇以文、筆二分的局面，這麼做究竟有什麼根據？文體論各篇按現在的順序重新編排以後，它們之間還有沒有邏輯聯繫。這些正是我接下來要討論的問題。同樣爲了論述的方便起見，我將文體論放到前面來加以討論。

二

關於文體論的劃分，過去人們常常是依據「論文敘筆」這一句話來加以理解的。《序志篇》云，「若乃論文敘筆，則囿別區分，原始以表末，釋名以章義，選文以定篇，敷理以舉統，上篇以上，綱領明矣」。這幾句話，除去說明了立論的方法以外，「論文敘筆」一語也確實規定了論述內容。於是眾學家多以此爲準來劃分文體論，將《明詩》至《諧隱》十篇劃定爲文，《史傳》到《書記》十篇則劃定爲筆。其實，這種劃分多有不妥之處。劉勰在《文心・總術》中說，「今之常言，有文有筆，以爲無韻者筆也，有韻者文也。夫文以足言，理兼《詩》、《書》，別目兩名，自近代耳」。劉勰在《文心雕龍》中順應了這種別目兩名的做法，但他同時還指出，「夫文以足言，理兼《詩》、《書》」，《詩》有韻而《書》無韻，兩者卻都同樣有一個以文「足言」的問題。關於有韻與無韻之說，在劉勰的時代還只是方興之舉，對平仄聲律雖有研究，但如何爲有韻，如何爲無韻，並沒有十分明確的結論，劉勰本人在《聲律篇》中，也只是含糊談論「異音相從謂之和，同聲相應謂之韻」。要劉勰以此來劃分諸多文體，實在是勉爲其難的。如果以有韻無韻來理解劉勰的文筆之分，那麼，在目前文體論的劃分中就存在許多與事實相悖之處。例如《祝盟》一篇歷來被認爲是屬於有韻的「文」類，但許多祝禱之詞和盟約，謂其有聲律尚可，謂其有韻則十分勉强。而被認爲是「筆」類的檄移、封禪等文體，倒又時見講求音韻之佳作。在文類與筆類之間，更有許多是難以區分其或文或筆的。范文瀾就曾將文體論區分爲文類、筆類和文筆雜（指《雜文》、《諧隱》）三大類，說明他在文體劃分中已經感覺到了截然二分的不盡合理。更何況《文心雕龍》全書中，能夠提示我們確認劉勰是根據或文或筆的原則來分類的，捨此「論文敘筆」四字以外更不見於別處。人們之所以都順應了這種說法，只是苦於找不到劉勰爲文體分類的更爲確鑿可信的證據罷了。其實劉勰在「論文敘筆」之後，明明還有「則囿別區分」一語，可見「論文敘筆」雖不虛誑，「囿別區分」卻還是另有所據的。

在我看來，理解文體分類的關鍵，其實劉勰早就預伏在《宗經篇》裡了。《序志篇》裡「體乎經」一語，最爲清楚不過地說明了劉勰談「宗經」的本意所在。《定勢篇》裡論「即體成勢」，也爲這種分類再次提供了依據和佐證。將這兩篇文辭裡關於文體分類的論述拼合在一起，不難爲我們展示文體分類完整的邏輯聯繫。

《文心雕龍》開首，《原道》、《徵聖》、《宗經》三篇建立起道——聖——文三位一體的準則，此「道沿聖以垂文，聖因文而明道」，由一而二，由二而三。從《宗經第三》開始，全書已由這三位一體拓展開去。劉勰明言經是「極文章之骨髓」的，因而「百家騰躍，終入環內」，各種各樣的文體都可以在這裡找到自己的源頭，正所謂「一生二，二生三，三生萬物」（《老子》）。在《宗經篇》的贊詞裡，劉勰有「致化歸一，分教斯五」一說。這裡的「五」是指五經，即《周易》、《尙書》、《詩經》、《禮記》、《春秋》而言的。劉勰講「宗經」，具體地就是以此五經爲「宗」。在整個《宗經篇》裡。劉勰反覆地對此《五經》的特徵加以闡述，所謂「《易》唯談天」、「《書》實記言」、「《詩》主言志」、「《禮》以立體」、「《春秋》辨理」。在劉勰看來，各種各樣的文體雖多，其源頭卻大抵不離這五經：「故論說辭序，則《易》統其首；詔策章奏，則《書》發其源；賦頌歌贊，則《詩》立其本；銘誄箴祝，則《禮》總其端；紀傳銘檄，則《春秋》爲根」。各種文體，追根溯源，都可以在「五經」中見其形跡。正是在這裡，我們可以發現劉勰對文體的認識以及他劃分文體的準則與依據。

在劉勰的時代，文體的區劃儘管已諸多紛呈，能夠將諸多文體歸類統攝的，卻實不多見。倒是開文體劃分先河的曹丕在其《典論·論文》中，有過四科八體之說，即所謂「奏議宜雅，書論宜理，銘誄尙實，詩賦欲麗」。其歸劃文體的方法，一是按不同文體的功能加以歸納，而有「奏、議」，「書、論」，「銘、誄」，「詩、賦」之別；二是從不同的文體風格角度予以區分，即所謂「雅」、「理」、「實」、「麗」四大類。劉勰歸劃文體的基本思路，正是緣此而來的。上引五經之中，除《周易》外，其餘四經正好與曹丕的四科相對應，即

「記言」之《書》與奏、議相對應，「辨理」之《春秋》與書、論相對應，「立體」之《禮》與銘、誄相對應，「言志」之《詩》與詩、賦相對應。由此可見，劉勰關於文體分類的思想實在是受到曹丕四科八體的啓發，而又在此基礎上進一步擴展補充，並以五經來加以歸納統攝的。其中只有《周易》是因位列五經的關係而被引作陪襯（這一點下面還將詳論），其餘四經則都實實在在地被認定與各類文體有主從、本末關係。其分類準則大致有三：⑴功能。按不同功能將文體歸類整理，納入五經的相應規範中，如「言志」、「立體」、「記言」、「辨理」等等；⑵風格。風格相近或相似的文體歸併在一起，也用五經去加以說明，如《書》的「昭灼」、《詩》的「溫柔在誦，最附深衷」、《禮》的「據事制範，章條纖曲」、《春秋》的「一字見義」、「婉章志晦」等。另外，在《定勢篇》裡，劉勰還就各類文體的不同風格有過一個明確的說明，「是以括囊雜體，功在詮別，宮商朱紫，隨勢各配」，强調各類文體都自有其勢，必須善於加以詮別，「即體成勢」之謂，正好將不同功能的文體與其不同風格的體勢兩相統一：「章表奏議，則準的乎典雅；賦頌歌詩，則羽儀乎清麗；符檄書移，則楷式於明斷；史論序注，則師範於核要；箴銘碑誄，則體制於弘深；連珠七辭，則從事於巧豔」。把這段話拿來和《宗經篇》的有關論述相互比照參證，對我們理清文體論的分類狀況很有幫助；⑶源起。即把各類文體都看作是從五經演化而來的。五經爲源，諸文體爲流，五經爲本，諸文體爲其枝幹。這些，正是「若乃論文敍筆，則囿別區分」的要旨所在。據此，我們不難找到重新區劃文體論各篇的內在依據，並進而證明劉勰「位理定名」確實具體而微地受到「大衍之數」的制約。試對文體論各組篇目逐類分析。

《樂府》、《詮賦》、《頌贊》。這三篇，從今人的眼光來看，都是典型的文學作品，就其功能來說，它們沒有什麼其他的外在目的，只是「言志」之作而已。《宗經篇》謂，「賦頌歌贊，則詩立其本」，其實是把這三篇都納入了以《詩》爲源的範疇，認爲它們都是《詩》的承傳。其中，「賦」應對著《詮賦》一篇，《詮賦》贊曰：「賦自詩出，分歧異派」，亦爲一證；「頌」和「贊」，則正好籠蓋了《頌贊篇》；至於「歌」，則是和《樂府篇》相應的，《樂府》開篇就點明：「樂府者，聲依永，律和聲也」，說明樂府正是和樂而歌的詩。「詩立其本」一語，正好把這三篇都統了起來。《定勢篇》中稱「賦頌歌詩，則羽儀乎清麗」，說明了這類文體的大體風格，亦可與此相互參證。值得推敲的是，劉勰在《宗經篇》裡談到五經時，總是以《易》、《書》、《詩》、《禮》、《春秋》爲序，就此排列來看，《書》在《詩》之前。但文體論的篇目排列則與此相違，以《詩》爲源的文體被排在了最前面。這裡，一方面是文體的分類排列具體地受到天數順序的制約，五、一、三、九、七的次序規定了在這個位置上只能出現數字相同的篇目，另一方面，卻也難能諱言劉勰其他方面的考慮。《書記篇》有言謂，《書記》一篇「乃藝文之末品，政事之先務」。既有「藝文之末品」，便有藝文之「上品」。就文體論的篇目排列來說，顯然是文藝之上品在前，而政務類文體殿後，中間則是介於藝文與政事之間的文體。在劉勰看來，「賦頌歌贊」是應當作爲純粹的「藝文」來加以認識的。《樂府》、《詮賦》、《頌贊》三篇能獨列文體論之首，這顯然是又一個重要的原因。順便說一句，在列於「藝文」與「政事」之間的九篇文辭裡，《哀弔》、《雜文》、《諧隱》三篇能占《史傳》、《諸子》、《論說》之先，也是因爲前者更接近於「藝文」，而後者與「政事」有更多聯繫的緣故。

《祝盟》、《銘箴》、《誄碑》。這三篇中論及的文體，或祝告於神明，或戒之以德軌，或留名於碑銘，就其功能來說，劉勰認爲都與「立體」的「禮」有關。「銘誄箴祝，則禮總其端」一語，正好囊括了這三篇。《定勢篇》中謂：「箴銘碑誄，則體制於弘深」，也是和這組文辭相對應的。

《哀弔》、《雜文》、《諧隱》。這三篇所列文體，都是個人遣情玩趣之作，故而既不同於上面祝盟、銘箴、誄碑要合於某種禮儀程式，也不同於史傳、諸子、論說那麼體正方圓。其中哀弔不入「禮」之列，也是這個道理，一般說來，它們只是私心痛傷之作，同立名榮身的碑銘之類很不相同。在《宗經篇》裡，劉勰沒有將此三篇同「五經」掛起鉤來，一則說明了「百家騰躍，終入環內」的主張多少有點形式主義化，實際上很難把一切文體都納入「五經」的範式中去。劉勰自己顯然也意識到了這一點，他沒有勉強地把此三篇與五經相聯，不啻為明智之舉。另一方面，在這裡別列三篇，也不無滿足其拼湊數字需要的企圖。加上這三篇後，從《祝盟》到《論說》正好為三組九篇，同天數九對應。劉勰在《定勢篇》裡說，「連珠七辭，則從事於巧豔」。這裡的連珠、七辭，儘管只同《雜文篇》裡談到的兩種文體相對，卻也可以看出劉勰是試圖將此三篇別立一類的。既是「從事於巧豔」之作，當然也就不能歸諸五經之後，而只能隸屬「事豐奇偉，辭富膏腴，無益經典，而有助文章」（《酌緯》）的左道旁門之列，這也是《宗經篇》裡未見此三篇之源的原因。

《史傳》、《諸子》、《論說》。《宗經篇》裡「紀傳銘檄，則《春秋》為根」一語，是同這三篇相應的，這裡的「紀」應同「記」。《史傳》曰：「傳者，轉也，轉受經旨，以授於後，實聖文之羽翮，記籍之冠冕也」，故有「記傳」之謂。而「左史記事」、「事經則《春秋》」諸語，則說明「史」也為記籍之一種，其經典之作正是《春秋》。表面看來，這一句話裡只有「記傳」與《史傳》相稱，對《諸子》、《論說》則非但沒有提及，相反倒是提到了銘、檄這兩種文體。其中「銘」在「銘誄箴祝」中已被提到過一次，這裡再次出現，並非簡單的筆誤。它說明，在劉勰看來，確實有一些文體是難以截然地劃歸某一部類的，就它們的源起來說，有可能受到多方面的影響。例如這裡的「銘」，劉勰在《誄碑篇》中說過、「夫屬碑之事，資乎史才，其序則傳，其文則銘」，認爲「銘」的文體樣式又和史傳有一定關係，所以在以辨理爲特徵的《春秋》之下，出現銘檄等文體，並不奇怪。《定勢篇》謂「箴銘碑誄，則體制於弘深」，「符檄書移，則楷式於明斷」，說明就文體風格來說，劉勰並不願意將銘、檄同史傳、論說等混同一類，而更贊成把它們劃入別的類別裡。至於諸子與論說的歸屬，儘管未在這裡點明，但就「辨理」的性質來說，卻又非《春秋》之後莫屬。《論說篇》云，「論也者，彌綸群言，而研精一理者也」，其贊曰，「敘理成論」；而「說」，則無非是以嘴辨理之舉。諸子同論說的區別，也只不過在於「博明萬事爲子，適辨一理成論」，雖有多少、博寡之別，卻都是敘理成論之著，所以類同此理，亦應歸於《春秋》之後。《定勢篇》裡「史論序注，則師範於核要」一語，將史、論並列而視其爲同一風格的文體，也可引作輔證，說明就文體風格來說，劉勰確是把它們視爲一類的。

人們當然會注意到，《宗經篇》裡有「論說辭序，則《易》統其首」的說法。這裡的「論」與「說」，許多人都以爲是指作爲文體的論、說而言的，恐怕不妥。如果將「論」、「說」作文體指認，那麼以下「辭」、「序」似也應順理成章地認爲文體，但在文體論中，辭、序卻都未曾作爲一體出現。再者《宗經篇》謂，「《易》唯談天」、「《春秋》辨理」。作爲文體的論和說，都和辨理有關，已如上述，它們的性質，自然也就同「辨理」的《春秋》更爲接近，而和「談天」之《易》相去甚遠。所以這裡，「論說辭序」之「序」，大體上是說寫作時的安排布局，其實就是「位理定名」的意思。《易・繫辭・上》有云，「是故君子所居而安者，易之序也」，這裡的「序」字同「論說辭序，則《易》統其首」之「序」倒是可以相互參閱闡發的。劉勰在這裡突然冒出這麼一句話，實在也是爲求五經之全而讓《易經》虛位其中的緣故，所以這一句話與下面並列的四句話看似句式相仿而實際句意參差，《書》、《詩》、《禮》、《春秋》能與「四科八體」相應而獨獨《易經》在外了。

《詔策》、《檄移》、《封禪》、《章表》、《奏啓》、《議對》、《書記》。這七篇文辭所列文體，被「詔策章奏，則《書》發其源」一句所統攬，其中諸多文體或爲君、或爲臣、或爲吏所用，大體都與政務有關。七篇文辭又可分爲兩組帶一篇。《詔策》、《檄移》、《封禪》三篇一組，其中所論文體，就功能來說，都爲君主之文。《定勢篇》謂，「符檄書移，則楷式於明斷」，正同這組文辭相對。《章表》、《奏啓》、《議對》三篇一組，所及文體大致爲朝廷百官奉上議政之文，《定勢篇》裡《章表奏議，則準的乎典雅」一語與這一組文辭相對。餘下一篇《書記》單列，其中文體是雜以各類政務的公文，上下不論，官民難分，「庶務紛綸，因書乃察」。此篇開頭就有「蓋聖賢言辭，總之爲書，書之爲體，主言者也」之類的話，故知此篇在劉勰看來也是應歸於「記言」之「書」之後的。

至此，文體論各篇歸類安排已見端倪。《樂府》、《詮賦》、《頌贊》三篇列其首，對應於天數三，乃藝文之「上品」；《詔策》至《書記》七篇列其尾，對應於天數七，悉爲政務文體，其中又可細分爲兩組兼一篇；中間《祝盟》至《論說》三組九篇，對應於天數九。整個分類外有天數轄制而求形式工整，內有功能、風格等具體標準統領而呈邏輯聯繫。《文心雕龍》素有「體大慮周」之稱，於此也可見一斑。

三

文體論的上述劃分能否成立，其實還牽涉到另一個問題，就是《明詩篇》的歸屬。按現在的劃分方法，在總論五篇和文體論中間單列一篇《明詩》，除去應和五、一、三、九的排列順序以外，還有沒有其他依據？這樣排列以後，對總論部分又該作何理解？這也是我們的討論應該涉及的問題。

對《明詩篇》的歸屬，人們歷來是有爭議的。《序志篇》裡說，「本乎道，師乎聖，體乎經，酌乎緯，變乎騷，文之樞紐，亦云極矣」。從這句話來看，總論五篇的格局是實有其據的，《明詩》很難躋身於總論之中，但是，如果從其他方面來考慮，《明詩》卻也難於簡單地歸入文體論。譬如就篇名來說，文體論的各篇篇名和總論很不相同。前者只顯示篇中所論文體樣式，如《頌贊》、《祝盟》等，且多爲聯合詞組；後者則在篇名中以一動詞表明論述意向，如《正緯》、《辨騷》等，而呈動賓結構。《明詩》雖不在總論之中，其篇名卻類同總論而不同於文體論。又如其論述方式，《文心雕龍》全書首尾一貫地採用了歷史的與邏輯的相結合的方法。但是，總論以外的各篇，無論是文體論、創作論，還是批評論，都是在確定的邏輯規範中引進文學史上的現象加以品評研究，採用的是以論帶史的方法。唯獨總論五篇卻另成一體，是在對典型的歷史事物的分析中推求探討邏輯立論的線索與規範，通過對聖賢、五經、緯書、《楚辭》的評議取捨，引出本書的立論準則，相當於以史帶論的方法，這是我們研究總論五篇不可不把握的一個重要的特點。《明詩》的寫作方式，則正好搖擺於這兩者之間，既「鋪觀列代」，讓人見其「情變之數」，又「撮舉同異」，而明其「綱領之要」。似此種種，都只能說明劉勰在此確曾另有所慮，他著意要讓《明詩篇》同文體論的第一組文辭有所區別，這正是後人在區劃《明詩篇》的歸屬時常常處於兩難境地的原因。這種一篇單列的做法，如果並不完全是因爲內容所需，就不能不是出於某種形式追求的考慮了。

不宜簡單地將《明詩篇》歸於文體論的第一組文辭之列，還有一個相當重要的原因，我認爲，劉勰在考慮《文心雕龍》的篇目構架時，除了受制於九宮數裡的天數以外，還受制於另外一層沒有道破的因素。只需把上、下篇篇目的排列組合稍爲變通一下，我們就會注意到一種相當奇特的現象。就上篇來說，總論五篇可以一分爲二，《原道》、《徵聖》、《宗經》三篇列爲一組，《正緯》、《辨騷》則和掛在總論後面的《明詩》合爲一組，這樣，整個上篇可排列成三篇一組，總共八組的相當齊整的形式，餘一篇《書記》列後。下篇也可同此處理，將批評論五篇一分爲二，《時序》、《物色》、《才略》三篇列爲一組，《知音》和《程器》兩篇則和末篇《序志》共成一組。整個下篇以一篇《神思》列前，以下三篇一組，共成八組，其整體排列正好同上篇顚倒過來，詳見下表：

上篇：

《原道》、《徵聖》、《宗經》
《正緯》、《辨騷》、《明詩》
《樂府》、《詮賦》、《頌贊》
《祝盟》、《銘箴》、《誄碑》
《哀弔》、《雜文》、《諧隱》
《史傳》、《諸子》、《論說》
《詔策》、《檄移》、《封禪》
《章表》、《奏啓》、《漢對》
《書記》

上篇：

《神思》
《體性》、《風骨》、《通變》
《定勢》、《情采》、《鎔裁》
《聲律》、《章句》、《麗辭》

《比興》、《夸飾》、《事類》
《練字》、《隱秀》、《指瑕》
《養氣》、《附會》、《總術》
《時序》、《物色》、《才略》
《知音》、《程器》、《序志》

《文心雕龍》全書篇目可以作這樣一種排列，其理由是顯而易見的，上篇總論中，《原道》、《徵聖》、《宗經》三篇原本就有「道沿聖以垂文，聖因文而明道」的說法，劉勰把「人文」同它的源起和媒介相貫通，以「道」爲文的最高本原，以「聖」爲由道入文的內在中介，以「文」爲緣聖明道的外在表現，由「原道」而要求「明道」，由「本乎道」而導向「師乎聖」、「體乎經」，建立起道——聖——文三位一體的立論準則。顯然，此三篇之間的邏輯聯繫較之以下的《正緯》、《辨騷》遠爲緊密。《宗經篇》結尾處「楚豔漢侈，流弊不還，正末歸本，不其懿歟」一句，正好說明了上面三篇與下面兩篇的關係。正末以歸本，恰是下二篇與上三篇之間的內在聯繫。一本一末，對象不同，尊貶語氣也不同。對「聖」對「經」稱「徵」稱「宗」，對「緯」對「騷」則欲「正」欲「辨」，明顯地處在兩個級別水平上。而《明詩篇》裡的「詩」卻已不是《宗經篇》裡的《詩經》之謂，而是作爲文體的詩的總稱，與「緯」和「騷」倒是處在同一級別上的。據此，《正緯》、《辨騷》同《明詩》聯姻並不難理解。在下篇批評論中，《時序》、《物色》、《才略》三篇之間的邏輯聯繫亦顯然要比它們同《知音》、《程器》之間的關係緊密。《時序》就文風隨時運交移代變而「總論其世」，《才略》就作家才情的稟性各異而「各論其人」，中間《物色》是針對南朝以來山水詩文興起所作的評價，其意爲補上《時序篇》「不論當代」所留下的歷史空缺（詳論可見拙作《文心雕龍下篇結構新析》），三篇合起來就是完整的文學史評論。底下卻轉過一層意思，《知音》談批評原則和批評家，《程器》從政治上對作家立身處世之道提出要求。由這兩篇所論文人立言立身之道而轉入末篇《序志》言明己志，正是順理成章之舉，故而此三篇列成一組也是可以理解的。

我絕不認為《文心雕龍》五十篇可以作這樣的劃分僅僅只是由於巧合，從上述說明來看，這樣的劃分也決不是毫無根由的臆測之舉。它只能說明劉勰在為《文心雕龍》理論構架作出安排時曾經有過其他考慮。不難發現，在這樣一種排列中，暗藏著《易》象八卦的象徵形式。在卦相中，古人稱陰陽符號為「爻」，每三爻疊成一卦，共成八卦，以此八卦象徵八種類型的物象。八卦又可兩兩相重而得六十四卦，象徵世間更為豐富的事物運動變化。在上述《文心雕龍》篇目的排列中，上、下篇裡每三篇一組，共成八組的樣式，正類同於三爻一卦，共成八卦的形式。上、下篇各含八卦，又暗合重卦之喻，象徵《文心雕龍》包含著文章寫作方方面面、林林總總的豐富世界。

《易・繫辭・上》曰：「河出圖，洛出書，聖人則之」。古賢先聖效法河圖而作八卦，效法洛書而制洪範九疇的說法，亦由來已久。《周易正義》就曾引孔安國之說，「孔安國以為河圖則八卦是也，洛書則九疇是也。」同樣，劉勰也曾取用這一類說法，早在宋人之先，《文心雕龍》中就已稱謂「若乃河圖孕乎八卦，洛書韞乎九疇，玉版金鏤之實，丹文綠牒之華，誰其尸之，亦神理而已」（《原道》）。言之鑿鑿，如有其事。《文心雕龍》理論構架既可按八卦形式又能按九宮中天數形式排列，正同劉勰對《周易》象數的這類理解和猜測有關。《原道篇》謂，「人文之元，肇自太極，幽贊神明，《易》象唯先」，將人文認作天道神理的產物，而《易》象則是天道神理的直接闡發者。這番表白並非僅此說說而已，在整個《原道篇》裡，劉勰反復強調人文的原始發生是超乎文字而上承天道神理的，最終又將這種歷史的推根求源轉到爲全書立論的邏輯起點，即「本乎道」上來，認爲先聖撰述，在經緯區宇、彪炳辭義之初，都是「取象河洛」的。《原道》的贊詞中說，「龍圖獻禮，龜書呈貌，天文斯觀，民胥以效」，也再次強調了這一層意思。這種根深蒂固的觀念，促成了劉勰在自己的著述中作類似效仿，如同他雜取《易》《老》一般，將八卦與九疇融於一爐，在整個《文心雕龍》構架中暗含河圖洛書之象。只是此番猜測之心，難能盡免杜撰之嫌，以劉勰的強烈自尊，自然不肯將其輕易坦露人前。「位理定名」取五十篇格局是「彰」，取象河洛則是未曾言明之隱。「君子所居而安者，易之序也」。知者盡知其苦心，未知者亦無妨大局。焉知有此一隱，竟造成了後世經年不斷的揣測。

以上，便是我對《文心雕龍》理論構架的理解。我以爲，過去一些相沿成習的對《文心雕龍》理論構架的理解之所以比較容易爲人接受，主要是因爲它們同今人的思維習慣比較接近。然而，人們似乎很少想一想，這種輕而易舉的同構之中是否恰恰存在著訛誤。因爲就古人和今人來說，思維時間的先後差異致使他們各自的思維空間很不相同。例如劉勰自己就說，《文心雕龍》的五十篇格局是因爲取「大易之數」的緣故，今人作文著述，恐怕很少會這樣去考慮問題的。然而劉勰所做的這個說明，卻恰恰爲我們作了一個重要的提示，這就是要充分地注意《周易》象數與《文心雕龍》理論構架的關係。本文在這方面作了一點也許是過分大膽的嘗試，唯希望它還不曾沾染臆測之嫌。

——原載《文藝理論研究》一九九〇年三期，頁七〇—一七八。

論皇侃的《論語義疏》

孫述圻

皇侃，梁朝吳郡（今江蘇吳縣）人，生於齊永明六年（西元488年），卒於梁大同十一年（西元545年）。他在少年時代曾師事梁五經博士賀瑒，在這位「首膺時儒之選」、號爲「儒者宗」的賀瑒的教育和影響下（註一），他「精力專門，盡通其業，尤明三《禮》、《孝經》、《論語》」（註二）。後來他曾兼國子助教，從事講學活動。著有《禮記講疏》五十卷、《論語義疏》十卷，而流傳至今日的，只有《論語義疏》這部著作。

一

皇侃《論語義疏》約成書於梁武帝普通、大通年間（西元520年至534年間），它是以三國時何晏的《論語集解》爲依據，兼採東晉江熙《論語集解》所錄衛瓘、繆播、欒肇、郭象、蔡謨、袁宏、江淳、蔡系、李充、孫綽、范寧、王珉、周壞等十三家之說以及其他「通儒解釋」（註三）。因此，皇侃的《論語義疏》可以說是一部集六朝《論語》學之大成的著作。由於它引證廣博，論述精當，而「見重於世，學者傳焉」（註四）。自梁、陳、隋、唐直至南宋紹興年間，一直爲學者著錄、稱引。（註五）

然而，自南宋乾道、淳熙（西元1165—1190年）以後，再不見有人著錄、稱引皇侃《論語義疏》這部書了，即便是南宋著名藏書家陳振孫的《直齋書錄解題》也未收錄（註六）。它竟然成了不明下落的佚書。在它失傳五百多年之後，清康熙九年（西元1670年）日本山井鼎著《七經孟子考文》，在《凡例》中稱日本存有唐代傳入日本、後由足利學以活字版印刷的皇侃《論語義疏》（以上簡稱《義疏》）（註七），方知此書東存扶桑。又過百餘年，浙江餘姚汪翼滄將它從日本攜回，於乾隆五十三年（公元1788年）由新安鮑以文校訂刊行。於是，此書得以佚而復傳，珍「存漢晉經學之一線」（註八），實爲我國學術界一大幸事。

隨著皇侃《義疏》的刊行，這部失而復得的著作的眞實性也理所當然地引起懷疑，有人直言它是僞造的贋品。如江藩在《漢學師承記》中說：「惟皇侃《論語義疏》，其書出於著《鉤沈》之後，且爲足利贋鼎」（註九）。筆者認爲江藩的論斷頗失之於武斷，因爲：第一，日本足利學刊本《論語》正文和馬端臨《文獻通考》所引石經《論語》、錢曾《讀書敏求記》所引高麗古本文字基本吻合。第二，余蕭客（古農）的《古經解鉤沈》雖刊於《義疏》再出之前，但足利學刊本絕非踵余氏《鈎沉》而僞造。查余氏《鈎沉》所引皇侃《義疏》原文僅七條，其中最長的「學而」疏一條，經筆者仔細核對，實係余蕭客轉抄宋邢昺的疏文。邢昺《論語注疏解經》「學而」章以「皇氏以爲」開頭引述皇侃《義疏》內容要點共二百零六字，余蕭客均一字不差地照抄（註一〇）。也就是說，北宋邢昺引述佚失之前的皇氏《義疏》，清代余蕭客則「鉤」自邢昺未「沉」之疏文。無怪乎戴震譏諷余蕭客《古經解鉤沈》一書「有鉤而未沈者，沈而未鉤者」（註一一）。可見江藩以余氏《鉤沈》早於足利學刊本爲理由否定再傳的皇侃《義疏》的眞實性並斷之爲「贋鼎」，實是大謬不然。第三，現傳皇侃的疏文略於名物、制度的考證、銓釋，「多以老莊之旨發爲駢麗之文」（註一二），合乎六朝時代風尙，所以經學家皮錫瑞說：「此等文字非六朝以後人所能爲也」，「此（皇侃《義疏》）南朝經疏之僅存於今者。」（註一三）這種看法是正確可信的。

二

六朝經學，尤其是南朝的經學，其特點是「學貴自得」和「清通簡要」。前者指貴在有自得之見，能探賾發微，闡明精義，而不蹈襲成說，人云亦云。後者指文風必須通暢簡練，反對破文離義，煩言碎辭，以致「學者罷老且不能究其一藝」（註一四）。唐代史學家李延壽論述南北朝學風的差異時說：「南人約簡，得其英華；北學深蕪，窮其枝葉。」（註一五）皇侃《義疏》正是南方這種簡練要略、重在「得其英華」的代表作。

《義疏》摒棄繁瑣的名物考證和冗贅蕪蔓之風，注重以簡明扼要的文字闡釋《論語》正文的含義。如《子罕篇》「子曰：『衣敝縕袍，與衣狐貉者立，而不恥者，其由也歟？』」劉寶楠《論語正義》在解釋時蔓枝衍葉，繁徵博引，用字多達六百一十五字，十分繁瑣而不得要領，而《義疏》的解釋是：「衣，猶著也；敝，敗也；縕，枲著也；狐貉，輕裘也；由，子路也。當時人尙奢華，皆以惡衣爲恥。唯子路能果敢率素，雖服敗麻枲著被裘，與服狐貉輕裘者並立，而不爲羞恥，故云『其由也與』。」（註一六）這段疏文共六十八字，有釋詞，有串講。釋詞兼及詞義和詞性，串講則指明「時人尙奢華，皆以惡衣爲恥」，使讀者能領會這章的主旨，所用字數僅爲劉寶楠《正義》的十分之一左右。朱熹《四書集注》此章也顯然採用皇侃之疏，而字數亦多於《義疏》（註一七）。這充分體現了《義疏》「清通簡要」，「得其英華」的特色。

皇侃《義疏》闡發了許多進步的思想主張。首先，反對政苛賦重，主張輕稅寬民。《顏淵篇》「百姓足君孰與不足」章，《義疏》指出：「君若輕稅，則民下百姓得寬，各從其業。業從人寬，則家家豐足」。「君既重稅，一則民從公先豐，二則貧無□糧，故家家空竭，人人不足。」「故江熙曰：……不思損（稅）而益（稅），是揚湯止沸，疾行遁影！」《義疏》揭露和抨擊了統治者的暴虐統治，指明統治者苛重剝削、貪欲不厭是一切飢荒盜寇產生的總根源。「哀公問於有若」章《義疏》指出：「魯哀公愚暗，政苛賦重，故民廢其業，所以積年飢荒，國用不足。」「季康子患盜問於孔子」章，邢昺、劉寶楠等只沈沈地說：「時魯多盜賊，康子患之」（註一八）。朱熹《集注》則站在維護封建宗法制立場上說：「季氏竊柄，康子奪嫡，民之爲盜，固其所也」（註一九）。皇侃《義疏》則尖銳地指出：「民所以爲盜者，由汝貪欲不厭，故民從汝而爲盜耳！」在《泰伯篇》末章，《義疏》進一步指出：「季世僻王，肆情縱欲」，「崇台榭而不恤乎農政，是以亡國喪身。」其次，《義疏》肯定今勝於昔，未來勝於今日，對年少後學者寄予殷切希望。在《子罕篇》「子曰後生可畏焉知來者不如今日也」章，何晏《集解》僅釋「後生，謂年少也」，未作其他詮釋。《義疏》的詮釋是：「後生，謂年少、在己後生者也。可畏，謂有才學、可心服者也。來者，未來事也；今，謂我今師徒也。後生既可畏，亦安知未來之人師徒教化不如我之今日乎？」這種把「後生可畏」解釋爲年少的人「有才學，可心服」，比起那種「年少的人是可怕的」（註二〇）以及「後生難處」（註二一）等解釋，要深刻精闢得多了。再次，《義疏》能在一定程度上擺脫男尊女卑、歧視婦女的傳統偏見，肯定婦女也有能力匡弼政化。《泰伯篇》「唐虞之際於斯爲盛有婦人焉九人而已」章，從何晏到邢昺、朱熹和劉寶楠等僅提及「但有此數人耳，是才之難得也」（註二二），「及周之盛，亦但九人，是其爲才難可驗也」（註二三），避而不釋「有婦人焉」。皇侃《義疏》則大膽指出：「又明言婦人者，明周代之盛，匪唯丈夫之才，抑婦人之能匡弼於政化也」。這種觀點是難能可貴的。

皇侃《義疏》之所以能「得其英華」，提出許多進步的思想主張，是與著者正確的治學態度分不開的。《季氏篇》首章疏文中說到：「然守文者衆，達微者寡也。睹其見軌，而昧其玄致；但釋其辭，不釋所以釋。……將長淪於腐學。」（註二四）反對守文昧義的迂腐之學，主張達微致玄的通達之學，就是著者正確的治學態度。

三

六朝時代，「學者以老莊爲宗」（註二五），玄學成爲當時的時代思潮。在「玄風遐被，大雅流咏」（註二六）的時代風尙熏陶下，皇侃的《論語義疏》「多以老莊之旨」詮釋儒家的經典《論語》，在何晏《論語集解》的基礎上，進一步系統地闡發了玄學理論。

「貴無」論是魏晉玄學本體論的核心，《晉書・王衍傳》曾概括地說明「貴無」論的基本觀點：「魏正始中，何晏、王弼等祖述老、莊，立論以爲：天地萬物皆以無爲本。無也者，開物成務，無往不存者也。陰陽恃以化生，萬物恃以成形，賢者恃以成德，不肖恃以免身。故無之爲用，無爵而貴矣。」這就是說，「無」能化生陰陽，陶鑄萬物，培育品德，是「萬物之始」。皇侃在《義疏》中從以下三個方面論述了「貴無論」的這種本體之無：第一，「無」屬形器以上，是「聖人所體」的。《爲政篇》「子曰吾與回言終日不違如愚」章，《義疏》作了如下的闡釋：「自形器以上，名之曰無，聖人所體也；自形器以還，名之爲有，賢人所體也。今孔子終日所言，即入於形器，故顏子聞而即解。」可知皇侃比他以前的思想家更爲明確地指出孔子是「貴無」的聖人，孔子所體察的「無」就是形而上的宇宙本體。第二，「無」就是「無形體」的「道」，而「道」是同於「自然」的。在《述而篇》「子曰志於道據於德」章，皇侃具體地詮釋了何晏「道不可體」、「德有成形」的注文，他說：道「不可體，謂無形體也」

。「道者，通而不壅者也。道既是通，通無形相，故人當恒存，志之在心，造次不可須臾離也。」「德者，謂行事得理者也。行事有形，有形故可據仗也。」既然「道」是無形無相，通而不壅，它實際上也就是「無形無名」、爲「萬物之宗」的本體「無」了。皇侃進而在《泰伯篇》「子曰大哉堯之爲君也」章指明「道」就是無私無偏、則天成化的「自然」。他說：「若夫大愛無私，惠將安在？至美無偏，名將何生？故則天成化，道同自然」。因此，「聖人體道」，也就是「體之自然」。第三，自然是無爲的，「凶者自罰，善者自功。功成而不立其譽，罰加而不任其刑，百姓日用而不知其所以然」。皇侃在《憲問篇》「子路問君子」章，引郭象的「以不治治之，乃得其極」的說法，論證了「無爲而治」的道理：「萬物自無爲而治，若天之自高，地之自厚，雲行雨施而已。故能夷暢條達，曲成不遺而無病也。」在皇侃看來，「無爲而治」正是體現「道同自然」，正是在政治實踐方面把握「萬物之始」的「無」。

與論述作爲本體論的「無」和「有」的關係相適應，皇侃《義疏》也深入論證了「本」和「末」的關係，强調了王弼所提出的「舉本統末」的著名論點。在《陽貨篇》「子曰予欲無言」章，皇侃把「則天行化」、「舉本統末」聯繫起來，他說：「天既不言而事行，故我亦欲不言而教行，是欲則天以行化也。」接著他引述王弼的論述：「子欲無言，蓋欲明本，舉本統末，而示物於極者也。」在皇侃看來，「則天」就是「明本」，而明確了「以無爲本」，也就能得物之「極」了。在《里仁篇》「吾道一以貫之」章，皇侃進一步論述了「極」的涵義；「能盡理極。則無物不統。極不可二，故謂之一也。推身統物，窮類適盡，一言而終身行者，其唯恕也。」這就是說「極」是「無物不統」的，是「不可二」的「一」。這樣，皇侃在玄學的方法論上，把「本」「末」的關係和「一」「多」的關係有機地結合起來。

「舉本統末」就是「執一統眾」，就是「用一道以貫統天下萬理」。他認爲「小事易見，大事難明，故學照大理則得一」。這個「一」就是「元」或「元極」，所以「舉元則眾善自舉」；「一」又是「綱」，所以「引綱尋綱」，就能「靡典不統」。總之，皇侃《義疏》中關於「本末」、「一多」哲學範疇的論述是比較深刻的。不過，他在《子罕篇》「吾不試故藝」章引繆協說，提出「崇本息末，歸純反素」。在《公冶長篇》「女與回也孰愈」章也提到「回則崇本棄末，賜也未能忘名」。一般說來，「本」指事物的本質，「末」指事物的現象。就本質和現象的關係來說，人的正常的認識進程是透過現象認識本質，把握本質更深刻地洞察和駕馭現象，而「崇本息末」或「崇本棄末」則割裂了本質和現象之間的聯繫，顚倒了人們的正常認識進程。顯然，在本末關係的論證上，皇侃並沒有完全突破王弼在這方面的局限性。

言意之辨，是六朝玄學的一個重要內容，「言不盡意」和「得象忘言」、「得意忘象」是玄學家首要的方法（註二七）。因爲，玄學本體論，要求有一種新的哲學思辨方法。既然天地萬物「以無爲本」，而「無」是無形無名，超言絕象的，要把握它，達到「體極於冲虛」，就必須「通於言外」，就必須忘言忘象，探尋蘊於物象之外的「理之微者」（註二八）。皇侃《義疏》詳引王弼的「言」「意」之辨，論證了「修本廢言」的玄理。《陽貨篇》「予欲無言」章疏文說：「夫立言垂教，將以通性，而弊至於湮。寄旨傳辭，將以正邪，而勢至於繁。既求道中，不可勝御，是以修本廢言，則天而行化。以淳而觀，則天地之心見於不言。寒暑代序，則不言之令行乎四時，天豈淳淳者哉？」這就是說，既然「立言」有湮塞之弊，「傳辭」有繁瑣之勢，返求本體，就須廢卻「言」「辭」。這疏文進一步闡揚了王弼在《周易略例》「明象章」所論證的「故言者所以明象，得象忘言；象者所以存意，得意忘象」的玄學方法論。皇侃在詮疏「子曰：『禮云禮云，玉帛云乎哉？樂云樂云，鐘鼓云乎哉？』」時，採用繆播說，用玉帛與禮、鐘鼓與樂的關係進一步闡明「得意忘象」的道理。疏文說：「玉帛，禮之用，非禮之本；鐘鼓，樂之器，非樂之主。假玉帛以達禮，達禮則玉帛可忘；借鐘鼓以顯樂，樂顯則鐘鼓可遺。以禮假玉帛於求禮，非深乎禮者也；以樂托鐘鼓於求樂，非通乎樂者也。苟能禮正，則無恃於玉帛而上安民治矣；苟能暢和，則無借於鐘鼓而移風易俗也。」這段疏文縝密酣暢；首先，從「本」之於「用」、「主」之於「器」的關係來明「本」重「主」；其次，從目的和方法手段的關係上來遺「器」忘「用」；再次，指明棄本崇末者不能通幽達微；最後用禮正則國安民治、樂和則移風易俗來論證「得意忘象」、「修本廢言」的重要作用和意義。

皇侃《義疏》還論述了郭象的「獨化」「無待」的玄學理論。郭象强調萬物的「自性」，認爲「物各有性，性各有極」，「天性所受，各有本分，不可逃，亦不可加。」（註二九）皇侃在《微子篇》「長沮桀溺耦而耕」章作了很長的詮釋，反復申言郭象的這一觀點，他說：「天下人自各有道，我不以我道易彼，亦不使彼易我，自各處其宜也。」又說：「今彼有其道，我有其道，不執我以求彼，不繫彼以易我，夫可滯哉！」之所以人各有道，是因爲物各有性，之所以不執著於我而强求於彼，是因爲天性所受，各有本分，不可逃避，也不可妄加，這就是萬物各自獨化，「無待而常通」。皇侃把郭象的玄理歸結爲八個字：「各任天然」「但我自得」。這不僅豐富了郭象所提出的「相因之功莫若獨化之至」這一玄學命題的內涵，也突出了玄學思想家「學貴自得」的特點。皇侃《義疏》正是以「自得」之見會通儒玄，以老莊之旨釋孔子之言，使《論語》這部儒家經典的詮疏成爲對玄學理論的系統闡發。

四

皇侃《義疏》不同於何晏《論語集解》和王弼《論語釋疑》的最大特點，是以佛釋儒，授儒入佛（註三〇）。皇侃所在的梁朝，正是六朝佛教的全盛時期。最高統治者梁武帝發布敕文，捨道事佛，號令「公卿百官侯王宗族，宜反僞就眞，捨邪入正。」（註三一）出現了「伽藍精舍，寶剎相望」，「萬邦回向，俱稟正識」的崇佛局面。文人學士兼通儒、玄、佛學，融「合內外之道」，也蔚然成風（註三二）。皇侃《義疏》產生於這一時代，具有代表性地反映了這一時代思潮。

首先，皇侃採用「義疏」體解釋《論語》，正是受六朝佛教傳播、佛經翻譯的影響。所謂「義疏」，是指「出大意之注疏」（註三三），它創始於名僧道安，《高僧傳》指出：「條貫既序，文理會通，經義克明，自安始也」（註三四）。至晉宋間義學高僧竺道生時代，「義疏」體大盛。竺道生認爲，要深達經典的玄奧，就當舉其大義而不可拘滯於經典的文字，他說：「自經典東流，譯人重阻，多守滯文，鮮見圓義。若忘筌取魚，始可與言道矣。」（註三五）他著有《維摩經義疏》、《妙法蓮華經疏》、《泥洹經義疏》、《小品經義疏》等，這些重要佛經的「義疏」均能「徹悟言外」，「妙有淵旨」（註三六）。晚於竺道生一百三十餘年的皇侃，深受其影響，可以說皇侃《論語義疏》從主旨到體例都是取法乎這位佛教義學名僧的。

皇侃《義疏》還效法佛教譬喻諸經的體例，「托此比彼，寄淺訓深」，「動樹訓風，舉扇喻月」（註三七）。引用神話物語來詁釋《論語》。如《公冶長》篇「子謂公冶長可妻也」章，皇《疏》云：「別有一書，名爲《論釋》云，公冶長從衛還魯，行至二堺上，聞鳥相呼往清溪食死人肉。須臾，見一老嫗當道而哭，冶長問之，嫗曰：『

兒前日出行，於今不反，當是兒已死亡，不知所在。』冶長曰：『向聞鳥相呼往清溪食肉，恐是嫗兒也。』嫗往看，即得其兒也，已死。即嫗告村司，村司問嫗：『從何得知之？』嫗曰：『見冶長道如此。』村官曰：『冶長不殺人，何緣知之？』囚錄冶長付獄。主問冶長：『何認殺人？』冶長曰：『解鳥語，不殺人。』主曰：『當試之，若必解鳥語，便相放也。若不解，當今償死。』駐冶長在獄六十日。卒日，有雀子緣獄柵上相呼，嘖嘖唶唶，冶長含笑。吏啓主：『冶長笑雀語，是似解鳥語。』主教問冶長：『雀何所道而笑之？』冶長曰：『雀鳥嘖嘖唶唶，白蓮水邊有車翻，復黍粟，牧牛折角。收斂不盡，相呼往啄。』獄主未信，遣人往看，果如其言。後又解豬語及燕語，屢驗，於是得放。」皇侃採錄這一生動故事以喻公冶長「行正獲罪，罪非其罪」。後來，邢昺斥皇疏爲不經，劉寶楠也說「傅會之過」（註三八），殊不知這正是佛經中譬喻（阿波陀那Avadāna）法，是「以了知之法，顯未了知之法。」（註三九）陳寅恪先生曾論及皇侃的這段疏文，他說：「南北朝佛教大行於中國，士大夫治學之法亦有受薰習者。」「惟皇侃《論語義疏》引《論釋》以解『公冶長章』，殊類天竺《譬喻經》之體，殆六朝儒學之士漸染於佛教者至深，亦當襲用其法，以詁孔氏之書耶？」（註四〇）陳寅恪先生的論斷是完全正確的。

其次，皇侃《義疏》突出地强調孔子言行的「應機作教」、「應教適會」的原則，並把它和大乘佛教「般若方便」說糅合起來。大乘「方便」一詞，全稱爲「方便善巧」、「方便勝智」（漚和俱舍羅Upayakausalya），是構成般若（智慧）的主要內容之一，指所謂菩薩能以各種形象現身眾生之中，用世俗熟悉的事例、言辭和方法，相機進行教化：「菩薩以受賢聖無漏之法，善權變形，教化眾生」，「以漚和俱舍羅祐利眾生，隨類而入而教化之，以是故，不復受眾苦之惱。」（註四一）皇侃《義疏》開宗明義，在敘論中指出：「夫聖人應世，事跡多端，隨感而起，故為教不一。」作為孔子平生言行記錄的《論語》「此書之體，適會多途，皆夫子平生應機作教，事無常準。或與時君抗厲，或共弟子抑揚，或自顯示物，或混跡齊凡。問同答異，言近意深。詩書互錯綜，典誥相紛紜。義既不定於一方，名故難求於諸類。」皇侃這段論述，與《放光般若經》、《小品般若經》、《維摩詰經》以及《法華文句》等佛經中有關「方便」的內容，可以說是如出一轍的。《為政》篇「子夏問孝」章，皇侃據孔子對孟懿子、孟武伯、子游和子夏四人的問同而答異，指明這是孔子「或隨疾與藥，或寄人弘教。」《學而》篇「行有餘力則以學文」章，皇疏自設問答，說：「或問曰：此云行有餘力，則以學文，後云子以四教：文行忠信。是學文或先或後，何也？答曰：是應機適會，教體多方，隨須而與，不可一例責也。」皇侃這種援儒入佛的方法使儒家經典的訓詁常能卓有新意，而且能起到「群疑冰釋」的效果（註四二）。從而，開闢了經學訓釋的新徑。

最後，皇侃《義疏》還論及若干佛教的義理。其一，因緣果報說。六朝時期，前有慧遠，後有梁武帝蕭衍，都致力於弘揚佛教的建立於人的行為、思想活動基礎上的因果報應說，所謂「無明為惑網之淵，貪愛為眾累之府，」（註四三）「生滅遷變，酬於往因，善惡交謝，生乎現境」，（註四四）「因果有必定之期，報應無遷延之業。」（註四五）皇侃《義疏》也闡述了相同的觀點。如《里仁篇》「德不孤必有鄰》的疏文說：「鄰，報也，言德行不孤矣，必為人所報也。」並引殷仲堪之論，指出「推誠相與，則殊類可親；以善接物，物亦不皆忘以善應之。」《雍也篇》「仁者先難而後獲」的疏文為：「獲，得也，言臣必先歷為難事，而後乃可得祿受報。」皇侃的「以德報德」、「以善應善」的報應觀排除神意支配的外因，強調人自身言行的內因。其二，無常和無我。諸行無常——世界萬有變化無常，諸法無我——一切現象均爲因緣和合，沒有獨立的實在自體，這是佛教「三法印」，即印證是不是眞正佛教的標誌。《雜阿含經》有：「一切行無常，一切法無我，涅槃寂滅。」（註四六）皇侃《義疏》在《述而篇》「不義而富且貴於我如浮雲」章，以浮雲爲喻，闡述「一切行無常」的佛理：「浮雲儵聚欻散，不可爲常。如不義富貴，聚散俄頃，如浮雲也。」受皇侃「援儒入佛」的影響，明代的《四書會解新意》進而釋「浮雲」之「浮」，寫道：「蓋我爲眞，物爲浮；我爲實境，物爲幻境；我境之樂在無不在也，幻境之樂屬物而不屬我也。」（註四七）皇侃在《子罕篇》「子絕四毋意毋必毋固毋我」章，詮解「毋我」說：「此聖人行教，功德成身退之跡。聖人晦跡，功遂而退，恆不自意，故無我也。亦由無意，故能無我也」。《述而篇》「子曰默而識之」章，皇侃反詰道：「何復貴有於我哉！」皇侃認爲有智之士，「恆欲救物，故不自求我之生以害於仁恩之理也。」把「無我」與大乘「利他」、「普濟」、「慈悲」的主張結合在一起了。其三，去染求淨、解脫累惑。佛教要求「能脫種種貪等繫縛」（註四八）做到「縱任無礙，塵累不能拘」（註四九）。皇侃《義疏》對此反復作了闡述和强調。《陽貨篇》「涅而不緇」章說：「聖人不爲世俗染累，如至堅至白之物也。」皇侃指出：「欲有多途，有欲財色之欲，……欲財色者爲貪。」他認爲「人心有欲，散漫不齊」，應當「得以清波，濯彼穢心」，進而達到「體寂而心恆虛無累」，「還反凝寂」，這實際上是把佛教三法印之一的「涅槃寂靜」作爲解惑釋累的最高境界了。此外，皇侃以般若智慧的「觀照」作用來詮釋《子罕篇》的「知者不惑」和《陽貨篇》首章，提出「智以照了爲用」；以僧肇《物不遷論》中「吾猶昔人，非昔人也」疏證《子罕篇》「子在川上曰逝者如斯夫」，得出「向我非今我」的言簡意賅的論斷。

綜上所述，皇侃《論語義疏》會通儒玄，「出入儒佛」（註五〇），代表了六朝一代學風，是六朝時代思潮的縮影。

【附註】

註　一　《梁書》卷四十八《儒林傳》。

註　二　《南史》卷七十一《皇侃傳》。

註　三　皇侃《論語義疏》序。

註　四　同註二。

註　五、註六　皇侃《論語義疏》於南宋乾道、淳熙前爲宋《國史志》、《中興書目》、尤袤《遂初堂書目》等書所著錄。但乾、淳以後不再見著錄。參見《四庫全書總目提要》七《經部・四書類》一。

註　七　《四庫全書總目提要》《經部・五經總義類》《七經孟子考文補遺》條、皮錫瑞《經學歷史》，1959年中華書局本第176頁及177頁注六。

註　八　同註五。

註　九　江藩《國朝漢學師承記》卷二光緒九年山西書局重刊本頁二十二。按《鉤沈》係指余蕭客的《古經解鉤沈》。

註一〇　邢昺《論語注疏解經》卷一，汲古閣本余蕭客《古經解鉤沈》，清乾隆刊本。

註一一　《國朝漢學師承記》卷二《余古農傳》。

註一二、註一三　皮錫瑞《經學歷史》六、《經學分立時代》。

註一四　《漢書》卷三十六。

註一五　《北史》卷八十一《儒林傳序》。

註一六　皇侃《論語集解義疏》（通稱《論語義疏》），卷五，《叢書集成初編》本。以下凡引自此書文字，一般不再具注。

註一七 宋朱熹《四書章句集注・論語集注》卷五，中華書局一九八三年版頁一一五。

註一八 邢昺《論語注疏解經》卷六，劉寶楠《論語正義》卷六。

註一九 同註一七，第一三八頁。

註二〇 楊伯峻《論語澤注》，中華書局一九八〇年版頁九四。

註二一 劉寶楠《論語正義》卷九、王充《論衡》《實知篇》。

註二二 同註一七第一〇八頁。

註二三 《論語正義》卷九。

註二四 同註一六卷八，著者引錄蔡謨之說，闡明自己治學態度。

註二五 干寶《晉紀・總論》。

註二六 同注一六卷二。

註二七 湯用彤《魏晉玄學論稿》，《湯用彤學術論文集》中華書局一九八三年版二一六頁。

註二八 《三國志・魏志》注引何劭《荀粲傳》。

註二九 郭象《莊子・養生主注》。

註三〇 江藩《國朝漢學師承記》卷六。

註三一 釋道宣《敘梁武帝舍事道法》《廣弘明集》卷四。

註三二 慧遠《沙門不敬王者論》《弘明集》卷五。

註三三 湯用彤《漢魏兩晉南北朝佛教史》（下冊）中華書局一九八三年版頁三九七。

註三四 慧皎《高僧傳・釋道安傳》。

註三五、註三六 同上《竺道生傳》。

註三七 《法華文句》卷五。

註三八 邢昺《論語注疏解經》卷五、劉寶楠《論語正義》卷六。

註三九 丁福保《佛教大辭典》，文物出版社一九八四年版頁一四四七。

註四〇 陳寅恪《論語疏證序》《論語疏證》一九五五年科學出版社第一

頁。

註四一　西晉無羅義等譯《放光般若經》卷一九《畢竟品》。

註四二　釋慧琳《竺道生法師誄文》《廣弘明集》卷二十三。

註四三　慧遠《明報應論》《弘明集》卷五。

註四四　蕭衍《立神明代王臣成佛義記》《弘明集》卷九。

註四五　道宣《敘列代王臣滯惑解》引，《廣弘明集》卷七。

註四六　《雜阿含經》卷十。

註四七　王純純《四書會解新意》，明熹宗天啓三年版上述四卷第六頁。

註四八　《顯揚聖教記》卷十三。

註四九　《成唯識論述記》卷一。

註五〇　江藩《國朝宋學淵源記》《附記》頁三。

——原載《南京大學學報》一九八六年三期，頁八九—一九六。

《經典釋文》在學術上的價值

余行達

這個問題打算從幾方面來談：㈠《經典釋文》包含了若干內容？因爲從內容上可以看出這部書總結了若干學術著作。㈡唐、宋時代孔穎達、賈公彥等人所著的各種「正義」和「疏」，也是總結從漢代到唐代的學術著作；《經典釋文》與「正義」和「疏」比較，孰優孰劣？㈢《經典釋文》在唐以後，對學術界起了多大的影響？㈣我們今天是否還需要《經典釋文》？

一

《經典釋文》共三十卷，是唐初陸德明給《易經》、《書經》、《詩經》、《周禮》、《儀禮》、《禮記》、《左傳》、《公羊傳》、《穀梁傳》、《孝經》、《論語》、《老子》、《莊子》、《爾雅》十四種典籍加以注釋。除開第一卷是《敘錄》，說明他著《釋文》的用意、辦法和取材外，其餘二十九卷是照上列十四種典籍的次序作注，少的只有一卷，如《易經》、《儀禮》等，多的一種就有六卷，如《左傳》。這二十九卷中，以二十九，三十兩卷的《爾雅》注釋最詳；以三、四兩卷的《書經》最簡略。清段玉裁在《古文尙書撰異》裡多次地指出，《書經釋文》經過唐代衛包和宋代陳鄂的兩次刪改；二十世紀初年在敦煌莫高窟發現「唐寫《尙書釋文》殘卷」，證明段氏所說是對的。《釋文》每卷的各種注釋，都是詳徵博引，總結了漢代到六朝的有關學術著作。現在單舉第二卷《易經釋文》爲例。陸氏在《敘錄》裡明白提說到的，有子夏「易傳」，孟喜「章句」，京房「章句」，費直「章句」，馬融「傳」，荀爽「注」，鄭玄「注」，劉表「章句」，宋衷「注」，虞翻「注」，陸績「述」，董遇「章句」，王肅「注」，王弼「注」，姚信「注」，王廙「注」，張璠「集解」，干寶「注」，黃穎「注」，蜀才「注」，尹濤「注」，費元珪「注」，荀爽「九家集注」，謝萬、韓康伯、袁悅之、桓玄、卞伯玉、荀柔之、徐爰、顧懽、明僧紹、劉瓛十家「繫辭注」，王肅、李軌、徐邈三家「易音」，褚仲都、周弘正二家「易義」，共計三十八種。其他《書經》、《詩經》十三種典籍，陸氏也像《易經》這樣，都總結了那些典籍從漢代到六朝的有關學術著作。

必須指出，《釋文》所總結的學術著作，可能只是陸氏列舉的最著名的專門著述，或者是他引用次數比較多的學術著作。其實，他所總結的還不止「敘錄」裡所提說到的。例如：《詩經・葛覃篇》：

煩撋，諸詮之音而專反，何胤、沈重皆而純反。

又《魚麗篇》：

陳氏云：「數、細也」。

十四家校本《經典釋文》中顧千里在「煩撋」條批校說：「何胤，《敘錄》未載。」其實，諸詮之「敘錄」亦未載；還有《魚麗篇》所引的「陳氏」，陸氏在「敘錄」裡也沒有說。以上所舉三人，在《詩經釋文》裡是不多見的。又有常常爲陸氏稱引而不見於「敘錄」的。例如《周禮・地官下・均人》：

畇畇，音均，聶氏常純反。

單是《地官下》引「聶氏」就有九條，但是，《敘錄》裡也沒有提到「聶氏」。周春《十三經音略》說《釋文》裡的「聶氏」是聶崇義。不管周春所說有沒有錯，「敘錄」未提到何胤、聶氏等，總是事實。《釋文》所總結的學術著作，還不止「敘錄」明白提出那些，可見全書總結十四種典籍的有關學術著作，多到怎樣的程度了。

其次，《釋文》所總結的學術著作，不但大多數已經亡佚，甚至有些著作，連《隋書·經籍志》、《唐書·經籍志》、《新唐書·藝文志》等，都沒有記載的。如上所舉《易經》一種典籍所總結的，像袁悅之、顧懽、明僧紹三家「繫辭注」，沒有《釋文》，我們就無法知道他們三人對於《繫辭》有注釋。又如張璠「集解」所集的二十二人中，向秀、庾運、張輝、王宏、王濟、衛瓘、杜育、楊瓚、張軌、邢融、裴藻、許適、楊藻等人，《隋書·經籍志》諸書也沒有記載他們對《易經》有注解的。僅僅這一點，也顯出《釋文》對於我國典籍的記載，有著一定的功績。

二

唐宋時代的封建帝王，爲了表示他們提倡學術研究，來裝飾他們的統治地位，曾經延攬一批學者給《易經》、《書經》十三種典籍作「正義」或「疏」。唐代孔穎達的《周易正義》、《尚書正義》、《毛詩正義》、《禮記正義》、《春秋左傳正義》，賈公彥的《周禮注疏》、《儀禮注疏》，徐彥的《公羊傳注疏》，楊士勛的《穀梁傳注疏》，宋代邢昺的《論語注疏》、《孝經注疏》、《爾雅注疏》，孫奭的《孟子注疏》，在封建帝王的先後支持下作成了。這批「正義」或「疏」，也總結了不少的學術著作，因此爲唐宋以後的學術界所重視。但是，如果和《釋文》比較優劣，儘管《釋文》不及「正義」或「疏」篇幅多，而以精審來做標準則所有的「正義」或「疏」，就不及《釋文》了。爲明瞭眞象計，下面打算舉出「正義」或「疏」當中較爲充實的《毛詩正義》爲例，來和《釋文》粗略地作一對照。

《詩經·騶虞》：「彼茁者蓬。」《正義》本「毛傳」說：「蓬，草名也。」《釋文》作「草也」，無「名」字。段玉裁《詩經小學

》認爲「名」字是「俗增」；陳奐《詩毛氏傳疏》從《詩經》全書的「毛傳」說蒲草、苕草、蓍草、蔞草、芩草……，草下都沒有「名」字，證明《釋文》是對的。又陸德明在《大叔于田篇》說：「叔于田，本或作『大叔于田』者誤。」《正義》本正有「大」字。阮元《十三經注疏校勘記》認爲這首詩三章，共十次說「叔」，不應這一句獨言「大叔」，「當以《釋文》本爲長」。又《六月篇》「鄭箋」的「鉤股」，《正義》本「股」作「鞶」，《注疏校勘記》從「鄭箋」全文和《爾雅》李巡「注」來看，也說「當以《釋文》本爲長」。又《皇矣篇》「鄭箋」的「路，瘠也」，《正義》本從孫毓「評」，「瘠」作「應」。《注疏校勘記》和馬瑞辰《毛詩傳箋通釋》，都認爲「路」和「露」是通用的字，古時常常用爲同義詞，因此應解爲「瘠」，作「應」是錯誤的。

上舉四例，僅僅一個字的差異，可說《正義》的錯誤還比較小。但是，常常有《正義》和《釋文》在認識和論點上不同，而《釋文》爲正確，那就值得我們注意了。例如《思齊篇釋文》說：「無斁：毛音亦，猒也；鄭作擇。」《正義》說：「箋不言字誤，則此經本有作擇者也。」這是孔穎達對《鄭箋》有誤解；他看到《鄭箋》引《孝經》「口無擇言，身無擇行」來解釋《詩經》的「斁」字，以爲《詩經》也有一種本子「斁」作「擇」。按王引之《經義述聞》四卷，對《書經・呂刑》「罔有擇言在身」，說「擇」和「斁」是通用字，它們的本字是「殬」，引《說文》「殬，敗也」爲證；因爲殬、斁、殬三字的聲符都是「睪」，所以古代每每作爲同義字看待。朱駿聲《說文通訓定聲》豫部第九「斁」字下，也說「擇」和「斁」的字義爲敗，他的本字是「殬」。如王、朱所說，《思齊》的「斁」字，鄭玄也認爲是「擇」的同義字，所以引用《孝經》來解釋詩人的本意。全書像這樣掉換字來作「箋」的例證很多，清代學者叫做「易字」例。上章

「烈假不遐」，鄭玄易「烈」爲「厲」，其實「癘」是本字（註一），和這章易「斁」爲「擇」，而本字爲「殬」的性質是相同的。《注疏校勘記》引《衡門篇》「可以樂飢」，鄭改「樂」爲「療」；《楚茨篇》「既匡既勑」，鄭改「匡」爲「筐」，說明這種「易字」是鄭玄箋《詩經》的規律。所以阮元最後說：「《釋文》所說是矣，《正義》不得其例。」

再舉一個性質稍微不同的例證。《行葦篇》，《毛傳》引用《禮記·射義》「耄勤稱道不亂者，不在此位也。」《釋文》說：「耄，莫報反，字或作『旄』同，八十曰耄。勤，音其，百年曰期頤。」《正義》是另一種解釋：「至八十、九十之耄，而能勤行稱舉其道。」這裡，陸德明的注釋是對的。《射義》鄭玄《注》說：「八十、九十曰旄，百年曰期頤：『旄期』或爲『耄勤』。」可見《毛傳》實是「耄勤」二字。鄭玄把「旄期」二字作爲一個詞，來泛言年老的。《射義釋文》說：「期：本又作旗，音其，如字，百年曰期頤；頤，養也」，這和《行葦釋文》是符合的。因爲勤、其、期、旗都是「群紐」的字，聲母是相同的，《射義》和《毛傳》用字不同，是清儒所說的「一聲之轉」。孔穎達割裂「耄勤」一詞，把「勤」字作另一個意義講，和《射義》鄭玄的解釋不同，顯然是錯誤的。

《思齊》、《行葦》二例，前者是孔穎達沒有弄清楚鄭玄作《箋》的例，後者是誤解《毛傳》的用詞法，不是小事。臧琳《經義雜記》「好是家嗇」條，說「孔往往出陸下」，這個結論是公允的。也得說明，並不是《正義》和《釋文》歧異的地方，都是《正義》錯了；《正義》還是有正確之處的，只是數量上遠不及《釋文》。「十三經」的「正義」和「疏」，要算孔穎達、賈公彥所作的較爲充實，像宋人所做的，更不能和《釋文》相比了。

三

由於《釋文》是一部極其精審的著作，所以在陸氏成書以後，從唐代到現在，對學術界影響很大。單是和《釋文》有關的學術著作，就可以分爲下列幾種類型：

第一種類型是專門研究、整理《釋文》全書的。如像盧文昭的《經典釋文考證》，阮元的《經典釋文校勘記》，周春的《十三經音略》，法偉堂的《經典釋文校語錄》，吳承仕的《經籍舊音辨證》，惠棟、段玉裁、顧千里等的「《經典釋文》十四家校本」，即是。以上的著作，內容比較多，而且《釋文考證》，錢馥又有「札記」，《舊音辨證》，黃侃又有「箋識」，都不是幾句話可以介紹齊全的，所以留在以後作專題來討論。

第二種類型是研究、整理《釋文》一部份的。如像敦煌莫高窟發現的「唐寫《尙書釋文》殘卷」，雖殘存的只有《書經》的《堯典》、《舜典》兩篇，自《涵芬樓叢書》印出問世後，吳絅齋、吳檢齋、龔向農都給它作了「考證」，使《釋文》這兩篇大體上恢復了原有面貌。應當特別提出的，還是吳承仕作的《經典釋文敘錄疏證》。吳氏這本著作的內容是相當豐富和完備的，對於我們研究《釋文》首卷有很大的幫助。

第三種類型是在《釋文》裡找出資料，再把這些資料分門別類地排列而成書。宋代賈昌朝所著的《群經音辨》，就是靠《釋文》做出來的。他在「敘」裡說：「嘗患近世字書摩滅。惟陸德明《經典釋文》，備載諸家音訓。每講一經，隨而錄之。編成七卷，凡五門，號曰《群經音辨》：一曰辨字同音異，二曰辨字音清濁，三曰辨彼此異音，四曰辨字音疑混，五曰辨字訓得失。凡字有出諸經箋傳中者，先儒之說，沿經著義；既《釋文》具在，今悉取焉。」王觀國在《群經音辨・後敘》裡說它「爲後學蓍龜」；又說「馳騁群經者，自是遂得指南矣」。其實沒有《釋文》，賈昌朝根本做不出《群經音辨》的。

第四種類型是一種著作中的某項問題，拿《釋文》來做標準。如像唐代張參所著的《五經文字》，對於「五經」的文字和音義，就是用《釋文》來做重要參考書。他在「敘例」裡提到經典中「音字多有假借」這個問題時說：「陸氏《釋文》，自南徂北，遍通眾家之學，分析音訓，特爲詳舉，固當以此證之。」又提到經書中文字字形這個問題時說：「石經湮沒，所存者寡，通以經典及《釋文》相承隸省，引而伸之，不敢專也。」可見張參這一部書，對於文字字形、字音和通假關係等，曾經依照《釋文》來做標準的。

第五種類型是在某種專門著述中，順帶校勘、解釋《釋文》。如像《說文》十卷下心部：「慎，謹也，從心，眞聲。昚古文。」段玉裁《注》說：「《釋文敘錄》稱『昚徽五典』，是陸氏所據《堯典》作『昚』，自衛包改作『慎』，開寶中乃於《尚書音義》中刪之。」段氏在《尚書撰異》一卷裡，也有同樣精當的校釋；證以敦煌的「唐寫《尚書釋文》殘卷」正有「昚，古慎字」，而今本《釋文》則無，可見段氏之確。段氏《說文解字注》全書校釋《釋文》的，我統計共有四一五條；《尚書撰異》校釋《釋文》的，除《書經釋文》不計外，也有二十條。

第六種類型是收輯佚書的，靠《釋文》所引用的典籍來完成他的工作。《釋文》所總結《易經》等十四種典籍的有關學術著作，陸氏在「敘錄」裡大體交代，已如上述。至於他博考群書，和十四種典籍無直接關係的，例不交代。但是，歷代亡佚的典籍，爲陸氏所引用的，實在不少。現在單舉他引用文字音韻方面的書爲例。比如《易經・履卦》引《倉頡篇》，《詩經・七月》引《三倉》，《爾雅・釋獸》引蔡邕《勸學篇》，《詩經・行葦》引服虔《通俗文》，《易經・豫卦》引張揖《埤蒼》，《書經・泰誓》引張揖《古今字詁》，《爾雅・釋詁》引張揖《雜字》，《易經・豐卦》引李登《聲類》，《莊子・馬蹄》引韋昭《辨釋名》，《禮記・雜記》引呂靜《韻集》，《詩經・伐木》引葛洪《字苑》，《爾雅・釋木》引李彤《字指》，《爾雅・釋親》引何承天《纂文》，《爾雅・釋獸》引阮孝緒《文字集略》等等。這些資料，就爲任大椿的《小學鉤沈》所採用。

第七種類型是某種專門著述中，引用《釋文》來解決他書中的問題。這一種類型的典籍，可說舉不勝舉。現在止舉一種比較早的書籍爲例，《廣韻》六脂：

耆，《禮記音義》云：「至也，言至老境也。」

又三十小：

麃，本作𪊆，《經典釋文》云：「徐房表切，劉普保切。」

又十三末：

昧，星也。《易》曰：「日中見昧。」案《音義》云：「《字林》作昧，斗杓後星；王肅音妹。」

《廣韻》引用《釋文》這三條，第一條引來說明「耆」的字義，第二條引來的說明「麃」的字音，第三條引來說明「昧」字的形體又有作「昧」的。

上述七種類型的學術著作，後四種需要《釋文》來豐富它；至於前三種類型的著作，沒有《釋文》是不可能產生的。從這些現象，可以看出《釋文》對唐代以後學術界的影響，大到怎樣的程度。

四

以往的學術歷史過去了，今天我們新中國的學術界是否還需要《釋文》？答覆是肯定要的，而且我們需要參考《釋文》的地方還很多。比如：

閱讀、研究《易經》等十四種典籍，必須參考《釋文》；因爲《釋文》給這十四種典籍作的注釋，最爲精審，又總結了從漢代到六朝的有關學術著作。

引用《易經》等十四種典籍的原文，必須參考《釋文》；因爲單靠《正義》本，有時會弄錯的。例如《廣韻》六豪「號」字注引《詩經》的「或號或呼」，我在《關於〈廣韻〉的幾個問題》那篇文章中，說兩個「或」字是「式」的誤字；就因爲我在當時只查孔穎達的《正義》本，沒有再去翻檢《釋文》（註二）。

研究文獻學的必須參考《釋文》；因爲《釋文》引用的典籍，亡佚的頗多，甚至還有記載典籍的專書也沒有記載過的。例證見前。

研究文字學的必須參考《釋文》；因爲《釋文》常常說文字形體的構造，很清楚。例如《爾雅．釋天》，陸氏說：「旄旂，本又作旗。凡旄旗之字皆從㫃，㫃音偃；《說文》云：『旄旗得風靡也。』或示旁、手旁者，非也。」作爲「旂」字的正確偏旁，自當是㫃，但由於世俗不明字學原理，因此他們誤寫爲「祈」、爲「折」，這在六朝及唐人碑帖中乃常見之例，如寫「旗」作「祺」，寫「於」作「扵」，故陸氏及之。

研究語音學的必須參考《釋文》；因爲《釋文》給很多字的注音有幾個讀法，首音是當時通行的，次音爲舊音或方音，這樣對於研究語音的轉變就提供了資料。例如《書經．牧誓》，他說：「牧，如字，徐邈一音茂。」按牧「如字」讀同「目」，和「茂」的音是不同的。現在普通話也不一樣，目念mù，茂念mào，但它們的聲母卻是一致的，還看得出轉變的線索。所以段玉裁《尙書撰異》十六卷，說徐音是「相傳舊音」。

研究詞彙學的必須參考《釋文》；因爲《釋文》常常以「本或作某」、「本又作某」來說明它們是同義字。例如在《爾雅．釋天》說

：「饑，居疑反，本或作飢。」如果依照《說文·食部》的解釋：「穀不孰（熟）爲饑，飢，餓也」；饑是名詞，飢是動詞。陸說「饑或作飢」，是當時已把這二字作爲同義字看待。現在《漢字簡化方案》簡化「饑」爲「飢」，正是沿用六朝時代的傳統用法。

研究古代漢語語法的必須參考《釋文》；因爲陸氏對《易經》等十四種典籍，常常談到關於語法方面的問題，是對我們研究古代漢語語法有幫助的。例如《左傳·莊公十一年》，他說：「言懼而名禮，絕句；或以『名』字絕句者，非。」這句的主詞是上文的「宋公」，「而」是連接詞，「言懼」和「名禮」，纔同具有動詞、賓詞，所以他批評當時把「禮」字讀在下句，使動詞「名」後沒有賓詞的錯誤。他又在《隱公元年》「婦人謂嫁歸」的「歸」上，依《公羊傳》補「曰」字；《僖公四年》「漢水以爲池」，他認爲「水」字是多餘的，這都是陸氏對於句法構造的意見。

研究六朝以前很多種現存的典籍必須參考《釋文》；因爲陸氏所引用的群書中，有《釋文》所引用的未誤，而原書反經傳寫有誤的。例如《書經·益稷》，他說：「樏，力追反；《史記》作『橋』，徐（廣）音丘遙反；《漢書》作『梮』，九足反。」按《史記·夏本紀》：「山行乘欙」，裴駰《集解》引徐廣曰：「欙，一作橋，丘遙反」；又《河渠書》：「山行即橋」，《集解》引「徐廣音近遙反。」吳承仕《經籍舊音辨證》一卷，說《河渠書》徐音「近」字是「丘」之 ；《釋文》的「徐」下當有「廣」字，否則會誤認爲是徐邈。吳氏校勘《史記》的誤字和《釋文》有漏字，是恰當的。可見研究《史記》，必須參考《釋文》。

《經典釋文》現存的各種本子，要算《古籍叢殘》裡唐代開元二十六年（七三八年）所寫的《周易音義》較早。如果我們把《釋文》各種本子和專門研究、整理《釋文》全書或一部份的各種著作，集中起來加以總結，對於學術上的貢獻是不小的。「數風流人物，還看今朝」，不久的將來，一定有人完成這項工作的。

【附註】

註 一 《鄭箋》說它的詞義爲「病」，所以「癘」是本字，請參看孔穎達《正義》、《注疏校勘記》和《說文解字·疒部》「癘」字段玉裁《注》。

註 二 見《中國語文》一九八二年四月號《對〈關於廣韻的幾個問題〉的補正》。

——原載《語言文字研究專輯（上）》（上海古籍出版社，一九八二年二月），頁一四一——一五〇。

唐宋時代的經學思想

——《經典釋文》、《十三經正義》等書所表現的思想體系

楊向奎

一、引　言

自西漢以後，經學上有今古之分；自魏晉以後，經學上有南北之分；到隋唐時代，因爲統一了南北，於是經學上的南北分別在表面上泯沒了，而今古學的歧異也以一個新的面貌出現。今文經學是儒家思想發展中的一個流派，它是齊學和魯學的宗傳，魯學本以子思、孟子爲大宗，思孟學派是盛唱五行的，發展變爲鄒衍的陰陽五行學，於是與齊學結合，而有《公羊》學的「非常異議可怪之論」，到西漢的董仲舒乃集此派的大成，使儒家進一步宗教化。思想體系的發展是複雜而曲折的，一方面決定於經濟基礎的變化，同時也有其歷史的淵源及不同學派的互相影響。荀子本來是反對「五行」說的，因之他也反對「捨人事而任鬼神」的陰陽學派，但他的歷史學說，「法後王」的觀點，卻有和《公羊》「三世」說相通的地方，所以曾有人主張《公羊》出於荀子學派，並不是毫無道理。經書本身多屬歷史記載或者是典章制度，和儒家的齊魯學派結合後，才有豐富的思想體系可言，而古文經學是缺乏這種內容的。《周禮》和《左傳》，一是制度，一是歷史，雖然有義理可以發揮，而比較謹嚴，所以古文經學多注重章句，反對今文經學的汗漫而無所歸，桓譚說「今諸巧慧小才數術之人，增益圖書，矯稱讖記」；此外若鄭興、賈逵之徒無不排斥圖讖，也是理

所當然。（註一）然而這樸實的古學後來都和魏晉玄學結合，成爲南學，《隋書・經籍志》曾經敘述道；

> ……言五經者憑讖爲說，唯孔安國，毛公，王璜，賈逵之徒獨非之，相承以爲妖妄，亂中庸之典，故因漢魯恭王、河間獻王所得古文，參而考之，以成其義，謂之古學；當世之儒，又非毀之，竟不得行。魏代王肅推引古學，以難其義，王弼杜預從而明之，自是古學稍立。

這是說古文經學始於毛公、賈逵等，成於王肅；王弼、杜預更張大其說。王肅曾注《周易》，王弼的《易注》既祖述肅說，後來肅書不傳而王弼書立於學官（註二）。鄭玄之學是包羅今文古文的，雖然他稱引圖讖，也有實事求是的古學精神，但因他不廢圖讖，遂使古學與今學雜糅，而南學正好是玄學與古學的雜糅。可以說經學分南北後，沒有純粹的今學，也沒有純粹的古學；學不可以分古今，是南學和北學了。

因爲南學談玄，所以經學與《老》《莊》合流，何晏注《論語》，王弼注《易》與《老子》；而《易》與《老》、《莊》在當時並稱「三玄」。北學則固守經學的樊籬，不與其它學派通流。隋唐而後，南北合流，義疏之學則雜引《老》《莊》以至《墨子》《楚辭》；同時採用鄭注諸疏則發揮讖緯。從經學的整體看這時已經沒有南北之分，而因有鄭玄、王弼及僞孔等注的不同，今古文的區別仍然存在，魏晉在南朝的社會歷史發展，本來是繼承後漢的傳統，莊園地主的萌芽自後漢開始，到南朝乃有充分的發展，玄學思想正好是士族地主階級的顯學。北朝則是在成熟的封建社會基礎上加上外來的氏族社會末期的社會形態，在某些方面一時呈現了倒退現象，比如宗族制度發揮更大的作用及均田制的實施，全不是正常發展的結果。在思想意識上北朝是佛家和道教的天下，有讖緯的經學雖然流傳下來，然而是不能和佛、道競爭的，沒有達到顯學的地位。隋唐統一後，佛道仍然是統治思想，讖緯之學還沒有競爭的力量，而《老》《莊》玄學一方面可以和道教結合，同時有力和佛教競爭。一直到宋朝邢昺仍然保持了這種態度，遂爲經學及理學中間構成了過渡橋樑。朱熹是熟讀唐宋義疏的，他吸取了注疏中的許多內容，豐富了他的理學思想。中國封建社會是長期延續下來的，在長期的封建社會內也就有其錯綜複雜的演變；可以說，不清楚中國經學的發展源流，也就沒法了然於宋代理學的來源去路。

二、陸德明、孔穎達、賈公彥等人的經學思想

㈠陸德明

陸德明是身經三代的人，生於南朝，陳亡後曾仕隋爲秘書學士，唐初爲秦王府文學館學士，太宗貞觀初拜國子博士。他是一個博學的人，曾著有：《經典釋文》、《老子疏》、《易疏》等，《經典釋文》內包括有：《周易》、《古文尚書》、《毛詩》、《三禮》、《春秋》、《孝經》、《論語》、《老子》、《莊子》和《爾雅》等書。從儒家的前後歷史看來這是一個奇怪的目錄，所謂「經典」，當指儒家的經典言，在魏晉以前，唐宋以後，儒家的經典中絕對容納不下《老》《莊》；這是南朝的風尙，是王弼一派的支與流裔。他並著有《易》與《老子疏》，說明他在玄學上的造詣，雖然我們看不到原書，但唐書儒學傳也說他「善言玄理」。這一種推崇《老》《莊》的學風，一直到初唐仍然存在，雖然那時的推崇老子有其政治上的原因，打算拉老子作爲李唐的不祧祖先，南朝的學術傳統，也是有力的因素。這是中唐前的普遍看法，認爲老子和儒家經典可以合流，唐人正義引用《老子》者不下幾十條，引用《莊子》者也有幾處，出於唐人的《隋書・經籍志》也充分表達了這種思想，看它述說儒家道：

> 儒者所以助人君明教化者也。……周官太宰以九兩系邦國之人，其四曰儒是也。

又敘述道家：

> 道者蓋爲萬物之奧，聖人之至賾也。……夫陰陽者天地之謂也，天地變化，萬物蠢生，則有經營之跡，至於道者，精微淳粹而莫知其體，處陰與陰爲一，在陽與陽不二。……聖人體道成性，清虛自守，爲而不恃，長而不宰。……其玄德深遠，言象不測，先王懼人之惑，置於方外，六經之義，是所罕言。《周官》九兩，其三曰師，蓋近之矣！

他們極力把老莊之「道」和儒家之「道」混同起來，所謂「六經之義，是所罕言」當然和「夫子之言性與天道，不可得而聞也」，有相同意義。並且說它們出自《周官》，一自「師」傳，一爲「儒」後，這和劉歆的諸子出於王官的說法，也有不同；在此，儒和道的關係越發緊密了，它們原來是最相接近的「師」、「儒」，所以這兩派的學說可以互作注腳，而沒有根本區別。

一葉知秋，陸德明所代表的學風，在《十三經正義》中還充分地表現出來，雖然正義之學是集南北學派的大成，而主流是南學，北朝的讖緯注經在正義中不過是「告朔之餼羊」，僅屬具文而已。

㈡孔穎達

孔穎達生於北朝，少時曾向隋朝的大儒劉焯問學，煬帝大業初舉明經高第，後補太學助教。唐初，太宗引爲秦王府學士，高祖武德九年授國子博士，累除國子司業。他長於《左氏傳》、鄭氏《尙書》、王氏《易》、《毛詩》、《禮記》，兼善算曆。曾與魏徵等撰成《隋史》，並與顏師古、司馬才章王恭、王琰等撰五經義訓，名曰《五經正義》。五經是指：《易》、《詩》、《書》、《禮記》及《春秋左傳》言。《周易正義》十卷，用王弼、韓康伯注；《尙書正義》二十卷，用《僞孔傳》；《毛詩正義》七十卷，用毛傳鄭箋；《禮記正義》六十三卷，用鄭玄注；《春秋左傳正義》六十卷用杜預注。（註三）這是一種折衷南北的方案，《隋書・儒林傳》曾經敘述南北經學之不同道：

> 南北所治章句，好尚互有不同：江左《周易》則王輔嗣，《尚書》則孔安國，《左傳》則杜元凱；河洛《左傳》則服子愼，《尚書》、《周易》則鄭康成；《詩》則並主於毛公，《禮》則同遵於鄭氏。大抵南人約簡，得其英華，北學深蕪，窮其枝葉。

所謂「南人約簡，得其英華」，當指以玄學治經言，而「北學深蕪，窮其枝葉」，當指漢儒的繁瑣考證言。南北學同說五行，而南學不引讖緯，北學不論玄學，這又是它們不同處。《五經正義》既然兼採南北，而「疏不破注」，所以以南治南，以北治北；同是一個人的疏義，可以在《詩》、《禮》的《正義》中發揮讖緯的學說，在《易》、《書》的正義中則排斥讖緯，一似沒有獨立的精神可言。但《五經正義》究竟不是單純總結前人的成果，仍然有他的時代精神，「存在決定意識」，表現於《正義》中的思想體系，不是漢魏注家可以局限得住的。下列分析可以說明這一點。

1.「道」「氣」和「性」「情」

在五經的疏解中隨處可以看到「道」和「氣」的問題，這種命題本身就是道家和儒家的結合體。何晏、王弼談「道」談「無」而少談「氣」，漢儒談「氣」而少談「無」；「道」和「氣」的結合是《正義》之學的新發展，這一種發展給後來的理學家開闢先路。孔穎達認爲「道」就是「無」，他解釋《易・繫辭》「一陰一陽之謂道」說：

> 一謂無也，無陰無陽乃謂之道。一得爲無者，無是虛無，虛無是大虛，不可分別，唯一而已，故以一爲無也。若其有境，則

> 彼此相形有二，有不得爲一，故在陰之時而不見爲陰之功，在陽之時而不見爲陽之力，自然而有陰陽，自然無所營爲：此則道之謂也。故以言之爲道：以微言之謂之一，以體言之謂之無，以物得開通謂之道，以微妙不測謂之神，以應機變化謂之易，總而言之，皆虛無之謂也。（註四）

這是王弼的「天地萬物皆以無爲本」的進一步發揮，萬有歸於一本，而「一」是虛無，「二」則爲有。在王弼的思想體系中是否定「有」的存在的，「二」根本不能夠和「一」對立起來，所以他說：

> 復者，反本之謂也，天地以本爲心者也。凡動息則靜，靜非對動者也；語息則默，默非對語者也。然則天地雖大，富有萬物，雷動風行，運行萬變，寂然至無，是其本矣。故動息地中乃天地之心見也。若其以有爲心，則異類未獲具存矣。

「寂然至無」是天地的根本，「富有萬物，雷動風行」，不過是暫時的現象是在永恆的靜默中有這種暫時的「有」和「用」的發生。在他看起來，「用」是沒有用的，要恢復到原來無「用」的狀態，所以他說「動息地中，乃天地之心見也」。天地的心也就是「寂然至無」，是永恆的靜默，正像湯用彤先生所說：「天地之心，即本體之大用，反本即反於無，又曰以無爲心。若有物安於形器之域，而昧於本源，則分別彼我，爭端以起」。（註五）這是正確的解釋，湯先生又說：「玄學主體用一如，用者依眞體而起，故體外無用」。這也是正確的解釋。但孔穎達的《正義》和王弼說並不相同，他是把體用分作兩截的，他以上之所謂「二」，是不得爲「一」的，已經對立起來。王弼雖然也講無形有形，但有形不能和無形對立。《正義》解釋《繫辭》「是故形而上者謂之道，形而下者謂之器，化而裁之謂之變」云：

> 道是無體之名，形是有質之稱，凡有從無而生，形由道而立，是先道而後形，是道在形之上，形在道之下，故自形外已上者

謂之道也，自形內而下者謂之器也。形雖處道器兩畔之際，形在器不在道也。既有形質可爲器用，故云形而下者謂之器也。「化而裁之謂之變」者，陰陽變化而相裁節之謂之變也，是得以理之變也，猶若陽氣之化不可久長而裁節之以陰雨也，是得理之變也，陰陽之化自然相裁，聖人亦法此而裁節也。（註六）

這眞是上下截得分明，「形」是道和器的分野，無形是道，有形是器，而形究竟是屬於形而下的。這些話和王弼的理解還不相遠，王弼本來也主張有生於無，萬物由無而有，但問題是在由無而有的過程，和對於「有」「無」的看法有所不同。王弼以爲萬物自生，各由自然，道本無爲，萬物自相治理，道對於物的作用是加以感化而使之各依其理，他在注解《觀卦・彖》時說：「統說觀之爲道不以形制使物而以觀感化物者也。神則無形者也，不見天之使四時而四時不忒。」這一種感化的力量也叫作「神」，是一種「不知所以然而然」的力量，所以「況之曰神」。（註七）孔穎達理解的由無到有的過程是步驟分明的，首先他截得有無分明，也認爲有形和無形之間不能以形爲分野，因爲形還是形而下者，應以「幾」爲形上形下的畔際，他說「幾者去無入有，有理而未形之時」（註八）「幾」處於去無入有的階段，而所以能夠由無到有則不能不借助於一種物質力量，那就是「氣」。而和王學對立的漢學則「主萬物依元氣而始生。元氣永存而執爲實物。自宇宙構成言之，萬物未形之前，元氣已存。萬物全毀之後，元氣不滅」。（註九）孔穎達接受了這種見解，在他的由無到有的安排中，强調了「氣」的作用。《禮記・月令》的正義中他詳細地描述了由無生有的過程：

按《老子》云：道生一，一生二，二生三，三生萬物。《易》云：易有太極，是生兩儀。禮運云：禮必本於大一，分而爲天

> 地。《易乾鑿度》云：大極者未見其氣，大初者氣之始，大始者形之始，大素者質之始。此四者同論天地之前及天地之始。《老子》云：道生一。道與大易自然虛無之氣無象，不可以形求，不可以類取，強名曰道，強謂之大易也。道生一者，一則混元之氣與大初大始大素同，又與易之大極，禮之大一，其義不疏，皆爲氣形之始也。一生二者，謂混元之氣分爲二，二則天地也，與易之兩儀，又與禮之大一分而爲天地同也。二生三者謂參之以人爲三才。三生萬物者，謂天地人既定，萬物備生，其間分爲天地。

禮注而引用《老子》是江左風尚，又引《易緯》卻是河洛作風；本來是不相容的，如今並在一起，也等於以《易緯》說《老子》。緯書起於西漢，盛於哀、平間，提倡古文經的劉歆也並不排斥讖緯，他在《鐘歷書》內說，「太極元氣，函三爲一」。所謂「三」，有人以爲是天地人，有人以爲是太初、太始、太素。（註一〇）根據孔穎達的意見，這兩種說法是不矛盾的，劉歆的「函三爲一」是混元未分的階段，同於《老子》之所謂「道」；「三」是元氣開始時的變化，依《易緯》說是太初、太始、太素，依《老子》說，是一生二，二生三，「二生三」固可以解作天地人。這是二元的宇宙論，天地萬物未生成之前是「無」的世界，天地萬物已經生成之後是「有」的世界；而「有」並不排斥「無」的存在，「無」更不會排斥「有」，因爲它是長育「有」的。人類的覺感只見其「有」，而不見其「無」，實則「無」是天地的根本，是天地的「心」，「有」必須以天地的「心」爲心，但事實不然，萬物生成之後遂各有心，《易・復卦・彖》曰，「復其見天地之心乎！」是說我們必須回到我們的根本處，以無心爲心。孔穎達說，「若其以有爲心，則異類未獲具存者；凡以無爲心，則物我齊致，親疏一等，則不害異類彼此獲寧。若其以有爲心，則我之自我，不能普及於物，物之自物，不能普賴於我，物則被害，故未獲具存也。」（註一一）本來是天地無心才能長育萬物，萬物各自有心，遂不免彼此傷害，應當彼此恢復到無心的境界，才能夠彼此互寧。

但復心的論調究竟屬於理想，不能化有爲無，也就不能復有心爲無心。有心和無心並存也是宇宙二元論的另一種提法。這種見解，在兩漢以後表現爲情性二元的爭執上。漢儒性說的特點爲善惡的二元論，許慎、鄭玄等人全有類似的觀點。許慎《說文》云：「性，人之陽氣，性善者也。情，人之陰氣有欲者」。鄭玄《毛詩・烝民箋》也說，「天之生衆民，其性有物象，謂五行仁義禮知信也，情有所法，謂喜怒哀樂好惡也。」漢儒的說法是折衷孟荀性善性惡說而有所發揮，這種發揮後來演變成孔穎達的性情說。鄭玄之所謂「性有物象」，更具體地說，是由金木水火土五行產生仁義禮知信五常，他的《中庸注》說，「木神則仁，金神則義，火神則禮，水神則智，土神則信。」孔穎達《正義》於此發揮道：

> 賀瑒云：「性之與情，猶波之與水，靜時是水，動則是波，靜時是性，動則是情。案左傳說：「天有六氣，降生五行。」至於含生之類，皆感五行生矣。唯人獨稟秀氣。故《禮運》云，「人者五行之秀氣，被色而生。」既有五常仁義禮智信，因五常而有六情。則性之與情，似金與鐶印，鐶印之用非金，亦因金而有鐶印，情之所用非性，亦因性而有情。則性者靜，情者動，故《樂記》云，「人生而靜，天之性也，感於物而動，性之欲也。」

這種議論和漢儒的說法並不完全相同，在形式上他採取了性情二元說，本質上還是玄學「無心」「有心」的進一步發揮。情出自性，而「性者靜，情者動」，動則離其本，所以要求復性，孔穎達說，「復者反本之謂也者，往前離本處而去，今更反於本處，是反本之謂也。」

（註一二）然而孔穎達是善於繼承前人的，在性情的議論上並不能固守一家的樊籬，而有許多進退失據的地方，和上說相反，他又說：「人之情性共稟於天，天不差忒則人亦有常，故人所執持有常道，莫不好美德之人。……人之本意皆欲愛善，雖則逐臭之夫，當時不以爲惡，但識鑒不同，謂爲善耳，未有故知是其惡而愛之者也。」（註一三）這又不是情生於性的說法而是說性情共稟於天，既然性情一本，所以難分善惡，而人們的本意全是愛善的，間有喜惡的逐臭之夫，是因爲他不善鑑賞的原故。是孟子性善說的進一步發揮了。

許慎以爲陽氣是性，陰氣是情。孔穎達的《詩・烝民・正義》也曾經有過申述，他說：「《援神契》曰，『性者生之質，命者人所稟受也；情者陰之類，精內附著生流通也。』」又曰「性生於陽以理執，情性於陰以繫念。」是性陽而情陰。然而這又和另一種主張是矛盾的，在《易・繫辭》的《正義》中又說：「萬物享於陽氣多而爲動也，稟於陰氣多而爲靜也。」正好是以陽氣爲動，以陰氣爲靜。《五經正義》不出自孔氏一人之手，又多屬總結前人研究的成果，雖然有它的思想體系，既屬包羅百家，不免枝節橫生。通過這些枝節也給後來的學者一些啓發。

總之在《五經正義》中構成了自己的思想體系，他們認爲無形是道，有形是器，而有出於天。這有無的畔際是劃得分明的，而「幾」正好是有形無形的過渡，它處於「有理而未形之時」，條件已經成熟了，還沒有產生效果。玄學家以爲從無到有的過程中，道只是起「感化」作用，是一種無爲的作用，漢學家則認爲由無到有借助於氣，萬物依元氣而生。孔穎達談無談有，他接受了這種概念，但他說由無到有離不開元氣的安排，因之他以《易緯》解《老子》。玄學家以《老子》解經，變成玄學家的經學；經學家以經緯解《老》，變成經學家的玄學。「有」「無」不是互相排斥的，但「有」的本身作自我排斥，具體表現在各自有心而彼此傷殘，以致萬物被害的結果。應當恢復到無心的境界，才能獲得安寧。

「有心」、「無心」在《正義》中表現爲性情二元論說。本來漢儒說性的特點爲善惡的二元論，大體上可以歸并爲性善情惡。孔穎達也有類似的見解，但他一方面根據「有心」「無心」的概念，要求復性，同時他又認爲性情共稟於天，全是愛善的；這已經是進退失據了，他又有性陽情陰說。前後矛盾而不能自圓其說，這是多元論者一個很難避免的矛盾，同時也說明孔穎達在思想體系的完整上還缺欠工夫。可以說他是一個徘徊於唯心論與心物二元論之間的一個折衷派思想家，這是時代造成的，在一個統一南北的局面下，南北兩方的學術主流全被他們承繼下來，適當地消化了，也適當地加以發揮，雖然體系還不夠完整，但可以認爲是一個過渡時期。後來的《正義》之學大體上保持了這種作風，二元論的色彩，玄學家的影響，始終起著作用。宋代的程朱學派是熟讀《正義》的，他們吸取了他們認爲有用的東西，通過《正義》我們可以看出由經學到理學的發展過程。

2.天帝和鬼神

關於神的概念，孔穎達曾經認爲是一種自然而然的力量，在《易·觀彖·正義》中說，「神道者微妙無方，理不可知，目不可見，不知所以然而然，謂之神道，而四時之節氣見矣」。這一方面說是自然力量，同時也透露不可知論的色彩，既然神不可知，所以沒法加以肯定或否定。從玄學的立場談神才會有這種動搖，從漢學的立場言，對於鬼神又有明確的肯定，《左傳》昭公七年《正義》說：

> 人稟五常以生，感陰陽以靈，有身體之質，名之曰形，有呼吸之動，謂之爲氣，形氣合爲用，知力以此而彊，故得成爲人也。……人之生也始變化爲形，形之靈者，名之曰魄也，既生魄矣，魄內自有陽氣，氣之神者，名之曰魂也。魂魄神靈之名，

> 本從形氣而有，形氣既殊，魂魄亦異。……郊特牲曰：「魂氣歸於天，形魄歸於地。……其實鬼神之本則魂魄是也。」

把鬼神還原於魂魄，可把魂魄還原於形氣，完全明確了鬼神的存在。魂離形而去，則生變爲死，成變爲敗。（註一四）既然明確了鬼神的存在當然也就是有神論者。

既然肯定鬼神，自然會肯定上帝，但上帝有幾，表現在《正義》中也是使人煩惱的問題。依鄭玄說有五帝或六天說，所以《詩・鄘風・正義》中說，「……五帝，謂五精之帝也。《春秋文耀勾》曰：「蒼帝其名靈威仰，赤帝其名赤熛怒，黃帝其名含樞紐，白帝其名白報拒，黑帝其名汁光紀」是也。六天則是在五帝之外再加上天皇大帝耀魄寶。鄭玄這些說法是根據緯書的記載；除天帝外，地有崑崙山之神及神州之神。但王肅首先反對這種說法，他在《聖證論》中主張「言郊則圜丘，圜丘即郊，天體唯一，安得有六也！」這種意見後來被晉武帝所採納，泰始初定南郊北郊，祭一天一地。杜預注《左傳》時也採用王肅的說法，不言六「天」。孔穎達的態度在這方面也是狐疑兩可，當他解鄭注時用鄭說，解杜注時則用杜說；好在這全是憑空捏造，是一是六，並沒有任何眞憑實據，官司永遠也打不完的。

鄭玄六天說本自緯書，孔氏對於讖緯的態度，一如對天帝，也是模稜兩可，當他以元氣解釋宇宙的生成時，無顧慮地引用讖緯，但在疏解《書經》和《左傳》時又加以排斥，因爲這些書的原注是排斥的，比如關於僞書《大禹謨》「天之歷數在汝躬」《正義》道：

> 鄭玄以歷數在汝身，謂有圖籙之名。孔無讖緯之說，義必不然，當以大功既立，眾望歸之，即是天道在身。

眾望所歸即是天道在身的說法牽涉到整個宗教信仰問題，這是和圖籙相反的態度，在《書・洪範疏》，僞《咸有一德疏》中全極力加以排斥。《咸有一德》的疏中說：「漢自哀平之間，緯候始起，假託鬼神，妄稱祥端。」態度更是堅決。因此孔穎達對於春秋獲麟《公羊》派的附會也斥爲妖妄道：「案此時去漢二百七十有餘年矣，漢氏起於匹夫，先無王跡，前期三百餘歲，天已預見徵兆，其爲靈命，何太遠乎？言既不經，事無所據，苟佞時世，妄爲虛誕。故杜氏《序》云：「至於反袂拭面，稱吾道窮，亦無取焉。」蓋賤其虛誣，鄙其妖妄，故無所取之也」。《春秋》爲漢立法，是《公羊》學派的宗教信仰，他們把孔子說成教主（素王），把《春秋》當作「聖經」。杜預加以駁斥，孔穎達更斥爲「苟佞時事」，全是理智的態度。可惜他這種態度他不能堅持下來，除了上面所說，關於元氣的解釋他不能放棄讖緯外，在《毛詩正義》中根據鄭箋，也傳布讖緯的學說。

3.政治思想

孔穎達處在初唐封建帝國的極盛時，這是在農民起義失敗以後，封建帝王及其僕從們努力於重建封建秩序的時候，表現於《五經正義》的政治思想，也是極力主張貴賤尊卑的區別，《書・皋陶謨》的《正義》說：

> 天次敘有禮，謂使賤事貴，卑承尊，是天道使之然也。天意既然，人君順天意。用我公侯伯子男五等之禮以接之，使之貴賤有常也。

他認爲「賤事貴，卑承尊」是天道使然。天意既然如此，人君當然不敢違背天意。這樣說起來，統治者對於勞動人民的壓迫，是不敢違背天意的結果，是處於被動的地位。以天道作爲壓迫人民的工具，是統治階級的一貫手法，也是宗教信仰在階級社會內根深蒂固的根本原因。

因爲强調階級秩序，所以也就强調「禮」的作用。雖然尊卑貴賤出自天意，然而人們的「浮躁者」實亦無所不爲，他們要打破這種階級秩序，這是直接和統治者的利益衝突的，於是他們「鑒其若此，欲保之以正直，納之於德義，猶襄陵之浸，修隄防以制之；覂駕之馬，設衡策以驅之，故如上法圓象，下參方載，道之以德，齊之以禮。」（註一五）在中國的階級社會內倫理和政治是分不開的，孔子的正名主義「君君，臣臣；父父，子子」，是倫理也是政治，道德學也是爲政治服務的。統治者認爲破壞封建秩序就是不道德的行爲，於是要修人爲的隄防，使他們的行爲合乎德，合乎禮。禮和道德雖爲出自統治者的心意，然而他們也這說是天意，淵源有自，《禮記正義》開頭說：

> 夫禮者，經天地，理人倫，本其所起在天地未分之前，故《禮運》云：「夫禮必本於大一」，是天地未分之前已有禮也。禮者理也，其用以治則與天地俱興。故昭二十六《左傳》稱晏子云：「禮之可以爲國也久矣，與天地並」。但於時質略，物生則自然而有尊卑，若羊羔跪乳，鴻雁有行列，豈由教之者哉，是三才既判，尊卑自然而有。但天地初分之後，即應有君臣治國，但年代緜遠，無文以言。

天地未分之前已經有禮，禮是先驗的，沒有人類之前已經有了尊卑的秩序，階級社會是隨著人生俱來。禮雖然和人生俱來，但那掌握在統治階級手內，作爲他們的統治工具，和勞動人民是無緣的，所以《曲禮》說：「禮不下庶人，刑不上大夫。」《正義》於此有解釋道：

> 「禮不下庶人」者，謂庶人貧無物爲禮，又分地是務，不服燕飲，故此禮不下與庶人行也。《白虎通》云：「禮爲有知制，刑爲無知設。」

他說一般勞動人民是貧苦的，拿不出東西來行禮，況且因爲當時實行均田制，各有各的分地，每天忙於農事，也沒有工夫爲禮；所以說禮不爲庶人設。《白虎通》內更豈有此理地說：禮是爲知的，刑才是對付無知的！對付有知的不能用刑，孔穎達說：「大夫必用有德，若逆設其刑，則是君不知賢也。」（註一六）有知的是大夫，他們全是賢德的，不賢德的不會成大夫，否則是天子不知賢了。這是統治階級的邏輯，所以他們說不能以刑對付大夫！

既然人間的貧富由於天生，貧人是徭役賦稅的負擔者，是統治者的生活負擔者，也就是國家的支柱，沒有這廣大的勞動人民，統治者的生活無來源，國家也就不能支持，唐朝的統治者也是理解的，孔穎達反映這種意見道：

> 農業、人之本也；商販、事之末也。若民居近實，則棄本逐末，廢衣爲商，則貧富兼并，若貧富兼并，則貧多富少，貧者無財以共官，富者不可以倍稅，賦稅少則公室貧也。（註一七）

這筆賬是算得清楚的，公室的財富來源是賦稅，而賦稅是由貧苦的勞動人民負擔的，假使這批貧苦人民由於富人剝削的結果變成身無寸土的赤貧，交不起賦稅，而富人們無論財產有多少增加，賦稅是沒法加的，那麼公室不是沒法維持嗎？這不是空頭理論而是事實的反映。初唐是實行均田制的，貧苦的農民領地分田後，作爲國家的佃農，是賦稅的主要擔當者，而富人，封建地主們，他們擁有大量的土地，大量的役屬農民，如果農民的土地被他們兼併，丟掉了土地的農民也就變成他們的農奴或役屬農民，這批農民對於國家再沒有什麼負擔了，國家對於這批富人們也無可奈何！孔穎達反映了這種事實也提出了制止這種現象的辦法，他說：

> 太史公書稱武王克殷，患殷民富侈。太史公曰：「侈昏厚葬，以破其產」，爲其富而驕佚，故設法以貧之也。《管子》曰：「倉廩實而知禮節，衣食足而知榮辱；讓生於有餘，爭生於不足。」《論語》稱孔子適衛，欲先富而後教，爲其貧而無恥，欲營生以富之也。此皆觀民設教，故其理不同。若遷都近鹽，則民皆商販，則富者稱富，驕侈而難治，貧者益貧，則富者彌

富，驕侈而難治，貧者益貧，飢寒而犯法。且貧者資富而致貧，富者剝貧而爲富，惡民之富乃是愍民之貧。欲使貧富均而勞役等也。（註一八）

這段注解的開頭說在某種情況下要壓抑富人，在某種情況下要使貧人改富：因情形而定，全是有道理的。但後來的主張說如果富者愈富，貧者愈貧，是沒有好處的，一方面驕奢難治，一方面飢寒犯法。最好是加以限制，使貧不愈貧富不愈富，對於王室來說是有好處的。他還兩次指出商人地主來，要注意他們，限制他們，可見當時的貴族和商人也存在矛盾。

㈢賈公彥、楊士勛等

賈公彥初唐人，蓋年輩稍後於孔穎達，高宗永徽中官至太學博士，事跡見《舊唐書・儒學傳》，他撰有《周禮》及《儀禮》正義。清《四庫全書總目提要》關於《周禮正義》曾有評論說，「元於三禮之學，本爲專門，故所釋特精，惟好引緯書，是其一短。《歐陽修集》有《請校正五經劄子》，欲刪削其書，然緯書不盡可據，亦非盡不可據，在審別其是非而已，不必竄易古書也。……公彥之疏，亦極博核，足以發揮鄭學。《朱子語錄》稱『五經疏中《周禮》疏最好。』蓋宋儒惟朱子深於禮，故能知鄭賈之善云。」這一段批評有中肯地方，也有不妥當的地方。鄭玄長於禮是事實，但雜引讖緯的確是一個短處，賈公彥的《正義》也是如此，他在禮制的疏解中，在當時是博核的，然而雜引讖緯又甚於鄭玄，也不能不說是一個短處。

因爲他注解的是禮儀制度，對於思想意識方面殊少發揮，間有涉及也是捉襟見肘，說不出一個道理來，在這方面說，他不如孔穎達，孔穎達雖然折衷於南北之間然而還構造成自己的體系。比如他在《儀禮正義序》中說：

竊聞道本沖虛，非言無以表其疏；言有微妙，非釋無能悟其理；是知聖人言曲事，資注釋而成。

「道本沖虛，言有微妙」，是玄學家的語彙，但說「言」可以表「道」，「釋」可以解「微」，又是違反玄學宗旨的，《老子》就曾說：「道可道，非常道」。孔子的門人也曾說：「夫子之言性與天道不可得而聞也」，可見這也不是儒家的說法；那麼這應當代表賈公彥自己的見解，但也沒有說出一番道理來，不過是說明注疏的重要而已。這還是接受南朝玄學治經的影響，因而一些玄學的語彙引用在經書的《正義》中，賈公彥的《正義》也是一面雜引讖緯，一面稱引《老》《莊》，他曾經注引緯書來說明階級社會的起源，《周禮正義序》說：

> 夫天育蒸民無主則亂，立君治亂，事資賢輔。但天皇地皇之日，無事安民，降自燧皇，方有臣矣。是從《易通卦驗》云，天地成立，君臣道生。……是政教君臣起自人皇之世，至伏羲因之，故《文耀鉤》云，伏義作易名官者也。

他以爲燧皇即是人皇，從此起才有君臣的制度，也就是階級社會的產生了。他又根據《春秋命歷序》，說九頭紀時「有臣無官位尊卑之別。」這些說法比孔穎達認爲「禮」起於天地未分之時的說法似乎進了一步，多少有些歷史進化的觀念；按照當時的古史水平時，這多少是難能可貴的一點。

他有時也把《老子》和緯書結合起來，當他解《周禮・地官・師氏》「以三德教國子」時說，「此經有至德、敏德、孝德，老子亦有三等之德。」他認爲「至德」和《老子》之所謂常道及上德不失德爲一物，「皆是燧皇以上無名號之君所行」。敏德則等於《老子》「失道而有德」之德，是五常所行「下德不失德之德」。孝德則爲三王之德，《老子》云「失德而有仁，失仁而有義，失義而有禮」。三王時是行仁義時，也就是《周禮》中的孝德。這一個古史系統是緯書系統，古帝王的道德學說也是比附緯書中的記載；這本來和《老子》格格不入，但他生硬地結合起來，簡直不知所云，這是《周禮正義》中的短處。

雖然他有意結合南北學派之不同，一如孔穎達所爲，但他沒有自己的體系，他很少涉及宇宙的生成問題，間有涉及也不能自圓其說，比如他解釋《周禮大宗》伯「以禮樂合天地之化，百物之產」時說：

> 以禮樂並行以教使之得失，萬物感化則能合天地之化，謂能生非類也，又能生其類，故云「百物之產」。……知化產共爲一者，以其化與產氣類相似，故爲一也。云能生非類曰化者，凡言變化者，變化相將，先變後化。……又云鳩化爲鷹之等皆謂身在而心化，若田鼠化爲鴽雀，雉化爲蛤蜃之類等皆據身亦化，故云能生非類曰化也。《易》云「乾道變化」亦是先變後化，變化相將之義也。……

這些話雖然是他疏通證明前人的成說，而牽强附會，我們當然不是責備他的科學水平，是說他還沒有這樣的水平：用哲學上的任何方法來解釋哲學上的概念問題。在《周禮・大司徒・正義》中他解釋萬物的生成說「天地不合，萬物不生；天地配合，萬物乃生。」也只是重複了漢儒陰陽合氣說，而無解釋無發揮。因爲他相信讖緯，他也相信五行說，同時也接受鄭玄所提倡的五帝六天說。事實上到唐宋以後在統治階級的祀典中也不見五帝六天，這僅是紙上的信仰，已經不發生作用。

楊士勛也是初唐人，孔穎達在《左傳正義序》中說曾經和故四門博士楊士勛參定，可見他們是同時人。他撰有《穀梁傳正義》，過去對這部書的評論是不如《左傳正義》該洽。但這部注解還是有特點的。《穀梁傳》本身屬於今文系統，但在思想體系上不同於《公羊》，在解經的體例上又不同於《左傳》，鄭玄《六藝論》對於三者曾經加以區別道，「《左氏》善於禮，《公羊》善於讖，《穀梁》善於經。

」這種說法當然還有問題，大體上還可以說有這些區別。范寧東晉人，他的注解雖有南朝的學風，但排斥王弼何晏而私派杜預，嘗著論以爲王何之罪深於桀紂。《穀梁》和《左傳》本來不是一個系統，他在「元年春王正月」的集解中引《左傳》杜預注駁斥《公羊》，所以楊士勛的正義也就此發揮道：

何休注《公羊》取春秋緯黃帝受圖，立五始，以爲元者氣之始，春者四時之始，五者同日並見，相須而成。又云，「惟王者然後改元立號，春秋托新王受命於魯，故因以祿即位。」《公羊》又引「王者孰謂，謂文王也。」故范云，「隱公之始年，周王之正月」以異之。不然公者不嫌非隱，何煩此注，明知爲排《公羊》說也。所書之公即魯隱，所用之歷即周正，安在黜周王魯也。又所改正朔雖是文王頒於諸侯，非復文王之歷；用今王之歷，言文王之正非也。又何休言諸侯不得改元，則元者王之元年，非公之元年，公之即位，不在王之元年，公得同日並見，共成一體也！言既不經，故范所不信。元年實是一年，正月實是一月，而別爲立名，故范引杜預之言以解之。

這是理智解釋，但有誤會《公羊》原義的地方，《公羊》何休注之所謂「惟王者然後得改元立號，《春秋》托新王受命於魯」。是指孔子作《春秋》「假魯爲王」，因《春秋》立新王之法。並不是元年指周王元年，如果指周王元年那麼必須如楊士勛所謂「公之即位不在王之元年，安得同日並見，共成一體也」。通過這些誤解說明楊士勛還不理解《公羊》派的所謂微言大義，因而他的駁斥雖然是平實的理智的，但也是打不中要害的！

在宇宙的構成上，他接受了「元氣」說而少加改動，認爲萬物由於二氣之和及上天之靈，他說：

凡物之生，皆資二氣之和，稟上天之靈，知不可以剛滯其用，

> 不得以陰陽分其名，故云三合然後生也。……然則陰能成物，天能養物，而總云生者，凡萬物初生必須三氣合，四時和，然後得生，不是獨陽能生也，但既生之後始分繫三氣耳。（註二〇）

他把陰陽二氣和天分裂開，是少見的說法，一般把陰陽和地天結合起來，再沒有使天與陰陽對立而丟掉地的。他也許是根據《太平經》的三氣說。

總之這也是折衷南北的學派，一方面依傍於杜預范寧之間，同時也不放棄讖緯及元氣說（註二一）。他們的見解全和孔穎達相近，但也沒有自己的思想體系。

《公羊》學派在中國歷史上發揮了許多作用，這大體上可以分作兩面：一是和法家結合，在中國封建社會上曾經掀起幾次變法維新運動，雖然每次變法全有其社會的基礎，而每次變法也只是改良運動，但作爲這種運動的指導思想總多少和《公羊》有關，因爲《公羊》把理想世界放在未來，這就爲變法運動提供了理論根據。一是和儒家宗教化結合而鼓吹孔子是教主（素王）的說法，他們說孔子是一個先知的聖人，作《春秋》是爲漢立法。晚清的今文學者廖平和康有爲全或多或少地代表了《公羊》派的兩方面。《公羊》注傳世者有何休的《解詁》，今傳《正義》二十八卷，《崇文總目》始著錄，但稱不著撰人名氏，或云徐彥。董建《廣川藏書志》亦稱世傳徐彥，不知時代，意其在貞元長慶之後。考《正義》中邲之戰一條猶及見孫炎《爾雅注》完本，知《正義》著者是宋以前人；又葬桓王一條用楊士勛《穀梁傳正義》，又知《正義》著者是唐貞觀以後人。而文章的體裁，自設問答，文繁語複，也和晚唐的文體相近，那麼可以定《公羊正義》的撰者徐彥是晚唐人。（註二二）

《公羊正義》採用何休《解詁》，而何休是漢末相信讖緯的人，

《公羊》傳到他的手中越發宗教化了，在這種風氣下，《公羊正義》沒有接受南朝的學風，也許是時代變了，《老》《莊》玄學已經不流行於晚唐，經學上玄學色彩也逐漸消失。這時社會經濟在變遷著，均田制已經破壞，而藩鎮跋扈，王室衰微。土地越發集中，農民越發痛苦，農民起義有風起雲湧的姿勢，唐室的滅亡就在眼前。我想這時有《公羊正義》出來，也是自然的，這代表地主階級的一種理想，他們希望一個「太平」世界，一個地主階級永遠存在的太平世界。《公羊解詁》以爲《春秋》是孔子爲新王立法，《公羊正義》的作者未嘗不希望《春秋》也爲唐以後的新王立法。《公羊正義》作者於《公羊》派「三世」之說，再三致意，以爲太平世界即在當世，《公羊》隱公元年《正義》說：

> 當爾之期，實非太平，但《春秋》之義若治之太平於昭定哀也。猶如文宣成襄之世，實非升平，但《春秋》之義而見治之升平然。

《春秋》之義只是假定文宣成襄是升平世，昭定哀是太平世，爲什麼要這樣假定呢？因爲《春秋》爲新王立法，必須把希望放在現在和將來。現在既然假定太平，已經無可改進，《春秋》於此已無所譏，只譏二名而已。一個人不能夠用兩個字的名字，《春秋》於此再次致譏，如哀公十三年傳，「晉魏多帥師侵衛。此晉魏曼多也，曷爲謂之晉魏多？譏二名，二名非禮也。」其實二名有什麼非禮呢？依《正義》的見解，一爲難以爲諱，二是「定哀之間文致太平，欲見王者治定，無所復譏，唯有名，故譏之！」已經「文致太平」，而名不從實，還有紊亂現象，那是名後於實了，所以也要譏諷。這是《公羊》學派的「內學」，也是他們始終糾纏不清的地方，根據三世說，太平世是在後來，但他們要結合於《春秋》的歷史，於是以昭定哀爲太平世，而昭定哀實在並不太平，只好就是「文致太平」，不過是假定而已。假定的太平究竟不可取法，他們理想中的太平還是古代，《公羊》昭五年傳說：「五年春王正月捨中軍，捨中軍者何？復古也！」何休注說「善復古也。」諸侯本不應有三軍，如今去掉一軍，恢復古制，是合理的，要加以肯定。如何來解釋這種矛盾？從董仲舒到徐彥的思想體系來說，這是不矛盾的，他們是「以復古作維新」的，太平世界是在將來，但須復古。《公羊正義》於「善復古」的解釋道：

> 正以當時皆僭，獨自能抑從禮，善其復古，是以善之。故云「善復古也」。

本來是人不守禮的亂世，而云太平，是一種假定，必須他們恢復到古代的理想世界，才是眞正的太平。這一種見解，也見於荀子的思想中，他一方面提倡法先王，一方面提倡法後王，看起來是矛盾的，但也可以結合起來。基本原因是他們承認歷史是向前發展的，但發展到那一步呢？他們提出古代的黃金世界來，事實上這個古代世界也是他們的理想。

《公羊》學派的歷史學說多少有他的進步意義，和孔穎達、賈公彥比較起來徐彥的這種看法還是比較好的。此外在宇宙論上，他也是承襲「元氣」的說法而加以發揮，如云：

> 《春秋》說云：「元者瑞也。」氣泉注云：「元爲氣之始，如水之有泉。泉流之原，無形以起，有形以分，窺之不見，聽之不聞。」宋氏云：「無形以起，在天成象；有形以分，在地成形也。」然則有形與無形皆生乎元氣而來，故言造起天地，天地之始也。（註二三）

這段話還有些籠統，根據這一派的說法，無形不能說始於元氣，因爲無形則無名，這是混淪的階段，正是元氣醞釀的階段。徐彥在這些方面不過是轉述而已，有所發揮就會有問題。他也提出三氣說，如云「元氣是總三氣之名」（註二四）並沒有解釋「三氣」是什麼三氣，也許這是接受楊士勛的說法，陰陽二氣加上上天之靈。

在道德學說上他又接受了賈公彥關於「三德」的解釋，而有變化，他說：「元氣是總三氣之名」，是故其德與之相合者，謂之皇」。又說：天者二儀分散以後之稱，故其德與之相合者謂之帝。」又說：二儀既分，人乃生焉，人之行也，正直爲本，行合於仁義者謂之王。」（註二五）這又是歷史退化的說法了，如何和《公羊》學派歷史進化的觀點結合起來，他都沒有交待。

以上賈公彥、楊士勛及徐彥等三人共撰有《周禮》、《儀禮》、《穀梁》、《公羊》等四經正義，和孔穎達等的《五經正義》並在一起，共稱爲《九經正義》。賈楊等三人學風雖和孔穎達相近，也折衷於南北學之間；但沒有自己的思想體系，依違兩可，不免矛盾時出。《周禮》、《儀禮》是記載典章制度的書，賈公彥於此有其長處，一涉及宇宙論就未免捉襟見肘，無所適從了。楊士勛疏《穀梁》較爲平實，間有排斥《公羊》學的怪論處，亦因理解不深，搔不到癢處。而認爲三氣合和可以資生萬物，更是沒法自圓其說的議論。其後徐彥採納此說，但也沒有解釋。在道德學上徐彥和賈公彥有相同說法，全認爲德有三品，結合《老子》和緯書，牽强附會，又未免和《公羊》學派歷史學說相違背。這一種混合南北經學的流派已經山窮水盡了，孔穎達是這派的一個壓陣大將而後繼無力。經學在此以前，無論南北全不是顯學，初唐有復興的局勢，但仍然與玄學結合，而「明經」之士，也不爲世所重，中唐以後，逐漸改觀，儒家思想有了新的發展，不復拘拘於注疏之學，宋朝的正義之學出，風氣稍變，一方面結束既往，一方面遂爲由經學而理學之過渡。

三、邢昺的經學思想

邢昺字叔明，宋太宗時人，太平興國中，擢九經及第，官至禮部尙書。共撰有《論語正義》、《爾雅正義》及《孝經正義》等，後兩者不及義理，今以前者爲硏討主體。「是書蓋咸平二年詔昺改定舊疏，頒行學官」。（註二六）《四庫總目》對此書的評論道，「今觀其書大抵翦皇氏之枝蔓而稍傳以義理，漢學宋學，茲其轉關。是疏出而皇疏微，迨伊洛之說出而是疏又微。故《中興書目》曰：「其書於章句訓詁名物之際詳矣」。蓋微言其未選精微也。然先有是疏而後講學諸儒，得沿溯以窺其奧。祭先河而後海，亦何可以後來居上，遂盡廢其功乎？」這些話是公正的。

他處的朝代雖然和孔穎達賈公彥等有所不同，土地越發集中了，君主集中的體制越發周密了，仍然是封建社會在發展著，經學思想適應了地主階級的要求，它沒有佛家和道家的出世色彩，有著積極入世精神，這爲六朝士族所否定的東西，正是這些新的地主們的需要對象，於是經學逐漸成爲顯學，「講學諸儒」，循此而進，遂使附庸蔚爲大國。《論語正義》用何晏《集解》，因之《正義》本身帶有玄學的自然主義色彩，比如在《論語・子罕》的《正義》內論：

天本無體，亦無言語之命，但人感自然而生，有賢愚吉凶貧通壽夭，若天之付命遣使之然，故云天之命也。

在「道」「德」概念的疏解中也是採納玄學家的說法，他說：「道者虛通無擁自然之謂也。」這是歸納王弼的說法。又說：「寂然至無則謂之道，離無入有而成形器，是謂德業。」（註二七）這些見解和理學的議論當然還有距離，但在性命之學上，邢昺的發揮，頗有爲程朱學派採納的所在，這就是《提要》所謂「得沿溯以窺其奧」了。《論語・公冶長》記子貢說：「夫子之文章可得而聞也，夫子之言性與天道，不可得而聞也。」《正義》疏解道：

「夫子之文章可得而聞也者」，章明也。子貢言夫子之述作威儀禮法，有文彩形質著明，可以耳聽目視，依循學習，故可得

> 而聞也。「夫子之言性與天道，不可得而聞也者，」天之所命，人所受以生是性也。自然化育，元亨日新，是天道也。……其理深微；故不可得而聞也。

這些話基本上還是發揮何晏《集解》中的說法，還屬於玄學的思想體系，但後來的朱熹《論語注》，大體採用了這些說法，他說，「文章、德之見乎外者，文儀、文辭，皆是也。性者人受之天理。天道者，天理自然之本體，其實一理也。言夫子之文章，日見乎外，固學者所共聞，至於性與天道，則夫子罕言之，而學者有不得聞者」。兩者相較沒有根本不同。但後來的理學排斥「二氏」，諱言玄學，也是「欲蓋彌彰」。在性善性惡的問題上理學家的議論也和《正義》的說法不相遠，《論語・陽貨・正義》說：

> 性謂人所受稟以生而靜者也。未爲外物所感，則人皆相似是近也。既爲外物所感則習以成性，若習於善則爲君子，若習於惡則爲小人，是相遠也。故君子愼所習。

朱熹注《論語・公冶長》章引程子的話也有類似論調，他說，「天地儲精，得五行之秀者爲人，其本也眞而靜。其未發也五性具焉，曰仁義理智信，形既生矣，外物觸其情而動於中矣，其中動而七情出焉」。這也是折衷南北經學的見解，「其本也眞而靜」是玄學議論；以下的性情二元論，又是漢儒的說法。以五行解釋五性也是漢儒通說，《論語正義》引用道：「木神則仁，金神則義，火神則禮，水神則信，土神則智。」這些無疑被理學家所接受。

《論語正義》的議論究竟和程朱還有許多不同，它引用了讖緯學說，它有折衷南北學派的意圖，《論語・堯曰篇》「天之歷數在爾躬」的《正義》說：「孔注《尙書》云：「謂天道，謂天歷運之數，帝王易姓而興，故言歷數謂天道。」鄭玄以歷數在汝身謂有圖錄之名，何云列次，義得兩通。」以上三家說，何晏說和僞孔相近，「義得兩通」，鄭玄之說牽涉讖緯，不得兩通。邢昺也引用讖緯，意在調停，故作此說。但邢昺時代究竟不同於隋唐，這時理學家已經萌芽，新的罷斥百家的運動又在醞釀中，於是在《論語正義》中有禁止雜家的反映，《論語・爲政》「攻乎異端斯害也已」的《正義》說：

此章禁人雜學攻治也。異端謂諸子百家之書也，言人若不學正經善道，而治乎異端之書斯則爲害之深也。

幾百年來沒有聽到的聲音於是復聞！魏晉以後，一直到隋唐時代無所謂雜學，如果有的話，可能出在經學的身上，如今又提出正經是善道了，諸子百家全是雜學。雖然他在引用諸子百家，但它們已經是雜學。學有正統，不容異端同歸。這是理學排斥「二氏」的先聲，是學風轉變的號角！

《孟子正義》也是宋人書，舊題孫奭撰，他是邢昺同時人，曾與邢昺等人共同校定：《周禮》、《儀禮》、《公羊》、《穀梁》、《春秋傳》、《孝經》、《論語》、《爾雅義疏》等書。但不云有《孟子正義》。司馬光《涑水紀聞》載奭刪定有《論語》、《孝經》、《爾雅正義》；也不聞有《孟子正義》。《朱子語錄》則謂其純屬僞托，並說本書內容「全不似疏體，不曾解出名物制度，只繞纏趙岐之說。」因之這是一部宋代不著撰人姓氏的書，在名物制度或者是義理發揮上全無可取。（註二八）因爲它全是一些空疏的議論，也談不到折衷南北經學的問題，特點之一就是它還在雜引《老》《莊》以解經，可見這是沒有接受理學影響的書。比如在《孟子・離婁篇・正義》中就曾經連引《老子》和《莊子》，引用《莊子》解釋《孟子》的「君子欲其自得之也」說：

……象罔則無所待矣，唯無所待，故能得其道，是其所謂自得也。

《莊子》的「無所待」當然和《孟子》的「自得」不相干，有此解釋，還足以證明經學上的傳統，南北經學還分別起著作用，這些意見分別被理學家所吸取，雖然他們在極力否認著！

四、小　結

前後約四百年的經學思想，可以孔穎達和邢昺兩人爲代表，孔穎達在總結前人研究的成果上，有了他自己的思想體系，他是一個徘徊於唯心論與心物二元論之間的思想家。他適當地消化了南北經學家的不同見解。在政治思想上他更強烈地反映了統治階級的要求，認爲階級社會的秩序是天道使然，人力不能反抗，但他反對地主階級對於農民的過度剝削，因爲這會損害王室的賦稅來源，勞動人民才是國家的支柱，地主階級對於國家是不承擔義務的，只能和國家爭土地爭人民。

賈公彥、楊士勛等人雖然在學風上和孔穎達相近，全是折衷南北兩派的經學，但有混同而沒有消化，結果涇是涇、渭是渭，並沒有構成自己的洪流。孔穎達後，在經學思想上發揮作用則推宋人邢昺。

理學家在邢昺的工作中吸取了他們認爲有用的成果，雖然理學家們在否認這些，後人是看得清楚的。理學家的興起有其堅固的基礎，但思想上淵源也不能加以忽視。中國經學的發展是曲折的，雖然這始終是封建社會的上層建築，但兩千年來，封建社會本身在變化著，上層建築也自然隨著變化，有時它作爲統治階級的統治思想，而以顯學的姿態出現，有時卻爲別的學派所壓抑，不得發揮作用。理學家起來後，是經學思想上的一個大的發展，從此在儒家的經學上有漢宋之分，而唐宋經學實在是漢宋之學的中間橋樑。

【附註】

註　一　參考蒙文通先生《經學抉原・內學第七》。

註　二　參考同上書《南北學第六》。

註　三　《五經正義》卷數，孔穎達《唐書》本傳作一百八十卷，後來各家著錄各有不同，宋十行本的《十一經正義》中的《五經正義》共爲二百二十三卷。

註　四　阮氏文選樓宋版《十三經》，「一陰一陽之謂道」的《正義》原文有「故以言之爲道」；脈望仙館本作「以理言之爲道」；兩本互校，應以宋刊本是，脈望仙館本屬於淺人添改。

註　五　《魏晉玄學論稿．王弼之周易論語新義》，頁九四。

註　六　《同上．王弼大衍義略釋》頁六七。

註　七　參考《易．說卦．正義》。

註　八　《乾．文言．九三．正義》。

註　九　見《魏晉玄學論稿．王弼大衍義略釋》頁六七。

註一〇　參考《魏晉玄學論稿．王弼大衍義略釋》頁六六。

註一一　《易．復卦．彖．正義》。

註一二　同上。

註一三　《詩．大雅．烝民．正義》。

註一四　參考《易．繫辭上．正義》。

註一五　《禮記正義序》。

註一六　《曲禮上．正義》。

註一七　《左傳》成公六年《正義》。

註一八　同上。

註一九　參考《四庫全書總目》關於本書的提要。

註二〇　《穀梁》莊公三年《正義》。

註二一　《穀梁正義》中有讖緯說。

註二二　參考《四庫全書總目．公羊正義》提要。

註二三　《公羊》隱公元年《正義》。

註二四　《公羊》成公八年《正義》。

註二五　同上。

註二六　參考《宋史・儒林傳》本傳及《四庫全書總目》本書提要。

註二七　見《論語・述而・正義》。

註二八　參考《四庫全書總目》本書提要。

——原載《文史哲》一九五八年五期，頁七——一七。

經史分合與《疑古》《惑經》

代繼華

唐代著名史學家劉知幾著有《史通》一書，在我國歷史上第一次對古代史籍作了全面深入的探討，系統地敘述了歷代史官的建置和史書的編撰。其中《疑古》、《惑經》兩篇，對他認爲是孔子所作的《尙書》、《論語》、《春秋》提出疑惑，顯示出劉知幾大無畏的反傳統精神。爲什麼劉知幾敢於對聖人及其所修經典進行在封建社會中不多見的大膽尖銳的批評？其中緣由很多，但是，他能在初唐「不拘守先儒章句」的有利思想氛圍中，正確地運用經史相分的觀點，衝破尊經抑史思想的束縛，表現出其「疑惑」的積極意義，是值得我們加以注意的。

一、初唐「不拘守先儒章句」的思想傾向

初唐（755年安史之亂前）疆域廣大，在唐王朝直接或間接控制下的一些少數民族處於與漢族的融合之中，整個社會比較開放，這就爲初唐文化打上了綜合和開闊的烙印。在這種客觀條件下，統治階級在一定程度上對各種思想（如佛道、南學與北學、今文經學同古文經學以及「不拘守先儒章句」的傾向等等）採取了較爲寬容的態度。在我國歷史上，唐代「文字獄」最少，就是一明顯的例證。

從思想發展的階段性來看，唐代處於魏晉南北朝時期玄學化儒學向宋代理學轉化的過渡階段。由於思想發展的相對獨立性，決定了一種社會主導思想的形成有一個艱難長期的過程。換言之，就是有一個

從活躍、龐雜到有所取捨和趨於統一的過程。如同從先秦諸子百家到西漢武帝的思想統一那樣，從魏晉玄學到宋代理學也經歷了一個艱難長期的過程。處於思想轉化階段的初唐在思想上面臨繁重的任務，首先要對佛、道、儒三家進行合理的取捨，其次要對繁雜爲患的經學進行清理，這沒有一個較長時期的篩選過程是不行的。當時，佛、道勢力强大，此消彼長的鬥爭激烈。佛道儒三家互相滲透，你中有我，我中有你，呈現錯綜複雜的局面。初唐（乃至整個唐朝）的思想，既不同於西漢的「儒術獨尊」，也有別於魏晉南北朝玄學化的儒學，同時又異於以後「三教歸一」的宋明理學。作爲盛世的初唐沒有出現與之相稱的傑出思想家，這是由唐代處在向理學形成的過渡階段決定的。

初唐，舊的門閥地主勢力逐漸衰頹，統治階級內部一些新的集團、階層在形成和發展中，爲了權力的再分配而開展了激烈的鬥爭。從唐高宗永隆元年（680年）到玄宗開元初，三十年間，就發生了四五次宮廷政變，李唐皇室集團同武后、韋后諸集團進行了生死搏鬥。統治階級內部的升降沈浮，生死貴賤，使人眩目。劇烈的傾軋，使他們放鬆了對思想的控制。作爲封建社會占統治地位的儒家思想，處於潛在力未能得到有效發揮的時候。具體說，就是儒學中調整階級之間與各階級內部關係、傳統倫常關係、「德治」和「仁政」的政治主張等理論顯得粗糙，不夠完備和系統，因此處於統治階級想用但又感到不夠用的尷尬局面。統治階級依據其自身的利害關係，時而抬高佛教或道教的地位，對儒家（除忠孝思想）形成强大的衝擊，儒學未能顯示出其在思想領域中占統治地位的重要性。正是在這種情勢下，初唐有不少人重新估價過去的思想權威，「不拘守先儒章句」就是這種估價的表現之一。

唐高祖在證明滅隋建唐的合理性時說：「堯舜湯武，各因其時，取與異道，皆推其至誠以應天順人，未聞夏商之末，必效唐虞之禪讓。」（《資治通鑑》卷185）唐太宗不相信遠古聖人都是完人，他說：「唐、虞大聖，貴爲天子，不能化其子。」（同上，卷195）張行成贊頌唐太宗，撥隋亂，拯救人民於水深火熱中，其功勞遠遠超過了大禹、商湯，不是這些遠古聖王所能比擬的。（《唐語林》卷一《言語》）爲了使儒家典籍能更好地爲唐朝封建統治階級服務，顏師古說：「周公舊章，猶當擇其可否；宣尼彝則，尚或補其闕漏。」（《舊唐書》卷二十二《禮儀》二）司馬貞也對古史中記載大禹的簡樸持懷疑態度。（《史記・夏本紀》索隱）長安三年（西元703年）「四門博士王玄感，表上《尚書糾謬》十卷，《春秋振滯》二十卷，《禮記繩衍》三十卷。……宏文館學士祝欽明，崇文館學士李憲、趙元亨，成均博士郭山惲，皆專守先儒章句，深譏玄感掎摭舊義。玄感隨方應答，竟不之屈。唯鳳閣舍人魏知古、司封郎中徐堅、左史劉知幾、右史張思敬，雅好異聞，每爲玄感申理其義，由是擢拜太子司議郎。」（《唐會要》卷七十七《論經義》）劉知幾更是大力反對儒者的「章句之學」。他認爲「章句之學」只對儒家經典作大量繁瑣義疏，沒有創見，脫離現實生活，對軍國大事、人生世務無所裨益。他指出：「儒者之學，苟以專精爲主，止於治章句，通訓釋，斯則可矣。至於論大體，舉宏綱，則言罕兼統，理無要害。故使古今凝滯莫得而申焉。」（《史通・申左》，以下所注《史通》均只注篇名）。「儒者之書，博而寡要，得其糟粕，失其菁華。而流俗鄙夫，貴遠賤近，傳茲牴牾，自相欺惑。」（《自敘》）「博而寡要」，實際是繁雜無用的同義語，而「貴遠賤近」，則既不符合客觀歷史實際，又不利於封建統治。劉知幾認爲「儒者之書」盡是「糟粕」，這就從根本上對「章句之學」進行了否定，這種否定在當時有深刻的現實意義。

初唐這種喜歡攻難先儒，「不拘守先儒章句」的思想傾向，爲放開思想來研究問題、打破傳統儒學的一些束縛、活躍學術空氣，創造了有利的條件。這種有利的思想氛圍成爲劉知幾「疑古」、「惑經」的一個重要而直接的思想來源。

二、經史相分是「疑古」、「惑經」的先決條件之一

儘管初唐具有重新估價過去思想權威的有利思想氛圍，但也只有劉知幾敢於直接接觸孔子本人及其經典本身存在的問題，把古史記載不眞實的原因直接追根溯源到孔子那兒，並對此進行尖銳有力的批評。這不僅需要膽識，還需要機智和「有理有節」。劉知幾巧妙地運用了對經史聯繫的認識，以「經史相分」爲理論先導，創作了《疑古》、《惑經》。

經史分合，經指經學，即訓解或闡述儒家經典之學。自漢以來，推尊儒家，儒家經學成爲歷代封建王朝的統治思想，也是封建文化的正統。史，專指記載歷史的書籍。由於經包含有具普遍意義的義理、原則等，因此對封建史書的影響很大。自漢以來，經史分合成爲古代史學的一個重要理論問題，成爲中國封建正統指導思想與史學對立統一的集中表現之一。可以通過史學家對經史關係所作的評斷，集中透視出其進步的或落後的史學傾向。

在封建社會的特定條件下，要對孔子及其經典進行「疑惑」（劉知幾主要是在史學方面進行這項工作的），首先就要把孔子從聖人的地位降爲一個普通的史學家，把《尚書》、《論語》、《春秋》由所謂的經典降爲一般史書對待，而劉知幾的「疑惑」就是通過「經史相分」來實現的。經史相分的重要意義在於爲「疑古」、「惑經」開通了道路，成爲重要的先決條件之一。

劉知幾是怎樣看待經史相分的呢？

我國古代早期學術處於萌芽狀態，學科分類不可能細密。經與史

作爲早期的主要學科自然地在內容方面出現相近或相合。從春秋後期開始，經書就出現了。隨著《春秋》及稍晚一些的《左傳》的完成，史學形成加快。但當時人的認識還無所謂經史分合。經學是在西漢武帝時正式形成的，它主要是封建地主階級對《五經》的議論和闡發。漢代人認爲《五經》都是經過孔子之手而編修的，它們不但對社會生活具有普遍指導意義，而且其中的《詩經》、《尙書》、《春秋》也是歷史著作。《尙書》作爲古代文獻彙編成爲漢代儒家經生宣揚二帝三王文武周公孔子的修身、齊家、治國、平天下的經典。他們還編造出所謂虞夏時代的《堯典》、《皋陶謨》等，與商周時代的書籍配合起來，構成了比較完備的儒家古史系統。《春秋》一書大體上是春秋時代魯國史書的原文，漢代儒生把它看作是孔子通過歷史記載以正君臣上下等級名分的書，並大事穿鑿附會，導致了把後來的修史工作也看作闡發《春秋》意旨的手段。在西漢，史學正式形成，這是以司馬遷《史記》爲標誌的。但是，漢代人對經史關係的認識籠統而模糊。他們把「史」理解爲政治哲學，認爲「史」是「經」的附庸，史書在班固《漢書・藝文志》中就依附於「春秋」類，還未能從經書中完全分離出來。隨著魏晉時期史學的進一步發展，晉代荀勖根據魏鄭默的分類，撰《中經新簿》，史籍獨立爲「丙部」，開始與經分離。東晉李充撰《晉元帝四部書目》，史部升爲「乙部」，從而超過了收錄「諸子」一類書的「子部」地位，由「丙部」升爲「乙部」。《隋書・經籍志》把「經史子集」爲序的四部分類固定下來。

南北朝時期，我國歷史上第一次出現了「史學」一詞，史學具有了擺脫「經學」附庸地位而形成爲一門獨立學科的名稱。從劉宋開始，國家所設置的四種專科（玄、儒、文、史），史即其中之一，當時以著作佐郎何承天立史學，招集和傳授門徒。《晉書》卷104記載：石勒於晉元帝太興二年（西元319年）自立爲趙王，以任播、崔濬爲史學祭酒，專掌有關史學事。「史學」一詞始見於史冊，這表明了史學自身的發展，更證明了在古代學術中，史學已有了其突出的地位和重要性。經史由統一、模糊到分離的過程基本完成。

在這種情況下，劉知幾對經史相分有了明確的認識。他說：「說事者莫辨乎《書》，說理者莫辨乎《春秋》。……既而馬遷《史記》、班固《漢書》，繼聖而作，抑其次也。故世之學者，皆先曰五經，次曰三史，經史之目，於此分焉。」（《史通·敘事》）「昔尼父裁經，義在褒貶，明如日月，持用不刊；而史傳所書，貴乎博錄而已」（《浮詞》）。劉知幾對經史相分的認識自有其用意。他是爲了把所謂經典的《尙書》、《春秋》作爲一般史籍來對待，把聖人當作一般史學家看待而強調經史相分的。這就不同於《隋書·經籍志》按圖書分類而確定的經史分離。他還進一步分析說：「古往今來，質文遞變，諸史之作，不恆其體。権而爲論，其流有六：一曰《尙書》家；二曰《春秋》家。」「《尙書》記周事，終秦穆；《春秋》述魯文，止哀公。」（《六家》）這就十分明確地把二書劃爲史學「六家」之中的兩家，相應地這兩書的作者也就在此範圍內成爲普通史學家了。他又說：「文籍肇創，史有《尙書》，知遠疏通，網羅歷代」（《人物》）。「昔仲尼以睿聖明哲，天縱多能，睹史籍之繁文，懼覽者之不一，刪詩爲三百篇，約史記以修《春秋》。……討論墳典，斷自唐虞，以迄於周。」（《自敘》）這就與漢代儒生爲了證明孔子是無所不在，無所不能的「聖人」，從而借孔子以抬高自己地位，而把《尙書》、《春秋》當作政治哲學的「史」相異了。而劉知幾也可以減少別人的非議，以從容地評說孔子及其經典。他在《史通》中盡量把對孔子以及涉及經典的討論限制在史學範圍。他說「至若鄭玄、王肅，述五經而各異；何休、馬融，論三傳而競爽。欲加商榷，其流實繁。斯則義涉儒家，言非史氏，今並不書於此焉。」（《補注》）他強調對

《春秋》的批駁也是「惟摭其史文，評之於後」（《惑經》）。從其二文的具體批駁內容來看，他也在主要方面堅持了經史相分思想。

在《疑古》篇，他指出《尚書》、《論語》所記之事有十條是虛假的。其中最具批判精神的是對傳習已久的二帝三王禪讓之說的否定（在這裡我們暫且不論此說是否合乎古史禪讓的實際）。他說：「觀近古有奸雄奮發，自號勤王，或廢父而立其子，或黜兄而奉其弟，始則示相推戴，終亦成其篡奪。求諸歷代，往往而有。必以古方今，千載一揆。斯則堯之授舜，其事難明，謂之讓國，徒虛語耳」。他認爲對古代著述（包括經典）不要盲信不疑，因爲古代著述中多有妄測虛增、矛盾謬誤、眞僞相雜、貽誤後學的記載。他得出結論說：「遠古之書，其妄甚矣」。

在《惑經》篇，他認爲《春秋》有「十二未諭」（即使人難以理解和明白的東西）。他說：「夫子之修《春秋》，皆遵彼乖僻，習其訛謬，凡所編次，不加刊改。」「《春秋》記他國之事，必憑來者之辭，來者所言，多非其實。……遂使眞僞莫分，是非相亂」，「巨細不均，繁省失中。」他又說孔子爲尊者諱，爲賢者諱，爲本國諱，是愛憎由己，「厚誣來世」，嚴重損害了歷史的眞相。這就從《春秋》的體例，寫作態度與方法，內容的眞實性等方面進行了大膽尖銳的批評。然後，劉知幾指出：「世人以夫子固天攸縱，將聖多能，便謂所著《春秋》善無不備。而審形者少，隨聲者多，相與雷同，莫之指實」，以致出現了「欲神其事」，「談過其實」的「虛美五」。孔子《春秋》明明用「古史全文」，卻被譽爲有後人不能增删一字的筆削之功；明明勸誡之義相亂，卻被頌爲「善人勸焉，淫人懼焉」；明明書法不直，卻被贊爲會使「亂臣賊子懼」；明明是「推避以求全，依違以免禍」之作，卻被稱許爲不二之作；明明微言大義是當時的作史風尙，偏偏被推崇爲只此一家。這些都是孟子、左丘明、司馬遷和班固的穿鑿附會之論，是不可取的。

通過經史相分，就保護了劉知幾免受「非聖無法」的攻擊，使孔子及其經典在史學範圍內受到大膽尖銳的批評。這表現出劉知幾企圖使史學擺脫經學的束縛，使史學眞正成為於國於人有利，有益於勸誡的思想傾向。這也是一種敢於不畏聖人，追求歷史眞相、追尋眞理、唯善是從的進步史學傾向。

三、經支配史是其對孔子及經典評說矛盾的根源之一

我們不應只看到經史相分、自成一家以及其對「疑古」「惑經」所起的作用，也應看到，在經史分離逐步進行過程中，經學思想、原則（實質是儒家的綱常禮教）作為一種主導思想也日益滲入史學，加強了對史學的控制與支配，從而思想內容方面出現經史由分類中又趨於合一的局面，這個局面日益強化並加速完善。可見，經史分合是一個相互交織進行的過程，分中有合，合中有分。在形式上經史相分得到明確，但史始終居於經之後；在思想內容方面則強調經對史的指導和控制，即合一。班固父子批評司馬遷「大敝傷道」。揚雄把孔子、五經比為日月，諸子百家喻為星辰，強調治學應以孔子、五經為歸宿（《法言》）。劉勰認為史書，「立義選言，宜依經以樹則；勸戒與奪，必附聖以居宗。然後詮評昭整，苛濫不作矣」（《文心雕龍・史傳》）。經史合一在古代史學領域產生了如下的影響：修史目的由「究天人之際，通古今之變，成一家之言」變為單一的唯事褒貶；為君諱、為父諱等在史學中時隱時現；史籍的形式和種類多樣化，而記述內容卻日益單一與貧乏，「列女傳」由記述各類型婦女變為專記忠孝貞烈的「烈女傳」，正史中多「忠臣、逆臣、孝友」等傳；私家修史已被設館修史基本取代，等等。封建史學掉在封建綱常禮教的蛛網上

，越是想擺脫束縛，就越要受到嚴密的控制。經史關係中擺脫與束縛的矛盾反映在劉知幾的認識與史學實踐中，形成了經史相分與經支配史的矛盾，導致了他對孔子及其經典的矛盾評說。

劉知幾認爲經對史有支配作用，他認爲，「經猶日，史猶星」（《敘事》），史學應該服從名教。他又說：「肇有人倫，是稱家國。父父子子，君君臣臣，親疏既辨，等差有別。蓋『子爲父隱，直在其中』，《論語》之順也。略外別內，掩惡揚善，《春秋》之義也。自茲以降，率由舊章，史氏有事涉君親，必言多隱諱，雖直道不足，而名教存焉」（《曲筆》）。「臣子所書，君父是黨，雖事乖正直，而理合名教」（《惑經》）。這就把史學變成爲綱常禮教的附庸，迎合了封建統治階級的需要。因爲爲了鞏固封建統治，必須樹立皇帝在國家、家長在家庭內的絕對統治地位。這樣以忠孝爲核心的名教思想就不允許任何人加以非議。封建政府還以法律形式來加强與鞏固名教的地位。《唐律疏議》就把「謀反」、「謀大逆」、「不孝」等列爲「十惡」（卷一，《名例》一），看作是不能寬恕的罪行，要特別加重處罰。這種因名教思想的需要用法律形式鼓勵隱諱，勢必對史學領域早已存在的「曲筆、諱飾、回護、虛美」等產生推波助瀾的作用，使之公開化。在這種氛圍中，劉知幾也就不可能從思想實質方面對封建思想專制的偶像孔子及其經典作進一步的分析、批判；也就難以將其在史學領域不畏聖人、追求事實眞相、追尋眞理、唯善是從的進步史學傾向堅持到底。在《史通》的不同篇章以至於在同一《惑經》中，對孔子及其經典出現了十分矛盾的評說。

這種矛盾具體表現爲：「直書」對「曲筆」的讓步，實質也就是以犧牲歷史眞實性以屈從名教思想。他說：「愛而知其丑，憎而知其善，善惡必書，斯爲實錄。」「良史以實錄直書爲貴」。從堅持直書，以其爲《史通》中心思想之一，轉爲可以公開曲筆，他說：「臣子所書，君父是黨，雖事乖正直，而理合名教」（《惑經》）。還表現爲，劉知幾有時甚至不顧客觀事實，對孔子及其經典進行「虛美」。從他反對別人對孔子及其經典的「虛美」到他本人進行這種「虛美」，可見這種矛盾的深刻性。他說：「《尙書》者，七經之冠冕，百氏之襟袖。凡學者必先精此書，次覽群籍，譬夫行不由徑，非所聞焉」（《斷限》）。《春秋》是「明如日月，持用不刊」（《浮詞》）。《春秋》、《尙書》「意指深奧，誥訓成義，微顯闡幽，婉而成章，雖殊塗異轍，亦各有差焉。諒以師範億載，規模萬古，爲述者之冠冕，實後來之龜鏡」（《敘事》）。「《春秋左氏》、《古文尙書》，雖暫廢於一朝，終獨高於千載。」（《雜說下》）《尙書》、《春秋》「文約而事豐，此述作之尤美者也」（《敘事》）。「昔夫子修《春秋》，吳楚稱王而仍舊曰子。此則褒貶之大體，爲前修之楷式也。」（《稱謂》）、「《春秋》之義也，以懲惡勸善爲先。」（《忤時》）此類說法，不一而足。與劉知幾運用經史相分來批駁孔子及其經典的錯誤時所表現出來的進步史學傾向形成鮮明對照，可見其落後思想傾向。

對《史通》中存在的這種矛盾，有同志認爲，主要是因爲劉知幾作《史通》經歷了一段較長時間，內篇先已成書，外篇還未定稿。全書修成以後，劉知幾沒有來得及對全書再加以訂正和統一。這種說法也是有道理的。不過筆者淺薄地認爲，即使劉知幾能夠修訂統一全書，從而避免《史通》在文字、篇章與內容上的一些重複和矛盾，但他始終難以擺脫其思想深處存在的經史相分與經支配史的矛盾，也就始終存在其進步史學傾向與落後思想的矛盾，因而也就無法消除《史通》中對孔子及其《尙書》、《春秋》一面尖銳批駁，一面又大加頌揚的矛盾。這種矛盾是文字、結構方面的修訂與統一所無法消除的。經史分合既爲「疑古」、「惑經」開通了道路，又阻礙了其對孔子及其經典更爲深刻和全面的批駁。儘管劉知幾有這種矛盾評說，《疑古》、《惑經》仍然是中國古代思想史、史學史的重要文獻。劉知幾敢於反傳統、勇於探索和創新的精神，時時給後代的思想家、史學家以啓迪和激勵。

——原載《重慶師院學報》一九九一年二期，頁九五——一〇〇。

唐代後期經學的新發展

林慶彰

如就唐代經學的發展來說，前期爲注疏之學的時代，後期爲逐漸脫離注疏學束縛的新經學時代。其分界線應該是代宗大曆年間（766—779年）。本文所指的「唐代後期」，即指代宗大曆年間，至唐滅亡（906年）約一百四十年間。

要了解這一時期經學發展的面貌，直覺地聯想應該是看坊間流傳的經學史書。皮錫瑞的《經學歷史》，僅述及陸淳、陳商兩人的成就；馬宗霍的《中國經學史》，有關晚唐的論述較多，述及李鼎祚的《周易集解》，王玄感等人著書與《正義》立異，和陸淳、陳岳等人對《春秋》學的貢獻；本田成之的《中國經學史》，特別注意到劉知幾、韓愈、李翺等人與經學發展的關係。新出版的李威熊先生的《中國經學發展史論》，第六章《隋唐經籍及義疏之學》，僅對此一階段所留下來的經書略作考訂。研究唐代經學的著作，如簡博賢先生的《今存唐代經學遺籍考》，是現存唐代經籍的提要；汪惠敏的《唐代經學思想變遷之趨勢》，內容架構和李威熊先生之書相近。章群的《啖趙陸三家春秋說》，對啖助、趙匡、陸淳（質）的《春秋》學則有較詳盡的論述。

以上各專書和論文，雖各有其立意和見解，但對下列幾個問題，並未作有效的處理：

1.由注疏之學演變爲新經學的原因如何？

2.這一階段經學研究的共同傾向如何？

3.在各經中，何以《春秋》學最爲發達？

4.當時的《春秋》學著作，頗多尊王之論，何以如此？

5.這一階段的經學傾向，對宋代經學有何影響？

以上所舉，是研究唐代晚期經學發展遲早都應解決的問題。本文對各經學史論著已述及的問題，不再重複，對上述問題的解答，也僅是粗淺之見而已。

唐初的學術，就儒學來說，是孔穎達注疏之學的時代。注疏之學不但總結了南北朝的義疏之學，更作爲每年國家考試的範本。如果對注疏的體例詳加檢視，可以發現是一種疊床架屋式的注解，此種注解可以稱之爲「煩瑣經學」，如就佛學來說，天臺宗的智顗，講《妙法蓮華經》的「妙」字即講了九十天，講了三十種妙。他爲《妙法蓮華經》所作的「法華玄義」、「法華文句」，更是一個豐富的概念寶庫。華嚴宗法藏所建立的「十玄門」；唯識宗玄奘的「唯識論」，也都令凡夫俗子感到迷惑，再就文學來說，綺靡縟麗的駢文，也一直束縛作者的創作心靈。綜合來說，不論經學、佛學和文學等，都拘限在傳統的典範中，難有突破性的發展。

唐中葉以後，由於政治局勢丕變，整個社會、經濟有較新的刺激。同時，整個學術也有嶄新的發展。經書的注疏之學，已無法限制日漸增多的「異說」；佛學的禪宗異軍突起，提出「教外別傳，不立文字」，對天臺、華嚴、唯識三宗的經教權威，作無情的挑戰。文學的駢文，經陳子昂、蕭穎士、獨孤及、柳冕、韓愈、柳宗元等人的批評，影響力逐漸衰退，他們所提倡的「古文運動」也日漸壯大。

純就經學來說，注疏之學代表漢至唐近千年間學者代代相承的傳統，它們對經學的作者、篇章順序、經文字句、經義解釋等，都有一公認的標準，所以漢晉人的注，唐人也以「疏不破注」來維護它。但是，一進入唐代後期，這些公認的標準，都不標準了，有懷疑經書作者的、更動經書篇章的、篡改經中文字的、懷疑經中史事的正確性的、補經書篇章闕佚的、……等等，不一而足。茲就上舉數事，略加申述。

㈠**懷疑經書的作者**：以前學者以爲《詩序》爲子夏所作，成伯璵《毛詩指說》，認爲非子夏所作。韓愈也說：「子夏不序《詩》有三焉，知不及，一也；暴揚中冓之私，《春秋》所不道，二也；諸侯猶世，不敢以云，三也。」（楊慎《經說》引）可見韓愈也以《詩序》非子夏所作。啖助、趙匡以爲《左傳》非左丘明所作（陸淳《春秋集傳纂例》卷一）。《論語》一書，前人以爲孔子弟子所記，柳宗元則說：

> 或問曰：「儒者稱《論語》孔子弟子所記，信乎？」曰：「未然也。孔子弟子，曾參最少，少孔子四十六歲，曾子老而死，是書記曾子之死，則去孔子也遠矣。曾子之死，孔子弟子略無存者矣。吾意曾子弟子之爲之也。何哉？且是書載弟子必以字，獨曾子、有子不然。由是言之，弟子之號之也。」「然則有子何以稱子？」曰：「孔子之歿也，諸弟子以有子爲似夫子，立而師之，其後不能對諸子之問，乃叱避而退，則固嘗有師之號矣。今所記獨曾子最後死。余是以知之。蓋樂正子春、子思之徒與爲之爾。」或曰：「孔子弟子嘗雜記其言」，「然則卒成其書者，曾氏之徒也。」（《柳宗元集・論語辯上篇》）

柳氏以爲《論語》是曾子之徒所記，打破漢代以來的成說。

㈡**更動經書的篇章**：自盛唐開始，更動經書篇章的事，已略有所見，如唐玄宗刊定《禮記月令》一卷，命李林甫、陳希烈、徐安貞等人注解，將《月令》在《禮記》一書中的篇第，由第五改爲第一。由朝廷刊定的書，已依己意更動篇次，其他學者效法也是很自然的事。晚唐宣宗大中年間（846—859），有《毛詩》博士沈進新添《毛詩》

四篇，沈氏所進的表說：

> 關雎，后妃之德，不可爲《三百篇》之首，蓋先儒編次不當耳，今別撰二篇爲堯、舜詩，取虞人之箴爲禹詩，取《大雅・文王》之篇爲文王詩，請以此四詩置關雎之前，所以先帝王而后妃，尊卑之義也。（丘光庭《兼明書》卷三引）

當時朝廷對沈氏的作法曾表贊許。

㈢**更改經書文字**：盛唐玄宗時，曾將《尚書・洪範篇》「無偏無頗」改爲「無偏無陂」。到了韓愈作《論語筆解》，更動經文的地方不少，如《公冶長篇》「宰予晝寢」，以爲「晝」字當爲「畫」字之誤；《述而篇》「子所雅言」，當作「雅音」；《先進篇》「子畏於匡，顏淵後，子曰：吾以女爲死矣！」以爲「死」字當作「先」；《先進篇》「浴乎沂，風乎舞雩。」以爲「浴」當作「沿」。

㈣**懷疑經中史事的正確性**：中唐時，劉知幾《史通・疑古篇》，曾對《尚書》所記史事，提出十點疑問。《惑經篇》對《春秋》之義，更提出了十二點疑問，指出其虛妄者有五端。到了晚唐，司空圖有《疑經》一文，論《春秋》「天王使來求金」，以爲傳聞之誤，非聖人之文。他說：

> 經曰：「天王使來求金。」又曰：「求車。」豈天王之使私有求於魯耶！不然，傳聞之誤耳。若諸侯之使來求金，則謂之求，可矣。若致天子之命，徵於諸侯，其可謂之求耶？且率土之人，與其貨殖，皆一人之所有，父之財守於其子，則用否，莫不恭命，其可謂之求乎？《春秋》之旨，尊君卑臣，豈聖人爲魯不爲周耶？《書》云：「天王狩於河陽」，尚爲晉侯諱召天子，豈不爲周諱其過哉！縱天王制用失節，多取於諸侯，如欲垂誡，即書於周史，可矣，若書於諸侯之史，是悔慢其貨而侮王命也。（《司空表聖文集》，卷三，頁一四下。《四部叢刊

初編縮本》）

司空氏以爲天王不應向諸侯求金，所以《春秋》之記載爲傳聞之誤。

㈤**補經書篇章的闕佚**：補經書之闕佚，六朝時代已有學者爲之，如鄭僖補《白華詩》，荀勗有《擬詩》，束皙有《補亡詩》，潘岳也有《補亡詩》。唐中葉以後，此類補闕拾遺的事，更所在多有，如：⑴白居易爲《尚書》補《湯征》；⑵陳黯補《禹誥》；⑶丘光庭爲《詩經》補《新宮》《茅鴟》；⑷皮日休爲《周禮》補《九夏歌》……等都是。經書所以要補，是因經文有闕脫。經文既有闕脫，其權威性和可靠性自要受到懷疑。可見漢、唐注疏傳統下的規範，已有逐漸受到衝擊而崩潰的趨勢。

再就個別的經書來說，以《春秋》的研究最受注意。唐中葉以前，都只重視三傳的研究，經的重要性反而忽略了。中葉以後，政治情勢丕變，中央政府的威權逐漸凌夷，地方藩鎮的勢力則日趨高漲。爲重振綱紀，不得不尊王。學者深覺研究三傳不足以濟急，所以在比較三傳異同之後，進而揣摩孔子作《春秋》之本義實爲「正名」，亦即君君、臣臣、父父、子子。此種觀念，在當時經學家中時時表露出來，如陸淳議太公之祀一事，即可知其一二。

歷代奉祀孔子，都僅立廟於孔子所生之地，或立於學校之中，以爲先聖、先師而祭之。唐高祖武德二年（619年），才令有司在國子學立周公、孔子廟。太宗貞觀四年（630年），又令州、縣學皆建孔子廟，以十哲配享，而畫七十二子之圖像於廟壁。此點已是非禮。開元十九年（731年），又立太公尙父廟，以張良配享。中春、中秋上戊日祭祀之。二十七年（739年）謚孔子爲文宣王。肅宗上元元年（760年）封太公爲武成王。牲禮和樂制一如文宣王，仍以古名將十人爲十哲而配享。建中三年（782年），更詔史館考定可配享的名將六十四人。繪以圖像，此點更加非禮。貞元四年（788年），兵部侍郎請革除祭禮，陸淳說：

> 武成王，殷臣也，紂暴不諫，而佐周傾之。失學道者師其人，使天下之人，入是廟，登是堂，稽其人，思其道，則立節死義之士，安所奮乎？聖人宗堯、舜，賢夷、齊，不法桓、文，不贊伊尹。殆謂此也。《新唐書・禮樂志》

可見陸氏有意提倡君君、臣臣的君臣之義。姜尚父不能助紂平亂，反幫助周朝傾覆本國，實有失人臣之義，根本不可享有奉祀之禮。此種尊君卑臣的觀點，陸氏的著作，如：《春秋集傳纂例》、《春秋微旨》等，都可看到。唐末孫郃著《春秋無賢臣論》曾說：

> 諸侯不知有王，其臣不能正君，以尊王室，此孟子所以卑管、晏也。（《經義考》，卷一七七，頁六引）

孫氏作此文時，正是朱溫篡唐，其有微言大義，自不待言。

除此種尊君思想外，由於佛教勢力的威脅，學者亟思從傳統學術中，找出可以融會儒、佛，又可以超越佛教威脅的經典。此點李翺的《復性書》三篇，表達了這種訊息。《復性書・上篇》以爲性爲聖人的基礎，情爲「惑其性」或使「性不能充」的根本障礙；並引《中庸》以發揮他的思想。又引《易傳》：「夫聖人者，與天地合其德，日月合其明，四時合其序，鬼神合其吉凶。」以描述聖人的境界。至於《中庸》所引子思的話：「唯天下至誠爲能盡其性；能盡其性，則能盡人之性；能盡人之性，則能盡物之性。……」則在證明至誠的妙用。《復性書・中篇》，曾引《大學》，並加以申論說：

> 曰：「敢問致知在格物，何謂也？」曰：「物者萬物也。格者來也，至也。物至之時，其心昭昭然明辨焉，而不應於物者，是致知也，是知之至也。知至故意誠，意誠故心正。……」

李氏以「不應於物」來解釋「致知」，當然不是《大學》的本意，從這點也可證明，晚唐以意說經的風氣已相當普遍。《復性書・下》說

：

> 天地之間，萬物生焉，人之於萬物，一也。其所以異於禽獸蟲魚者，豈非道德之性乎哉！

這裡以道德之性是人所以異於禽獸蟲魚的特質，自是受《孟子》「人之所以異於禽獸者幾希，庶民去之，君子存之。」這一觀念的影響。由此可知，李翺已有提倡《大學》、《中庸》、《易傳》、《孟子》的傾向。韓愈作《原道》，除提出「道統論」是受《孟子》的的影響外，對《大學》的誠心、正意之學也一再致意，他說：

> 傳曰：「古之欲明明德於天下者，先治其國，欲治其國者，先齊其家，欲齊其家者，先修其身，欲修其身者，先正其心，欲正其心者，先誠其意，然則古之所謂正心而誠意者，將以有為也。今也欲治其心，而外天下國家，滅其天常，子焉而不父其父，臣焉而不君其君，民焉而不事其事。（《韓昌黎集》卷十一）

韓氏之言，實因佛氏而發，然當時君權凌夷，「子焉而不父其父，臣焉而不君其君」，更是他著意强調的所在。

就前文所論，唐代後期的經學，表現了下列數種傾向：其一，逐漸拋脫注疏學的典範，以己意說經，時人視為「異儒」或「異說」。其所以異，並非標新立異，炫己揚才，而是想探求聖人思想的本意，此點可稱為一種「回歸原典的運動」。其二，對漢人傳承下來的經書，開始懷疑其作者的可靠性，篇章順序不合聖人本旨，經中字句有脫誤、經中史事不正確，進而對經書中闕佚的部分加以彌補，並視漢儒為「迂儒」。此點可說是宋代反漢學，疑經改經的先導。其三，由於藩鎮勢力强大，中央政府羸弱，導致亡國。所以當時研究《春秋》的學者都强調君臣之義，宋代以後，如：孫復的《春秋尊王發微》、朱長文的《春秋通旨》、馮正符的《春秋得法忘例》、葉夢得的《春秋考》、崔子方的《春秋本例》、蕭楚的《春秋辨疑》、劉敞的《春秋意林》等，都是承襲了啖助、趙匡、陸淳一系的思想。其四，自李翺、韓愈表彰《中庸》、《大學》、《易傳》、《論語》、《孟子》等書，以建構本土化的心性論，並以《大學》的「八德目」來強調內聖外王，經世致用的重要性，以彰顯佛教捨離世界的不合理，入宋以後，程頤表彰《大學》、《中庸》，朱子更將之與《論語》、《孟子》合稱爲《四書》，則宋代理學立論所根據的基本典籍和論點，晚唐的韓愈、李翺等人，皆已先提出矣。

梁啓超的話，最能說明唐代後期經學研究，與宋人經學的關係，他說：

> 漢人解經，注重訓詁名物；宋人解經，專講義理。這兩派截然不同。啖、趙等在中間，正好作一樞紐，一方面把那種沿襲的解經方法，推翻了去；一方面把後來那種獨斷的解經方法，開發出來。啖、趙等傳授上與宋人無大關係，但見解上很有關係，承先啓後，他們功勞，亦自不可埋沒啊！（《儒家哲學》，頁三六。臺灣中華書局）

梁氏專就啖助、趙匡、陸淳三人立論。其實，不止他們三人，凡是在當時被視爲「異儒」的，都有這種承先啓後的功勞。

——原載《東吳文史學報》第八期（一九九〇年三月），頁一五九——一六三。

論啖助學派

劉　乾

一

啖助學派，是唐代中葉研究《春秋》的一個學派，形成這個學派的主要人物，是啖助、趙匡和陸質。

啖助，《新唐書》卷200有傳，趙匡傳也附見，而啖、趙事跡及著述經過，最早見於陸質（初名淳）所整理的《春秋集傳纂例》卷一《修傳始末記》·記云：

> 啖先生，諱助，字淑佐，關中人也。聰悟簡淡，博通深識。天寶末，客於江東，因中原難興，遂不還歸。以文學入仕，爲台州臨海尉，復爲潤州丹陽主簿。秩滿，因家焉。陋巷狹居，晏如也。始以上元辛丑歲，集三傳，釋《春秋》；至大歷庚戌歲而畢。趙子時官于宣歙之使府，因往還浙中，途過丹陽，乃詣室而訪之。深話經意，事多響合，期返駕之日，當更討論。嗚呼，仁不必壽，是歲，先生即世，時年四十有七。是冬也，趙子隨使府遷於浙東，淳痛師學之不彰，乃與先生之子異，躬自繕寫，共載以詣趙子。趙子因損益焉，淳隨而纂會之，至大歷乙卯歲而書成，趙子名匡，字伯循，天水人也。暨淮南節度使御史大夫陳公之領宣歙時，始召用。累隨鎭遷拜，後爲殿中侍御史、淮南節度判官。淳，字伯冲，吳人也。世以儒學著。時又爲陳公薦，詔授太常寺奉禮郎。（註一）

啖助的經歷，就是這樣簡單，終於丹陽主簿。趙匡，是陳少游的幕僚，官終洋州刺史（見《新・傳》）。啖助是天寶末年至江東的，接著就爆發了「安史之亂」，這個「安史之亂」，對啖助的學說，是有直接影響的。「安史之亂」的第六年，也就是唐肅宗上元二年辛丑歲（761）的正月——再加上上年末——在浙東西又鬧了一場「劉展之變」。就在這年，啖助開始了對《春秋》三傳的論著；他的弟子陸淳，也就在這時從學。經過十年，至唐代宗大歷五年庚戌歲（770）而書成。這時，「安史之亂」早已平息，而新的藩鎭割據的形勢也已形成。就在這年，啖助與趙匡定交。也就在這年，啖助逝世，享年四十七歲。上推他的生年，就應該是唐玄宗開元十二年甲子（724）了。啖助死後，陸淳同啖助的兒子啖異，擕啖助著述請教趙匡，然後由陸淳會總編纂。又經五年，到大歷十年乙卯歲（775）成書，即現在我們尚能看到的《春秋集傳纂例》十卷。另外陸淳還有《春秋微旨》三卷、《春秋辨疑》七卷，皆闡述啖氏之學，啖氏《春秋》之說，始爲世知。使啖氏學說充實發揮者爲趙匡，對啖、趙之學整理推廣者爲陸淳。於是一個學派便建立了。

但是，學派初立，影響尙不算大，只是陸淳由此出名，受陳少游聘，爲淮南從事了。直到唐德宗、唐順宗間，陸淳受知於韋執誼，改名陸質，參與了二王劉柳的革新活動，（註二）該派學說方被革新派人物所尊崇，這才對當時的政治及人的思想產生了巨大的影響；對後世的學術發展，也起到了不可磨滅的作用。

二

《春秋》一經，傳者五家，「鄒氏無師，夾氏有錄無書」，（註三）所見者只《公羊》、《穀梁》和《左氏》三家。《公羊傳》、《穀梁傳》，屬於西漢今文學；《左氏傳》，則屬於西漢末至東漢的古文學。三家各有師承，各守門戶，壁壘森嚴。就是有自己解釋不通的地方，寧肯說經文有缺漏，也不肯承認傳文有失誤。因註迷經，因疏迷註。至晉杜預撰《春秋經傳集解》，雖曰「集解」，而實專以左氏爲主，並仍然沿襲「棄經信傳」之舊習，以本來不解經的《左傳》，取代了《春秋》的經文，而唐初詔孔穎達撰《五經正義》，其中的《春秋正義》，卻一本杜預。只尊《左氏》一家，而置《公羊》、《穀梁》於中經、小經之列。遂使學者只知有《左氏》，而不知有《公》、《穀》，只知有《左傳》之文采，而不知有《春秋》之經義。這就是啖助學派所處的經學發展的歷史階段。再加之中唐時代的政治影響，這一學派遂又復興了《春秋》的微言大義，使《春秋》之學進入了一個新的歷史時期。

唐定天下，遂即興儒學、重文士，這是對的。天下可以馬上得之，不能馬上治之，這是歷代統治者的共同經驗。但卻用國家政令，規定解經只尊一傳，不許違背，欲驅學術思想於一轍，不能求同存異，卻是不智的。所以孔氏《正義》未成，即遭到博士馬嘉運的反對，認爲「繁釀」，而「掎摭其疵」，「駁正其失，至相譏詆」；而「當世諸儒服其（馬嘉運）精。」（註四）更有意思的是，就在孔穎達奉詔撰《春秋正義》的寫作班子裡，還有一個不信傳的楊士勛。《新唐書·藝文志》在《春秋正義》三十六卷下注云：「孔穎達、楊士勛、朱長才奉詔撰。馬嘉運、王德韶、蘇德融與隋德素複審。」楊士勛雖參加了《春秋正義》的撰述，卻另撰有《穀梁疏》十二卷，（註五）是以東晉范寧的《穀梁集解》爲依據的；而范寧的《穀梁集解》，是第一家以疏駁傳的著作，對《春秋》三傳，皆加貶責。他說：「《左氏》豔而富，其失也巫；《穀梁》清而婉，其失也短；《公羊》辨而裁，其失也俗。」再往前說，東漢的鄭玄，治《左氏》也兼採《公》、《穀》之說，以爲「《左氏》善於禮，《公羊》善於讖，《穀梁》善於經」。（註六）但他們還仍然是專主一家，間或以另二家之說以爲補充。並且這些隔代相望的個別學者，在「棄經信傳」、門戶森嚴的學海中，猶如零丁的孤島，當然未能成爲一派，但他們卻是啖助這個學派的不可忽視的濫觴。只有啖派的興起，在杜預、孔穎達以《左傳》代《春秋》的壟斷時期，一幟獨樹，力挽狂瀾，合三傳爲一書，兼採眾長，推明《春秋》褒貶之例，以爲政治服務，影響後世千年之久，其作用可謂不小。

啖助這個學派的貢獻，主要有以下幾點：

㈠以經義爲主，不以傳害經，義以時立，學術爲政治服務

《孟子・滕文公下》云：「世衰道微，邪說暴行有作。臣弑其君者有之，子弑其父者有之。孔子懼，作《春秋》。」《離婁下》又云：「王者之迹熄而《詩》亡，《詩》亡然後《春秋》作。晉之《乘》，楚之《檮杌》，魯之《春秋》一也。其事則齊桓、晉文，其文則史，孔子曰，『其義則丘竊取之矣』。」可見孔子作《春秋》，是因爲周道衰微，爲了匡時救世的，托之空言，不如見諸行事，所以摘取魯《春秋》史事以加褒貶。「其義則丘竊取之」，可見其「微言大義」，不是史書《春秋》上所有的，是孔子的政治見解。這些主張，都是針對當時情況而發的，如果只呆看他當時的義例，而不考慮他所以作《春秋》的指導思想，勢必死抱教條，成了一種空疏的純學術的東西。清代有個朱鶴齡，他撰有《左氏春秋集說》，他對孔子作《春秋》的實質精神，卻是深有領會的。他在書的《序》中說：孔子的作《春秋》，是「志以義明，義以時立」。什麼「志」？即尊王賤霸，內中國而外夷狄。什麼是「義」？即褒善貶惡。尊、賤、內、外，是從褒什麼，貶什麼上表現出來的。而所褒貶的所謂「善」，所謂「惡」，卻是因時因世而定的。朱氏舉例說：「春秋之始，諸侯驟强，則絀諸侯以扶天子；春秋之中，大夫專政，則絀大夫以扶諸侯；春秋之季，陪臣亂國，則又絀陪臣以扶大夫。」「一筆一削，蓋皆隨世變而爲之權，世變異，則書法亦異。」這才是《春秋》筆法的眞詮。而朱氏的《春秋》學，正是啖助一派。他不但在書《序》中提到參考了啖、趙之論；而且還在《凡例》中特別聲明：「三傳之後，啖叔佐、趙伯循、陸伯沖三家，可謂通經。所輯《辨疑》、《纂例》，條理秩然，今多引其說。」可見朱氏對《春秋》的理解，是來自啖、趙的，所以我們首先應該看到啖派的因時立義及其影響。

啖、趙究竟是怎樣詮釋《春秋》宗恉，爲政恉服務的呢？

啖助所言《春秋》宗恉，與三傳都不完全相同。他的看法是：「救時之弊，革禮之。」何以言之？古人云：「夏政忠，忠之弊野、殷人承之以敬；敬之弊鬼，周人承之以文；文之弊僿，救僿莫若以忠。復當從夏政。」蓋東周以後，王綱廢絕，人倫大壞。孔子以爲「虞夏之道，寡怨於民；殷周之道，不勝其弊」；唐虞淳化不可及，而「夏之忠道，當變而致焉」。所以孔子作《春秋》，乃「以權輔正，以誠斷禮，正以忠道，原情爲本，不拘浮名，不尙狷介，從宜救亂，因時黜陟，或貴『非禮勿動』，或貴『貞而不諒』，進退抑揚，去華居實，故曰救周之弊，革禮之薄也」。（註七）

這些話的意思是：周的禮樂法度（文），過於繁瑣（僿），已流爲形式，徒具虛文；例行公式的人，並無誠意。所以要拋棄形式，提倡內心的忠誠。即所謂「以誠斷禮，正以忠道，原情爲本」。這才是行止的最高準則。既然要打破舊形式，所以又主張「以權輔正」，「從宜救亂，因時黜陟」。這裡繼承了董仲舒「序經事而知其宜，遭變事而知其權」的說法。（註八）因爲這是極重要的，這樣理解《春秋》大義，才是「釋先王之成法，而法其所以爲法」，（註九）才能根據自己的時代，提出針對性的說教。這樣也就起到《春秋》爲後王立法的作用。「不拘浮名，不尙狷介」，就是不要爲空洞的是非原則而糾纏，惟以匡時救亂的需要爲念。「非禮勿動」，不同流合污，保持自身的純潔高尙，當然很好；但不必過於矜持，遇事迂執不化，所以又貴在「貞而不諒」。這些主張，不也是安史亂後的中唐社會所需要的嗎？

但啖助「變周從夏」的提法，還有點狹隘，既爲後王立法，就不一定要從夏了。所以趙匡加以損益時，便發揮董仲舒「禮禁未然之前，法施已然之後」（註一〇）的說法來解釋道：周朝的禮樂典則，本來是用以防亂的，幽、厲不能守，以致亂成，再靠原來的典禮，已不能治理了；故聖人不作禮樂，而修《春秋》。譬如一個人，周之禮樂乃養生之法，用來防病的；要是已經有了病了，養生之法就不管用了，就必須用針藥了。「故《春秋》者，亦世之針藥也」。對什麼病就下什麼藥，固定不得。所以趙匡也指出兩條義例：「興常典也，著權制也。」「凡郊廟、喪紀、朝聘、蒐狩、昏取，皆違禮則譏之，是興常典也。」「非常之事，典禮所不及，則裁之聖心，以定褒貶，所以窮精理也。」這和啖氏的「以權輔正」、「從宜救亂」同樣重要。其實，不管是啖氏的變周從夏，還是趙氏的藥石針貶，說穿了都是要拯唐代之已衰，企圖恢復其初盛期的黃金時代。

啖、趙爲了借《春秋》的大義爲唐代立法，對三傳的取捨，主要圍繞一個「教」字。啖派的以經爲主，就是爲了打破三傳的束縛，再通過解經而爲當代說教。凡三傳「繁碎委巷之談，調戲浮侈之言」，一言以蔽之，凡「其辭理害教」者，「皆不錄」，如《左氏》「說事跡，雖與經相符，而無益於教者，則不錄」；但翻過來說，即是「無經之傳，其有因會盟、戰伐等事而說忠臣義士，及有讜言嘉謀與經相接者，即略取其要」。他們這樣作，不但爲唐代的現實服務，而且也正符合孔子以《春秋》來進行政治說教、爲後王立法的本意。（註一一）

比如，爲了「尊王」，反對諸侯的割據，原來《左傳》序吳、越之君皆稱王，而啖氏認爲「此乃本國臣民之僞號，不可施於正傳，故皆改爲吳子、楚子」。《左傳》序楚縣大夫皆稱公，啖氏也以爲「乃僭僞之辭，皆刊正之」。何休注《公羊傳》，以爲夫子作《春秋》，將以「黜周王魯」。啖助大加痛斥，認爲「周德雖衰，天命未改」，孔子正因爲「傷主威不行」，才黜抑諸侯，獨尊大王。如以「黜周王魯」爲《春秋》宗指，實爲「悖禮誣聖，反經毀傳，訓人以逆，罪莫大焉」！（註一二）因爲左氏和公羊的這些論點，對安史亂後的唐朝來說，當然是十分不適宜的。原來對桓文之霸，盟會侵伐，三傳皆無義說，趙氏針對唐代的藩鎮跋扈，皆加責貶。試看《纂例・盟會例》趙匡云：「王綱壞，則諸侯恣而仇黨行，故干戈以敵仇，盟誓以固黨，天下行之，遂爲常焉。若王政舉，則諸侯莫敢相害，盟何爲焉？賢君立，則信著而義達，盟可息焉。觀春秋之盟，有以見政不行而天下無賢侯也。」並且他有考證，證明凡盟誓皆出於季世。至於侵伐，本來什麼叫「侵」，什麼叫「伐」，三傳皆各有定義，趙匡一概不取，認爲孔子是持完全否定態度的，即「春秋無義戰」。《纂例・用兵例》趙匡說：「《春秋》紀兵曷無曲直之辭與？曰，兵者，殘殺之道，滅亡之由也，故王者制之。王政既替，諸侯專恣，於是仇黨構而戰爭興矣。爲利爲怨，王度滅矣，故《春秋》紀師無曲直之異，一其罪也。」並且還講了「一其罪也」的理由：「不一之，則禍亂之門闢矣」，就是說，一分曲直，諸侯便可以己爲直，以仇爲曲，借口興師，攻伐無已了。甚至他對諸侯的擴軍也是反對的。這都是趙匡對皇帝的謀畫，對「諸侯」的防範，用心良深。又如春秋朝聘之事，啖、趙認爲也當在禁止之例。諸侯相見曰朝，使使致問曰聘。這是《周禮》上明文規定的合法行動。但朝聘的內容，應當只像《穀梁傳》所說的，「天子無事，諸侯相朝」，「考禮修德，以尊天子也」。或者有婚姻之好，疆場之理，天子也不絕其往來。但趙匡認爲，到了春秋時代，「諸侯不事天子，自以强弱相制，無考禮修德之事」，而是「多自於黨仇矣」！這是《春秋》所不允許的。尤其是「天子在上，而諸侯自相請師，非禮也」。所以《公羊傳》只說「諸侯來曰朝」，「大夫來曰聘」趙匡就批評說：「諸侯以他事來者多矣，不可悉云朝」，「大夫以他事來者多矣，不可悉云聘」。特別强調了「來」和「朝」、「聘」的區分。這也是唐中葉藩鎮相互勾結，不尊朝命，使唐中央尾大不掉所需要的「筆法」吧。至於天子使使聘諸侯，《周禮》也有明文：「天子時聘，以結諸侯之好。」但《公羊》、《穀梁》皆否定這事，而啖、趙又批《公》、《穀》之誤。趙匡說：「王政行也，天子使使聘於諸侯，所以洽恩惠，考政典；春秋之聘，通好命耳。」諸侯不受命，是諸侯的不是，作天子的怎能放棄領導權呢？主動宣撫詔命，還是必須的。（註一三）

啖、趙的「尊王」是實事求是的，並不爲尊者諱。公羊曰：「《春秋》爲賢者諱，爲尊者諱。」《穀梁》曰：「爲尊者諱恥，爲親者諱疾，爲賢者諱過。」啖、趙不同意這些說法，如這樣，《春秋》還算什麼「直筆」呢？所謂諱，只是「避其名而遜其辭」，不是隱瞞其事。比如對一般人的過惡恥辱，不妨正言直說，對所尊所敬，便要婉順言之，但總還是要說的。這也是人之常情。（註一四）如《春秋》稱周天子爲天王，以示獨尊無二，但有不加天字的三處。魯桓公弑其兄隱公，不但周桓王不討之，後來周莊王反令榮叔賜命褒德，自瀆威令而寵篡弑，故經文不稱天王。就是其一。又，魯僖公二十四年，周襄王出奔於鄭，是因爲其母之弟招狄人構亂，襄王不能制，遂出奔於鄭，所以書「出」，是責周襄王不能守國制亂，自棄天下，雖居鄭，未出周之國土，則如出四海之外矣。（註一五）這些地方，用不書「天王」和書「出」來表示周王的過失，辭雖隱曲，而不掩其事實。啖、趙特立一《名位例》來發明這種「筆法」，在安史之亂，玄宗出奔蜀之後，肅宗死於李輔國，開唐代宦官脅制皇帝之端，其意義就較爲顯著。

以上所舉，對啖派的解經說教，已可窺豹一斑。程頤稱其「絕出諸家，有攘異端正途之功」。吳澄曰：「唐啖助、趙匡、陸淳三子，始能信經駁傳，以聖人書法纂而爲例，得其義者十七八。自漢以來，未聞或之先也。」（註一六）這些評語，都不是無因的。

㈡始用比較研究法，打破門戶之見，變專門爲通學

過去傳《春秋》者，各傳一家，自稱絕學，彼此勢如水火。實際上是各自畫地爲牢，故步自封。門戶不嚴的雖也有主治一傳，間採他二家的，如鄭玄等；但眞正作到三者互相比較，認眞分析，「考三家得失，彌縫漏闕」的，（註一七）還是始於啖助。這種研究方法，就是今天來說，也是先進的。正因爲運用了這種先進的方法，才便於得出多異先儒，絕出諸家的高見。

比如《纂例》中的《三傳得失議》有云：《左氏》「博採諸家，敘事尤備。能令百代之下，頗見本末，因以求意，經文可知」；「故比餘傳，其功最高」。但「敘事雖多，釋意殊少，是非交錯，混然難證」。而「《公羊》、《穀梁》，初亦口授，後人據其大義，散配經文，故多乖謬，失其綱統。然其大指亦是子夏所傳，故二傳傳經，密於《左氏》。《穀梁》意深，《公羊》辭辨，隨文解釋，往往鉤深；但以守文堅滯，泥難不通，比附日月，曲生條例，義有不合，亦復強通，踳駁不倫，或至矛盾，不近聖人夷曠之體也」。這一段話，有很精闢的見解：就記事言，肯定《左氏》之博而非其雜；就解經言，肯定《公》、《穀》之密而糾其謬。《公》、《穀》相比，而又以《穀梁》爲密。《左氏》既不傳經，其義不可據；《公》、《穀》雖傳經，而後人散配經文，亦多乖謬。這種有肯定有否定的具體分析，即使

不能說完全正確，總也不失爲一種有影響的卓見；他所舉出的不少有力的例證，時至今日也不能完全否定，所以後世學者皆遵其說。例如宋代的葉夢得曰：「《左氏》傳事不傳義，是以詳於史而事未必實；《公羊》、《穀梁》傳義不傳事，是以詳於經而義未必當。」胡安國曰：「事莫備於《左氏》，例莫明於《公羊》，義莫精於《穀梁》。」直到清末，今文學家皮錫瑞也說：「《春秋》重義不重事。治《春秋》者，當先求《公》、《穀》之義，而以《左氏》之事證之，乃可互相發明，不至妄生疑難。」但是，「引左氏之事，以證《春秋》之義可也，據《左氏》之義，以爲《春秋》之義則不可也」。（註一八）闡述、發揮皆不離啖、趙蹊徑。

這種研究方法，既比較公平合理，不偏不倚，也就基本上打破了兩漢以來的門戶之見，派別之分，變專門爲通學了。啖、趙雖立足於今文學派，而對《左傳》也充分利用。以《公》、《穀》之解經，《穀梁》尤精；但對《公羊》家董仲舒的論點，也不完全排斥，而是吸取其精華。上文談到的「常」和「權」、「禮」和「法」的觀點，就是繼承董說的，又如《纂例》卷八論「還」、「復」的義例，《公羊》曰：「還，善辭也，比復爲善也。」《穀梁》曰：「還者，事未畢：復者，事畢。」二說正相反。經過查對，找出莊八、文十三、宣十八、襄十九，四個「還」例；文八、宣八、昭二十三，三個「復」例：證明「還」爲畢事之辭，是褒義詞；「復」爲未畢之辭，是貶義詞。《公羊》說是；《穀梁》之說，顚倒了。這樣，既肯定《穀梁》之義精於《公羊》，又指出《公羊》之例有明於《穀梁》者。

而有些批評者，受晉唐古文學家的影響，既不能首先肯定這一研究方法的先進，又進而否定其某些可貴的創見，是不公平的。最先否定啖助的，是學術思想保守的宋祁。原來在《舊唐書．陸質傳》中，對此學派還是肯定的，稱「質有經學，尤深于《春秋》」，「助、匡皆爲異儒」。但宋祁在《新唐書·儒林傳》和《贊》中，對啖助就大肆攻擊了：「啖助在唐，名治《春秋》，摭詘三家，不本所承，自用名學，憑私臆決。」於是說啖助又「誣」又「固」，這種官修正史上的評論，是很有影響的。但經過千百年的考驗，到了清代編寫《四庫全書總目提要》時，對陸淳的《春秋集傳纂例》，雖然還認爲有「其論未免一偏」的地方，但又說「生臆斷之弊，其過不可掩，破附會之失，其功亦不可沒也」。功過是對開的。而對陸淳的《春秋集傳辨疑》的評論是：「《左傳》事實有本，而論斷多疏；《公羊》、《穀梁》每多曲說，而《公羊》尤甚。漢以來各守專門，論甘者忌辛，是丹者非素。自是書與《微旨》出，抵隙蹈瑕，往往中其窾會；雖瑕瑜互見，要其精核之處，實有漢以來諸儒未發者；固與鑿空杜撰，橫生枝節者異矣。」又基本上是完全肯定的了。

㈢開疑古之風，走求是之路

孟子早就有「盡信書不如無書」的名言，何況秦火之後，諸經靠口頭相傳，至漢已歷數代傳人，一是主見不同，一是傳聞易誤，本自可疑。就拿《春秋》三傳來說，《左氏》後出，問題最多，不必再言，《公羊》、《穀梁》皆由子夏口頭相傳，《穀梁》傳授經歷不明，《公羊》至漢景帝時始著於竹帛。啖氏認爲《公羊》、《穀梁》二傳，皆後代傳人據祖師所言大義，散配於經文之中，凡矛盾乖謬之處，可能就是散配經文時弄錯了。與《左氏》的附益迂說，雖致誤的原因不同，而其錯誤是一樣的。所以三傳皆有可取，三傳皆不可盡信。這就明確了三傳可疑的根據。而漢代開門戶之見，爲各守家法，便惟古訓是遵，師云弟云，陳陳相因，以至往而不返。一遇異說，便用古人壓今人，用死人壓活人，扣以離經叛道，非古非聖的罪名。這是一種非常要不得，而又非常頑固的惡習。古人了解古事，固有其有利條件；但從另一方面看，人的思想是受時代限制的，時代發展進步，人的思想也會隨著發展進步；所以後人的思想認識，總該是能超越前人的。這是個更不容忽視的規律性的原則。宋祁在《新唐書．儒林傳．贊》中說：「孔子沒乃數千年，（啖）助所推著果其意乎？其未可必也，以未可必而必之，則固；持一己之固而倡茲世，則誣。誣與固，君子所不取。」誣與固，當然不可取，而宋祁以啖助爲誣與固，實在冤枉。「未可必」這句話，就包含著「非未可必」的一面，爲什麼不能從積極面設想，大起膽子去探求呢？探求的結論如何，是可以再討論的，根本不允許探求，總是不對的。難道像宋祁在同一文中所說，「義或謬誤，先儒畏聖人，不敢輒改」那樣地因循守錯，才算是不誣不固嗎？陸淳在《春秋集傳纂例．趙氏損益義》中說：「或曰司馬遷、劉歆與左丘明年代相近，固當知之；今以遠駁近，可乎？答曰，夫求事實當推理例，豈可獨以遠近爲限？」這是對舊傳統大膽的挑戰，更是唐初把傳注法定化的功令主義的反動。所謂「求事實當推理例」，就是强調占有材料後，要靠思維推理來認識事物。後人的認識水平和思維方法，是應該勝過前人的，豈能以古限今？清末進步思想家魏源說得好：「繙十四經之編，無所觸發；問師友一言而終身服膺者，今人益於古人也。」（註一九）

在這種正確理論的指導下，啖助確實得出些懼世駭俗的創見。除上文引到的以外，再如趙匡所說，《春秋左氏傳》不是親受經於仲尼的「左丘明」所作，而是孔門後之門人某左氏所作。以反司馬遷、劉歆、杜預之說。其根據之一，「今觀《左氏》解經，淺於《公》、《穀》，誣謬實繁」，若左氏眞受經於仲尼，豈應如此。之二，「且夫子自比，皆引往人，故曰『竊比於我老彭』；又說伯夷等六人云，『我則異於是』，並非同時人也」。《論語．公冶長》有「左丘明恥之，丘亦恥之」的話，所以「丘明者蓋夫子以前賢人，如史佚、遲任之流，見稱於當時耳」。決不是孔子弟子，當然不會傳《春秋》。之三，左丘明傳《春秋》，向無明文記載，直到西漢，司馬遷在《史記·十二諸侯年表》始說「魯君子左丘明……因孔子史記，具論其語，成《左氏春秋》」。但《史記·儒林傳》又不見左氏傳授淵源。並且又在《報任安書》中說：「文王幽而演《周易》；仲尼厄而修《春秋》；屈原放逐，乃賦《離騷》；左氏失明，厥有《國語》；孫子臏腳，兵法修列；不韋遷蜀，世傳《呂覽》」呂不韋集門客千人，撰《呂氏春秋》，是在為秦相時，《史記》本傳言之甚明，何以又說「不韋遷蜀，世傳《呂覽》」呢？可見太史公也自有顛倒錯亂的毛病。至於再往後，劉歆諸人之說，更是附會了。（註二〇）宋祁認為這是「助之鑿意」，不知何據。其實這是趙匡的主張，宋祁連戶頭都搞錯了。自西漢以來，今文學家反對左氏，只限於左氏不傳經，沒有懷疑到作者的；自趙匡以後，《左傳》的作者是誰，便成了經、史學上的重要問題。宋之葉夢得、鄭樵，清之郝敬、皮錫瑞、劉逢祿、崔適等，都繼趙匡作出更有力的論證。時至今日，還在繼續爭鳴。就這一點，已是趙匡不朽的成績了。這種「古」不可以「疑」嗎？

還有《春秋》的「例」，也就是表示微言大義的條例，向為學者奉為研究的圭臬。而謬誤最大、影響最大的，莫過於杜預。他釋《左傳》之「例」，甚至尊為「周公之舊典」。趙匡批駁他說：「杜預云，凡例皆周公之舊典禮經。按其傳例云：『弒君稱君，君無道也；稱臣，臣之罪也。』然則，周公先設弒君之義乎？又云：『大用師曰滅，弗地曰入，又周公先設相滅之義乎？又云：『諸侯同盟，薨則赴以名。』又是周公令稱先君之名以告鄰國乎？雖夷狄之人，不應至此也。」（註二一）這就是用「求事實當推理例」的辦法，提出的疑問。清人皮錫瑞稱讚這一批駁說：「駁詰明快，不知杜預何以解之？祖杜預者又何以解之？」（註二二）難道這樣的「古」不應該「疑」嗎？

再如，娶王后天子是否親迎一事，「古儒者或言天子當親迎，或言不當親迎」。啖助認爲不當親迎，「《春秋》所載皆譏也」。而漢儒大師鄭玄認爲當親迎，並引《詩・大雅・大明》所云的文王「親迎於謂」爲據，趙匡駁之曰：「文王乃非天子，不可爲證。」眞是一語破的。周朝把文王親迎時的「造舟爲梁」，定爲天子之禮，都是武王伐紂以後的事了。趙匡接著又說：「考大體，固無自逆之道。王者之尊，海內莫敵，故嫁女即使諸侯主之，適諸侯，諸侯莫敢有其室。若屈萬乘之尊而行親迎之禮，即何莫敵之有乎？」（註二三）這能說鄭玄爲漢近古，就一定不會有錯嗎？況在中唐君權旁落之時，推王爲海內莫敵之尊，也是有功於當世的。

再說，疑古不是對古事全盤否定，有「疑」，才有「辨」；有「辨」，才近「眞」，有批判，才有繼承。這是一種「求是」的精神。啖派學者，對三傳也並未一筆抹煞，而是有取有捨的。陸淳也曾明言：「啖氏新解經意，與先儒同者，十有二三焉。」（註二四）

因爲「疑」，是否會出現「穿鑿附會」的偏差呢？很難避免，這正是事物發展的一般規律，有什麼可怪的呢？「聖人無全能，況賢者乎」？任何一門學問，都不可能畢其功於一役。

晁公武《郡齋讀書志》題陸淳的《春秋微旨》時說：「予嘗學《春秋》，閱古今諸儒之說多矣。大抵啖、趙以前，學者皆專門名家，苟有不通，寧言經誤，其失也固陋。啖、趙以後，學者喜授經系傳，其或未明，則憑私臆決，其失也穿鑿。均之失聖人之旨，而穿鑿者之害爲甚。」其說不妥。所謂「穿鑿者」，往往是探新者，而探求的動機，又往往是有所爲的，不應一律以標新立異視之。並且也不是「憑私臆決」，往往是有理有據的。即使不免「穿鑿」之處，自有後人取其長而補其短，漸臻完善。如果用發展觀點來看，從長遠利益衡量，有缺陷的探新者，還是較有功於古井不波的固陋者。即以啖派的《春秋》學來說，對後代究竟起個什麼影響呢？有的評論家，往往把宋學的空疏附會，歸咎於啖派的作俑。其實，空疏附會四字，決不能概括所有的宋學，捨器求道，捨今求古者，乃宋學之末流耳。是是否否的形而上學觀點，總是不對的。宋代自慶曆開始；治《春秋》者最大的特點，即捨傳從經，這當然是受啖派的影響；但這是好事，他們也正是有所爲的；只是有持論過激的，有比較穩健的。過激的，以孫復（字明復）爲代表；穩健的，以劉敞爲代表。

孫復有《春秋尊王發微》一書，備受批評。其書有可議之處，毫不足怪。如「《春秋》有貶無褒」這一論點，就站不住。清代陳澧的《東塾讀書記》，有詳細的分析批判。但似此偏頗的論著，還有石介、祖無擇這些像樣的高足；還受到范仲淹、富弼、韓琦的推薦；李燾的《續資治通鑑長編》，還引歐陽修語評其「治《春秋》不惑傳注，不爲曲說以亂經」，「著諸侯大夫功罪，以考時之盛衰而推見治亂之跡，故得經之意爲多」；朱熹也以爲「近時言《春秋》者，如陸淳、孫明復，推言治道，凜凜可畏，終是聖人意」。（註二五）這不能只說是宋人「喜爲苛議」，臭味相投了；而是因爲孫氏治學的動機爲「考時之盛衰，推治亂之蹤跡」，所以仍有可取之處，而爲有志於國事者所抉擇。其實，批評「穿鑿者之害爲甚」的晁公武，也是受啖派影響的；不然，何以也批評固陋者棄經信傳之失呢？這決不是啖、趙以前的人能說的話。而劉敞的《春秋權衡》、《春秋傳》和《春秋意林》諸書，則多爲歷代學者所肯定。首先見稱於歐陽修所作的墓志，繼被推重於葉夢得的《石林春秋傳》。直至清代，多認爲宋代治《春秋》者，皆紹啖、趙一派，而以劉敞爲最優，胡安國爲最顯。但不管是孫復、劉敞，還是葉夢得、胡安國，都是一條水系的分支。而《四庫全書總目》對《春秋傳》的提要，卻說：「蓋北宋以來，出新意解《春秋》者，自孫復與敞始。復沿啖、趙之餘波，幾於盡廢三傳；敞則不盡從傳，亦不盡廢傳，故所訓釋爲遠勝於復矣。」孫、劉明明皆源於啖，趙，其繼承發展之跡，本應是曲折的、不平衡的，是其是，非其非就可以了，爲什麼要把劉敞之正，說得與啖、趙無關，把孫復之偏，說得與啖、趙至密呢？其實，劉敞的「不盡從傳，亦不盡廢傳」，才更是啖派的眞傳。

三

啖助這一學派，在其誕生、流傳過程中，有個很値得注意的現象——就是它每次興起的時代，有個共同的特點，試一述之。

啖助之書，初寫於唐肅宗上元二年至唐代宗大曆五年，趙匡損益，陸淳整理，成書於大曆十年。這個時間，正在張九齡去國，李林甫專政，直至安史之亂爆發之後，唐順宗永貞革新之前這個時期。

這個時期的特點是：唐代各種矛盾來了個總暴露，一個盛大的王朝，由強變弱，開始走它的下坡路了。中央的皇權，大爲消弱，唐肅宗是第一個死於宦官之手的唐代皇帝，李輔國是第一個把持朝政，凌駕於皇帝之上的唐代宦官。像安祿山、史思明這樣的大軍閥，雖然被鎭壓下去，但新的藩鎭割據的形勢，又已形成。人民經受戰爭摧殘，人口銳減。生產力大降，國困民窮。當時的少數民族，如吐蕃、回紇、黨項等，也趁唐朝戰亂衰困之際，侵占擄掠，河隴、雲山非唐所有。於是，唐代貞觀、開元之盛，遂一去不返。這正像孔子所以作《春秋》的時代。安史亂平，代宗即位，喘息之餘，痛定思痛，總結教訓，設想對策的問題，便提到日程上來了。請看代宗永泰元年左拾遺獨孤及的奏疏，就眞實地反映了當時情況及廣大臣民對改革的要求：

> 今師興不息十年矣，人之生產，空於杼軸。擁兵者第館亘街陌，奴婢厭酒肉，而貧人羸餓就役，剝膚及髓。長安城中白晝椎剽，吏不敢詰。官亂職廢，將墮卒暴，百揆隳刺，如沸粥紛麻。民不敢訴於有司，有司不敢聞于陛下，茹毒飲痛，窮而無告

。陛下不以此時思所以救之之術，臣實懼焉……陛下豈可持疑於改作，使率土之患日甚一日乎！（據《資治通鑑》）

國家到了這種地步，已經不是一兩個好官所能改變得了的了。有人認爲「以國家承文弊之後，房、杜爲相，不能反之於質」。（註二六）怎麼辦？必須正人心，淳風俗、美教化，從根本上醫治，而最有效的工具，當時認爲莫過於尊經術。也就是《春秋》家想用《春秋》大義「變周之文，從夏之質」的用意。這首先反映在科舉考試上。代宗廣德元年，禮部侍郎楊綰，疏言選士應取行實，不應專尙文辭，明經試帖，積弊尤深。故主張廢進士、明經科，而取孝廉知經術者薦之。給事中李棲筠、左丞賈至、京兆尹嚴武都支持這個意見。後來，德宗時期，柳冕又寫信向禮部侍郎權德輿建議說：吏道之壞，就由於教人取士之弊，明經考試，就是弊之一端。規定每經問義十道，五道全寫疏，五道全寫注；而注和疏都是法定統一的。只有死背規定的注疏，才能得雋，雖有眞正明聖人之道，盡六經之義者，不合規定的注與疏，也一概摒棄不取。這樣，淸識之士便無由得進，而腐生豎子比肩登第了。所以建議把明經分爲二等：眞正明六經之義，合先王之道者，列上等；工於熟讀注疏者，列下等。（註二七）這顯然是受啖派學術的影響的。而中唐人所說的「變周從夏」，就是力求恢復貞觀、開元之治。劉軻有文說：「今屬凶孽新夷，泰階初平，天下懸懸其心」，渴望「復魏文貞、房梁公、姚梁公、宋開府致太宗、玄宗故事」，就好像「啼嬰兒待哺塞」那樣迫切。（註二八）陸淳教導他的學生呂溫，也明言「以生人爲重，社稷次之之義，發吾君聰明，躋盛唐於雍熙」。（註二九）德宗改元「貞元」，就是要再現貞觀、開元之治的意思。啖助的《春秋》學，就是在這種主觀意圖和時代要求相一致的情況下產生的；這就決定它是匡時救世的，學以致用的；所以也就易於爲淸識之士所接受。凡尊奉啖派學術者，幾無庸碌懵懂之輩。尤其是順宗永貞革新的重要人物，無不是陸質的弟子或私淑弟子。後來被稱爲「八司馬」的，幾乎家有其書，試讀柳宗元的《答元饒州論〈春秋〉書》，可以說是某些中晚唐士大夫的施政綱領了。

繼承啖派學術思想的重要人物，有柳宗元和呂溫。

柳宗元本來就是個有批判精神的疑古派。他早期所作《封建論》、《六逆論》、《桐葉封弟辨》等，都提出了一反舊說的獨創見解。並且還都是針對現實的。《左傳》隱三，石碏把「賤妨貴、少陵長、遠間親、新間舊、小加大、淫破義」稱爲「六逆」。柳宗元不同意「賤妨貴、遠間親、新間舊」爲「逆」，並且認爲是應該堅持的政治原則。他各舉了正反兩方面的事例，證明了「貴不足尙」、「親不足與」、「舊不足恃」。然後得出結論：「古之言理者，罕能盡其說，建一言，立一辭，則臲卼而不安，謂之是可也，謂之非亦可也，混然而已。教於後世，莫知其所以去就。明者慨然將定其是非，則拘儒瞽生相與而群咻之，以爲狂爲怪，而欲世之多有知者可乎？」這與啖派敢以遠駁近，以今駁古的精神是完全相同的。所以唐順宗時，陸質受韋執誼薦爲給事中、皇太子侍讀，柳宗元一見其人，一讀其書，便約僚宷相從而師之。直至被貶到死，始終堅持啖派的思想觀點。其《非〈國語〉》一書，可爲啖派《春秋》之繼。柳宗元的爲人、爲政、爲學，研究者衆，不必在此費辭，而他深受啖派《春秋》學的影響這一點，除章士釗的《柳文指要》外，卻很少有人論及。

呂溫也是永貞革新集團中的佼佼者。他是早年就受學於陸質的，二人交情最深，陸質死，著述全付於呂溫。呂溫學以致用，治國平天下的願望更强烈。他在《與族兄皋請學〈春秋〉書》中說：「夫學者，豈徒受章而已，蓋必求所以化人」，「所曰《春秋》者，非戰爭攻伐之事，聘享盟會之儀也；也可以尊天子、討諸侯、正華夷、絕賊亂者，某願學焉。」他的名篇《人文化成論》，把《易經》上所說的「

人文以化成天下」解釋爲，朝廷上的君仁臣義，獻可替否；官司中的三公論道，六卿分職；政刑上的寬猛相濟；教化上的禮樂調和。他反對的是：「近代諂諛之臣，將以時君不能則象乾坤，祖述堯舜，作化成天下之文，乃吟旂常冕服，章句翰墨爲人文也，遂使君人者浩然忘本，沛然自得，盛威儀以求至理，坐吟詠而待升平，流蕩因循，闇而未悟，不其痛歟！」這正是「文之弊僿而救之以忠」的發揮和具體運用。並且柳宗元和呂溫，還把該派的無神論和民本思想，更向上推進了一層。（註三〇）

另外，呂溫的好友竇群，與呂溫，羊士諤共傾李吉甫；雖受二王劉柳錯誤的排斥，而實爲勇於行、銳於進的有識之士。他是「從盧庇傳啖助《春秋》學」的，深受韋夏卿、武元衡的器重。（註三一）盧庇當是與陸質同輩的啖助的第一代傳人。呂溫的另一好友李景儉，柳宗元的朋友饒州刺史元藇，永州流人吳武陵，還有韓愈及其弟子盧同，都是啖派的傳人或贊同者。

永貞革新雖遭慘敗，啖派學說的作用，並未隨之消失，不僅有眾多傳人，並且還繼續見諸行動。近的如呂、竇、羊的傾李吉甫，遠的如劉蕡的賢良對策。劉蕡這個曠古罕見的膽識驚人的人物，他所掀起的軒然大波，也是和啖派學術有直接影響關係的。《新唐書》本傳上就說他「明《春秋》，能言古興亡事，沈健於謀，浩然有救世意」。他的對策，全文約五六千字，全以《春秋》立意，用「謹按《春秋》」云云，舉出的例證，就有十多條，條條針對當時最大禍患：文宗闇懦，宦官暴橫，群臣鉗口。第策官又爲超過漢之晁錯、董仲舒。劉蕡雖然被貶死，而七年之後，文宗確實就是在《春秋》大義的啓發下，下了決心，發動了「甘露之變」的。

啖派學派，不但影響了唐代中晚期的政治、學術，而且也影響到宋代，一直到清末，有意思的是，啖派學術在宋代興起的時代背景，和在唐代有並非偶然的相似。

啖學之興於宋，始於宋仁宗慶曆中。首倡其說者，便是上文提到的孫復和劉敞。陸氏三書的最早宋刻本，也是慶曆八年朱臨所刻。朱臨是從胡瑗受《春秋》的，而獨好陸氏之學，得其書序而刻之，對啖派《春秋》的復興，實起了推波助瀾的作用。慶曆時代，正處在宋眞宗澶淵之盟之後，與宋神宗王安石變法之前。澶淵之盟，充分暴露了宋王朝的先天不足，有致命的隱患，開始引起了更多的清識之士的憂慮。「慶曆黨爭」的出現，正是外患頻仍，國事蜩螗所引起的內部反應。繼承啖派的《春秋》學家，就是在此局勢下，以經學爲理論武器，參與了「黨爭」，站在范仲淹、富弼、韓琦、歐陽修等改革派方面的。此外，一直到終宋之世，傳授不衰。除孫復、劉敞、葉夢得、石介、祖無擇外，還有孫覺、崔子方、王晳、呂本中、胡安國、高閌、呂祖謙、李琪、張洽、呂大圭、家鉉翁等；而以劉敞爲最優，胡安國爲最顯，一直傳用至明、清。

其實，范、富的新政，並未改變原來的制度；後來富弼、韓琦尤其保守。眞正算得上革新變法的，當然只有王安石。南宋的陳亮曾經有過一段分析評論：

> 微澶淵一戰，則中國之勢浸微，根本雖厚而不可立矣。故慶曆增幣之事，富弼以爲朝廷之大恥，而終身不敢自論其勞。蓋契丹徵令，是主上之操也；天子供貢，是臣下之禮也。契丹之所以卒勝中國者，其積有漸也。立國之初，其勢固必至此……慶曆諸臣亦嘗憤中國之勢不振矣，而其大要，則使群臣爭進其說，更法易令，而廟堂輕矣；嚴按察之權，邀功生事，而郡縣又輕矣。豈惟於立國之勢無所助，又從而朘削之。雖微章得象、陳執中以排沮其事，亦安得而不自沮哉！獨其破去舊例，以不次用人，而勸農桑，務寬大，爲有合於因革之宜，而其大要已

非矣。此所以不能洗契丹平視中國之恥，而卒發神宗皇帝之大憤也。（註三二）

陳亮的話不一定完全正確，但卻說明宋政始更於仁宗慶曆，大變於神宗熙寧。可是宋代的啖派《春秋》學家，大都反對王安石新法，如孫覺，就是個代表。並且傳說王安石也斥《春秋》爲「斷爛朝報」，不願立於學官。這和唐代陸質與二王劉柳的關係，大不相同。這是爲什麼呢？

王安石向來堅持「期合於當世之變」的政治主張，認爲「天變不足畏，祖宗不足法，人言不足恤」。這正是啖派的思想傳統，他怎能不接受啖學呢？相傳他有《春秋解》一書，其中論證左氏非左丘明的，就有十一條，發展了趙匡之說。陳振孫《直齋書錄解題》以爲僞托，如果王安石眞爲反對《春秋》者，怎麼還會有人把解《春秋》的書假托在他的名下？總是因爲他並不反對《春秋》，而且學術觀點相近才借其名以行的吧。王應麟《困學紀聞》引安石答韓求仁問《春秋》曰：「此經比他經尤難，蓋三傳不足信也。」（註三三）正是信經不信傳的啖派觀點。看來，安石對《春秋》，持極其慎重的態度，與朱熹的不敢措一辭相同。況且《春秋》之例，用以裁判國事，有極不當者。唐李德裕鎭守劍南西川，收吐蕃維州城，納降將悉怛謀等三百餘人，而牛僧孺以《春秋》不招降納叛爲理由，拒絕收留悉怛謀，以致邊事大壞。宋時夏主元昊死，子幼國亂，宋臣請乘機攻夏，以弭邊患，而有人以《春秋》不伐喪爲理由，阻止攻夏，遂坐失戰機。安石豈因此因噎廢食耶？待考。至於「斷爛朝報」之說，也是假託，宋人尹焞早已道破，「廢《春秋》以爲斷爛朝報，皆後來無忌憚者，託介甫之言也」（註三四）以「斷爛朝報」之說託安石，或爲中傷，或爲誤傳，也可能是另有所指。如按杜預謂《春秋》爲抄錄舊史之說，經文一萬六千餘字，闕文一百數十條，非斷爛而何？安石的變法，終宋之世無諒解者，啖派《春秋》家，對此也未能免俗。

到了清代，又一次啖學興起，那是在道光二十年鴉片戰爭以後，到光緒二十四年戊戌變法這段時間。又一次並非偶然的相似。

同樣情況，清代的康乾盛世已成過去，自和珅專政積累下來的各種矛盾，到鴉片戰爭來個總暴露。接著是咸豐元年太平天國革命軍的興起，咸豐六年英法聯軍的入侵，咸豐十年《北京條約》的簽訂，同治十年的伊犁事件，光緒十年的中法戰爭，光緒二十七年的中日甲午之戰。懷有政治隱憂的清識之士，又不得不從各方面考慮匡救之法。正如魏源所說：「立乎今日以指往昔，異同黑白，病藥相發，亦一代得失之林哉！」（註三五）就是說站在今天，回顧過去，找出差距，分辨是非，發現病源，發出藥方，也算是一代得失的總結了。於是，在學術方面，孔子所以作《春秋》的宗旨，便又被作爲研究的對象了。

清末今文學派皮錫瑞的《經學通論・春秋》部分有《論〈春秋〉改制猶今人言變法……》一節，明白地提出來變法改制的合理合法。他說《春秋》有素王之義，就是爲改制而設。孔子無改制之權，而可以爲改制之言。有識之士不被世用，便著書立說，「思以其所欲變之法，傳於後世，望其實行」，自先秦諸子以及近代文人，莫不如此。《春秋》的「變周之文，從殷之質」，已是大勢所趨，當時的老、墨諸子皆曾言之。孔子生於周代，平日行事，自當從周之制，而著書立說，則不妨損益前四代。「正如今人生於大清，衣冠禮節必遵時制，若著書言法政，則不妨出入，或謂宜從古制，或謂宜採西法」。這就是《春秋》中的所謂「微言」。皮氏的這些話，已完全是爲變法張目。及至崔述、康有爲等，也是先以啖派之說，舍傳求經，又從而辨僞、考信，遂成其託古改制、維新變法的政治要求。

馬克思說過，十八世紀法國的資產階級革命，曾「請出亡靈來給他們以幫助，借用它們的名字、戰鬥口號和衣服」，來「演出世界歷史的新場面」。（註三六）中國自八世紀以來的啖助學派及其傳人，也沒有脫出馬克思主義的歷史規律，每當歷史的關鍵時刻，欲有所作爲時，他們也請出「亡靈」來幫忙。這個「亡靈」，不是「使徒保羅」，而是《春秋》的微言大義。但決不應忽視的，是他們要藉以「演出歷史的新場面」；不管他們是成功還是失敗，其用心是可以諒解的。

當然，不管怎樣說，《春秋》總是爲封建統治者服務的。現在我們只是把歷史陳跡，作爲學術問題來研究，以期有所借鑒，誰也不會再抱著一部《春秋》作爲什麼政治綱領了。

【附註】

註　一　此文亦見《全唐文》卷六一八，題作《春秋例統序》。

註　二　陸質傳，見《舊唐書》卷一八九下，《新唐書》卷一六八。

註　三　見《漢書・藝文志》。

註　四　見《新唐書》卷一九八《孔穎達傳》及所附《馬嘉運傳》。

註　五　見《新唐書・藝文志》，書已失傳。《舊唐書・經籍志》作十三卷。

註　六　鄭、范之說，皆轉引自皮錫瑞《經學通論・春秋》。

註　七　這段引文見陸淳《春秋集傳纂例・春秋宗指議》。

註八、註一〇　見司馬遷《史記・自序》。

註　九　見《呂氏春秋・察今》。

註一一　本段引文見《纂例・啖趙取舍三傳義例》。

註一二　以上見《纂例・春秋宗指議》。

註一三　見《纂例・朝聘如例》。

註一四　見《纂例・諱義例》。

註一五 見《纂例・名位例》。

註一六 皆轉引自皮氏《經學通論・春秋》。

註一七 《四庫全書總目》春秋集傳纂例提要。

註一八 皆引自《經學通論・春秋》。

註一九 魏源《默觚・學篇二》第六條。

註二〇、註二一 《纂例，趙氏損益例》。

註二二 皮氏《經學通論・春秋》。

註二三 《纂例・婚姻例・逆王后》。

註二四 《纂例・重修集傳義》。

註二五 朱說，轉引自納蘭性德《通志堂集・孫泰山〈春秋尊王發微〉序》。

註二六 《唐文粹》卷七九柳冕《謝杜相公論房、杜二相書》。

註二七 《唐文粹》卷八三柳冕《與權德輿書》。

註二八 《唐文粹》卷七九劉軻《上崔相公書》。

註二九 《呂和叔集・祭陸給事文》。

註三〇 拙著《呂溫論》發表於《西南師範學院學報》1982年第1期，在此不多說了。

註三一 《新唐書》卷一七五《竇群傳》。

註三二 《宋史・儒林六・陳亮傳》。

註三三、註三四 皆轉引自《經學通論・春秋》。

註三五 魏源《明代食兵二政錄序》。

註三六 《馬克思恩格斯全集》卷八頁一二一。

——原載《西南師範學院學報》一九八四年一期，頁五九——七一。

《論語筆解》試探

王明蓀

《論語筆解》一書是唐代韓愈與李翺合著的，但《新、舊唐書》中都未載此書。《新唐書》中有韓愈所注的《論語》十卷，却沒有《筆解》一書（註一）在《直齋書錄解題》中則載有此書，但僅說有二卷（註二）。《文獻通考》中也有此書，却說是十卷（註三）。唐人許勃爲此書特寫了一篇序文，其中說：

> 昌黎文公著《筆解論語》一十卷，其間翺曰者，蓋李習之同與切磨。世所傳多譌舛，始愈筆大義則示翺，翺從而交相明辨，非獨韓制此書也。（註四）

清代阮元曾懷疑此書係僞書，但在他審定的《十三經注疏》中，却又屢引此書（註五）。實則此書爲韓、李二人合著應無問題，問題在到底爲十卷或是二卷。大概韓愈曾注《論語》十卷，就在書簡端有所記錄，李翺間或有所討論，附書於其間，書成之後，後人得其稿本，採注中未載者，別錄爲二卷，因題爲二卷行世。關於此書的源流，在《四庫總目》中已有充分的說明（註六）。今坊間未見有十卷本者，僅有二卷本，較爲流傳的，爲《范氏叢書本》、《墨海金壺本》，另有《藝海珠塵》本，其中略有脫漏。本文係用《墨海金壺》本。

再就內容來看，韓、李二人所筆解大意中不乏其思想之精要，這也是二人在其他著作中一再申論的道理，如論孔孟之道、論性命等。歷來對韓愈之重視要超過李翺，近代對李翺之思想才開始有較多的研究，重視其思想的雖然有若干論文，但也都以討論《復性書《一文爲主，當然不容否認《復性書》正可以代表其思想，以及顯示他在中國思想史上的地位，然而對於《筆解》一書則未見有多少引述，若並重二者來作全面探討的則更難見一、二（註七）。實則研究韓、李二人之思想，《筆解》一書正可以與二人其他著作相互發明，再者就對《論語》之研究來看，此書也有值得參考之處。

韓、李二人的文集中，都沒有看到有關《筆解》之處，而在本書中所見，是將《論語》各篇採擷數條筆解之，書前亦無二人若序文之類的隻字片語，使人不明究竟；可知係後人將二人討論於簡端的記錄，編爲二卷傳世。韓、李所選擇的篇章，多是針對前人註疏而發，並未作全部章句的解析。既然許勃明白地說：「予繕校舊本數家，得其純粹」（註八），可知本書在唐時絕非孤本，而且是曾經校理過的。

《筆解》一書二卷，每卷各解十篇，全部約有一萬四千餘字。對於論語章句文字之舛誤，前人字義解說錯誤，文義疏解之偏差、簡編脫漏等，都一一指出，或者有新義另解可存者，也都直述不遺，今照此分類說明之，每條皆列出在《筆解》原書中之卷頁。歷代對《論語》的註解無慮數百，本文主要的根據有何晏之《集解》，可知舊註之菁華。邢昺之疏，取南朝皇侃《義疏》爲主，兼有晉宋以來所說。朱熹《集注》爲宋學義理之大成，至今學者仍宗之。劉寶楠《正義》，詳於訓詁考訂，匯漢學之大觀，能明古義。以上數種可以代表一段時期內的重要見解，故而在本文中時或引論之。

一、文字舛誤部份

(1)「六十而耳順」（卷上，頁三，《爲政》第二）。關於「耳順」，韓注說：「耳當爲爾，猶言如此也，既知天命，又如此順天也。」李注說：「蓋孔子興言時已七十矣，是自衛反魯之時也，刪修禮樂詩書，皆本天命而作，如其順。」在這裏也將鄭玄所注「耳聞其言，知其微旨也」引出。以「耳」爲「爾」字，就本章原句來看，十有五而志於學，三十而立，……全章述德業之進程，應以鄭注耳順之意較妥。朱子並引申鄭注爲「聲入心通，無所違逆，知之之至，不思而得也」（註九），這是闡釋知言的最高境界，在此前已知天命，故能進爲耳順。元人胡炳文又集朱子語錄加之發揮說：「凡耳中所聞者，便皆是道理而無凝滯」（註一〇）。照此解全章，耳順較爾順爲得旨，況且改耳爲爾字並無根據，是益字解經了。

⑵「季氏旅於泰山，子謂冉有曰：女弗能救與？對曰：不能，子曰：嗚呼！曾謂泰山不如林放乎？」（卷上，頁四，《八佾》第三）。韓注直接指出包咸舊注：「泰山之神反不如林放者乎？」爲非，並且以爲「謂當作爲字，言冉有爲泰山非禮，反不如林放問禮乎？」因一字之差異而文義有別。本章李翺沒有解說，就韓愈所解，將謂字作爲，以全章讀來，不如原包咸所說「神不享非禮」之義。孔子語中含責勵冉有之意，韓愈所指原意不差，但勿需改字，也不定要以冉有對比於林放。

⑶「宰予晝寢，子曰：朽木不可雕也，糞土之牆不可杇也，於予與何誅！」（卷上，頁七，《公冶長》第五）其下有小注：「舊文作晝字」。韓愈說：「晝當爲畫字之誤也，宰予四科十哲，安得有晝寢之責乎？假或偃息，亦未足深誅，又曰於予，顯是言宰予也。」這是指所見舊文不同所作的說明，但卻未注明所見或所知的舊文，按李匡乂《資暇集》云：「寢，梁武帝讀爲寢室之寢；晝當作畫字，言其繪畫寢室也。」（註一一）周密《齊東野語》說：「曾見隋時侯白所註《論語》亦言晝當爲畫」（註一二），可知韓愈所見定有所本，不過未說明是據何本。李翺進一步表示，若與下文「子曰：始吾於人也，聽其言而信其行。今吾於人也，聽其言而觀其行，於予與改是。」並解之，則「先儒失其旨，吾謂仲尼雖以宰予高閎晝寢，於宰予之才何

責之有？下文云於宰予言行，雖晝寢未爲太過，使改之不晝亦可矣！」韓、李二人皆以晝字爲畫字，謂宰予藻繪寢室，不爲大過。韓愈以爲宰予爲孔門四科，不至於晝寢，即或如此，亦不至於深誅，是晝當爲畫字。李翶又解「於予與何誅」爲「於宰予之才何責之有？」再接下句「於予改是」，解成勸戒宰予改過不畫寢即可。本章中見子曰兩句，分別爲兩段，雖然是對象相同而發，但應該不是同時相連的話。然深責宰予至爲明顯，朽木、糞土的斥責之意，然後是沒有什麼可再說了；決非「於宰予之才何責之有」的。至於下句最後的「改是」，是孔子因對宰予之觀察而改變自己對人的態度，而不是如李翶所說要宰予改過不畫寢室。關於晝、畫的字與義，雖早自漢儒即有畫寢之說，而後也有諸多說法，通常要以白晝睡眠之晝寢爲妥當的解釋（註一三），但即用晝寢義，韓、李二人之解也欠妥當。

(4)「子曰：人之生也直，罔之生也，幸而免」（卷上，頁八，《雍也》第六）。韓愈指出「直」爲「德」字之誤，並注云：「古書德作悳」，又解說：「人生稟天地大德，罔，無也，若無其德免於咎者，尠矣！」李翶對於馬融所注：「人之生自終者，以其正直也。」以及對包咸所注：「誣罔正直是幸也。」都表示不滿，他說：「洪範三德，正直在其中，剛柔共成焉，無一是者必有咎，況咸無之，其能免乎？包謂誣罔正直，則罪無赦，何幸免哉？馬言自終，又非生也之義。」李翶直引《尚書・洪範・九疇》：「一曰正直，二曰剛克，三曰柔克。」來解說，並不改直字，以爲正直在其中，與剛柔共成，缺一則有咎，實則《洪範》三德不宜如此解說，正直與剛、柔同爲三種不同之德，剛則沈潛之，柔則高明之，正直爲得乎中（註一四），取中庸之道正是李翶思想之重要根據，故多强調中之義，但以後出之思想解孔子當時之義未必恰當。按舊注解說，章句應無問題，德字古書可作悳，但韓愈必要以德字說直，按其解說未免立異，而且其說爲人之所生乃稟天地大德，不如馬注有全其生理善終的完整意義。依此看來，原文之意與舊注反而較韓、李所解爲當；正直是順道順理而行，人之生存是有非正直者，此爲僥倖，故說幸而免，當能體會此章句。

⑸「子所雅言，《詩》、《書》執禮，皆雅音也。」（卷上，頁十一，《述而》第七）孔安國註：「雅音，正言也。」鄭玄注：「先王典法，必正言其音，然後義全。」韓愈以爲：「音作言字，傳寫之誤也，因注云雅音正言遂誤爾。」李翺同樣地說明此點：「孔、鄭注皆非分明但誤一音字，後人惑之，蓋一時門弟子所記錄云，子所雅言，即下云詩書執禮皆雅言也云爾，其義煥然無惑！」今據《十三經注疏》本，原文作雅言，孔注亦雅言，朱注及趙順孫之《纂疏》皆用雅言（註一五），韓、李二人僅在此指出雅音應爲雅言之誤，但未解說雅言之義，或孔、鄭所注之本正爲韓、李所辨之本，主要在指出傳寫之字誤，但對雅言之解說似乎認爲沒有必要，雅言即雅言，故李翺說：「其義煥然無惑。」但因孔、鄭之注，對雅言又生許多疏解了（註一六）。

⑹「子曰：山梁雌雉，時哉！時哉！子路共之，三嗅而作。」（卷上，頁十三，《鄉黨》第十）周氏註曰：「子路共之，非本意，不苟食，三嗅而作。」韓愈以爲嗅當是「鳴鳴之鳴雉之聲也。」李翺說：「子路共之，雉嗅而起，記者終其事爾，俗儒妄加異議，不可不辨也。」他認爲子路以手拱之，雉鳴而飛，記事乃終，並無其他含意，不必横加忖臆，以爲另有他意。韓愈以嗅爲鳴字可通，李翺所言亦頗有理。但本章句解說不一，朱子以爲有闕文，不可勉强解說，劉寶楠則强調時中之義（註一七）。

⑺「子畏於匡，顏淵後，子曰：吾以女爲死矣，曰：子在，回何敢死。」（卷下，頁三，《先進》第十一）。韓愈以爲死當爲先字之誤，「上文云顏淵後，下文云回何敢先，其義自明，無死理也。」李

翺也認爲是古文脫誤，指出包注：「言夫子在，已無所敢死也。」是訛舛，同時又補充說：「以回德行是亞聖之才，非明敢死之士也。」韓、李之說並無根據，只以文字上之先、後來解說，頗望文生義，宜以舊注爲通順，李翺補充說明的亞聖之才，與本章句也沒有必然關係。

(8)「點爾何如……童子六七人，浴乎沂，風乎舞雩，詠而歸。」（卷下，頁三，《先進》第十一）。韓愈引孔注：「暮春，季春三月」，故說：「周三月，夏之正月，安有浴之理？」因此他認爲浴字是沿字之誤，亦即沿字，李翺於此倒無意見，他說出整個章句的結論：「仲尼與點，蓋美其樂王道也，餘人則志在諸侯，故仲尼不取。」這是他認爲全章大義所在。首先看「浴乎沂」一句，由於暮春時天尚寒，不宜浴於沂水，故而歷來就有許多解說，王充在《論衡》中說浴字應該是涉字，即涉沂水不浴，是行雩祭之禮，朱子說浴是盥濯之意，指的是「上巳祓除」之俗，王充之說並無確實根據，朱子所說有《周禮》歲時祓除爲據，但孔子之時是否確行此禮，也未敢斷言，俞樾《羣經平議》對韓愈改松字，以爲較舊說爲妥，劉寶楠則詳引諸說，以「祓濯」之意較當（註一八）。總結諸家所說，都不主張暮春三月適於「浴乎沂」的，浴字若不改，朱子說盥濯之意可通，又引地志言當地有溫泉（註一九），韓愈改沿字也可通。至於李翺所說孔子與點之意，「蓋美其樂王道也。」恐怕有過分引申之病，正如宋儒的解說一樣，程子說有堯舜氣象；張南軒說中心和樂，無所係累，油然欲與萬物各得其所；朱子說是有以見人欲盡處，天理流行，隨處充滿，無少欠闕，故其動靜之際，從容如此，又其言志，則不過即其所居之位，樂其日用之常（註二〇）。照這樣解說易產生許多附會，不免以意說經。《論語》中像這樣難獲正解之處不少，各家解說也未能求同。但孔子與點，喟然興嘆，是必有所感，因而各家皆用力求其感嘆之意。

孔子是嘆世亂而道不行，聞曾點之志，驟然產生契合之心，這應是較合乎孔子一生行事志道的。

⑼「子曰：君子而不仁者有矣夫，未有小人而仁者也。」（卷下，頁六，《憲問》第十四）。孔注：「雖君子猶未能備」。韓愈以爲仁字當係備字之誤，他說「豈有君子而不仁者乎？既稱小人，又豈求其仁耶，吾謂君子才行或不備者有矣，小人求備則未之有也。」李翶也認爲是誤備字爲仁字，並說：「一失其文，寖乖其義。」，韓、李二人以仁爲備字之誤，並無根據，看其解說是在維護君子之名，又有孔注在前，故說字誤。其實孔注不誤，雖不必如宋元儒者所說：頃刻間心不在焉，就不免爲不仁，君子求仁是不能做到周全的，這應是可以體會者。

⑽「原壤夷俟，子曰：老而不死是謂賊，以杖扣其脛。」（卷下，頁八，《憲問》第十四）。韓愈說有字誤，「古文叩、扣，文之誤也，當作指」，又引馬注：「夷踞，俟待也。」孔注：「扣，擊也，」然後再解說：「爲俟踞足，原不自知失禮，故仲尼既責其爲賊，又指其足脛，使知夷踞之罪，非擊之明矣。」李翶則沒有作筆解。按韓愈所說扣字當爲指字，仍無根據，只是要說明孔子責斥原壤，蓋因其夷俟之故，同時就順手指示其夷俟之姿態。本來扣、指之字改或不改，意義並無大失，但若要把斥責之語限定在夷俟這個行爲上指出來，原章句前面的「幼而不孫弟；長而無述焉；」接下來「老而不死；是謂賊」，反顯得語義不夠豐富了，大概韓愈以爲孔子聖人不致叩擊人脛。

⑾「子曰：君子貞而不諒。」（卷下，頁九，《衞靈公》第十五）。韓愈對於孔注：「貞，正也；諒，信也，君子正其道，不必小信。」表示不滿，他說諒字是讓字之誤，「上文云當仁不讓於師，仲尼慮弟子未曉，故復云正而不讓，謂仁人正直不讓於師耳，孔說加一小

字爲小信，妄就其義，失之矣。」李翺對此句沒有解說。孔注加一小字爲小信，固有增字解經之失，但韓愈以正直爲正，同犯此失（註二一），並批評孔注「妄就其義」，實有不當，他雖舉出上文有當仁不讓，但未必與此章句有關，不當以此爲根據，指諒爲讓字之誤。孔注仍爲正解，「言不必信，行不必果，義與之比」，「言必信，行必果，硜硜然小人哉」，「好信不好學，其蔽也賊」等等，都可爲本章句之旁解（註二二）。

⑿子曰：「不教而殺謂之虐，不戒視成謂之暴，慢令致期謂之賊。猶之與人也，出納之吝謂之有司，」（卷下，頁十七，《堯曰》第二十），孔注：「財務與人，而至吝當於出納者，有司之任，非人君之道也。」韓、李二人皆以爲「猶之」是「猶上」之誤，韓曰：「言君上吝嗇，則是有司之財而已」，李曰：「仲尼先言虐暴賊三者之弊，然後言君上之職當博施濟眾爲己任也。」並且又指出「之」、「上」二字古文相類，明知誤傳。韓、李二人所指猶之爲猶上，大義可通，然而不改仍爲正確，孔注所解當不失原旨，王引之《經傳釋詞》說：「猶之與人，均之與人也。」（註二三）可見並非如李翺所說「明知誤傳」也。

⒀「子曰：回也，其庶乎！屢空！賜也，不受命而貨殖焉；億則屢中！」（卷下，頁二上，《先進》第十一）。韓愈說「空」是指「坐忘遺照」，而貨字爲資字之誤，殖字爲權字之誤，故應解爲「子貢資於權變，未受性命之理」，雖然子貢不如顏回每空，而能中其空，此孔子所以說子貢亞於顏回之地。李翺亦認爲孔子品第回、賜，不至言及貨殖財富，又說子貢列於言語科，「實資權變，更能慮乎中」。照《集解》所說「屢空」是「雖數空匱，而樂在其中……屢，猶每也；空，猶虛中也，……不虛心不能知道」這裏有兩種說法，都是指顏回庶幾聖道，或懷道深遠。對於子貢則解說爲：「雖不窮理而幸中，

雖非天命而偶富，亦所以不虛心也」。《集解》兩種說顏回的「屢空」，其中之一是用老莊道家之說的「虛中」，韓愈就取其「虛中」之說，但並不贊成子貢不虛心的說法，並且進而謂空是「坐忘遺照」，這顯然是用佛道思想來說，極爲不妥。韓愈又以子貢之「屢中」是中其空，以其權變之資質故也；所改資、權二字並無根據，則犯改字解經以合己意之弊。《集解》所釋子貢之「屢中」爲料度是非每中之意，與朱子所注料事多中相近（註二四）。清儒多解爲臆度貨殖多能中其時而言，如焦循《論語補疏》，劉寶楠《論語正義》等，劉氏且引《漢書・貨殖傳》，《論衡・知實篇》等，以證漢人解「屢中」指貨殖而言（註二五），可知非如李翺所說「失之甚矣！」

二、文義解釋偏差及訓字不當部份

⑴「有子曰：信近於義，言可復也，……因不失其親，亦可宗也。」（卷上，頁一，《學而》第一）。韓愈以馬注：「其言可反覆，故曰近義」爲不當，他說：「反本要終謂之復，言行合宜，終復乎信，否則小信未孚，非反覆不定之謂。」李翺也以爲馬注失其旨，並舉尾生之信以明非義。《集解》原注爲：「復，猶覆也，義不必信，信非義也，以其言可反覆，故曰近義」，照此說原義可通，邢昺疏引正義所言，亦遵此解之，並舉晉士匄侵齊與尾生之信來說明。朱子所解「復」爲踐言之意，與韓、李相同，多爲後人所取，但却未舉出論證。《爾雅・釋言》：「復，返也」，《說文》：「復，往來也」，《曾子・立事篇》有「久而復之，可以知其信矣」，「言之必思復之，思復之必思無悔言，亦可謂慎矣」，鄭注反覆之意當係如此（註二六），非如韓愈所說反覆不定。「因不失其親」句，孔注爲「因，親也，所親不失其親，亦可宗敬」，韓、李皆認爲訓「因」字爲「親」是失其義，韓說：「觀有若上陳信義恭禮之本，下言凡學必因上禮義二

說，不失親師之道，則可尊矣」，李說：「因之言相因也，信義而復，本體因恭而遠嫌，皆不可失，斯迺可尊」。韓、李是將「信近於義，言可復也，恭近於禮，遠恥辱也，因不失其親，亦可宗也」整個章句聯貫來解說，照二人之說法是頗有可取的。朱子訓「因」爲「猶依也」（註二七），此與孔注相近，照此解說本亦可通，不必要定如韓、李所解始爲不失其義。又有以下兩句與上面各句不相關連，應分別開另立爲章句，金儒王若虛即以爲聯貫起來是難以讀通的（註二八）。

⑵「子曰：敏於事而慎於言，就有道而正焉，可謂好學也已。」（卷上，頁二，《學而》第一）。孔注：「敏，疾也。有道，有道德者。正謂問事是非」，韓愈以爲「正謂問道，非問事也」，他說上句是言事，下句是言道。李翺以爲事是人事、政事，道是聖賢德行，非記誦文辭之學，並舉孔子贊顏回好學，是不遷怒，不貳過，「問事是非，蓋得其近者、小者；失其大端。」照韓、李所解可通，但就全章句來看，仍以舊注爲順，不必强分人事、德行，而謂問道。原來人事、政事、德行皆可在廣義的道之中，說是問道也可，韓、李强調道，確爲二人表達思想的方式，這對宋儒有相當地影響。

⑶「子曰：詩三百，一言以蔽之，曰：思無邪。」（卷上，頁二，《爲政》第二）。包注：「蔽，猶當也」，韓、李二人皆以爲「蔽」爲「斷」之解，思無邪是《魯頌》之辭，詩的最深義，李翺還引證《大序》說《詩》始於《風》，終於《頌》之無邪，强調孔門學《詩》，徒誦三百之多，而不知一言之斷，乃終於《頌》而已。韓、李訓「蔽」爲「斷」，若指終結之意，恐怕義狹，反不如舊注，若斷與當義相近，則二人之解說頗佳。

⑷「子曰：君子不器。子貢問君子，子曰：先行其言，而後從之。」（卷上，頁三，《爲政》第二）。孔注：「疾小人多言而行不周

」，韓愈以爲上下文是一段義，孔注則有戾於義。李翺認爲孔子對子貢言：「但行汝言，然後從而知不器在汝」。韓、李認爲上下相連爲一完整章句，以及李翺進一步的解說，都不妥當，應分爲兩章句解之，而孔注亦不差，《學而篇》有「敏於事而愼於行」，《里仁篇》有「君子欲訥於言而敏於行」等，可爲旁證。

(5)「子張問十世可知也，子曰：殷因於夏禮，所損益可知也，周因於殷禮，所損益可知也，其或繼周者，雖百世可知也。」（卷上，頁三，《爲政》第二）。孔注：「文質禮變」。馬注：「所因謂三綱五常，所損益謂文質三統」。韓愈以爲古注根本全不得孔子從周之意，並說後之繼周者，得周禮則盛，失之則衰，「孰知因之之義其深乎！」李翺認爲損益是盛衰之始，由禮的損益，可以知時代的盛衰，「因者，謂時雖變，而禮不革也，窮其深旨，仍在於周禮」。馬注是漢儒之說，雖未必合孔子之意，若將禮泛指政教制度，也可擴及社會、人心之表現，則舊注未必不可理解，其重點在於因革損益，而由其中正可以知歷史演變之種種。李翺說時可變而禮不可變，實不妥當，孔子應無這種思想。孔子從周固不錯，但在本章句中，並看不出韓、李所說的什麼深義，以及從周的用意，反而可看出其變，透過歷史的發展中，探知過往與將來。

(6)「子曰：齊一變至於魯，魯一變至於道。」（卷上，頁八，《雍也》第六）。韓、李以爲「道」是指王道，並非如包注之大道。李翺又有別解，以爲霸道可以至師道，師道可以至王道，三者皆以道言，非限之以器，故而下文有觚不觚之語。按包注之大道並不差，韓、李更指出爲王道，雖義可通，但孔子並不如此地談王道，孟子談的較多。李翺進一步發展出霸、師、王的順序，又說觚不觚之語，即接續本章句所言，並解作「非限之以器」，恐怕是以意說經了。

(7)「子曰：自行束脩以上，吾未嘗無誨焉。」（卷上，頁九，《

述而》第七）。韓愈以爲常人解束脩爲脩脯，應以束脩爲是，指灑掃進退束脩末事。束脩爲古薄禮，書、傳中都有許多記錄，並有引申之義（註二九），當無別解，韓愈所言，固與孔子有教無類之意相通，但必解爲「束脩」，實在沒有必要。

(8)「子曰：惟天爲大，惟堯則之，蕩蕩乎民無能名焉，」（卷上，頁十一，《泰伯》第八）。末句包注爲「民無能識其名」，韓、李二人以爲是不可名狀之意。這種解說是較舊注爲明晰，然則包注所說之名，是指堯之德的名，亦即民無能識其德之意，此與韓、李所解相似。

(9)「子罕言利與命與仁。」（卷上，頁十一，《子罕》第九）。韓愈以爲子所罕言的是此三者之人，並非罕言此三者之道，李翺又引「必有之，吾未之見」以明子罕言其人。韓、李將「與」字視爲連詞，當作「和」、「以及」來講，則三者爲同位語，皆孔子所罕言，然則孔子言仁處甚多，言命處亦不少，故而解爲「非罕言此三者之道」，這種說法是可以供參考。舊注也以此三者難有及知，故而夫子罕言（註三〇）。朱注亦引程子所言，以三者皆夫子所罕言（註三一）。本章句解說自來不一，爭論也多，通常以三者皆夫子所罕言爲主，對此，金儒王若虛認爲牽强不通，以爲夫子不言利，常言仁，而罕言命（註三二）。元人曾指出夫子亦不罕言命，並舉證說明之，故而將「與」字解作贊從之意，則成爲夫子所罕言只在利，命與仁是其所贊從者（註三三）。錢賓四師也解「與」字爲贊與之意，其說甚明（註三四）。

(10)「子夏曰：大德不踰閑；小德出入可也。」（卷下，頁十六，《子張》第十九）。此章爲子夏所言，《筆解》誤作子貢。孔注：「閑，猶法也，小德不能不踰法，故曰出入可也。」韓、李皆以孔注不當，韓說：「大德，聖人也，言學者之於聖人，不可踰過其門閾爾，小德，賢人也，尚可出入窺見其奥也。」邢昺所疏是指人之德有大小，故行有不同，大德指上賢之人，小德指次賢之人，次賢者有時踰法，但旋能出入守其法，是不責其全備之意（註三五）。《韓詩外傳》記孔子與子由之語，以本章句爲孔子所說，且明白指出大德之行與小德之行（註三六）。韓、李所解並不妥當。

三、簡編脫漏或顛倒部份

⑴「子曰：可與共學，未可與適道；可與適道，未可與立；可與立，未可與權。」（卷上，頁十三，《子罕》第九）。韓愈以爲本章句是傳寫錯倒，應該是「可與共學未可與立；可與適道未可與權」，他說：「夫學而之道者，豈不能立耶？」關於本章句之錯倒問題，阮元曾作校勘，也指出一些例證，與韓愈所說錯倒相同（註三七），不過通常仍以原章句爲主。韓愈又指出孔注「權」字應是經權之權，而非輕重之權，李翺則引《公羊傳》「反經合道之謂權」以發明之。照韓、李二人所解可通，亦頗有見地，但未必適合孔子當時之意，則原孔注輕重之權較合乎原旨。程子取權衡輕重之意，對於反經合道之說大加反對，朱子雖尊程子之意，但却說：「權與經亦當有辨」，實則朱子並不取孔注及程解，仍主反經合道之義（註三八），則朱子之意也與韓、李所解相同。

⑵「子曰：由，知德者鮮矣。」（卷下，頁八，衞靈公第十五）。韓愈認爲此句係簡編脫漏，應該接在「子路慍見」下一段，李翺並且認爲孔子所言「窮斯濫矣」的「濫」字是「慍」字之誤。韓、李之說既未舉證說明，況於大義亦無特出之處。

⑶「子曰：博學於文，約之以禮，亦可以弗畔矣夫。」（卷下，頁四，《顏淵》第十二）。此章句與《雍也篇》重出，宜可去其一。鄭注「弗畔」爲「不違道」。韓愈以爲畔爲偏畔之畔，即弗偏則得中

道，李翺說：「稱君子之中庸是也」。鄭注應不失原意，中道、中庸不是孔子當時所說之義，《荀子》說：「君子博學而日參省乎己，則知明而行無過矣！」可爲最好的註解，亦可以說明孔子重學，又以爲道德可由知識求得（註三九）。韓、李獨欲標榜《中庸》，實在與其思想中《中庸》所佔之地位有密切關係。又李翺說：「鄭言違畔之畔，豈稱君子云哉？失之遠矣！」在《筆解》書中，《雍也篇》裏的這一章句，博學於文之上加「君子」二字，在《顏淵篇》裏則無「君子」，阮元爲此也作了校勘記（註四〇），李翺似可不必以「君子」句論鄭注之得失。

四、獨解其義部份

(1)「子曰：吾五十而知天命」（卷上，頁二，《爲政》第二）。韓愈以爲孔注「知天命之終始」爲淺，應該是「仲尼五十學《易》，窮理盡性以至於命。」李翺特別提出《易》爲理性之書，先儒失其傳，唯孟子得之，又引《盡心章》說：「盡其心所以知性，知性所以知天，此天命極至之說，諸子罕造其微。」韓愈所解仍未說明「命」之義，李翺所言可以知道他指天命就是性。《堯曰篇》中有「子曰：不知命，無以爲君子。」同樣地說到命，韓、李二人也認爲孔注「命謂窮達之分」不當（卷下，頁十七，《堯曰》第二十）。照邢昺所疏爲：「命，天之所稟受者也，孔子四十七以學《易》，至五十窮理盡性，知天命之終始也。」（註四一）這裏用窮理盡性是以宋儒之說來解孔注知天命之終始。至於孔子學《易》年歲等，並無確實根據，「加我數年，五十以學《易》；可以無大過矣！」通常都知道《魯論語》「易」字作「亦」，章句所解則大有不同了。學《易》等大有問題，在《論語》他處也無此類學《易》之語。若由歷史的角度來看，孔子所言之天命？應偏於宗教之成分較多，與西周之天令或天命相同，指天之意志，決定人事之成敗吉凶禍福、有命定論色彩，但孔子並非極端之命定論，有修德以俟天命的俟命論，此即儒家天人論之核心思想，阮元之《性命古訓》已有說明（註四二）。由孔子原祿命之體認而求德命，故而漢儒多申說此義，《韓詩外傳》說天之所生，皆有仁義禮智順善之心，董仲舒說明於天性，知自貴於物；都有知德命則必能知祿命，是故君子知命之原於天，而非虛生。孔子知天之所以生己，所以命己，與己之不負乎天，故以知天命自任，所知者在知己有得於仁義禮智之道，推而行之（註四三）。孔子談命或天命，在《論語》中所見涵義不一，有時指國命，有時指祿命生死，有時指個人行爲或事情上之限制，這些涵義要看章句始能知其所指。周初宗教思想盛行，所有之限制等等皆可由天說，但春秋以後，「命」字脫離天而成一獨立概念，是人生外不可知、不可必者，不再僅爲天帝意志的表現，《左傳》中有「民受天地之中以生，乃所謂命也」，就是很好的明證（註四四）。孔子所言之天命或命，當由此種宿命論出發，經過自覺的發展，成爲修德的俟命論，故而漢儒所說的德命極爲恰當，至於孔注「窮達之分」與「知天命之終始」也不失原義。韓、李所解窮理盡性與盡心知性等，未必合於孔子原義，但其引申以解孔子思想中之德命義是可以通的。李翱引《孟子》章句，孟子也曾說：「存其心，養其性，所以事天也。殀壽不貳，修身以俟之，所以立命也。」（《盡心・上》）「君子行法，以俟命而已矣！」（《盡心・下》）（註四五），可知孟子掌握了孔子俟命論也是德命論之義，再作其思想上進一步之推展。

(2)「子貢曰：夫子之文章可得而聞也，夫子之言性與天道不可得而聞也。」（卷上，頁七，《公冶長》第五）。孔注：「性者，人之所受以生也。天道者，元亨日新之道深微，故不可得而聞也。」韓愈以爲孔注分性與天道爲二義，非章句之要。李翱亦認爲「天命之謂性，是天人相與一也」，他說天之性爲春仁夏禮秋義冬智，人之率性，是五常之道，又以爲子貢是知天人之性的。本章是子貢所言，究竟意思難以確知，若就《論語》中所見，性與天道是孔子所少言及，除本章外，孔子言性只有「性相近也，習相遠也」一章，關於這些後面再一拼討論。至於「道」，孔子所言不少，也因章句不同而所指有不同，例如「三年不改於父之道」（《學而》），「所謂大臣者，以道事君，不可則止」（《先進》），「天下有道，則禮樂征伐自天子出」（《季氏》），凡此種種皆非本文所論，不多引述。「天道」一詞在《論語》中並無所見，但言「天」處與「道」一樣，所見不少，從大約十五條言「天」的地方來看，孔子繼承《詩》、《書》及《春秋》時以天爲神的意義；也有指自然義的天，但孔子天神的觀念已在天人關係上有所改變，不受周初社會階級的限制，而發展成天與每一個人皆有關係。若將孔子天的觀念與道合觀之，則孔子的天道思想約有幾種：一是包括有舊傳統的天帝意志之表現，二是指人生社會所遵守之法則，三是指道德形上學的仁道，四是自然義的天道，其中二、三兩項爲後儒所談論最多者，也是儒家思想闡述的重心（註四六）。韓愈說性與天道爲一，恐怕《論語》中沒有明顯的佐證，照李翺所說天道就是天命了，天命爲性，天道亦即爲性，而孔子思想中也不會有如他所說的那種天之道與五常之道的配合，若不因文害義，則韓、李所發揮的確有相當價値。朱子注此章時，說性與天道其實一理（註四七），與韓、李所說相同，特取孔子天道觀中人倫道德一面的發揚。韓愈的性論即以五常言性（註四八），這也是漢儒所說的五性、五常之道等，韓、李引而以論性，不過李翺的性論重點不在此章句中，本章似在闡述韓愈的五常之性。

(3)「子張問善人之道，子曰：不踐迹，亦不入於室。」（卷下，頁三，《先進》第十一）。韓、李二人皆以「不入於室」之「室」爲心室、心地，亦即聖人之心室、心地。韓說這心室是「惟奧惟微，無形可觀，無跡可踐」，並以為善人之道即聖人之道。李說：「聖人有心有跡，有造形有無形」。韓、李二人所說善人為聖人，並無根據。對於「心室」之解釋太過玄妙，或取自《莊子》「虛者，心齋也。」（註四九）心齋即如靜水，「水靜猶明，而況精神！聖人之心靜乎！天地之鑑也，萬物之鏡也。……虛則靜，靜則動，動則得矣！」（註五〇）莊子所說聖人之心如此，韓、李既以善人為聖人，故言聖人之心應有相對的說法，李翺說：「齋戒其心」。又說：「水之性清澈，其渾之者沙泥也，……清明之性，鑒於天地，非自外來也，故其渾也，性本弗失，及其復也，性亦不生，人之性亦猶水也。」（註五一）這是他說聖人之性與人之性相同，就像莊子所說的心齋。這裏的不入於室，應該就是孔子說由也升堂而未入於室的室，李翺在解說時亦曾引用這句話，可知也看作與本章一樣的解釋。雖然入室有深奧的意思，但不至如李、韓二人所言之神秘不可解。又本章句疏解分岐甚多，也都沒有韓愈「不可循跡而至於心室」這種說法，所謂無形無跡，有心有跡，以及有心有跡，有形無形等，一種神秘色彩的心傳，就是韓、李二人解說的要義了。

(4)「顏淵問仁，子曰：克己復禮為仁。」（卷下，頁三，《顏淵》第十二）。韓愈說孔、馬之註解是得皮相而未得其心，孔注為「身能返禮則為仁矣」，馬注：「克己，約身也」。韓意以孔子舉五常之二以明其端，故而又有非禮勿視、非禮勿言……等，此孔子再舉五常之四以終其意。李翺則說：「仁者，五常之首也，視、聽、言、思、貌，五常之具也，今終之以動者，貌也，貌為木，為仁……」，這裏所說貌為五行中之木，為仁，絕非孔子之意。清儒注解本章多守漢學，重克己修身歸之於禮，宋儒則重克私欲以復於天理（註五二），其根本皆重於在己，訓詁有小異，但義理不差，故本章全句後面接著是

「一日克己復禮，天下歸仁焉，爲仁由己，而由人乎哉？」視、聽、言、動是克己復禮之目，明顯表達了重在由己而不由人之義，此章句可謂完整清晰，孔、馬之注允稱恰當，韓、李之注反是主觀。

(5)「子曰：予欲無言，子貢曰：子如不言，則小子何述焉？子曰：天何言哉？四時行焉！」（卷下，頁十五，《陽貨》第十七）。韓、李二人皆以爲本章意義最深，先儒未加細思考，並且強調「默識」。韓說孔子意在誘子貢以明言語科未能忘言，激其進於德行之科。李翺引子貢說「夫子之言性與天道不可得而聞也」，以及「夫子猶天不可階而升也」，說明子貢已識天何言哉之意。本章注解大體可從兩個角度來看，一是從舊注而說，孔子欲訥於言而敏於行，徒言而益少，故而無多言以發弟子之領悟，一是以爲孔子之感嘆，從自然天道觀來譬喻某種道理（註五三）。此二說皆可通，後者也是前文提到孔子天道觀中的一種，至如韓、李所強調之默識，若將識作爲體會之意，則此說可謂不失原旨，但特重對子貢說德行之教，則未免主觀。

(6)「子曰：性相近也，習相遠也。子曰：唯上智與下愚不移。」（卷下，頁十二，《陽貨》第十七）。李翺對此有較長的解說：「窮理盡性以至於命，此性命之說極矣，學者罕明其歸。今二義相戾，當以《易》理明之，乾道變化，各正性命，又利貞者情性也。又一陰一陽之謂道，繼之者善也，成之者性也。謂人性本相近於靜，及其感動外物有正有邪，動而正則爲上智，動而邪則爲下愚，寂然不動，則情性兩忘矣！雖聖人有所難知。故仲尼稱顏回不違如愚，退而省其私，亦足以發，回也不愚，蓋坐忘遺照，不習如愚，在卦爲復天地之心邃矣。亞聖而下，性習近遠，智愚萬殊，仲尼所以云困而不學，下愚不移者，皆激勸學者之辭也，窮理盡性，則非易莫能窮焉。」這是李翺最有心得的部份，韓愈於此受益頗多，似乎也修改了他自己一些看法，他原先說：「二義相反，性相近，是習可上下，而上下不移，是人不可習而遷也。上篇云：生而知之，上也；學而知之，次也；困而學之，又次也；困而不學，民斯爲下矣！」到李翺說明後，他又說：「文雖相反，但義不戾，乾道變化，各正性命，坤道順乎承天，不習无不利。」《論語》中孔子言性除此章外即前述(2)條，孔子所說之性，還是指人所稟之善惡材質，不同於孟子所講普遍人性的性善論，故舊注說孔子之性爲「人之所受以生也」（註五四）。所受於天，大體不遠，但有等差不齊，所以說性相近而習相遠，必要後天之學來求善進，故人皆需志於學，若由《論語》各章中可以看出孔子是主張後天之學習，而透過對孔子之思想的了解，他並不責人所受之天性，但求以學習歸於禮與仁，他不會有「各正性命」這種命定論，是主張德命之說，也不會有「寂然不動，則情性兩忘」這種佛家語來解決性的問題，反而是積極求學的，如說「非生而知之者，好古敏以求之者也」（《述而》），「好仁不好學……好知不好學……」（《陽貨》），「博我以文，約我以禮」（《子罕》），「敏而好學，不恥下問」（《公冶長》）等等。上智與下愚亦是就人生才質與學來講，此外有「中人以上可以語上也，中人以下不可以語上也」（《雍也》），「生而知之……學而知之……困而學之……困而不學」（季氏）等，都是由此來看，所謂下愚不移，就是指「困而不學，民斯爲下矣。」孔子之學也很注重「不遷怒、不貳過」的道德性要求，並非止於知識性的學習。韓愈所說「上下不移，是人不可習而遷也」並不合孔子之意，下愚不移即因其不知應學，或不欲去學，故而不移。李翺所說正是在他基本思想中可以找到的，他在《復性書》中說：「性者，天之命也，聖人得之而不惑者也；情者，性之動也，自性溺之而不能知其本者也。」又說：「故誠者，聖人性之也，寂然不動，廣大清明，照乎天地，感而遂通天下，故行止語默，無不處於極也。」又說：「知本無有思，動靜皆離，寂然不動者，是至誠也。」（註五五）這些思想與他章句中的注解是一致的，韓愈對他的贊許，是因爲李翺能提出較佳的性論，以本章句來看即已可知。李翺以《易》理言性，但所引《繫辭》爲晚出，未必能解孔子之意，其餘如《文言》、《說卦》等亦皆如是，再說如「一陰一陽之謂道」，就字句意思來看，也非孔子所說之道，至於「坐忘」等，正是莊子所講（註五六），故而李翺所謂用易理以明之，根本方法上就極不妥當。

本文不是將《筆解》一書作全部的解析，故而就所整理的三大部份舉例證說明之，由這些例證裏大致可以掌握到韓、李二人所筆解之方向，及其內容上的得失。由於主要是對《筆解》所提出的問題的討論，就常不及整個章句的細節，例如「六十而耳順」句，只提出韓、李所改耳爲爾字的問題，加以討論，認爲舊注不誤即止，至於進一步說「耳聞其言，知其微旨」的注解中，是皇侃所疏「聽先王之法言」，或是焦循補疏所言「耳順、即舜之察邇言」等，就不再引述多論了（註五七）。

從《筆解》中可看出有很強烈地排斥舊注的態度，因此極易導致尋求新解的方向。韓、李有時能不拘泥於文字，但求要旨；也有時非僅求大義而略章句。但唯其力求新解，不免有以己意說經之弊，這在前面每條章句的討論中隨時可見；故而《筆解》一書雖可供參考，但因此却要受到相當地限制。韓、李二人的見解有不乏新義的地方，除前文所見外，茲再舉一例來看，「溫故而知新，可以爲師矣」（卷上，頁三，《爲政》第二），韓、李駁孔註尋繹文翰爲溫故之非，以爲故者是指古之道，新謂己之新意，然後可爲師法，李翺又舉告諸往而知來者之義，二人以爲記問之學不足爲師，此條可參見《禮記》所說（註五八），而朱子所註亦正合《筆解》之意，要能得之於心，始能爲新，爲有所得，非徒記誦也（註五九），這種解說確能將本章大義說得透徹，也正合孔子重學之意，同時也可看出韓、李求古之道而能出己之新意的心理。

《筆解》一書可以說是此前對《論語》注解的新面貌，對後世尤其是宋儒有直接的影響。因為偏向以意說經，往往忽略原章句的本貌，著重於己身思想的展顯，反而時常露出不合原經義的疏解。對於原本難以確認的地方，或者不易具體疏解之處，則更能生出臆度與附會；而增添玄虛與神秘色彩，常是這類注疏家解經時慣用的方法。像「天何言哉？四時行焉」，這句話照前面的分析是有一定範圍的體會，但韓、李二氏却特加強調，以為其中奧秘無窮，說是先儒未對此義的注重，根本無所得於心，故而提出「默識」之深義，韓愈的默識是相對於「忘言」而說，豈是孔子之意？倒有佛老色彩。在孔門四科章句中，韓愈說：「德行科最高者，《易》所謂默而識之，故存乎德行，蓋不假乎言也」，李翺說：「凡學聖人之道，始於文，文通而後正人事，人事明而後自得於言，言忘矣！而後默識已之所行，是名德行」（卷下，《先進》第十一）。照這樣看，默識之前有很大一段工夫，要到達忘言的境界，才能實踐默識的層次，孔子說默識是：「默而識之，學而不厭，誨人不倦，何有於我哉！」（《述而》），這是夫子自道其作為的謙辭，其中也含有自信之意。雖說不多言而識之於心，但本章句所重在於以三事說明一種精神、態度；可以這樣來看：學則不厭，誨人則不倦，識（志、記）則默識之。這裏的識就是「女以予為多學而識之者與？」（《衛靈公》），「多識於鳥獸草木之名」（《陽貨》）的識，不應該如韓、李所言的默識，故二人所解之忘言、德行等是超過了孔子所說的範圍，他們把這個默識解得深奧，因此就用到「天何言哉」上面，如此前後倒還一致，不過却失去孔子原說默識之意。韓、李對默識的應用直接影響到後來宋、明諸儒，就程、朱之注《論語》來說，可以很清楚地看到這個觀念的移用，如程子注「天何言哉」時就用了默識，朱子在此並未應用，所注解也甚為得體（

註六〇），在「默而識之」中，朱子雖然也列出了「不言而心解」的說法，但他以爲識當記之意，即「不言而存諸心」較近是（註六一），在「回也，非助我者也，於吾言無所不說」（《先進》）中，他又用了「默識心通」來說顏回（註六二）。就這些例子看來，默識一詞有時被指爲較有具體內容的學習記存之意，有時則不免淪爲較空泛而主觀的玄奧之意，這不能不說韓、李的新義倡之在前了。同樣地，對於屢空、心室、性、命等，都先於宋儒提出他們的見解，雖然在《筆解》中這些觀念只展現了部份，但都能相應於他們在其他論述中的思想；尤其是李翱所言較多，也正可以說明在這些地方韓較李要略遜一籌。

中國學術史上有一特別傳統，即以注疏的方式來發表個人的讀書心得，以及建立自己的思想體系，劉勰說：「敷讚聖旨，莫若注經」（註六三），很能說明這個傳統。而注疏之方法大體上可以趙岐所說：「述己所聞，證以經傳，爲之章句」（註六四），如果簡單地來說，注疏中包括舊有之經傳外，還有個人之見解，則注疏不啻爲一種著作或研究論文，至於其著作之精粗則另當別論。正惟如此，注疏之作往往可顯現作者之思想。韓、李之《筆解》亦不脫離這個傳統的表現方式，故而研討二人之思想時，《筆解》應該是值得注意的。

韓、李二人之思想非本文所論，近代言中國思想史之作多有論及。二人既特欲强調道統所傳，對孔孟儒家之本的《論語》自當有所用心，「《論語》者，《五經》之管轄，六藝之喉衿也。」（註六五）站在闡揚儒家之立場，應該是有這種看法的。唐代經學不盛，治儒家經典不過承南北朝以來之義疏、正義等，而禪宗新起的方法論帶來儒學研討的新氣象，韓、李及其同輩已開始新的途徑，給宋代儒學極大的啓示，「《春秋三傳》束高閣，獨抱遺經究終始」可謂最好的寫照（註六六），此一則注疏傳統受時代環境之影響，二則個人心底主觀之要求所致。《筆解》中常見其排斥舊注而另立新解，其精神與上所述當係一致。就內容上而言，唐初《五經正義》綜合南北之學，已見道、氣觀念之結合，即儒、道思想之結合，已爲宋儒開其先路（註六七）。《筆解》書中雖引儒家言爲主，但不乏老莊語，還參雜有佛家語，與其說是一種會通，毋寧說是爲儒家心性之學尋找論證之根據。

李翺的思想宋儒已有注意，朱子贊許其《復性書》有許多思量，但說是受佛學影響，因而也有不少批評（註六八），或者朱子是見到歐陽修並稱韓、李之故，歐陽修以爲《復性書》是《中庸》的義疏（註六九），其實朱子與歐公所論也可用之於《筆解》的。全祖望頗爲推重李翺，他以爲伊洛諸儒以前，能扶持正道而不雜異端者，只有韓、李、歐三人，韓作《原道》，推本於《大學》，李作《復性書》，專以羽翼《中庸》（註七〇），阮元評議宋、明儒學，以之爲陰釋陽儒，又特舉《復性書》文字，認李翺爲此種陰釋陽儒之開山，則宋儒之學當以其爲始了（註七一）。傅斯年辨阮元之性命論，附帶重估李翺在思想史上之地位，以爲北宋新儒學發展前，儒家僅李氏有獨立之性論，上承《中庸》、《樂記》，下開北宋諸儒，故而地位極其重要（註七二）。在思想史上，各家對李翺之理論的重視要超過了韓愈。

李翺之受重視是其建立儒家性論的作爲，《復性書》是他思想的代表之作，書中論證所據就個人粗略所知要以《易傳》最多，計引證達十二次，其次爲《中庸》與《論語》，各有八次，再次爲《孟子》，達五次，《禮記》有四次，其餘分別引證一、二次者有《史記》、《詩》、《莊子》、《大學》、《書》、《佛祖歷代通載》等。照此看來，將《中庸》、《易傳》、《論語》、《孟子》等四部經典綜合成一思想體系，李翺是開了先路，他在《筆解》中，也是將《中庸》、《易傳》、《孟子》等做爲重要的論據。其次，李翺對《禮記》的重視也對宋儒應有啓示作用，例如他在《復性書》中解說「天命之謂性」，引《樂記》說：「人生而靜，天之性也」（註七三），雖然在《筆解》中並未直引，但主靜確是他主要的觀念，以與《中庸》與《易傳》相合而論之。程明道說天理是其自家體貼出來，實則大體上應是本於《樂記》「人生而靜，天之性也」這一段源頭。在《復性書》中引顏回「其庶乎，屢空」的這一觀點（註七四），同樣地用到後來《筆解》中這段章句的解釋。就李翺而言，對《復性書》的理解有助於明瞭他在《筆解》中的解說，而對《筆解》的認識亦有助於對其思想的了解。

【附註】

註　一　參見《新唐書》，卷五十七，《藝文志》（臺北，藝文殿本），頁十四下。

註　二　參見陳振孫，《直齋書錄解題》，卷三（臺北，商務，《國學基本叢書》本），頁六九。書中又引《館閣書目》所載原有唐代許勃作序之本，但《書目》爲王存作序之文，得之錢塘江充，而無許序。可知雖序文有不同之本，但至少南宋淳熙年間已收此二卷本。

註　三　參見《通考》，卷一八四，《經籍》十一（臺北，新興，《十通》本）。

註　四　參見《全唐文》，卷六二二（臺北，大通），頁二二。

註　五　參見《論語注疏》，卷一，《校勘記》（臺北，東昇，《十三經注疏》本），頁九下。

註　六　參見《四庫全書總目提要》，卷三五，經部三五，四書類一（臺北、藝文），頁九下至十一下。

註　七　近代言中國思想史或哲學史之書，對韓、李二人思想多有論述，但並重《筆解》一書而作討論者實爲難見。專文討論《筆解》的有王能傑，《李習之研究》（臺中，東海大學中文研究所碩士論文，民國六十六年），在其論文第六章，頁七十至九七，該文將《筆解》二卷全部逐條排列討論之，其取向與本文不盡相同，而內容上所見差異不少，故本文之試探與其宜有並存參考之價值。

註　八　見同註四。

註　九　見《四書集注》，《論語》一（臺北，藝文，民國四十五年。以下省稱《集注》），頁九上。

註一〇　見胡炳文，《論語通》，卷一（臺北，漢京，《通志堂經解》本），頁二三下。

註一一　見《資暇集》，卷上（臺北，新興，《顧氏文房小說》本），頁五上。

註一二　參見《齊東野語》，卷一七（臺北，廣文，《筆記續編》本），頁八下。

註一三　參見劉寶楠，《論語正義》，卷六（臺北，世界，《新編諸子集成》本），頁九五，另見錢賓四師，《論語新解》（臺北，三民，民國六十七年），上冊，頁一五四。

註一四　參見屈萬里，《尚書釋義》（臺北，華岡，民國六十一年），頁六四。

註一五　參見《論語注疏》，卷七，頁六下。《集注》，《論語》四，頁五上、下。趙順孫，《論語纂疏》，卷四（臺北，漢京，《通志堂經解》本），頁一二上。

註一六：鄭玄注曰：「讀先王法典，必正言其音，然後義全，故不可有所諱」，孔安國說：「雅言，正言也」，邢昺即據以疏解爲正言其音，無所避諱之事（見《論語注疏》，卷七，頁六下。）朱子則引程子「雅素之言」，訓雅爲常，即切於日用之實，故雅言即常言也（《集註》，《論語》四，頁六上）。近人劉大白的《白屋詩話》，引「《漢書》鴉鴉作秦聲」，以爲陝西爲周舊地，其口音雅雅，而孔子日常用魯國土語，讀《詩》、《書》，贊《禮》時則用陝西口音，此即鄭注正言其音。劉寶楠《正義》引劉台拱《論語騈枝》之說，以爲雅即「夏」，雅言即周室西都之正音，亦即劉大白所說之陝西音（參見蔣伯潛，《語譯廣解四書讀本》，《論語新解》，頁七四，臺北，啓明，民國四十六年）。錢賓四師以爲「孔子之重雅言，一則重視古代之文化傳統，一則抱天下一家之理想」（《論語新解》，上冊，頁二三八）。

註一七　參見《集注》，《論語》五，頁一六上，劉寶楠《正義》，卷一三，頁二三五。

註一八　以上諸說可參見毛子水，《論語今註今譯》（臺北，商務，民國七〇年），頁一七九至一八一。

註一九　參見《集註》，《論語》六，頁九下。

註二〇　參見眞德秀，《論語集編》，卷六（臺北，漢京，《通志堂經解》本），頁九上至一一上，另見劉寶楠《正義》，卷一四，頁二五八、二五九。

註二一　參見王能傑前揭書，頁九六。

註二二　參見劉寶楠《正義》，卷一八，頁三四八，錢賓四師前揭書，下冊，頁五五七。

註二三　見王引之，《經傳釋詞》，第一（臺北，漢京，《皇清經解》本），頁七下、八上。

註二四　參見《集註》，《論語》六，頁五下。

註二五　參見毛子水前揭書，頁一七二、一七三，劉寶楠《正義》，卷十四，頁二八四。

註二六　參見《論語注疏》，卷一，頁七下、八上。劉寶楠《正義》，卷一，頁一七。

註二七　參見《集註》，《論語》一，頁六下。

註二八　參見《四書辨疑》，卷二（臺北，漢京，《通志堂經解》本），頁八下。

註二九　參見《論語注疏》，卷七，頁二下、三上，關於引申義可參見劉寶楠《正義》，卷七，頁一三八。

註三〇　參見《論語注疏》，卷九，頁一上。

註三一　參見《集註》，《論語》五，頁一上。

註三二　參見王若虛，《滹南集》，卷五，《論語辨惑》（臺北，成文，《九金人集》本），頁一上。

註三三　參見《四書辨疑》，卷五，頁一二下。

註三四　參見《論語要略》（臺北，商務，民國五十三年），頁六五，《論語新解》，上冊，頁二九一。

註三五　參見《論語注疏》，卷一九，頁三上、下。

註三六　參見毛子水前揭書，頁二九六。

註三七　參見《論語注疏》，卷九，頁六上。

註三八　參見韋政通，《朱子論經、權》，《史學評論》，第五期（臺北，史學評論社，民國七十二年一月），頁九九至一一四。

註三九　參見毛子水前揭書，頁九〇。

註四〇　參見《論語注疏》，卷六，頁六上。

註四一　見《論語注疏》，卷二，頁二上。

註四二　參見阮元，《揅經室集》，卷一〇，《性命古訓》（臺北，藝文，文選樓叢書）。另見傅斯年，《性命古訓辨正》，《傅斯年全集》，第二冊（臺北，聯經，民國六十九年），頁二三八、三三一、三三二等有所說明。徐復觀則持不同之見解，參見《中國人性論史》，頁一至一四（臺北，商務，民國六十八年）。

註四三　參見劉寶楠《正義》，卷二，頁二四。

註四四 參見李杜，《中西哲學思想中的天道與上帝》（臺北，聯經，民國六十七年），頁六二、六三。

註四五 所引孟子，採焦循，《孟子正義》（臺北，商務，《新編諸子集成》本）。

註四六 參見李杜前揭書，頁七〇、七一。

註四七 參見《集注》，《論語》三，頁五上。

註四八 見馬其昶，《韓昌黎文集校注》，卷一，《原性》（臺北，世界，民國六十一年），頁一二。

註四九 見郭慶藩，《莊子集釋》，卷二中，《人間世》第四（臺北，河洛，民國六十三年），頁一四七。

註五〇 見前註，卷五中，《天道》第一三，頁四五七。

註五一 見李翺，《李文公集》，卷二，《復性書・中》（臺北，商務，《四部叢刊初編》本），頁九下、一一下。

註五二 參見劉寶楠《正義》，卷一五，頁二六二。

註五三 同前註，卷二十，頁三八〇。

註五四 見《論語注疏》，卷五，頁六下。

註五五 所引諸文見註五一，《復性書》上，頁八上、下，《復性書・中》，頁九下。

註五六 見郭慶藩前揭書，卷三上，《大宗師》第六，頁二八四。

註五七 參見劉寶楠《正義》，卷二，頁二四。

註五八 參見孫希旦，《禮記集解》一〇，《學記》第一八（臺北，文史哲，民國六十九年），頁八九〇。

註五九 參見《集注》，《論語》一，頁一二上。

註六〇 參見《集注》，《論語》九，頁六下、七下。

註六一 參見《集注》，《論語》四，頁一下。

註六二 參見《集注》，《論語》六，頁一下。朱子在對仁與性的涵泳玩索時，也用了默識心通之語，見《朱子語類》，卷五，頁十三下，（臺北，漢京，百納本）。

註六三　見劉勰，《文心雕龍》，卷十，序志第五十（臺北，開明，民國六十一年），頁二一上。

註六四　見趙岐，《孟子注》，卷八，《離婁章句·下》（臺北，商務，《四部叢刊初編》本），頁六五上。

註六五　見前註，《孟子題辭》。

註六六　參見陳寅恪，《論韓愈》，《陳寅恪先生全集》，下冊（臺北，九思，民國六十六年第三次修訂版），頁一二八一至一二九二。

註六七　參見楊向奎，《唐宋時代的經學思想——經典釋文，十三經正義等書所表現的思想體系》，《隋唐史研究論集——學術文化篇》（香港，香港史學研究會，一九七九年），頁九至十九。

註六八　參見《朱子語類》，卷一三七，《戰國漢唐諸子》（臺北，漢京，百衲本），其中多條論及韓愈，並評其性論，論李翱兩條，謂其「只是從佛中來」。頁二一下。

註六九　參見歐陽修，《歐陽修全集》，上冊，《居士外集》，卷二三，《讀李翺文》（臺北，世界，民國六十年），頁五三二。

註七〇　參見全祖望，《鮚埼亭集·外編》，卷三七，《李習之論》（臺北：商務，《國學基本叢書》本），頁一一九二、一一九三。

註七一　參見阮元前揭書，頁二三。

註七二　參見傅斯年前揭書，頁四〇一至四〇四。

註七三　見註五一，頁十上。所引《樂記》，見孫希旦前揭書，頁九〇二。

註七四　註五一，頁九上。

——原載《孔孟學報》第五十二期（一九八五年四月），頁一九三——二一四。

蜀石經述略

李志嘉　樊一

石經，顧名思義，是刻在石碑上的經書。在封建時代，它是由官方統一制定，立於各朝首都太學，供士子學習和校寫經書所依據的標準文字，在歷史上曾產生過很大影響。

我國歷代所刻石經凡七種：東漢「熹平石經」；魏「正始石經」；唐「開成石經」；後蜀「廣政石經」；北宋「嘉祐石經」；南宋高宗「御書石經」；清「乾隆石經」。上述石經，除唐石經（今存西安），清石經（今存北京）尚基本完好外，其他石經則僅有極少量殘石出土和小部分拓本傳世。本文擬對其中蜀石經的鐫刻及流傳始末作一概述，並擬對迄今爲止有關蜀石經的諸問題及其研究等情況作些綜述。

一、蜀石經的鐫刻經過

我國雕版印刷術的發明，一般認爲始自唐初。至五代，方大行於世，這主要表現在經書的刊印上。《舊五代史・後唐明宗紀》載：「長興三年（932）二月，中書奏：『請依石經文字刻《九經》印版』。從之。」此爲我國雕版印製經書之始。迄後周廣順三年（953）六月，《九經》始刻成，歷時二十二年。是爲宋人所稱之「五代監本」，亦即我國最早的「（國子）監本」。政府的提倡，有力地促進了當時中原地區民間雕版業的發展。

受到這種影響，蜀中的雕版業亦開始大興。其間，後蜀宰相毋昭裔以私財辦學，並開創我國私人刻書的歷史，對蜀中文化的發展起了很大的推動作用，以至影響到趙宋。作爲一個封建官僚，毋氏能有上述善舉，確屬難能可貴。昭裔不僅以私財辦學刻書。還領導了蜀石經的鐫刻工程。

蜀石經的鐫刻肇始於後蜀廣政初。宋曾宏父《石刻鋪敘》云：「益郡石經，肇於孟蜀廣政。悉選士大夫善書者模丹入石。七年甲辰，《孝經》、《論語》、《爾雅》先成，時晉出帝改元開運。至十四年辛亥，《周易》繼之，實周太祖廣順元年。《詩》、《書》、《三禮》，不書歲月。逮《春秋三傳》，則皇祐元年九月訖工。時我宋有天下已九十九年矣。通蜀廣政元年肇始之日，凡一百一十二祀。成之若是其艱。」又說《論語》、《孝經》亦爲平泉令張德釗書，足補《容齋續筆》之未備。

《石刻鋪敘》又謂蜀石經《左傳》三十卷，「蜀鐫至十七卷止」（按：石經卷次與近世通行本不同）。意者後十三卷爲宋人補刻。宋范成大《石經始末記》引晁公武《石經考異序》云：「《左氏傳》不志何人書，而詳觀其字畫，亦必爲蜀人所書。然則蜀之立石蓋《十經》。」公武此說本無前十七卷與後十三卷之分，後人推衍其說，有認定後十三卷亦爲蜀刻者。清乾隆末年，翁方綱云：「《左傳》十七卷以前，蜀所鐫。十八卷至三十卷，入宋以後所鐫也。然是至宋始畢工，非宋刻補附也。」又云：「《左傳》是蜀原刻無疑，第其後十三卷成於入宋之日耳。」（按以下所引諸人說，未著明引書者，均見近人劉體乾《宋拓蜀石經》所附各題跋。）嘉慶間，錢大昕亦云：「《詩》、《書》、《禮記》、《周禮》皆有書人姓名，而無刊石年月。……大約諸經書石，本同一時，而卷帙有多寡，故鐫成有先後之殊。工成或在宋代，字畫實皆蜀刻。《左傳》於諸經中文字最繁，鐫成亦最在後。唯《公》、《穀》二傳，廣政中未有寫本，直待田況續成之耳。」翁、錢二氏所述，足備一說。

田況撫蜀時所補刻之《春秋公羊》、《穀梁》二傳，至宋仁宗皇祐元年（1049）畢工，已見宋趙抃《成都記》、呂陶《經史閣記》等所載。今見宋拓殘本《劉體乾影印本；以下簡稱「劉本」），字亦屬歐法，與蜀刻諸經同，惟款式稍異。劉體乾云：「《周禮》、《左傳》每半葉六行，似是原碑十二或二十四行爲一層；《公羊》、《穀梁》每半葉五行，似是原碑十行或二十行爲一層。行款已變更蜀刻之舊。」劉氏認爲可證《公》、《穀》「爲田況所刻」。清咸豐間，吳敬履、式訓昆季在評價《公》、《穀》時說：「元均（田況）所刻，僅據當時善本，已非太和之舊，雖校寫精審，終不及蜀刻《周禮》之能存古本也。」

至於《孟子》，因其北宋中葉始立於學官，上升爲「經」，故晚至徽宗宣和五年（1123），方由蜀帥席貢、運判彭慥等鐫石。至此，蜀刻「十三經」全部畢工。自後蜀廣政初年計起，歷時凡一百八十七年。

及至南宋宗乾道間，晁公武鎭蜀，又取北宋元豐本《古文尚書》以入石，附於《孟子》之後。並校諸經（正文）異同，著《石經考異》並《序》，鐫成二十一碑。張㚟又校緒經注文異同，撰成《石經注文考異》四十卷，今與蜀石經幷佚，惜不能見（參見《石經始末記》、清李調元《蜀碑記補》、馬衡先生《凡將齋金石叢稿》等）。

二、蜀石經的特點

歷代石經皆無注，惟蜀石經有之。經注並行，相映生輝，此可謂其最著之特點。

眾所週知，在印刷術發明之前，書籍僅靠傳抄，流布不廣。爾後雕版印刷術的出現，自然大大促進了文化的發展及書籍之傳播。然木板亦難耐久，輾轉相沿，自不能免其「魯魚亥豕」之訛誤。《石林燕語》云：「唐以前，凡書籍皆寫本，未有模印之法，人以藏書爲貴，不多有。而藏者精於讎對，故往往皆有善本。」蜀石經鐫成於我國印刷術發明及大興之初，其所存古、善本及在校勘學上之價值，自毋庸待言矣。當年，晁公武便將蜀石經與當時的通行本相校勘，校出經文異同三百餘處。謂兩者「傳注不同者尤多，不可勝記」（見《石經始末記》引《石經考異序》）。又晁氏《郡齋讀書志》載：「石經《周禮》，僞蜀孫朋古書。以監本是正，其注或羨或脫或不同至千數。」

此僅就《周禮》一書而言者。清咸豐間，吳敬履、式訓昆季跋《周禮》殘拓本云：「今以阮氏（阮元）所刻宋本《周禮注疏》校之，異同之處二百餘科。其精確不夠者，足訂今本之舛。」復舉出不少蜀刻勝今本的例子。又云：「至其詆誤，雖亦不免，然毋氏（昭裔）據太和舊本刊石；見《石經考異序》。疑以傳疑，不加刊削者亦足昭古人之敬慎。非若後世鹵莽滅裂，私竄古經也。」此說可謂識議精賅，深得校勘學之精髓。又咸豐間，馮志沂云：「《周禮》僅存六千餘字，異同至二百餘；《公羊》亦五千字，異同僅二十餘。則以《周禮》是蜀刻，《公羊》是宋人補刻也。」又同時之楊寶臣云：「蜀石經悉遵太和本，爲唐代傳寫之遺。開成（唐石經）僅刻經文，孟氏並鐫各注，故可寶貴。」又同時之朱學勤謂蜀石經「其是者可訂俗本之訛，其非者亦足以廣異聞。惜乎晁氏《石經考異》已佚，無由盡睹其異同也。」

清季，楊守敬對蜀石經更是推崇備至：「竊謂漢魏石經久佚。巍然獨存者惟唐石經，而當時學者已有異議，故兩宋經書不盡以爲準則，且有經無注。後來北宋之『二體』，南宋之『御書』，亦皆然。惟蜀石經經注並刻，宏工巨制，可謂絕後空前。」前代學者重視蜀石經若此。

有清一代，言石經者，有顧炎武《石經考》，詳漢魏而略唐宋；萬斯同《石經考》乃採錄諸家之說，以相證明；杭世駿《石經考異》、馮登府《石經補考》，皆補顧之未備，與萬互有詳略。而爲蜀石經殘拓本作校勘者，則先後有陳慶鏞、繆荃孫諸人。

蜀石經嚴謹的體例和峻美的書法，則是其另一特點。對此，前人早有定評。

宋洪邁《容齋續筆》謂其「字體亦皆精謹」，「獨有貞觀遺風」，而諸經中，又歷來以《左傳》最爲人稱道。清咸豐間，何紹基跋宋拓《左傳》第十五卷，曾占一絕曰：「書律深嚴近率更，卷終字數見專精。如何不著誰人筆，輸與張楊後世名。」又贊其「字有歐法，古味殊勝」。同時之沈如霖亦說《左傳》「端方精謹，與唐石經如出一手，或當時寫經字體類如此也」。吳敬履、式訓昆季則稱蜀刻「書法謹嚴，筆致遒峻」。皆能一語破的，道出蜀石經之精蘊。今見宋拓《左傳》第十五卷末注出：「經七千九十三字，注五千二十四字。」又《周禮》第九卷末：「經四千二百六十字。注七千七百四十字。」確可見其嚴謹不苟之體例。何紹基以「專精」二字稱之，明白切要，洵非虛美。

就蜀石經的書法造詣而言，現存拓本足可爲後人臨池摹寫，列諸唐碑中無愧；其所表現出的古人嚴謹敬慎的治學態度，亦可以昭來世，爲今人所效法學習。

三、蜀石經的存佚

㈠蜀石經亡佚之年代

歷代石經除唐、清兩種外，均佚，已如上述。至於其中蜀石經亡佚之年代，清朝的一些學者認爲是在宋末元初。

咸豐間，楊寶臣云：「宋末，蜀石湮滅，元、明無聞。」朱學勤並論及亡佚之原因：「無名氏《寶刻類編》，作於宋理宗朝，石經尙入著錄。其後僅見於陶氏宗儀（按爲元末人）、趙氏均（按爲明末人）二家之書。然其所據，恐出自傳拓之本，未必原石尙在。故以楊氏愼之博雅好事，未嘗一言及之，以誇其鄉邦文物之盛。……故妄斷以謂亡於元初。特當其時士大夫高談性命，不復以是措意，卒至淪沒而不可考見爾。」吳敬履、式訓昆季亦云：「蜀石經亡於南宋之末，故元明諸儒無言及之者。」清季，繆荃孫則謂：「蜀石於宋末與文翁石室同毀。元明金石家無言之者。所傳合州賓館有《禮記》數石；嘗訪碑於合州，得唐宋刻數十種，無此石。貴州任大令載歸數十片之說，皆不足據也。」

近人劉體乾補充上說，謂蜀石經拓本尙見明人著錄，萬曆間徐𤊹《紅雨樓題跋》載有「石經《左氏傳》一則」、「足徵蜀石經拓本在明代已爲珍貴矣。」（按今人所說，詳見後文。）

㈡蜀石經拓本

蜀石經拓本清初罕聞，至乾嘉間始見諸家著錄。今見劉本所載諸跋，以翁方綱乾隆五十二年（1787）及錢大昕嘉慶七年（1802）二跋較早；均跋吳縣陳芳林藏《左傳・昭公二年》（第二十卷）。他如錢塘黃松石之《毛詩・二南、邶風》，仁和趙晉齋之《周禮・夏官》（第八卷）等，亦大約在此時出現。咸豐間，楊寶臣云：「宋末蜀石湮滅，元明無聞。國朝黃松石始得《毛詩》（周南、召南、邶風）。後歸黃堯圃，又佚《周南》及《鵲巢序》。陳芳林得《左傳・昭二年》殘本，僅六百餘字。……壬子（1852）冬，息於親家陳頌南（慶鏞）給練處，見《周禮・考工記》（第十二卷）殘本六千餘字，《公羊》殘本五千餘字。」在這之後，見於諸家著錄，又出現了《左傳》第十五卷、《穀梁》第九卷、《周禮》第九、第十卷等殘拓本。以上各本，遞藏於黃松石、趙谷林、趙晉齋、陳芳林、楊幼雲、吳子肅（敬履）、子迪（式訓）、張叔憲、李亦元諸家。及至一九二三年，蜀石經拓本尚有自內閣大庫逸出者，如上虞羅氏、長白彥氏等即從內庫書叢殘中獲《穀梁》第六、第八卷殘拓本。上述各本，除原黃松石之《毛詩》及原趙晉齋之《周禮》外，後來均為劉體乾所得。

羅振玉云：「孟蜀石經原石久佚，僅明內閣存拓本全部；見《文淵閣書目》及萬曆間張萱撰《內閣書目》，尚完全無闕。……本朝藏書家僅見《毛詩》殘卷。金陵陳雪峰（宗彝）明經曾據撫本鋟本（按：此書《販書偶記》卷三有著錄。系摹《毛詩》及《左傳》殘字）。嗣閩江陳氏（慶鏞）、漢軍楊氏（幼雲）藏《周禮》、《穀梁》殘卷，輾轉歸盧江劉氏（體乾）。曩曾寓目，前均有『東宮書府』朱印。此文公殘卷（《穀梁》第六卷），僅存首五行，亦有此印，知三經亦為內閣佚出者，人間殆無二本也。」王國維考證「東宮書府」印為北宋之物，謂「蜀石經並有此印，當是北宋拓本。」

近世收藏蜀石經拓本最備者，當推劉體乾（健之）。一九二六年，劉氏將歷年嘔心瀝血收集的《周禮》及《春秋三傳》殘拓本付印以傳世，裝為八大冊。付印之前，遍徵當時學者及名人題跋，加之原本在流傳過程中，早有不少著名學者或作題記，或留歌咏；全篇題跋竟達三百數十首。故墨沈淋漓，與蜀石經拓本交相輝映，亦同屬翰墨之珍了。茲將此本所收蜀石經拓本之書名、卷次及存佚等統計如下表。

書　　名	卷數	篇名及編年	存　　葉
《周禮》	九	秋官司寇	三十七葉餘（殘）
同上	十	同上	三十八葉餘（殘）
同上	十二	冬官考工記	二十二葉（殘）
《左傳》	十五	襄公十年至十五年	五十三葉半（全）
同上	二十	昭公二年	三葉（殘）
《公羊傳》	二	桓公六年至十五年	十七葉（殘）
《穀梁傳》	六	文公元年	半葉（殘）
同上	八	成公元、二年	三葉半（殘）
同上	九	襄公十八、十九、二十六、二十七年	四葉（殘）

以上共約一百八十三葉，存經注凡五萬字左右。約占蜀「刻十三經」（包括宋代補刻）全部經注字數的百分之三強。

又，見於劉本所載清人及近人題跋，蜀石經拓本為劉本所未收及當時莫知下落者尚有：原黃松石藏《毛詩・召南・邶風》殘卷；原趙晉齋藏《周禮・夏官》三十六行。近人蕭方駿謂其曾見《尚書・堯典》一篇，「經注皆全，乃在魏子鶴山莊，此物不知歸何所。」又云：「鄉人劉雲門藏有《詩經》，至今未能寓目。」

據今人徐森玉先生《蜀石經和北宋二體石經》一文載，解放後，上海市文物管理部門曾徵集到宋拓蜀石經《毛詩》殘卷，「共拓本四十一頁，存《二南》、《邶風》二卷之一卷半。自《召南》首章《鵲巢》的『維鵲有巢，維鳩居之』的鄭箋開始，至《召南・騶虞》結束，及《毛詩》卷二《邶風》全部。」徐先生又詳述其流傳經過云：此本最早爲黃樹谷（松石）所得，藏於當時黃氏所創辦的杭州「廣仁義學」。樹谷歿後，義學圖籍星散。此本曾於乾隆壬戌（1742）臘月在杭州趙昱家中，經厲鄂、丁敬、全祖望等共同欣賞並各有詩跋。不久即歸黃堯圃（丕烈），但在自趙昱歸黃堯圃的過程中，曾一度歸太倉王溥及仁和魏鉞，而就在此時，此本又佚去了《周南》及《鵲巢序》。最後歸嘉興程文榮。程氏歿後，此本就沒有人再看見過。很多人都認爲已散經佚了。徐先生又云：「解放後，上海市文物保管委員會自程氏後人手中征集得來。這本湮滅了一百年的宋拓蜀石經《毛詩》殘本，得以重見天日。」（見《文物》一九六二年一期）

按以上僅就劉本所收及徐先生一文所記而言。至後數十年迄今，蜀石經拓本是否繼有發現，筆者囿於聞見，不得而知。又，據今人張彥生先生云，上述二種拓本，劉本今歸北京圖書館；《毛詩》殘拓本今藏上海圖書館（見《善本碑帖錄》，中華書局一九八三年版）。

㈢蜀石經原石

馬衡先生云：「蜀石經刻於成都，締造艱難，歷時最久。而其澌滅之跡，史傳無徵。曹學佺《蜀中名勝記》云：『石經《禮記》數段在合州賓館中。』劉喜海《讀竹汀日記札記》云：『聞乾隆四十年，制軍福康安修成都城，什坊令任思任（馬按《什坊縣志》作任思正，字廣平，遵義人）得蜀石經數十片於土中，字尚完好。當時據爲己有，未肯留置學舍。任令，貴州人。罷官後，原石輦歸黔中。』（見李慈銘《越縵堂日記》甲集）。近有人自貴陽買得《毛詩》殘石者，或即任氏之物。合州賓館之《禮記》，則存佚不可知矣。」（按繆荃孫謂曹、劉之說不可據，已見上文。）

馬氏又云：「（石經）在漢末所作禮殿之東南隅石經堂，堂爲胡宗愈（北宋人）所建，可見兩宋人對此之重視。且如此巨制，縱經兵燹，亦不至片石無存。乃自晁公武、張㚟之後，闃然無聞。……抗日戰爭初期，余至成都，嘗以此促學術界注意。及成都遭受敵機空襲，疏散市民，拆除城垣缺口多處，以通行人，果得殘石若干片。惜皆歸私人所有，流傳不廣。余所得見者，有《毛詩》、《儀禮》各二段。不知尚有他經否？此《古文尚書·禹貢、多士》各一段，聞亦其時所出。然則摧毀原由，或即以修築城垣之故。摧毀之時，或在元代也。」（以上並見《凡將齋金石叢稿》）

今人言蜀石經者，有周萼生《近代出土的蜀石經殘石》一文（載《文物》一九六三年七期）。敘述其事甚詳，且附有照片八張。周文略云：

「抗日戰爭期間（1938年），……在（成都）南門外發現蜀石經殘石約十片左右。壁山江鶴笙得其半數以上，因顏其居曰『孟蜀石經樓』。據江氏云：『當時所得《毛詩》不止一石，有一石因故失去，為黃希成（按即羅希成）所得，……今屬四川省博物館。』陳儉十得《儀禮》一片，解放後歸前西南博物院，今為重慶市博物館，此石現陳列於北京中國歷史博物館。新都王氏亦藏《毛詩》二石。郫縣陳達高亦有二石，一為《古文尚書》，一不知何經，均不明下落。」

按上面周文轉述江氏所說，與羅希成所記不同。羅氏在《蜀石經殘石跋》一文中，自述其所得《毛詩》殘石原委云：「己卯（1939年）春，舊僕劉某供役黔中，稔知余有好古之癖，輾轉托人運殘石一片貽余。睹之，狂喜不已，蓋蜀石經《毛詩》原石矣。函詢其來源，只云偶然拾得，亦不知其所自來。考其得石之地，與劉燕庭（喜海）所記正合」（見《說文月刊》2卷4期，1940年7月，附金祖同跋。又見《責善半月刊》1卷17期，1940年11月，附顧頡剛跋）。羅氏自謂得之於黔中，殆即馬衡先生所謂「近有人自貴陽買得《毛詩》殘石者」歟？今細觀羅氏文中所載照片，確與後來四川省博物館所藏同。此石一面刻《周頌・桓、賚》（殘存十行）；一面刻《魯頌・駉》（殘存十行）。若羅氏所述可信，則可證劉燕庭（喜海）所記不虛。若江氏所述可信，則此《毛詩》殘石不出黔中，乃抗戰初出成都老南門城垣，而劉燕庭「肇歸黔中」之說，仍無實物佐證。

周文又云：江鶴笙所藏《毛詩》一石，系兩面刻。一面刻《鄭風・叔于田》（殘存八行）；一面刻《曹風・鳲鳩、下泉》（殘存七行）。重慶市博物館藏《儀禮》一石，兩面均刻《特牲饋食禮》（一存六行、一存七行）。

周文又云：「此外伴出兩小石，無標題，俱傳注《毛詩》經文中疊字。可能爲宋張奐所著《石經注文考異》。一石存《伐木》篇一條，《采薇》篇三條。另一石存《蓼蕭》篇一條，《湛露》篇三條。」（按周文又詳載殘石尺寸，並全錄文字，間附考證。讀者自可參閱。）

對於蜀石經亡佚之原因，周文所持意見與馬衡先生略同，認爲：「以福康安修城，任思任得數十片於土壕中的傳說和拆除老南門發現殘石這一事實相印證，推想蜀石經的亡佚，或與修城工事有關。因成都城區爲盆地平原，不易就地取得石料，這上千數的碑石，也可能和洛陽的一部分漢魏石經的遭遇一樣，在某一次修城的緊急工役中被利用來作爲建築材料了。」

近據調查，四川省博物館現共藏有蜀石經殘石六塊。其中《毛詩・周頌、魯頌》一石（羅希成一九五一年捐贈），已見上文。其他五塊殘石計爲：

1.《尚書》一石。此殘石最長20.4公分，最寬21.4公分，厚6.6公分。一面刻《說命》，八行，存經傳數十字。因石面磨損較爲嚴重，故僅能勉强辨認出其中的四十餘字。自「（惟以）亂民」起，至「（惟治亂在）庶官」止。另一面刻《君奭》，七行，存經傳約八十餘字。自傳「（日益至）矣」起，至傳「冒海隅日所出之地」止。此石爲陳達高一九五一年捐贈。

2.《古文尚書》一石。此殘石長19.5公分，寬24公分，厚 8 公分。一面刻《禹貢》，六行，約存三十字。自「嵎夷既略」起，至「達于濟」止。又，經文旁邊鐫有原碑之編次數碼，可辨認殘留的「八」、「上」二字。另一面刻《多士》，六行，約存三十四字。自「（惟天）不畀」起，至「惟廢元命，降致（罰）」止。此石亦爲陳達高一九五一年捐贈。

按此石恐即爲馬衡先生抗戰初所見之「《古文尚書・禹貢、多士》各一段。」

又按，周蕚生一文中所說：「郫縣陳達高亦有二石，一爲《古文尚書》，一不知何經，均不明下落。」至此，情況已明如上述。

3.《尚書》一石。此殘石長26公分，寬23.5公分，厚6.2公分。單面刻《禹貢》，八行，存經傳一百十四字。自傳《從東循山，治水而西」起，至傳「此州帝都，不說境（界）」止。另一面無文字，經過仔細觀察，可以肯定原即如此，由此可知，現存蜀石經殘石雖大都爲兩面刻，亦間有例外。

此石爲江鶴笙家中一九六五年捐贈。

4.《周易》一石。此殘石長25公分，寬22.5公分。兩面均刻《中孚》。一面七行，存經注約八十餘字。自王弼注「以涉難」起，至注「立誠篤」止。另一面七行，存經注約八十餘字。自注「故曰鳴鶴在陰」起，至「（六四，月）幾望」止。此石亦爲江鶴笙家中一九六五年捐贈。

5.《周易》一石。此殘石長28.3公分，寬29公分。一面刻《履》，十二行，存經注約一百十七字。自「（咥）人凶」起，至注「高而（不危）」止。另一面刻《泰》、《否》，共十二行，存經注約八十餘字。其中《泰》存二行，僅餘篇末「（否）道已成，（命）不行也」。

此石亦爲江鶴笙家中捐贈。

按，見於周萼生一文中所提及，至今尚不明下落的蜀石經殘石計有：原江鶴笙藏《毛詩・鄭風、曹風》一石；又「可能爲宋張奐所著《石經注文考異》」二小石；又「新都王氏藏《毛詩》二石。」

綜上所述，就筆者所知，蜀石經殘石（包括晁公武等刻）今爲四川省博物館所藏凡六：《周易》二；《尚書》二；《古文尚書》一；《毛詩》一。重慶市博物館藏《儀禮》一。同時，不明下落者五（見上文）。此外，抗戰初成都出土的蜀石經殘石是否還有爲公家或私人所收藏者，筆者識見有限，敬俟諸同志指教。

有關蜀石經，尚有一些問題有待澄清。我們認爲，其中有兩點較爲重要。

一是蜀石經的亡佚原因。雖然馬衡先生提出了毀於修城之說（周萼生同志亦持此論），此說亦有出土殘石爲證，但是，除了僅見於清乾隆間一則記載（即所謂福康安修城發現殘石，任思任肇歸黔中之說）和抗戰初出土十數塊殘石外，他不聞見。蜀石經原碑即已是「石逾千數」，若以碎裂之殘石計，更當有數千塊之多。成都城垣迄今已拆除殆盡，未聞有繼出。而毀碑以築城，亦似乎令人難以盡信。然則蜀石經亡佚之眞正原因，似有進一步研討之必要。

二是蜀石經原碑的規格尺寸。今見宋拓殘本，早已是裁割成冊，自不能窺其原大。而抗戰初所出土者，亦全系殘片。蜀石經原碑究竟有多大，每石有幾層文字，每層文字又有多少行，今均不知曉。若能弄清這些問題，對於蜀石經之研究及其新發現，自大有裨益。

附記：筆者在調查四川省博物館藏蜀石經殘石的過程中，承蒙袁曙光同志熱情支持，謹此致謝。

——原載《文獻》一九八九年二期，頁二〇九——二二一。